KB081023

세상의 모든 퍼즐

Original title: HET TWEEDE GROTE BREINBREKER BOEK
Copyright © 2015, Ivan Moscovich
First published by Lannoo Publishers (Tielt, Belgium)
All images are part of the collection of Ivan Moscovich or are part of the public domain, apart from the images on the following pages:
Shutterstock 12, 17, 24, 30, 31, 32 (a.r. and b.l.), 33, 35 (l.), 38, 39 (b.), 46 (r.), 47 (a.), 55 (a.), 60 (c.), 71 (a.), 78 (a.l. and a.r.), 88, 90 (b.), 98 (a.), 101 (a.l.), 105, 108 (a.), 121 (b.), 126 (b.), 162 (b.), 163 (l.), 165 (b.), 169 (b.), 171, 173 (a. and c.), 181 (b.); 191 (b.), 193 (l. and r.), 204, 242, 246, 250 (a.), 304 (a., b.l., b.r.), 308 (l.), 328 (b.l.), 350); Tatjana Matysik: 27 (b.r.), 40, 43 (b.r.), 58 (a.r.), 64 (a.r.), 106 (c.r.), 170 (c.), 269, 276 (a.), 324, 339 (a.); RobAid 32 (a.l.); Royal Belgian Institute of Natural Sciences 36 (b.); Norman Rockwell 43 (c.); Andy Dingley 44 (a.); Getty Images 46 (l.); Carole Raddato 55 (a.); Ernst Wallis 60 (a.); Tate, London 89 (r.); Taty2007 102 (l.); Luc Viatour 113 (b.), National Gallery, London 112 (a.), 114 (b.); National Maritime Museum, London 125 (a.); JarektBot 127 (b.); Gauss-Gesellschaft Göttingen e.v./A. Wittmann 172 (l.); Rigmor Mydtskov 253 (l.); Piet Hein 253 (r.); Topsy Kretts 254 (a.); Konrad Jacobs 254 (a.); Anna Frodesiak 259 (a.); Dan Lindsay 300 (l.); Ed Keath 307 (b.); J. Jacob 308 (b.r.); Rinus Roelofs 319; Scott Kim 325; Erik Nygren 328; Jeremiah Farrell 344 (l.); Nick Baxter 346; Nick Koudis 349; Bruce Whitehill 352 (a.); Michael Taylor 352 (b.); Oscar van Deventer 357 (r.), 358 (r.); José Remmerswaal 358 (l.); Antonia Petikov 358, 359; Teja Krasek 361.
Design: Studio Lannoo

세상의 모든 퍼즐

The Puzzle Universe

인류 역사 속 최고의 수학 퍼즐 315

이반 모스코비치 지음 | 김미정 옮김

에이도스

"만일 당신이 항상 좋아하는 일을 한다면
적어도 한 사람은 즐겁다."

캐서린 헵번

CONTENTS

서문 7

들어가며 9

CHAPTER 1 11
생각 놀이와 두뇌에 관한 단상

CHAPTER 2 29
시초, 그리스 수학, 기하, 그리고 아메스의 수수께끼

CHAPTER 3 73
소수, 마방, 그리고 디도 여왕의 문제

CHAPTER 4 123
점들, 위상, 그리고 오일러의 일곱 다리 퍼즐

CHAPTER 5 167
확률, 케이크 나누기, 그리고 추의 신비

CHAPTER 6 211
과학, 차원, 임의성, 그리고 하노이 탑 퍼즐

CHAPTER 7 247
무한, 불가능성, 불가능한 그림들, 섞여 있는 모자들과 우유를 섞은 차

CHAPTER 8 291
역설들, 세포자동자, 속이 빈 정육면체, 그리고 밤에 다리 건너기 퍼즐

CHAPTER 9 323
인지, 환상, 패리티, 그리고 참과 거짓에 관한 레이의 퍼즐

CHAPTER 10 363
해답

찾아보기 394

이 책은 사랑의 산물입니다.

이 책이 나오기까지 무한한 인내로 소중한 판단과 도움을 준 사랑스럽고 고마운 아내 애니타,

새로운 통찰력과 창의성에 영감을 더해준 사랑하고 존경하는 딸 힐라,

멋진 삶의 여정에 있는 사랑스러운 손녀 에밀리아…

그리고 아름다움, 퍼즐과 수학을 좋아하는 모든 이에게 따뜻한 마음을 담아 이 책을 드립니다.

서문

이 책에는 퍼즐과 게임 그리고 유희수학 분야에서 인정받은 전문가가 가려 뽑은 (때로 자신이 직접 발명한) 350가지 이상의 퍼즐과 문제가 수록되어 있다. 퍼즐, 수학 및 두뇌 게임의 역사에서 지적 호기심을 자극하는 흥미로운 문제들이다. 지은이 이반 모스코비치는 새로운 시각적 독창성을 발휘해 퍼즐들을 디자인하고 예술적 작품으로 창조해냈다.

책은 그저 퍼즐을 풀게 하는 것 이상을 담고 있다. 퍼즐과 수학의 역사에서 퍼즐의 중요성을 일반인이 이해하기 쉽게 설명했으며, 특히 최신 연구 결과를 반영한 퍼즐의 수학적 및 교육적 중요성을 담고 있다.

『세상의 모든 퍼즐』은 자타가 공인하는 지은이의 전문성과 재능이 고스란히 담긴 책으로 독자들이 직접 시각적으로 경험할 수 있도록 구성했다는 점에서 지금까지 나온 이 분야의 다른 책들과는 차별화된다.

모스코비치의 많은 열렬한 추종자들과 지지자들이 온라인에서 증명하듯이, 경험, 학습, 그리고 퍼즐을 푸는 즐거움을 완전히 새로운 차원으로 끌어올린 것은 그의 큰 공이다. 지은이는 시각적 게임과 퍼즐 분야에서 주도적인 발명가이자 발표자로서 세계적으로 유명하며, 삽화가 들어간 책을 40권 넘게 썼다. 그중 하나인『창의 수학 퍼즐 1000(The Big Book of Brain Games)』은 백만 부 이상 팔렸으며 현재까지 20개 이상의 언어로 번역되었다.

모스코비치가 발명한 100종이 넘는 게임과 퍼즐, 장난감은 장난감 사업 분야의 여러 주요 업체에서 상업적으로 제작되어 성황리에 판매되고 있다. 이 작품들에는 그의 독창성이 잘 나타나 있는데 그런 점은 이 책도 마찬가지다.

지은이는 이렇게 말한다. "우리는 즐겁게 놀고 세상을 알기 위해 태어났다. 내가 퍼즐과 게임에 열광하는 이유 중 하나는 퍼즐과 게임은 사람들이 사고하는 방식을 바꾸고 삶의 질을 높일 수 있다고 믿기 때문이다. 퍼즐과 게임은 우리를 더 창의적이고 더 창조적으로, 그리고 더 예술적으로 만들어준다. 세상을 새로운 방식으로 볼 수 있게 해주며, 우리에게 우리가 모르는 것을 알고자 하는 도전의식을 고취한다. 또한, 재미있는 것이 뭔지를 일깨워줄 수 있다. 퍼즐과 게임은 우리를 더 건강하게 하며, 심지어 우리의 삶을 연장해줄 수도 있다."

사람들은 일정한 패턴을 찾는 것에서 큰 만족을 얻지만, 우리는 이 패턴 배후에 무엇이 있는지 이해하면서 더 큰 즐거움을 얻는다. 숨겨진 마법적 규칙과 같은 어떤 예기치 못한 연결성의 발견은 경이로움과 지적 만족이라는 즐거운 조합을 만들어낸다. 우리는 우리가 발견한 것의 아름다움에 경외심을 느끼게 될지도 모른다. 이 책은 아름다움, 경이로움, 도전, 수학, 그리고 퍼즐을 좋아하는 모든 사람을 위한 것이다. 남녀노소 할 것 없이 사고하면서 즐기고, 학습하며, 놀 수 있는 이야기를 담은 책이다.

할 로빈슨(두뇌 게임과 퍼즐 발명가)

들어가며

사유의 역사와 유희수학의 역사는 퍼즐로 가득하다. 퍼즐은 해를 찾으려 골몰하는 즐거운 정신적 도전이다.

나는 게임과 퍼즐을 사랑한다. 지난 60여 년 동안 수천 개의 게임과 퍼즐을 수집하고 디자인하고 연구하고 발명했다. 이뿐만 아니라 전시회를 열고 장난감들을 만들고 책을 썼으며 그 밖에도 퍼즐과 관련된 많은 일을 했다. 내가 퍼즐과 게임에 열광하는 이유 중 하나는 게임과 퍼즐이 사람들의 사고방식을 바꿀 수 있다고 믿기 때문이다. 게임과 퍼즐은 우리를 더 창의적이고, 더 창조적으로, 그리고 더 예술적이고, 심지어 더 인간답게 만든다. 또한 새로운 방식으로 세상을 볼 수 있게 해준다. 게임과 퍼즐은 즐거움을 느끼는 것이 뭔지를 일깨워주고, 우리를 더 건강하게 하며, 심지어 우리의 삶을 연장해줄 수도 있다.

아동 심리학자들은 오래전부터 어린이들이 게임을 통해 세상을 배운다는 것을 알고 있었다. 만일 게임을 일이 아닌 즐거움과 탐구심으로 접근하는 사치를 부려본다면, 우리는 가장 추상적이고 어려운 개념들을 조금은 더 쉽게 이해할 수 있을 것이다.

유머와 풍자로 유명한 18세기 독일의 물리학자 리히텐베르크(Lichtenberg)는 이렇게 말했다. "뭔가를 스스로 발견한다면 그것은 당신의 마음속에 길을 남겨 필요할 때 다시 사용할 수 있도록 해준다."

『세상의 모든 퍼즐』은 모든 연령의 일반 독자를 대상으로 한다. 이 책은 퍼즐과 수학, 그리고 거기에 숨겨진 아름다움을 다룬다. 도전의식을 일깨우는 역사적 사실, 지적인 퍼즐, 역설, 환상적인 이미지와 문제풀이가 가득하다. 그러나 이 책은 그보다 훨씬 더 많은 것을 담고 있다. 오락과 두뇌 훈련을 결합한 이 책의 퍼즐들은 그 개념을 확장하고, 예술, 과학 및 수학에 활용한다. 적절한 인용문, 역사적 일화, 전기 기록 및 퍼즐의 해에 대한 자세한 설명은 신나고 즐겁게 창조적 발견을 하고, 문제를 해결하며, 재미와 즐거움을 선사하기 위한 노력의 산물이다.

이러한 이유로 나는 퍼즐에 '생각 놀이'라는 새로운 이름을 붙이고자 한다. 생각 놀이는 지적 자극을 주는 시각적 문제, 수수께끼 또는 퍼즐일 수 있다. 장난감이나 게임 혹은 환상적 이미지도 될 수 있다. 또한, 예술작품, 특이한 이야깃거리나 입체구조도 될 수 있다.

수학에는 전문지식이 없이 이루어진 수많은 발견과 문제가 있다. 그 문제들은 기본 상식과 약간의 직관력만 가지고 풀 수 있을지도 모른다. 독창적인 생각 놀이도 있고, 고전적 및 현대적인 문제를 새롭게 활용하거나 시각화한 것도 있다. 형식이 어떻든 간에 생각 놀이는 여러분을 생각하게 만들고, 순수한 놀이로 이끌며, 문제를 해결하게 해 두뇌를 발달키는 데 크게 이바지할 것이다. 생각 놀이로 놀고 경험하는 것은 창의적 사고를 자극하기 때문에, 책을 읽는 동안 우리는 우리가 인식하는 못하는 사이에 사고하는 법을 포함한 교육적 효과를 얻을 것이다.

그렇게 되길 진심으로 바란다! 퍼즐과 더불어 놀고, 문제에 관해 생각하고, 어쩌면 그중 일부를 풀고 난 후, 만족해하며 더 궁금증을 가지고, 더 창의적인 사람이 되었으면 하는 바람이다.

이반 모스코비치

CHAPTER

I

생각 놀이와 두뇌에 관한 단상

인류 역사를 보면 창의성과 창의적인 사람들은 내내 감탄과 존경의 대상이었다. 창의적인 사람은 마치 어린아이처럼 사물을 경이롭게 볼 수 있는 능력이 있는 것처럼 보이며, 이런 능력을 재미와 즐거움, 그리고 창의력 등 다른 많은 부분에 활용한다.

비결이 뭘까? 더 창의적이려면 어떻게 해야 할까? 이 질문에 대한 실마리는 창의적인 사람들 자체에서 찾아볼 수 있다. 위대한 과학자, 예술가, 그리고 사상가들은 가설에 도전하고, 숨겨진 패턴을 찾으며, 새로운 방식으로 바라보고, 새롭게 연결해 가능성을 궁리한다. 창의성이 없었다면 인간은 구석기 시대의 모습 그대로 남아 있었을지도 모른다. 창의성은 인간의 사고와 진보를 위한 가장 강력한 도구며, 우리의 삶을 즐기며 이해하고 우리가 사는 세계를 건설하기 위한 자원이다.

창의성을 높이는 왕도 같은 것은 없다. 그뿐만 아니라 창의성은 정의하기도 매우 어렵다. 창의성은 새로운 발상이 만들어지는 과정만이 아니라 그 이상을 말한다. 창의성은 기본적인 관계나 배치, 연관성을 따지는 일상적인 사고방식과는 완전히 다른 사고방식이다.

더 나아가 창의성을 기반으로 더 많은 연결을 만들면 만들수록 문제를 독창적이고 만족스럽게 해결할 가능성은 더 커진다. 심리학자인 드 보노(Edward de Bono)는 이것을 '수평적 사고방식'이라 했는데, 수평적 사고방식은 과학적 탐구 정신에서뿐만 아니라 예술가나 다른 공상가들에게서도 공통으로 발견된다.

최근 다르게 생각하는 새롭고 독특한 방식으로 "생각의 틀에서 벗어나기"라는 방법이 널리 대두되고 있다. 우리는 창의성이 점점 중요해지는 새로운 시대에 들어서고 있다.

창의적인 사람이라고 해서 특별한 재능을 선천적으로 타고난 것은 아니다. 태어나서 처음 5년 동안 모든 어린이는 채울 수 없을 만큼 많은 호기심을 가지며 창의적으로 사고한다. 그러나 나이가 들어가면서 정신적으로 벽을 쌓아 가는데, 이는 문제의 본질을 흐리게 하고 때로는 가장 명백한 해결책조차도 보지 못하게 한다. 우리는 모두 창의성에 대한 잠재력을 지니고 있다. 단지 대부분의 시간 동안 창의적으로 생각하지 않을 뿐이다.

유레카!

혁신은 창의적인 발상에서 시작하며, 전문적인 지식이 필요하다. 루이 파스퇴르(Louis Pasteur)는 "기회는 준비된 자에게만 온다"라고 했다. 혁신의 두 번째 요소는 풍부한 상상력이다. 창의력이 발현하는 순간 우리는 새로운 방식으로 사물을 보고, 일정한 패턴이 있음을 인식하고, 새로운 연관성을 만든다. 바로 '발견의 순간'이다. 혁신의 세 번째 요소는 새로운 경험을 계속 찾으려 하는 모험심이다. 이 모험심은 내적 동기와 관철하려는 의지를 동반해야 한다. 두말할 나위 없이 이 모든 것은 창의적인 환경 안에서 이루어지는 것이 가장 이상적이다. 우리 대부분은 시험으로 만들어진 지식 개념과 함께 자랐다. 다시 말해 가장 많은 문제에 답할 수 있는 사람이 가장 똑똑하다고 생각한다. 그러나 똑똑하다는 것을 단지 아이큐(Intelligence quotient, IQ)라는 숫자로 나타낸다는 것은 정말 낡은 생각이다. 아이큐와 같은 맥락에서 창의성 지능(Creative Quotient)을 측정하기 위한 많은 시도들이 있었지만 성공적이진 못했다. 처음 아이큐가 나왔을 때 생긴 또 다른 실수는 지능은 태어나면서부터 고정된다는 생각이었다. 최근 많은 연구자들이 적절한 훈련을 하면 아이큐가 매우 높아질 수 있음을 증명했다. 버나드 데블린(Bernard Devlin)에 따르면, 인간의 아이큐에서, 유전자는 48퍼센트가 넘는 영향을 끼치지 못하며 나머지 52퍼센트는 태교, 환경 및 교육의 결과라고 한다.

책에 나오는 퍼즐을 푸는 데 어려움을 느낀다고 해서 '똑똑하지' 않다고 걱정할 필요는 없다. 퍼즐을 푸는 것은 잠재된 창의성을 높이는 과정일 뿐이다. 올바른 자세를 가지고 있다면 누구나 이 퍼즐을 풀 수 있다. 그리고 만약 퍼즐을 쉽게 풀어낼 수 있다면, 그야말로 축하할 일이다!

**"창의적 발상이라는 측면에서
창의적 사고는 신비로운 재능이 아니다.
창의적 사고는 훈련되고 길러질 수 있는 능력이다."**

에드워드 보노(Edward de Bono, Malto, 1933)

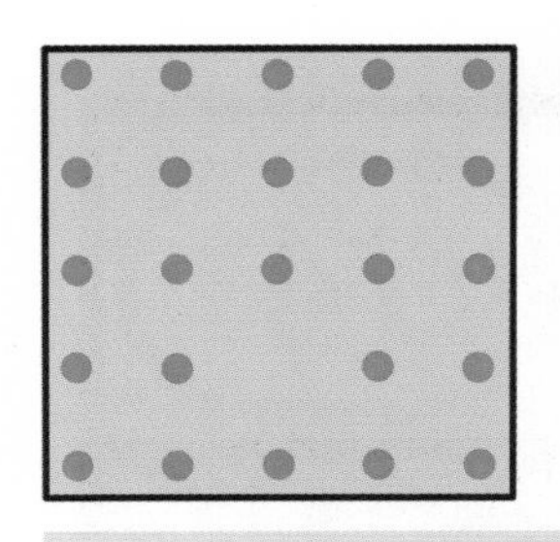

말뚝판 정사각형들

고무줄을 말뚝에 걸어 말뚝판에 있는 4개의 말뚝을 따라 늘리면 크기가 다른 정사각형을 몇 개나 만들 수 있을까?

1 난이도 필요한 것 완료 시간

서로 모르는 사람들의 데이트

데이트 웹사이트에서 당신이 모르는 상대와 데이트를 준비했다. 상대는 이 책을 들고 당신을 기다리고 있을 것이다. 약속 장소로 가니 책을 든 줄리아 로버츠가 있었다. 무슨 문제라도 있는가?

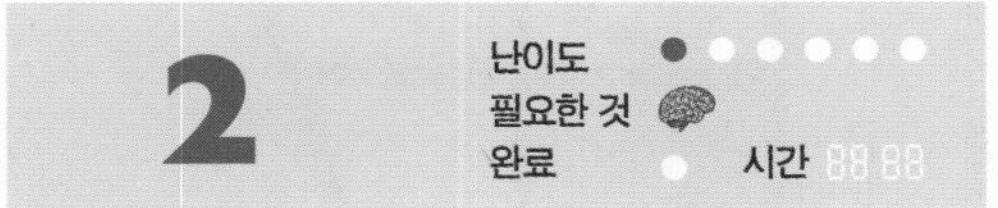

창의성과 문제 해결

문제를 해결하는 방식을 보면 우리의 뇌가 어떻게 작동하는지 조금이나마 알 수 있다. '생각'하는 것은 힘든 것일 수 있기 때문에 보통 사람이 가능한 한 생각을 적게 하려는 건 자연스러운 일이다. 이것은 문제해결 방법의 하나인 '치고 달리기(hit-and-run)' 방식에서 볼 수 있다. 이 방식은 처음에 떠오른 해결 방안을 선택하고 여기에 매달리는 것이다.
여러분의 잠재의식 속엔 과거 경험, 신념, 기억, 능력, 그리고 이미 겪었고 보아왔던 모든 상황이 저장되어 있다. 그러나 문제를 해결하는 동안은 특권적 지위를 가진 의식적 사고를 가급적 하지 말아야 한다. 창의성의 진정한 힘은 잠재의식에 있기 때문이다. 현대 인지과학이 발견하고 확인한 바에 따르면, 우리의 뇌는 거대한 무의식에 의해 작동하고 있는데 이는 프로이트(S. Freud)마저도 전혀 예상치 못했던 것이다. 뇌가 처리하는 많은 정보는 우리가 의식하는 수준의 아래 단계에서 행해지고 있는데, 이는 우리가 의식하지 못하고 볼 수 없다는 것을 뜻한다. 우리의 무의식은 통찰력, 창의력, 그리고 직관력에 영향을 준다. 무의식은 빠르고 자동적이며 수월하다. 반면, 의식적 사고는 계획적이고, 순차적이며, 합리적이고 노력이 필요하다.
에이모스 트버스키(Amos Tversky)와 대니얼 카너먼(Daniel Kahnemann)에 따르면, 사람들은 이른바 '경험적 방법(heuristics)'이라는 정신적 지름길을 개발해왔다. 이 방법은 빠르고 효과적인 판단과 행동을 가능케 하는데, 경험은 직관력을 증가시키며 자동으로 판단을 내릴 수 있도록 해주기 때문이다. (예를 들면, 차량 운전 혹은 5만 개의 체스 패턴을 기억하고 있는 체스 선수가 '시간제한 체스(blitz chess) 게임'● 에서 직관적으로 말을 올바른 위치로 옮기는 것 등이 있다.)

"창의성은 삶에서 얻은 경험들의 여러 숙련 과정을 통해서 길러진다."

노벨 의학상 수상자 마리오 카페키(Mario Capecchi)의 어머니는 다카우에 있는 집단수용소에 수용되었다. 마리오는 4살 때 길가에 버려졌으며 어머니를 다시 만나기까지 6년이 걸렸다.

잠재의식이란 무엇일까

네이메헌대학의 데이크스테르하위스(Ap Dijksterhuis) 교수가 최근 연구한 바에 따르면, "삶의 과정에서 잠재의식은 문제해결 능력의 90퍼센트 이상에 관여한다. 복잡한 결정은 무의식이 하도록 두는 게 최고다. 문제를 지나치게 많이 생각함으로써 값비싼 대가를 치르는 실수를 할 수도 있다"고 한다. 또한, 의식적 사고는 간단한 의사결정을 할 때만 신뢰할 수 있음을 보여주고 있다. 다양한 요인에 기반을 둔 복잡한 결정을 할 때 지나치게 많은 생각은 오히려 의식적 사고를 혼란스럽게 만드는 것으로 나타났다. 정보 일부분에만 집중하게 만들고 종종 만족스럽지 못한 결정을 내리게 한다는 것이다.
이와는 대조적으로, 무의식은 모든 정보를 폭넓게 고려할 수 있어서 더욱 만족스러운 결정을 내리게 하는 것으로 나타났다. 몇몇 실험들은 이와 같은 "무의식 학습"이 가능하다는 것을 보여준다. 이는 14쪽과 15쪽에 나와 있는 두 가지의 '세는 퍼즐(counting puzzles)'을 풀다 보면 알게 될 것이다.
많은 요인들을 포함하는 복잡한 결정들을 내려야 할 때 가장 필요한 것은 쉬면서 '심사숙고하는 것'이며 무의식 상태에서 직관적인 결과가 나올 때까지 기다리는 것이다. 오늘날의 인지과학은 직관력을 높이 사고 있지만, 현실에서는 항상 조심스럽게 확인해야 한다는 것을 상기시키기도 한다.

● 시간제한 체스 게임: 각 경기를 9분 내에 해야 하는 체스 게임이다.

세는 재미-테스트 1

잠재의식이 어떻게 작동해서 문제를 푸는지 보여줄 놀라운 시각테스트가 두 가지 있다. 여기서는 그냥 1부터 90까지 세기만 하면 된다.

숫자 세기는 인류의 가장 오래된 수학적 활동이며, 또한 이제껏 인류가 생각해온 것 중에서 가장 강력하면서도 기본적인 발상이다.

각 자연수에 그다음 수가 있다는 생각은 큰 수학적 발전을 가져왔다.

이 테스트와 다음 쪽에 나오는 테스트는 세는 행위에 대한 새로운 전환점이 될 것이다. 이 두 테스트는 그냥 눈으로만 1에서 90까지의 연속된 숫자를 찾는 데 시간이 얼마나 걸리는지 알아보는 것이다. 어떤 수도 건너뛰어서는 안 되고, 찾은 걸 책에 표시해서도 안 된다. 1을 먼저 찾은 뒤 2, 3, 4 순으로 90까지 찾으면 테스트가 끝난다. 물론 부정행위를 해서는 안 되고, 만일 부정행위를 한다면 재미는 반감될 것이다. 나를 믿어라!

각 테스트를 두세 번 반복하고 각 테스트에 걸린 시간을 측정하여 다음 쪽에 있는 표에 분 단위로 기록해보자.

테스트를 수행하면서 생각보다 시간이 오래 걸린다는 것에 일단 놀랄 것이다. 또한, 이 테스트를 반복할 때마다 테스트에 걸리는 시간이 줄어드는 걸 알게 될 것이다. 그러나 두 번째 테스트의 결과는 훨씬 더 놀라울 것이다.

3

난이도 ●●○○○○
필요한 것
완료 ○ 시간

세는 재미-테스트 2

두 종류의 테스트를 두세 번 반복하고 오른쪽에 있는 표에 걸린 시간을 적어라. 테스트 1에 비해서 테스트 2를 하는 데 걸린 시간이 확연히 짧아서 놀랄지도 모른다. 만일 그렇다면, 그런 예상치 못한 진전이 왜 일어났는지 설명할 수 있겠는가?

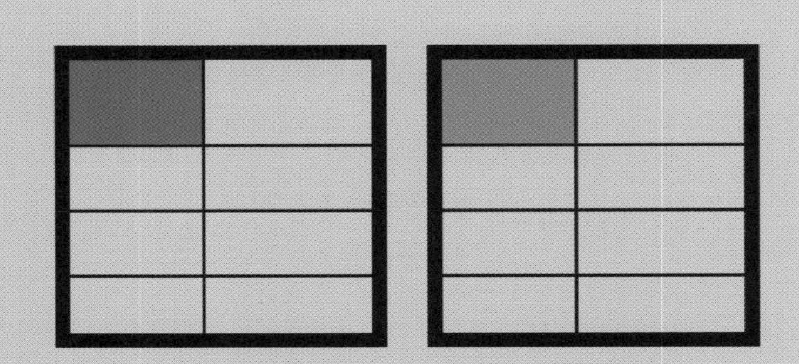

4

난이도 ●●○○○○
필요한 것
완료 ○ 시간 88 88

퍼즐과 당신의 뇌

퍼즐은 그저 재미난 소일거리가 아닌 그 이상이다

여러 유형의 퍼즐을 다양하게 푸는 것은 두뇌를 활성화하고 정신적 퇴화 및 치매와 같은 나이와 관계된 질병들을 예방하는 데 도움이 될 것이다. 뇌는 천억 개의 세포들 간의 연결을 끊임없이 만들고 강화하는 매우 복잡한 기계다. 퍼즐 풀기와 같은 두뇌 훈련은 뇌세포들 간에 새로운 연결을 만드는 것을 돕고 결국에는 집중력을 증가시킨다. 기억은 이런 뇌세포들 간의 연결과 10,000개의 뉴런이 연결하는 다른 세포들의 화학적 신호로 형성된다. 퍼즐은 기억 복구와 뇌세포들 간의 연결 강화에 따른 새로운 정보처리 능력과 같은 필수적인 뇌 기능에 도움을 준다. 퍼즐을 푸는 것은 기존의 뇌세포들 간의 연결고리들은 강화하고 새로운 연결고리들은 만들어지도록 자극한다.

사용하거나 잃어버리거나

두뇌에 적당한 일거리를 주지 않는다면 정신력은 쇠퇴하기 시작한다. 따라서 나이가 들어감에 따라 뇌를 건강하게 유지하기 위해서는 다양한 유형의 놀이를 하거나 퍼즐을 푸는 것이 중요하다. 문제나 퍼즐은 단순하게 분류하면 통찰력(정신적 도약)을 요구하는 것과 좀 더 체계적인 분석을 통해 해결하는 것 두 가지로 나뉠 수 있다. 문제 해결에 통찰력과 분석력 중 어느 것이 더 자주 쓰일까? 여타 다른 논쟁이 그렇듯 여기서도 둘 다 중요한 역할을 한다. 또한, 이 두 가지 뇌 상태를 바꿔가며 사용하는 능력은 중요하다. 깊이 따지는 분석과 함께 즉각적인 통찰력(많은 종류의 퍼즐이 그렇듯)을 써서 문제를 푸는 노력을 한다면, 나이가 들어도 뇌 가소성(可塑性)을 향상하고 건강하게 할 수 있다.

최근 뇌과학자들은 퍼즐을 푸는 것이 알츠하이머병이나 다른 형태의 정신적인 퇴화를 지연시키는 데 도움을 주는지에 대한 질문을 자주 받는다고 한다. 알츠하이머병은 기억력 및 다른 정신적인 능력들의 손실을 증가시키는 뇌의 질병으로, 노인들의 심한 기억력 손실을 일으키는 주요 원인이다. 이 질병은 60세 이전에는 극소수의 사람에게서만 발병하지만, 이후에는 대체로 증가한다. 최근까지 심각한 기억력 손실로 고통받는 노인들은 '노망났다'라고 치부했으나, 지금은 알츠하이머병을 앓고 있었을 것이라 인식되고 있다.

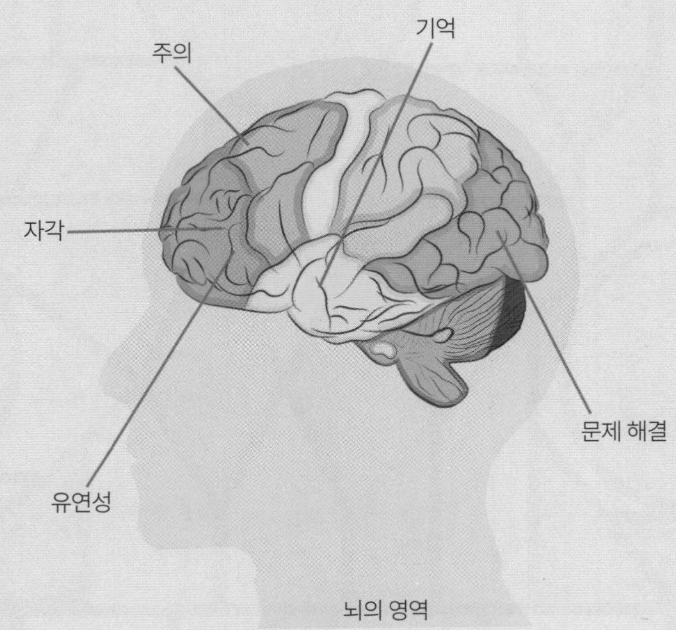

뇌의 영역

알츠하이머병을 두뇌의 질병으로 보기 시작하면서 퍼즐을 푸는 것이 알츠하이머병을 예방하는 데 도움이 될 수 있는지에 관한 논쟁이 대두되고 있다. 많은 연구가 퍼즐을 푸는 것이 정신적 퇴화를 방지한다고 강력히 주장하고 있으며, 세계의 많은 단체들이 이런 정신적 퇴화를 예방하는 방법으로 퍼즐을 푸는 것을 지지하고 있다.

퍼즐 본능

그러나 퍼즐과 뇌 건강의 상관관계를 다룬 문헌은 많지 않으며, 비판적인 시각으로 보면 어떤 분명한 상관관계를 세울 수도 없다. 특정 유형의 퍼즐을 계속 푼다고 해서, 많은 사람들이 바라듯, 두뇌의 활성화를 확실히 보장한다고 할 수는 없다. 뇌가 지속적으로 기능하기 위해서는 다양하고 많은 형태의 자극이 필요해 보인다. 따라서, 다양하고 많은 문제를 풀어야 한다.

'특별한 종류'의 퍼즐에 의해 활성화되는 뇌 영역이 '보통 문제'에 의해 활성화되는 뇌 영역보다 더 크다는 논쟁도 가능하다. 나름대로 논리적인 추측으로 보이지만 이를 뒷받침하려면 더 많은 연구가 필요하다. 토론토대학의 마르셀 다네시(Marcel Danesi)의 연구에 따르면, 우리 개개인이 선호하는 퍼즐 문제와 문제해결 능력은 모두 다르다고 한다. 가로세로 퍼즐을 푸는 것만 좋아하는 사람이 있는 반면, 스도쿠 같은 논리적 퍼즐만 좋아하는 사람도 있다. 이 두 형태가 융합된 퍼즐을 좋아하는 사람은 소수다. 다네시는 한 실험에서 피험자들에게 '좋아하지 않는' 종류의 퍼즐을 냈는데, 8개월이 지난 뒤 74퍼센트의 학생들이 한때 싫어했던 유형의 퍼즐을 좋아하기 시작했다고 한다. 단지 퍼즐을 푸는 것만으로 우리가 지닌 '퍼즐 본능'의 효과가 나타나 모든 형태의 퍼즐을 즐길 수 있게 한 것으로 보인다.

퍼즐의 기초

퍼즐을 푸는 능력을 향상하기 위한 가벼운 훈련으로, 약 5000개의 고전적 퍼즐이 수록된 모음집에서 24개의 전형적이고 고전적인 퍼즐을 임의로 선택해 풀어보자.
이 문제들은 어렵지 않으며 어떤 수학적인 지식이 필요하지도 않다.
또한, 이 문제들은 다양한 수학, 논리적 사고 및 기본적 원리들을 포함하는 퍼즐 유형의 다양성을 확실히 보여준다.

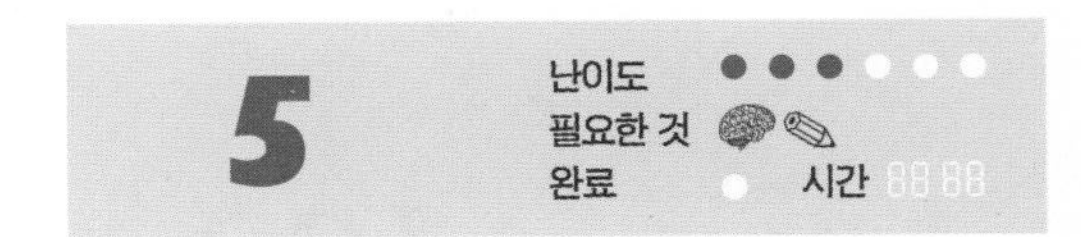

달팽이의 속도

작은 달팽이가 90센티미터 높이의 창문에 기어오르고 있다. 달팽이는 낮에는 11센티미터씩 오르고 밤에는 6센티미터씩 아래로 미끄러진다고 한다. 달팽이가 쉬지 않고 매일 움직인다고 했을 때 정상까지 오르는 데는 며칠이나 걸릴까?

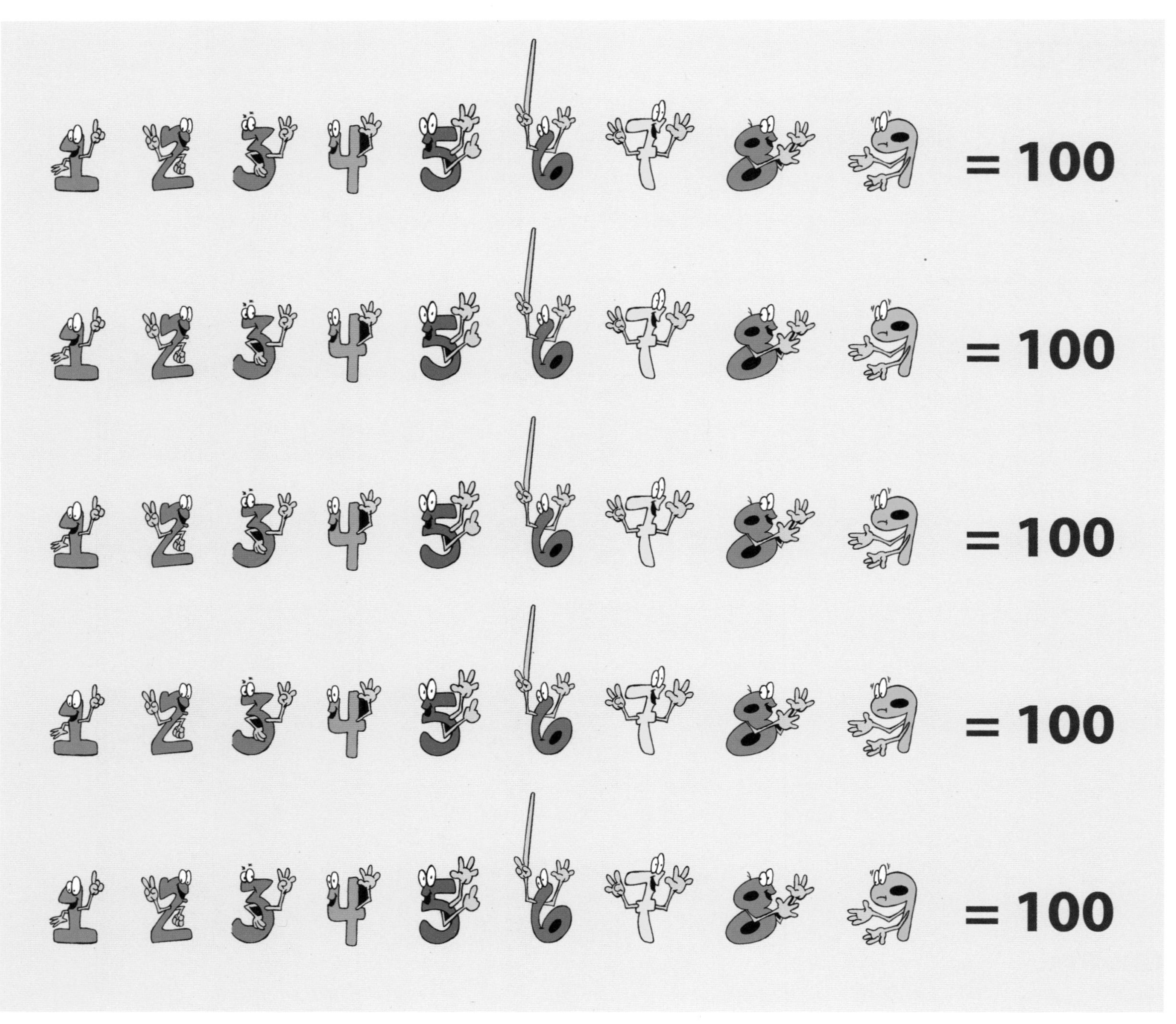

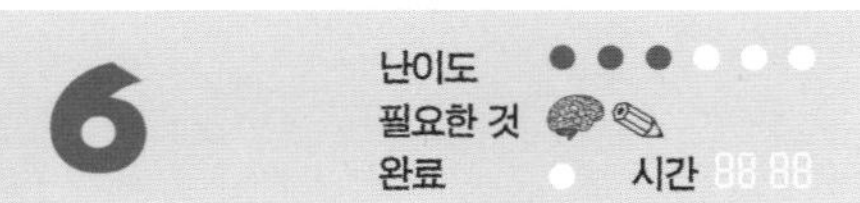

100 만들기 게임

아주 오래된 고전 산수 문제에는 1에서 9까지의 연속적인 숫자 사이에 수학 기호를 끼워 넣어서 100을 만드는 문제가 있다. 오직 더하기나 빼기 기호만을 사용하는 문제를 포함하여 무한히 많은 변형 문제를 만들 수 있다. 마틴 가드너(Martin Gardner)는 최대한의 더하기 기호와 최소한의 빼기 기호를 사용한 풀이를 제시했다.
위에서 언급한 일련의 수에 더하기나 빼기 기호를 끼워 넣어 그런 해를 찾을 수 있는가?
힌트: 두 개의 연속된 숫자는 두 자릿수의 숫자 형태를 띨 것이다. 두 개 이상의 두 자릿수를 사용하거나 빼기나 더하기 기호뿐만 아니라 다른 연산 기호를 사용한 해가 있을 수 있다. 이 문제에 대해서 얼마나 많은 해를 찾을 수 있겠는가?

7

난이도 ● ● ● ● ● ● ●
필요한 것
완료 ● 시간

숨겨져 있는 다각형들과 별 하나

7개의 정다각형과 균일한 꼭짓점 10개를 가진 별 1개의 윤곽을 찾는 데 시간이 얼마나 걸리는가?

8

난이도 ●●●●●○
필요한 것
완료 ○ 시간

전깃줄 위의 새들

한 무리의 다양한 새들이 전깃줄에 아무렇게나 앉아 있는 모습을 상상해보라. 새들은 가장 가까이 있는 새의 방향을 보고 있거나 반대 방향을 보고 있다. 만일 전깃줄에 앉아 있는 새가 무한히 많다면 한 마리의 새가 볼 수 있는 이웃 새는 몇 마리일지 예측할 수 있겠는가? 한 마리일지, 두 마리일지… 아니면 한 마리도 없을 수도 있을까? 위의 그림에서는 72마리의 새들이 제멋대로 앉아 있다. 72마리는 무한히 많은 것보다는 적은 수이므로 당신의 예상은 아마도 근사치일 것이다.

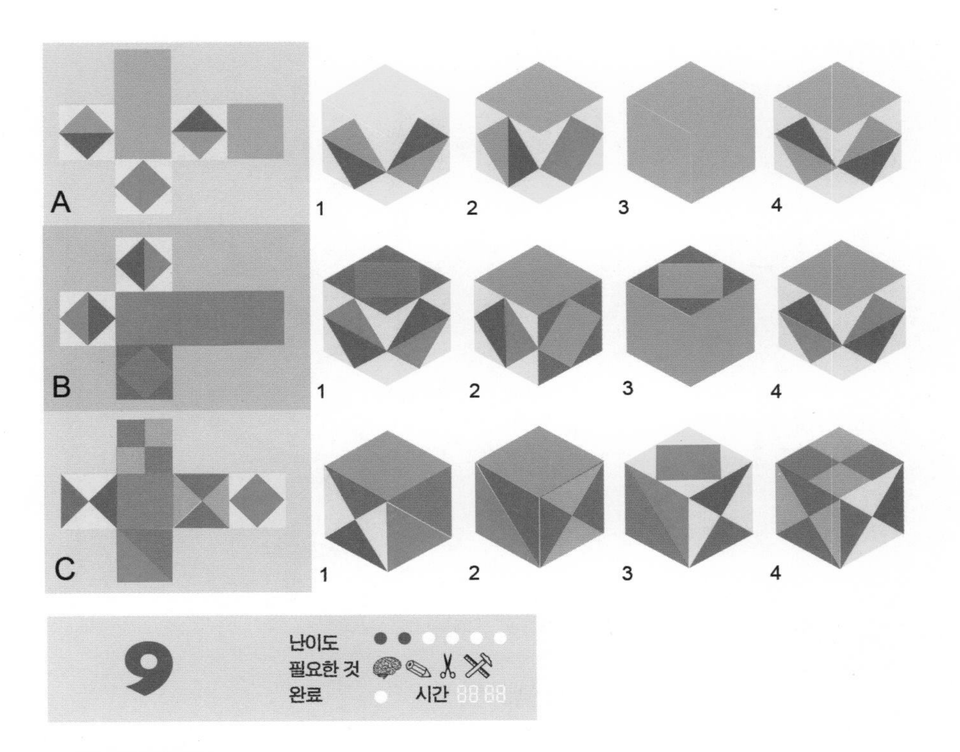

9
난이도
필요한 것
완료
시간

정육면체 접기

그림 왼쪽에는 면이 A, B, C로 디자인된 접히지 않은 정육면체의 도면이 있다. 오른쪽에는 각 도면 디자인으로 만들 수 있을 것처럼 보이는 4개의 동일한 정육면체가 있다. 각 경우에 대하여 도면과 일치하는 정육면체를 찾아라.

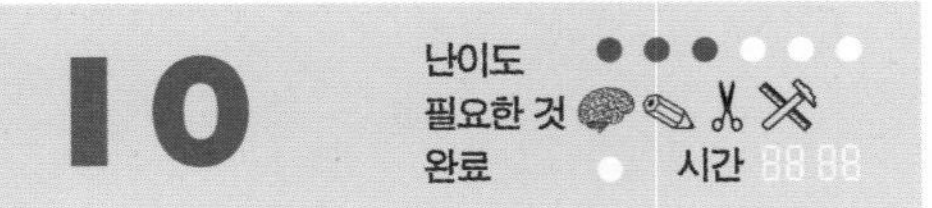

삼각형의 내각

그리스의 수학자 유클리드(Euclid)는 삼각형의 내각의 합이 180도라는 것을 증명했다. 수학의 아름다움은 때때로 약간의 통찰력을 가진 아마추어들이 새로운 발견을 하고 새로운 증거들을 찾아내는 것에 있기도 하다.

현재 스탠퍼드대학 수학자인 루서 워싱턴(Luther Washington)은 아주 어린 아이였을 때 연필만을 사용해 삼각형의 내각의 합이 180도라는 것을 간단히 증명했다. 그가 어떻게 증명했을지 상상할 수 있겠는가?

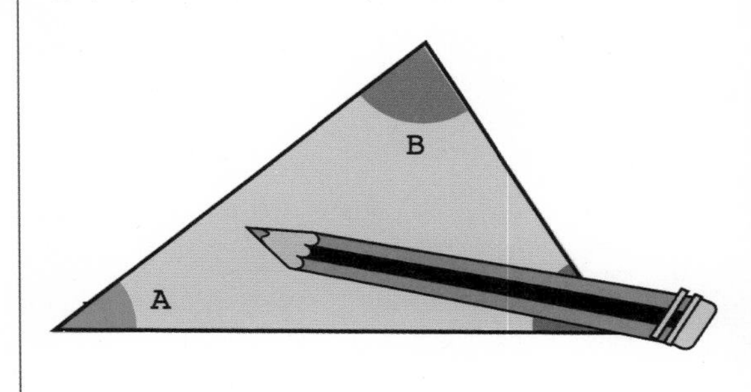

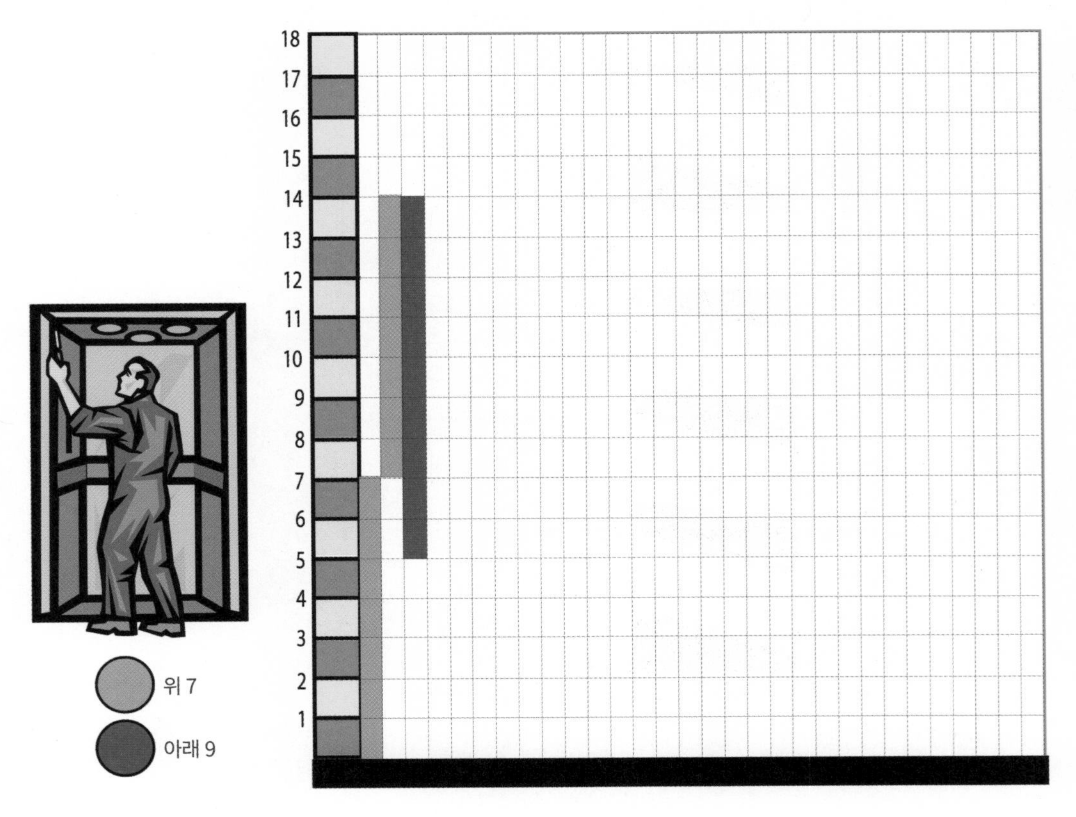

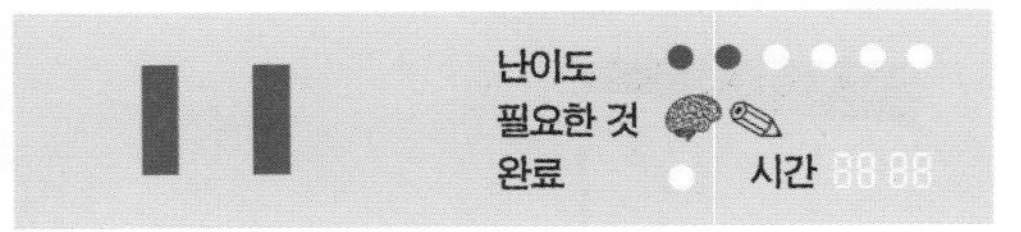

위아래로 오르내리는 엘리베이터

18층짜리 빌딩에 엘리베이터가 딱 한 대 있다. 이 엘리베이터는 '올라가기'와 '내려가기' 버튼만 있는 이상한 엘리베이터다. 올라가기 버튼을 누르면 7층을 올라가고(7층만큼 올라갈 층이 없다면 더는 올라가지 않는다), 내려가기 버튼을 누르면 9층을 내려간다(9층만큼 내려갈 층이 없다면 더는 내려가지 않는다). 이 엘리베이터로 1층에서 어떤 층으로든 갈 수 있는가?

빌딩 관리인이 1층에서 시작해서 다른 모든 층을 가려면 버튼을 몇 번이나 눌러야 하겠는가?

또 도달하는 각 층의 순서는 어떻게 되겠는가?

처음에 세 번 버튼을 누른 결과가 그림에 나타나 있다.

울타리

팀은 자신의 새로운 애완동물인 작은 거북이를 위해 정원에 울타리를 만들려고 하는데 마침 벽돌 14개를 찾아냈다. 시간이 갈수록 거북이는 커갈 것이므로 팀은 이 벽돌을 사용해서 가능한 한 가장 크게 울타리를 만들려고 한다. 팀은 울타리를 어떻게 만들어야 할까?

12
난이도
필요한 것
완료 시간

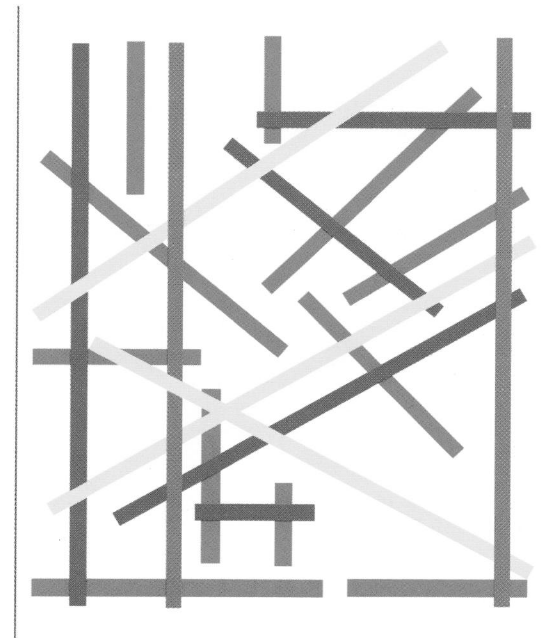

놀이터

그림은 놀이터에 막대기가 다른 막대기 위에 쌓여 있는 모습을 위에서 내려다 본 것이다. 바닥에서 가장 높은 위치에 있는 점이 어떤 점인지 알아낼 수 있겠는가?

13
난이도
필요한 것
완료 시간

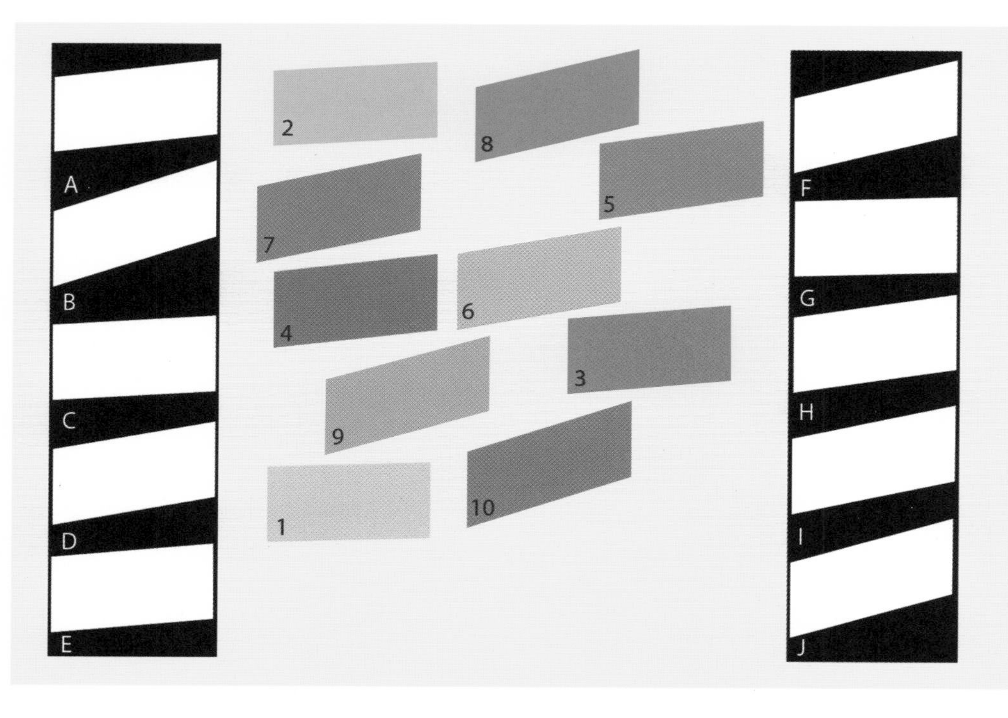

A	
B	
C	
D	
E	
F	
G	
H	
I	
J	

빈칸 채우기

단지 눈으로 보기만 해서, 번호가 있는 색 도형을 빈 곳에 맞추어보고 오른쪽에 있는 빈 칸에 대응하는 수를 써보라.
얼마나 많이 틀렸는가?
아마 놀랄 것이다!

14
난이도
필요한 것
완료 시간

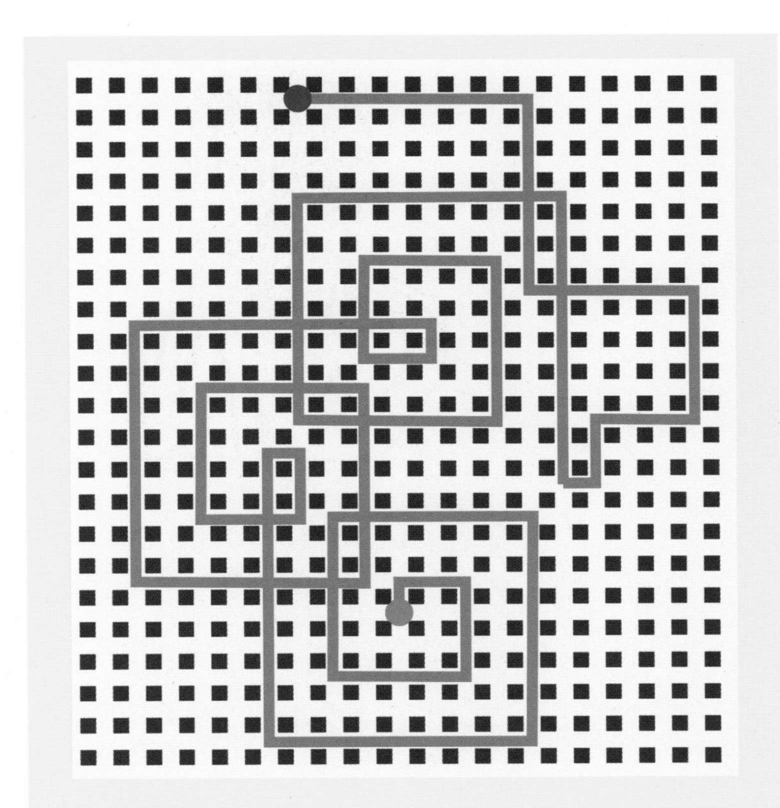

두더지 걸음

두더지는 빨간 점에서 출발한다. 빨간 선은 두더지가 지난 경로를 표시하며 그 경로는 파란 점에서 끝난다. 경로의 방향을 바꾼 점에 어떤 논리가 있는지 알 수 있겠는가? 어떤 점에서 방향을 바꾸고 있는가?

15
난이도 ●●○○○○
필요한 것
완료 시간

줄 따라가기

눈으로 보기만 해서, 얼마나 많은 선을 그대로 따라갈 수 있는가? 안정적인 집중력은 긴 시간 동안 대상을 따라가는 능력이다.

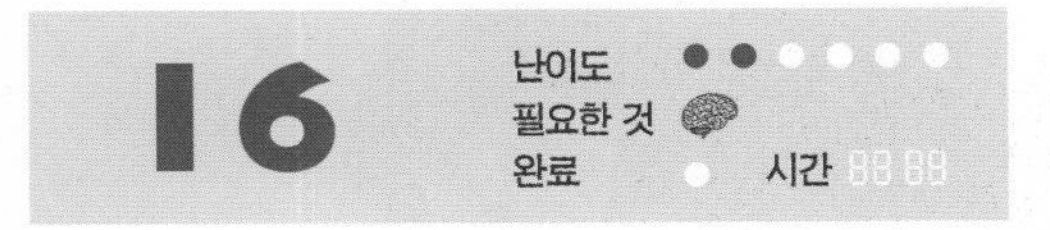

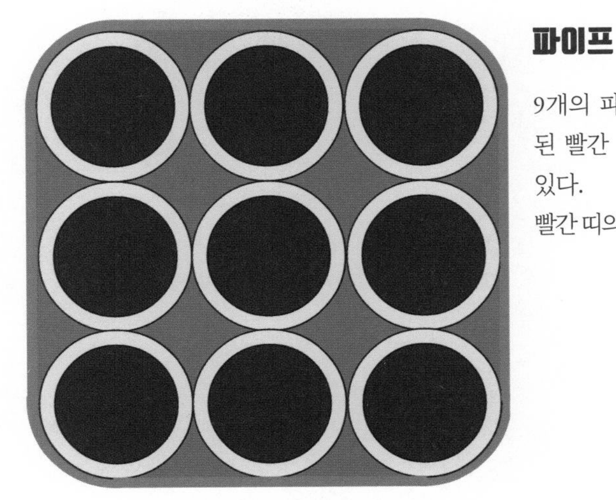

파이프

9개의 파이프가 금속으로 된 빨간 띠에 단단히 묶여 있다.
빨간 띠의 길이는 얼마일까?

17
난이도 ●●●○○○
필요한 것
완료 시간

달콤한 간식

케이크 한 조각과 아이스크림 한 개의 가격은 2.5달러이고 케이크가 아이스크림보다 1달러 더 비싸다. 케이크와 아이스크림의 가격은 각각 얼마일까?

18
난이도 ●●○○○○
필요한 것
완료 시간

마음의 패턴

고대 그리스어 '데이크미(deiknymi)' 또는 사고실험은 가장 오래된 수학적 증명 양식이다. 사고실험* 은 미지의 어떤 것에 대한 본질을 조사하는 데 사용된 상상력에 관한 것으로 종종 수수께끼와 비슷하다. 사고실험의 공통적 특징은 가상 시나리오의 시각화, 실험, 그리고 일어나는 일에 대한 개념적인 해석을 포함한다는 것이다.

사고실험 이면에 있는 발상과 간단한 논리는 생각하는 힘으로부터 온다. 그 힘은 우리가 세계에 관해 발견할 수 있었던 새로운 것들에 대해 일찍이 철학적인 흥미를 크게 불러일으켰던 바로 그 능력이다. 유명한 사고실험들은 수학과 과학의 진보에 중요한 역할을 해왔다. 여기에는 아인슈타인의 엘리베이터, 뉴턴의 사과, 슈뢰딩거의 고양이, 맥스웰의 악마, 뉴턴의 위성 원리, 갈릴레오의 공 등을 포함하여 여러 많은 예들이 있다.

무한한 우주

역사상 가장 아름다웠던 초기의 사고실험 가운데 하나는 아르키타스(Archytas)와 에피쿠로스(Epicurus)가 진행했던 '무한 공간(Infinite Space)'으로, 단순하고 우아한 사고실험이었다. 아르키타스는 우주는 무한하며 경계가 없다고 믿었다. 사고실험에서 그는 우주의 경계에 서 있는 어떤 사람이 자신의 손을 경계 너머로 뻗는다는 생각을 했다. 그로부터 약 100년 뒤 에피쿠로스도 비슷한 사고실험을 했는데, 그는 공간에서 어떤 장애물도 없이 끝없이 날아가는 화살을 상상함으로써 우주가 무한하다는 것을 증명했다. 다른 한편으로, 만일 공간의 '끝'에 벽과 같은 어떤 장애물이 있어 튕겨 나간다면, 그 벽 뒤쪽으로는 뭔가 있을 것이기 때문에 이 또한 우주가 무한하다는 것을 증명하는 것이다.

아르키타스와 에피쿠로스의 이런 개념들은 1888년의 플라마리옹 판화(Flammarion engraving)에 아름답게 재현되었다. 플라마리옹 판화는 16세기에 처음 만들어졌다고 알려져 있다. 플라톤과 아리스토텔레스는 무한한 우주라는 개념을 받아들이지 않았다. 이들은 무한이라는 개념을 받아들이는 것에 대해 대체로 문제를 가지고 있었다. 중세시대까지는 아리스토텔레스의 우주학이 수용되어, 우주는 유한하며 명확한 경계가 있는 것으로 인식되었다.

● 사고실험(thought experiment): 사물의 실체나 개념을 이해하기 위한 것으로, 이를 위해 가상의 시나리오를 이용한다. 가상의 시나리오가 어떻게 동작할지 생각하는 선험적 방법으로 관찰이나 실험을 통한 경험적 방법과 대비된다. 사고실험이라는 용어는 에른스트 마흐가 만든 것으로 독일어에서 유래한다.

에피쿠로스
(Epicurus, 기원전 341~기원전 270)

에피쿠로스의 철학은 모든 사람이 더 기뻐하고 덜 슬퍼하는 행복한 삶을 만드는 것이었다. 그의 철학에 따르면, 이 목표를 달성하기 위해 가장 좋은 방법은 '무소유'였다. 에피쿠로스의 철학은 초기 기독교 사상에 큰 영향을 끼쳤다. 그의 무한 공간 사고실험은 아름답고 중요한 고전 실험이었다.

아르키타스
(Archytas, 기원전 428~기원전 347)

아르키타스는 고대 그리스의 피타고라스학파의 수학자이자 과학자였으며 수리역학 개념의 창시자 중 한 명이다. 그의 많은 업적들 중에는 비둘기 목상 제작이 있다. 비둘기 목상은 최초의 자가 추진체(아마도 증기에 의한)를 탑재한 비행기구였는데 이 비행기구는 200m 정도를 날 수 있었다.

판매

여성 판매원이 두 소파를 묶어 세일 가격으로 1200달러에 팔았다. 그녀는 처음 판매에서는 25퍼센트의 영업 이익을 냈지만 두 번째 판매에서는 20퍼센트의 영업 손실을 냈다. 그녀는 여전히 두 개를 묶어 파는 것이 영업 이익을 창출할 것으로 생각했다. 이 여성의 생각이 옳은 것일까?

19
난이도 ●●○○○○
필요한 것
완료 시간

자리 배정

나란히 놓인 4개의 의자에 어떤 두 여성도 인접해 앉지 않도록 자리를 배정하는 서로 다른 방법은 몇 가지인가? 일반적으로 'n'개의 의자에 대해 이 문제의 해를 구할 수 있는가? n에 대해서 해를 구해보라.

20
난이도 ●●●○○○
필요한 것
완료 시간

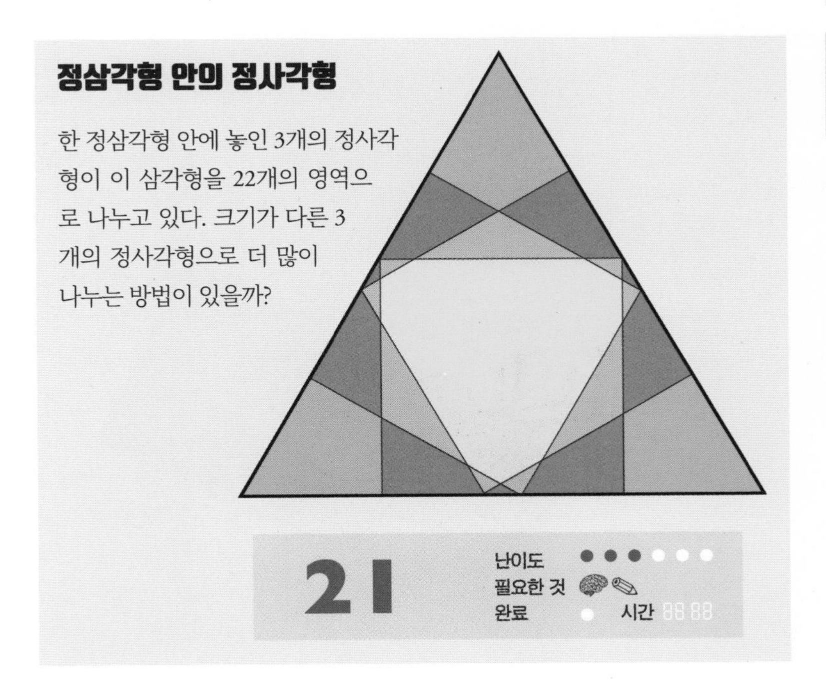

정삼각형 안의 정사각형

한 정삼각형 안에 놓인 3개의 정사각형이 이 삼각형을 22개의 영역으로 나누고 있다. 크기가 다른 3개의 정사각형으로 더 많이 나누는 방법이 있을까?

21
난이도 ●●●○○○
필요한 것
완료 시간

22
난이도 ●●●●○○
필요한 것
완료 시간

16개의 점을 지나는 선

16개의 점을 모두 지나는 연속인 선을 만들기 위해서는 6개의 직선이 필요하다. 6개의 직선으로 교차점을 가장 적게 만드는 방법은 몇 가지인가? 대칭적인 형태를 만드는 방법은 몇 가지인가?

삼각형으로 다각형 채우기

면의 개수를 임의로 선택해서 다각형을 하나 그린다. 각 꼭짓점에 색깔이 있는 점을 찍고 그 내부에 마음대로 임의의 개수의 점을 찍는다. 이 점들을 꼭짓점으로 하여 다각형을 겹치지 않는 삼각형으로 나누고 각각의 꼭짓점에 빨간색, 파란색, 노란색 점을 찍는다. 이런 식으로 삼각형의 꼭짓점에 색을 입히면 오른쪽에 보이는 10개의 다른 형태의 삼각형이 될 것이다. 꼭짓점 3개가 모두 다른 색으로 이루어진 삼각형을 '완전 삼각형'이라 한다.

그림에 나타난 바와 같이 이 예제에서는 경계에 있는 점들에만 색을 칠했다. 내부에 있는 점들에 색을 칠해 2개의 완전 삼각형을 만들 수 있는가? 더 없는가? 경계는 그대로 두고, 내부에 점을 다르게 찍은 후 다시 해보라.

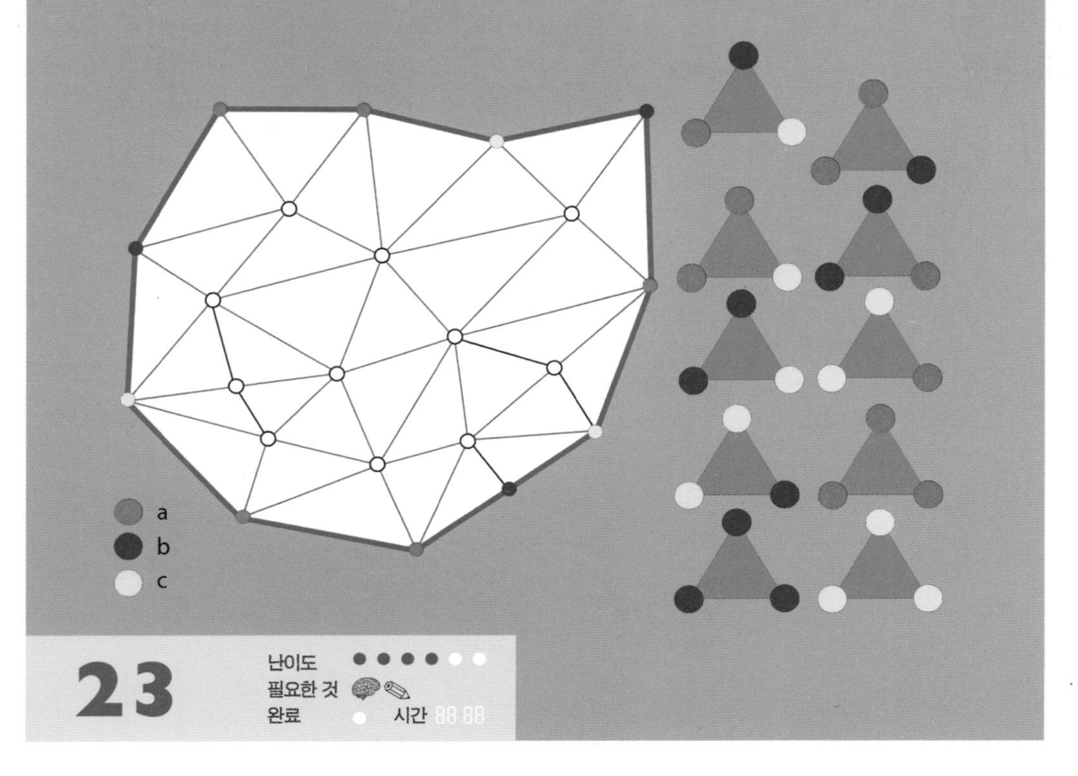

23

난이도 ●●●●○○
필요한 것
완료 ○ 시간

주사위 던지기

사건들이 상호 배타적이라는 것은 한 사건의 발생이 다른 사건의 발생과는 무관하다는 것이다. 그런 상황에서는 어느 사건이 일어날 확률은 각각의 사건이 일어날 확률의 합으로 나타난다. 한 개의 주사위를 던져 4가 나올 확률은 1/6이며 6이 나올 확률도 같다. 주사위를 던졌을 때 4나 6이 나올 확률은 얼마일까?*

● 4나 6이 나오는 사건은 상호 배타적인 사건이다

24

난이도 ●●○○○○
필요한 것
완료 ○ 시간

위에서 보기

오른쪽 그림은 한 건물을 위에서 본 모습이다. 건물을 위에서 본 것처럼, 건물 꼭대기의 3차원 형태를 상상할 수 있겠는가?

25

난이도 ●●○○○○
필요한 것
완료 ○ 시간

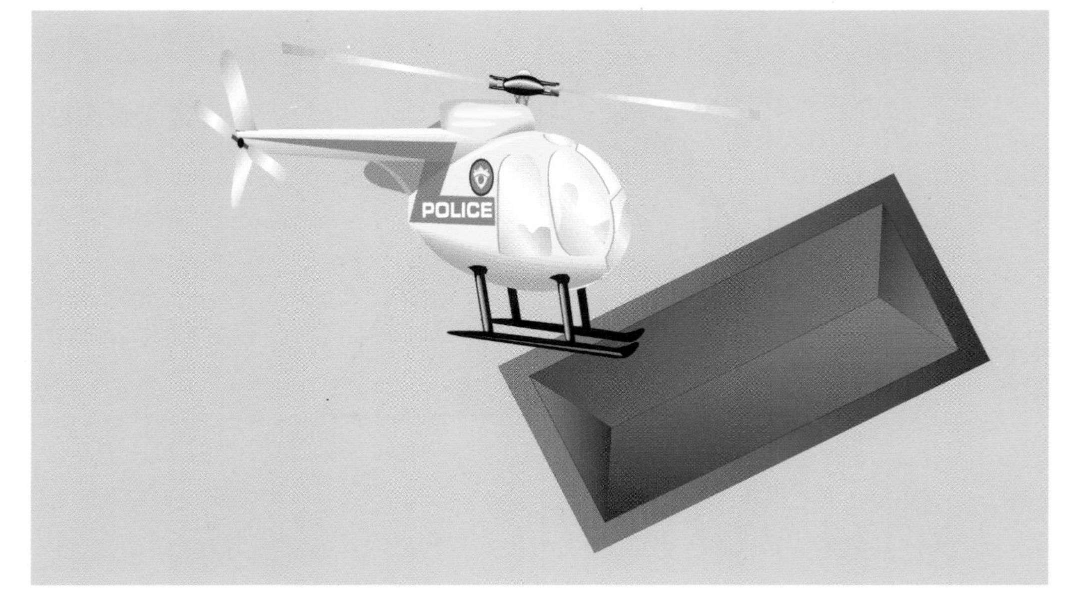

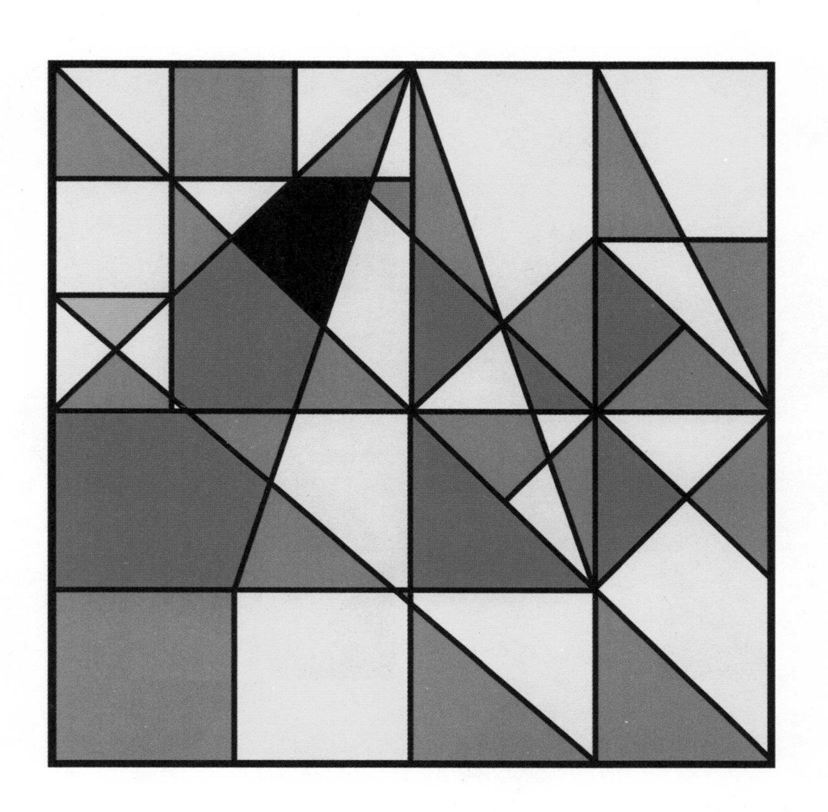

정사각형이 몇 개나 있는가? (1)

취미로 하는 수학 퍼즐 중에는 '얼마나 많은가?' 하는 문제를 다루는 퍼즐이 있다. 그런 문제 중엔 '정사각형이 몇 개나 있는가?'라는 문제도 있다.
다음 세 가지의 패턴을 단지 눈으로만 보고 다른 크기의 정사각형이 몇 개나 있는지 셀 수 있겠는가? 이 아름다운 세 번째 패턴은 클리프 픽오버(Cliff Pickover)가 만들었다. 픽오버는 동료들이 얻은 답과 다른 답을 얻은 후에 퍼즐의 정답을 찾는 일에 도전하고 있다. 정답을 찾아내어 이 문제를 해결할 수 있겠는가?

26
난이도 ●●○○○○
필요한 것
완료 ○ 시간

정사각형이 몇 개나 있는가? (2)

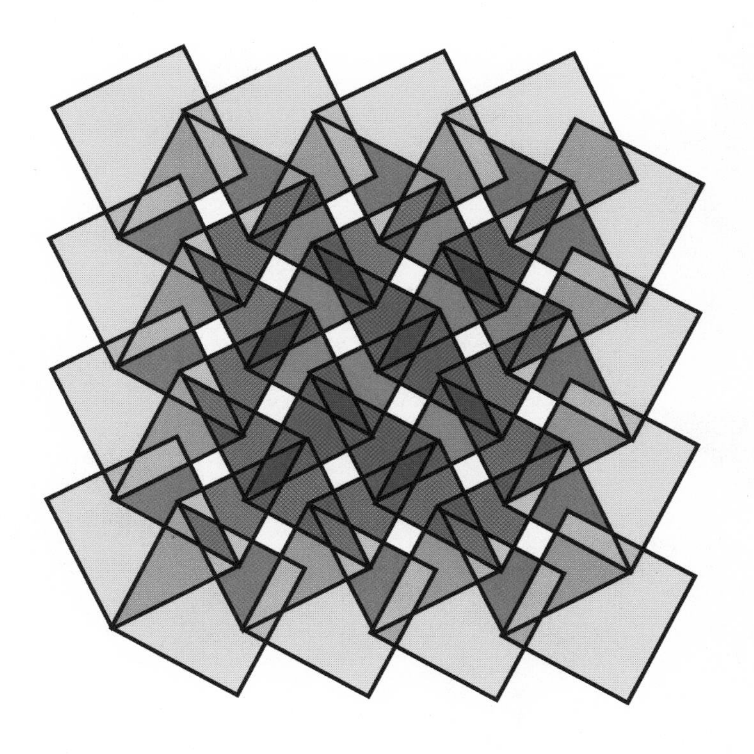

27
난이도 ●●○○○○
필요한 것
완료 ○ 시간

정사각형이 몇 개나 있는가? (3)

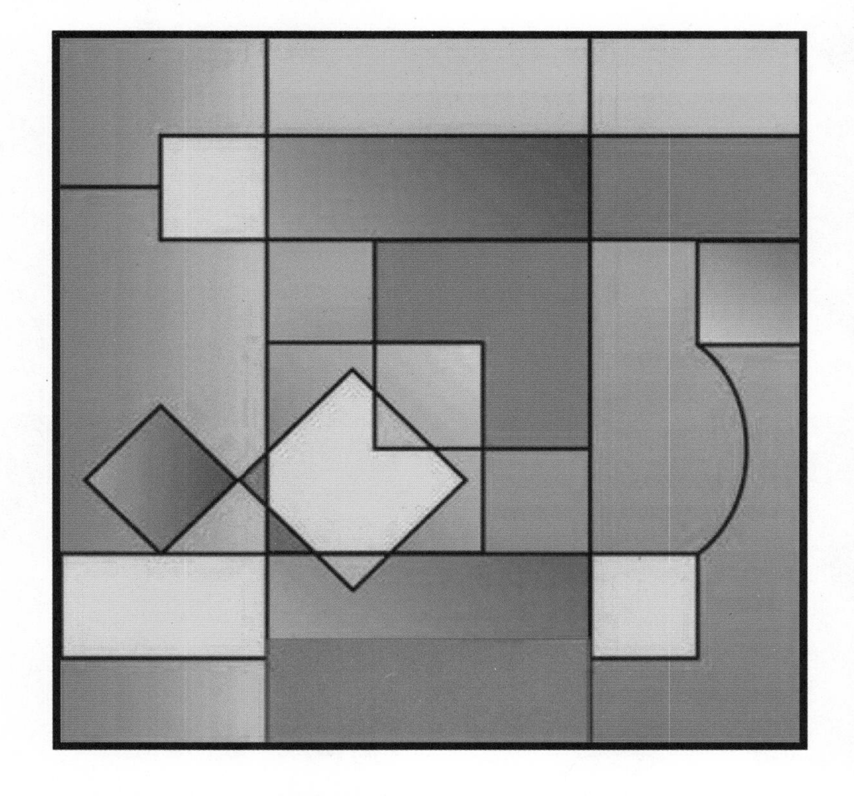

28
난이도 ●●○○○○
필요한 것
완료 ○ 시간

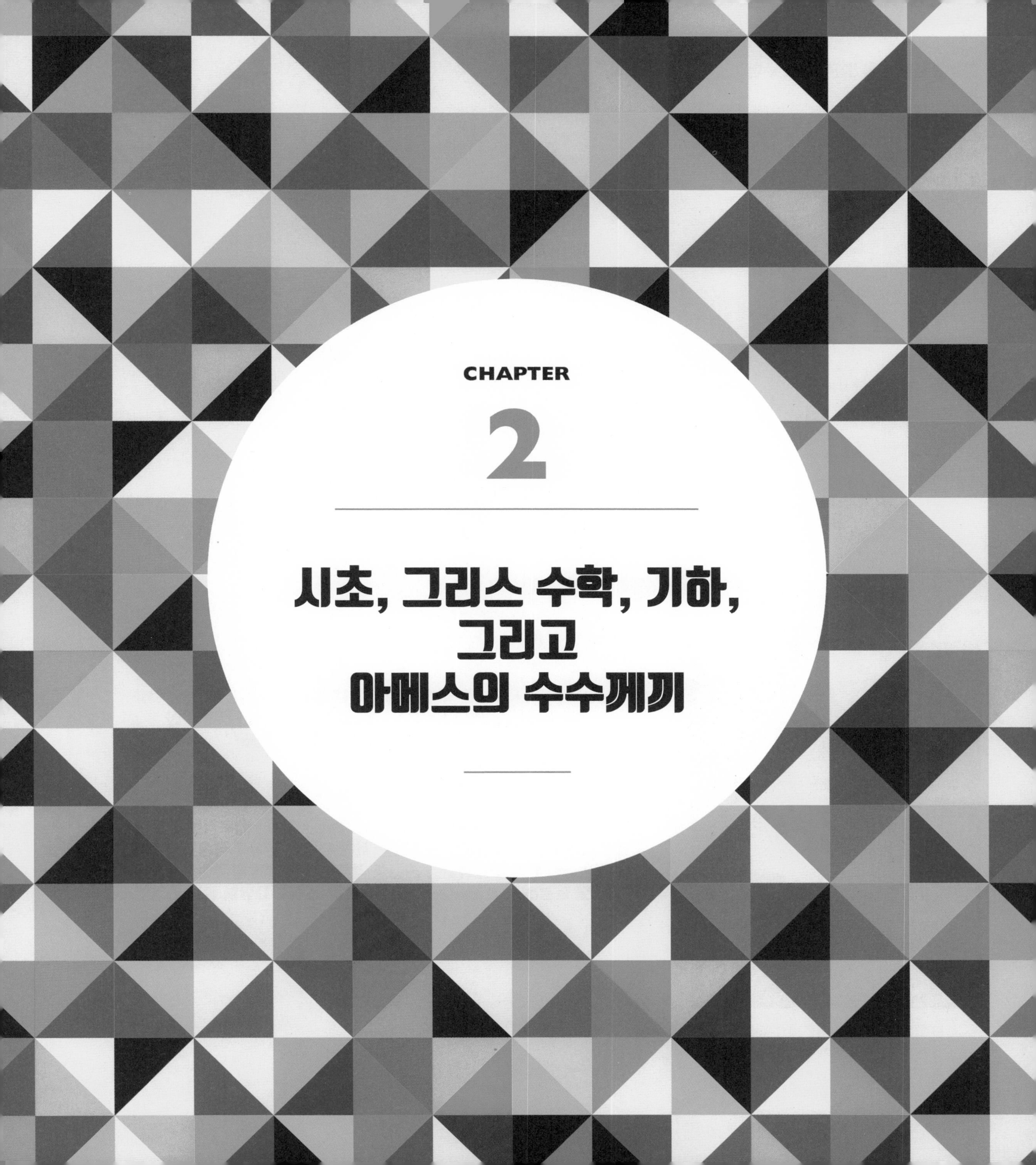

CHAPTER

2

시초, 그리스 수학, 기하, 그리고 아메스의 수수께끼

정형화된 형태를 가진 과학, 수학

고대 그리스 시대의 수학은 수의 과학이었다. 그러나 수학에 대한 이런 정의는 수백 년 동안 불완전했다. 17세기 중반 영국의 아이작 뉴턴(Isaac Newton)과 독일의 고트프리트 빌헬름 라이프니츠(Gottfried von Leibniz)는 독립적으로 운동과 변화를 다루는 미적분학을 개발했다. 당시 수학은 80개의 각기 다른 세부 분야로 구성되었는데, 그 가운데 어떤 분야는 여전히 세분화된 채 현재까지 이어져 내려오고 있다.

오늘날, 수학자들은 자신들의 분야가 수에 초점을 맞춘 학문이라기보다는 패턴을 다루는 과학으로 정의되는 것이 더 낫다고 생각한다. 패턴을 다루는 과학으로서의 수학은 우리 삶의 모든 요소에 영향을 미친다. 추상적 패턴은 사고, 소통, 계산, 사회, 그리고 심지어 삶 자체의 토대가 된다.

패턴은 어디에나 존재하며 누구나 보지만, 수학자들은 패턴 안에 있는 패턴을 본다. 수학자들의 연구를 묘사하는 데는 여전히 다소 부담스러운 언어가 사용되고 있지만, 대부분의 수학자는 가장 복잡한 패턴을 가장 쉽게 설명하는 것에 목표를 둔다. 수학이 가진 마법적 요소 중 하나는 단순하고, 흥미로운 문제나 퍼즐이 어떻게 종종 멀리 볼 수 있는 통찰력을 주는가 하는 것에 있다. 패턴을 발견하는 것은 우리에게 큰 재미를 주지만 그 패턴 뒤에 무엇이 있는지 이해하는 것은 더 큰 즐거움이다. 기대하지 않았던 어떤 숨겨진 마법적인 규칙들 같은 연관성을 발견하면 아름다움과 경외심, 그리고 놀라움이 뒤섞인 즐거움을 얻게 된다. 이 즐거움이 바로 이 책에서 보여주고 싶은 것이다!

대학교수인 베르그만(E. D. Bergman)은 "수학 정리의 내적 아름다움이 그림의 아름다움보다 매혹적이지 못한가? 물리 도구의 우아함이 아름다운 시나 위대한 문학적 작품보다 저급한가? 과학적 사고의 역사가 종교의 역사보다 영감을 덜 주는가? 혹은 굶주림과 질병과의 싸움이 정복이나 심지어 자유를 위한 전쟁보다 덜 영웅적인가?"라고 반문했다.

"이제껏 살면서 나는 그 어떤 것에서도 큰 문제 없이 살아왔고, 수학에서 큰 존경을 받았다네. 내 무지함으로 지금까지 수학의 더 미묘한 부분들은 순수한 사치품으로 여기면서 말일세!"

알베르트 아인슈타인, 한 친구에게 보내는 편지에서, 1916

"수학 정리의 내적 아름다움이 그림의 아름다움보다 매혹적이지 못한가? 물리 장치의 우아함이 아름다운 시나 위대한 문학적 작품보다 저급한가? 과학적 사고의 역사가 종교의 역사보다 영감을 덜 주는가? 혹은 기아와 질병에 맞서 싸우는 것이 정복이나 심지어 자유를 위한 전쟁보다 덜 영웅적인가?"

베르그만 교수(E. D. Bergman)

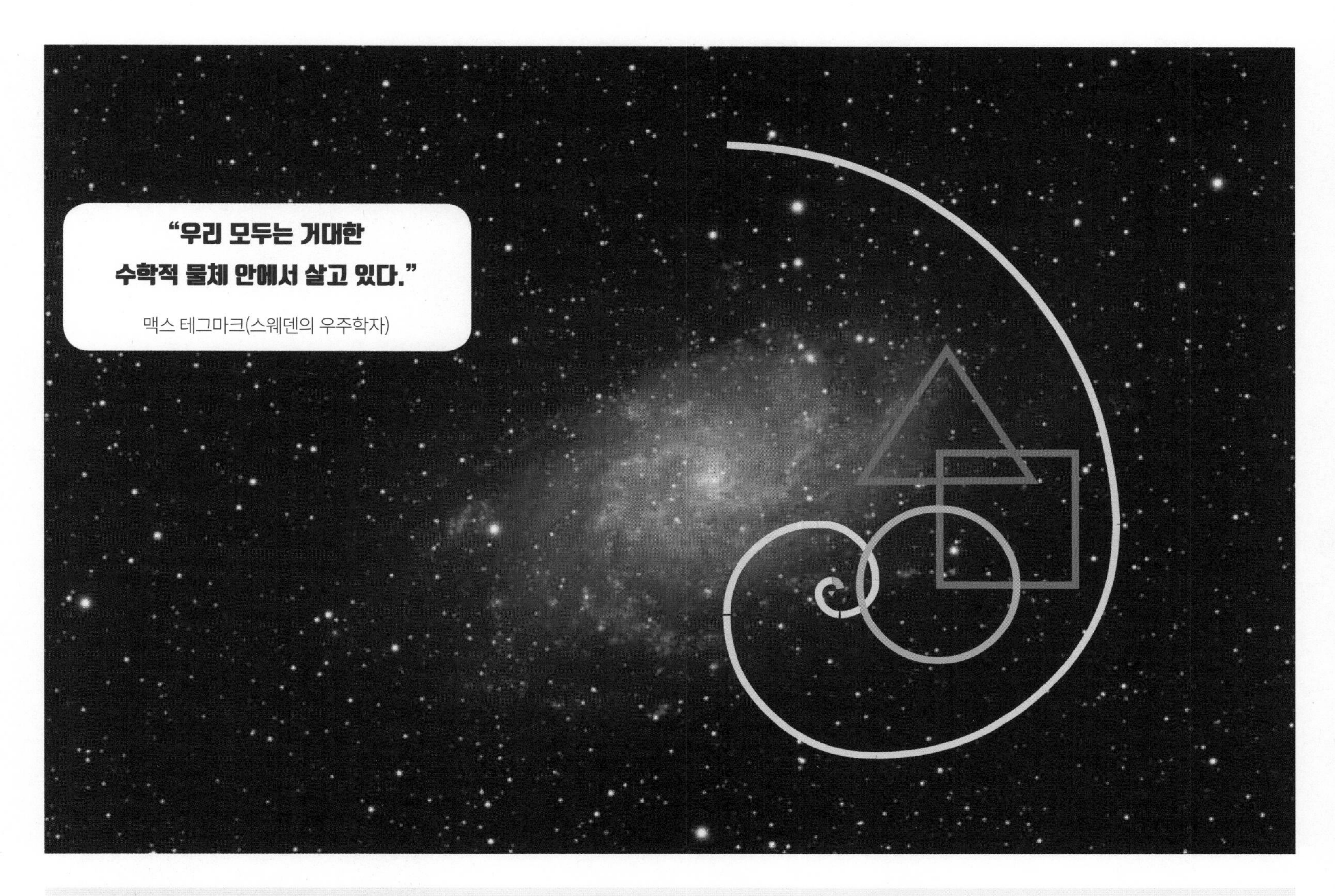

우리의 수학적 우주-138억 년 전

우리 우주는 수학적이다. 자연은 많은 기본 모양들로 수없이 많은 변형들을 만들어내는 창조의 달인이다. 원형, 사각형, 삼각형 및 나선형은 새롭고 독창적인 특성을 가진 보다 정교한 형태를 만들기 위해 조합해 사용하는 알파벳 문자에 견줄 수 있다.

수학적 우주에 대한 개념은 고대 그리스의 철학으로 거슬러 올라간다. 오늘날 스웨덴의 급진적인 우주론자인 맥스 테그마크(Max Tegmark) 같은 몇몇 과학자들은 우주가 수학에 의해서 단지 기술만 되는 것이 아니라고 주장함으로써 우주의 개념을 극단적으로 몰아붙이고 있다. 이들은 우주는 수학이라고 주장한다!

테그마크가 주장하는 흥미로운 가설인 '수학적 우주 가설(Mathematical Universe Hypothesis)'은 다음 전제를 기반으로 한다. "수학적으로 존재하는 모든 구조는 물리적으로도 존재한다. 수학적 패턴과 수식이 현실을 만들어낸다."

테그마크는 매우 폭넓은 수학의 정의를 이용해 우리의 물리적 세계는 추상적인 수학적 구조라고 주장한다. 또한 "우리는 수학적 구조를 창조하지 못한다. 우리는 수학적 구조를 발견하고 그것을 기술하는 표기법만을 창안한다"라고 말한다.

수학적 시각을 통해 우리 주변의 세계를 탐험하는 즐거움 중 하나는 수학적 시각이 아니면 볼 수 없는 패턴을 감지할 수 있다는 것이다.

우주의 다른 이론들과 마찬가지로, 일부 과학자, 수학자, 철학자들은 테그마크의 '수학적 우주 가설'을 혹평한다. 이러한 비판에 대해 테그마크는 또 다른 가설인 '외적 현실 가설(External Reality Hypothesis)'로 대응한다. 외적 현실 가설은 외부의 물리적 현실은 인간과는 독립적으로 존재한다는 것으로 수학적 우주 가설의 존재와 (흥미진진한 이야깃거리를 담은) 수많은 평행 우주의 개념을 암시한다.

동력비행체-4억 1000만 년 전

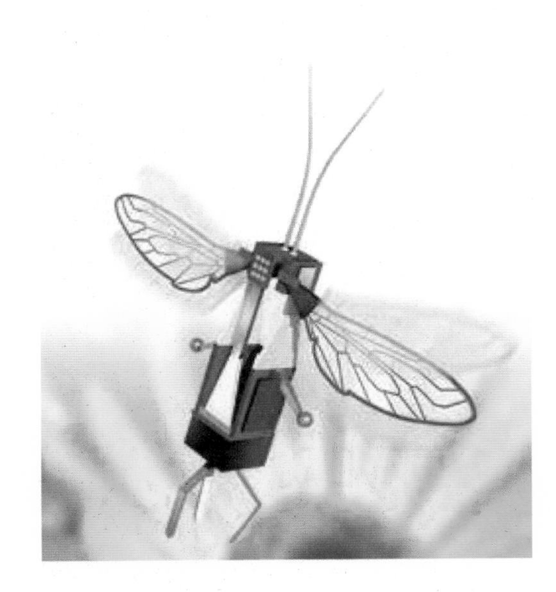

처음 날았던 생물은 4억 1000만 년 전에 살았던 잠자리 비슷한 곤충이었다. 곤충의 유연한 날개의 파닥거림 속에 숨겨진 복잡한 공기역학은 오늘날까지도 완전히 밝혀지지 않고 있다. 몇 센티미터도 안 되는 작은 비행기구(micro air vehicles)나 나노 크기의 비행기구(nano air vehicles)에 관한 공학도 현재 초기 단계에 있다.

하버드대학의 로봇 연구팀이 이 연구의 시초였다. 2007년 로봇 연구팀은 날아다니는 곤충들의 생명 활동에 영감을 받아, 몸체에 안전하게 끈을 묶은 상태에서 비행할 수 있는 로보비(RoboBee)라 불리는 실제 크기의 작은 로봇 파리를 만들었다. 로보비는 12년 연구의 결정체였다. 연구팀은 초당 120번의 날갯짓이 가능한 인조 근육을 만드는 데 성공했다.

로보비 프로젝트의 목적은 탐색, 구조, 그리고 인공 수분의 범위까지 활용할 수 있는 완전히 자율적으로 날아다니는 로봇 군단 개발이다. 전원 공급과 의사를 결정하는 함수들이 아직은 로봇에 달린 가는 선들에 의존하고 있지만, 진정한 자동화를 위해 연구자들은 제반 장비를 하나의 틀 안에 넣어 통합하는 방법을 찾고 있다.

겨우 3센티미터의 날개 길이를 가진 로보비는 비행을 위해 곤충을 본뜬 인간이 만든 가장 작은 장치다.

비행기 날개의 위쪽은 왜 곡선으로 구부러져 있는가?

비행기의 날개는 공기가 아래쪽을 통과하는 것보다 더 빨리 위 표면을 가로질러 흐르도록 설계되어 있다. 그렇기에 비행기 날개의 위 표면은 아랫부분보다 길다.

베르누이의 원리에 따르면, 윗부분에서 더 빨리 흐르는 공기는 아랫부분보다 윗부분의 압력을 낮추는데, 이는 양력(揚力)이라는 힘을 만든다. 양력은 날개가 아래쪽보다는 더 위쪽으로 가도록 해주므로 비행기가 앞으로 나아갈 때 공중에 뜰 수 있게 해주는 힘이다. 비행기가 공중에 있을 때, 비행기 자체, 연료, 승객들과 수화물로 이루어진 비행기의 무게는 비행기를 밑으로 심하게 내리누른다. 그러나 이 모든 무게를 양력이 지탱해줌으로써 비행기는 날 수 있다.

다니엘 베르누이
(Daniel Bernoulli, 1700~1782)

베르누이 가문이 배출한 여러 유명한 수학자 가운데 한 사람이다. 특히 베르누이 원리(Bernouilli principle)로 널리 알려져 있다.

소수(素數)와 매미-수백만 년 전

인간에게 아무런 해도 끼치지 않는 비행 곤충인 매미는 전 세계적으로 약 3,500종이 있다. 매미 대부분은 2~5년 정도 살지만, 어떤 종은 훨씬 더 오래 살기도 하고 좀 별나게 이상한 생명 주기를 가지고 있는 종도 있다.

주기매미라 불리는 북미의 17년 매미는 13년에서 17년 정도 살 수 있다. 생애와는 별도로 이 매미는 13과 17이라는 값 때문에 생물학자와 수학자들의 지대한 관심을 받았다. 왜냐하면, 이 수들은 생명체에서뿐만 아니라 수학에서도 중요한 역할을 하는 '소수'이기 때문이다.

전설적인 수학자 에르되시 팔(Erdös Pál)은 소수에 대해 자신이 느낀 절망의 순간을 이렇게 표현했다. "소수를 이해하려면 앞으로도 100만 년의 시간이 걸릴 것이다."

매미의 삶에서 13과 17이라는 소수의 중요성은 아직까지 명확하게 설명되지 못하고 있다.

주기매미는 땅밑에서 애벌레로 13년이나 17년을 산다. 그러나 이 시간이 지난 후 시계처럼 정확하게 굴을 파 지면으로 올라오는데, 그 수는 무려 수백만에 달한다.

이때 매미를 밖으로 나오게 하는 것은 무엇인가? 매미는 어떻게 소수를 알 수 있는가? 거기에 우연이란 없다. 스티븐 제이 굴드(Stephen Jay Gould)가 내놓은 이론에 따르면, 주기매미는 자신들보다 짧은 기간을 사는 포식자를 피하고자 그토록 오래 땅밑에서 지낸다고 한다. 그러고 나서 껍질을 벗고 비행 곤충이 된다. 수컷은 짝짓기를 위해 소음을 계속 만들지만, 암컷은 조용하다. 몇 주밖에 되지 않는 짧은 생애 동안 암컷은 아무것도 먹지 않는다. 그 짧은 생애의 유일한 목적은 짝짓기를 해서 종을 보존하는 것이다.

아름다운 멕시코 노래 〈매미(La Cigarra)〉에서, 매미를 죽을 때까지 노래하는 낭만적인 생명체로 묘사한 것은 놀랄 일이 아니다. 왜냐하면, 정말 두 달 뒤 수백만 개의 알을 남기고 죽기 때문이다. 삶의 주기가 다시 시작될 때까지 그 알들은 부화할 것이며, 애벌레는 이후 13년 또는 17년 동안 땅속으로 들어가 살 것이다.

매미의 삶은 자연의 수학적인 탁월함을 보여주는 하나의 인상적인 증거다. 매미는 자연적으로 타고난 소수에 대한 자각 덕분에 소중한 생존 기술을 가질 수 있게 된 것이다.

진화는 기나긴 기간 동안 진행된 게임의 산물이다. 매미는 포식자를 피할 수 있도록 진화의 과정을 통해 13년 또는 17년이라는 비교적 큰 소수를 선택했다. 이를테면 매미의 생명 주기가 17년이고 포식자의 생명 주기가 5년이라면 둘은 85(=17×5)년 만에 겨우 한 번씩 만난다.

언제부터 창의성이 시작되었을까?

창의성이라는 사고가 나타나기 시작한 것은 20만 년도 더 되지 않았을까? 우리 조상들은 생각보다 훨씬 더 이전에 이미 창의성과 혁신에 대한 반짝이는 생각을 지니고 있었을 것이다. 가장 최근의 연구들은 심지어 호모 사피엔스의 출현보다도 창의성의 역사가 더 길다는 것을 밝혀냈다. 이 장에서는 전 세계에서 일어났던 창의적 사건들을 탐험하는 여행을 하게 될 것이다. 고대 이집트의 (여러 가지 변형된) 바퀴, 첫 번째 주사위, 보드게임과 피타고라스 정리 등 과거 수십 세기 동안 모아온 인류의 지식은 숨 막힐 정도로 놀랍다!

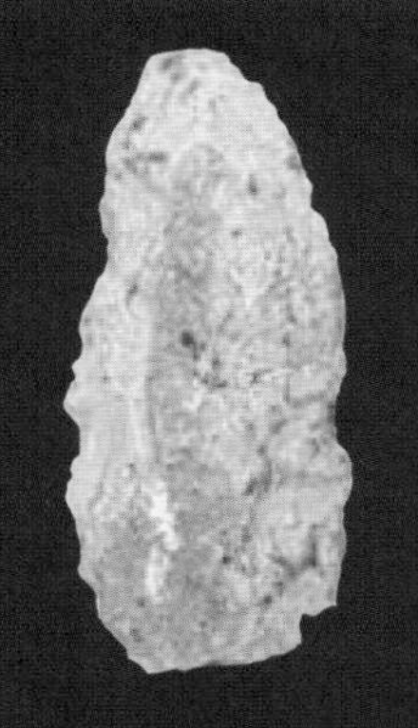

구석기 시대의 손도끼-200만 년 전

인류의 혈통은 약 600만 년 전 아프리카에서 처음으로 출현했다. 그러나 이후 거의 400만 년 동안 이렇다 할 기술 혁신의 기록은 없었다. 그 후 어느 시점에서, 유랑하던 인류는 불을 발견했고 자르는 도구를 만들기 위해 돌을 조각내기 시작했다. 이 기술은 200만 년 전에 만들어진 구석기 시대의 손도끼에 완벽히 나타나 있다. 초기의 인류가 돌을 완전히 대칭되도록 조각을 내 한 점과 매우 날카로운 변을 가지는 물건을 만들어내기 시작했을 때가 수학, 예술 및 기술이 시작된 시기라고 할 수 있다.

이상고 뼈-기원전 1만 6000년

이상고 뼈(Ishango bone, 뼈로 만든 도구)는 1960년 벨기에의 지질학자 진 헤인젤린(Jean de Heinzelin de Braucourt)이 이상고 지방에서 발견했으며, 현재는 벨기에 브뤼셀에 있는 왕립 자연과학학술원에 전시되어 있다. 이상고 뼈는 뼈로 만든 손잡이로 구성된 작은 도구로 손잡이 끝쪽에는 한 조각의 석영이 장식되어 있으며, 아래 그림에 보이는 것처럼 행으로 3개의 일련의 표시가 조각되어 있다.

이상고 뼈는 기원전 1만 6000년경에 제작되었을 것으로 추정된다. 가장 오래된 셈법에 대한 기록은 기원전 3만 5000년으로 거슬러 올라간다. 그러나 이상고 뼈에 나타나 있는 세 개의 줄 표시는 당시의 수학에 대한 지식을 보여주는데, 놀랍게도 시간을 새긴 것이다. 이런 이유로 이상고 뼈는 수학적으로 상당히 중요한 최고(最古)의 수학적 공예품 중 하나로 꼽히고 있다.

처음에는 이러한 표시들이 셈한 것을 새긴 것이고 전 세계에서 발견된 이전의 셈 표시와 유사하다고 생각되었지만, 이상고 뼈는 단순히 셈한 것을 새긴 도구 이상의 뭔가가 있다. 각 줄을 더 자세히 살펴보자.

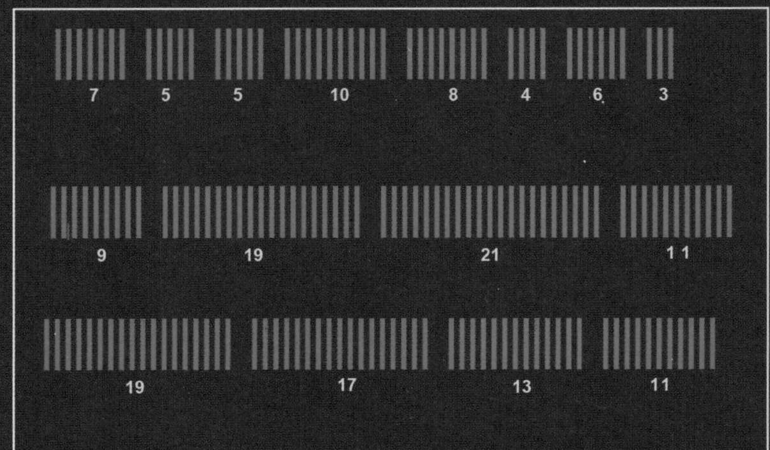

첫 번째 행에서 맨 왼쪽에 있는 묶음 두 개를 제외한 나머지 두 묶음을 보면, 한 묶음이 다른 묶음의 두 배다. 두 번째 행을 보면 총 네 묶음에서 가까이 있는 두 묶음씩을 보면, 그 차이는 10이다. 세 번째 행이 가장 놀랍다. 이 행에는 10에서 20 사이의 소수들이 차례대로 나열되어 있다.

이상고 뼈에 나타나 있는 표시들은 의도적으로 소수들을 나열한 것일까? 아마 아닐 것이다. 이 표시는 원시적 달력 체계인 것으로 보인다.

그러나 30 이하의 수에서 복원 추출●로 임의로 4개의 양수를 선택했다고 하자. 이 범위 안에는 10개의 소수가 있으므로 선택한 4개의 수가 모두 소수일 확률은 1/81이다. 놀랍지 않은가!

● 원본에서는 복원(with replacement)이라는 말이 빠졌다. 복원 추출이어야 $1/81=(10/30)^4$이 된다.

> **"힘들게 목재를 들어 올려 옮기는 대신,**
> **둥글고 부드러운 물체를 계속 굴리기만 해도 앞으로 나갈 수 있다는**
> **기적적인 역설은 초창기의 인류에겐 가장 유익한 충격이었을 것이다."**
>
> 블라디미르 나보코프(소설가)

원과 돌림판 굴리기-기원전 6000년 이전

인류가 바퀴를 발명하기 이전에 롤러를 발명했을 거라고 추측하는 건 타당하다. 그 둘의 차이점은 중요하다. 바퀴와 달리 롤러는 독립적으로 물건을 옮길 수 있는 도구다. 롤러 위에 짐을 올림으로써 앞으로 가는 힘이 생기고 그 힘으로 아래에 놓인 롤러가 움직인다. 짐과 롤러 모두 앞으로 움직이는 것이다.
지구촌에서 발생했던 초기의 문명들은 롤러가 무거운 짐을 옮기는 데 훌륭한 운송수단이 될 수 있다는 것을 각기 개별적으로 발견했다. 이러한 발견이 없었다면, 피라미드, 사원, 그리고 거대한 석조 기념물을 짓는 일은 아마 불가능했을 것이다.
두 롤러의 둘레는 각각 1미터다. 만약 두 롤러가 한 바퀴 돈다면 몇 미터나 앞으로 움직이겠는가?

29

난이도 ●●○○○○
필요한 것
완료 ○ 시간 88:88

바퀴 위의 소-기원전 4000년
세라믹 장난감(루마니아)

바퀴: 회전운동-기원전 6000년

바퀴는 아마 전 시대를 통틀어 가장 중요한 기계적 발명품이라 할 수 있을 것이다. 아리스토텔레스는 천체들이 단지 원 안의 궤도를 도는 것뿐이라고 선언함으로써, 천체의 운동에 자신이 가지고 있던 '완전한 대칭' 관념을 새겨넣었다. 이러한 '지식'은 코페르니쿠스조차 비판하지 않았으며 2000년 이상 아무런 비판 없이 받아들여졌다.
바퀴나 추상적인 형태로서의 회전운동의 도입은 역사상 매우 중요한 사건이었다. 인간의 삶에서 전례가 없었던 이동할 수 있는 형태에 대한 개념을 인식하는 데는 수천 년의 시간이 걸렸다. 바퀴의 발명에는 추상적 사고력, 말하자면 물체 자체를 넘어 물체에 대해 사고할 수 있는, 즉 현상으로부터 이론으로 나아갈 수 있는 능력이 필요했다. 일단 이 문제가 해결되면, 다른 위대한 발명품이 그렇듯이, 바퀴의 발달이 더는 놀랄 만한 진보로 보이지는 않는다. 메소포타미아 우르에서 만든 첫 번째 바퀴와 공기압을 이용해 만든 20세기 바퀴는 단지 부속품의 차이일 뿐이다.

미로와 미로 퍼즐

미로는 고대의 구조물이다. 역사에 기록된 첫 번째 미로는 기원전 1900년에 만들어진 이집트의 미궁(Labyrinth)이다. 그리스의 여행가이자 작가인 헤로도토스(Herodotus)는 기원전 5세기경 이집트 미궁을 방문했을 때 이런 기록을 남겼다. "피라미드는 말로 표현할 수 없을 만큼 뛰어나지만, 미로는 피라미드보다 훨씬 더 훌륭하다." 미로는 한때 인상적인 구조물이었지만 현재 남아 있는 흔적은 거의 없다.

이 첫 번째 미로는 크레타의 왕 미노스의 요청으로, 다이달로스(Daedalus)가 반은 황소이고 반은 괴물인 미노타우로스의 집으로 지은 것이라는 설이 있다. 테세우스(Theseus)는 이 미로의 출구를 찾는 데 금빛 실타래를 이용했다.

수학적인 관점에서 보면 미로는 위상수학에 속하는 문제다. 미로는 지도 위에 맞는 길만 남을 때까지 막힌 골목들을 표시하고 나면 빠르게 풀 수 있다. 미로의 지도가 없이 미로 안에 있다면, 손을 오른쪽(또는 왼쪽) 벽에 놓고 계속 따라가면 미로를 빠져나올 수 있다. 그 길이 가장 짧은 길이 아닐지라도 출구에 확실히 도달한다. 이 방법은 출구가 미로 내에 있고 막혀 있는 길로 둘러싸여 있는 미로에서는 안 된다. 막힌 길을 가지고 있지 않은 미로를 '단순 연결'이라 한다. 즉, 단순 연결은 분리된 벽이 없어야 한다. 분리된 벽이 있는 미로는 막힌 길들을 포함하며 이는 '다중 연결'이라 한다.

아드리안 피셔의 미로

아드리안 피셔(Adrian Fisher)는 세계적인 미로 설계자로 30개 국에서 500개 이상의 실물 크기의 미로들을 만들었다.

피셔는 영국의 도르셋에 있는 집안 대대로 내려오는 사유지에서 아내 마리(Marie)와 함께 일하면서, 세계의 독창적인 거울 미로의 절반을 만들었다. 세계 최초의 옥수수밭 미로와 물 미로를 만든 피셔는 세계 신기록을 기록하는 기네스북에 몇 개의 세계 기록을 갖고 있다.

피셔는 세계적으로 저명한 잡지와 TV를 통해 400개 이상의 독창적인 퍼즐 문제를 만든 발명가로 알려져 있으며, 미로에 대한 12권의 훌륭한 책을 썼다.

아드리안 피셔

아드리안 피셔가 만든 거울 미로에서

30

난이도 ●●●●●●●
필요한 것
완료 ● 시간

듀드니의 미로

헨리 듀드니(Henry Dudeney, 1857~1930)는 영국 작가이자 수학자로 논리 퍼즐과 수학 게임을 전문적으로 연구했다. 영국의 주요 퍼즐 제작자 중 한 명이기도 했다.

듀드니는 처음에 신문이나 잡지에 퍼즐 기사를 써서 퍼즐을 대중화하는 데 힘썼는데, '스핑크스'라는 필명을 자주 사용했다. 초기 작품 상당수는 미국의 퍼즐 풀기 선수인 샘 로이드(Sam Loyd)와 함께 만들었으며, 1890년에 창간되어 주변의 소소한 이야기를 전했던 주간 잡지 《잉글리시 페니 위클리 팃-빗츠(English penny weekly Tit-Bits)》에 퍼즐 기사를 연재했다. 그러나 듀드니가 로이드를 기소하면서 이들의 공동작업은 갑자기 깨지게 되었다. 로이드가 듀드니의 퍼즐을 훔쳐 자신의 이름으로 출판하면서 사달이 난 사건이었다.

듀드니의 미로는 전 세계적으로 발견된 6000년 전의 고대 미로 디자인과 근본적으로 큰 차이점은 없으나 도전의식을 자극하는 퍼즐이라 할 수 있다. 이 퍼즐을 풀 수 있겠는가?

듀드니는 지난 길을 다시 지나지 않으면서 출구를 찾는 방법을 600개나 찾아냈다.

주사위-기원전 5000년

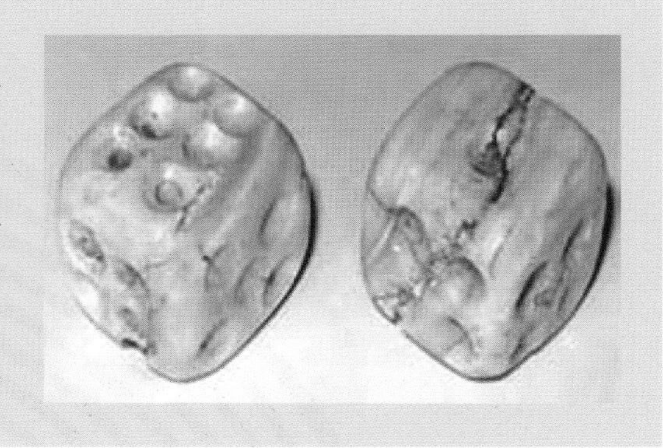

주사위는 역사가 기록되기 전부터 아시아 전역에서 사용되어왔다. 가장 오래된 것으로 알려진 주사위는 이란의 남동쪽에 있는 고고학 지역인 '불탄 도시(Burnt City)'에서 발굴된 5000년 전의 백개먼(backgammon) 세트(두 사람이 하는 주사위 놀이 세트)의 일부분이다. 성경에는 실제로 '제비뽑기'를 했다는 여러 증거가 있다. 이는 다윗 왕 시절 해당 지역에서 이런 형태의 도박을 하는 것이 아마도 아주 흔한 일이었음을 시사한다. 백개먼은 손가락 마디의 뼈와 비슷한 모양으로 여자들과 아이들이 즐겼던 게임으로 보이며, 현대의 주사위와 비슷하게 뼈의 네 면에 다른 값이 쓰여 있다. 특히, 그리스의 상류층에서 유행했던 오락의 한 형태로 두 개나 세 개의 주사위를 사용하는 도박 게임이었으며, 심포지엄(symposium) 중 친밀도를 높이는 심심풀이용 오락이었던 것으로 보인다.

백개먼-기원전 3000년

백개먼은 두 명이 같이 할 수 있는 가장 오래된 보드게임 중 하나다. 두 개의 주사위를 던져서 나오는 숫자에 따라 말을 움직이며, 선수는 보드에서 자신이 가진 말을 모두 없애면 이긴다. 파생 게임과 변형된 게임이 많은데, 게임 대부분은 밀접한 연관성이 있다.
이기기 위해서는 운도 필요하지만, 전략 역시 중요하다. 각각의 주사위를 던져서 나올 수를 예측하면서 동시에 상대방 말의 다음 움직임을 예상해야 한다. 결정적으로, 선수들은 게임 중에 말뚝을 세울 수도 있는데, 상대 선수가 패배를 인정하면 말의 이동이 거부될 수도 있다.

게임 책『리브로 드 로스 주에고스』

알폰소 10세(1221~1284)는 1257년 카스티야, 갈리시아와 레온의 왕으로, 아버지로부터 왕위를 계승했다. 그는 집권하는 동안 다양한 방면에서 많은 일을 시행했는데, 1283년에는 톨레도에 있는 자신의 기록실에서 게임 책인『리브로 드 로스 주에고스(Libro de los juegos)』를 완성하기도 했다. 이 책은 알폰소의 훌륭한 문학적 유산으로 97개의 양피지 조각으로 이루어져 있으며, 수많은 채색 삽화와 150개의 축소 모형이 포함되어 있다.
이 책에서는 게임을 세 가지로 구분해 설명한다. 기술 게임 또는 체스, 운 게임 또는 주사위, 그리고 기술과 운의 요소를 모두 조합한 게임인 백개먼이다. 이 책은 이런 종류의 게임에 관해 쓴 최초의 책으로 보드게임의 역사 연구에서는 가장 중요한 문서로 꼽힌다.『리브로 드 로스 주에고스』의 유일한 원본은 에스파냐 마드리드 근처에 있는 산 로렌소 델 에스코리알(San Lorenzo del Escorial) 수도원의 도서관에 소장되어 있다.

주사위 게임, 퍼즐, 그리고 세넷-기원전 3000년

주사위 게임은 주사위를 사용하거나 포함하는 게임을 말하는데, 보통 무엇인가를 임의로 선택할 때 쓰는 도구로 주사위만을 사용하거나 주사위를 주요 도구로 이용한다.

여러 파라오가 왕비들이나 심지어 지하세계에서 온 영혼과 세넷(senet, 고대 이집트의 보드게임) 같은 주사위 게임을 했다는 증거를 고고학적 유물에서 발견할 수 있다. 기원전 2000년경의 것으로 추정되는 이집트 무덤들에서는 기원전 6000년경 제작된 것으로 추정되는 주사위가 발견되었다.

세넷은 가장 오래된 보드게임으로 게임 방법은 백개먼과 비슷하다. 세넷은 본질적으로 경주 게임으로 두 명이 각각 5개의 말을 게임판 위에서 이동시키는 게임이다. 게임판은 한 열(column)이 10개의 정사각형으로 구성된 열 3개가 평행하게 놓여 만들어진 것으로 30개의 정사각형으로 이루어져 있다. 게임판에서 먼저 5개의 말을 모두 제거한 선수가 게임에서 이긴다. 선수들은 상대방의 말을 게임판의 시작점이나 중간점에서 다시 시작하게 할 수 있을 뿐만 아니라 지나가게 두거나 막을 수도 있다. 게임판에서의 이동은 4개의 결정 막대기나 2개의 손가락 마디뼈를 던져서 결정한다. 세넷은 운뿐만 아니라 기술과 전략 요소 역시 필요한 게임이다.

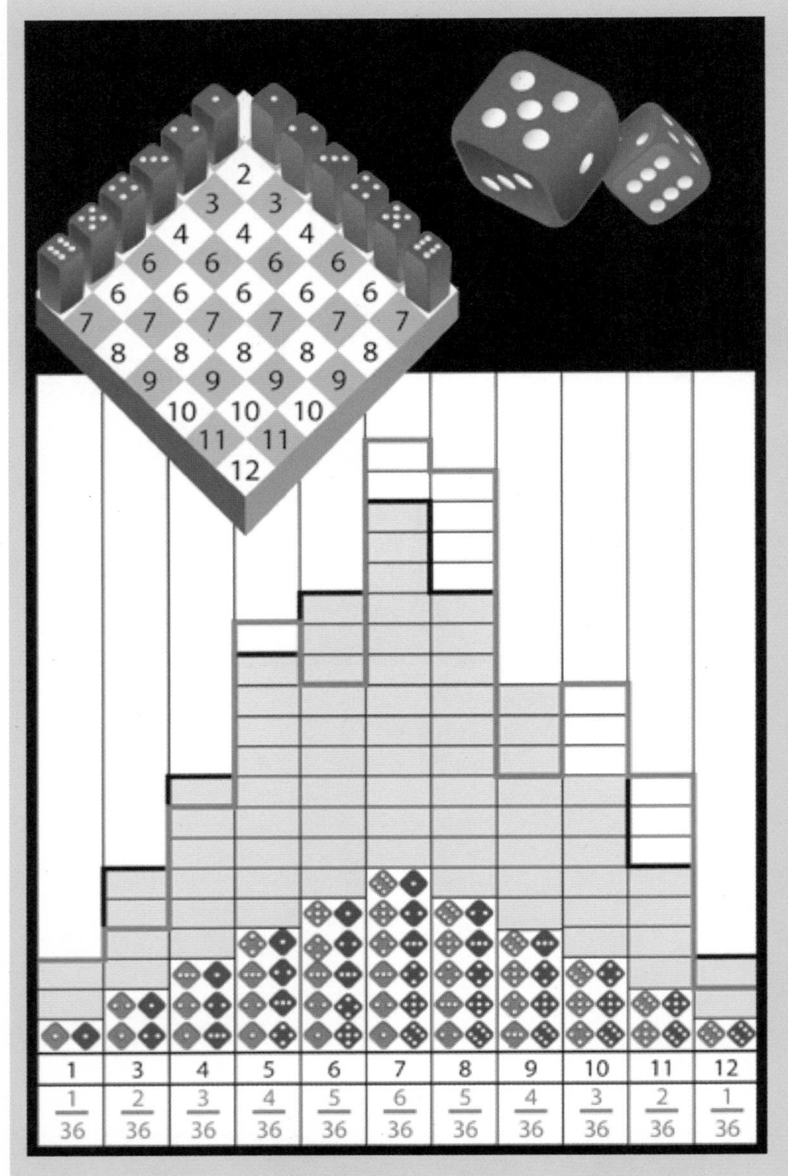

주사위 문제-한 쌍의 주사위

많은 게임에서 주사위는 쌍으로 던져서 나오는 눈의 합을 사용한다.
1854년 루이 파스퇴르는 "기회는 준비된 자에게만 온다"라고 말했다. 옳은 말이다. 두 개의 주사위를 던져 특정한 합을 얻을 수 있는 확률을 계산해보라고 하면 많은 사람이 매우 어려워한다. 심지어 위대한 수학자이자 철학자였던 라이프니츠조차도 두 개의 주사위를 던져 나온 눈의 합이 11이나 12나 확률이 같다고 생각했다. 주사위를 던져 11이 나오는 경우는 5와 6이 나오는 경우, 12가 나오는 경우는 6이 두 개가 나오는 경우밖에는 없다고 생각했기 때문이다.

1. 이 논리에서 잘못된 것은 무엇일까?
2. 한 쌍의 주사위를 던진다. 나온 눈의 합이 짝수일 확률은 얼마일까? 눈의 합이 짝수이거나 홀수일 확률이 같을까?

우리가 처음부터 알고 있는 것은 눈의 합은 2에서 12까지 나올 수 있다는 것이다. 왼쪽에 있는 도표는 두 눈의 합이 나오는 경우의 수를 보여주고 있다. 이 결과의 분포를 나타내는 그래프는 유명한 '정규분포' 혹은 '가우스 곡선'과 거의 비슷하다.
어떤 사건이 일어날 가능성이 50대 50이라고 하면 전체 시행에서 평균적으로 반 정도는 그 사건이 일어나야 한다. 그러나 여러 차례 시행해야 평균이 보통 50퍼센트에 가깝게 나온다는 것을 깨달은 사람은 거의 없을지 모른다. 얼마나 많이 시행해야 확률적인 예측을 믿을 만한가? 간단한 실험으로 이를 확인할 수 있다. 도표의 회색 부분은 한 쌍의 주사위를 106번(3×36) 던졌을 때 나올 수 있는 확률을 나타낸 것이다. 반면, 도표의 붉은 선은 저자의 실험 결과다. 실험해보라. 상대적으로 적은 수의 시행만으로도 이론으로 얻는 값과 매우 근사한 값을 얻을 수 있다는 것에 놀랄 것이다.

31
난이도 ●●●○○○
필요한 것
완료 ○ 시간 88 88

주사위 세 개

3개의 주사위를 던져 나올 수 있는 경우의 수는 얼마일까? 주사위 3개의 눈의 합은 3에서 18까지 있을 수 있다. 3개의 주사위를 던져 눈의 합이 7과 10이 나올 확률을 구할 수 있겠는가?
수 세기 동안, 많은 사람이 3개의 주사위를 던졌을 때 나올 수 있는 경우의 수는 56가지밖에 없다고 믿어왔다. 사람들은 집합(조합)과 순서(순열)의 차이를 인식하지 못했다. 사람들은 각 경우의 가능성에 대해 정확한 값을 얻기 위해 일련의 결과들을 세어야 했을 때 '집합'만을 셌다.
1250년 리샤르 푸르니발(Richard de Fournival)이 주사위 3개를 던졌을 때 나올 수 있는 실제 경우의 수를 설명할 때까지, 확률을 계산하기 위한 올바른 방법은 발견되지 않았다.

32
난이도 ●●●○○○
필요한 것
완료 ○ 시간 88 88

주사위 한 개 던지기

당신의 친구가 주사위를 던지고 난 뒤 당신이 주사위를 던진다. 당신이 던진 주사위의 눈이 친구가 던져서 얻은 눈보다 클 확률은 얼마일까?

33
난이도
필요한 것
완료
시간

6이 나올 확률

주사위 한 개를 6번 던졌을 때 6이 적어도 한 번 이상 나올 확률은 얼마일까?

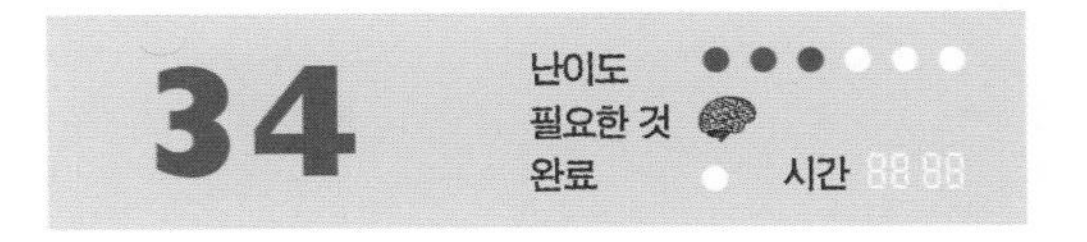

6번 던지기

주사위 한 개를 6번 던졌을 때 각 눈이 정확히 한 번씩 나올 확률은 얼마일까?

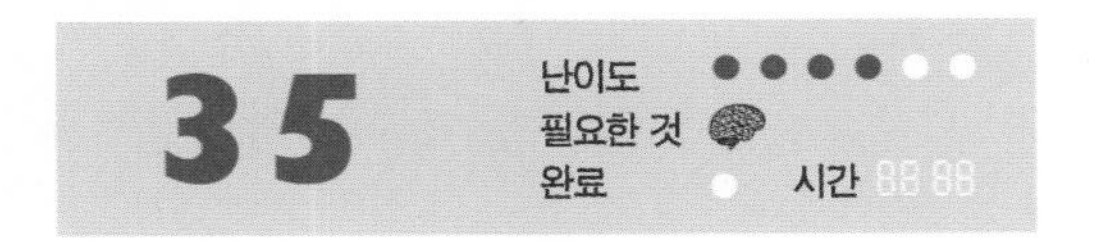

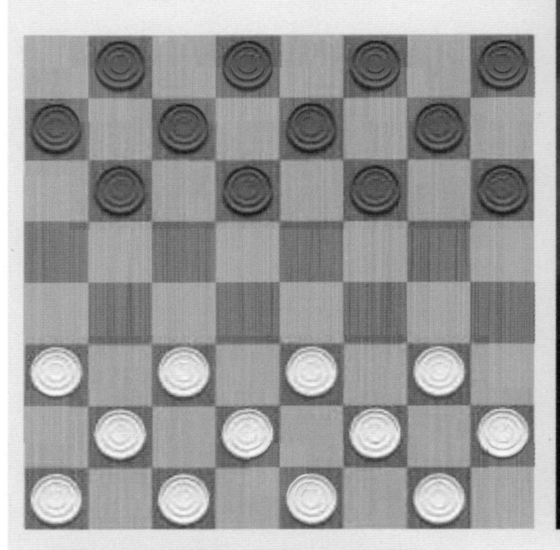

체커-드래프트-기원전 3000년

북미에서는 체커(Checker), 유럽에서는 드래프트(Draught)라 불리는 서양 장기는 알려진 게임 중 가장 오래된 게임 중 하나다. 현재 이라크 지역인 메소포타미아의 고대 도시 우르에서 이 게임의 원시적 형태가 발굴되었으며, 탄소 주기로 볼 때 기원전 3000년 것으로 추정된다. 기원전 1400년경 고대 이집트에는 알케르케(Alquerque)라 불리는 이와 비슷한 방식의 게임이 있었는데 5×5 크기의 게임판을 사용했다.

1100년 한 혁신적인 프랑스인이 선수당 말을 12개로 늘려 체스판에서 하는 게임에 알케르케를 적용했는데, 이 게임은 여성들의 유쾌한 오락이라는 의미로 '르 주 플레장 드 담(Le Jeu Plaisant De Dames)'이라 불렸다. 여성의 사회활동을 위한 게임으로 여겨졌기 때문이다.

오늘날 컴퓨터 체커 프로그램은 최고의 체커 선수도 이기고 있으며, 체커는 어느 때보다 인기를 구가하고 있다.

체커는 논리와 사고를 훈련하기에 좋은 게임이다. 2명이 하는 게임으로, 선수당 12개의 말을 갖는데, 말은 체스판의 짙은 색 정사각형 위에 놓는다. 세계적으로 정해진 규칙의 체커에서는 20개의 말로 10×10 크기의 게임판에서 게임을 한다. 보통 검은 말이 선을 잡고 먼저 움직이는데, 이는 검은 말에게 약간 유리하다. 하지만 초보자에게는 이런 유리함도 아주 미미한 정도일 뿐이다.

게임의 목표는 상대 선수의 말을 모두 없애거나 정당하게 움직이는 것이 불가능한 상황을 만들어내는 것이다.

처음 놓인 위치에서 말은 대각선 방향으로만 전진할 수 있다. 말의 이동은 '잡기(capturing)'와 '잡기 않기' 두 가지로 분류된다. 잡지 않기 이동은 단순히 대각선 방향으로 앞에 인접한 말이 없는 빈칸으로 움직이는 것이다. 잡기 이동은 선수가 상대방의 말을 '뛰어넘기' 하는 것을 포함한다. 이것 역시 대각선 방향으로 움직이며 같은 대각선상에서 그 말의 두 칸 뒤의 칸이 비었을 때만 움직일 수 있다.

잡기 이동에서는 여러 번의 뛰어넘기를 할 수도 있다. 만일 한 선수가 한 번의 뛰어넘기를 한 뒤 또 뛰어넘기를 할 수 있는 조건이 된다면 다시금 뛰어넘을 수 있다. 이는 한 선수가 연속적으로 여러 번의 뛰어넘기를 할 수도 있으며, 연속적인 뛰어넘기를 하는 동안 여러 개의 말을 잡을 수 있음을 의미한다. 선수가 잡기 이동을 할 수 있는 위치에 있을 때는 반드시 잡기 이동을 해야 한다는 것에 주목하자.

말이 '왕의 행(king's row)'이라 불리는 상대 선수의 게임판의 끝에 다다랐을 때, 그 말은 왕관을 쓰고 강력한 왕이 된다. 왕은 뒤로 갈 능력을 얻게 되며, 양쪽 어느 방향으로든 뛰어넘기를 할 수 있고, 심지어 양쪽 방향으로 뛰어넘기를 할 수도 있다. 여러 번의 뛰어넘기가 가능할 때도 마찬가지다.

체커의 전술에 대해 알아보자. 첫째, 내 말 하나를 잡기 위해 상대 선수가 자기 말 두 개를 포기하는 위치에 오도록 상대 선수를 유인한다. 즉 상대 선수의 말이 잡힐 수밖에 없는 전략을 사용하는 방안을 항상 염두에 둔다. 말 하나가 종종 게임 마지막에 중요한 역할을 할 수 있다. 게임 중에는 상대 선수가 나의 왕에 접근하는 것을 항상 막아야 한다. 어느 선수든 왕이 잡히면 일반 말은 공격당하기 쉬운 상태가 됨을 명심해야 한다.

보통 상대 선수의 말을 모두 제거한 쪽이 이기지만 가끔은 상대 선수의 말이 더 이상 움직이지 못하는 상황이 생기면 게임이 끝나기도 한다.

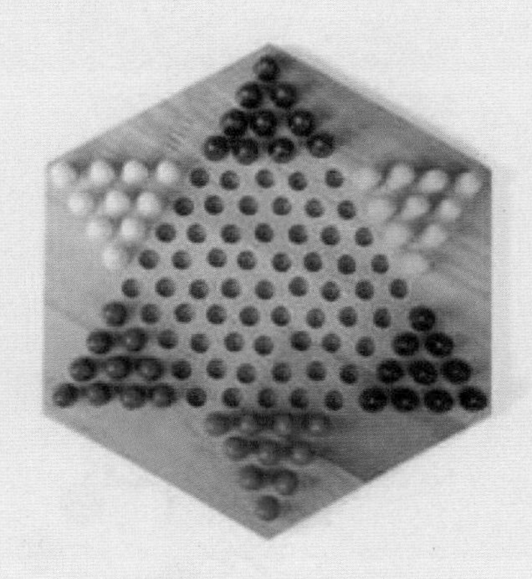

1892년에 사용했던 중국 체커의 게임판으로 고전적인 체커의 변형게임이 아니다. 이 게임은 오래된 미국 게임 할마(Halma)의 변형 게임으로 독일에서 창안되었다.

서커스 광대와의 체커 게임

체커는 많은 예술가들에게 영감을 주어왔다. 노먼 록웰(Norman Rockwell)이 그린 이 재미있는 그림에서는 한 광대가 서커스 무대감독 및 다른 서커스 단원들과 함께 체커를 하는 모습을 보여주고 있다.

체커가 풀렸다

2007년 조너선 섀퍼(Jonathan Schaeffer) 연구진이 개발한 컴퓨터 프로그램 치눅(Chinook)은 체커에서 만일 완벽하게 말을 움직인다면 이기는 선수가 없다는 것을 증명했다. 틱택토(Tic-Tac-Toe)처럼, 두 선수 모두 한 번도 실수하지 않는다면 게임은 무승부로 끝난다. 치눅은 세계 체커 챔피언 틴슬리(Marion Tinsley)를 상대로 한 게임에서 연이어 무승부를 냈다.

그랜드 마스터 마리온 틴슬리. 2007년 이후에는 더 이상 유일한 체커 챔피언이 아니다.

동력장치 기어에 관한 흥미로운 역사

중국의 지남차(指南車)

동력장치는 인류가 만든 가장 오래되고 기본적인 기계장치 중 하나다. 동력장치의 원형은 기원전 27세기 중국의 '지남차(남쪽을 가리키는 전차)'로 거슬러 올라간다. 이 전차는 어느 쪽으로 가든 항상 남쪽을 가리키는 방향 지시 장치를 가진 움직이는 이륜 전차였다. 이 전차는 기계 기술자인 마균(馬鈞)이 설계했다고 알려져 있다. 지남차는 바퀴가 회전하도록 기계적으로 설계되었는데, 이것으로 인해 방향 지시 장치가 항상 남쪽을 가리킬 수 있었다.

동력장치는 기원전 4세기 아리스토텔레스가 처음 묘사했다. 아리스토텔레스는 이렇게 썼다. "동력 바퀴 한 개가 다른 동력 바퀴를 움직일 때 회전의 방향은 뒤집힌다." 기원전 3세기 그리스의 여러 발명가가 수차와 시계에 동력장치를 사용했다. 19세기에는 형태 절단기와 회전 절단기에 동력장치가 처음 사용되었으며, 1835년 영국의 발명가 휘트워스(Whitworth)는 기어 절삭 과정에 대한 첫 특허를 냈다.

안티키테라 기계

안티키테라 기계(The Antikythera mechanism)는 천체의 이동과 위치를 계산하기 위해 설계된 고대의 아날로그 컴퓨터로 옛날 시계장치와 비슷하다. 이 기계는 1900~1901년 안티키테라 난파선에서 발견되었으나 그 중요성이나 복잡성은 한 세기가 지나도록 풀리지 않았다. 새로운 연구에 따르면, 이 고대의 기계는 기원전 2세기에 만들어졌다고 한다.

안티키테라 기계는 조상들의 독창성을 엿볼 수 있는, 믿을 수 없을 만큼 놀라운 성과다. 구조와 내용이 그토록 복잡한 기계는 이후 서부 유럽에서 기계식 천문 시계가 만들어질 때까지 1000년 동안 나타나지 않았다. 2006년 이 기계에 관한 연구를 이끌었던 카디프대학의 마이클 에드먼즈(Michael Edmunds) 교수는 이렇게 말했다. "이 장치는 정말 특별하며, 이런 종류로는 유일한 것이다. 디자인이 아름답고 천문도 정확하게 잘 들어맞는다. 이 기계의 작동방식은 정말 입이 떡 벌어질 만큼 놀랍게 설계되어 있다. 누구든 이 기계를 사용하려면 정말 조심해야 한다. … 역사와 희소성 측면에서 이 기계는 〈모나리자〉보다 더 가치 있다고 생각한다."(2006년 11월 30일)

안티키테라 기계의 원형은 아테네의 국립 고고학 박물관에서 볼 수 있으며, 데릭 솔라 프라이스(Derek de Solla Price) 교수에 의해 복원되어 박물관에 기증된 것도 볼 수 있다.

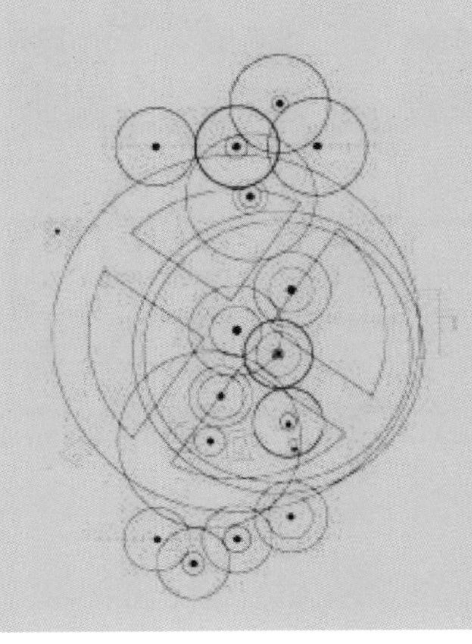

안티키테라 동력장치의 기본 설계도

1974년 미국 철학협회 소속의 데릭 솔라 프라이스가 안티키테라 동력장치를 발견한 것은 고대 기술의 성과를 현대적 시각으로 완벽하게 재평가하는 시발점이 되었다. 안티키테라 시스템에는 32개의 동력장치가 들어 있다. 이 동력장치는 서로 맞물리면서 항성을 배경으로 해와 달의 (상대적 위치 그리고 달의 위상 변화를 고려하면서) 움직임을 정확하게 재현해냈다. 동력장치가 알려지자 일각에서는 이 기계가 만들어지고 훨씬 이후에 난파선으로 떨어진 것이라는, 심지어 외계인들의 작품이라는 사뭇 진지한 이야기가 돌기도 했다. 솔라가 감마선을 이용해 기계장치에 무엇이 남았는지를 알아보기 위한 첫 시도를 한 1971년까지 이 동력장치를 전체적으로 파악할 수는 없었다. 이 시도 덕분에 비로소 동력장치를 싸고 있는 석회질의 덩어리를 뚫을 수 있었다.

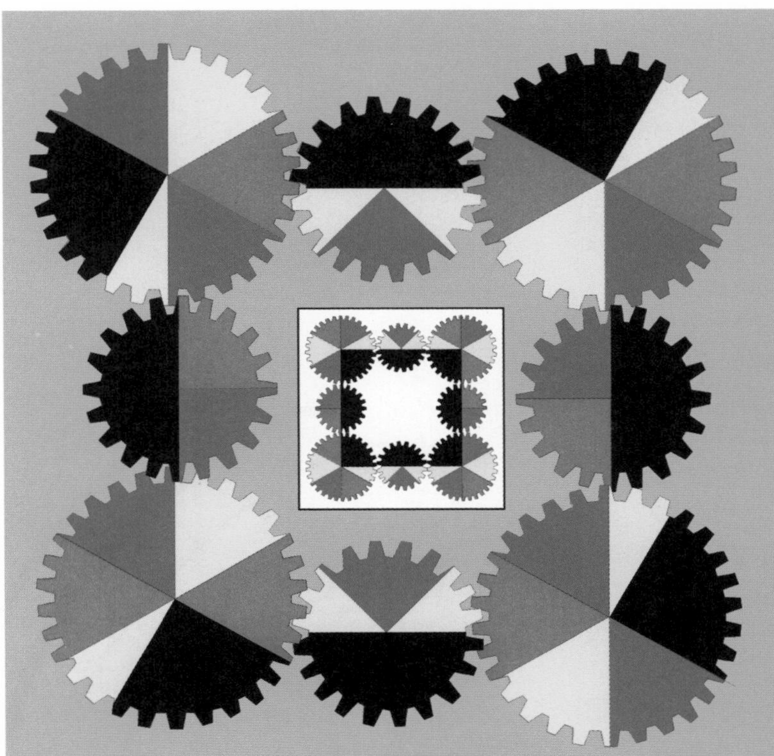

정사각형 모양의 동력장치

그림에서 가운데 있는 작은 정사각형 내부처럼 톱니의 검은색이 안쪽으로 들어오게 하려면 큰 정사각형의 윗부분에 있는 작은 톱니바퀴를 몇 번이나 돌려야 할까? 작은 톱니바퀴는 20개의 톱니, 큰 톱니바퀴는 30개의 톱니를 가지고 있다.

36
난이도 ●●●○○○
필요한 것
완료 ○ 시간

동력장치는 위로 갈까, 아래로 갈까?

만일 맨 아래 있는 빨간 톱니바퀴를 반시계방향으로 돌리면 4번 추에는 무슨 일이 일어날까?
몇 번 추가 올라가고, 몇 번 추가 내려갈까?

37
난이도 ●●●○○○
필요한 것
완료 ○ 시간

회전하는 팽이-기원전 3500년

회전운동의 발견은 전 세계 각지에서 독립적으로 팽이의 발명으로 이어졌다. 진흙 팽이는 기원전 3500년에 있던 고대 도시 우르(이라크)에서 발견되었다.
팽이(회전 팽이로도 알려진)는 하나의 축으로 회전하도록 설계된 장난감으로 한 점으로 균형을 잡는다. 이러한 회전운동의 가장 간단한 형태는 팽이의 자루 부분을 손가락으로 빙빙 돌려 만든다. 더 세련된 팽이들은 축을 잡고 줄을 빠르게 잡아당기거나, 팽이를 치는 채를 비틀어 치면서 돌린다.
회전 팽이의 작동방식은 복잡한 역학 원리에 기초를 두고 있으며, 팽이가 발명되고 수천 년이 지난 후에야 그 원리가 설명되었다.
회전운동은 팽이가 똑바로 서서 계속 돌게 만든다. 팽이는 뾰족한 끝과 표면의 상호작용에 의해 똑바로 서 있게 될 때까지는 흔들릴 것이다. 한동안 똑바로 돈 후에는 각운동량으로 회전운동의 효과가 서서히 줄어드는데, 이것이 전진운동을 계속 일으키며 결국은 여러 번의 강력한 팽이치기를 당한 후에는 멈추게 된다.
수 세기 동안, 셀 수 없이 많은 팽이의 디자인과 변형된 팽이들이 선보였다. 이 중에서, 티피팽이(Tippe Top, 거꾸로 뒤집히는 팽이)는 팽이 중에서도 흥미롭다. 티피팽이를 빠른 속도로 돌리면 팽이 자루가 아래쪽으로 점점 기울다가 갑자기 놀랄 만큼 빠르게 팽이대가 아래로 향하며 팽이 자루가 있는 위쪽이 땅 쪽을 향하게 된다. 팽이의 회전속도가 느려짐에 따라 팽이는 안정성을 잃으며 결국엔 쓰러진다.
얼핏 보기에는 팽이가 얻은 힘이 팽이를 뒤집었을 거라 착각하기 쉽다. 그러나 이는 팽이의 뒤집힘으로 인해 팽이의 무게중심이 높아져 결국 위치 에너지가 증가했기 때문이다. 팽이의 뒤집힘 그리고 그 결과 나타나는 위치 에너지의 증가는 사실 표면마찰로 생긴 회전력으로 인한 것이며, 이는 팽이의 운동 에너지를 감소시킨다. 그 결과 전체적인 에너지는 실제로는 증가하지 않는다.

요요

가장 오래된 요요는 기원전 500년의 것으로 테라코타(불로 구운 흙) 원반으로 만들어졌다. 당대의 그리스 꽃병엔 한 소년이 요요를 가지고 놀고 있는 그림이 그려져 있다. 동시대의 기록에는 금속, 나무, 그리고 테라코타로 만든 장난감이 여럿 등장한다.
기록에 따르면 테라코타 요요는 성년식에서 신들에게 바치는 공물로 사용했고, 금속과 나무로 만든 요요는 놀이용으로 썼다고 한다.

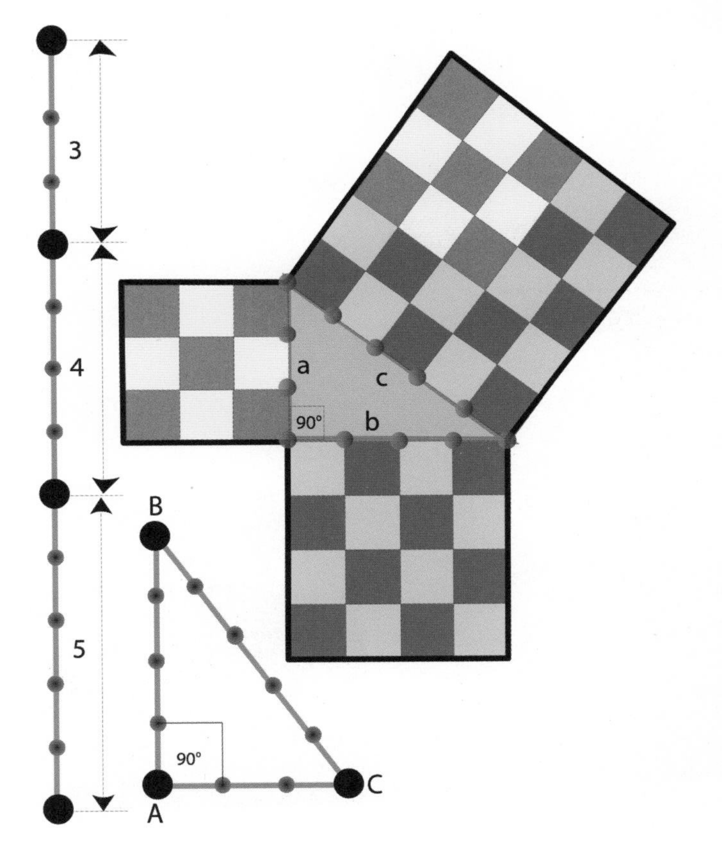

이집트의 삼각형–기원전 2000년

기원전 2000년 고대 이집트인들은 원시적인 숫자 체계를 가지고 있었으며 삼각형, 피라미드 및 그와 비슷한 형태에 대해 몇 가지 기하학적인 개념을 가지고 있었다. 직각을 만드는 이집트인들의 기발한 방법에 대해서는 아직 검증되지 않은 역사적인 기록들이 있다. 이집트의 연구자들은 길이가 12인 밧줄로 된 고리를 사용했는데 이 밧줄을 매듭을 지어 12개의 동일한 길이로 나누었다. 이 밧줄은 직각을 포함하며 변의 길이 비율이 3:4:5이고 면적이 6인 삼각형을 만드는 데 사용했다. '이집트 삼각형'이라 불리는 이 삼각형은 가장 간단한 형태의 피타고라스 정리를 설명하는 데 사용되었다. 연구자들은 A와 B 사이는 직선으로 맞추었고 점 C에서 나머지 밧줄을 팽팽하게 잡아당겼다.

그 결과는 직각이었다. 이집트 삼각형에 대한 피타고라스 정리의 시각적 증명은 다음 쪽에 있다. 물론 비슷한 밧줄을 사용해 다른 모양도 만들 수 있다.

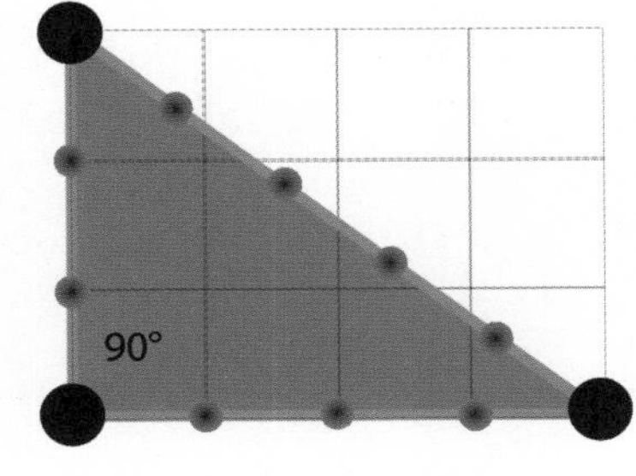

이집트 밧줄을 당겨 만든 면적이 6인 이집트 삼각형

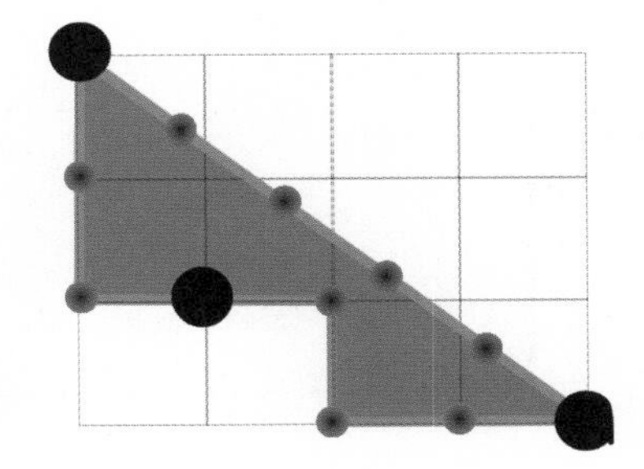

이집트 밧줄로 만든 면적이 4인 다각형

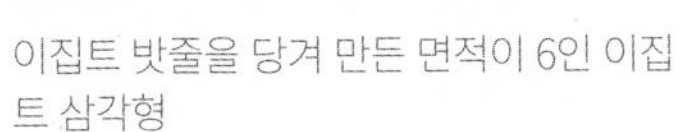

1. 이 밧줄을 잡아당겨 변이 직선이 되고 면적이 4가 되는 다각형을 만들 수 있겠는가? 한 가지 해가 위에 나타나 있다. 다른 해를 찾을 수 있겠는가?
2. 이집트 밧줄로 두 점 사이의 줄을 팽팽하게 당겨 직선을 유지하며 만들 수 있는 가장 큰 면적은 얼마일까?

피타고라스의 세 수로 이루어진 수의 쌍-기원전 2000년

피타고라스의 세 수로 이루어진 수의 쌍들은 수 천 년 전의 고대 바빌론 사람들에게 알려져 있었다. 조지 플림튼(George Plimpton)은 이집트 삼각형을 포함해 세 수 쌍들의 특징을 담은 '플림튼 322'로 알려진 점토판을 발견했다.

피타고라스의 세 수는 $a^2+b^2=c^2$을 만족하는 세 개의 양의 정수 a, b 그리고 c로 구성되어 있다. 이 세 점은 보통 (a, b, c)로 나타낸다. 가장 작은 피타고라스의 세 수는 이집트 삼각형에서 쓰인 (3, 4, 5)이다(47쪽 참조).

이집트 삼각형의 세 변은 길이가 모두 정수인 3, 4, 5다. 피타고라스학파는 직각삼각형의 세 변의 길이는 모두 정수라고 믿었다. 그러나 이런 믿음은 무참하게도 틀렸다. 세 변의 길이가 모두 정수가 아닌 가장 작은 직각삼각형을 찾을 수 있겠는가? 피타고라스의 세 수들을 만드는 간단한 공식(유클리드의 공식)이 있다.

이 공식에 따르면 주어진 양의 정수 한 쌍 (m, n), m>n,에 대해 $a=m^2-n^2$, $b=mn$, $c=m^2+n^2$으로 정의된 정수 a, b, c가 피타고라스의 세 수를 만든다고 한다.

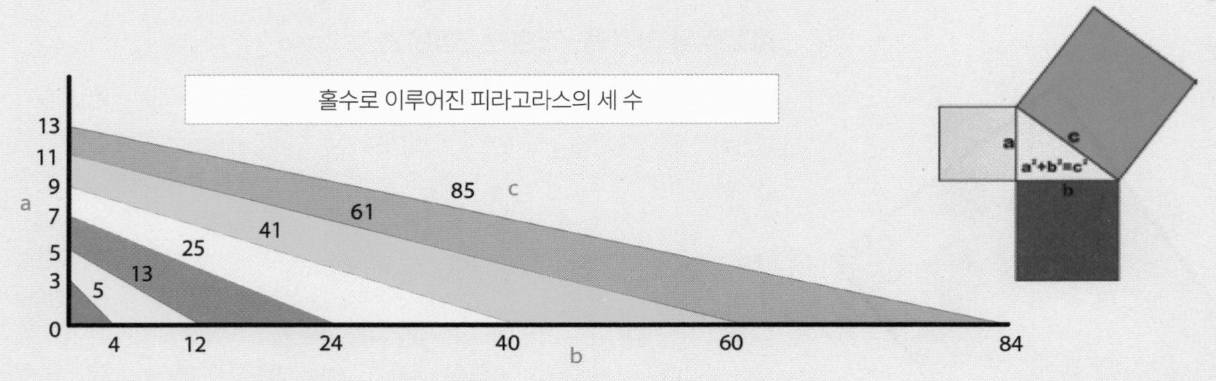

위에는 변 "a"가 연속적인 홀수로 된 수열일 때의 처음 6쌍의 피타고라스의 세 수가 나타나 있다.

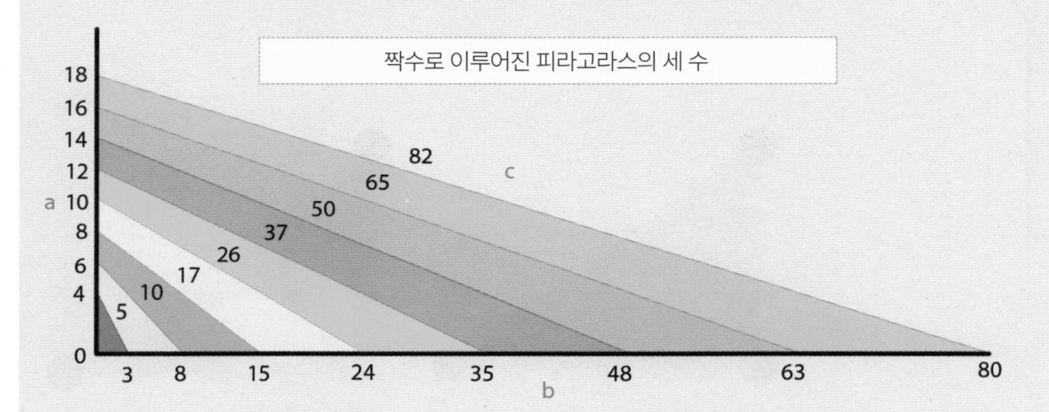

변 "a"가 짝수일 때도 피타고라스의 세 수를 이루는 쌍은 무수히 많다. 모든 짝수는 피타고라스의 세 수 중 변 "a"가 될 수 있다. 처음 8개의 짝수로 이루어진 피타고라스의 세 수를 이루는 쌍이 그림에 나타나 있다. (밑변의 길이는 80이다.)

기원전 1800년경 고대 바빌로니아의 유명한 점토판 플림튼 322에는 처음 15쌍의 피타고라스의 세 수가 나타나 있다.

페르마의 마지막 정리

유명한 페르마의 마지막 정리는 세 수를 포함한다. 페르마(Fermat, 1601~1665)는 방정식 $a^n+b^n=c^n$을 만족하는 0이 아닌 정수 a, b, c는 피타고라스 정리인 n이 2인 경우 이외에는 없다고 말했다. 1637년 페르마는 한 책의 여백에 거의 400년 동안 수학자들을 당혹스럽게 했던 그 유명한 말을 적어놓았다. "나는 이 명제에 대해 정말 놀라운 증명을 발견했다. 그러나 여백이 너무 작아 적을 수가 없다."

이 문제는 앤드루 와일스(Andrew Wiles)가 그 정리를 증명한 기념비적인 순간이었던 1994년까지 역사상 가장 안 풀리는 문제로 악명이 높았다.

신성한 기하학-기원전 1800년

신성한 기하학은 만물이 에너지 형태에 의해 만들어지고 통합되며, 이런 창조의 에너지가 어떻게 조직되는지를 설명하는 이론에 기초한 고대의 과학이다. 운동과 성장 같은 자연의 모든 패턴은 규모의 크기와는 무관하게 필연적으로 하나 또는 그 이상의 기하학적 형태를 따른다.

신성한 기하학의 개념은 스리 얀트라(Sri Yantra)에 의해 아름답게 시각화되었다. 얀트라는 불교의 만다라와 같은 개념의 요가 도형으로, 마음의 균형을 잡아 영적 상태로 집중하는 데 사용하는 기하학적인 그림이다. 몇몇 전통에서는 얀트라가 신비로운 은혜를 가지고 있다고도 한다.

스리 얀트라나 창조의 얀트라(Yantra of Creation)의 유래는 기원전 1800년으로 거슬러 올라간다. 얀트라는 '빈두(bindu)'라 부르는 중앙의 점을 중심으로 9개의 삼각형이 서로 맞물려 있는 형태다. 이 9개의 삼각형은 크기가 다양하며 서로 교차한다. 중앙에 있는 빈두는 이 완벽한 그림의 보이지 않는 초점을 나타내는 힘의 점이고 빛을 발산하는 우주 자신이기도 하다. 상호 연결된 9개의 삼각형은 43개의 작은 삼각형으로 이루어진 망 형태를 만드는데, 이는 우주 또는 생산을 상징하는 자궁을 표현한다.

스리 얀트라

위의 그림은 43개의 빨간 삼각형으로 이루어진 스리 얀트라의 모양이다. 빨간색 삼각형을 모두 제거하려면 파란색과 녹색으로 둘러싸인 9개의 삼각형 중 몇 개를 제거해야 할까?

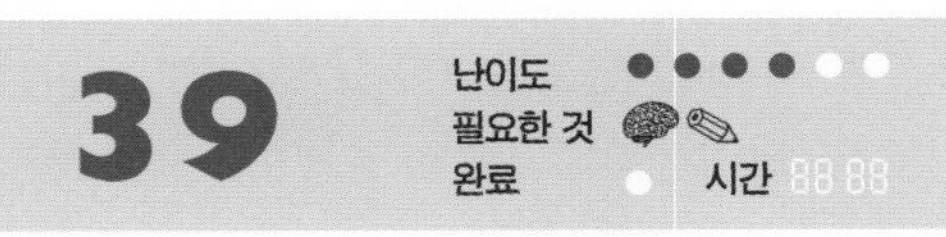

집-고양이-쥐-밀

7채의 집에는 각각 7마리의 고양이가 있다. 각 고양이는 7마리의 쥐를 잡는다. 각 쥐는 아마 7개의 밀 이삭을 먹을 것이다. 밀 이삭 하나로는 7헤카트(단위)의 밀가루를 만들 수 있다. 고양이를 길러서 아낄 수 있는 밀가루는 몇 헤카트나 될까?

40
난이도 ●●○○○○
필요한 것
완료 ○ 시간

아메스의 퍼즐-기원전 1650년

종종 아메스 파피루스(Ahmes papyrus)라고도 불리는 린드 파피루스는 6미터의 두루마리 종이인데, 현재 영국의 대영 박물관에 소장되어 있다. 린드 파피루스는 지금까지 발견된 수학 문서 중 가장 오래된 것으로, 이집트 수학에 대해 알 수 있는 주요 문헌이기도 하다.
이 파피루스에는 84개의 수학 문제와 문제의 답이 들어 있다. 문제의 답은 산술, 면적의 계산, '선형 방정식'의 해법 등을 이용해 계산되었다.
이 문서는 또한 초기 이집트 수학이 퍼즐 문제에 얼마나 근거를 두고 있는지를 확실히 보여주고 있다. 문서의 79번 문제인 '집-고양이-쥐-밀' 퍼즐은 유명한 고전 퍼즐이다. 이 퍼즐은 등비수열 개념을 포함하고 있으며, 또한 조합론과 관련 있는 가장 오래된 퍼즐 중 하나인 것으로 보인다(첫 번째 퍼즐은 중국의 『역경』에 나온 것일지도 모른다).

세인트아이브스의 수수께끼

41
난이도 ●●○○○○
필요한 것
완료 ○ 시간

아메스 퍼즐은 세인트아이브스의 수수께끼를 포함하여 많은 변형 문제를 만드는 데 영감을 주었다. 피보나치(Fibonacci)로 알려진 피사의 레오나르도(Leonardo of Pisa)는 1202년에 쓴 책 『주판서(Liber Abaci)』에 이 수수께끼를 넣었다. 당시 피보나치가 어떻게 린드 파피루스를 볼 수 있었는지는 확실치 않다. "세인트아이브스에 가는 길에, 일곱 명의 아내를 둔 한 남자와 맞닥뜨렸다. 모든 아내는 각각 7개의 가방을 가지고 있었고, 모든 가방에는 7마리의 고양이가 들어 있었다. 모든 고양이에게는 각각 7마리의 새끼 고양이가 있었다. 세인트아이브스에는 몇이나 갈까?

조합론

조합론은 원소들로 만들 수 있는 조합과 순열의 모든 가능하고 복잡한 형태를 연구하는 수학의 한 분야다. 좀 더 간단히 말하면 실제로 세지는 않지만 '얼마나 많은가?' 하는 문제에 답을 찾기 위한 수학적 훈련이다. 좀 더 구체적으로, 조합론은 어떤 특정한 기준을 만족하는 사물들로 구성된 유한한 집합들에 관해 연구하는 학문이다. '열거 조합론'은 이러한 집합들에서 대상을 세는 것, '극대 조합론'은 어떤 최적의 대상이 존재하는지를 결정하는 것, 그리고 '대수적 조합론'은 이 대상들이 포함하는 대수적 구조에 관한 것을 중점적으로 연구하는 학문이다.

틱택토-기원전 1400년

틱택토는 고대 이집트에서 유래되었다. 종이와 연필을 써서 하는 가장 초기의 게임으로, 두 사람이 3×3 크기의 격자판에 차례로 X와 O를 그려나가는 게임이다. 가로, 세로, 또는 대각선으로 자신의 마크인 X 또는 O를 먼저 3개 그리는 사람이 게임에서 이긴다.

두 사람 모두가 최고의 경기를 치르면 게임은 무승부로 끝나게 된다. 컴퓨터 프로그램은 사람을 상대로 이 게임을 완벽히 실행한다. 컴퓨터는 이렇게 간단한 게임에 2만 6830개라는 엄청난 수의 게임뿐만 아니라, 765개의 근본적으로 다른 게임 상태를 만들어낼 수 있다.

틱택토는 분명 아주 단순한 게임이지만 가능한 게임의 수와 가능한 상태의 수 같은 몇 개의 간단한 조합적인 사실을 알아내는 데도 세심한 분석이 필요하다.

로마제국에서도 이와 유사한 변형 게임이 있었다. 각 선수는 오직 3개의 마커를 갖고 게임을 하는데, 게임에서 선수는 주변의 빈 곳으로 마커를 이동시켜야 한다. 아마 슬라이딩 퍼즐의 옛 형태가 이러했을 것이다.

영국에서 '삼목(三目) 두기(noughts and crosses)'로 부른 이러한 게임이 처음 등장한 것은 1864년이었으며, 이 게임은 1952년 미국에서 '틱택토'로 재명명되었다.

밀-나인 맨스 모리스-기원전 1400년

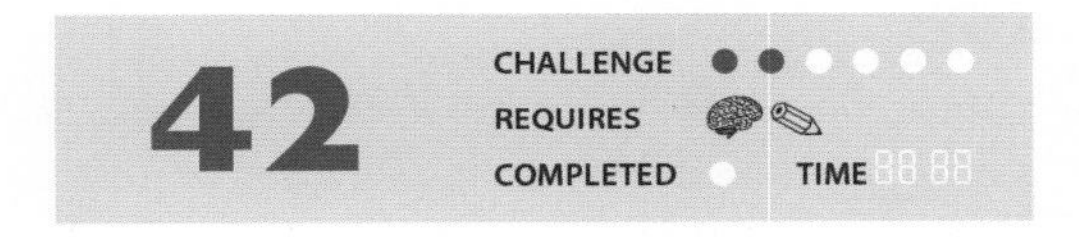

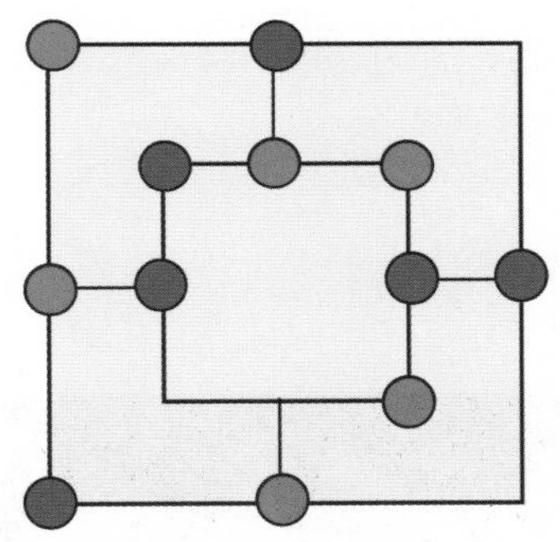

식스 맨스 모리스(6개의 말로 하는 게임)

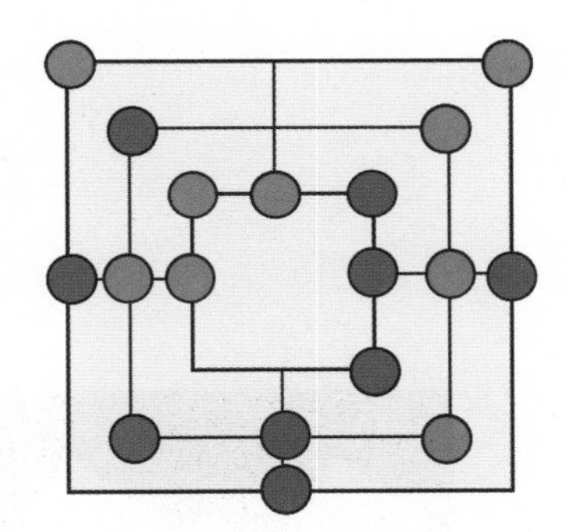

나인 맨스 모리스(9개의 말로 하는 게임)

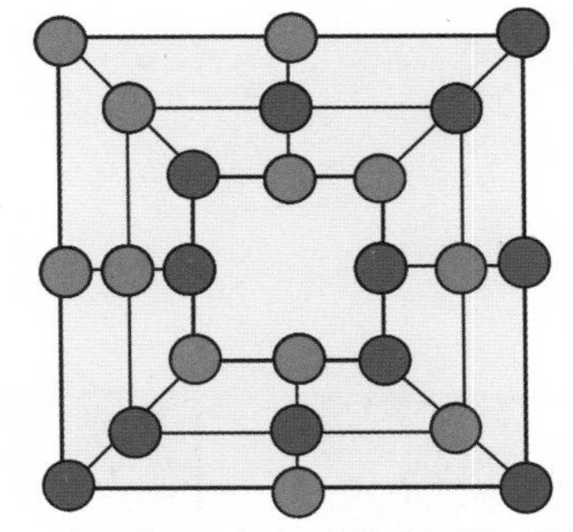

트웰브 맨스 모리스(12개의 말로 하는 게임)

밀-나인 맨스 모리스(Mill-Nine men's morris)는 기원전 1400년 고대 이집트에서 시작된 전략 보드게임으로 두 선수가 하는 게임이다. 이 게임은 밀스(Mills)라고도 알려져 있다.

각각의 선수는 9개의 말 또는 '사람'을 가지며, 말은 24개의 점이 있는 게임판을 가로지르며 움직인다. 게임에서 이기려면, 상대방의 말을 제거해서 3개 이하가 남거나 상대방의 말이 움직이지 못하게 하면 된다. 게임을 시작할 때 판은 비어 있다. 선수들은 돌아가며 자신의 차례가 되면 다른 말이 차지하지 않은 빈 점에 말을 놓는다. 한 선수가 가로나 세로로 3개의 말을 연달아 놓으면 이 선수는 한 개의 '밀'을 갖게 되는데, 그때 상대방의 말 중 하나를 판에서 제거할 수 있다. 한번 제거된 말은 게임에 다시 사용할 수 없다.

선수들은 다른 모든 말이 판에서 제거될 때까지 만들어진 밀에서는 말을 빼지 않아도 된다. 일단 18개의 말이 모두 사용되면, 선수들은 돌아가며 차례로 가까이 있는 빈 점으로 자신의 말을 이동시킨다. 만약 말 이동이 불가능하다면, 게임에서 진다. 흔하게 하는 변형 게임으로는 한 선수의 말이 3개가 남으면 그 말들은 '날아서' 인접한 점들뿐만 아니라 다른 아무 빈 점에 갈 수도 있는 게임이 있다.

펜테(Pente), 커넥트 포(Connect Four) 또는 쿼토(Quarto) 같은 많은 보드게임들은 말을 먼저 줄줄이 늘어놓으려고 하는 원칙을 공통으로 갖고 있다. 이들 게임의 목표는 상대방의 말을 제거해 3개보다 적은 수가 남도록 하거나, 움직이지 못하게 하는 것이다. 전략적으로, 말을 특정한 장소에 배치하는 것이 밀을 만드는 것보다 중요하다. 윗 그림에서는 나인 맨스 모리스에 그런 상황이 나타나 있다. 빨간색이 움직일 차례인데도 불구하고 파란색이 쉽게 이길 수 있다. 어떻게 그럴 수 있을까? 트웰브 맨스 모리스(Twelve Men's Morris) 판에서는 그 배치를 그림에 나타난 것처럼 채울 수 있다. 그러면 그 게임은 비긴다.

피타고라스 정리의 증명-기원전 550년

피타고라스 정리는 모든 수학에서 가장 자주 사용하는 정리 중 하나다. 직관적인 통찰력을 최대로 만들어주는 피타고라스 정리에 대한 기발한 시각적 증명들은 교육적으로도 의미가 있으며 아름답기까지 하다. 마틴 가드너는 이를 "눈으로 보고 알게 되는 증명"이라 불렀다. 유명한 증명들 모음이 아래에 설명되어 있다.

1. 기원전 1900년경 제작된 것으로 추정되는 바빌론의 한 명판에서 피타고라스 정리가 발견되었는데, 이는 피타고라스 정리에 대한 최초의 기술로 알려져 있다. 피타고라스는 처음으로 증명을 한 사람이라는 명예를 안고 있다. 그의 증명은 중국의 『주비산경(周髀算經)』("해시계 지시침과 하늘의 순환 경로에 대한 고전 산술")에 나오는 아름다운 증명과 유사하게 분할을 이용했을 것으로 추측된다. 이 중국 서적은 기원전 200년 이전에 씌어진 것으로 전해진다.
2. 레오나르도의 증명
3. 바라발레의 증명
   1945년 미국 뉴욕의 수학자 바라발레(Hermann Baravalle)는 다섯 단계로 이루어진 역동적인 증명을 내놓았다.
4. 가장 간단한 증명
   오하이오에 사는 19살 스탠리 야쉠스키가 한 증명(증명번호 230번)을 엘리 마오르(Eli Maor)가 간단하게 재증명했다.
5. 페리갈의 증명
   1830년 아마추어 우주비행사 페리갈(Henry Perigal)이 명쾌하게 증명했다.

눈으로 보는 것만으로 이 증명들을 이해하고 설명할 수 있는가?

43
난이도 ●●○○○○
필요한 것
완료 ○ 시간

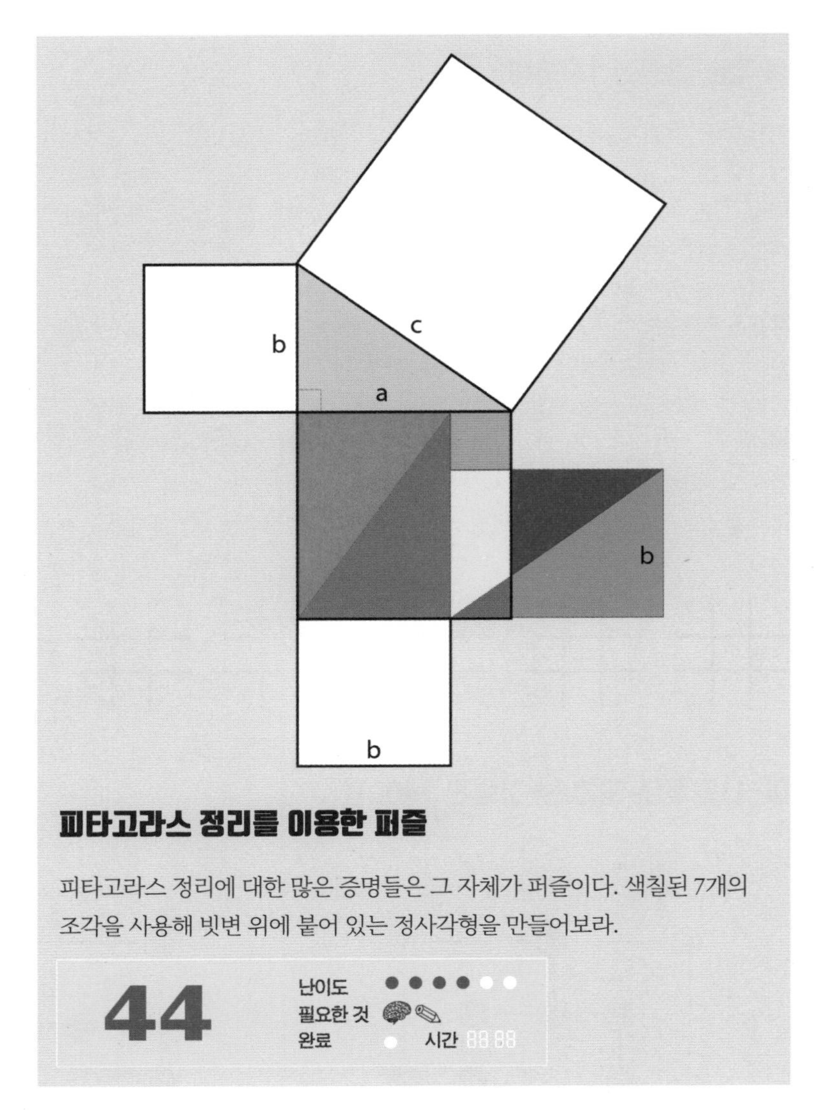

피타고라스 정리를 이용한 퍼즐

피타고라스 정리에 대한 많은 증명들은 그 자체가 퍼즐이다. 색칠된 7개의 조각을 사용해 빗변 위에 붙어 있는 정사각형을 만들어보라.

44
난이도 ●●●●○○
필요한 것
완료 ○ 시간

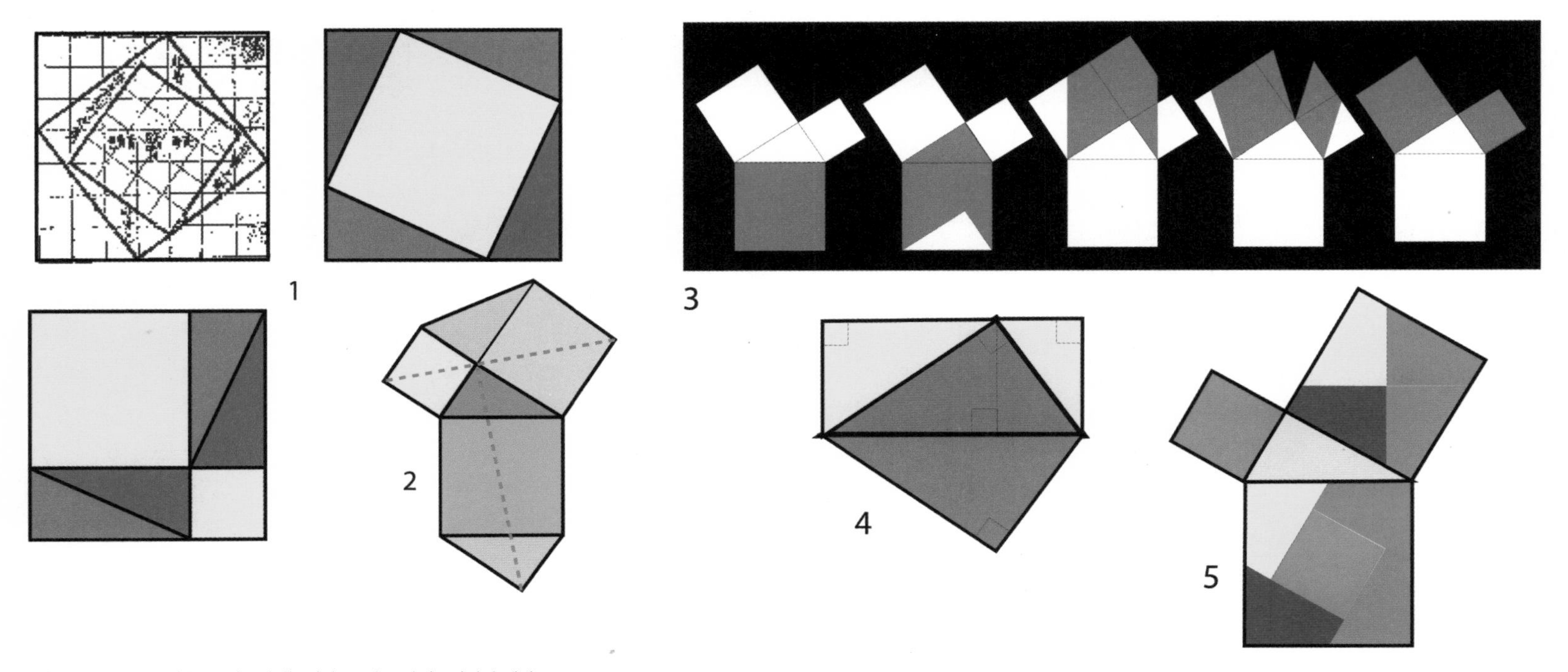

역동적인 시연 모델

이 내용은 엘리 마오(Eli Maor)의 『피타고라스 정리』에서 인용한 것이다. 『피타고라스 정리』는 4000년의 역사를 가진 피타고라스 정리가 담긴 최고의 책이다.

피타고라스 정리를 매우 중요하게 생각하는 이유는 뭘까? 수 세기 동안 수많은 증명이 제시되었다는 점도 의심의 여지 없는 주요 이유일 것이다. 오하이오에서 괴짜 수학 교사였던 엘리샤 루미스(1852~1940)는 알려져 있는 피타고라스 정리의 증명들을 모으는 것으로 일생을 보냈다. 그는 371개의 증명을 모았고 이를 바탕으로 1927년 "피타고라스 정리"를 작성했다.
루미스에 따르면 중세시대에는 학생이 수학 석사학위를 받기 위해서는 새롭고 독창적인 방법으로 피타고라스 정리를 증명해야 했다고 한다. 이들 중 어떤 증명은 삼각형의 유사성을, 어떤 증명은 분석을, 또 어떤 증명은 여전히 대수공식을 기반으로 했으며, 몇몇 증명은 벡터를 이용했다. 심지어 물리적 장치에 기반한 시연 형태의 증명도 있었다. 모스코비치는 이스라엘의 텔아비브에 있는 과학박물관에서 회전하는 플렉시글라스(특수 아크릴 수지)로 만들어진 직각삼각형의 빗변과 두 면에 붙어 있는 정사각형 사이를 자유롭게 흐르는 유색 액체로 이루어진 시연을 보았다. 이 시연은 첫 번째 정사각형에 있는 액체의 부피가 다른 두 정사각형에 있는 액체를 합한 양과 같다는 것을 보여주는 것이었다. (피타고라스 정리의 역동적인 시연 모델들은 모스코비치가 그 박물관의 책임자였던 1960년에 발명했다. 이 모델들은 많은 전시회에서 교육 부교재와 키네틱 아트(작품 자체가 움직이거나 움직이는 부분을 넣은 예술작품) 형태로 전시되었으며, 여전히 전 세계적으로 많은 과학박물관과 과학 센터들에서 볼 수 있다.)

일반화된 형태

우리는 직각삼각형에서 직각을 사잇각으로 하는 두 변에 붙어 있는 두 정사각형의 면적의 합이 빗변에 붙어 있는 정사각형의 면적과 같다는 것을 알고 있다. 그러나 피타고라스의 이 관계가 수없이 많은 다른 도형들에도 (이 도형들이 기하학적으로 유사하다면) 유효하다는 것은 잘 알려져 있지 않다.

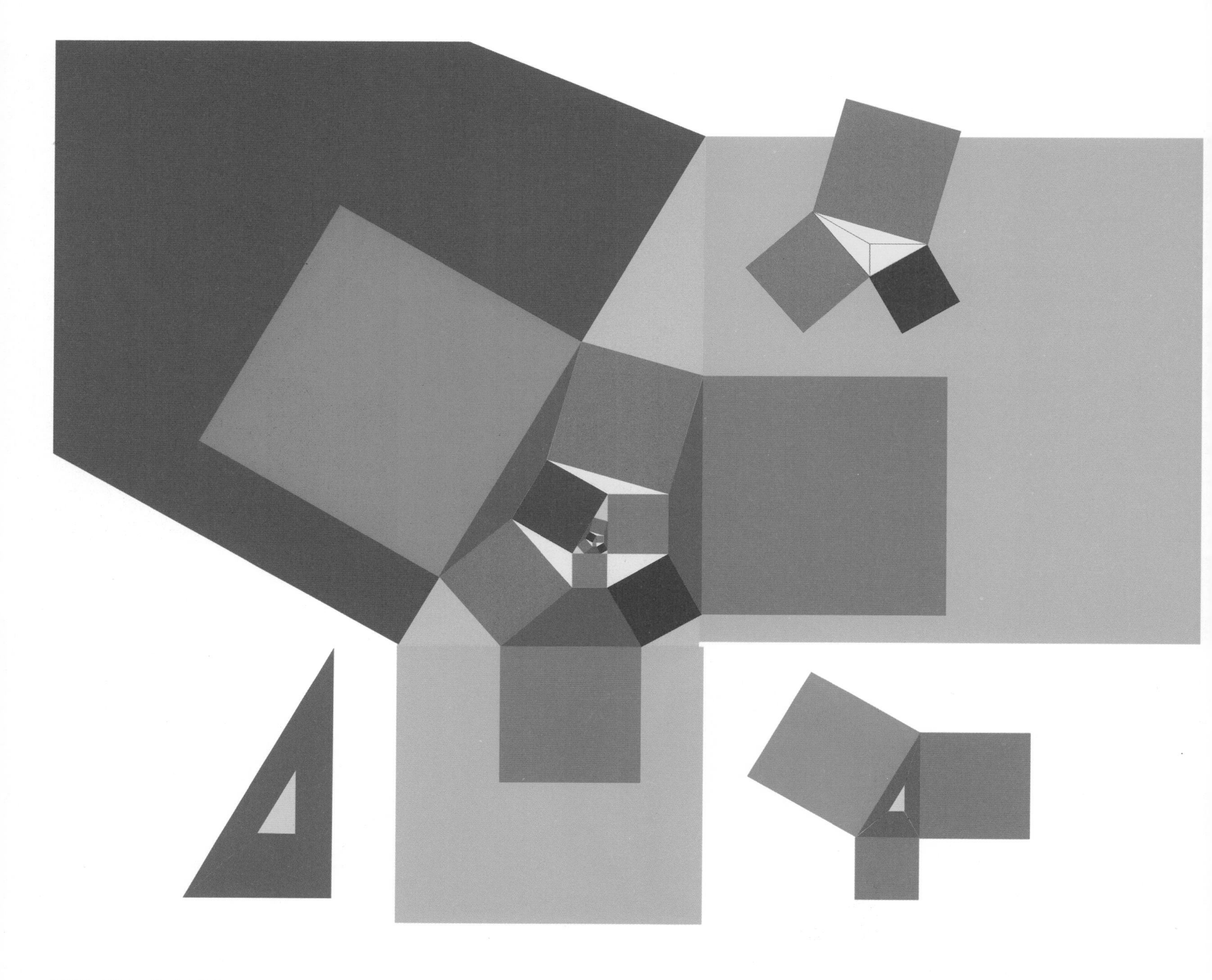

피타고라스의 호기심

미국의 수학자 엘리샤 루미스는 기하학에 대해 여러 권의 책을 썼으며 고등학교에서 수학을 가르쳤다. 루미스는 당시까지 알려진 피타고라스 정리의 증명을 250개 이상 모아서 만든『피타고라스 정리』라는 책으로 유명하다. 원고는 1907년부터 준비해 1927년에 출판되었다. 두 번째 판은 1940년에 나왔는데, 이 책은 1968년 미국수학교사협회에서 '수학교육의 고전' 시리즈 중 한 권으로 발행했다.
루미스는 책에 피타고라스 정리에 기반을 둔 아름답고 기발한 작품을 넣었다.

루미스가 '피타고라스의 호기심'이라 부른 이 작품들에는 길이와 면적에 대한 수많은 매우 흥미로운 수학적 관계가 포함되어 있다. 이를테면 이런 내용이다. 노란 삼각형들과 피타고라스의 삼각형은 면적이 같다, 보라색 부등변 사각형(trapezoids)들은 면적이 같다, 두 개의 빨간 정사각형은 5개의 파란 사각형과 면적이 같다. 루미스는 이 피타고라스의 호기심을 뉴욕의 기술자인 존 워터하우스(John Waterhouse)에 이르기까지 기술하고 있다.*

● 기술자인 존 워터하우스가 1899년 내놓은 증명은 다음 사이트에 가면 볼 수 있다. https://www.futilitycloset.com/2016/04/16/the-pythagorean-curiosity/

스핑크스의 수수께끼-기원전 500년

45

난이도 ●●●○○○
필요한 것
완료 시간

스핑크스는 인류 역사상 가장 유명한 신화적인 동물 중 하나다. 가장 오래된 것으로 알려진 스핑크스는 터키에 있는 고베클리 테베(Gobekli Tepe)에 가까운 네발리 코리(Nevali Cori)에서 발견되었는데, 이는 기원전 9500년 것으로 추정된다. 여러 시대를 거치며 스핑크스들은 다양한 형태를 띠고 나타났다. 예를 들면, 이집트의 스핑크스는 보통 사람의 머리와 사자의 몸체가 결합한 형태지만, 그리스의 스핑크스는 사자의 하체, 큰 새의 날개, 그리고 여자의 얼굴을 하고 있다.

전설에 따르면, 그리스 스핑크스는 테베의 입구를 지켰으며, 여행자들이 들어가려 하면 수수께끼를 냈다고 한다. 문제를 풀지 못하면 누가 됐든 간에 목을 졸라 죽이거나 집어 삼켜버렸다고 한다. 문제를 처음으로 푼 사람은 유명한 그리스 영웅 오이디푸스였다.

이 수수께끼를 풀 수 있겠는가? 문제는 다음과 같다. "아침엔 네 다리로 걷고, 오후엔 두 다리로 걸으며, 저녁엔 세 다리로 걷는 생물은 무엇인가?"

기자(Giza)에 있는 거대한 스핑크스(기원전 2500년경). 남성의 얼굴과 사자의 몸을 가진 기자의 스핑크스는 바위에 조각되었는데 모든 기준에서 기념비적인 작품이다. 이 스핑크스는 파라오 네프렌(Pharaoh Chephren)을 모델로 한 것으로 추측된다.

도형수–기원전 500년

도형수(figurate number)*에 대한 수학적 연구는 피타고라스부터 시작되었는데, 아마도 피타고라스는 바빌로니아인이나 이집트인의 선구적 연구에 기반을 두었을 것이라 짐작된다. 삼각수란 삼각형을 만드는 데 필요한 점의 개수로서 예를 들면, 1, 3, 6, 10, 15, 21 등이 있다. 그리스어로 테트라키츠(tetraktys)라 불리는 10개의 점으로 이루어진 네 번째 삼각수는 피타고라스학파 종교의 핵심이었다는 것이 확실해 보인다.

일정한 형태를 만드는 숫자들에 관한 현대적인 연구는 페르마의 다각수 정리(Fermat polygonal number Theorem)에서 유래한다. 이는 오일러가 특별한 관심을 둔 주제였다. 오일러는 완전제곱으로 나타나는 모든 삼각수에 대한 공식을 구체적으로 표현한 것을 비롯해 도형수와 관련이 있는 많은 발견을 했다. (완전제곱에 대한 더 많은 이야기는 7장에 있다.)

도형수는 현대의 유희수학에서 중요한 역할을 하고 있다.

고대 그리스인들은 숫자를 표현하는 방법으로, 의미 있는 관계들을 발견할 수 있는 삼각형, 사각형, 그리고 여러 다각형의 형태를 이루는 '점'으로 구성된 패턴을 사용하는 걸 좋아했다. 만일 모든 숫자가 어떤 특정한 기하학적 모양의 배열로 표현될 수 있다면, 이 숫자들은 '다각수' 또는 '도형수'라 불리는 그룹이나 '급수'들을 구성할 수 있다. 많은 경우에서 일정한 형태를 만드는 숫자들에 대한 기하학적 시각 표현은 어떤 정리의 사실성 또는 증명을 쉽게 보여주며, 설명 없이도 이해가 되고 보는 것만으로도 증명('보고 이해하는 증명법들')이 될 만큼 매우 간편하고 아름답다.

● 도형수: 일정한 형태를 만드는 수를 말한다.

라파엘의 그림에 나타난 피타고라스

라파엘의 그림 〈아테네 학교〉에는 피타고라스가 제자들에게 숫자에 대한 이론을 가르치는 부분이 있다. 그림에는 피타고라스가 '최고'의 수라고 생각한 삼각수와 특별히 '그중 최고의 수'라 생각한 '신성한 테트라키츠'가 (그림 밑부분에 있는) 칠판의 아랫부분에 나타나 있다.

신성한 테트라키츠

네 번째 삼각수는 10개의 점으로 구성되어 있다. 피라미드 형태로 정렬된 처음의 연속적인 자연수 4개(1~4)의 합을 '테트라키츠'라 한다. 테트라키츠는 우주의 창조를 상징하는 것으로 피타고라스에 의해 고안되었으며, 피타고라스학파에 입문할 때 하는 서약의 신성한 표시로 사용되었다.

테트라키츠에 나타나는 점은 1에서 10까지의 숫자를 표현하며, 행은 공간의 차원과 구조를 나타낸다.

첫 번째 행: 점 하나 - 0차원

두 번째 행: 2개의 점으로 이루어진 선 - 1차원

세 번째 행: 3개의 점으로 이루어진 삼각형에 의해 정의되는 평면 - 2차원

네 번째 행: 4개의 점으로 정의되는 사면체 - 3차원

마지막 행은 땅, 공기, 불, 그리고 물의 네 가지 요소를 상징한다.

테트라키츠는 단순함에서 복잡함으로, 추상적인 것에서 구체적인 것으로 진화하는 모습을 표현한 아름다운 상징이다. 대칭과 회전을 해서 같은 것은 같은 것으로 간주하면, 테트라키츠에 있는 열 개의 수를 다르게 배열하는 방법이 얼마나 많은지 추측할 수 있겠는가?

일정한 형태를 만드는 삼각수-기원전 500년

47

난이도 ● ● ● ● ● ●
필요한 것
완료
시간

삼각수는 물건을 삼각형 모양으로 쌓아가며 찾을 수 있다. 한 개의 물건 아래 두 개의 물건, 두 개의 물건 아래 세 개의 물건을 놓는 식으로 삼각형 형태로 정렬함으로써 만들어간다.
4번째 삼각수인 10은 그림에서 보는 것처럼 '1+2+3+4=10'이다.
삼각수는 어떤 연속적인 수의 합을 나타내기 때문에 특별하다.
아래 그림에서 10번째 삼각수를 세는 데는 아무 문제가 없을 것이다. 그러나 100번째 삼각수를 찾는 데는 얼마만큼의 시간이 걸릴까? 소년 가우스는 단 몇 초 만에 그것을 알아냈다!

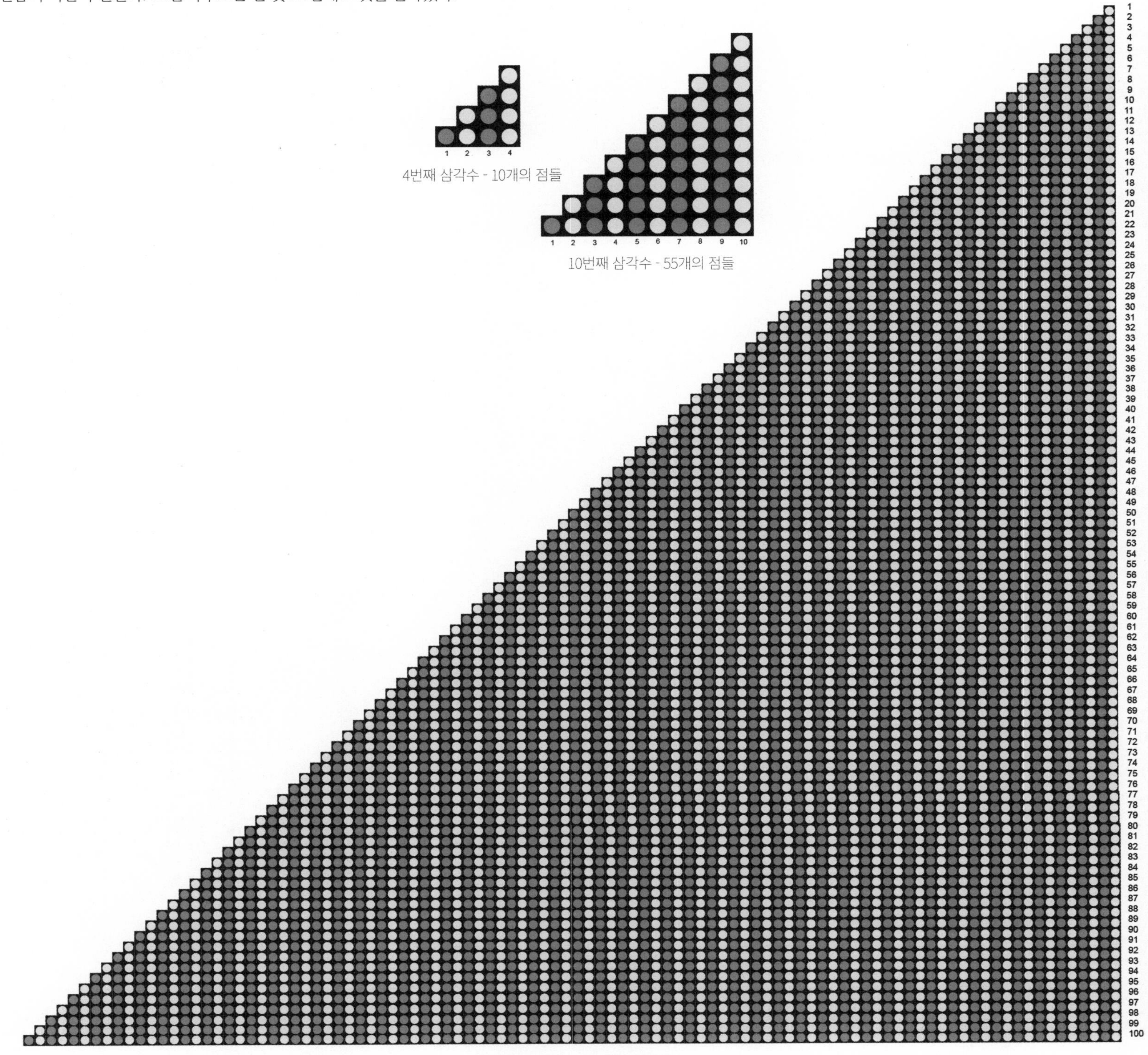

4번째 삼각수 - 10개의 점들

10번째 삼각수 - 55개의 점들

100번째 삼각수 - 몇 개의 점일까?

황금비-기원전 500년

하나의 직선을 가장 보기 좋고 의미 있게 나누기 위해 직선 위에 점을 찍는다면 어디에 찍겠는가? 직선 위의 점 중에는 황금비(golden ratio) 또는 황금분할이라 불리는 수학적 비율로 직선을 나누는 특별한 점이 있다.

역사를 보면, 가장 위대한 수학자들 중 몇몇은 황금비에 강한 호기심을 가졌다. 피타고라스와 유클리드도 마찬가지였다. 황금비는 또한 한 영역의 다른 영역에 대한 비율이나 비교 관계로 표현될 수 있는 미(美)로서, 많은 예술가들을 매혹했다. 레오나르도 다빈치가 황금비를 신성한 비율이라 부른 건 단순한 우연이 아니다. 두 수는 이 둘의 합과 둘 중 더 큰 수 사이의 비율이, 큰 수와 작은 수 사이의 비율과 같을 때 황금비로 여겨진다.

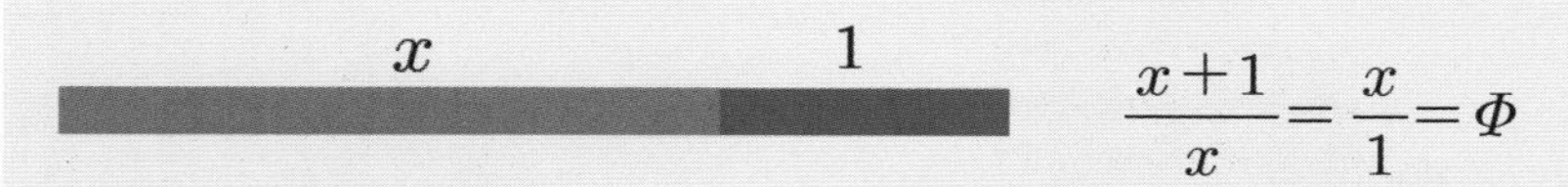

$$\frac{x+1}{x}=\frac{x}{1}=\Phi$$

즉, 황금비는 x의 1에 대한 비는 $x+1$의 x에 대한 비와 같다고 표현할 수 있다.*

● 이를 수식으로 표현하면 $x:1=x+1:x$가 된다.

이는 수학적으로 다음과 같은 2차 방정식으로 쓸 수 있다. $$x^2-x-1=0$$

그러므로 황금비를 구하는 방정식의 두 해는 다음과 같다.

$$\Phi=\frac{1+\sqrt{5}}{2}\approx 1.618\text{와 } \Phi=\frac{1-\sqrt{5}}{2}\approx -1.618$$

여기서 양의 해인 1.61803398⋯는 무리수이며 이것이 황금비다.

황금비 퍼즐

그림에 나타난 바와 같이 길이가 같은 막대기 3개가 각각 선택된 지점에서 부러져 두 개로 나뉘었다. 세 막대기 중 어느 막대기가 황금비로 나뉘었는가?

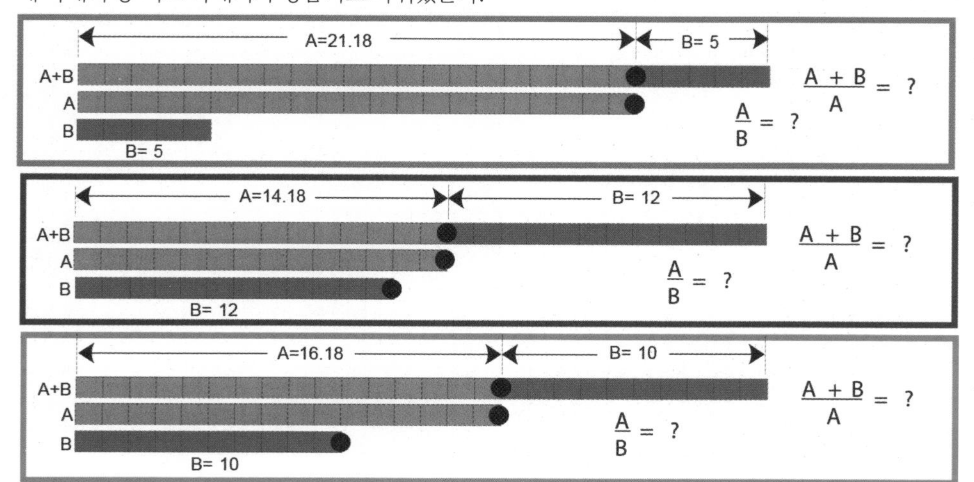

"기하학에는 두 개의 위대한 보물이 있다. 하나는 피타고라스 정리이며, 다른 하나는 한 개의 직선을 극히 신성하게 나누는 것이다. 첫 번째는 아마 금에 비교할 수 있겠고, 두 번째는 귀중한 보석이다."

요하네스 케플러

48

난이도 ●●○○○
필요한 것
완료 시간

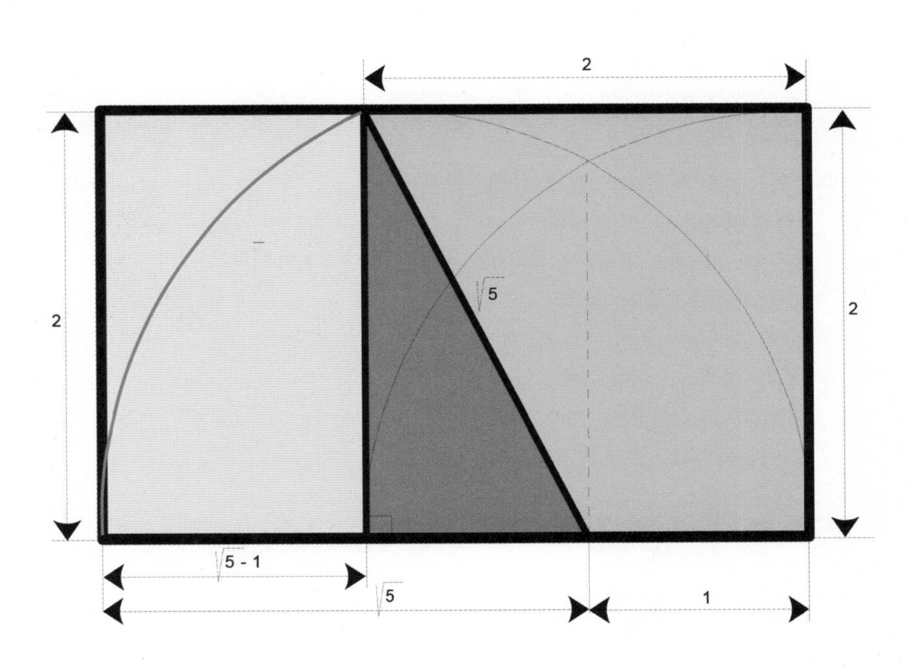

황금 직사각형과 삼각형-기원전 500년

보기에 가장 좋은 직사각형의 가로와 세로의 비율은 얼마일까? 수 세기 동안 예술가와 과학자들뿐만 아니라 대부분의 사람들은 가로와 세로의 비율이 황금비로 구성된 직사각형이 가장 아름다운 직사각형이라는 데 동의했다. 이러한 직사각형을 황금 직사각형이라 한다. 그 미적 매력과 우아함으로 인해 황금 직사각형은 건축학, 미술, 그리고 심지어 음악에서까지 중요한 역할을 해왔다. 우리가 고대 그리스인들처럼 컴퍼스와 직선 자만을 사용해 황금 직사각형을 그려본다면 황금 직사각형 자체가 갖는 수학적 아름다움은 여실히 드러날 것이다.

1. (완전) 정사각형으로 시작해서 밑변의 선을 늘인다.(완전 정사각형에 대해서는 7장에서 다룬다.)
2. 정사각형의 밑변의 중점을 기준으로 그 정사각형의 왼쪽 위 모서리에서부터 바닥까지 원 모양의 곡선을 그린다.
3. 원 모양의 곡선과 정사각형의 아래 선의 연장선이 만나는 점에서 수직선을 그은 다음 정사각형의 위쪽 선을 수직선과 만나는 점까지 연장하여 황금 직사각형을 완성한다.

피타고라스 정리를 이용해 직사각형의 가로와 세로의 비율이 황금비인지를 확인할 수 있다. 확인에 사용된 직각삼각형은 종종 황금 삼각형이라 불린다. 황금 삼각형은 높이가 밑면 길이의 두 배인 직각삼각형이다. 황금 삼각형은 일반적인 삼각형과는 다른 흥미로운 성질이 있다. 그 성질은 황금 삼각형만이 유일하게 같은 모양의 작은 삼각형 5개로 분할될 수 있다는 것이다. 일반적으로 어떤 삼각형이든 자신과 같은 모양의 작은 삼각형 4개로 나눌 수 있다.

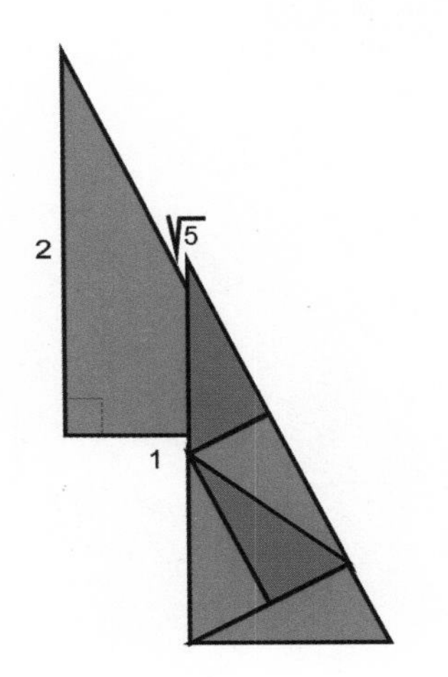

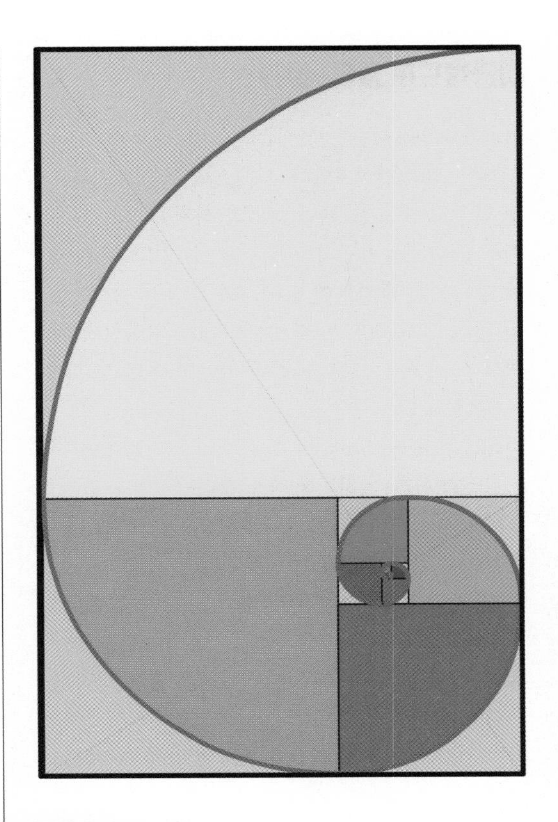

회전하는 나선

만일 한 직사각형의 두 변의 길이가 황금비라면, 그 직사각형은 '황금 직사각형'이다. 황금 직사각형에서 정사각형 모양을 잘라내고 남은 사각형은 원래 직사각형과 모양이 같은, 말하자면 작은 황금 직사각형이 되는 유일한 사각형이다.

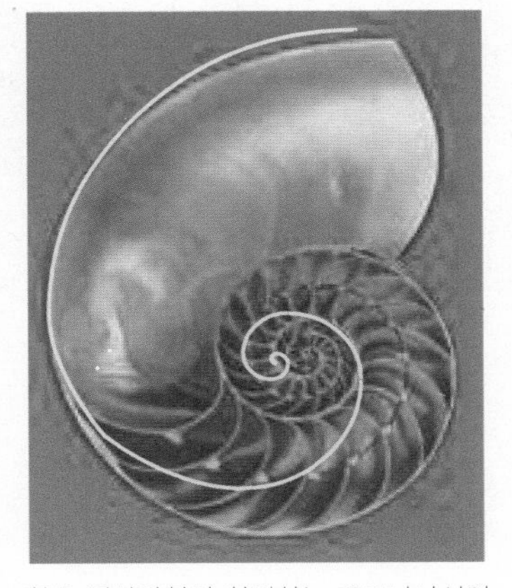

황금 직사각형의 회전하는 로그나사선이 겹쳐진 노틸러스(nautilus) 조개의 단면도

피라미드의 높이-탈레스

탈레스(기원전 624~기원전 547)는 기술자, 수학자, 과학자, 그리고 철학자였다. 탈레스의 연구는 기록으로 남은 것이 없을 뿐만 아니라 심지어 그가 연구 기록을 남겼는지조차도 확인할 수 없다. 따라서 어떤 수학적 발견들이 탈레스의 업적인지는 확실치 않다. 그럼에도 탈레스는 당대의 뛰어난 학자였으며, 혹자는 그를 '기하학의 아버지'라 부르기도 한다.

탈레스는 초등 기하학의 다섯 정리를 만들어낸 것으로 유명하다. 기하학의 다섯 정리는 다음과 같다.

1. 원을 지름으로 자르면 두 영역으로 나눌 수 있다.
2. 이등변 삼각형의 두 밑각은 같다.
3. 두 개의 직선이 만나는 점에서의 맞꼭지각(사잇각)은 같다.
4. 두 각과 한 변이 같은 두 삼각형은 같은 삼각형이다(동치).
5. 반원의 지름을 한 변으로 가지며 원에 내접하는 삼각형은 직각삼각형이다.

탈레스는 기원전 585년에 일어났던 일식을 예측했다고 알려져 있다. 19년 주기를 갖는 월식은 당시 이미 알려져 있었던 반면, 일식은 지구 표면의 다른 장소에서 볼 수 있었기 때문에 주기를 계산하기 어려웠다. 기원전 585년 일어난 일식을 탈레스가 예측할 수 있었던 것은 일식이 대략 그 시간에 일어날 것이라는 믿음에 근거한 경험적 추측이었다.

탈레스가 피라미드의 높이를 계산한 방식에 관한 다양한 이야기가 있다. 탈레스는 어떤 물체의 높이가 그 물체의 그림자 길이와 같아지는 시간에 피라미드의 그림자 길이를 측정함으로써 피라미드의 높이를 재는 방법을 알아냈다.

심지어 오늘날에도 많은 과학자들이 고대 그리스의 발견들을 이해하지 못해 좌절하고 있다. 현재 우리가 당연히 여기는 많은 법칙들은 고대 그리스와 로마 시대 사람들의 발견이나 문화 덕분이다. 탈레스가 높이를 재는 방법을 알아냈다는 것은 정말 경이로운 것이었다. 뜨거운 햇볕 아래서 다른 사람들이 단지 피라미드와 그 그림자를 보았다면, 탈레스는 그보다 훨씬 많은 것을 그곳에서 보았다. 탈레스는 추상적인 직각삼각형뿐만 아니라 더 많은 것들을 보았다. 그는 패턴들을 보았던 것이다! 천재적이지 않은가!

유사한 삼각형

플루타르크(Plutarch)는 탈레스의 연구로 인해 유사한 삼각형들에 대해 이해할 수 있었다고 썼다. 탈레스의 정리라고도 알려진 '절편정리(Intercept Theorem)'는 유사성과 밀접한 관계가 있다. 절편정리는 유사한 삼각형 개념과 동등하다. 두 개의 유사한 삼각형(같은 각을 갖는 크기가 다른 삼각형)에서 큰 삼각형 안에 작은 삼각형을 놓으면 절편정리를 적용할 수 있는 배치 형태가 만들어진다. 역으로 절편정리에서의 배열은 두 개의 유사한 삼각형을 항상 포함한다.

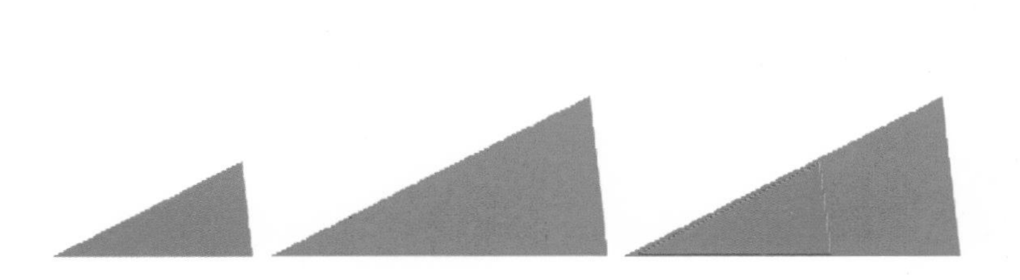

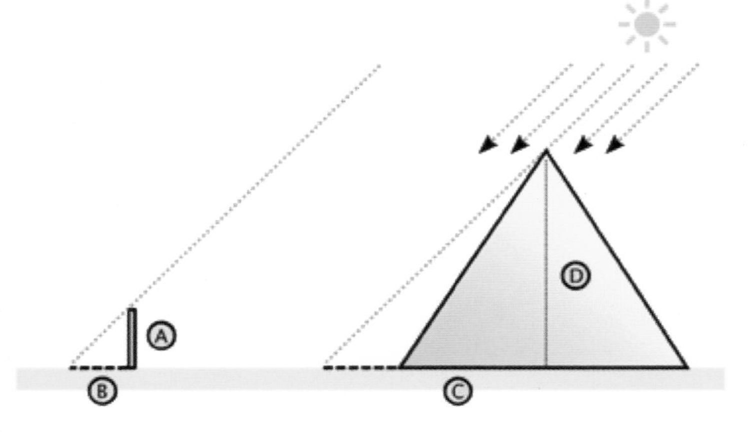

가짜와 진짜 역설

역설의 정의는 '어떤 사람, 물건 또는 상황이 명백하게 모순되는 현상을 보여주는 것'이다. 어떤 문제는 이해의 부족으로 인해 처음엔 역설로 보이나 나중에 좀 더 잘 이해함으로써 해소되기도 한다. 그러나 진짜 역설은 쉽게 풀 수 없거나 아예 풀 수 없을 수도 있다. 좀 더 일반적으로, '역설'이라는 용어는 7장에 나오는 생일 역설처럼 그저 놀라우며 직관과는 어긋나는 상황들에 대해 사용한다.
콰인(W. V. Quine, 1962)은 역설을 3가지 일반적 범주로 나누어 설명했다.

1. 현실적인 역설: 터무니없는 결과를 만들지만, '참'임이 입증된다.
2. 거짓에 기초한 역설: 거짓으로 나타날 뿐만 아니라 거짓인 결과를 만든다. 입증이라 하는 것에 오류가 있다.
3. 1번과 2번에 속하지 않는 역설은 이율배반적일 수 있다. 허용된 추론 방식을 적절하게 적용하면 자기모순의 결과에 도달한다.

"우주와 인간의 무지함, 오직 이 두 가지만이 무한하다. 하지만 우주의 무한에 대해서는 확신할 수 없다."

알베르트 아인슈타인

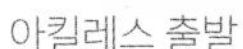

제논의 역설-기원전 400년

49
난이도
필요한 것
완료
시간

기원전 490년경 이탈리아에서 태어난 유명한 수학자 제논(Zeno)은 일자론(一者論)을 믿었던 자신의 스승인 철학자 파르메니데스(Parmenides)의 가르침을 옹호하며 40개 이상의 역설들을 만들어냈다. 일자론에서는 '실재는 바뀌지 않으며 변화(운동)는 불가능하다'고 말한다. 제논의 수수께끼 같은 역설들은 당시엔 푸는 것이 불가능해 보였다.
제논의 역설 중 가장 유명한 것은 아킬레스와 거북이의 경주다. 경주에서 아킬레스는 거북이가 몇 걸음 앞에서 출발하도록 하는데, 제논의 주장은 다음과 같다. 거북이가 출발한 A에 아킬레스가 도달할 때, 거북이는 B에 도착한다. 이제 아킬레스는 거북이를 따라잡기 위해 B까지 뛰어야 한다. 그러나 그동안 거북이는 C에 도착하며, 계속 이런 식의 경주가 반복된다. 제논의 결론은 아킬레스가 거북이를 따라잡는 데는 무한의 시간이 걸릴 것이라는 얘기였다. 아킬레스는 거북이에게 점점 더 가까워지지만, 결코 거북이를 따라잡을 수 없다. 아킬레스의 여정은 무한히 많은 조각으로 나뉜다.
움직이는 물체가 어떤 특정한 거리를 가야 하는데, 그 거리만큼 가기 전에 물체는 그 거리의 반을 가야 한다. 남은 거리를 가기 전에 그 남은 거리의 또 반을 가야 한다. 즉, 전체 거리의 1/4을 가야 한다. 움직이는 물체는 영원히 이런 식으로 가야 한다. 그러면 주어진 거리만큼 가는 것은 불가능하며, 그러므로 그 거리까지 이동하는 것은 불가능하다.
물론 이 경주는 제논의 마음속에서만 개념화된 것임을 잊지 말아야 한다. 이는 불합리하지만, 논리적으로는 일관성이 있다. 이를 논리적으로 반박해보라. 이에 대한 많은 시도들이 있었다.
우리는 분명히 아킬레스가 따라잡으리라는 걸 알고 있다. 그러면 제논의 논리에서는 무엇이 문제인가? 제논의 주장에서 논리적 오류를 찾을 수 있겠는가?
제논의 역설들은 무한수열의 수렴에 대한 발상을 탄생시켰다는 것에 그 의미가 있다. 이러한 발상은 많은 수학적 개념들을 확고하게 했는데, 그중 주요 개념이 극한의 개념이다. 역설에 대한 관심은 르네상스 시대에 되살아났는데, 당시 사람들에게 알려진 역설은 500개가 넘었다고 한다.
제논의 주장은 아마도 귀류법(Reduction ad absurdum) 또는 모순에 의한 증명법이라 불리는 증명방법의 첫 번째 예일 것이다. 역설적으로, 여전히 많은 사람들이 제논의 역설들을 만족스럽게 설명하는 방법은 아직 발견되지 않았다고 믿고 있다.

플라톤 입체: 볼록한 정다면체-기원전 400년

플라톤 입체 또는 다면체라 불리는 규칙적인 입체(정입체, regular solids)들은 모양과 크기가 같은 볼록 정다각형을 면으로 갖는 볼록 다면체다. 플라톤 입체는 고대 그리스인들의 구체적인 연구주제였다. 피타고라스는 단지 정사면체, 정육면체, 그리고 정십이면체에만 익숙했을 거라는 사실과 플라톤과 동시대 사람인 테아이테토스(기원전 417~기원전 369)가 정팔면체와 정이십면체를 발견했다는 것을 보여주는 증거가 있음에도 불구하고, 피타고라스가 플라톤 입체를 발견했다는 근거는 많이 있다. 테아이테토스는 이 다섯 가지 다면체를 수학적으로 묘사했으며, 이 다섯 다면체 이외에 다른 볼록 정다면체는 없다는 것을 처음으로 증명했다고 알려져 있다.

'플라톤 입체'라는 이름은 플라톤 철학과의 깊은 연관성에서 유래한다. 플라톤은 기원전 360년『티마이오스(Timaeus)』에 이 입체에 대해 언급했다. 책에서 플라톤은 4개의 기본 원소(땅, 공기, 물, 그리고 불)를 정다면체와 연관 지었다. 즉, 땅은 정육면체, 공기는 정팔면체, 물은 정이십면체, 그리고 불은 정사면체로 표현했다. 플라톤은 5번째 플라톤 입체인 정십이면체를 "신은 하늘 전체에 별자리들을 배열하는 데 사용했다"라며 약간 난해하게 묘사했다. 아울러 플라톤은 정다면체가 정확하게 다섯 개가 있다는 것을 증명한 그리스 수학자 테아이테토스의 연구를 언급하고 있다.

유클리드의 저서『원론(Elements)』에는 플라톤 입체를 수학적으로 광범위하게 언급하고 있는데, 특히 정리 18에서는 다른 볼록 정다면체가 더는 없다고 주장했다.

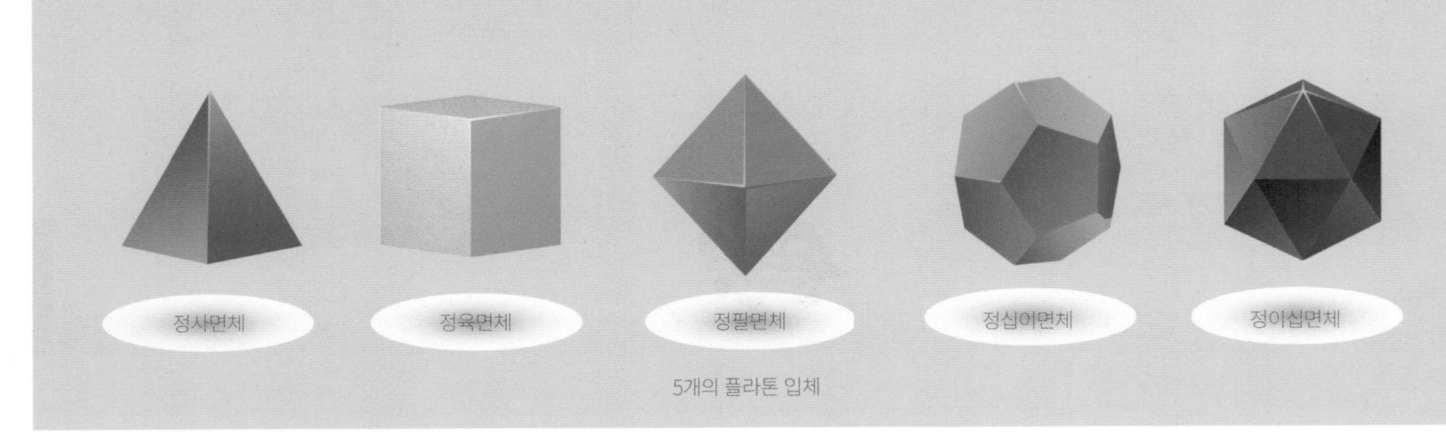

5개의 플라톤 입체

정다면체 색칠하기

위의 그림에는 5개의 정다면체에 대한 슐레겔(Schlegel)의 도해가 나타나 있다. 플라톤 입체에서 접하는 면에 다른 색을 칠하려면 최소한 몇 가지 색이 있어야 할까?

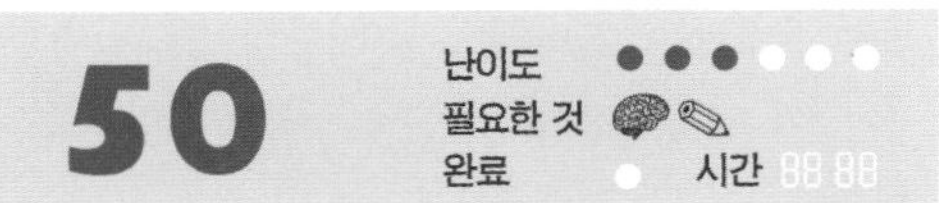

입체	꼭짓점(V)	변(E)	면(F)	V-E+F
정사면체				
정육면체				
정팔면체				
정십이면체				
정이십면체				

정다면체 표

모든 고전적인 다면체는 'F-E+V=2'라는 오일러의 정리를 만족한다. 여기서 F는 면, E는 변, 그리고 V는 꼭짓점의 수다. 정다면체에 대해 이 식이 맞는지 확인할 수 있도록 표를 채울 수 있는가?

51
난이도
필요한 것
완료
시간

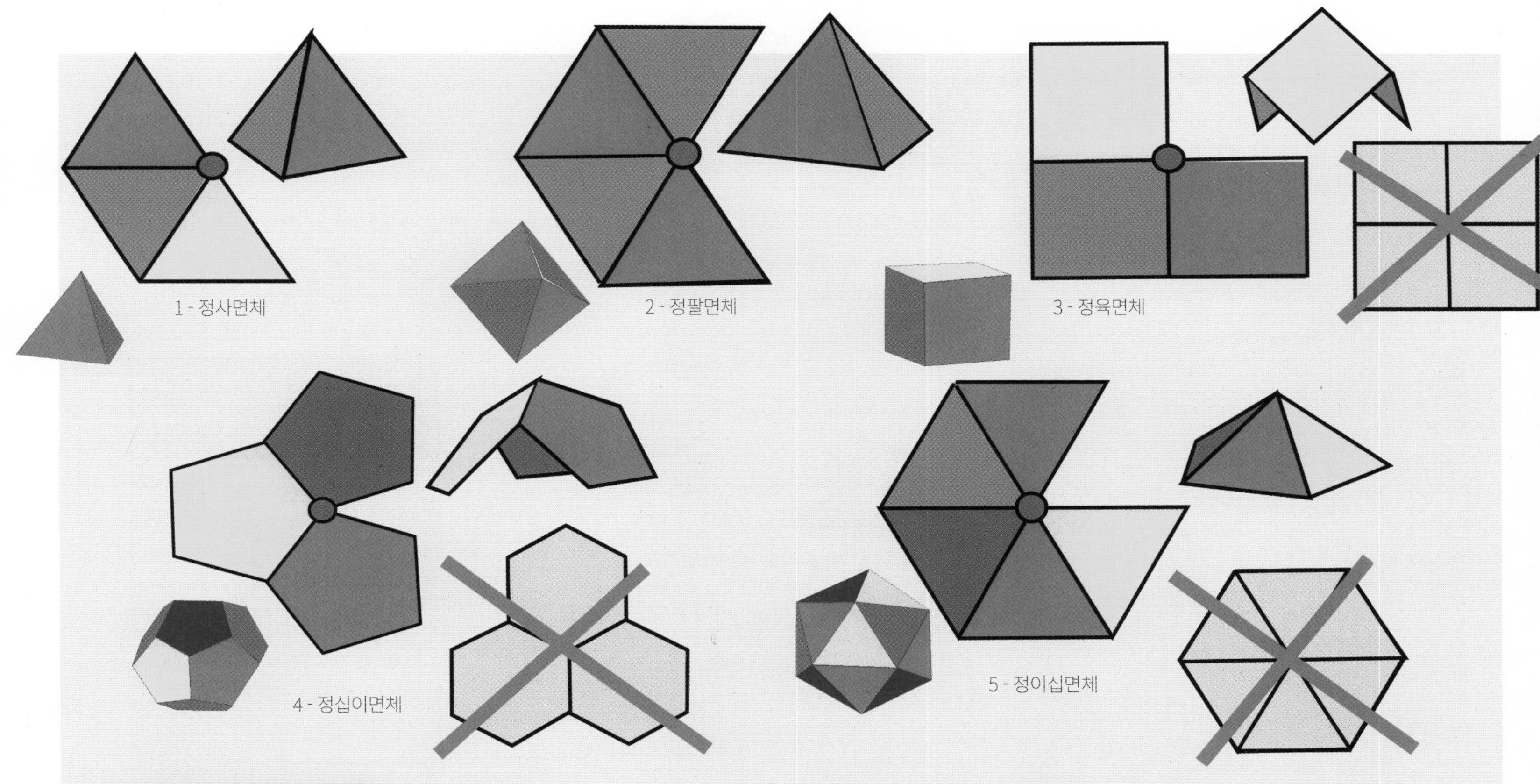

정다면체-딱 5개가 존재한다!

다면체의 입체각*을 만들기 위해서는 최소 3개의 정다각형이 필요하다. 3~5개의 정삼각형으로는 입체각이 있는 다면체를 만들 수 있다. 그러나 6개의 정삼각형은 평면을 만든다. 또한, 3개의 정사각형은 입체각을 만들지만 4개의 정사각형은 평면을 이룬다.

3개의 정오각형은 입체각을 만든다. 이 경우 오각형이 더 들어갈 공간은 없다.

정육각형의 한 내각은 120도이므로 3개의 정육각형을 꼭짓점을 중심으로 변을 붙이면 평면을 이룬다. 이것이 입체각의 한계다. 더 많은 꼭짓점을 가진 다각형은 한 내각이 120도보다 커지므로 하나의 꼭짓점을 중심으로 3개를 겹치지 않게 놓는 것은 불가능하다. 즉, 같은 크기 같은 모양의 (동일한) 정다각형으로 5개의 입체각만을 만들 수 있다. 그러므로, 볼록 정다면체는 많아 봐야 5개가 존재할 뿐이다.

그리스인들은 플라톤 입체는 딱 5개밖에 없다는 것을 알았다. 입체각이 생기기 위한 결정적인 요소는 꼭짓점이 되는 점에서 만나는 다각형의 내각의 합이 360도보다 작아야 한다는 것이다.

정삼각형의 내각은 60도다. 그러므로 정다면체를 이루는 3, 4 또는 5개의 삼각형만이 한 꼭짓점에서 만난다. 만일 6개 이상의 정삼각형이 있다면 내각의 합은 적어도 360도보다 크다. 따라서 입체각은 만들 수 없다. 입체각이 가능한 경우들을 보자.

정삼각형: 3개의 삼각형이 하나의 꼭짓점에서 만나면 사면체가 된다.

4개의 삼각형이 하나의 꼭짓점에서 만나면 오면체가 되고 이를 맞붙이면 팔면체가 된다.

5개의 삼각형은 한 꼭짓점에서 만나며 입체를 만들고 이 입체 4개를 맞붙이면 이십면체가 된다.

정사각형: 사각형의 내각은 90도이므로 3개 이하의 사각형이 하나의 꼭짓점에서 만나면서 입체각을 만들 수 있다. 여러 개를 맞붙여 육면체나 정육면체를 만드는 것도 확실히 가능하다.

오각형: 이 경우에 입체각을 만들 수 있는 유일한 방법은 하나의 꼭짓점에서 3개의 오각형이 만나는 것이다. 이러한 입체 4개를 맞붙이면 십이면체가 된다.

6개의 변을 갖는 육각형이나 정육각형은 내각이 120도이므로 정다면체의 면을 만들 수 없다. 변의 수가 6개보다 많은 다각형은 내각이 120도보다 크므로 입체각을 만드는 것은 불가능하다.

지금까지 쓰인 책 중에 가장 인기 있는 것은 아마도 유클리드의 『원론』일 것이다. 이 책은 2000년 이상 동안 전 세계 사람들에게 강한 인상을 주었다. 하지만 최근 『원론』의 인기는 심지어 수학자들 사이에서조차 시들해졌다. 『원론』이 여전히 수학적 증명과 심지어 수학 그 자체를 이해하기 위한 가장 좋은 방법의 하나일 수 있다는 조심스러운 해석은 유감스러운 일이다.

『원론』에 있는 중요한 마지막 주장인 '5개보다 많은 정다면체는 존재하지 않는다'는 유클리드가 남긴 알쏭달쏭한 말 때문에 매우 흥미롭다. "다음 번에 '위에서 언급된 5개의 다면체 이외에, 서로 같은 변과 같은 밑각을 갖는 도형들로 다면체를 만들 수 없다'라고 말할 것이다."

● 입체각: 입체를 만드는 각도를 말한다.

유클리드의 『원론』-기원전 300년

유클리드의 저서 『원론』은 지금까지 쓰인 책 중 가장 영향력이 있는 과학서적 또는 수학 연구(작품) 중 하나로 평가되고 있는데, 이는 『원론』이 기하학 및 수학의 여러 다른 분야를 논리적으로 전개하고 있기 때문이다. 『원론』은 과학의 모든 분야에 영향을 끼쳐왔으며, 특히 수학과 정밀과학에 끼친 영향은 실로 지대하다. 이 책은 1482년 베니스에서 처음으로 활자로 조판되었으며, 인쇄기의 발명 이후 인쇄된 첫 수학책 중 하나였다.

옥시링쿠스 파피루스

위의 그림은 옥시링쿠스 파피루스(Oxyrhunchus Papyri)에서 발견된 유클리드의 『원론』의 한 조각이다. 이것은 19세기 말에서 20세기 초에 고고학자들이 이집트에 있는 옥시링쿠스(Oxyrhunchus) 근처에 있는 고대의 쓰레기 더미에서 발견한 것으로 원고 묶음의 일부분이며, 현재 펜실베이니아 주립대에 보관되어 있다. 이 원고들이 쓰인 시기는 1~6세기경으로 거슬러 올라가며, 라틴어와 그리스어로 된 수천 개의 문서와 문학적 작품들을 포함하고 있다.

그림에는 『원론』의 2권에 있는 정리 5의 일부분이 나타나 있다. 현대 용어로는 대수적 등식을 기하학적으로 해석한 것인데, 구체적으로 $AB+\{(A-B)/2\}^2=\{(A+B)/2\}^2$이다. (비록 유클리드의 정리와 대수 간의 관계가 미심쩍은 점이 있다고 할지라도) 오른쪽에 있는 그림은 그 정리를 이해하는 데 도움이 될 것이다.

한 개의 직선을 길이가 다르게 나누고, 길이가 긴 선과 짧은 선을 변으로 갖는 직사각형의 면적(AB)과 길이가 짧은 선을 변으로 갖는 정사각형의 면적을 더하면, 직선 전체 길이의 절반 길이로 만든 정사각형의 면적($\{(A+B)/2\}^2$)과 같다.

유클리드(기원전 325~270년)

알렉산드리아의 유클리드는 기하학의 아버지라고도 불리는 그리스의 수학자다. 저서 『원론』에서 그는 공리들로 이루어진 작은 집합으로부터 현재 유클리드 기하라 불리는 분야를 추론했다. 또한 원근법, 원뿔곡선, 구면 기하학, 수론, 그리고 엄밀성에 관한 연구를 남겼다. 유클리드에 관해 발견된 자료는 거의 없다시피 해서 그의 삶에 대해 알려진 것도 거의 없다. 유클리드가 죽고 몇 세기가 지난 후에 프로클루스(Proclus)와 알렉산드리아의 파푸스(Pappus of Alexandria)가 쓴 자료가 약간 발견되었을 뿐이다.

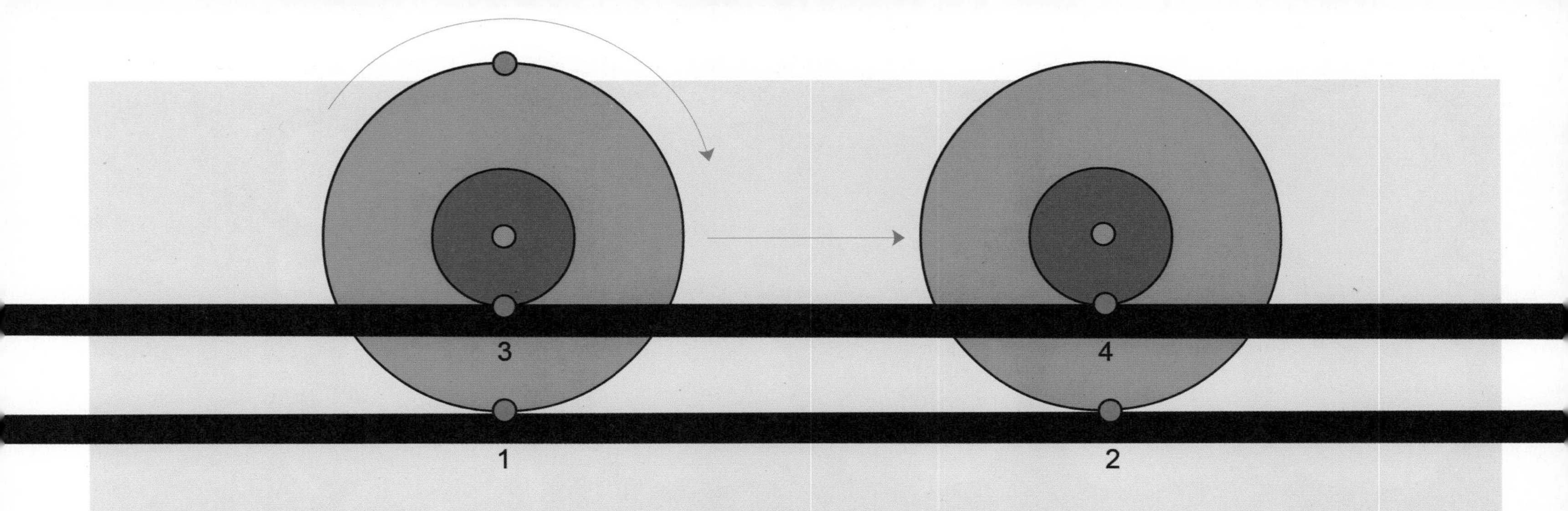

아리스토텔레스의 바퀴 역설-기원전 300년

아리스토텔레스의 바퀴 역설은 그리스 시대의 책 『메카니카(Mechanica)』에 나오는데, 이 책은 전통적으로 아리스토텔레스의 업적이라 보고 있다.

일반적으로 받아들여지고 있는 바퀴 역설은 다음과 같다. 지름이 다른 두 개의 바퀴(원)가 있는데, 하나의 바퀴가 다른 바퀴 안에 들어가 있다. 바퀴가 구르면서 남긴 경로는 직선이다. 언뜻 보면 이 두 개의 직선의 길이는 바퀴들의 원주와 같은 것처럼 보인다. 그러나 두 직선은 같은 길이를 가지므로 두 바퀴는 같은 원주를 가져야 한다. 이것은 바퀴 하나가 다른 바퀴보다 작다는 가정에 모순이다. 이 역설을 푸는 열쇠는 더 작은 바퀴가 사실상 그 지름을 그려낸다는 가정이다. 두 바퀴가 이런 식으로 움직이는 게 불가능하다는 것은 쉽게 이해할 수 있다. 더 작은 바퀴는 3의 위치에서 4의 위치까지 굴러가지 않았으며 선을 따라 끌려왔을 뿐이다. 물리적으로 보면, 중심이 같고 반지름이 다른 두 바퀴가 평행인 두 선을 굴러간다면, 적어도 둘 중 하나는 미끄러진다. 만일 톱니가 있어 미끄러짐을 방지한다면, 바퀴들은 서로 걸릴 것이다. 오늘날에도 차량 운전자가 차를 주차할 때 도로경계석에 너무 가까이 주차하면 이와 비슷한 상황이 종종 발생한다. 차량의 바깥쪽 바퀴는 도로 면에서 미끄러짐 없이 돌아가는 반면, 안쪽 바퀴덮개는 긁히는 소음을 내며 도로 경계석을 가로질러 돌면서 미끄러진다.

바퀴 안쪽 원의 점의 수는 바깥쪽 원의 점의 수와 같다. 수학 용어로는 이들 사이에 '전단사' 관계가 있다고 한다. 그러나 이들은 이산적인 원자들로 구성되었기 때문에 물리적 바퀴에는 적용되지 않는다. 즉, 만일 바퀴들이 같은 밀도, 너비, 두께를 가졌고 반지름만 다르다면 더 큰 바퀴는 더 많은 원자를 가질 것이다(즉, 일대일 대응이 아니다).

라파엘의 작품 〈아테네 학당〉에 묘사된 플라톤(왼쪽)과 아리스토텔레스(오른쪽).

아리스토텔레스(기원전 384~322년)

플라톤의 제자이며 알렉산드로스 대왕의 개인 교사였던 아리스토텔레스는 당대에 가장 영향력 있는 사상가였다. 그는 철학, 윤리학, 수학, 논리학, 물리학, 생물학, 시, 극, 음악, 수사법, 그리고 언어학 등 다양한 주제들을 포괄적으로 연구했다. 플라톤이나 소크라테스와 마찬가지로 아리스토텔레스의 저작물들은 도덕, 미학, 논리학, 과학, 정치학, 그리고 형이상학을 아우르는 서양 철학의 심오한 체계를 처음으로 만들어냈다. 아리스토텔레스의 이론은 중세의 사상에 중대한 영향을 끼쳤으며 그 영향은 르네상스 시대까지도 여전했다.

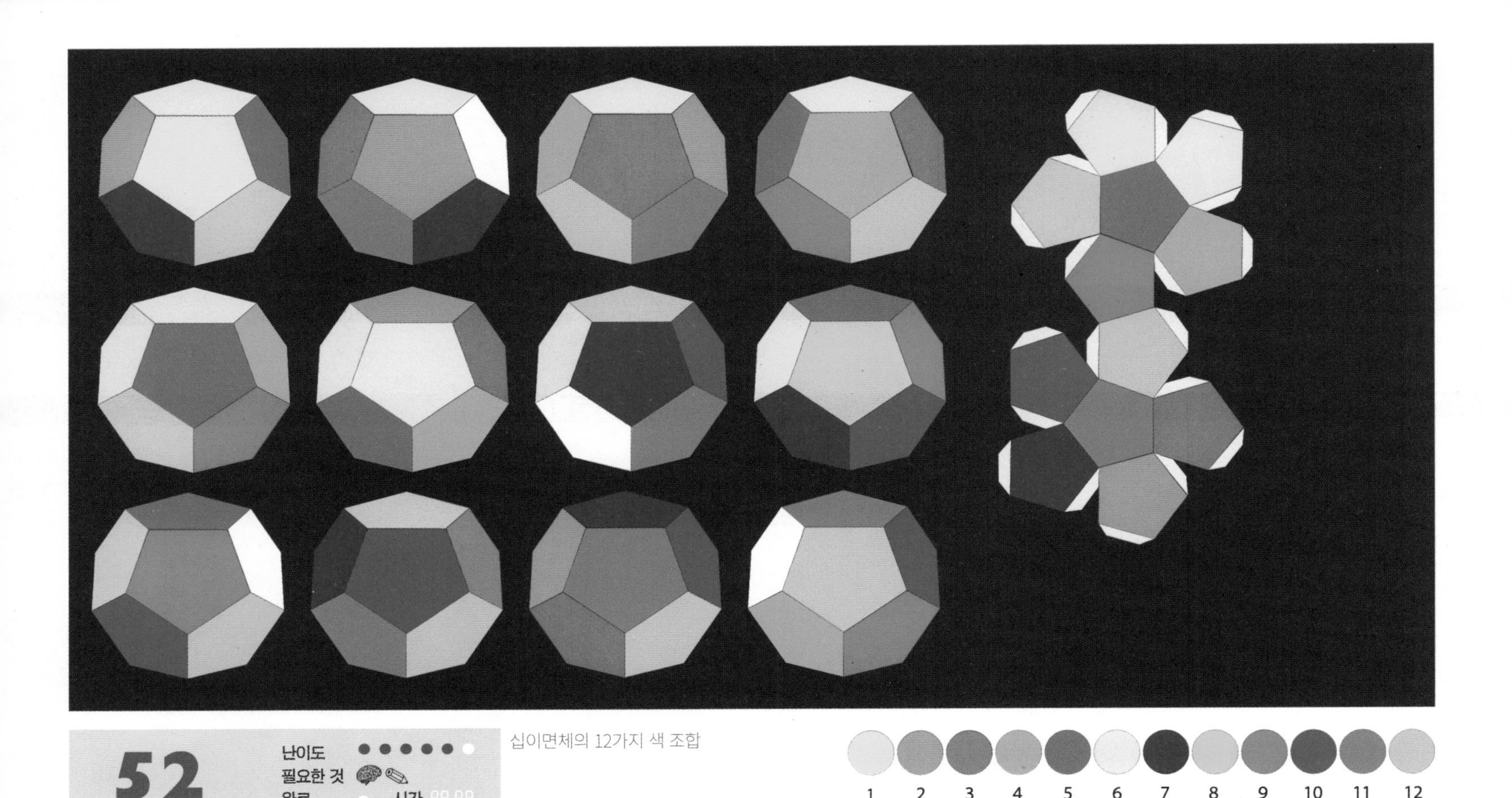

십이면체의 12가지 색 조합

52 난이도 / 필요한 것 / 완료 / 시간

십이면체의 방향

퍼즐 1. 면마다 다른 색을 칠한 십이면체를 탁자 위에 놓는 서로 다른 방법은 몇 가지인가?

퍼즐 2. 하나의 십이면체가 여러 방향에서 보인다. 보이지 않는 색을 칠할 수 있는가?

퍼즐 3. 십이면체를 한 개의 평면으로 자르면 단면은 어떤 모양이겠는가?

53 난이도 / 필요한 것 / 완료 / 시간

퀴르슈차크(Kurschák)의 정리

바깥 정사각형의 변을 한 변으로 갖는 4개의 정삼각형을 정사각형 내부에 그린다. 정사각형 내부에 있는 정삼각형의 꼭짓점(나폴레옹 점이라 한다_옮긴이)을 연결해서 내부에 정사각형을 만든다. 나폴레옹 점과 바깥 정사각형의 꼭짓점을 연결한 직선이 만나는 점 8개와 내부 사각형의 중점 4개를 연결하면 정십이각형이 만들어진다. 내부에 있는 정사각형은 '퀴르슈차크 타일'이라 하며 퀴르슈차크 정리를 증명하는 데 쓰인다. 퀴르슈차크 정리는 다음과 같다. "반지름이 1인 원에 내접하는 정십이각형의 면적은 3이다." 퀴르슈차크 타일을 보기만 해서 그 면적을 이용해 정십이각형의 면적이 3이라는 것을 증명할 수 있겠는가? 퀴르슈차크(1864~1933)는 헝가리인으로 멋진 기하학적 방법으로 정십이각형의 면적을 알아냈다.

십이면체 우주

《네이처》에 발표된 뤼미네(J-P Luminet)의 논문에는 다음과 같은 내용이 있다. "우주론에서 우주의 표준모델은 우주가 무한하며 평평하다고 예측했다. 그러나 프랑스와 미국의 우주학자들은 우주는 유한하며 십이면체 같은 모양일 수 있다고 제안하고 있다. 이들은 우주에서 빅뱅의 잔재로 남은 방사선인 우주배경복사가 관측되는 걸 설명하기 위해서는 우주가 더 재미없는 모양일 수는 없고 12개의 면을 갖는 다면체 같은 모양이어야 한다고 주장하고 있다."

원을 정사각형으로 만드는 고대 문제

고대 그리스부터 전해 내려오는 유명한 고전 문제 세 가지 중 하나는 직선 자와 컴퍼스만을 사용해 주어진 원과 면적이 똑같은 정사각형을 만드는 것이다.

1882년 린데만-바이어슈트라스의 정리(Lindemann-Weierstrass Theorem)는 원주율 π가 대수적인 무리수라기보다는 초월수라는 것을 증명했다. 초월수는 유리수를 상수로 갖는 다항식의 근이 될 수 없는 수를 말한다. 또한, 원을 정사각형으로 만드는 것은 불가능함을 증명했다. 이 문제는 근사해만을 가질 수 있으며, 이는 바빌론 사람들에 의해 이미 알려진 사실이었다.

유명한 기원전 1800년의 이집트 린드 파피루스에서는 원의 면적을 $(64/81)d^2$라 했다.

여기서 d는 원의 지름이다.

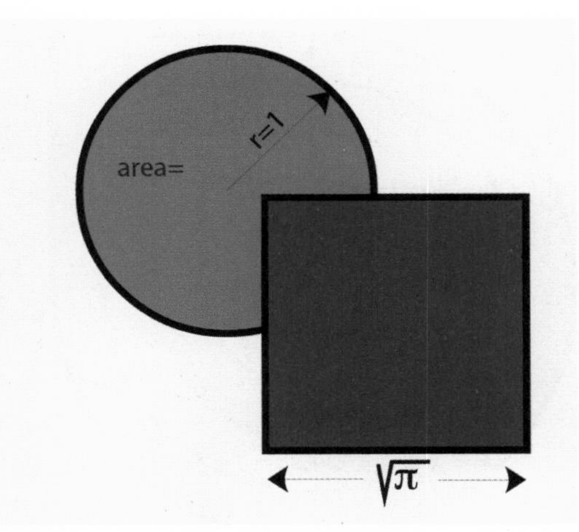

히포크라테스의 초승달 모양

빨간 초승달 모양(활꼴)의 면적을 파란 이등변삼각형의 면적으로 나타낼 수 있겠는가?

2개의 빨간 초승달 모양의 총면적을 파란 직각이등변삼각형의 면적으로 나타낼 수 있겠는가?

피타고라스 정리가 도움이 될 것이다!

4개의 빨간 초승달 모양의 총면적을 파란 정사각형의 면적으로 나타낼 수 있겠는가?

2개의 빨간 초승달 모양의 총면적을 파란 직각삼각형의 면적으로 나타낼 수 있겠는가?

54
난이도 ●●●●●○
필요한 것
완료 ○ 시간

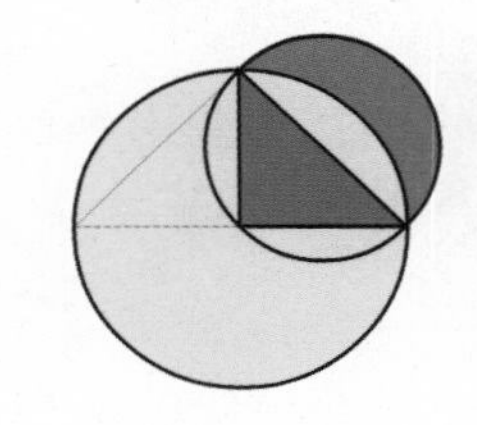

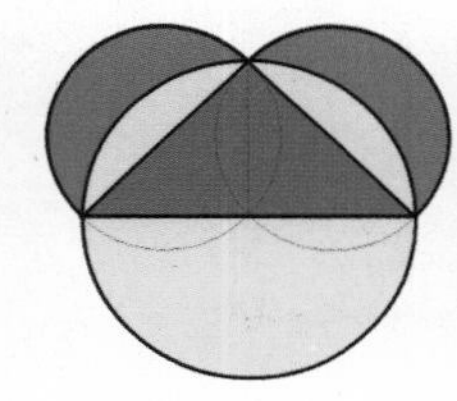

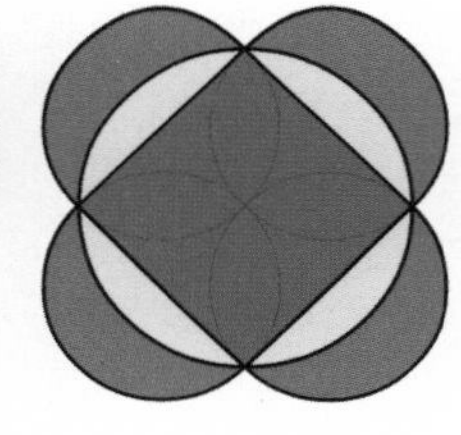

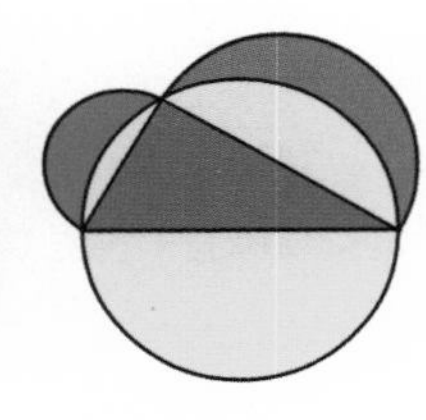

원을 정사각형으로 만들려는 초기의 시도

히포크라테스(기원전 470~410)는 원을 정사각형으로 만드는 문제를 풀지 못했다. 그러나 그는 둥근 호를 경계로 갖는 도형으로 문제를 풀 수 있다는 놀라운 발견을 했다. 당시로써는 정말 놀라운 발견이었다.

히포크라테스는 원의 호로 이루어진 초승달 모양의 면적이 직선으로 이루어진 형태의 도형의 면적과 같을 수 있다는 걸 처음으로 보여준 사람이었다. 히포크라테스의 연구는 찾을 수 없다. 하지만 분명 다음과 비슷한 방법으로 이 문제와 씨름했을 것이다. 피타고라스 정리를 다룬 소절에서 피타고라스 정리의 확장되고 일반화된 형태를 보았다. 피타고라스 정리에서의 관계는 직각삼각형의 세 변과 각의 위치가 적절하게 배치되는 한 어떤 비슷한 모양에 대해서도 성립한다. 이는 원에서도 성립한다. 히포크라테스의 발견은 원을 정사각형으로 만들려고 하는 사람들에게 오늘날까지 지대한 관심과 잘못된 희망을 불러일으키고 있다.

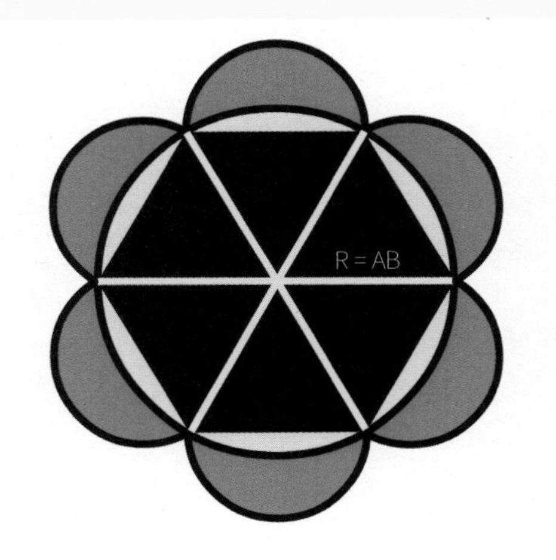

히포크라테스의 육각형 정리

55
난이도 ●●●●○○
필요한 것
완료 ○ 시간

히포크라테스는 자신이 원을 정사각형으로 만들 수 있다고 주장했다. 그는 초승달 모양을 정사각형으로 만드는 것에 성공했고, 이후 육각형으로 만드는 것도 성공했다. 히포크라테스는 원의 지름 AB(빨간색 반원의 지름)에서 시작해서 지름이 AB의 두 배인 더 큰 원을 만들었다(정육각형을 포함한 노란색 원). 정육각형은 큰 원안에 있으며 정육각형의 각 변은 원(빨간색 반원)의 반지름과 같다. 그림에 나타난 것과 같이, 육각형의 각 변은 처음의 작은 원의 지름인 AB와 같고, 각 변에는 반원이 그려져 있다. 6개의 빨간 초승달 모양 도형의 총면적을 계산할 수 있겠는가?

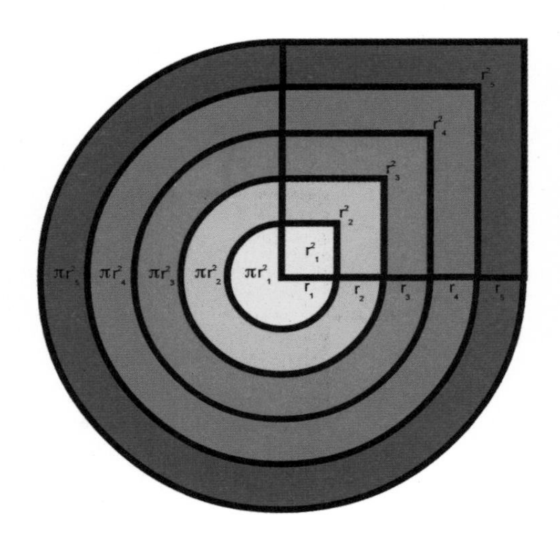

원을 정사각형으로 만들 때의 기쁨

고대와 현대 수학자들에게 가장 도전적인 문제 중 하나는 '원을 정사각형으로 만들기'였다.
수학자들은 이 문제를 풀 수 없었다. 원호와 직선들은 측정하면 항상 무언가를 남겼다. 원을 정사각형으로 만드는 것을 처음으로 시도한 수학자는 기원전 5세기에 살았던 아낙사고라스였다. 감옥에 있을 때 아낙사고라스는 이렇게 썼다. "(원을 정사각형으로 만드는 동안) 이보다 더 행복하고 선하고 지혜로울 수 없다."

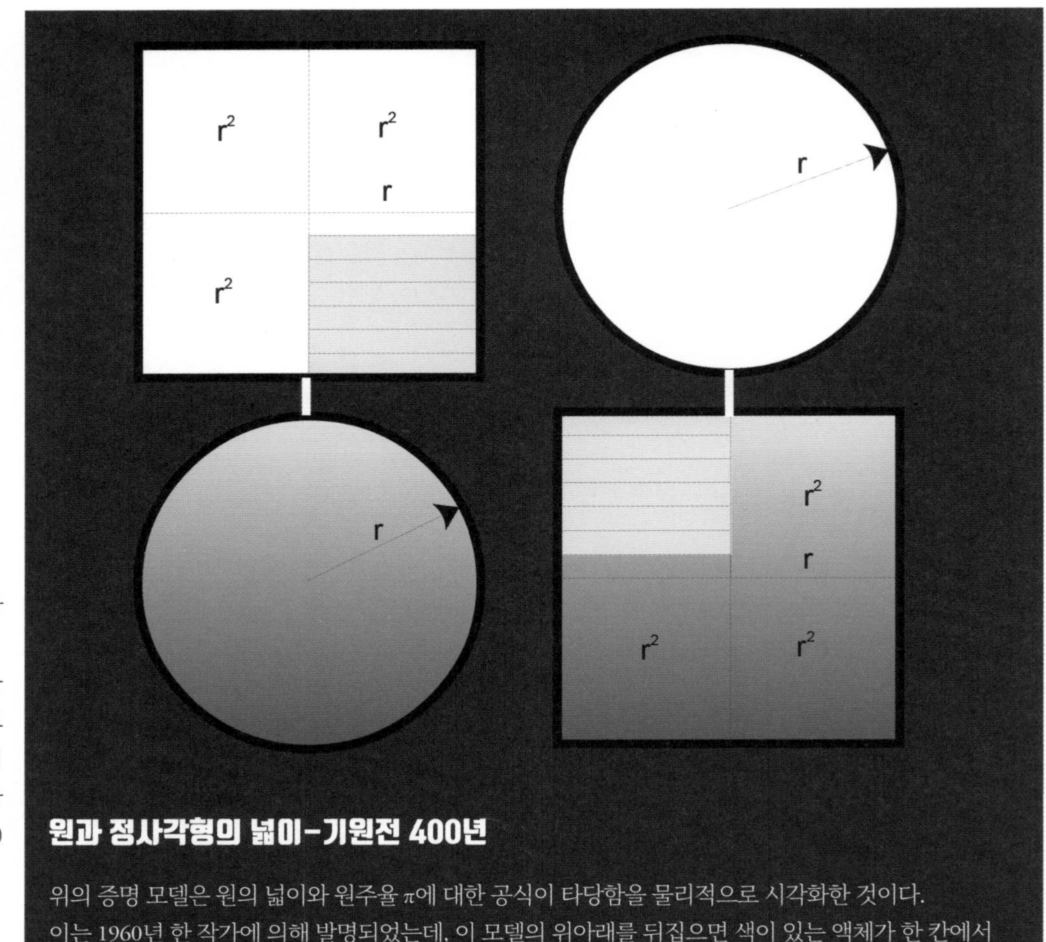

원과 정사각형의 넓이-기원전 400년

위의 증명 모델은 원의 넓이와 원주율 π에 대한 공식이 타당함을 물리적으로 시각화한 것이다. 이는 1960년 한 작가에 의해 발명되었는데, 이 모델의 위아래를 뒤집으면 색이 있는 액체가 한 칸에서 다른 칸으로 흐르는 것을 이용해 면적에 관한 식이 적절함을 보여주었다.

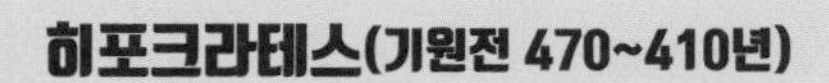

히포크라테스(기원전 470~410년)

아테네의 기하학 교수였던 히포크라테스는 둥근 면을 갖는 도형의 면적과 같은 면적을 갖는 정사각형을 처음으로 만들어 낸 사람이다.
많은 수학자들이 히포크라테스의 전례를 따랐고 원을 정사각형으로 만드는 고전 문제를 해결하려 했다. 1880년 린데만(Lindemann)은 π가 초월수임을 증명했으며, 아울러 자와 컴퍼스를 사용해서는 원을 결코 정사각형으로 만들 수 없다는 것도 증명했다.
최근에는 이 문제에서 자와 컴퍼스를 사용해서 원을 정사각형으로 만들 수 있는 최적의 근사적인 방법을 찾는 문제에 매달리고 있다. 문제를 풀기 위해서는 아르키메데스로 거슬러 올라가야 한다. 아르키메데스는 정사각형의 한 변을 원의 반지름인 'r'이라 했다. 이 정사각형의 면적 r^2에 원주율 π를 곱하면 원의 넓이를 구하는 공식인 $\pi \times r^2$이 된다. 원의 넓이에 대한 이 공식의 타당성은 한 작가가 독창적으로 발명한 액체를 이용한 시연용 모델에 의해 시각적으로 입증되었다. 유색 액체가 밀봉된 반지름 r인 원에 꽉 채워져 있다. 이 모형을 뒤집어 액체가 정사각형 칸으로 넘어가서 정사각형(원과 같은 두께를 가진)을 채웠는데 그 면적은 $(3+1/7) \times r^2$이었다.
주석 : 평평하게 밀봉된 용기의 두께는 모두 균일하다.
1914년 라마누잔(Ramanujan)은 자와 컴퍼스를 사용해 원을 정사각형으로 만들었는데 π에서 소수점 아래 9자리에서만 차이가 났을 뿐이었다. 이는 지름이 1만 2000킬로미터인 원인 경우 정사각형의 한 변의 길이에 대한 오차가 25밀리미터보다 작을 만큼 매우 작은 오차다.

나선 모양

나선 모양에 관한 연구는 고대 그리스로 거슬러 올라간다. 아르키메데스의 나선 모양은 나선 모양의 전형적인 예다.
1638년 데카르트는 역학을 연구하다 등각나선형이라 알려져 있는 대수적 나선 모양을 발견했다. 등각나선형의 특징은 모든 반지름을 일정한 각도로 자른다는 것이다. 중점 O에서 나선형 위의 임의의 점 P까지의 어떤 반지름에서도 그 반지름과 접선은 같은 각을 이룬다. 그러므로 곡선은 '자기재생산'의 속성이 있다.
야코프 베르누이(1654~1705)는 등각나선 모양을 발견했다. 베르누이는 여기에 매혹된 나머지 자신의 비석에 "Eadem mutata resurgo(나는 비록 바뀌지만, 똑같이 나타날 것이다)"라고 새겨넣길 바랐다. 나선 모양의 '멋진' 속성들은 신비하고 흥미로운 황금비 및 피보나치 수와 연관되면서 더욱더 풍요로워졌다.

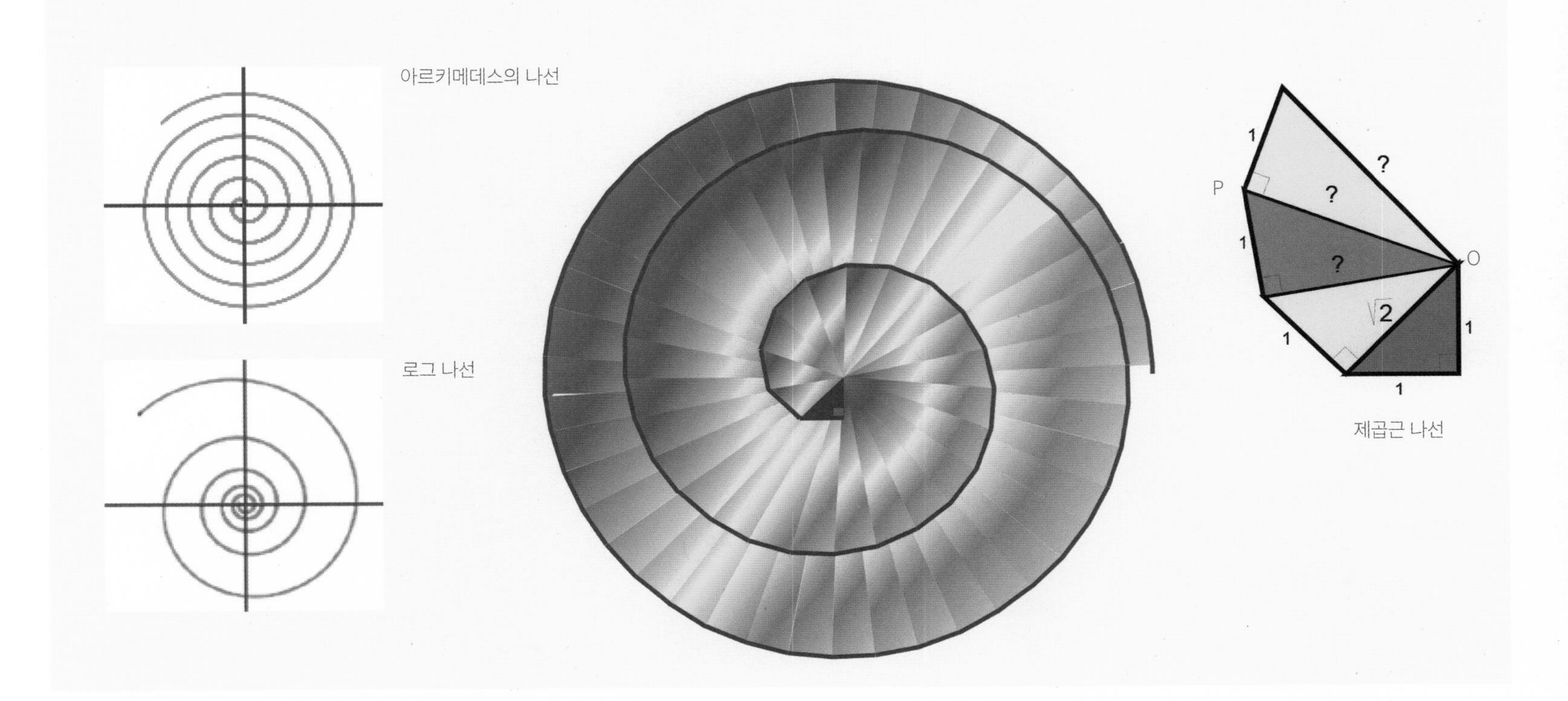

아르키메데스의 나선

로그 나선

제곱근 나선

테오도로스의 나선-기원전 400년

제곱근 나선(square root spiral) 혹은 아인슈타인의 나선 또는 피타고라스의 나선이라고도 불리는 테오도로스의 나선은 원래는 키레네의 테오도로스(기원전 465~398)가 고안한 것으로 직각삼각형들을 붙여 만든다.
제곱근 나선의 첫 번째 단계는 직각을 사이에 둔 두 변의 길이가 1인 직각이등변삼각형으로 구성된다. 두 번째 직각삼각형은, 첫 번째 직각삼각형에 접한 것으로 직각을 끼고 있는 두 변에서 밑변은 첫 번째 삼각형의 빗변으로 길이는 $\sqrt{2}$이고 다른 변은 길이가 1이다. 두 번째 직각삼각형의 빗변 길이는 $\sqrt{3}$이다. 이러한 과정을 반복하면, i번째 삼각형은 직각을 끼고 있는 두 변의 길이는 $\sqrt{i}$와 1이고, 빗변의 길이는 $\sqrt{i+1}$인 직각삼각형이 된다.
안타깝게도 테오도로스의 작품 중 남아 있는 건 없다. 그러나 다행스럽게도 테오도로스의 제자였던 플라톤의 대화록에는 자신의 스승 테아이테토스와의 대화가 포함되어 있는데, 이는 그의 업적의 중요성에 대해 많은 것을 알려준다. 테오도로스는 '3에서 17까지의 제곱수가 아닌 수들의 제곱근은 무리수'라는 사실의 증명에 테오도로스의 나선을 사용했다고 추측된다. 대화록에 의하면 테아이테토스는 소크라테스에게 다음과 같이 말했다고 한다. "그것은 근의 성질입니다. 테오도로스는 근에 대해 우리에게 설명했고 변의 제곱으로 표현되는 세 번째와 다섯 번째 근을 잴 수는 없다는 걸 보여주었습니다. 즉, $x^2=3$을 만족하는 x는 잴 수 없습니다. 테오도로스는 삼각형들을 하나씩 쌓아 올라가다가 17번째 가서야 멈추었습니다."
플라톤은 테오도로스가 $\sqrt{17}$에서 멈춘 이유에 의구심을 가졌다. 이는 빗변이 $\sqrt{17}$인 삼각형이 그 이전에 만들어진 삼각형들과 겹치지 않는 마지막 삼각형이어서 $\sqrt{17}$까지만 고려했을 거라고 추측하고 있다.
1958년 토이펠(E. Teuffel)은 나선이 아무리 길어져도 두 개의 빗변이 정확하게 일치할 수는 없다는 것을 증명했다. 또한, 만약 변의 길이를 1에서 직선으로 늘린다면, 이 직선들은 나선 모양을 만드는 전체 도형의 어떤 꼭짓점도 지나지 않는다는 것을 증명했다.

원뿔곡선(이차곡선)-기원전 350년

원뿔곡선은 꼭짓점이 맞닿은 두 개의 원뿔을 평면으로 잘랐을 때 얻는 곡선이다.
원뿔곡선은 그 미학적 성질로 인해 고대 그리스의 수학자들의 연구대상이었다. 타원, 쌍곡선, 그리고 포물선은 유클리드와 당시의 다른 기하학자들을 매료시켰다. 원뿔곡선에 대한 어떤 활용성도 발견할 수 없었던 시절에도 원뿔곡선은 경이로움의 대상이었으며, 아름다운 기하학적 오락물로 여겨졌다.
수학자들은 전혀 쓸데없는 대상을 단지 재미로 연구하는 습성이 있다. 그러나 이런 연구는 때로 몇 세기가 지난 후 과학자들에게 매우 중요한 연구가 되기도 한다. 원뿔곡선도 마찬가지다. 케플러와 뉴턴의 '공간에서 움직이는 천체의 경로를 묘사하기 위한' 연구는 원뿔곡선의 연구에 기반을 두었다. 행성들, 혜성들, 그리고 심지어 은하들까지도 오로지 타원, 쌍곡선, 그리고 포물선 형태 중 한 경로로만 움직인다.

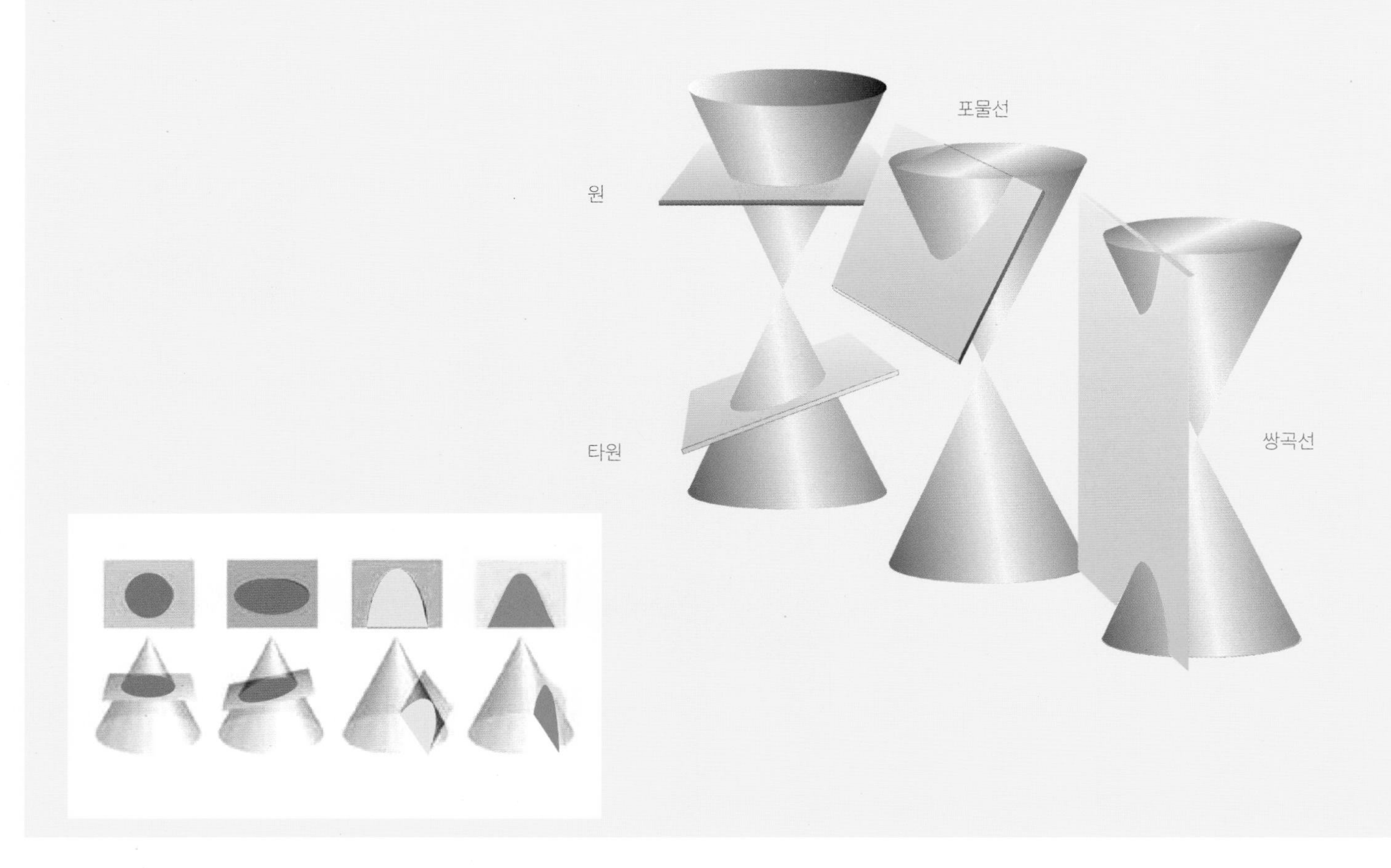

메나이크모스(기원전 380~320)

플라톤의 좋은 친구였던 메나이크모스(Menaechmus)는 고대 그리스의 수학자이며 기하학자였다. 그는 델로스 문제(Delian problem)를 연구했고 그 결과 원뿔곡선을 발견한 사람이라고 알려져 있다. '정육면체의 부피를 두 배로 만드는' 문제로 알려진 델로스 문제는 자와 컴퍼스를 사용해 풀 수 없는 가장 유명한 기하학 문제 세 개 중 하나로, 이집트, 인도, 그리고 그리스의 많은 학자들에게 매우 강한 호기심을 불러일으켰다.
기원전 200년경, 페르가의 아폴로니오스(Apollonius)는 원뿔곡선의 특징을 체계적으로 연구하기 시작했다. 원뿔곡선이라는 주제로 여덟 권의 책을 쓸 만큼 정성을 들인 그의 연구로 인해 원뿔곡선에 대한 다양한 지식이 널리 알려지고 확장되었다.
분석기하학에서 원뿔곡선의 정의는 '2차 평면 대수곡선'이다. 원뿔곡선은 원뿔(직원뿔)과 평면의 교선에 의해 만들어지는 곡선이다. 세 형태, 즉 타원, 쌍곡선, 그리고 포물선 형태의 원뿔곡선이 있다. 원은 종종 원뿔곡선의 네 번째 형태라고도 불리며 타원의 특별한 형태로 분류되기도 한다.

주판, 주판식 계산기-기원전 300년

주판은 기발한 고대 계산 도구로 십진수 체계에도 적합하다.
물건을 셀 때 사용하는 수와 계산 결과를 기록하는 데 사용하는 수의 차이가 분명해지면서 수학 학습력에 중요한 진보가 일어났다.
숫자를 사용하지 않고 암산하는 것은 어려우나 쓰는 숫자가 존재하지 않았던 시절도 있었다. 숫자를 눈금으로 표현한 기록 막대기에 전적으로 의지하는 단계를 넘어섰을 때, 인간은 숫자를 세기 위해 조약돌이나 조개를 사용했다. 이런 셈 도구는 처음에는 숫자를 세는 셈판으로, 나중에는 계산을 쉽게 하려고 발명된 주판이라는 아름답고 기발한 기계장치로 진화되었다.
주판은 세 가지의 뚜렷한 형태의 세대를 거쳐 진화했다.

1. 가루 명판: 가장 최초의 형태
2. 계산대 형태의 주판: 주판알이 줄로 고정되지 않은 평판. 살라미스 주판(Salamis abacus)
3. 현대 주판: 주판알이 줄에 고정된 틀 형태의 주판. 현대 주판의 사례로는 러시아 주판과 중국 주판이 있다. 러시아 주판은 11개의 줄에 10×10의 주판알과 1×4의 주판알로 이루어져 있으며, 중국 주판은 위쪽과 아래쪽에 각각 2개와 5개의 주판알이 있다. 현대 주판은 계산 도구 이외에도 십진 계산법의 수학적 모델로 여겨지고 있다. 0의 개념이 발명되기 훨씬 이전에, 주판은 계산을 위해 빈 열을 사용했다.

그레고르 라이쉬의 산술

독일 철학자 라이쉬(Gregor Reisch)가 1503년에 쓴『마르가리타 필로소피카(Margarita philosophica)』에는 보이티우스(Boethius, 480~524)와 피타고라스가 벌인 수학 경연을 상징적으로 보여주는 그림이 등장한다.
수학 경연에서 피타고라스는 주판을 사용했지만, 보이티우스는 숫자를 사용했다고 한다.
그림만 보고 주판을 어떻게 사용하는지 말할 수 있겠는가?

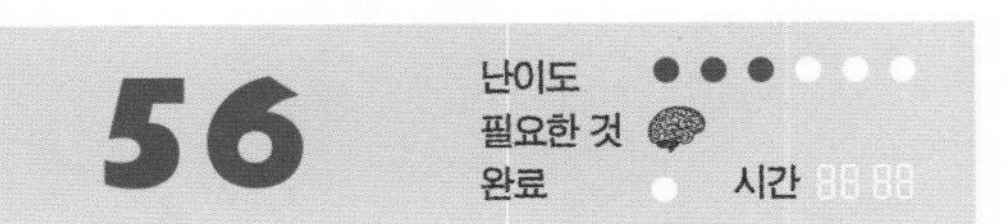

CHAPTER 3

소수, 마방, 그리고 디도 여왕의 문제

소수-기원전 300년

수학자들은 수 세기 동안 소수에 매료되어왔다. 몇몇 수학자는 심지어 소수에 창조의 비밀이 숨겨져 있다고 생각한다.

하나의 수는 소수 혹은 합성수다. 소수는 1과 자기 자신으로만 나누어지는 1보다 큰 자연수다. 소수는 정수라는 건물을 만드는 블록으로 원자와 비슷하다. 소수가 아닌 1보다 큰 자연수는 합성수라 한다. 예를 들면, 5는 1과 5로만 나누어지는 소수인 반면, 6은 1과 6 이외에도 2와 3으로 나누어지므로 합성수다. 수론(number theory)에는 소수의 중요한 역할이 '연산의 기본정리'로 나타나 있는데 그 정리는 다음과 같다. '1보다 큰 어떤 정수도 곱해지는 순서를 고려하지 않는다면 소수의 곱으로 유일하게 표현될 수 있다.' 이 정리가 성립하려면 숫자 1은 소수가 아니라고 가정해야 한다.*

기원전 300년경, 유클리드는 소수가 무한히 많다는 것을 증명했다. 모든 소수를 알 수 있는 알려진 공식은 없지만, 소수의 분포에 관한 공식은 있다. 이 공식은 소수의 '일반적인' 통계적 행동에 관한 것이다. '소수 이론'은 소수의 분포에 관한 첫 번째 이론이다. 이 이론은 임의로 선택한 숫자 n이 소수일 확률은 그 자릿수 또는 ln n에 반비례한다는 것으로 19세기 말에 증명되었다.

오늘날까지도 여전히 풀리지 않은 채 남아 있는 소수에 관한 문제가 많이 있다. 한 예로 '골드바흐의 추측'이 있는데, 이는 '2보다 큰 모든 짝수는 두 소수의 합으로 표현될 수 있다'는 것이다. 풀리지 않은 또 다른 문제는 '쌍둥이 소수에 대한 가설'인데, 이는 '두 수의 차이가 2인 쌍둥이 소수들의 짝이 무한히 많다'는 것이다. 이런 가설들은 수론을 여러 다른 세부 분야로 발전시키는 데 영감을 주었다.

● 수학에서는 1은 소수도 합성수도 아니라고 약속한다.

소수의 역사

소수의 역사는 고대 이집트 시대까지 거슬러 올라간다. 한 예로, 린드 파피루스를 보면 이집트에서는 소수와 합성수에 대한 분수의 전개가 매우 다른 형태로 나타난다.

그럼에도 소수의 진정한 아버지는 고대 그리스인들이다. 유클리드의 『원론』(기원전 300년)은 무한한 소수와 산술에 대한 기본 정리와 같은 소수에 대한 중요한 정리들을 담고 있다. 유클리드는 또한 메르센 소수(Mersenne prime)로부터 완전수(perfect number)를 만드는 방법을 보여주었다. 에라토스테네스에 의해 만들어진 에라토스테네스의 체는 작은 소수들을 계산하는 단순한 방법으로, 오늘날 컴퓨터에 의해 만들어지는 큰 소수들과는 다르게 만들어졌다. 이후 소수에 대한 새롭고 흥미로운 사실은 시간을 훌쩍 뛰어넘어 17세기에 가서야 페르마의 연구를 통해 발견된다. 1640년 페르마는 '소정리(Little Theorem)'를 만들었는데, 이 정리는 후에 라이프니츠와 오일러에 의해 증명되었다.

"우리가 소수를 이해하려면 최소한 수백만 년은 더 걸릴 것이다"

에르되시 팔(수학자)

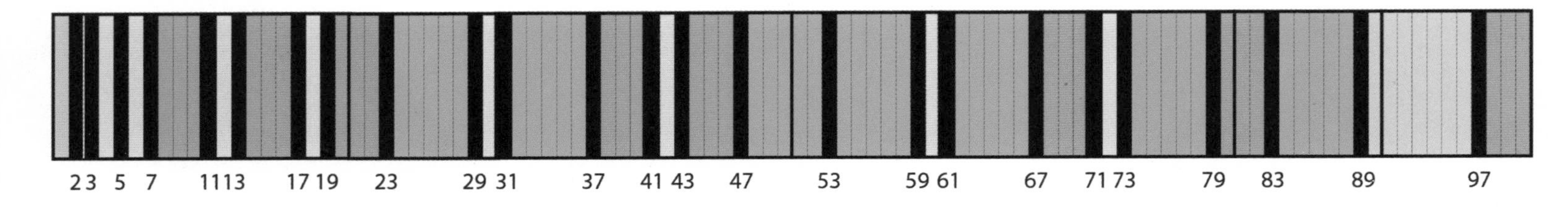

100까지의 소수

소수의 목록을 보자, 예를 들어 1~100에 있는 소수를 보자. 한 소수가 나온 후 그다음 소수가 언제 나올지 예측하는 것은 불가능하다. 소수의 분포는 무작위적이고, 질서가 없으며, 다음 소수를 결정하기 위한 일정한 규칙은 없는 것처럼 보인다. 1~100에는 25개의 소수가 있다. 그다음 100까지의 수, 즉 101~200의 수에서는 소수가 어떻게 분포되어 있는지를 어떻게 알 수 있을까? 수학자들은 자연이 소수를 선택하는 방법에 대해 설명이 없을 수 있다는 것에 동의하기 어려웠다. 그러던 중 19세기에 이에 대한 돌파구가 생겼다. 리만(Bernhard Riemann)은 완전히 새로운 방법으로 소수의 문제를 바라보았다. 새로운 관점으로 인해 리만은 겉으로 보이는 소수의 무작위성에는 미묘하고 예측하기 어렵지만 놀라운 내적 조화로움이 있다는 것을 이해하기 시작했다. 이러한 내적 조화로 인해 소수는 우리가 찾아낼 수 없는 많은 비밀을 간직하고 있다. 이 조화로움에 대한 리만의 확고한 추측은 오늘날 '리만 가설'로 알려져 있다. 수학에서 위대하고 신비로운 문제 중 하나로 꼽히는 리만 가설은 누군가가 증명하고 설명해 주기를 기다리고 있다.

57

난이도 ●●○○○○
필요한 것
완료 ○ 시간

에라토스테네스의 체–기원전 250년

에라토스테네스(기원전 276~194)는 많은 재능을 가진 사람이었다. 수학을 연구했고 시를 썼으며 운동선수이기도 했다. 또한 오늘날 우리가 알고 있는 지리학의 원리들을 발견했는데, 위도와 경도 체계 같은 주요 개념들과 함께 '지리학(geography)'이라는 단어를 그리스어로 만들기도 했다.

수학자로서 에라토스테네스는 주로 '에라토스테네스의 체'●라는 이름으로 기억되고 있다. 에라토스테네스의 체는 주어진 어떤 숫자에 대해 그 수보다 작은 모든 소수를 찾아내는 알고리즘이다. 에라토스테네스의 체는 오늘날에도 여전히 1000만까지의 수에서 모든 소수를 계산하는 데 매우 효과적인 방법이다. 물론 컴퓨터가 등장하면서 조금 쓸모없어지긴 했지만 말이다.

에라토스테네스 체의 작동방식은 뭘까? 소수들은 처음 소수 2부터 그 배수들을 표시한다. 그 배수들은 합성수이므로 배수를 제외하고 그다음 수를 찾는다. 그다음 수 3을 소수 목록에 넣고 역시 그 배수들을 표시한다. 그 배수들 역시 합성수이다. 이 과정을 2부터 시작해 소수의 배수들로 표현된 수를 제외하고 남은 수들을 순차적으로 나열하면 그 수들이 소수다. 즉, 어떤 수의 순서에서 그 수가 이전의 수의 배수로 표시되지 않았다면 그 수는 소수다.

많은 고대 그리스 수학자들과 마찬가지로 에라토스테네스의 연구는 전해 내려오는 게 전혀 없다. 에라토스테네스가 그 유명한 체를 고안했는지에 대해 확신할 수는 없지만, 니코마코스(Nicomachus)는 『산술 입문(Introductions to Arithmetic)』에서 그 체가 에라토스테네스의 업적이라고 적고 있다.

● 에라토스테네스의 체: 소수를 찾는 방법이 마치 곡식을 체로 치는 과정과 유사하게 소수를 걸러낸다 해서 붙여진 이름이다.

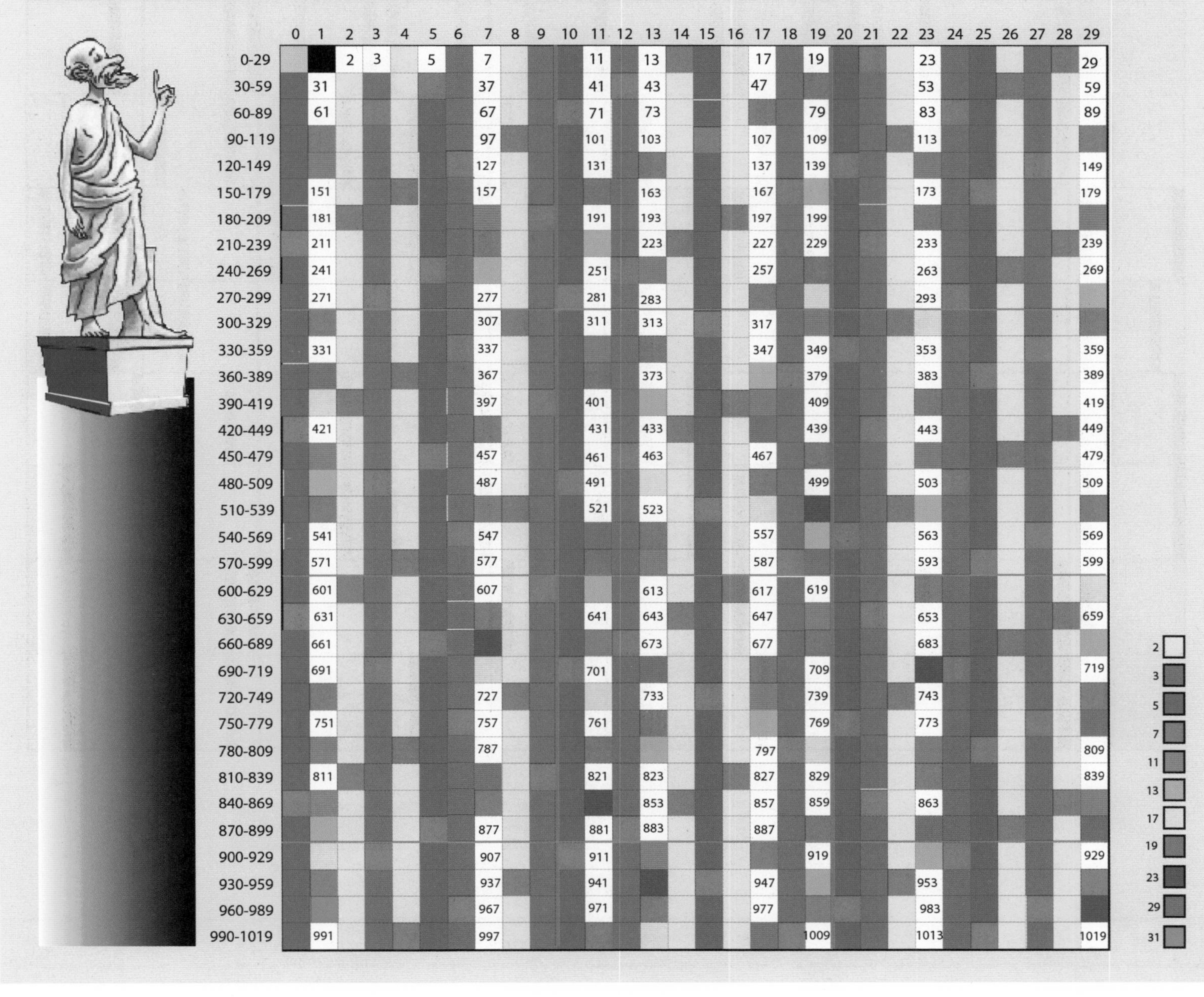

소수가 나타나는 일반적 형식(소수 패턴)-소수 간극(prime gap)

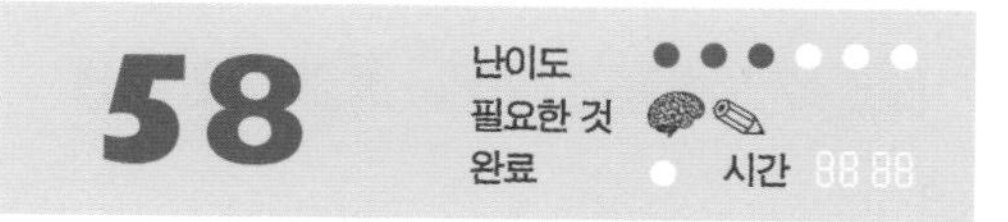

1에서 1000까지 소수의 분포를 색깔 패턴으로 완성하려면 주어진 표의 끝에 무슨 색이 들어갈지 알 수 있겠는가? 소수 간극은 연속적인 두 소수의 차이를 말한다.

1000까지의 소수 패턴으로부터, 2와 3 사이에서만 소수 간극이 1인 것을 볼 수 있다. 이들만이 유일하게 소수 간극이 1인 연속한 소수 쌍이다.

그림을 보는 방법: 막대 하나가 수 하나에 대응하며 모든 막대는 연속적인 자연수를 나타낸다. 즉, 처음 회색 막대는 1, 두 번째 검은 막대는 2, 세 번째 검은 막대는 3을 나타낸다. 검은색 막대는 모두 소수이다. 소수 간극은 검은색 막대 사이의 차이다. 즉, 3-2=1, 5-3=2, 7-5=2 등의 값이 소수 간극이다.

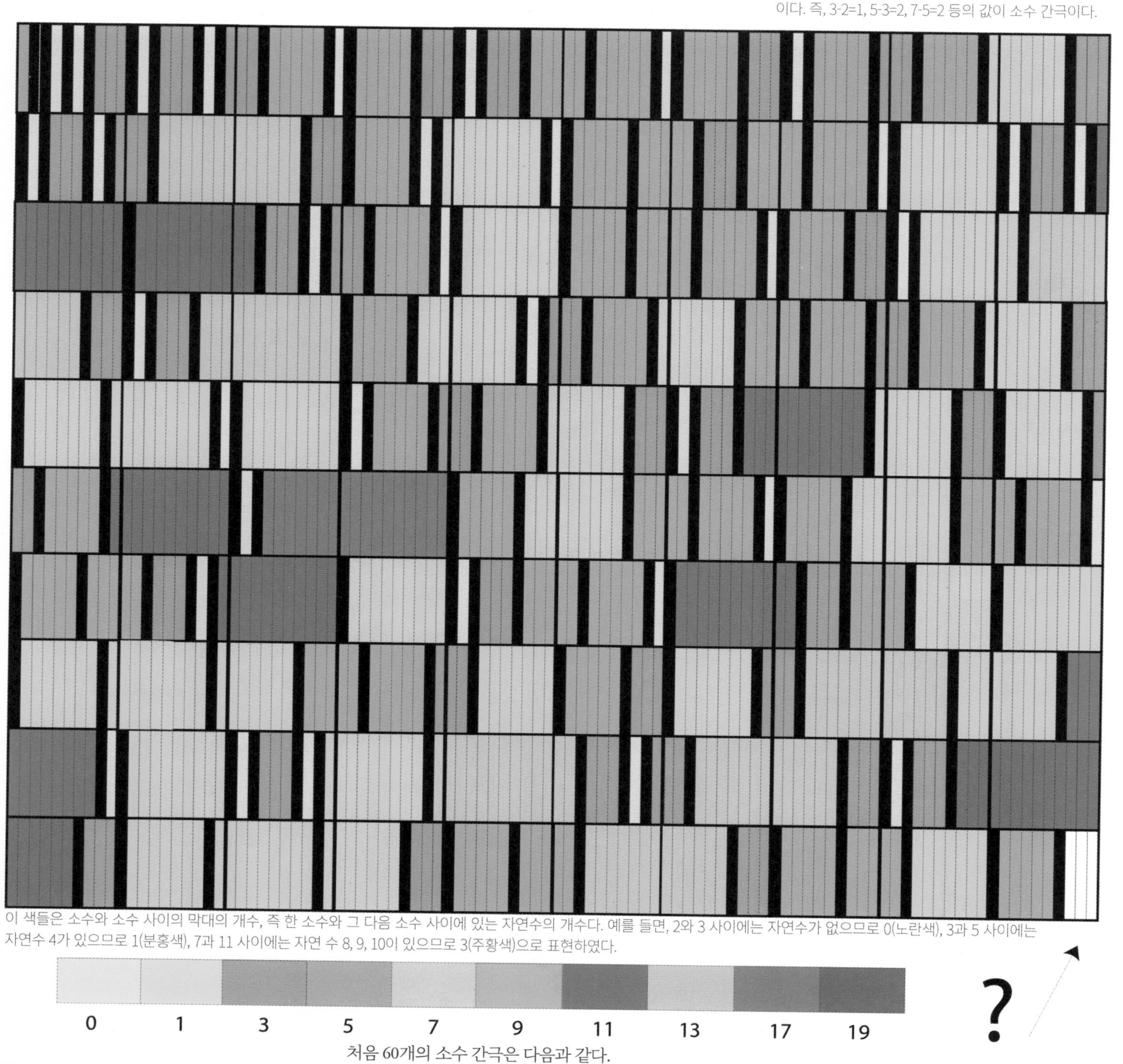

이 색들은 소수와 소수 사이의 막대의 개수, 즉 한 소수와 그 다음 소수 사이에 있는 자연수의 개수다. 예를 들면, 2와 3 사이에는 자연수가 없으므로 0(노란색), 3과 5 사이에는 자연수 4가 있으므로 1(분홍색), 7과 11 사이에는 자연 수 8, 9, 10이 있으므로 3(주황색)으로 표현하였다.

처음 60개의 소수 간극은 다음과 같다.

1-2-2-4-2-4-2-4-6-2-6-4-2-4-6-6-2-6-4-2-6-4-6-8-4-2-4-2-4-14-4-6-2-10-2-6-6-4-6-6-2-10-2-4-2-12-12-4-2-4-6-2-10-6-6-6-2-6-4-2...

아폴로니오스의 문제-기원전 270년

그리스의 수학자이자 천문학자였던 아폴로니오스(기원전 262~190)는 당대에는 '위대한 기하학자'로 알려져 있었다. 프톨레마이오스, 마우롤리코(Francesco Maurolico), 뉴턴 및 데카르트를 포함한 후대의 다른 학자들은 그의 획기적인 방법론과 용어, 특히 원뿔곡선에 영향을 받았다.

타원, 포물선, 그리고 쌍곡선처럼 아폴로니오스가 소개한 많은 용어들은 오늘날에도 여전히 친숙하게 사용하는 용어들이다. 그는 또한 하늘을 가로지르는 행성의 명확한 운동과 변화하는 달의 속도를 설명하기 위해, 특이한 궤도에 대한 가설과 주전원*을 도입한 것으로 알려져 있다.

아폴로니오스의 가장 유명한 문제 중 하나로 그의 이름을 딴 '아폴로니오스 문제'가 있다. 그 문제는 다음과 같다. "평면에 3개의 원이 주어져 있다(검정 원). 여기에 원 하나를 추가하려 한다(노란색 원). 주어진 세 원이 추가하는 원의 둘레에서 각각 한 점에서 접하도록 네 번째 원을 놓는 방법은 몇 가지나 있을까?" 오른쪽 그림에 나타나 있듯이 정확하게 여덟 가지의 서로 다른 방법이 있다.

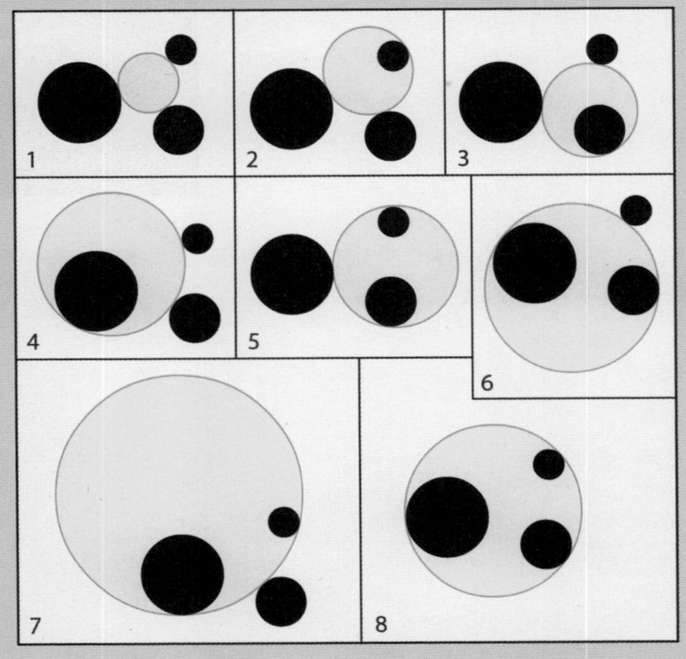

● 주전원: 어떤 원의 주변을 도는 원을 말한다.

"내가 설 수 있는 곳이 있다면 지구를 움직일 것이다."

파푸스가 인용한 아르키메데스의 말, 340년

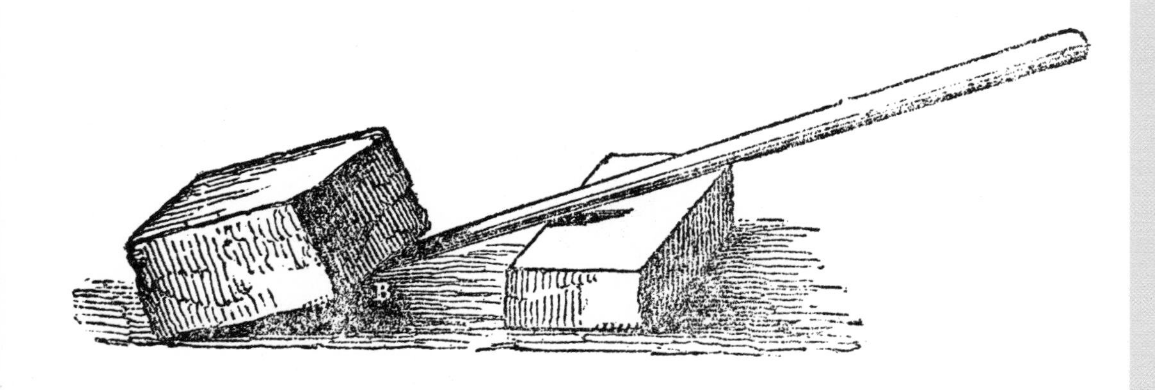

아르키메데스의 지렛대 원리 -기원전 250년

지렛대는 '단순 기계'의 가장 간단한 예로서, 에너지 변환기다. 단순 기계는 우리에게 뭔가를 거저 주는가? 물론 아니다. 그러나 단순 기계는 작은 힘을 가진 역학 에너지를 큰 힘을 가진 역학 에너지로 바꿀 수 있다.

아주 적은 노력을 여러 번 들여 무거운 짐을 약간 들어 올릴 수 있는데, 이른바 '지렛대의 법칙'이다. 아르키메데스는 이 법칙을 기하학적 원리를 이용해 증명했다. 지렛목과 힘이 가해지는 점 사이의 거리가 지렛목과 힘을 받는 점 사이의 거리보다 크면 지렛대는 주어지는 힘을 증가시킨다는 것을 증명한 것이다. 힘이 주어졌을 때 그 힘에 의해 한 점에서 작용하는 힘에 의한 모멘트는 주어진 힘의 크기와 힘을 받는 점까지의 수직거리*를 곱한 것과 같다. 삽은 지렛대의 한 예다. 아르키메데스의 지렛대 원리의 이점을 최대한으로 살리려면 삽을 어떻게 사용하는 것이 정확한 사용법인지 설명할 수 있겠는가?

59 난이도 ●●○○○○
필요한 것 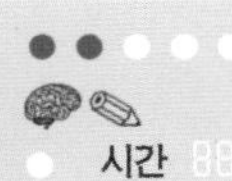
완료 ● 시간 88:88

● 수직거리: 힘이 주어지는 점에서 힘을 받는 물체가 떨어져 있는 경우, 그 거리에 대해 힘을 주는 위치에서 수직인 힘에 대한 거리를 말한다.

아르키메데스(기원전 287~212년)

그리스의 수학자, 물리학자, 공학자, 개발자, 그리고 천문학자였던 아르키메데스의 삶에 대해서는 알려진 것이 거의 없다. 하지만 당대를 이끈 과학자 중 한 명이었으며, 심지어 전 시대를 통틀어 가장 위대한 사람 중 하나로도 꼽힌다. 아르키메데스가 발견한 것은 무수히 많다. 아르키메데스의 연구는 유체정역학(hydrostatics) 발전에 결정적이었고, π의 근삿값을 아주 정확하게 알아냈으며, 자신의 이름을 딴 나선을 정의했고, 회전체 겉면적의 넓이를 구하는 공식을 발견했으며, 아주 큰 숫자를 표현하는 기발한 체계도 개발했다. 마지막으로 (역시 못지않게 중요한 사실로) 지렛대의 원리를 설명한 것으로 유명하다.

아르키메데스는 시러큐스 전쟁 중에 사망했다. 학자를 해치지 말라는 명령을 무시한 로마의 한 병사에 의해 살해당했던 것이다. 무덤에는 그의 위대한 수학적 업적에 대한 경의가 나타나 있는데, 키케로는 아르키메데스의 무덤을 다음과 같이 묘사했다. "무덤의 꼭대기에는 그가 증명한 사실, 즉 '구의 부피와 표면적은 같은 높이를 갖는 (아랫면과 윗면을 포함한) 원기둥의 부피와 표면적의 2/3'라는 것이 조각된 구가 있었다."

유레카의 순간-기원전 250년

전하는 이야기에 따르면, 아르키메데스는 유체정역학의 원리를 발견했을 때 목욕탕에서 벌거벗은 채 뛰어나와 '유레카(알아냈다!)'라 외치며 달렸다고 한다.
시러큐스의 헤론 왕이 자신의 새 왕관이 순금이 아닌 다른 재료가 섞여 있다고 의심하여 이를 아르키메데스에게 알아내라고 한 사건이 발단이었다. 아르키메데스는 왕관을 녹이지 않고 문제를 풀었는데, 이렇게 발견한 원리에는 현재 그의 이름이 붙어 '아르키메데스의 원리'라 불린다. 원리는 이렇다. "어떤 물체가 액체에 들어가면 물체의 무게가 액체로 대체되면서 그 물체의 실제 무게보다 더 가벼워진다." 다시 말해 "물체가 잠긴 부피만큼의 액체의 무게는 물체의 무게와 같다"라 할 수 있다.
아르키메데스가 벌거벗은 채 뛰어다녔다는 이야기는 수학사를 공부하는 수학자들 사이에서 격렬한 논쟁을 일으켰다. 아르키메데스가 벌거벗고 뛰어다녔기 때문은 아니었다. 발가벗는 건 고대 그리스에서는 그리 큰일은 아니었다. 하지만 아르키메데스의 사상은 정말 유명하고 고상했기 때문에, 그가 벌거벗고 달리면서 외치는 건 수학자들에겐 용납되지 못할 일이었다.
과학에는 이렇게 순간적으로 창의적인 생각이 떠올랐다고 하는 기록들이 많다. 예를 들면, 증기기관은 와트가 주전자를 쳐다보고 있던 도중 갑자기 떠오른 아이디어라거나, 실라드(Leo Szilard)가 교통신호를 기다리던 중 본 불빛으로 중성자 연쇄 반응(또는 원자폭탄을 만드는 방법)에 대해 갑작스럽게 깨닫게 되었다는 것 등 많은 에피소드가 있다.

아르키메데스의 원리

60

난이도 ●●●●●

필요한 것

완료 시간

아래에 있는 아르키메데스의 실험 결과를 보자. 아르키메데스의 결론은 무엇이었을까?

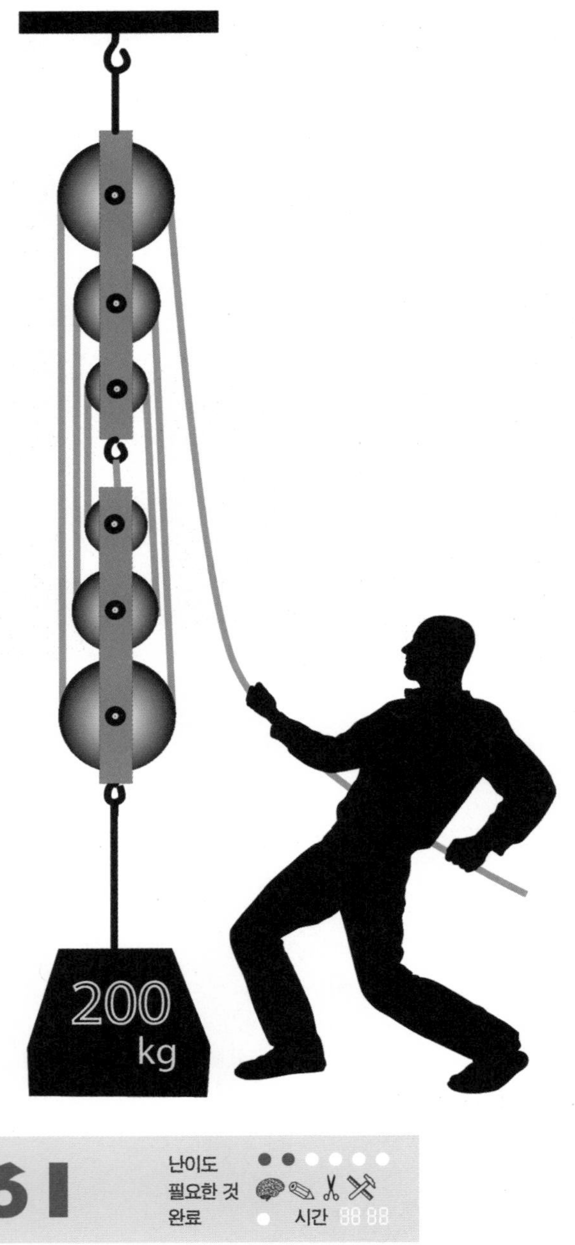

도르래 체계-기원전 250년

블록 앤드 테클 시스템●이라고도 불리는 밧줄과 도르래 체계는 짐을 끌어올리기 위해 한 개 이상의 도르래를 통과하는 밧줄을 이용해 선형 추진력을 그 짐에 전달한다. 도르래 체계는 단지 기계적 확대율●●의 가능한 값들을 정수로 제한하는 단순 기계다. 블록 앤드 테클 시스템은 보통 2배 이상의 기계적 확대율을 이용해 물건을 들어 올린다. 위 그림에 나타난 예는 3개의 고정된 도르래와 3개의 움직이는 도르래로 구성된 복합 도르래 체계로 그 끝에 무게가 200킬로그램인 물체가 달려 있다. 사람이 200킬로그램이라는 무거운 물체를 밧줄을 당겨서 들어 올릴 수 있을까?

단순 기계

단순 기계는 힘의 방향이나 크기를 바꾸는 기계적 장치다. 보통 지렛대의 힘이라고도 알려진 기계적 확대율을 제공하는 가장 간단한 기계장치로 정의된다.

그리스의 철학자며 수학자인 아르키메데스는 '단순 기계'라는 개념의 창시자였다. 아르키메데스는 기원전 300년경 지렛대의 기계적 확대율에 관한 원리를 발견했으며, 도르래와 나사에 관해서도 연구했다. 그 후, 그리스의 철학자들은 단순 기계들이 제공하는 기계적 확대율에 대한 근사치의 계산과 함께 고전적인 5개의 단순 기계를 정의했다. 알렉산드리아의 헤론(Heron of Alexandria, 10~75)이 저서 『메카닉스(Mecganics)』에서 나열한 것과 같이 짐을 옮길 수 있는 5개의 고전적인 '단순 기계'는 다음과 같다.

· 지렛대
· 윈치(무거운 물건을 들어 올리는 데 사용하는 도구)
· 도르래
· 쐐기
· 나사

헤론은 이 '단순 기계들'이 어떻게 만들어지고 사용되는지도 설명했다. 그러나 이 기계들의 작동방식에 대한 그리스인들의 이해에는 여전히 한계가 있었는데, 단순 기계의 정역학(힘의 균형)에 초점을 두었을 뿐 동역학(힘과 거리 간의 상호보완)이나 일의 개념은 다루지 않았던 것이다.

기계력

르네상스 시대에도 기계력(기계적인 힘)이라 알려진 단순 기계에 관한 연구는 계속되었다. 동역학은 이 기계들이 얼마나 유용한 작업을 수행할 수 있는지를 알아보는 연구로 시작되었고, 결국엔 '기계 작업'이라는 새로운 개념을 만들어냈다.

르네상스 시대의 유명한 세 과학자인 플랑드르의 기술자 시몬 스테빈(Simon Stevin), 갈릴레오 갈릴레이, 그리고 레오나르도 다빈치는 기계력을 연구한 성과로 유명하다. 고전적인 5개의 단순 기계에 추가된 여섯 번째 단순 기계는 1586년에 추가된 경사면이다. 갈릴레오 갈릴레이는 1600년 자신의 연구서인 『메카니체(Le Meccaniche)』에서 단순 기계에 대한 완전한 동역학 이론을 만들어냈다. 또한, 그는 단순 기계가 에너지를 만든다기보다는 단지 에너지를 전환하는 역할을 한다는 것을 이해한 첫 과학자이기도 했다. 레오나르도 다빈치는 기계에서 발생하는 미끄럼마찰의 고전적인 규칙을 발견했다. 이런 고전적 규칙들은 아몽통(Guillaume Amontons, 1699)에 의해 재발견되었으며, 쿨롱(Charles-Augustin de Coulomb, 1785)에 의해 더욱 발전되었다.

● 블록 앤드 테클 시스템: 잡아당기면 올라오다 걸리는 장치로, 어느 정도 끌어 올린 후 그 줄을 놓아도 다시 아래로 내려가지 않고 걸려 있어 다시 밧줄을 당기면서 끌어 올릴 수 있는 장치를 말한다.
●● 기계적 확대율: 도구, 기계장치 또는 기계시스템을 사용해서 얻을 수 있는 증가된 힘을 말한다.

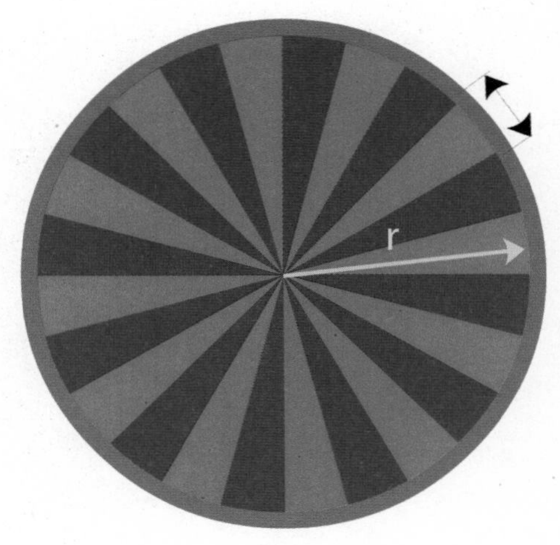

A= rπ x r = r²π

r

rπ

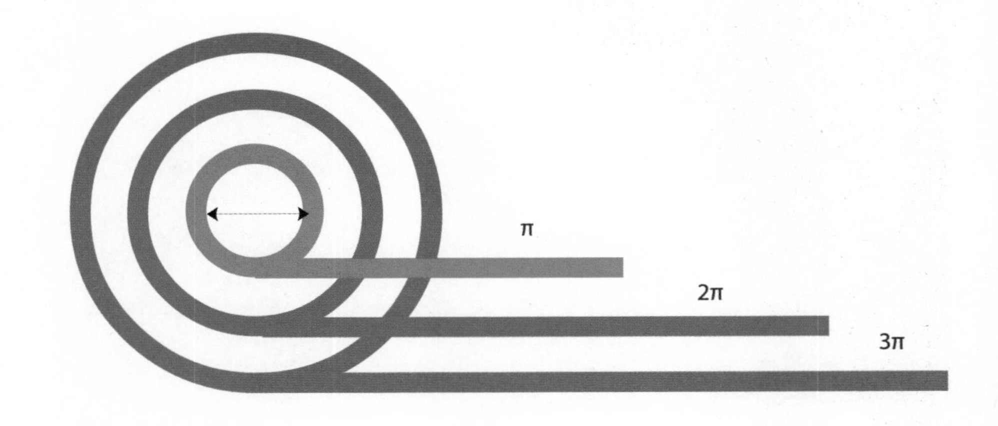

숫자 π와 원주

선사시대 사람들은 돌림판의 지름이 클수록 짐을 더 멀리 옮길 수 있다는 것을 알고 있었음이 틀림없다. 문명 초기에도 원주의 원의 지름에 대한 비는 원의 크기에 상관없이 모든 원이 같으며, 상수인 그 비는 3보다 아주 조금 더 크다는 것을 알고 있었다. 이 값이 오늘날 π(그리스 알파벳의 P자)로 표현되는 값이다.

원의 면적을 알아내는 것은 한때 수학적으로 큰 문제였다.

아르키메데스는 '원을 정사각형으로 만드는' 방법을 이용해 이 문제를 풀려고 했다. 즉, 주어진 반지름을 갖는 원의 면적과 똑같은 정사각형(다각형)을 찾으려 했던 것이다. 정확한 공식을 유도한 그의 방법은 다음과 같다.

반지름 r인 원을 변의 길이가 r이고 밑변의 길이가 a인 이등변삼각형과 비슷한 모양의 여러 개의 삼각형으로 나눈다. a는 작은 부채꼴 모양의 곡선 부분인데, 이 곡선 부분은 길이가 짧을수록 직선처럼 보일 것이다. 삼각형들은 그림에 나타난 것처럼 평행사변형 모양으로 배열할 수 있다.

원을 더 잘게 자를수록 잘린 모양은 더 삼각형처럼 보인다. 이 삼각형들은 폭이 더 좁아져 이를 정렬하면 결국엔 직사각형 모양이 된다.

각 삼각형의 높이는 원의 반지름과 거의 같으며, 원의 둘레는 $2\times r\times\pi$이다. 각 색깔의 삼각형의 밑변을 합하면 원주의 반을 덮으므로 직사각형 변의 길이는 원주의 반, 즉 $\pi\times r$이다. 그러므로 그림에서처럼 '직사각형의 면적=원의 면적'이며, 이는 오늘날 우리가 알고 있는 유명한 공식 $r\times(\pi\times r)=\pi\times r^2$이다. 물론 단지 근사치라는 것에 주목하자. 이 방법은 그림에서 이등변삼각형의 밑변 a가 무한히 작을 때만 성립한다.

콘웨이의 π의 소수점 아래 자릿수 묶음

π는 정말 임의의 수일까? π의 소수점 아래 자릿수를 10개씩 묶어보자. 0에서 9까지의 모든 수(0, 1, 2, 3, 4, 5, 6, 7, 8, 9)를 포함하는 묶음이 있을까?

π=3.1415926535
8979323846
2643383279
5028841971
6939937510
5820974944
5923078164···

62

난이도 ●●○○○○
필요한 것
완료 ○ 시간

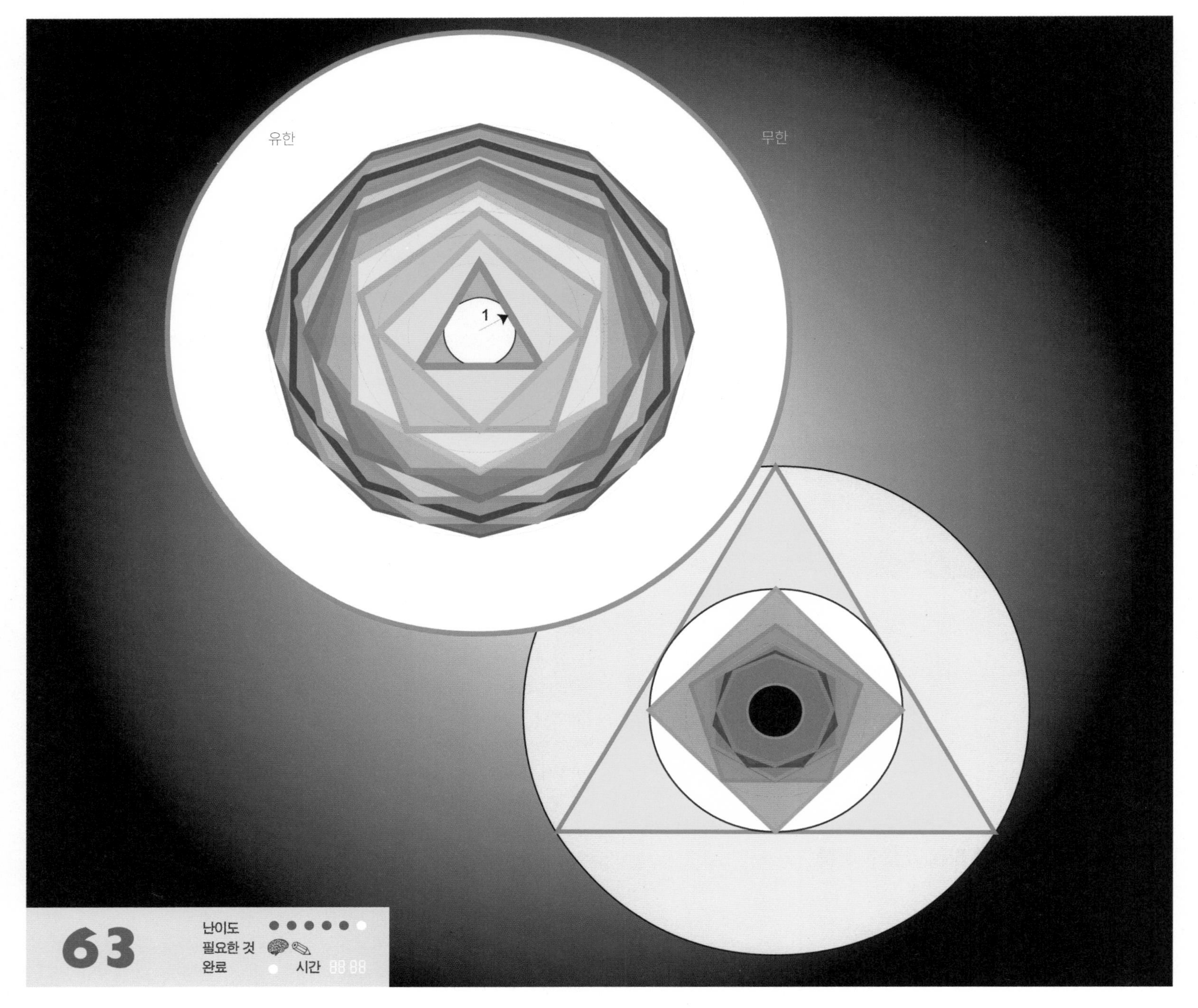

외접, 내접, 그리고 무한대-기원전 250년

첫 번째 그림에서 가장 안쪽에 있는 원의 반지름은 1이다. 그 원을 연속된 원과 정다각형들로 외접시킨다. 즉, 원 바깥쪽으로 외접하는 정삼각형을 그리는 것을 시작으로 그 정삼각형에 외접하는 원, 그 원에 외접하는 정사각형, 그 정사각형에 외접하는 원, 그 원에 외접하는 정오각형, 이런 식으로 정다각형에 외접하는 원과 그 원에 외접하는 정다각형을 무한히 그려보자.

위의 그림은 정12각형까지 정다각형에 외접하는 처음 10개의 커지는 정다각형들을 보여주고 있다. 만일 이 과정을 무한히 반복한다면 원과 정다각형은 서로를 둘러쌀 것이며, 정다각형은 한 면씩 늘어나고 원의 반지름은 점점 더 커질 것이다.

이 과정을 무한히 반복하면 원은 정말 계속 커질까?

위와 같은 과정을 이번에는 반지름이 1인 처음의 원에 내접하는 다각형들을 그림으로써 반복해 본다(두 번째 그림). 이 축소되는 과정으로 가장 안쪽의 원은 계속 작아질까? 내접하는 가장 작은 정다각형은 몇 개의 변을 가질까?

아르키메데스의 스토마키온-기원전 250년

로쿨루스 아르키메디우스(loculus Archimedius, 아르키메데스의 상자)로도 알려진 스토마키온(Stomachion)은 아르키메데스가 쓴 수학 소고이다(기원전 287~212). 이 퍼즐의 기원은 아르키메데스가 쓴 고대 문서 두 건에서 찾아볼 수 있는데, 문서를 보면 탱그램과 비슷한 게임이 나온다. 문서 하나는 그리스의 팔림세스트로 1899년 콘스탄티노플에서 발견되었으며 10세기 것으로 추정된다. 팔림세스트는 양피지를 재활용하기 위해 처음에 쓰인 글자를 긁어서 벗겨낸 뒤 다시 쓴 것을 말한다. 다른 하나는 아랍어로 된 번역본이다.

아르키메데스가 이 게임을 고안했는지 아니면 단지 기하학적 요소만을 탐구했는지는 알려지지 않고 있다. 그리스의 문서에는 스토마키온 조각의 면적이 나타나 있다. 문서에 따르면, 아르키메데스가 스토마키온에 대한 책을 한 권 썼다고 한다. 그 책은 2000년 동안 사라졌다가, 최근에 책의 일부분이 팔림세스트로 재발견되고 있다. 이러한 재발견으로 퍼즐은 더 큰 흥미와 연구를 불러일으키고 있다.

이 게임은 원래 다양한 다각형 모양이 14개의 납작한 상아 조각으로 구성되어 있었으며, 12×12 크기의 정사각형 판에 딱 맞았다. 탱그램처럼, 이 게임은 조각들을 재배치하여 흥미로운 사물(사람, 동물, 물건 등)을 만드는 것이었다. 이 게임의 아르키메데스 버전이 조각들을 뒤집어 맞추는 것을 허용했는지는 모르겠다. 고대 그리스에서는 뒤집어 맞추는 건 허용하지 않았다.

아르키메데스는 아마도 14개의 조각을 배치하여 정사각형을 만드는 방법의 수를 찾는 것과 같은 어려운 문제에도 관심이 있었을 것이다. 이 문제에 대한 해법은 2200년 이상 지난 후에나 나타났는데, 2003년 빌 커틀러(Bill Cutler)가 컴퓨터를 사용해 푼 것이다. 커틀러는 총 536개의 서로 다른 해를 찾아냈는데, 찾아낸 해들에서 회전을 해서 같거나 대칭인 것은 모두 하나의 해로 간주했다.

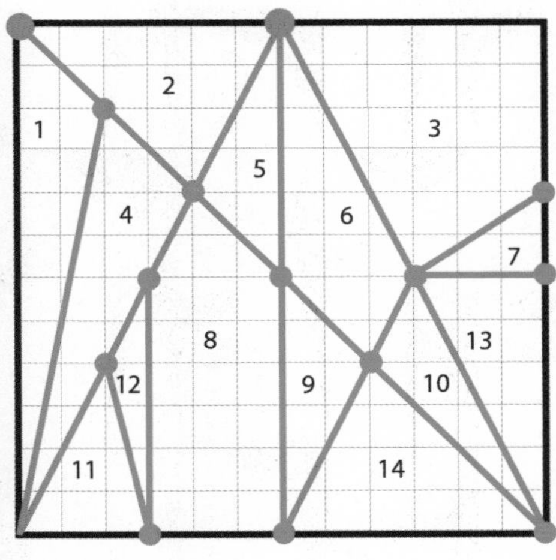

스토마키온

위의 그림은 12×12 크기의 정사각형 격자에 격자점들로 표현된 스토마키온 퍼즐의 구조를 나타낸 것으로 14개의 조각으로 구성되어 있다. 14개 조각 각각의 면적을 알아낼 수 있겠는가?

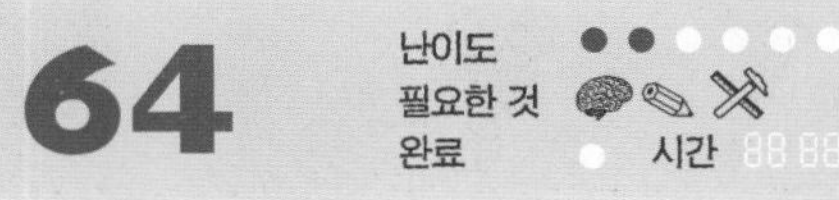

1	
2	
3	
4	
5	
6	
7	
8	
9	
10	
11	
12	
13	
14	

스토마키온 코끼리

아우소니우스(Magnus Ausonius, 310~395)의 저서『센토 눕티알스(Cento Nuptialis)』를 보면 유명한 스토마키온 코끼리 퍼즐이 나온다. 이는 출판된 퍼즐 가운데 가장 오래된 것으로 알려져 있다. 이 퍼즐은 스토마키온 조각들을 재배치하여 왼쪽에 있는 코끼리처럼 만드는 것이다. 할 수 있겠는가?

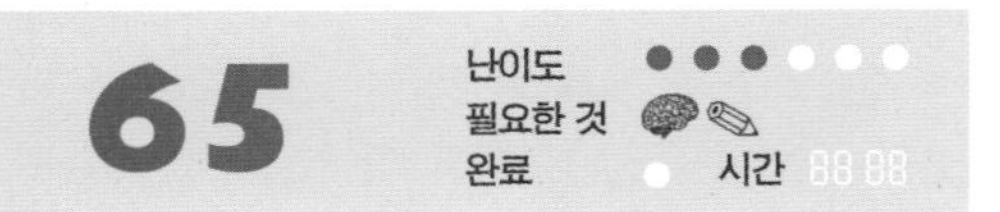

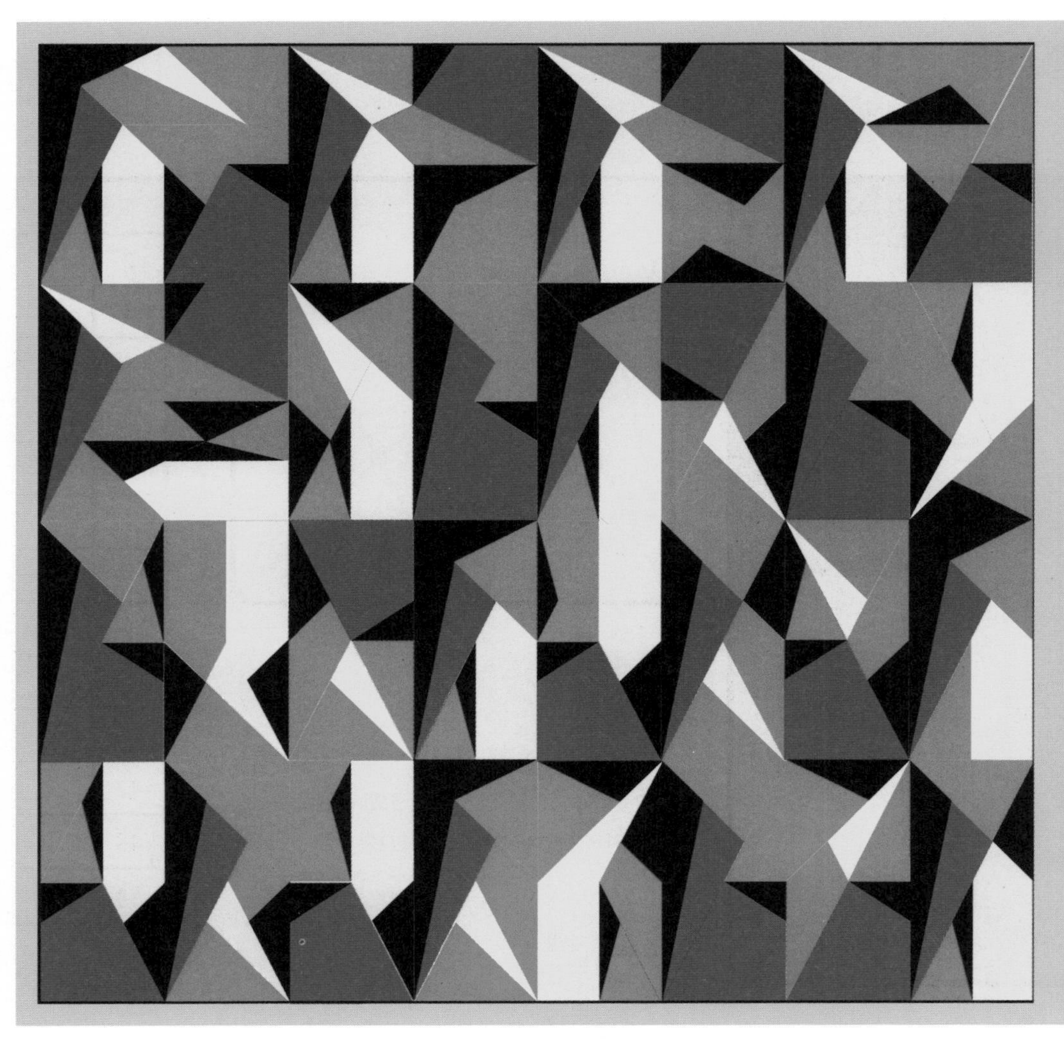

수학은 예술을 창조한다

왼쪽 그림은 정사각형 스토마키온 문제에서 무작위로 선택된 16개의 서로 다른 해로 이루어진 작품이다.

넷츠(Reviel Netz) 박사는 콘스탄티노플의 한 기도책에서 발견된 팔림세스트(앞쪽의 '아르키메데스의 스토마키온' 참조)를 연구했다. 이 연구에서 그는 아르키메데스가 14개의 퍼즐 조각으로 정사각형을 만드는 방법이 얼마나 많은지에 대한 조합 문제를 풀려고 했다는 결론을 내렸다. 이 문제의 발견된 해는 1만 7152개다. 스토마키온은 가장 오래된 퍼즐일 뿐만 아니라 수학사에 나타난 첫 조합 퍼즐 문제임이 분명하다.

구두장이의 칼

아르키메데스는 자신의 저서 『보조정리집(Book of Lemmas)』에서 '아르벨로스(Arbelos)' 또는 그리스어로 '구두장이의 칼'이라고 불리는 연구를 처음으로 한 사람이다.

아르벨로스는 3개의 반원으로 구성되어 있는데, 두 반원은 다른 한 반원의 지름에 딱 맞게 놓여 있으며 큰 반원의 지름은 어떤 값이라도 상관없다.

이 그림은 매우 반직관적인 놀랄 만한 특징과 일치성을 가지고 있다. 몇 개의 두드러진 특징은 다음과 같다. 아르키메데스는 반원들 사이의 영역(녹색 부분)의 면적은 두 개의 작은 원이 만나는 점에서 큰 반원 위의 점으로 수직선을 그었을 때, 그 수직선의 길이를 지름으로 갖는 원(녹색 원)의 면적과 같다는 것을 발견했다. 이것은 세 번째 그림과 같이 두 개의 작은 반원이 같은 특별한 경우에는 아주 명백하다.*

두 작은 반원의 호의 길이의 합은 큰 반원의 호의 길이와 같다.

그림에서 노란색으로 그려진 두 개의 작은 원을 보자. 그 두 원은 각각 두 반원 및 수직선과 접하는 원이다. 이 원들은 두 작은 반원의 지름의 길이에 상관없이 크기가 같다. 이후 파푸스가 아르벨로스를 연구하기 시작할 때까지, 500년 동안 아르벨로스는 잊힌 상태로 있었다. 파푸스의 지속적인 연구로 아르벨로스의 놀라운 특성은 더 발견되었다.

최근 레온 뱅코프(Leon Bankoff)와 빅토르 테보(Victor Thebault)는 아르벨로스의 특성에 관한 포괄적인 논문을 출판했으며, 전에는 알려지지 않았던 많은 새로운 특성들이 여전히 계속 발견되고 있다.

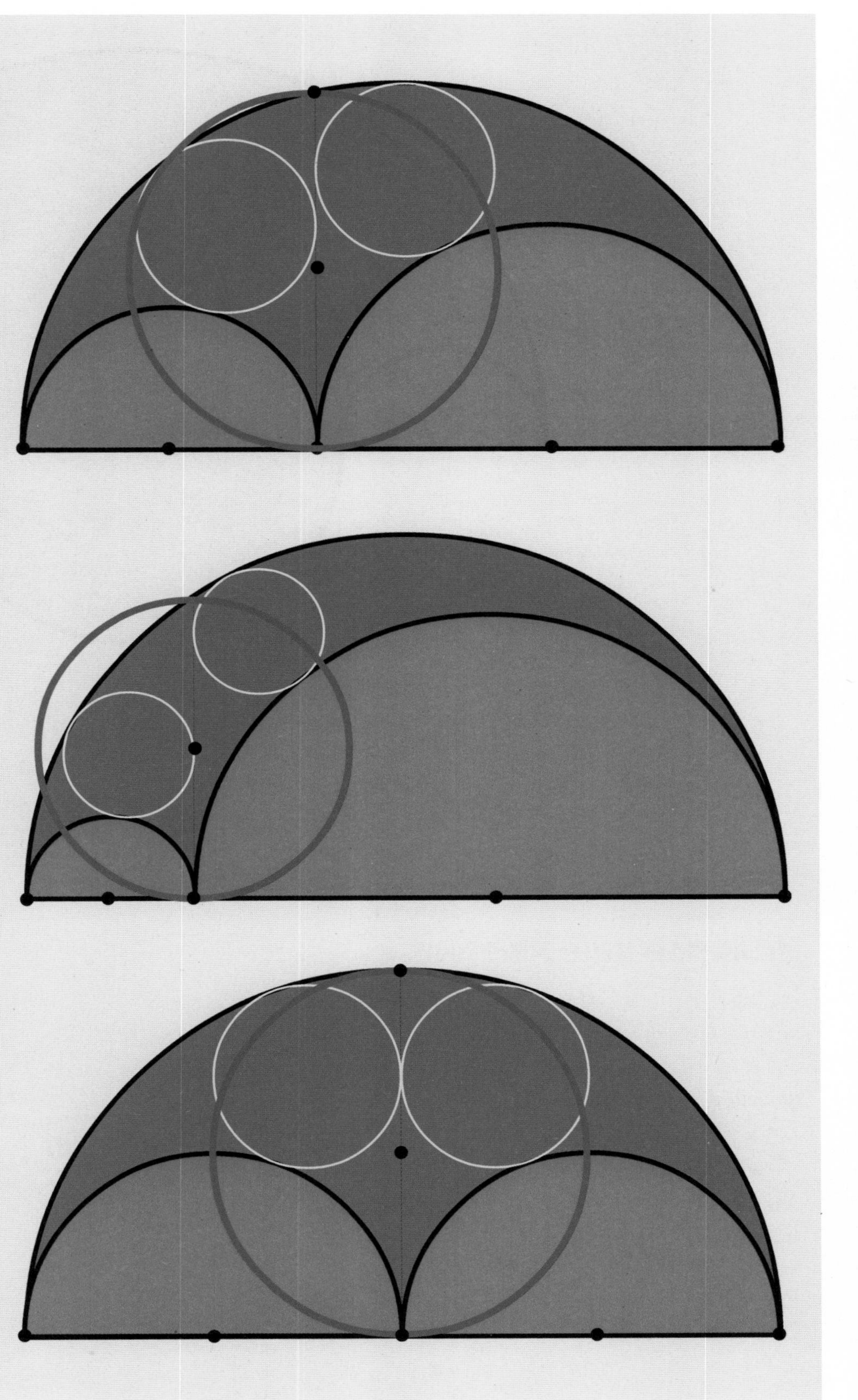

● 큰 원의 반지름을 r이라 하면 녹색 부분과 녹색 원의 면적은 모두 $\pi r^2/2$이다.

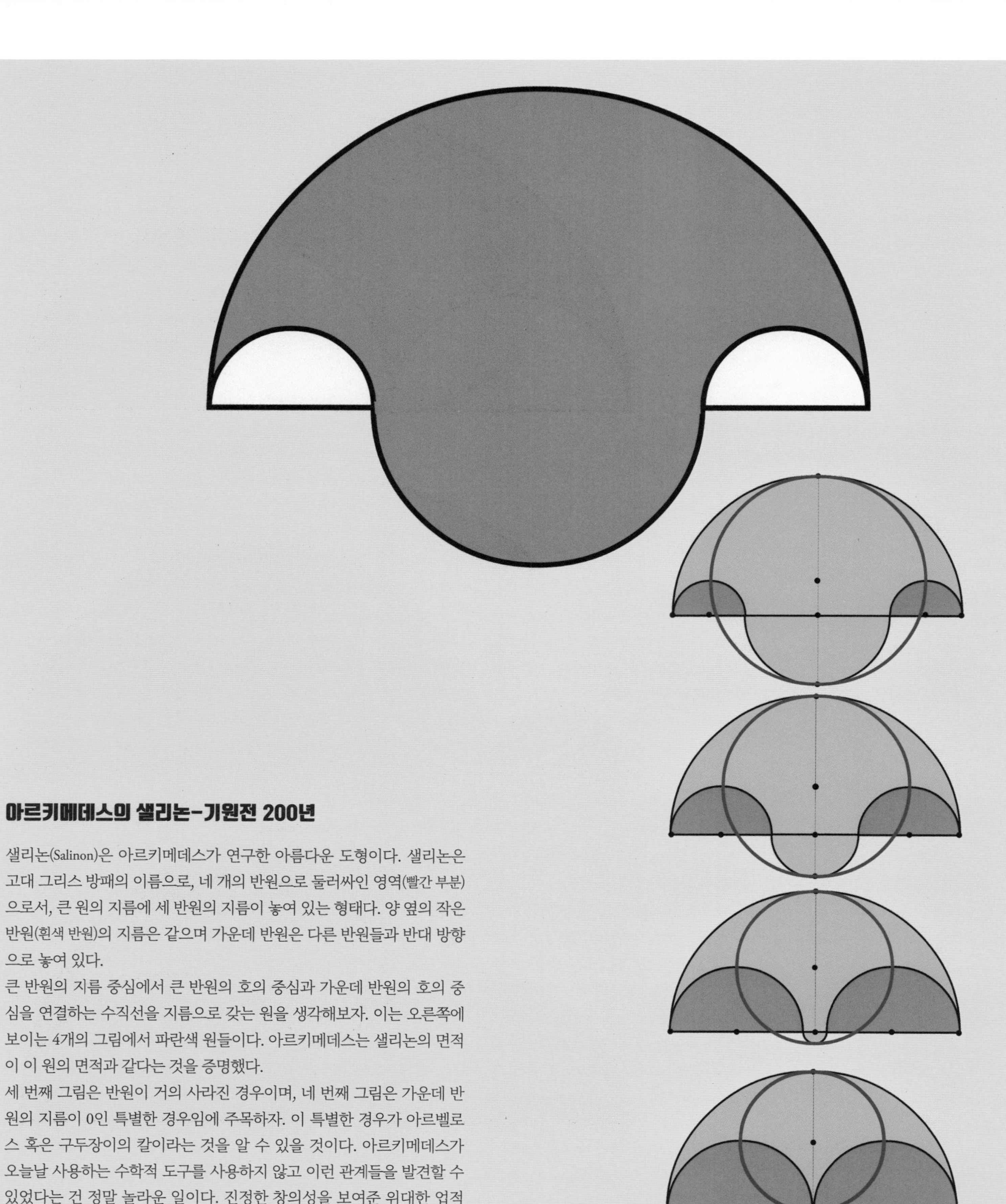

아르키메데스의 샐리논-기원전 200년

샐리논(Salinon)은 아르키메데스가 연구한 아름다운 도형이다. 샐리논은 고대 그리스 방패의 이름으로, 네 개의 반원으로 둘러싸인 영역(빨간 부분)으로서, 큰 원의 지름에 세 반원의 지름이 놓여 있는 형태다. 양 옆의 작은 반원(흰색 반원)의 지름은 같으며 가운데 반원은 다른 반원들과 반대 방향으로 놓여 있다.

큰 반원의 지름 중심에서 큰 반원의 호의 중심과 가운데 반원의 호의 중심을 연결하는 수직선을 지름으로 갖는 원을 생각해보자. 이는 오른쪽에 보이는 4개의 그림에서 파란색 원들이다. 아르키메데스는 샐리논의 면적이 이 원의 면적과 같다는 것을 증명했다.

세 번째 그림은 반원이 거의 사라진 경우이며, 네 번째 그림은 가운데 반원의 지름이 0인 특별한 경우임에 주목하자. 이 특별한 경우가 아르벨로스 혹은 구두장이의 칼이라는 것을 알 수 있을 것이다. 아르키메데스가 오늘날 사용하는 수학적 도구를 사용하지 않고 이런 관계들을 발견할 수 있었다는 건 정말 놀라운 일이다. 진정한 창의성을 보여준 위대한 업적이라 할 수 있다.

아르키메데스의 불타는 거울-기원전 214년

거울은 과학, 마술, 퍼즐, 그리고 일상생활에서 불가능해 보이는 일을 가능케 한다. 고대 그리스의 위대한 과학자 아르키메데스는 자신의 많은 발명에 거울을 창의적으로 활용했다.

고대 여러 문서에 따르면, 아르키메데스의 가장 놀라운 업적은 거울을 사용한 전쟁과 관련되어 있다. 214년 시러큐스의 마을을 포위한 로마의 함선들을 거울로 햇빛을 모아 불태워버렸던 것이다.

많은 과학자들과 역사학자들은 이 이야기에 매혹되기도 하고 불가능한 일이라고 묵살하기도 했지만, 몇몇 과학자들은 아르키메데스가 로마의 함선들에 불꽃을 일으켰다는 것을 증명하려 했다.

이 실험들은 아르키메데스가 아주 큰 거울을 사용하진 못했지만, 대신 매우 반짝반짝 광이 나는 금속들로 이루어진 작은 반사 장치를 많이 사용해 큰 거울의 효과를 만들어내야 했을 것이라고 가정했다. 아르키메데스는 시러큐스 병사들의 방패를 사용했던 것일까?

방패를 든 병사들을 일렬로 세워놓고 햇빛을 집중시켜 로마의 함선들에 불을 붙이는 게 가능했을까?

1747년 르클레르(Georges-Louis Leclerc)는 이와 관련된 실험을 했는데, 168개의 평범한 직사각형 모양의 평면거울을 사용해 약 100미터 떨어져 있는 나무를 태우는 데 성공했다. 아르키메데스도 분명히 이와 똑같이 했을 것으로 추정된다. 시러큐스의 부두에서 로마 배들은 육지에서 약 20미터 이내의 거리에 있었기 때문에 가능했을 것이다.

1973년 그리스의 한 공학자도 70개의 거울을 사용해 비슷한 실험을 했다. 이 공학자는 연안에서 80미터 정도 떨어진 보트에 햇빛을 집중시켰다. 거울을 적절히 조준하자 수초 뒤에 보트는 불타기 시작했다. 이런 일이 가능하려면 거울이 약간 오목해야 하는데, 아르키메데스도 같은 방식으로 했을 거라고 추정된다.

반면 가장 최근의 실험은 그동안 실험한 것 중 최고의 결과를 보였는데, 50미터 떨어져 있는 작은 나무판자를 태운 것이다. 비록 실험의 결과들이 충분하지도 않고 전체 로마의 함대가 파괴되었다는 것이 조금은 터무니없는 이야기처럼 들리지만, 정말 터무니없는 것일까? 결코, 모를 일이다.

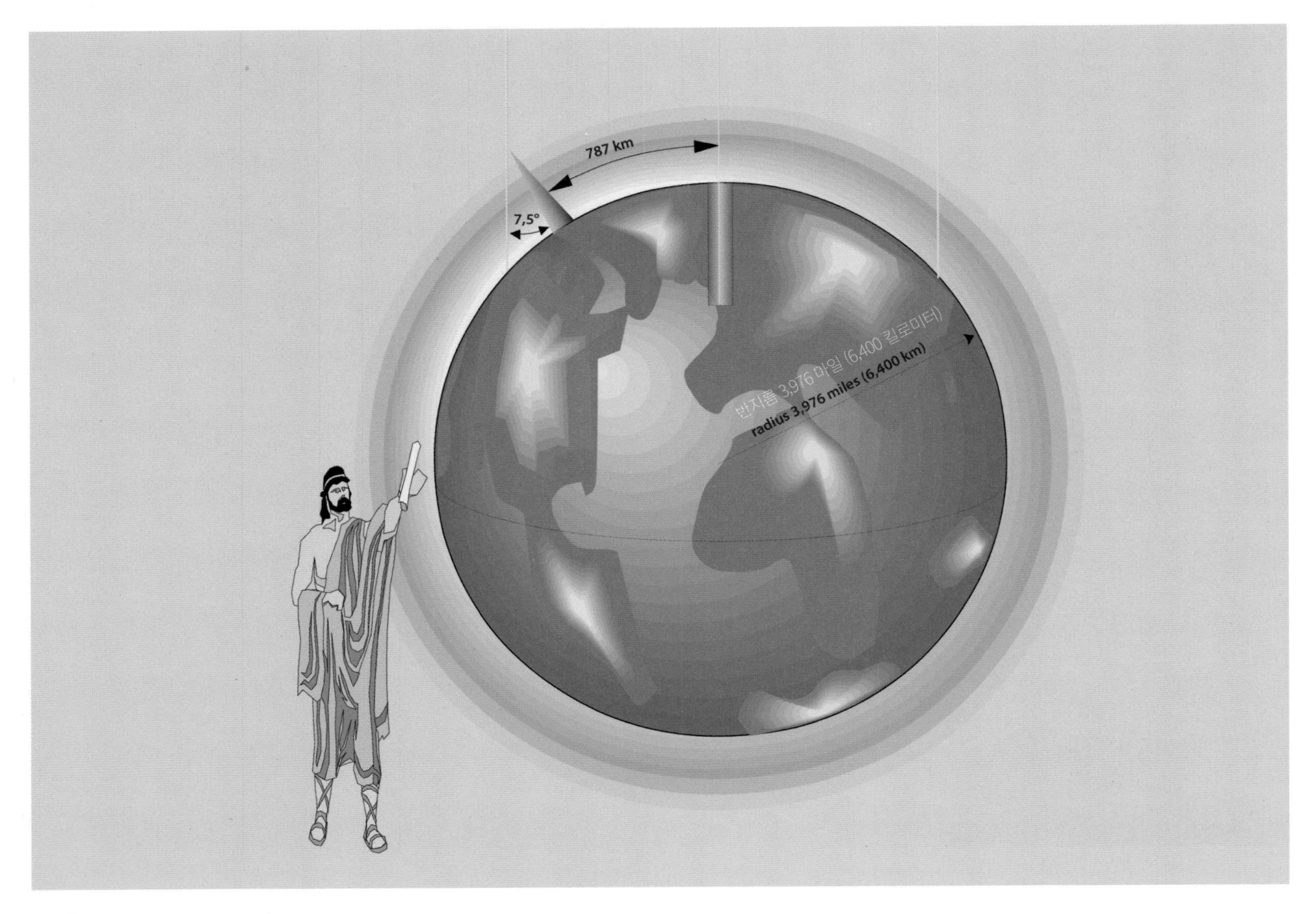

에라토스테네스의 지구 측정-기원전 200년

초기 그리스 기하학자들이 큰 이론적 진보를 만들어냈음에도 불구하고, 통찰력에 관한 한 아마 알렉산드리아의 수학자 에라토스테네스(기원전 276~194)만큼 위대한 성과를 낸 사람도 드물 것이다. 어느 여름 시에네의 한 마을에서 에라토스테네스는 정오의 태양이 반사된 상을 우물의 물 위에서 볼 수 있다는 것을 알았다. 이런 일이 일어나려면 태양은 머리 바로 위에 있어야 하고, 태양의 광선은 지구의 중앙에 집중되어 있어야 한다. 같은 날 정오 알렉산드리아에서는 햇빛에 의해 그림자가 만들어졌는데, 그림자의 각도는 7.5도, 또는 대략 원의 각도의 1/50에 해당하는 약 7.2도로 측정되었다.

에라토스테네스는 알렉산드리아와 시에네 사이의 거리가 남북으로 약 787킬로미터가 된다는 것도 알고 있었다. 이런 정보를 이용해 그는 지구의 둘레를 놀라우리만큼 정확히 계산해냈다. 이 값들을 이용해 지구의 둘레를 계산할 수 있겠는가?

에라토스테네스는 지금의 리비아 지역인 키레네에서 태어났다. 아테네에서 공부했던 그는 그 유명한 무세이온(Mouseion)의 사서였다. 무세이온은 뮤즈 신을 위한 사원 안에 있으며 수십만의 방대한 파피루스와 양피지 두루마리를 모아놓은 곳이다. 당시 에라토스테네스는 위대한 학자로 인식되고 있었음에도 많은 분야에 걸친 그의 연구들이 높이 평가되지는 못해 '베타'라고 불렸다. 그러나 오늘날 그의 업적은 놀라운 창의성으로 주목받고 있으며, 현대의 과학적 방법론을 보여주는 초기의 사례로 여겨지고 있다.

"나는 지구가 천체의 한 구석에 있으며 둥글다고 믿는다."

플라톤, 『파이돈』

『파이돈』은 기원전 360년 소크라테스를 기린 대화록으로 지구가 둥글다는 생각이 표현된 최초의 문헌으로 알려져 있다.

66

난이도 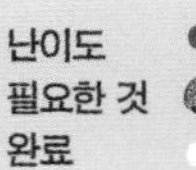
필요한 것 
완료 시간 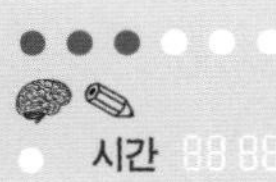

면적과 둘레

한 집합에 속한 4개의 도형인 원, 사각형, 삼각형, 그리고 육각형은 모두 같은 면적을 가지고 있다. 또 다른 집합에 속한 이 4개의 도형은 모두 같은 둘레를 가지고 있다. 이 두 집합의 도형들이 섞여 있다면, 같은 면적을 갖는 도형들과 같은 둘레를 가진 도형들을 분류해낼 수 있겠는가?

67
난이도 ●●●○○○
필요한 것
완료 ○ 시간

등주 문제

등주 문제(isoperimetric problem)*의 해는 볼록임이 틀림없다.
볼록하지 않은 형태의 도형은 둘레의 길이가 변하지 않아도 면적이 늘어날 수 있다. 가늘고 길쭉한 모양을 둥글게 하면 둘레의 길이는 고정된 채로 면적을 늘릴 수 있다.

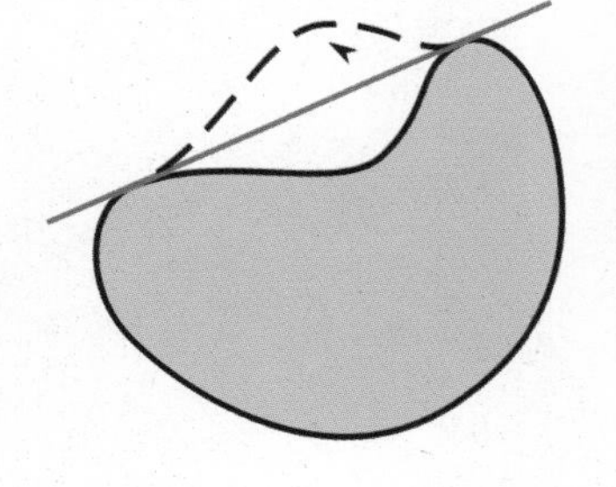

디도(Dido) 여왕의 문제-기원전 200년

사각형 도형들의 면적과 부피는 구하기 쉽다. 그러나 다른 도형들, 특히 곡선 부분을 가지고 있는 도형의 면적과 부피를 구하는 것은 훨씬 어렵다.
고대 그리스인들은 영역의 둘레를 중요하게 생각했는데, 이는 한 영역 주변의 둘레를 그 영역으로 생각했기 때문이다. 실제로 '미터(meter)'라는 단어는 그리스 단어 '둘레를 측정하다(measure around)'라는 단어에서 유래했다. 많은 그리스인들은 섬에서 살았기 때문에 측정이 가진 함정을 충분히 알고 있었다. 섬의 주변을 걷는 시간으로 섬의 면적을 잴 수 없다는 것은 쉽게 알 수 있다. 긴 해안 지대를 걷는 시간이 길다는 것은 섬이 크다는 걸 의미한다기보다는 해변이 들쭉날쭉하다는 것을 의미한다. 그런데도 지주들은 습관적으로 땅의 면적이 아니라 둘레를 측정함으로써 자기들 소유의 부동산을 재곤 했다.
티레의 공주 디도에 관한 오래된 이야기가 있다. 디도는 북아프리카 해안 어디론가 피신을 갔다. 거기에서 공주는 겨우 소 한 마리의 가죽으로 덮을 만한 아주 작은 영지를 받았다. 그에 아랑곳하지 않고, 디도는 소가죽을 여러 개의 끈으로 만든 후 기워 긴 줄을 만들었는데 길이가 1마일 정도 되었다. 그러고는 해안선을 경계로 하여 그녀의 추종자들에게 가능한 한 가장 큰 반원을 만들며 그 줄을 당기라고 했다. 이런 방법으로 소 한 마리의 가죽만 한 땅을 약 25에이커의 면적이 되는 큰 땅으로 만든 것이다. 바로 그곳에 디도는 카르타고라는 유명하고 강력한 도시를 건설했다.
오늘날 이 문제는 '등주 정리(Isoperimetric Theorem)'라 불린다. 등주 정리는 같은 둘레의 길이를 가진 도형 중에 면적이 가장 큰 것은 원이라는 것이다.

* 등주 문제: 둘레의 길이가 정해진 평면 도형의 최대 면적이 얼마인지 다루는 문제다.

중국 고리-200년

프랑스어로 '시간 낭비자(Baguenadier)'라 불리며, 그 밖에 다른 여러 이름으로도 알려진 중국 고리는 기계적 얽힘을 푸는 퍼즐로, 가장 오래된 퍼즐 중 하나다.
이 퍼즐은 모든 고리를 단단히 엮인 틀에서 제거하는 것이다. 다른 고리를 제거하기 위해서는 고리를 다시 끼워야 하는 등 여러 이유로 고리를 제거하는 것은 매우 복잡하다.
마틴 가드너는 이 고리에 대해 이렇게 썼다. "25개의 고리를 제거하기 위해서는 2236만 9621단계가 필요한데, 아주 빨리 퍼즐을 풀었던 사람도 이 퍼즐을 푸는 데 2년이나 걸렸다." 이 퍼즐은 논리와 수학을 기가 막히게 잘 섞어놓아 인기가 있었지만 풀기는 쉽지 않았다. 9개의 고리로 구성된 한 중국 고리 퍼즐은 여전히 도전할 만한 가치가 있다. 이 퍼즐을 풀기 위해서는 고리를 341번 이동해야 한다. 전해 내려오는 이야기에 따르면, 이 퍼즐은 중국의 제갈량(諸葛亮, 181~234)이 전쟁에 나가 있는 동안 그의 아내를 계속 바쁘게 만들어 다른 생각을 하지 못하게 할 요량으로 만들었다고 하는데, 매우 기발한 발명인 건 확실하다. 수학적으로 중국 고리 퍼즐과 이진수는 논리적으로 관계가 있으며, 그 해는 현재 그레이 이진 코드(Gray Binary Code)라 불리는 것과 관련이 있다. 그레이 이진 코드는 1872년 루이 그로스(Louis Gros)가 창안했다. 하노이의 탑 퍼즐을 발명한 에두아르 뤼카(Édouard Lucas)는 이진법과 그레이 코드를 사용한 중국 고리 퍼즐의 해를 찾은 것으로도 유명하다.

머리 위로 고리들을 들고 있는 할렘의 한 소녀(지아코모 만테가잔, 1876년)

중국 연결 고리(Chinese linking ring)는 사촌뻘 되는 퍼즐로, 고전적인 환상 마술 중 하나다. 마술사는 단단해 보이는 고리들을 연결하기도 하고 끊기도 하는데, 이는 고리들이 사슬과 다른 패턴 및 구성을 만들며 서로 통과하는 것처럼 보인다.

헤론의 문 열림 장치-50년

마술에서는 관중들을 놀라게 하려고 종종 기본적인 과학 원리를 사용하기도 한다.
가장 기발한 고대의 기계장치는 알렉산드리아의 헤론(Hero of Alexandria)의 발명품들이다. 헤론은 확실히 최초의 그리고 가장 위대한 장난감 및 장치 발명가였다.
사원의 문을 여는 데 사용한 오른쪽에 보이는 기계장치는 많은 장난감들의 전형이며 '마술'을 목적으로 헤론이 발명한 자동장치다. 헤론의 장치도면을 보고 이것이 어떻게 작동하는지 설명할 수 있겠는가?

68
난이도 ●●●○○○
필요한 것
완료 ○ 시간

알렉산드리아의 헤론(20~60년)

알렉산드리아의 헤론은 이집트 태생으로 그리스에서 활동한 수학자, 과학자, 그리고 발명가다. 그는 기계학, 수학 및 물리학에서 많은 업적을 세운 것으로 알려져 있다.
헤론은 대부분의 시간을 알렉산드리아에서 일하며 보냈다. 헤론의 발명품 중에는 화염 엔진, 동전으로 작동하는 장치, 그리고 물에 의해 생성된 공기로 작동하는 파이프 오르간 같은 실용성이 있으면서도 기계적인 특성을 가진 장치들이 있다. 또한, 최초의 증기기관인 기력솥(aeolipile)을 발명했다. 이 증기기관은 회전식 증기엔진으로, 빠져나가는 증기로부터 회전 동력을 만들기 위해 보일러 위에 탑재된 구와 두 개의 비스듬한 노즐로 구성되어 있다. 헤론의 분수라 알려진 사이펀(siphon)은 공기압에 의해 물을 수직으로 분사하는 기구였다.
헤론은 기하학과 측지학에 관한 연구로도 유명하다. 기하학은 관계, 측정, 그리고 점, 선, 각 및 입체들의 성질을 연구하는 수학의 한 분야며, 측지학은 지구의 크기와 모양, 그리고 지구상에서 사물이나 지역들의 위치를 알아내는 방법을 연구하는 학문으로 수학의 한 분야이기도 하다.
헤론의 가장 중요한 업적 중 하나는 1896년에 발견된 그의 저서들의 모음집인 『메트리카(Metrica)』다. 『메트리카』의 제1권에는 삼각형의 세 변의 길이로 면적을 표현하는 헤론 공식의 유도 방법이 묘사되어 있다. 이 공식은 광학에서 입사각이 반사각과 같다는 것을 증명하려 시도하는 과정 중에 발견했다. 제2권은 원기둥, 원뿔, 각기둥 등과 같은 입체의 부피를 구하는 방법을 설명하고 있다. 제3권은 부피와 면적을 주어진 비율로 나누는 연구를 담고 있다.

헤론의 기력솥. 최초의 증기기관으로 헤론의 "엔진"으로도 알려져 있다. 그림에 나타난 바와 같이 가열하면 회전한다.

요세푸스의 문제-100년

플라비우스 요세푸스(Flavius Josephus, 37~100)는 유명한 역사학자이자 군인이며 학자다. 전하는 이야기에 따르면, 요세푸스는 자신의 생명을 구하기 위해 퍼즐을 내서 풀게 했다고 한다. 로마의 장군 베스파시안(Vespasian)의 수중에 떨어진 도시를 방어하기 위한 항쟁을 하던 때였다. 요세푸스와 전사들은 동굴에 숨었고 항복하는 대신 집단자살을 하기로 결의했다.

이 역사적인 순간이 바로 요세푸스 퍼즐의 주제가 된다.

요세푸스를 포함한 41명의 열성적인 전사들은 원의 형태로 선 뒤, 특정한 위치에서 시작해 3번째 위치에 있는 사람마다 죽이고 맨 마지막에 남는 한 사람은 자살하는 것에 동의했다. 요세푸스가 마지막까지 살아남은 것은 순수하게 행운이었을까, 아니면 신의 계략이었을까? 아니면 살아남고 싶었던 요세푸스가 마지막까지 살아남을 수 있는 위치를 알아냈던 것일까?

이 문제의 원조 격인 문제는 370년 암브로시우스가 지은 책에 처음 나온다.

요세푸스 퍼즐의 다른 변형 퍼즐을 전 세계에서 찾아볼 수 있다. 이 문제는 오일러를 포함하여 여러 위대한 수학자들에 의해 연구되었으나, 이 문제를 푸는 수학 공식은 결코 찾을 수 없었다. 일반적인 해는 현재도 여전히 시행착오를 통해 얻고 있다. 이 퍼즐은 체계적 배열에 대한 조합적 연구의 가장 작은 모델이다. 체계적 배열에 대한 조합 연구는 오늘날 시스템 분석이라 불리는 수학의 한 분야다.

요세푸스의 퍼즐

41명이 원 모양으로 선 후 두 사람 건너 한 명씩 죽임을 당한다. 요세푸스가 살아남기 위해서는 원의 어느 위치에 있어야 하는가? 또한, 요세푸스가 가장 친한 친구를 살리고 싶다면 친구를 원의 어느 위치에 서도록 해야 하는가?

난이도 ●●●●○○
필요한 것
완료 ○ 시간 88 88

보로메안 고리-200년

수학에서 보로메안 고리(Borromean rings)는 세 개의 위상적 원들로 구성된 것으로, 서로 연결되어 브룬(Brunnian) 연결을 이룬 고리를 말한다. 브룬 연결이란 연결된 고리에서 어떤 고리 한 개를 제거하면 두 개의 고리가 분리되는 고리다. 다시 말하면, 세 고리 중 어떤 두 고리도 연결되어 있지 않지만, 그럼에도 불구하고 세 개의 고리가 연결되어 있는 것을 말한다.

'보로메안 고리'라는 이름은 이탈리아의 귀족 보로메오 가계의 문장(紋章)에서 유래하지만, 고리를 연결하는 개념 자체는 훨씬 더 오래되었다. 예를 들면, 보로메안 고리들과 비슷한 그림들을 간다라(Gandhara, 아프가니스탄)에 있는 불교 그림(약 200년경)에서 찾을 수 있으며, 7세기 고대 노르웨이의 노스 석상들에서도 볼 수 있다.

70

난이도 ●●●○○○
필요한 것
완료 ○ 시간

보로메안의 황금 목걸이

보로메안의 목걸이는 보는 바와 같이 11개의 황금 고리들로 서로 연결되어 있다.
이 목걸이가 가장 많은 부분으로 나뉘도록 딱 하나의 고리를 끊으려고 한다.
어떤 고리를 끊어야 할까?

차원(dimension)

4세기에 알렉산드리아의 가장 위대한 수학자 가운데 하나로 꼽히는 파푸스(Pappus of Alexandria, 약 290~350)는 우주가 움직이는 점 하나로 인해 꽉 찰 수 있다는 것을 인식했다.

1차원에서 움직이는 한 점은 직선을 만든다. 처음 직선에서 수직 방향으로 움직이는 선은 직사각형을 만든다. 아래 그림에 나타난 바와 같이, 처음 두 직선에 대해 수직 방향으로 움직이는 직사각형은 정육면체와 같은 직각 프리즘을 만든다.

파푸스는 고대 그리스의 마지막 위대한 수학자 가운데 하나였다. 『시너고그(Synagoge)』라는 수학 모음집을 지어 이름을 널리 알린 파푸스는 이 책으로 고전 그리스 기하학의 부활을 꿈꾼 것으로 보인다. 8권으로 이루어진 『시너고그』는 수학의 개요서로 지금까지 전해 내려오고 있다.

파푸스는 320년 10월 18일 알렉산드리아에서 일어난 일식을 관찰했다. 그날은 프톨레마이오스의 『알마게스트』(천문서)에서 파푸스에 대한 논평을 하면서 명시한 날짜와 꼭 일치한다. 이 정확한 날짜가 사실상 우리가 파푸스에 대해 아는 전부다. 그는 알렉산드리아에서 태어났고 그곳에서 평생을 살았다.

일하는 스타일로 미루어 볼 때 그는 주로 수학 교사로 일했던 것으로 보인다. 파푸스가 독창적인 발견을 한 건 거의 없지만, 윗세대의 글(파푸스의 연구 이외에 널리 알려지지 않았다)들에서 흥미로운 자료를 찾는 일에는 뛰어났다. 수학 모음집인 『시너고그』로 파푸스는 그리스 수학의 역사를 현대에까지 전달하는 중요한 인물이 되었다.

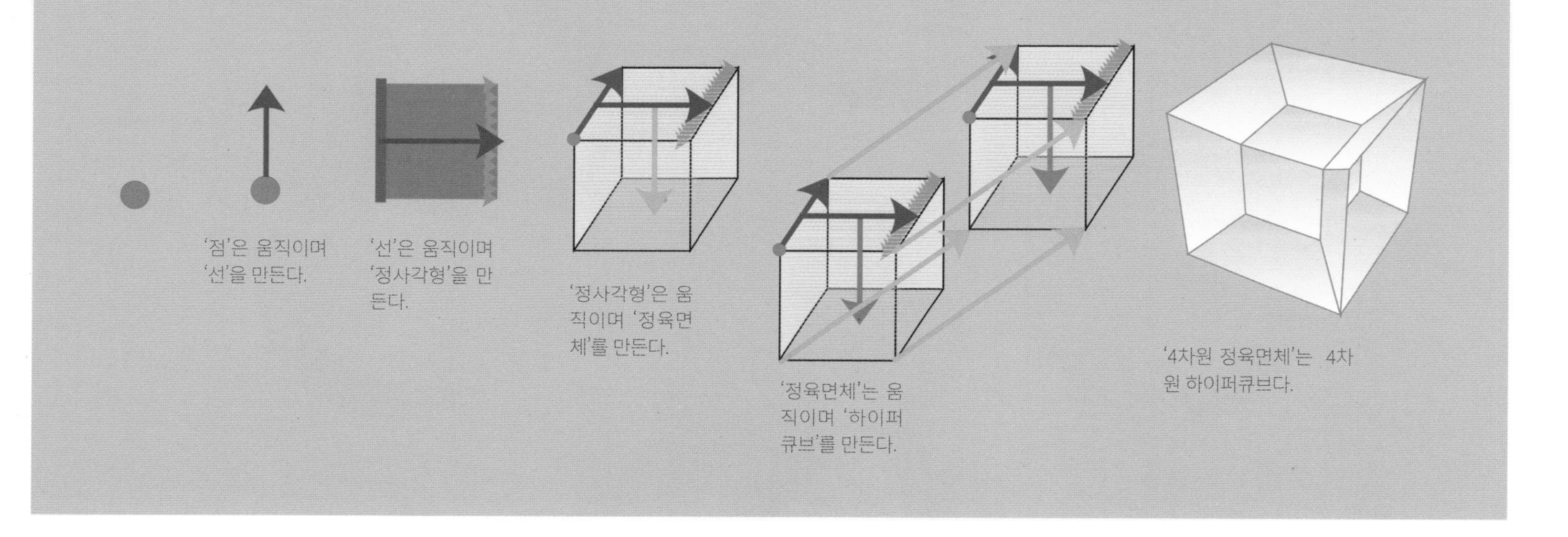

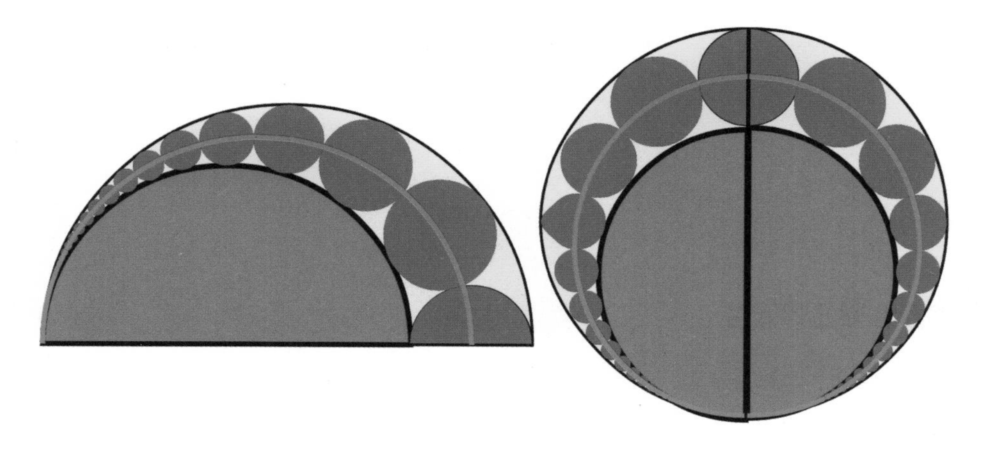

파푸스와 아르벨로스의 사슬

500년 동안 아르키메데스의 아르벨로스(아르벨로스에 관해서는 이 장의 앞부분 참조)는 거의 묻혀 있었다. 그러다가 파푸스가 그때까지 알려지지 않았던 아르벨로스의 놀라운 속성을 계속 발견하기 시작했다. 아르벨로스의 원으로 이루어진 파푸스의 사슬•에서, 사슬을 구성하는 원의 중심은 타원 위에 놓인다(빨간 선). 즉 파푸스의 사슬을 만드는 여러 원의 중심을 연결하면 타원이 된다.

● 파푸스의 사슬: (반)원의 내부에 크기가 다른 (반)원이 내접했을 때 이 두 (반)원 사이에 두 (반)원에 접하는 원들로 이루어진 사슬을 말한다.

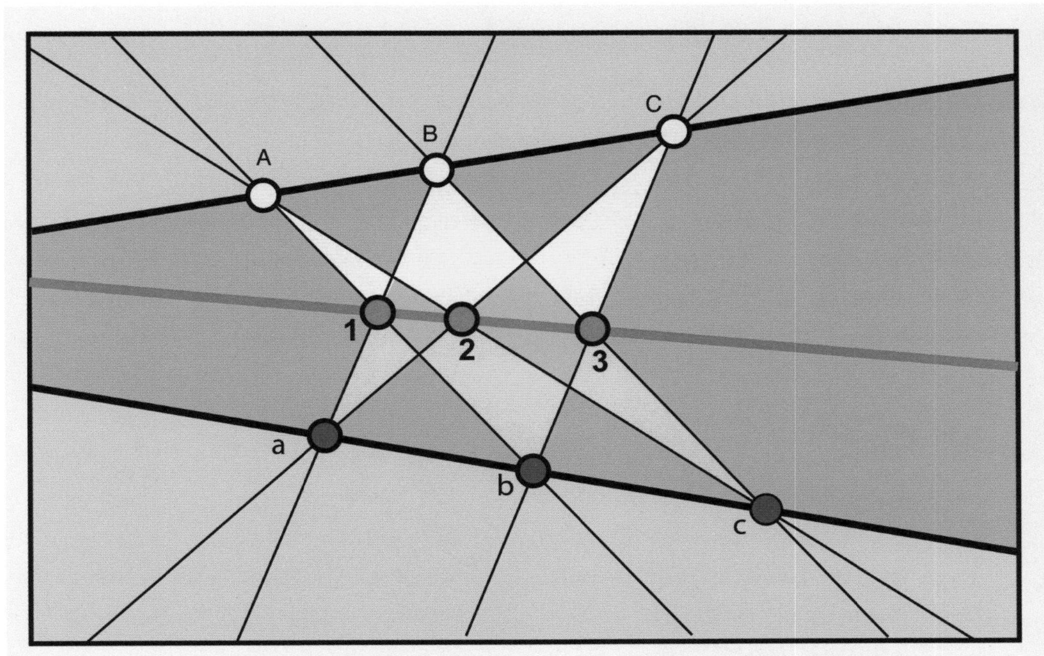

파푸스의 정리

한 직선 위에 세 점 A, B, C를 찍고, 다른 직선 위에 세 점 a, b, c를 찍는다. 두 점을 잇는 선분들의 세 쌍 Ab-Ba, Ac-Ca, Bc-Cb가 만나는 점을 연결하여 세 번째 직선을 만든다. 이것을 그려보라.

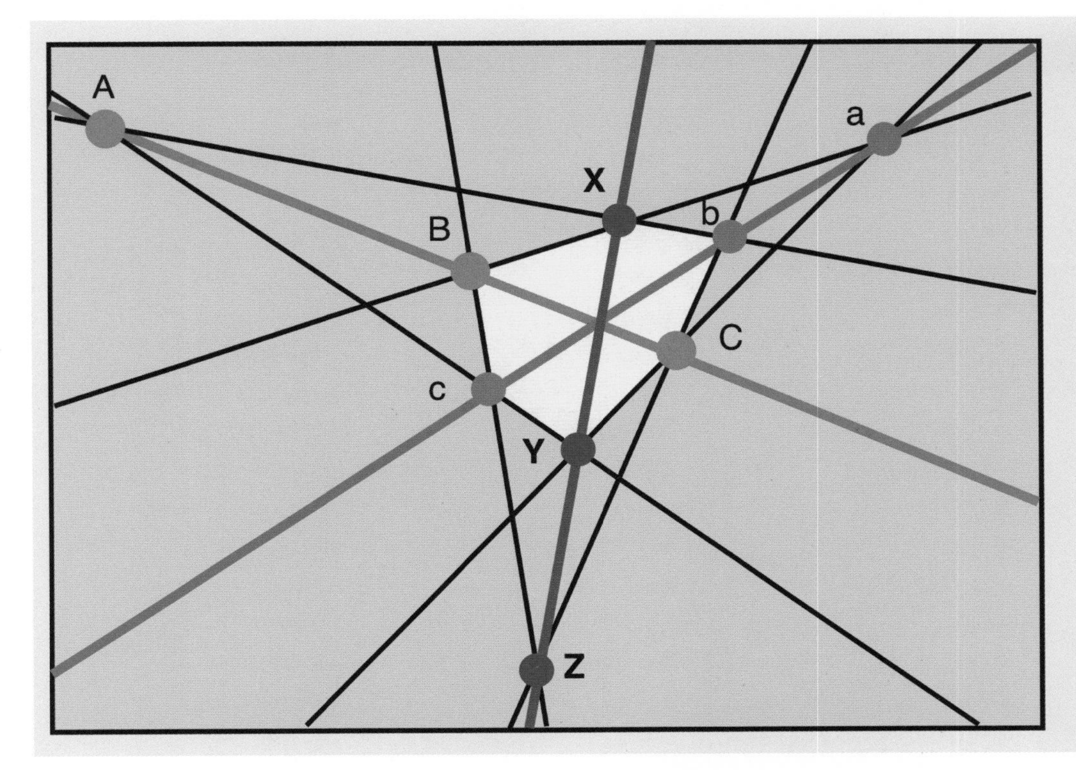

파푸스의 육각형 정리

파푸스의 '육각형 정리'는 한 직선 위에 놓인 세 점 A, B, C와 다른 직선 위에 놓인 세 점 a, b, c에 대해 짝을 이루는 두 선의 교점은 한 직선 위에 있다는 것이다. 즉 Ab와 aB의 교점 X, Ac와 aC의 교점 Y, 그리고 Bc와 bC의 교점 Z 는 같은 직선 위에 있다. 또한 점 A, b, C, a, B, 그리고 c가 아우러져 만들어지는 도형을 '파푸스의 육각형'이라 한다.

알렉산드리아의 디오판토스-250년

종종 '대수학의 아버지'라고도 불리는 디오판토스(Diophantus)는 영향력 있는 책 시리즈인『산술(Arithmetica)』을 썼다.『산술』은 대수방정식의 해법을 다룬 책이다. 불행하게도 그중 많은 부분은 소실되었는데, 소실되지 않고 남은 부분은 전 시대를 거쳐 위대한 수학자들에게 영향을 주었다. 그중 하나가 페르마다.『산술』을 공부하던 페르마는 디오판토스가 생각했던 어떤 방정식은 해가 없다는 결론을 맺으며, "이 명제에 대한 정말 놀라운 증명"을 발견했다는 말을 증명은 없이 메모만을 남겼다. 수론에 거대한 발전을 가져다준 그 유명한 '페르마의 마지막 정리'는 이렇게 탄생했다.

디오판토스는 분수를 숫자로 인식한 첫 그리스 수학자였다. 분수에 대한 인식으로 방정식의 계수와 해에 대해 0보다 큰 유리수를 사용할 수 있게 되었다. 현재 디오판토스 방정식은 보통 정수해를 찾기 위해 사용하는 정수 계수를 갖는 대수방정식을 말한다.

디오판토스의 수수께끼

디오판토스의 수수께끼는 수학 문제를 암호화한 하나의 시다. 다음과 같은 시 한 구절을 보자.

"여기 디오판토스가 누워 있다." 비석은 대수학적 기법으로 그의 나이에 대해 말한다. "신은 그에게 그의 삶에서 1/6의 소년 시절을 주었고, 1/12의 수염이 길러 성숙해지는 젊음을 더 주었다. 그 후 1/7이 더 지난 뒤 결혼을 했다. 결혼한 지 5년 만에 건강한 아들을 얻었다. 안타까워라, 그 지혜롭고 슬기로운 소중한 아이가 그의 아버지의 삶의 절반만큼 살았을 때 냉혹한 운명은 그 아이를 데려가 버렸다. 디오판토스는 수의 과학을 위안 삼아 4년을 더 살다가 생을 마감했다."

조금 더 평범한 용어로 보면, 이 시에서 디오판토스의 젊은 시절은 생의 1/6이었다. 이후 생의 1/12을 수염을 기르며 보냈다. 그리고 자기 삶의 1/7을 더 살고 나서 결혼했다. 5년이 지난 후 아들 하나를 얻었다. 아들은 그의 아버지 삶의 정확히 반만큼을 살았고, 디오판토스는 아들이 죽고 4년 후에 죽었다. 이 부분들을 더하면 디오판토스가 몇 년을 살았는지 알 수 있다. 디오판토스가 몇 살에 사망했는지 계산할 수 있겠는가?

71

난이도 ●●○○○○
필요한 것
완료 ○ 시간

수학 기호 퀴즈

72

난이도 ●●●●○○
필요한 것
완료 ○ 시간

수학은 전 세계적인 언어이며 수학에서 사용하는 기호들은 수학의 영역 밖에서 더 폭넓게 활용되고 있다. 대수학의 아버지라 일컬어지는 그리스인 디오판토스는 미지의 양을 표현하는 데 처음으로 기호를 사용했다. 오늘날까지 여전히 사용되고 있는 일련의 기호가 다음 쪽에 나타나 있다. 이 중 얼마나 많은 기호를 아는가? 아는 것을 찾아보라.

평행사변형	동치	반지름
원의 할선	직각	접함
~보다 작은	지름	평행육면체
구	근사치	예각
자연수	기타 등등	유사한(비례하는)
무한대	부등변 삼각형	원 영역
선 AB	존재한다	~에 대응
근사적으로 같은	사면체	이등변 삼각형
둔각	정육면체	정수
사다리꼴	같거나 작거나	교차하는 원들
평행	원호	직각삼각형
다이아몬드	그러므로	전등(동일하게 같은)
더하기 또는 빼기	각뿔	같지 않은
정삼각형	내접원	a는 b의 원소가 아니다
직각의	직각 프리즘	중심각
마름모	합	내접하는 각
둘레	팔면체	잘려진 원
제곱근	팩토리얼 n	정팔각형
원기둥	원호	정오각형
백분율	~때문에	정육각형
교점	부채꼴	정칠각형
선분 AB	정구각형	벡터AB
원뿔	원주율 파이	같다
평행선들	증명 끝	
반원	같거나 더 큰	

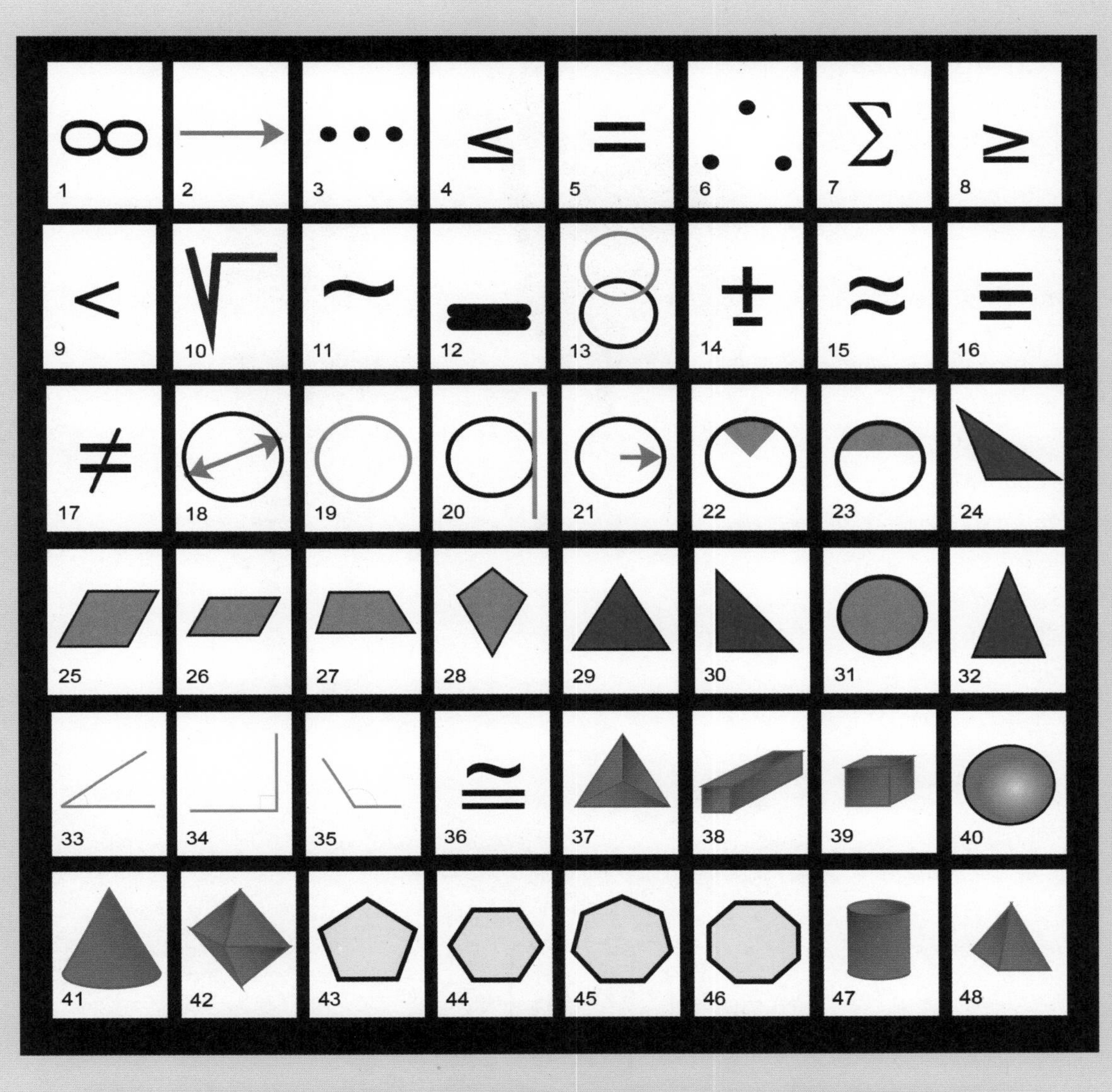
1 2 3 4 5 6 7 8
9 10 11 12 13 14 15 16
17 18 19 20 21 22 23 24
25 26 27 28 29 30 31 32
33 34 35 36 37 38 39 40
41 42 43 44 45 46 47 48

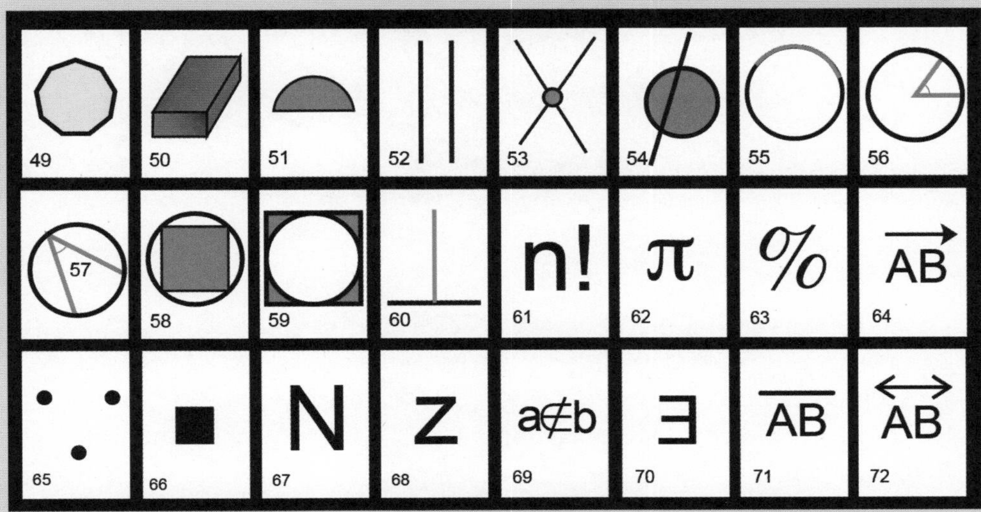
49 50 51 52 53 54 55 56
57 58 59 60 61 62 63 64
n!
π
%
AB
N
Z
a∉b
AB
AB
65 66 67 68 69 70 71 72

강 건너기 문제-790년

73

난이도 ●●●●●●
필요한 것
완료 시간

8세기에 등장한 고전 문제인 강 건너기 문제는 오늘날에도 잘 알려져 있다. 8세기에 영국의 수학자이자 신학자인 요크의 알쿠인(Alcuin)은 다음 수수께끼가 들어 있는 책을 출판했다.

한 남자가 늑대 한 마리, 염소 한 마리, 그리고 약간의 양배추를 가지고 강을 건너야 한다. 배는 공간이 좁아 늑대, 염소, 양배추 중 하나만 가져갈 수 있다. 물론 남자는 타야 한다. 만약 남자가 양배추를 가져간다면, 늑대는 염소를 잡아먹을 것이다. 만일 늑대를 데려가면, 염소가 양배추를 먹을 것이다. 남자가 있을 때만 염소와 양배추가 안전하다.

남자는 어떻게 늑대, 염소, 그리고 양배추 모두를 강 건너편으로 옮길 수 있을까? 강 건너기 문제의 다른 변형 문제들은 중세 유럽은 물론, 심지어 오늘날까지 매우 인기 있는 문제들이다.

행성 간 수행원

꿈에서 승객들이 신음하는 것을 보았다. 나는 알파 캔타우르스 우주 공항의 행성 간 수행원으로 승객들을 우주 공항에서 우주 여객선까지 무사히 데려다줘야 한다. 우주 여객선은 우리 위에 있는 수천 개의 편석을 가진 행성의 궤도를 선회하고 있다. 게다가 승객들은 정말 이상하다! 내 앞에는 오리온자리 1등성인 리겔리안, 데네비안, 그리고 4개의 다리가 있어 이상해 보이는 테레스트리얼이라 불리는 생물이 있다.

일단 리겔리안과 데네비안은 전쟁 중이다. 여객선 밀실에 둘을 같이 둔다면 그중 하나는 볼 것도 없이 불행한 '사고'의 희생자가 될 것이다. 채식주의자인 리겔리안과 달리, 데네비안은 탐욕스러운 육식주의자다. 데네비안과 함께 남겨둔다면 약한 테레스트리얼은 곧 가벼운 요깃거리가 될 것이다. 어떻게든 이들 모두를 위에 있는 우주선의 밀실 안으로 옮겨야 한다. 우주선에서는 파충류 승무원이 이들을 맡아 책임질 것이다. 나는 몇 번을 왔다 갔다 해야 하고, 한 명의 승객은 나와 함께 한 번 이상 동행해야 한다. 하지만 나는 내가 이 일을 할 수 있다는 걸 안다. 사고나 불행하게 잡아먹히는 일은 일어나지 않을 것이다. 세 생물은 여객선의 밀실에서 한꺼번에 안전하게 나올 것이다. 생물들을 어떻게 옮겨야 할까?

74

난이도 ●●●●●●
필요한 것
완료 시간

질투하는 남편들

16세기 베네치아의 수학자인 니콜로 타르탈리아(Niccolo Tartaglia)는 강 건너기 문제의 더 정교한 버전을 내놓았다. 그 버전에서는 강에 온 세 명의 아름다운 신부와 이 신부들의 젊고 아주 질투심 많은 남편들이 등장한다. 강 건너편으로 데려다 주는 작은 배에는 두 명까지만 탈 수 있다. 불미스러운 일이 생기지 않으려면, 남편과 함께 있지 않는 한 신부는 다른 남자와 단 둘이 남겨져서는 안된다. 이들이 모두 강을 건너려면 배는 강을 몇 번 오가야 할까?

75

난이도 ●●●●●○
필요한 것
완료 ○ 시간

76

난이도 ●●●●○○
필요한 것
완료 ○ 시간

강을 건너는 군인들

세 명의 군인들이 강을 건너야 한다. 작은 배를 타고 지나가던 두 소년은 군인들이 강을 건너는 걸 도와주기로 했다. 그러나 배에는 군인 한 명 혹은 소년 두 명만 탈 수 있다. 군인 중 수영을 할 줄 아는 사람은 아무도 없다. 이런 상황에서 군인들은 강을 다 건너고 다른 편에 있는 두 소년에게 배를 돌려주어야 한다. 어떻게 강을 건너야 할까?

분할-다각형 변환

인류는 수천 년 전부터 분할 문제에 직면했음이 틀림없다. 그러나 분할 문제의 체계적인 연구는 10세기가 되어서야 비로소 처음으로 나타났는데, 페르시아의 천문학자인 웨파(Abul Wefa, 940~998)가 쓴 책에서였다. 현재 일부만 남아 있는 웨파의 책에는 아래 언급된 아름다운 분할 문제가 수록되어 있다.

웨파의 퍼즐은 기하학적 분할에서 가장 흥미로운 퍼즐 형태의 전신이다. 기하학적 분할은 하나의 기하학적 그림을 가능한 한 적은 수의 조각으로 특정한 다른 그림으로 만드는 것이다. 웨파의 퍼즐 이후 분할하는 방법은 끊임없이 발전하고 있다.

하나의 영역을 분할하는 방법은 많으며, 어떤 분할 방법은 무척이나 흥미롭다. 마룻바닥에 타일로 패턴을 만드는 것처럼, 작은 조각들을 합쳐서 더 큰 모양을 만드는 것도 재미있다. 수학에선 이것을 모자이크 또는 '테셀레이션(tessellation)'•이라 한다.

수학자들은 최근에야 분할 문제를 진지하게 받아들이기 시작했다. '분할이론'이라 불리는 수학의 한 분야는 평면이나 입체 기하학에서 여러 가지 실용적인 문제의 답을 찾는 데 있어서 중요한 통찰력을 제공해준다.

분할 문제는 세 종류로 구별할 수 있다. 첫 번째는 주어진 조각들로 패턴을 만드는 것이다. 고대의 오락거리였던 탱그램(Tangram)이 좋은 사례다. 반면, 두 번째 종류는 두 개의 다각형이 주어지는 것으로, 둘 중 하나의 다각형을 가능한 한 작은 개수의 조각들로 분할하여 주어진 다른 다각형으로 만드는 것이다. 세 번째는 명백하게 역설적인 변형으로서, 한 개의 형태를(하나의 도형을) 여러 작은 조각으로 나누고 조각 한 개를 제거한 후 남은 조각들로 원래 형태를 다시 만드는 것이다. 이는 겉보기에는 불가능해 보이지만, 실제로 많은 퍼즐에서 가능하다. 이를 '기하학적 역설' 또는 '기하학적 소멸'이라 한다.

• 테셀레이션: 정다각형을 반복적으로 배치하여 평면이나 도형을 빈틈없이 메우는 것을 말한다.

77

난이도 ●●●●●○
필요한 것
완료 ○ 시간

웨파의 분할-900년

같은 크기의 정사각형 세 개를 나누어 큰 정사각형 한 개를 만들 수 있겠는가? 웨파가 제기한 이 문제는 가장 오래된 분할 변환 퍼즐 문제 중 하나다. 그의 아름다운 해는 그림에 나타난 바와 같이 5개의 조각으로 이루어져 있다.

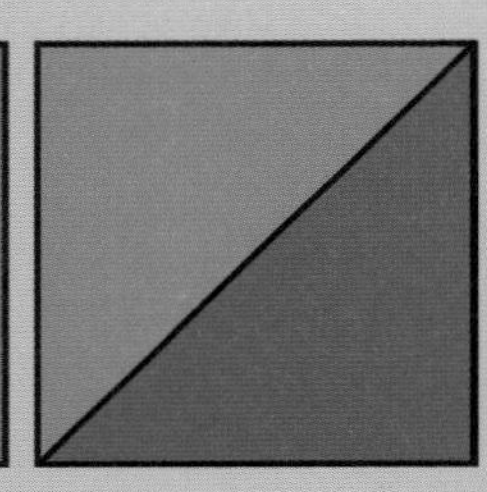
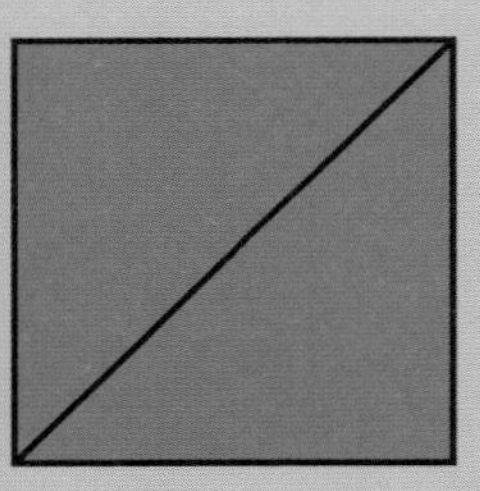

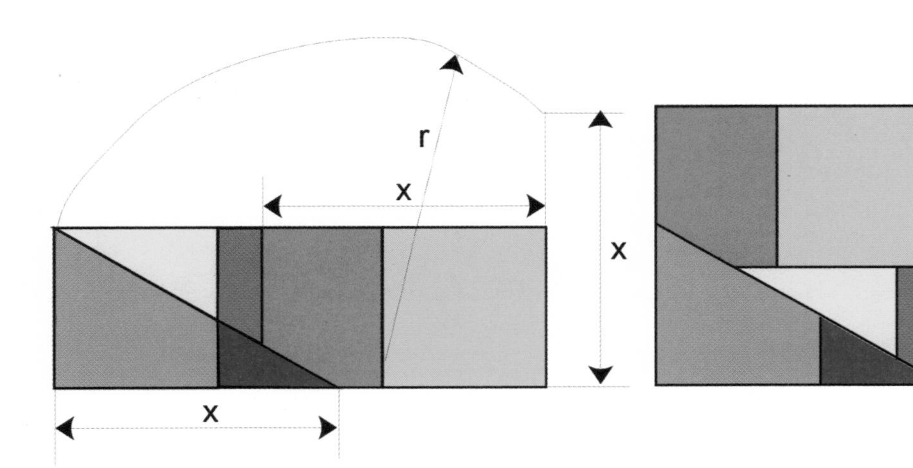

페리갈의 최고 기록

아마추어 수학자인 헨리 페리갈(Henry Perigal, 1801~1898)은 왼쪽에 보이는 것과 같이 단지 6개의 조각을 사용하여 웨파의 분할을 발전시켰다. 이 기록은 아직도 여전히 최고 기록이다. 페리갈은 또한 피타고라스 정리를 멋들어지게 증명한 것으로도 유명하다.

도미노 게임-1200년

도미노에 대한 몇몇 이론은 이집트에서 기원했음에도 불구하고 도미노는 12세기 중국에서 처음 사용된 것으로 알려져 있다. 도미노는 1700년대 초 이탈리아에서 나름의 방식으로 만들어진 후 18세기 동안 유럽 전역에 퍼졌고, 술집이나 거실에서 할 수 있는 게임 중 가장 인기 있는 게임이 되었다.

현재는 전 세계인이 도미노 게임을 하고 있으며, 특히 라틴아메리카에서 인기가 높다. 심지어 카리브해 인근 나라들에서는 도미노가 국가적 게임으로 여겨지고 있다. 도미노 토너먼트는 많은 나라에서 해마다 열리며, 도시 곳곳에는 지역 도미노 클럽이 여기저기 산재해 있다.

'도미노(domino)'라는 용어는 아마도 하얀 배경 위에 있는 검은 점들에서 영감을 받은 것으로 보이는데, 이는 그리스도교의 성직자들이 입던 후드의 한 종류인 '도미노'의 패턴을 연상시킨다.

도미노는 카드놀이나 주사위 놀이처럼 게임의 한 유형이다. 조각들로 블록을 만드는데, 수많은 다른 방법으로 조합해 다양한 게임과 퍼즐을 폭넓게 만들어낼 수 있다. 도미노는 주사위에서 진화했다. 표준 6쌍 도미노 세트(standard double-six domino set)에 나오는 숫자는 여섯 면을 갖는 주사위 두 개를 굴릴 때 나타날 수 있는 모든 경우를 나타낸다.

도미노 넘어뜨리기 세계 신기록

도미노 넘어뜨리기 신기록 수립을 위해 480만 개의 도미노가 세워졌다. 기존의 세계기록을 경신하기 위해서는 434만 5028개의 도미노가 넘어져야 했다. 결국, 449만 1863개의 도미노가 쓰러지면서 세계 신기록을 세웠다.

도미노 패턴 퍼즐

두 패턴은 모두 28개로 구성된 도미노 세트로 만들어졌다.

이 패턴을 주의 깊게 관찰한 후 도미노 조각들이 어떻게 배열되어 있는지를 알아내어, 각 도미노 조각의 윤곽을 그려보라. 보기보단 쉽지 않을 것이다.

78

난이도 ●●●○○○
필요한 것
완료 ○ 시간

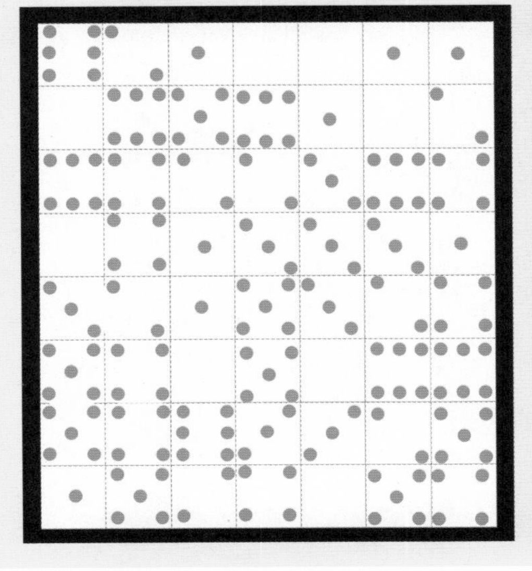

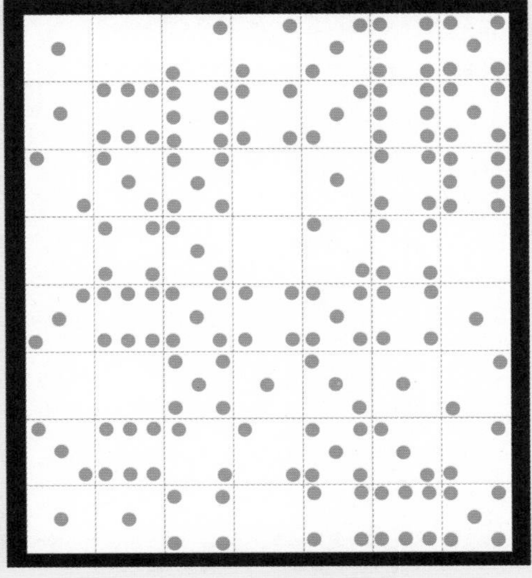

피보나치(1170~1250년)

피보나치(레오나르도 다 피사(Leonardo da Pisa)의 별명)는 이탈리아 피사에서 태어났지만, 북아프리카에서 교육을 받았다. 자신이 쓴 책에 들어 있는 약간의 자전적 이야기 외에 피보나치의 삶에 대해 알려진 것은 거의 없다.

피보나치는 중세시대에 가장 숙련된 수학자 가운데 하나로 꼽힌다. 우리가 지금 사용하는 십진법 체계에 대해서는 피보나치에게 감사해야 한다. 수학을 배우던 학생 시절, 피보나치는 로마식 수의 체계에는 0이 없고 높은 자릿값을 표현하기 어려워 수를 표현하기에는 충분하지 않다는 걸 깨닫고는, 로마식 수 체계 대신 힌두아라비아의 숫자 기호들인 0~9를 사용했다.

피보나치는 현재 피보나치 수(1, 1, 2, 3, 5, 8, 13, 21, 34, 55, ...)로 알려진 수열을 발견한 것으로도 유명하다. 루카스 수와 깊은 관련이 있는 피보나치 수는 다음 쪽에 나와 있는 루카스 수열(Lucas sequences)의 상호보완적인 짝이다. 또한, 황금비와도 매우 깊은 관련이 있다. 황금비의 가장 가까운 유리수 근삿값은 피보나치 수들 간의 비인 2/1, 3/2, 5/3, 그리고 8/5로 나타난다. 피보나치 수는 자연에서도 역시 찾아볼 수 있는데, 나무의 가지, 잎의 차례(나무줄기에 있는 잎의 배열), 아티초크의 꽃 피는 과정, 풀린 양치식물 및 솔방울의 배열 등에 나타나고 있다.

피보나치의 토끼 문제-1202년

일련의 수에 대한 가장 유명한 유희수학 문제는 1202년에 나온 일명 토끼 문제라는 고전적 문제다. 만일 한 쌍의 토끼가 매달 한 쌍의 토끼를 낳고 새로 태어난 한 쌍의 토끼는 태어난 지 두 달 후부터 새끼토끼를 낳는다면, 1년 동안 이 토끼 한 쌍으로부터 생기는 토끼는 몇 쌍일까?

이 가상의 토끼치기 퍼즐은 1202년 쓰인 『리베르 아바치(Liber Abaci)』라는 책에 나온다. 이 책은 당시 27살이었던 피보나치라는 별명으로 더 알려진 이탈리아 수학자 레오나르도 다 피사가 쓴 것이다. 이 퍼즐에서 모든 짝은 수컷과 암컷 토끼로 구성되어 있으며 이들 토끼는 태어난 지 2개월 후면 성숙해진다고 가정했다. 실제로 토끼는 태어나고 4개월쯤 되면 성숙해진다.

인류가 창조한 수열인 이 순수한 수학 퍼즐은 지금은 그 유명한 피보나치의 수열로 알려져 있으며, 이후 자연 곳곳에서 발견되었다. 어떻게 이런 우연이 있을 수 있는가!

올해 안에 몇 쌍의 토끼가 태어날지 알 수 있겠는가?

79

난이도 ●●●●○○
필요한 것
완료 ○ 시간

피보나치 수열과 황금비

수학에서 피보나치 수는 끝없이 커지는 수열이다. 이 수열의 처음 13개의 수가 주어져 있다. 이 수열이 증가하는 논리를 추론하고 원하는 만큼 계속 만들어낼 수 있겠는가?
피보나치 수열과 황금비를 나타내는 Phi(Φ)=1.6180339… 사이의 매우 흥미로운 관계를 알아낼 수 있겠는가?

1, 1, 2, 3, 5, 8, 13, 21, 34, 55, 89, 144, 233, …

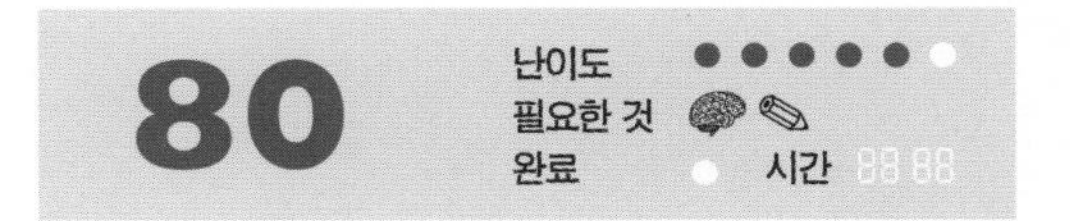

루카스 수열과 루카스 수

루카스 수는 루카스 수열과 혼동해서는 안 된다. 루카스 수열은 루카스 수를 포함하는 포괄적인 수열의 카테고리다. 루카스(Eduard Anatole Lucas)는 루카스 수열 및 루카스 수열과 깊은 관련이 있는 피보나치 수를 연구했다.
루카스 수와 피보나치 수는 루카스 수열의 상호보완적 형태다. 수학에서, 점화관계(recurrence relation) 또는 점화식(recurrence formula)이라 불리는 식은 수열을 정의하는 식이다. 수열은 처음에 주어진 한 개 이상의 값들(초기값)과 점화식으로 정의된다.
루카스 수열은 점화식을 만족하는 정수로 이루어진 수열이다. 유명한 루카스 수열로는 피보나치의 수, 메르센 수, 펠 수, 루카스 수, 야콥스탈 수 등이 있다.
각 루카스 수는 피보나치 수열과 마찬가지로 바로 앞의 두 수의 합으로 정의된다. 그러므로 연속된 두 루카스 수 사이의 비율은 황금비로 수렴한다. 그러나 피보나치 수는 0과 1에서 시작하는 반면, 루카스 수는 2와 1에서 시작한다. 그 결과 루카스 수들의 특성은 피보나치의 수들의 특성과는 좀 다르다.
루카스 수열은 다음과 같다.

2, 1, 3, 4, 7, 11, 18, 29, 47, 76, 123, …

사실, 바로 앞의 두 값을 더해서 다음 값을 얻는 모든 수열은, 수열이 어느 두 값에서 시작하느냐에 상관없이 이웃한 두 수의 비는 결국 Phi(Φ)=1.6180339…로 수렴한다!

피보나치 수로 이루어진 계단

그림에서 빨간색으로 적혀 있는 값들은 피보나치 수열에서 두 개의 연속적인 숫자들의 비(비율)로 피보나치 수가 상대적으로 어떻게 커지는지를 보여준다. 수열이 커질수록 하나의 피보나치 수를 그 이전의 수로 나눈 이 분수 값들이 어떻게 변하는지를 보라. 이러한 값들로 이루어진 수열에서 얻을 수 있는 놀라운 결과는 무엇일까?
모든 자연수를 피보나치 수만을 사용해 표현할 수 있을까? 예를 들면, 처음 13개의 피보나치 수를 사용해서 자연수 232를 만들 수 있을까?

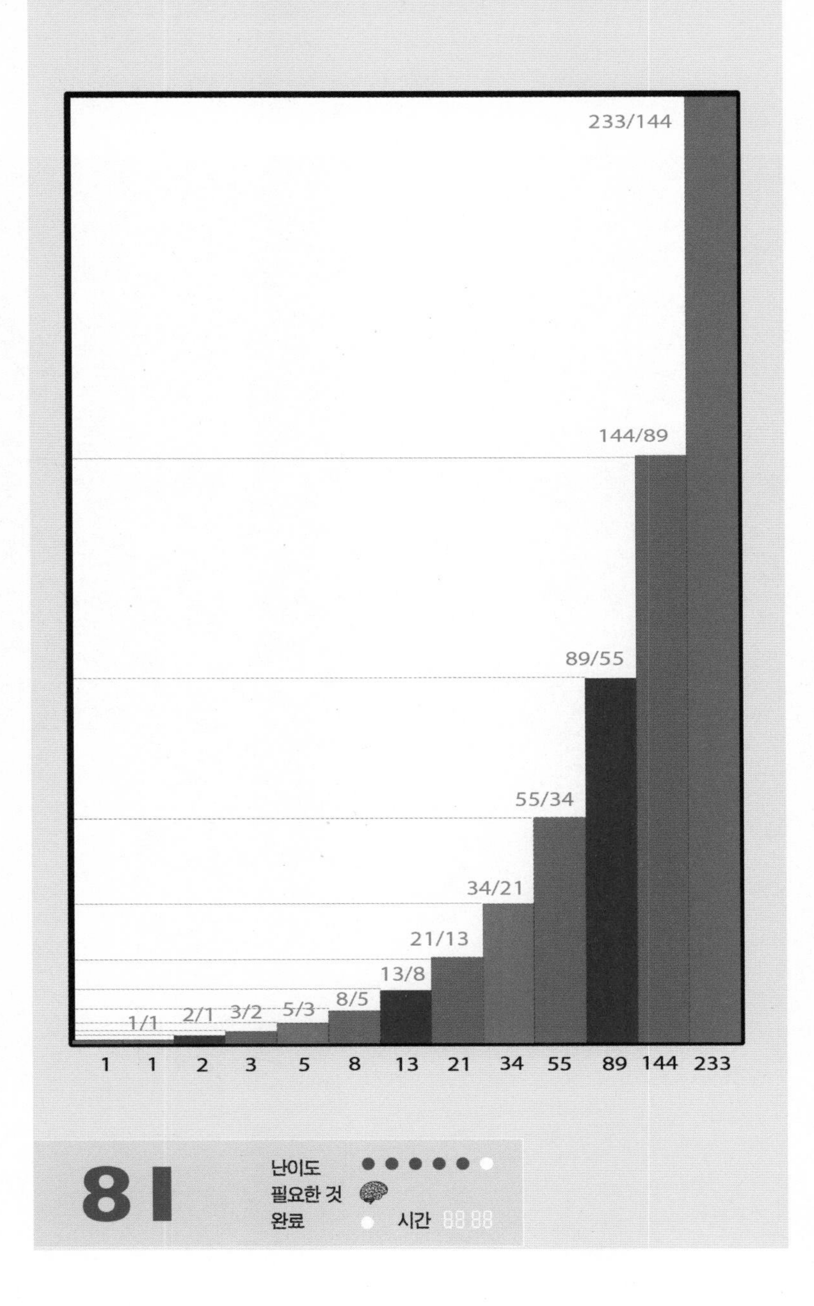

정사각형들로 이루어진 피보나치 직사각형

이 퍼즐은 무한히 많은 정사각형으로 이루어진 모자이크 문제다. 오랫동안 정사각형들로 이루어진 피보나치 직사각형은 아름답지만 풀리지 않는 문제였다. 크기가 '모두 다른' 정사각형들로 무한한 평면을 채우는 것이 가능할까? 1938년까지 이 문제는 불가능한 것으로 여겨졌다. 피보나치 직사각형은 이 문제의 가장 근접한 답이었다. 피보나치 직사각형은 연속적인 피보나치 수를 변의 길이로 갖는 정사각형들을 연속적으로 붙여 만든 직사각형으로, 이 직사각형은 우리가 원하는 만큼의 면적을 덮을 수 있을 만큼 크게 만들 수 있다. 피보나치 수를 한 변으로 갖는 정사각형(피보나치 정사각형)들을 차곡차곡 순서대로 쌓아 꼭짓점들을 부드럽게 연결하여 반시계방향의 나선을 만들었다. 그림에서 마지막 정사각형의 일부분은 이 그림에 나타나 있지 않다(보라색 영역).

여기에는 문제가 있다. 피보나치 수열의 처음 두 수는 1이므로 피보나치 직사각형은 두 개의 동일한 단위 정사각형에서 시작하는데, 이는 어떤 정사각형도 같은 크기가 아니어야 한다는 것에 모순이다. 만일 이 문제를 다음과 같은 다른 문제로 변형하여 풀 수 있다면, 지적 도전의식을 자극하는 무한 타일 문제의 해를 갖게 될 것이다. '하나의 정사각형을 크기가 모두 다른 여러 개의 정사각형으로 나눌 수 있는가?'

이 문제는 1938년에야 비로소 풀렸다(7장에 있는 완전 정사각형 참조). 완전 정사각형을 피보나치 직사각형의 첫 단위 정사각형(검은색)으로 놓으면 무한한 정사각형 타일 문제를 풀 수 있다.

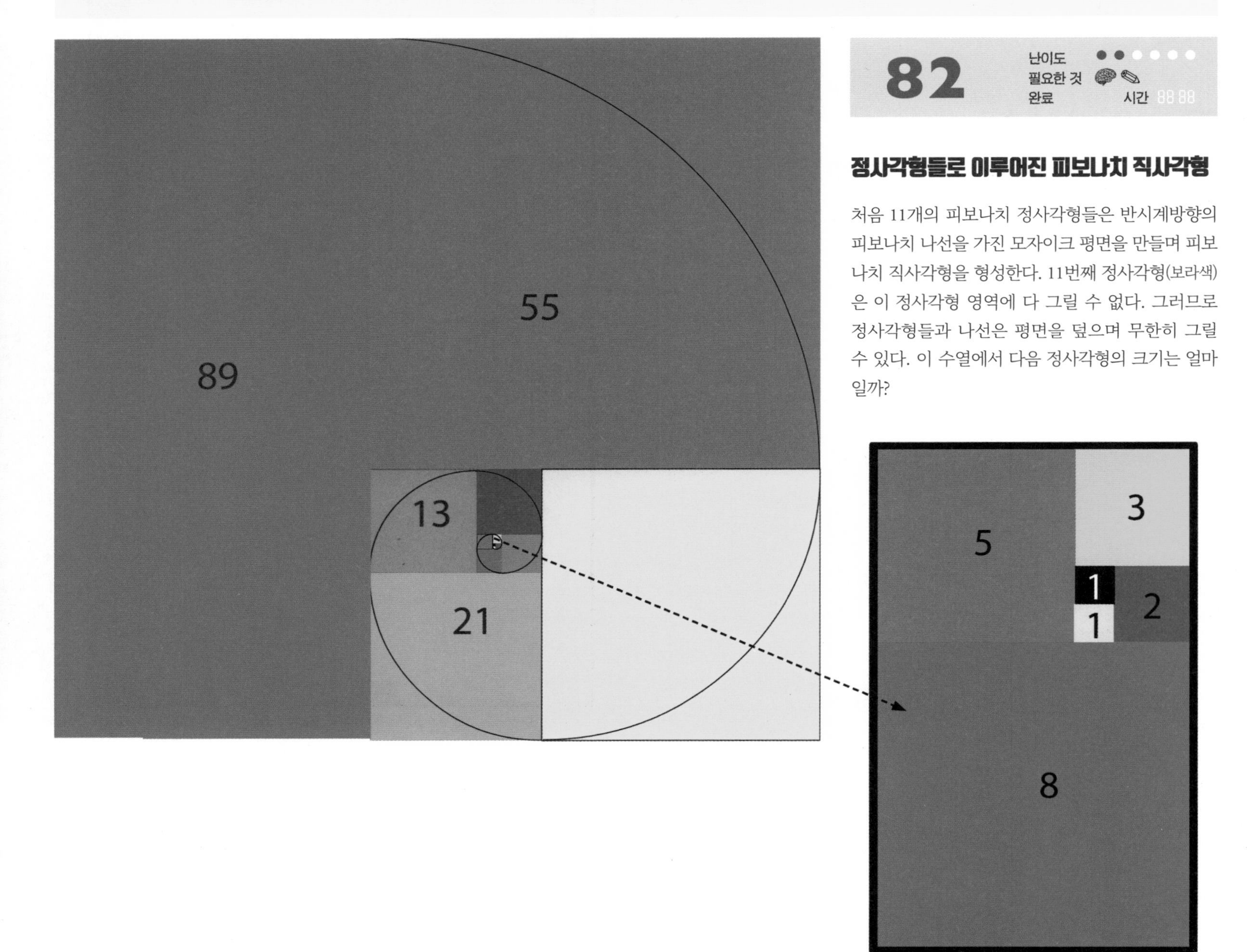

82

난이도 ●●○○○○
필요한 것
완료
시간

정사각형들로 이루어진 피보나치 직사각형

처음 11개의 피보나치 정사각형들은 반시계방향의 피보나치 나선을 가진 모자이크 평면을 만들며 피보나치 직사각형을 형성한다. 11번째 정사각형(보라색)은 이 정사각형 영역에 다 그릴 수 없다. 그러므로 정사각형들과 나선은 평면을 덮으며 무한히 그릴 수 있다. 이 수열에서 다음 정사각형의 크기는 얼마일까?

알람브라(Alhambra)

13세기에 스페인의 무어왕에 의해 그라나다에 건설된 알람브라는 서유럽에서 건축학적으로 가장 훌륭한 구조 중 하나다. 1492년 스페인 남부의 가톨릭 레콘키스타* 이후 궁전이 심각하게 훼손되었지만, 지금은 과거의 영광을 복원한 상태다. 알람브라는 한때는 생기가 넘쳤었으며, 세련된 무어식(Moorish) 문화와 건축학의 훌륭한 사례다. 이 건물의 내부는 정밀한 기하학적 장식들과 같은 아름답고 섬세한 장식들로 꾸며져 있다.

● 718년부터 1492년까지 약 7세기 반에 걸쳐서 이베리아반도 북부의 로마 가톨릭 왕국들이 이베리아반도 남부의 이슬람 국가를 축출하고 이베리아반도를 회복하는 일련의 과정을 말한다.

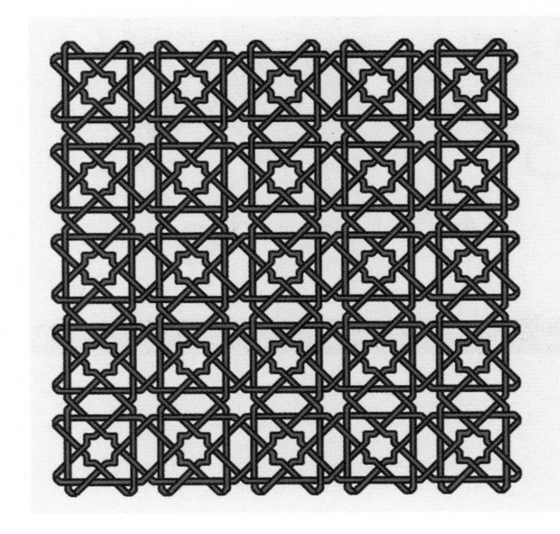

알람브라의 모자이크 패턴-1230년

그라나다 무어왕의 이전 궁전은 수학적인 아름다움을 간직한 보물 창고다. 왼쪽에 보이는 복잡한 패턴은 많은 복잡한 기하학적 디자인과 모자이크 형태를 여실히 보여주는 하나의 사례다. 그 패턴이 하나로 연결된 것인지 아니면 여러 개로 분리된 것인지 알 수 있겠는가? 만일 후자라면 몇 개로 분리된 것인가?

83
난이도 ●●●●○○
필요한 것
완료 ○ 시간

영구기관(perpetual motion machine)

기계들은 배고픈 하인이다. 이 하인들을 계속 일하게 하려면 기름칠을 해야 한다. 영구적인 운동은 '외부의 어떤 에너지원 없이 무한히 계속 움직이는 것, 마찰로 인해 실제로는 불가능한 것'으로 표현할 수 있다. 또한 '일단 활성화되면 외부에서 힘을 가하거나 수명이 다하지 않는 한 영원히 움직이는 가상적인 기계의 운동'이라고도 표현할 수 있다.

과학자들은 고립계에서의 영구적인 운동은 열역학 제1법칙과 제2법칙을 위반할 것이라는 데 일반적으로 동의한다. 초기의 많은 발명가는 일단 시작하기만 하면 부품이 손상될 때까지 스스로 계속 움직이는 완벽한 기계를 만드는 것을 꿈꿔왔다.

레오나르도의 영구기관

레오나르도 다빈치는 '페르페투움 모빌(perpetuum mobiles, 영원히 움직이는 장치)'이라는 주제와 씨름을 한 발명가 중 한 명이다. 장치의 설계는 1240년부터 프랑스의 건축가로 유명해진 '온쿠르(Villard de Honnecourt)'의 개념을 기반으로 하고 있는데, 이 개념은 중력을 이용해 에너지를 끊임없이 만드는 것이었다.

이 장치를 보고 다빈치가 무슨 생각을 했는지 설명할 수 있겠는가? 그의 발명이 왜 성공적이지 못했는지 알 수 있겠는가?

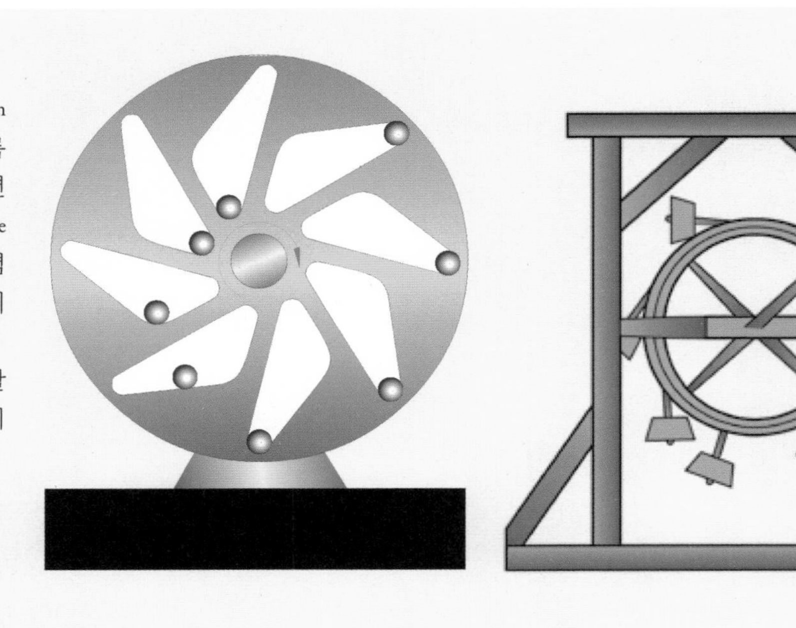

84
난이도 ●●●○○○
필요한 것
완료 ○ 시간

조지 가모의 장치

우크라이나계 미국 핵물리학자인 조지 가모(George Gamov)는 1948년 랠프 알퍼(Ralph Alpher)와 함께 빅뱅이론의 초기 이론 중 하나를 만들었다. 그는 또한 양자역학, 항성진화 및 유전 이론을 연구했다. 예를 들면, 1954년 DNA의 첫 암호 체계를 제안했는데, 이는 왓슨과 크릭이 DNA를 발견하고 얼마 지나지 않은 때였다.

가모는 오른쪽에 보이는 페르페투움 모빌도 발명했다. 모빌의 디자인을 보고 이 장치의 작동 이면에 있는 이론적 원리를 설명할 수 있겠는가?

85
난이도 ●●●○○○
필요한 것
완료 ○ 시간

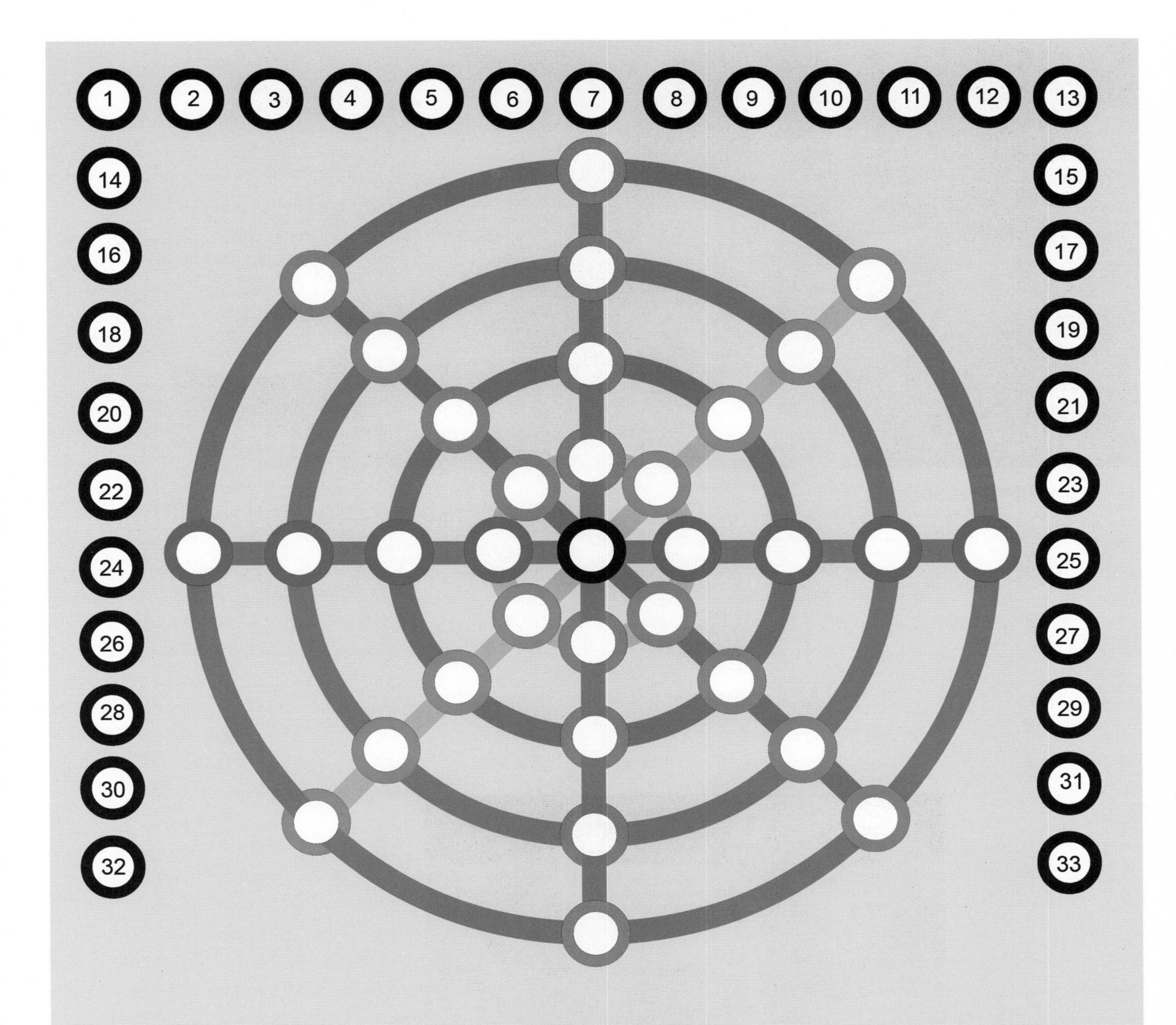

마법의 원-1250년

중국의 수학자 양휘(楊輝, 1238~1298)는 두 권의 책을 썼는데, 그중 한 권에 위에 보이는 초기의 마법 원 문제가 들어 있다.
양휘는 파스칼의 삼각형을 처음으로 묘사한 수학자로 주로 기억되고 있다. 파스칼의 삼각형은 후에 블레즈 파스칼(Blaise Pascal)에 의해 연구되었고 현대 수학의 초석 중 하나가 되었다.
위에 보이는 그림에서 작은 원 안에 1에서 33까지의 숫자를 넣으려고 한다.

86

난이도 ●●●●●○
필요한 것
완료 ○ 시간

중심에 있는 원을 포함하는 모든 원에 있는 숫자들의 합과 모든 대각선에 있는 숫자들의 합이 같도록 넣을 수 있겠는가?

밀과 체스판 문제-1260년

1260년경 압바시드 제국(현재 이라크)에 살았던 쿠르드의 역사학자 할리칸(Ibn Khallikan, 1211~1282)의 전기로 이루어진 백과사전을 보면 체스 게임과 '지수적 성장(exponential growth)' 개념을 다룬 이야기가 나온다.

이야기에는 독재자 인도의 왕 시람(Shihram)이 등장한다. 시싸(Sissa ibn Dahir)라는 이름의 현자는 모든 백성은 지위고하를 막론하고 존중해 다스려야 한다는 것을 왕에게 증명해 보이기 위해 체스 게임을 발명했다.

이에 감명을 받은 왕은 시싸에게 어떻게 보답하면 되는지를 물었다. 시싸는 처음엔 보상을 거절했으나 왕은 계속 보답하길 원했다. 이에 시싸는 왕에게 체스판의 첫 번째 칸에 밀알 1알을, 두 번째 칸에 밀알 2알을, 세 번째 칸에 밀알 4알을, 네 번째 칸에 8알을 넣는 방식으로 계속 두 배가 되도록 넣어달라고 청했다(이는 오늘날 지수적 성장률이라고 불린다). 왕은 이에 동의했다.

시싸가 얼마나 많은 곡식을 받았는지 계산할 수 있겠는가? 마지막 숫자를 보면 아마 놀랄 것이다.

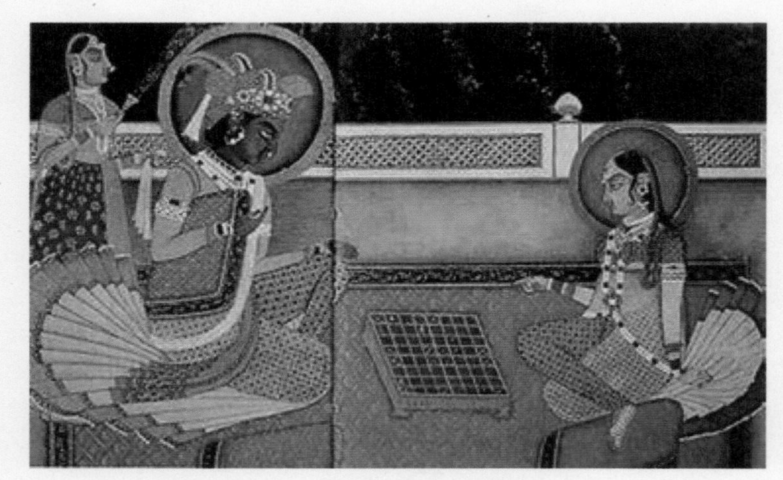

힌두교의 신인 크리슈나와 라다가 체스판에서 게임을 하고 있다.

87

난이도 ●●○○○○
필요한 것 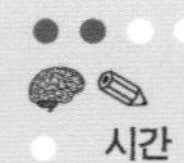
완료 ○ 시간 88:88

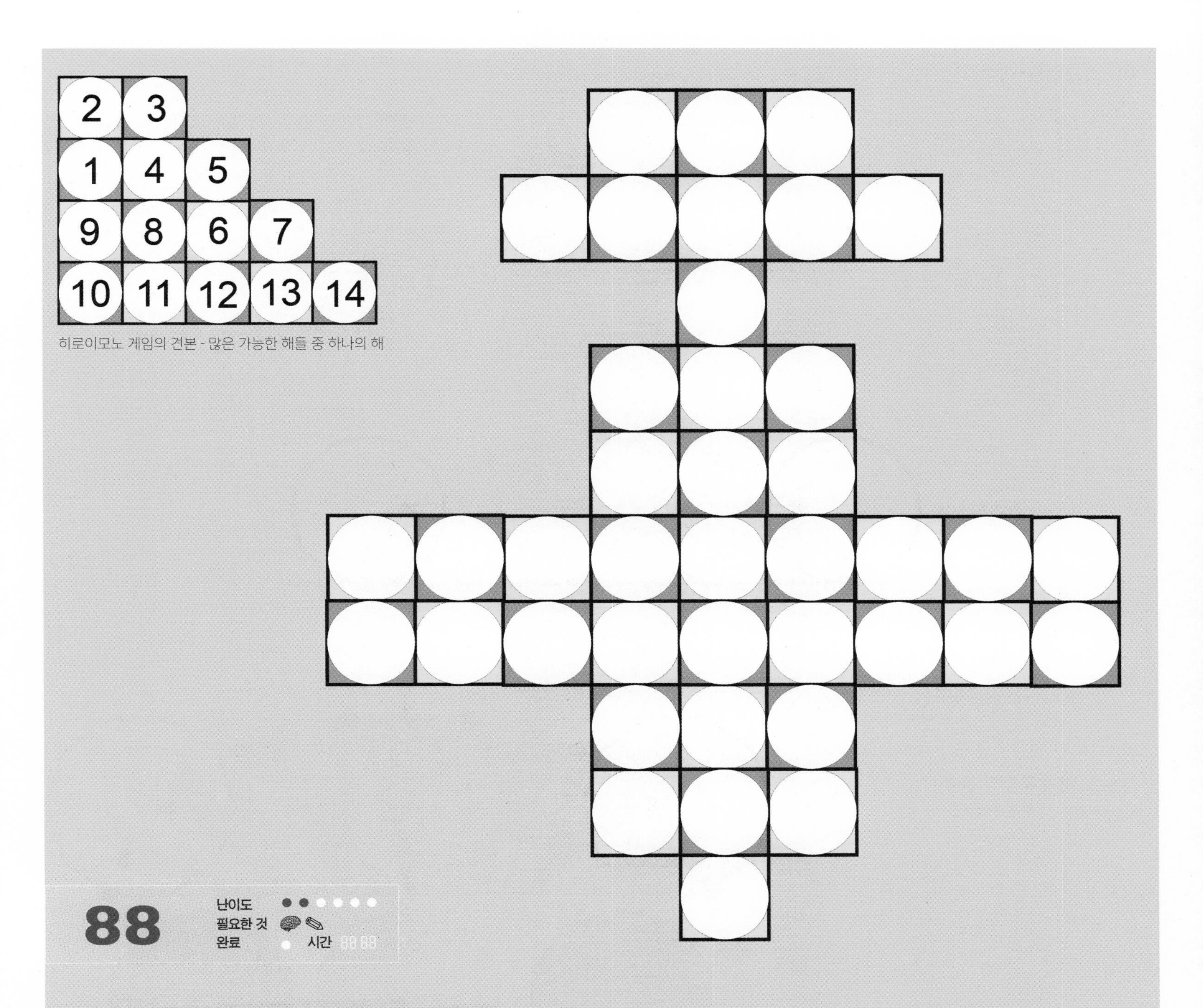

히로이모노 게임의 견본 - 많은 가능한 해들 중 하나의 해

88

난이도
필요한 것
완료 시간

히로이모노(Hiroimono), 종이와 연필 게임-1300년

14세기 일본에서 유래한 이 게임은 직사각형 판 위에서 하는 게임으로, 게임의 규칙은 돌을 직각 패턴으로 배치한 다음 하나씩 제거하는 것이다. 이 게임은 종이와 연필로도 할 수 있다. 위에 있는 견본 게임처럼 1에서 시작해 연속적인 숫자들을 패턴 안에 채운다. 다시 말해 선택한 원에서 시작해, 규칙에 따라 주어진 형태의 모든 원에 숫자들을 연속적으로 채우는 것이다.
규칙은 다음과 같다.

1. 일단 한 원에 숫자를 쓰면 수평이나 수직에 있는 빈 원으로 움직일 수 있다.
2. 빈 원은 뛰어넘지 못하지만, 이미 숫자로 채워진 원은 뛰어넘어 그 뒤에 있는 빈 원으로는 갈 수 있다.
3. 이전에 갔던 원으로는 다시 가지 못한다.

이 퍼즐을 풀 수 있겠는가?

사이클로이드-1450년

원 위에서 한 점을 고정한 후 그 원을 굴린다. 이때 고정된 점이 움직이면서 만드는 궤적을 사이클로이드(cycloid)라 한다. 사이클로이드는 룰렛의 한 예로써, 룰렛은 한 곡선 위의 고정된 점이 다른 곡선 위를 구르며 만드는 곡선을 말한다.

사이클로이드라는 이름은 1599년 갈릴레오에 의해 붙여졌지만, 처음 연구한 학자는 니콜라스(Nicholas, 1401~1464)였다. 1634년 길리스(Gilles de Roberval)는 사이클로이드의 한 원호 밑의 면적이 원래 원 면적의 3배라는 것을 증명했다. 반면, 1658년 크리스토퍼 렌(Christopher Wren)은 사이클로이드 한 원호의 길이가 원래 원의 지름의 4배라는 것을 보였다.

사이클로이드 곡선은 현대 사회의 많은 곳에서 볼 수 있다. 예를 들면, 장치기어에 있는 톱니의 양쪽에는 사이클로이드 곡선이 있다. 지폐를 찍는 데 사용하는 기계의 판에는 정교한 사이클로이드가 새겨져 있다. 스피로그래프(Spirograph)라는 과학 장난감은 고작 몇 개의 움직이는 부품만으로 무한히 많은 종류의 사이클로이드 모양을 만들어낸다.

사이클로이드는 매력적인 특성이 많다. 예를 들면, 사이클로이드는 최속강하선(brachistochrone) 문제의 해이며 '등시곡선(tautochrone problem)' 문제와도 관련이 있다. 최속강하선은 중력 하에서 가장 빨리 하강하는 곡선을 말하며, 등시곡선 문제는 '곡선 내에서 마찰 없이 하강하는 물체의 주기는 그 물체의 하강이 시작하는 위치와는 상관없다'는 것이다.

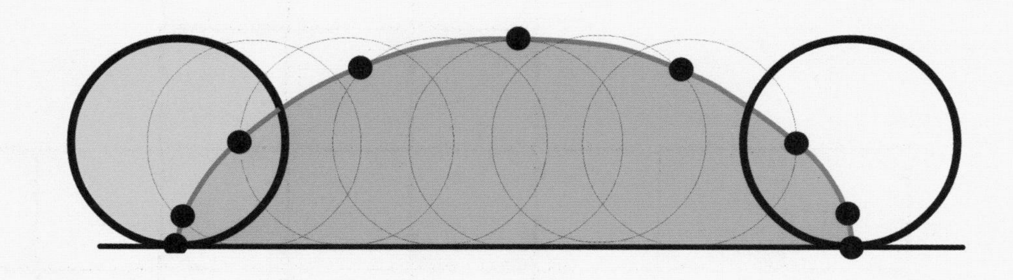

다각형 사이클로이드 면적
(polygonal cycloid area)

다각형 사이클로이드•는 사이클로이드의 길이와 면적을 유추하기에 좋은 방법이다. 한 직선을 따라 구르는 정십각형에 의해 만들어진 다각형 모양의 호 아래 면적을 계산할 수 있겠는가?

이 아름다운 시각적 증명은 매릴슨(Philip R. Mallinson)의 연구 결과로 "글자 없는 증명 II"(미국수학협회, 2000년)라는 논문으로 처음 출판되었다.

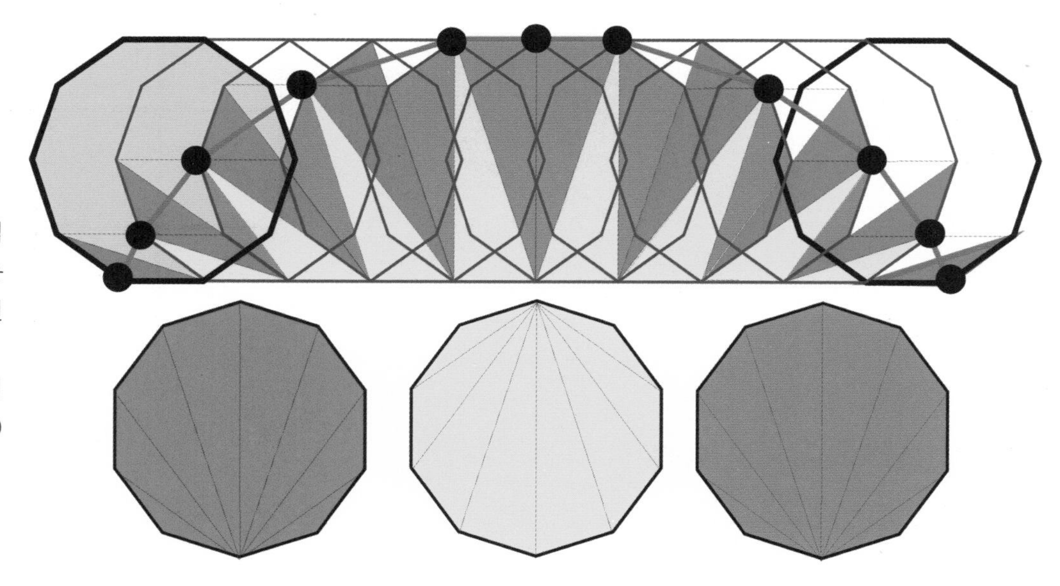

● 다각형 사이클로이드: 다각형 위의 한 점을 고정한 후 그 다각형을 직선(곡선)을 따라 굴릴 때 고정된 점이 움직이면서 만드는 궤적이다.

사이클로이드와 원으로 정사각형 만들기

원을 정사각형으로 만드는 문제, 즉 주어진 원을 자와 컴퍼스만을 사용해 똑같은 면적을 가진 정사각형으로 만드는 것은 그리스 수학의 고전 문제 중 하나였다(2장 참조).

1982년 린데만(Ferdinand von Lindemann, 1852~1939)은 컴퍼스와 직선 자만을 사용해서는 원을 정사각형으로 만드는 것이 불가능하다는 것을 증명했다. 반면, 만일 '기계장치'가 쓰인다면 원을 정사각형으로 만드는 건 가능하다. 그 기계장치는 직선을 따라 구르는 원으로 이루어져 있으며, 사이클로이드라는 곡선을 만들어낸다.

원이 한 바퀴 구르면 원주 위에 있는 점 A는 Z로 이동하며 한 개의 사이클로이드를 만든다. A에서 Z까지의 직선 길이는 원주와 같은 $2\pi r$이다. 그러므로 만일 B가 AZ의 중점이면, BZ의 길이는 πr이다. 따라서 만일 CZ의 길이가 r이라면, 직사각형 BZDC의 면적은 $\pi r \times r = \pi r^2$이며, 이는 구르는 원의 면적과도 같다.

그림에 나타난 바와 같이, 이 직사각형을 정사각형으로 만들면 그 정사각형의 한 변은 ZF다. 그러므로 직사각형과 원은 모두 정사각형이 된다.

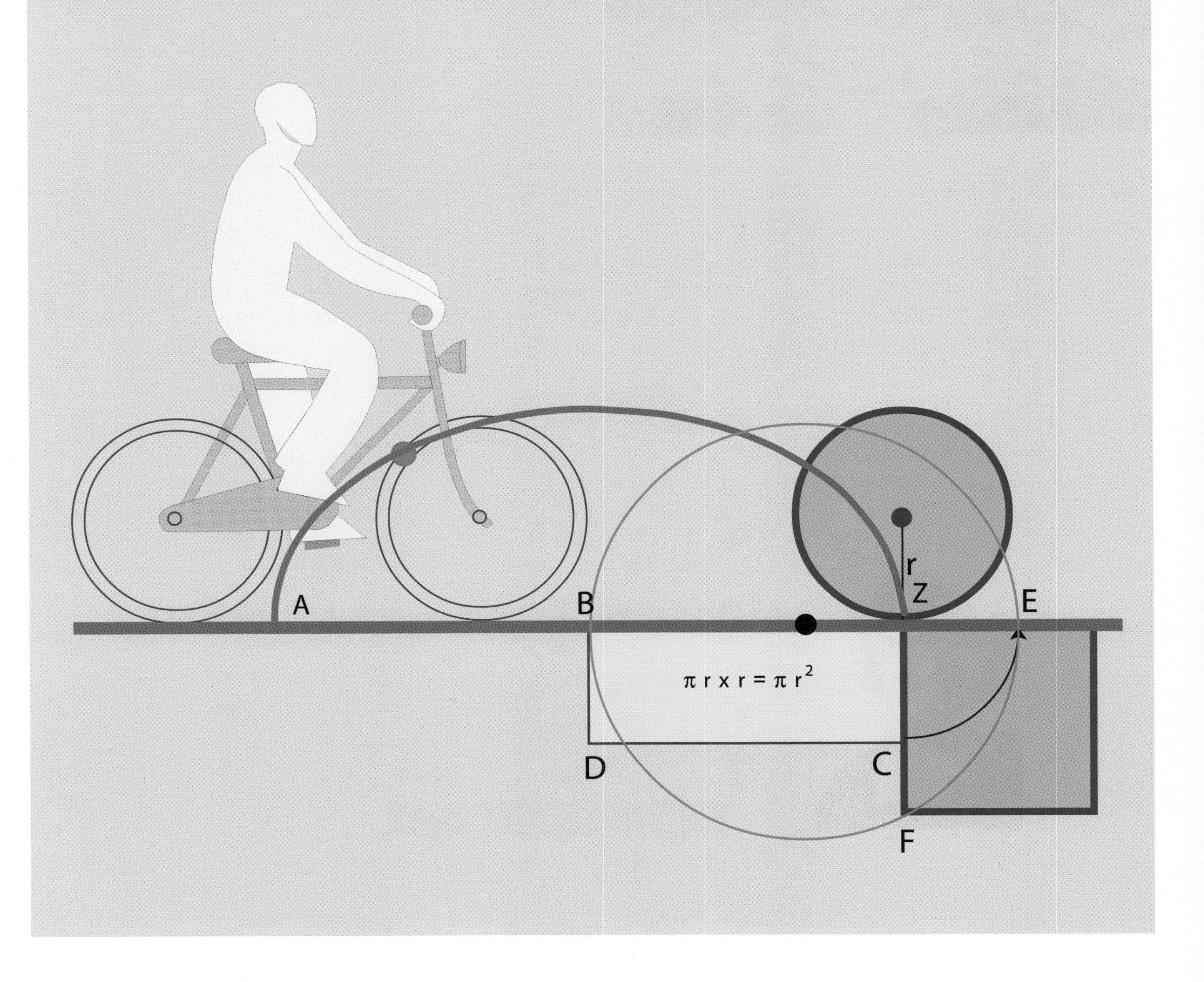

콜럼버스의 달걀-1492년

비평가들이 아메리카 대륙의 발견은 위대한 성과가 아니라며 콜럼버스를 조롱하자, 콜럼버스는 이들에게 달걀을 끝부분으로 세워보라고 말한다. 이들이 달걀을 세우는 데 실패하자, 콜럼버스는 달걀의 끝부분을 깨뜨려 테이블 위에 세웠다. 이후 '콜럼버스의 달걀'이란 표현은 뒤늦게 깨달은 아주 간단하지만, 더없이 훌륭한 아이디어나 발견을 일컬을 때 사용된다.

달걀 균형 잡기

한 기발한 평형 잡기 장난감은 수년 전 장난감 가게에서 볼 수 있었다. 이 장난감은 플라스틱 달걀로 콜럼버스가 한 것처럼 달걀 끝으로 균형을 잡아야 한다. 하지만 균형을 잡으려 하면 할수록 모든 노력은 물거품이 되어버릴 것이다. 문제를 풀기 위해 모든 방법을 동원할 수 있다. 달걀 내부에 있을지도 모를 비밀을 알아내기 위해 달걀을 흔들어도 보겠지만 아무 소리도 들을 수 없다. 그러나 만일 다음 과정을 따른다면 이 퍼즐의 비밀을 풀 수 있다.

1. 상대방이 눈치채지 못하게 달걀의 뾰족한 부분이 아래로 가게 하여 수직으로 세운 후 적어도 30초 동안 가만히 있는다.
2. 달걀을 뒤집고 10초를 더 기다린 후 달걀의 뾰족한 부분을 바닥에 세운다. 달걀은 그 끝점으로 아름답게 균형을 잡으며 설 것이다. 이 위치에서 달걀을 15초 동안 두지 마라.
3. 15초가 되기 바로 전에 같은 위치에서 달걀을 잡아 적어도 10초 동안 잡고 있은 후, 뾰족한 부분이 여전히 아래에 놓인 상태로 당신이 지금 했던 것과 똑같이 하도록 상대방에게 달걀을 건네준다.
4. 그 사람이 어떻게 하든 달걀이 더는 균형을 잡지 못할 것이다.

위의 설명을 보고 불가사의한 달걀의 안쪽 구조와 작동방식을 설명할 수 있겠는가?

89

난이도 ●○○○○○
필요한 것 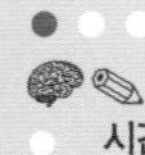 
완료 ○ 시간 88:88

레오나르도 다빈치(1452~1519)

종종 전 시대를 통틀어 가장 위대하고 창의적인 천재라고 언급되는 레오나르도 다빈치는 많은 재능을 가진 사람이었다. 해마다 수만의 방문객들이 파리의 루브르박물관에 있는 그의 작품 〈모나리자〉를 보기 위해 몰려오지만, 레오나르도 다빈치가 오늘날의 과학과 수학에 미친 영향을 진정 깨닫는 추종자는 거의 없다.
다빈치는 피렌체에서 일을 시작했다. 피렌체에서 5년의 수습 기간을 보낸 후, 1472년 화가협회에 들어갔다. 1482년에서 1499년까지는 밀라노 공작 밑에서 일했는데, 이탈리아의 북쪽 도시에서 살던 당시 수학에 대한 관심을 키워갔다. 파치올리(Pacioli)의 신성비(divina proportione)를 연구하고 실증했으며, 자신의 그림에서 무시했었던 기하학 연구에 매우 흥미를 갖게 되었다. 1498년경 기계학의 기본 정리를 담은 책이 밀라노에서 출판되었으며, 원을 정사각형으로 만드는 여러 방법도 개발했다.
당시 왕이었던 프란시스 1세는 레오나르도 다빈치의 작품을 매우 칭송했고 그를 정부 청사에 초대했다. 1516년 다빈치는 일등 화가, 건축가, 그리고 왕의 기계학자라는 직위를 받았다. 그는 프랑스에서 세례자 요한, 모나리자, 그리고 성안나와 성모자 등 몇 작품을 완성했다. 그러나 그와는 별도로 다빈치는 대부분의 시간을 과학적 연구와 발명품들을 정리하고 편집하는 데 보냈다.

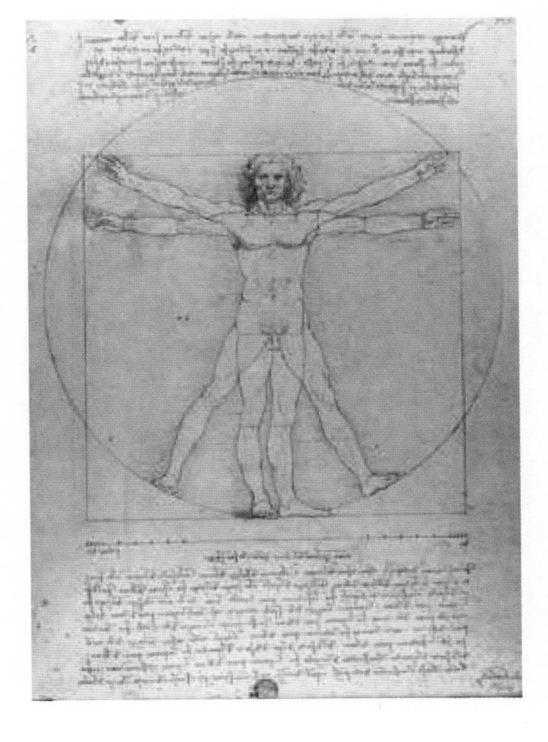

레오나르도의 비트루비안 사람

1492년부터 다빈치가 펜과 잉크로 그린 이 그림은 한 남자의 몸을 원과 사각형에 맞춰서 그린 것으로, 아마 세계에서 가장 유명한 그림일 것이다. 이 그림은 〈비트루비안 사람(Vitruvian Man)〉이라고 알려져 있는데, 이 이름은 그(완벽한 남자)를 창안한 로마 건축가 비트루비우스(Vitruvius, 기원전 80~15)의 이름에서 딴 것이다.
많은 예술가들이 비트루비우스의 완벽한 남자를 묘사하려 했지만, 레오나르도의 작품이 모든 작품 중에서 가장 정확하고 아름다운 것으로 여겨지고 있으며, 예술과 과학의 완벽한 조합이라 평가받고 있다.

"수학적 교육을 통한 방법을 추구하지 않는 한
어떤 인간의 탐구도 과학이라 불릴 수 없다."

레오나르도 다빈치

일그러진 상의 왜곡

두 개의 빨간 모양들이 상을 왜곡시키는 격자 판에 그려져 있다.
이 그림을 보고, 왜곡이 없다면 이 도형들이 어떤 도형인지 알 수 있겠는가?

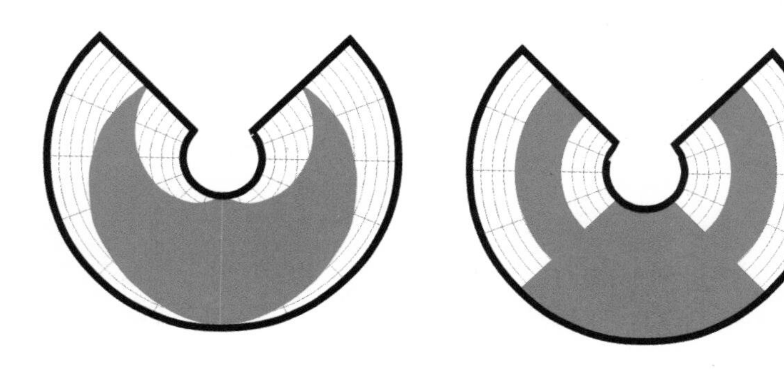

90
난이도 ●●○○○○
필요한 것
완료 ○ 시간

왜곡된 상(아나모르포시스, anamorphosis)-1485년

아나모르픽 예술은 상(image)을 왜곡시켜 나오는 원근법을 사용하는 것으로, 그 상은 특별한 각도나 거울표면에 반사되었을 때만 볼 수 있다. 이를 위해 반사가 되는 원뿔이나 삼각뿔들이 사용되기도 했으나, 특히 원통형의 거울이 자주 사용되었다. 상을 보고 있다가 마침내 왜곡되지 않은 상을 감지하게 되면, 항상 놀랍고 즐거울 따름이다.
레오나르도 다빈치는 아나모르픽의 원근법을 사용한 첫 예술가였으며, 그가 1485년에 그린 눈 그림은 아나모르픽 방법으로 그려진 그림의 시초로 알려져 있다. 르네상스 시대에 원근법을 사용한 예술가들은 큰 진보를 이루어냈으며, 상을 다른 여러 방법으로 늘리거나 일그러뜨리는 기하학적 원근법 기술을 완성했다.
아나모르픽 그림들은 16, 17세기를 거쳐 18세기까지도 매우 인기가 있었는데, 이는 논쟁을 불러일으킬 만한 정치적 문제들, 이단적인 생각들, 그리고 심지어 야한 그림들을 숨기기에 완벽했기 때문으로 보인다.

대사들-1533년

헨리 8세 때의 위대한 궁중 화가인 한스 홀베인(Hans Holbein, 1497~1543)은 〈대사들(The Ambassadors)〉을 그렸는데, 이는 아마도 가장 유명한 아나모르픽 풍의 그림일 것이다. 그림 아랫부분에 있는 이상한 그림이 뭔지 알 수 있겠는가? 홀베인이 왜 이런 이상한 상을 그림에 넣었는지는 아직도 명확하지 않다.

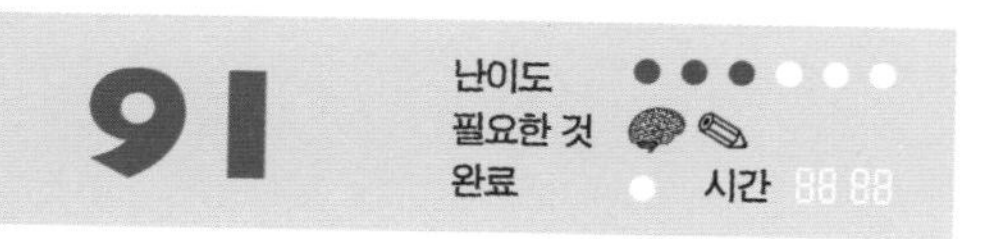

일그러지게 왜곡된 격자 그림

이상해 보이는 일그러진 생물은 무엇인가? 원통형 거울을 검은 원 위에 놓으면 진짜 그림이 보일 것이다. 진짜 그림은 뭘까? 원형 격자 판에서 보이는 일그러진 모습을 정사각형 격자 판에 일그러지지 않은 모습으로 그릴 수 있겠는가? (이는 모스코비치의 『마법의 원기둥(The Magic Cylinder)』에서 발췌한 것이다.)

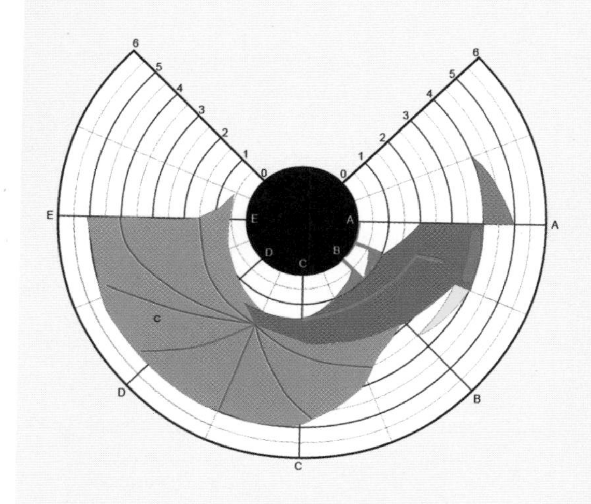

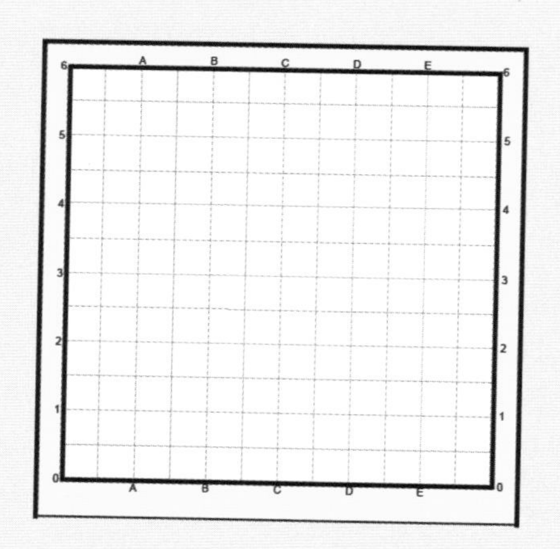

92
난이도 ●●●○○○
필요한 것
완료 ○ 시간

일그러진 사각뿔(Anamorphic pyramid)

아래 그림을 복사해서 자른 후 이상한 형태의 정사각뿔을 만들어보라.
다 만들고 난 뒤 그 정사각뿔의 위에서 보면 무엇이 보이는가?

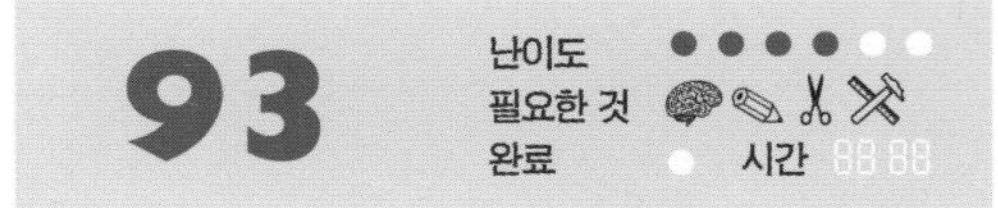

방해하기

무슨 단어인지 알아볼 수 있는가?

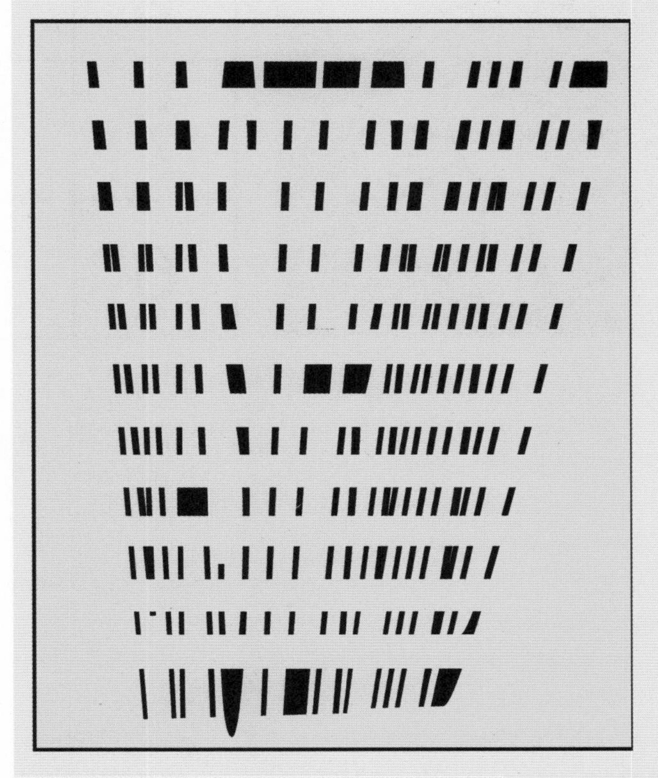

94
난이도
필요한 것
완료 시간

볼테르의 메시지

위대한 프랑스의 풍자 작가 볼테르(Voltaire, 1694~1778)는 퍼즐을 좋아했고 두뇌를 훈련하는 많은 퍼즐을 개발했다. 오른쪽에 있는 그림에서 그가 숨겨놓은 메시지를 판독할 수 있겠는가?

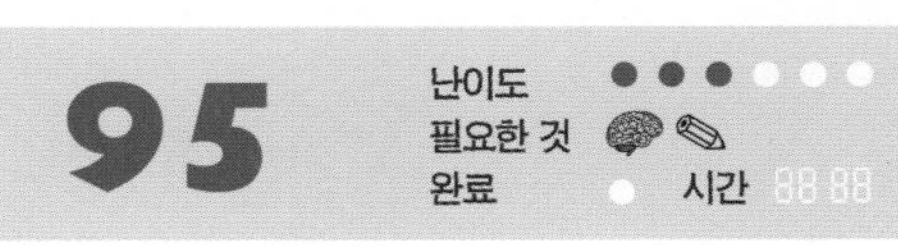

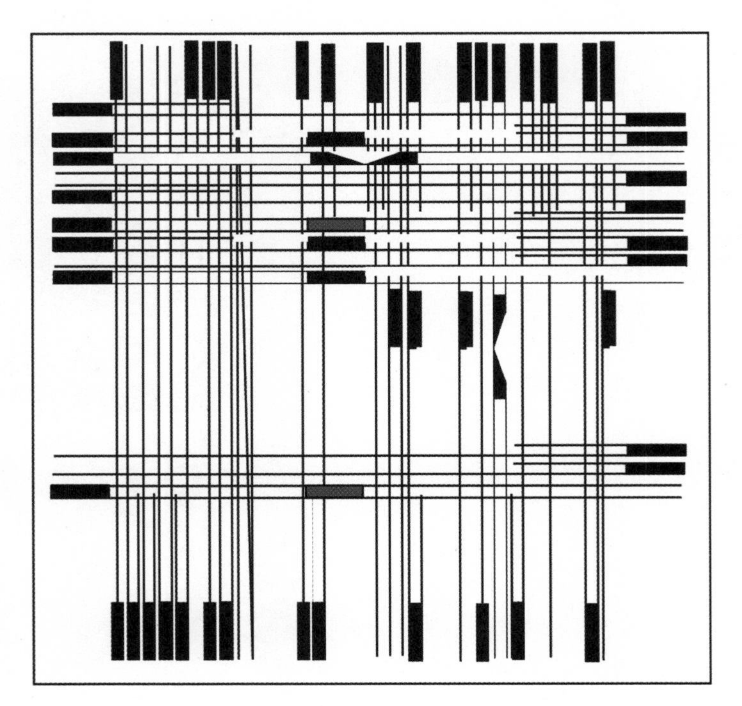

마방

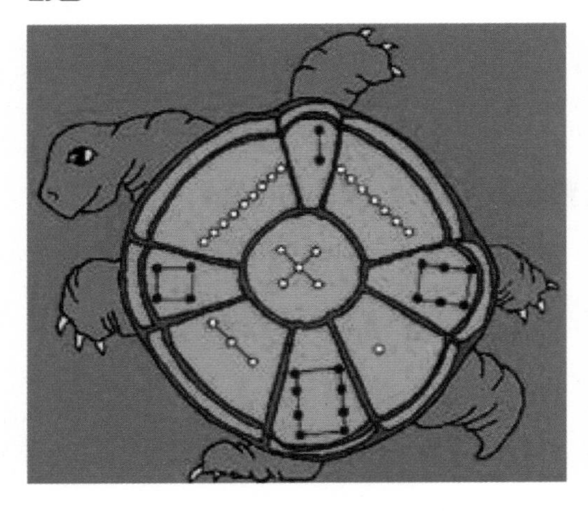

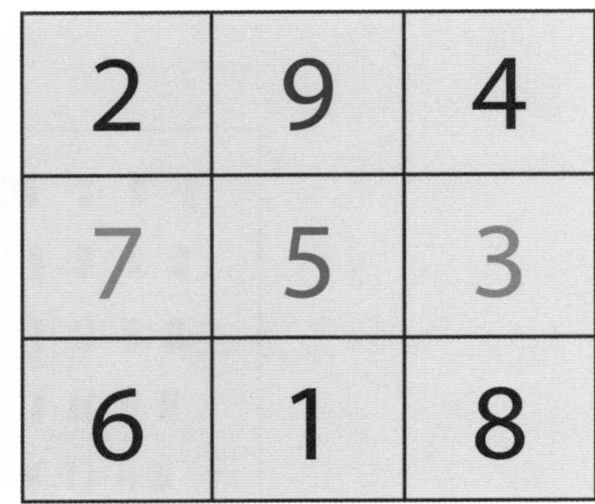

정사각형 격자에 숫자가 배열되어 있고, 각 행, 열, 그리고 때로는 대각선에 있는 숫자의 합이 같으면 이를 마방(魔方)이라 한다.

가장 오래된 마방의 예는 기원전 약 2200년경 중국에서 개발한 로슈(Lo-Shu)다. 로슈는 차수가 3인 마방인데 패턴이 독특하다. 1~9까지의 자연수를 사용하는 크기가 3×3인 마방은 그림에 주어진 마방이 유일한 마방이다. 아무리 노력해도 다른 마방은 만들 수 없다.

중국에는 황제 우(夏禹)가 황하에서 헤엄치는 거북이의 등 껍데기에 원형 점들로 된 이상한 패턴의 수 문양이 있다는 걸 보았다는 신화가 있다. 그 수 문양은 3×3형태의 9개의 격자무늬로 각 행, 열, 그리고 대각선에 있는 수의 합이 모두 15였다. 로슈에서 사용한 숫자들의 합은 45이고, 이를 3으로 나누면 '마법 상수'•인 15가 된다. 일반적으로 '차수 n'인 마방에 대해 마법 상수는 식 $n(n^2+1)/2$으로 쉽게 찾을 수 있다.

로슈에는 더해서 15가 되는 3개의 수로 구성된 (차수 3인) 가능한 쌍이 다음과 같이 8개 있다.

15=9+5+1=9+4+2=8+6+1=8+5+2=8+4+3=7+6+2=7+5+3=6+5+4

로슈의 가운데 있는 수는 행, 열, 그리고 두 대각선에 모두 속한다. 위에 나타나 있는 8개의 쌍 중 5가 유일하게 네 쌍에서 나타나는 수다. 그러므로 5는 가운데 있어야 한다. 9는 두 쌍에만 있으므로 행과 열에만 속해야 한다. 그러므로 대각선이 있는 모서리에 있으면 안 되고 가운데 열(또는 행)에 있어야 한다. 이는 가운데 열(또는 행)에 9+5+1이 들어가야 함을 나타낸다. 3과 7도 역시 두 쌍에 들어가 있다. 나머지 네 개의 숫자는 로슈에서 회전과 대칭을 고려하지 않으면 유일하게 단 한 가지 방법으로 정해지며 이는 이 형태의 배열이 유일하다는 것을 멋지게 증명해준다.

• 마법 상수: 마방에서 각 행, 열 및 대각선에 있는 수의 합이 모두 같은 수일 때 그 수를 말한다.

라틴방진-스도쿠

스도쿠는 오늘날 가장 인기 있는 퍼즐 중 하나로 마방과 라틴방진에 대한 관심을 다시 불러일으킨 퍼즐이다.

라틴방진은 정사각형 격자에 기호들이 정렬된 것으로, 각 행 또는 열에 각 기호가 한 번씩만 나타난다. 완성된 3×3 크기의 라틴방진이 그림 왼쪽에 나타나 있다. 그림 오른쪽에는 부분적으로 채워진 마방이 있다. 각 행, 열, 그리고 대각선의 숫자의 합은 같아야 한다. 이 마방을 완성할 수 있겠는가?

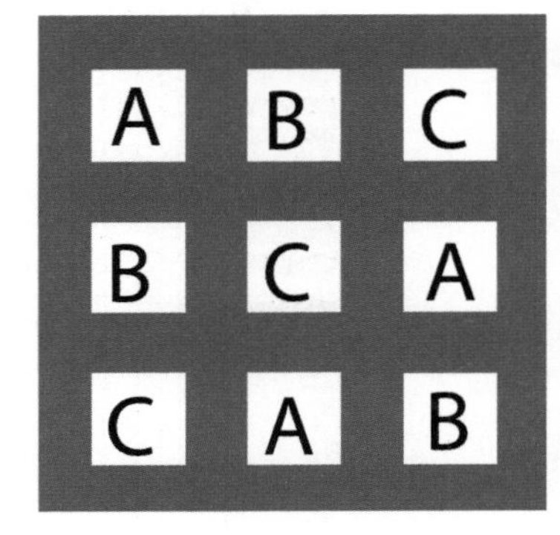

96
난이도 ●●○○○○
필요한 것
완료 ○ 시간

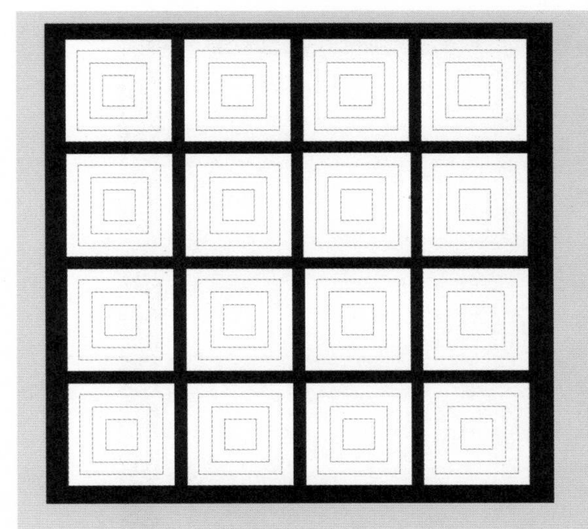

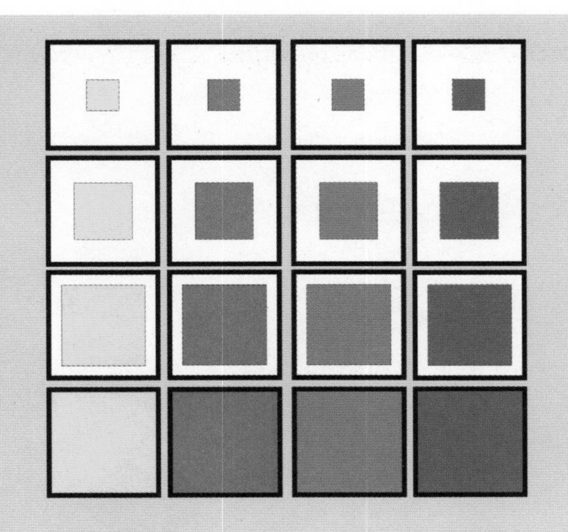

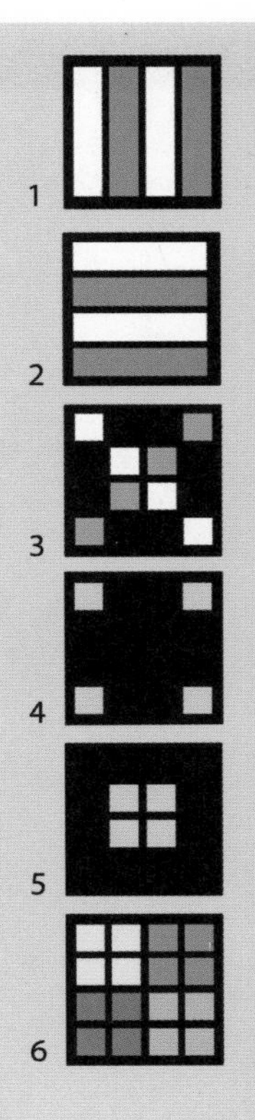

그라코-라틴(Graeco-Lattin) 방진

오일러는 그의 말년에 기본적인 라틴방진 개념을 직교라틴방진(Orthogonal Latin square)으로 확장했다. 직교라틴방진은 그라코-라틴 또는 오일러 방진이라고도 불린다.

이러한 방진은 두 개 이상의 라틴방진을 겹쳐서 만드는데, 각 셀은 각 방진의 한 원소를 포함하고 각 행과 열은 두 방진의 한 원소를 한 번씩만 포함한다. 어떤 두 셀도 같은 순서로 같은 기호를 가질 수 없다.

오일러는 2차 그라코-라틴 방진은 없다는 것을 알고 있었다. 수많은 실험을 거친 후, 그는 차수가 4k+2, k=0, 1, 2, ...,인 그라코-라틴 방진은 없다고 추측했다. 프랑스의 수학자 가스통 타리(Gaston Tarry)는 1901년 6차 그라코-라틴 방진이 존재하지 않음을 보여줌으로써 오일러의 가설에 힘을 실어 주었다. 그러나 1959년에 파커(Parker), 보스(Bose), 그리고 슈리칸네(Shrikhande)는 10차 그라코-라틴 방진을 구성하는 방법을 발견했으며, 10차 그라코-라틴 방진과 4로 나누어지지 않는 짝수 차수에 대한 그라코-라틴 방진을 만드는 방법을 제시했다.

라틴방진은 오일러 방진보다 먼저 나온 것으로 알려져 있다. 4×4 크기의 그라코-라틴 방진은 1725년 오자남(Jacques Ozanam)이 카드놀이를 포함하는 퍼즐로 출판했는데, 2차와 6차를 제외한 모든 차수 'n'에 오일러 방진이 있음을 증명했다.

16개의 색 마방을 4×4 크기의 게임판에 배열하여, 오른쪽에 보이는 6가지의 다른 패턴을 만들 수 있겠는가? 오른쪽에 있는 6가지 패턴에는 4가지 색의 마방 16개로 구성된 크기 4인 마방이 다양한 구성으로 나타나 있는데, 이는 단지 색이 있는 마방이 아닌 그 이상의 형태를 이루고 있다. 그 6가지 패턴은 다음과 같다.

1. 4개의 열
2. 4개의 행
3. 2개의 대각선
4. 4개의 모서리에 있는 사각형
5. 4개의 중심에 있는 사각형
6. 게임판을 4개로 나누는 4개의 사각형

이 퍼즐은 총 1152개의 해가 있다. 이 퍼즐은 총 1152개의 해가 있다. 그 해 중 하나를 찾아보라!

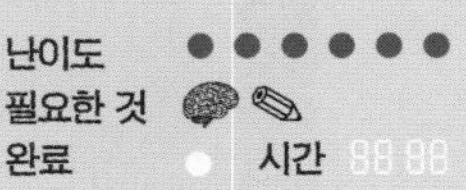

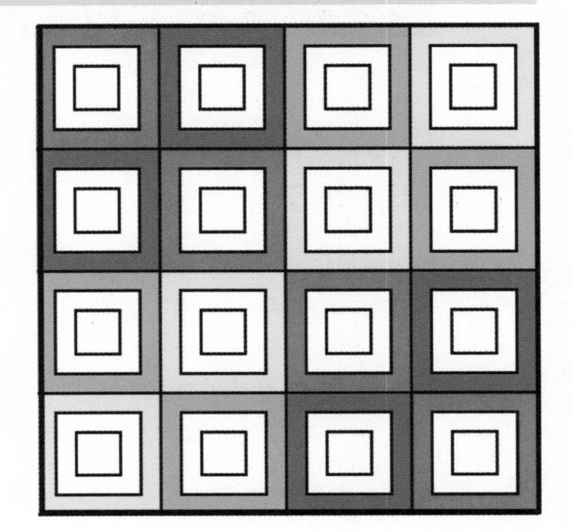

3개의 4차 라틴방진

4차 그라코-라틴 방진 또는 직교라틴방진은 세 라틴방진(소형, 중형, 그리고 대형)을 겹쳐서 만든다. 큰 라틴방진의 해가 주어져 있다. 이 패턴을 완성하여 그라코-라틴 방진을 완성할 수 있겠는가?

98
난이도
필요한 것
완료
시간

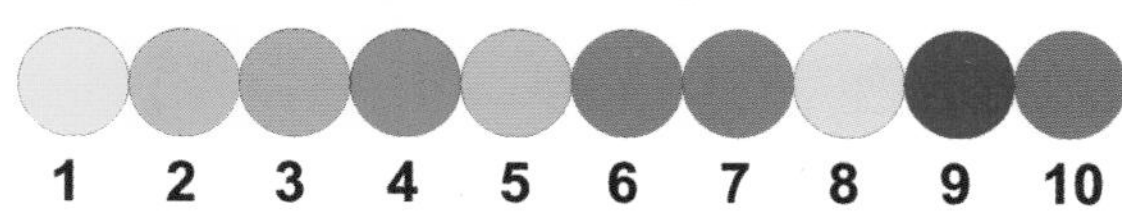

10차 그라코-라틴 방진

1959년 한 대의 컴퓨터가 10차 그라코-라틴 방진을 검색하도록 프로그래밍되었다. 컴퓨터는 100시간을 검색했으나 아무것도 찾지 못했다. 검색을 완료하는 데는 100년 이상 소요되므로 100시간의 검색으로 아무것도 찾지 못한 것이 놀랄 만한 일은 아니었으나, 컴퓨터가 해를 찾지 못했다는 것은 10차 마방은 존재하지 않는다는 것을 확신시켜주는 것처럼 보였다. 그러나 놀랍게도 1960년에 그런 높은 차수의 마방을 찾기 위한 새로운 방안이 개발되었고, 또한 놀랍게도 10차, 14차, 18차 등 차수가 높은 마방들이 만들어졌다. 위의 그림은 새롭게 발견된 마방 중 하나로, 이 마방에서는 1에서 10까지의 숫자가 10가지 색으로 표현되었다. 이 아름다운 문양은 유희수학의 고전적 그림 중 하나다.

뒤러의 마성마방-1514년

서로 다른 4차 마방은 880개가 있다. 그중 가장 유명한 것은 뒤러의 마성마방(diabolic magic square)이다. 알브레히트 뒤러(Albrecht Dürer, 1471~1528)는 자신의 유명한 조각상인 〈멜랑콜리아(Melancholia)〉(1514)에 이 마방을 새겨 넣었다.
이 마방은 마방의 정의가 요구하는 것보다 훨씬 더 '마법'적인 요소가 있기 때문에 마성(diabolic)이라고도 불린다. 마성마방에서는 마법 상수 34를 만드는 방법이 놀라울 만큼 다양하다.
1~16의 자연수 16개를 사용해 합이 34가 되도록 만드는 방법은 믿을 수 없을 만큼 많은데, 86가지나 된다.
오른쪽에 주어진 4개 한 세트로 구성된 도표를 완성할 수 있겠는가? (도표에는 행, 열, 그리고 두 개의 대각선으로 구성된 4조 세트 중 10개의 값이 나타나 있다. 아래 주어진 마방 참조) 이들 모두는 뒤러의 마성마방에서 다른 모양으로 나타나며 그중 대다수는 대칭이다.
뒤러의 마방에서 4조 세트와 관련지을 수 있는 86개의 마방 모양을 찾을 수 있겠는가?

99
난이도 ●●●●○○
필요한 것 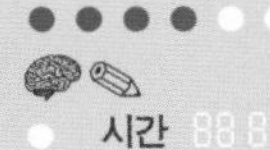
완료 ○ 시간 88:88

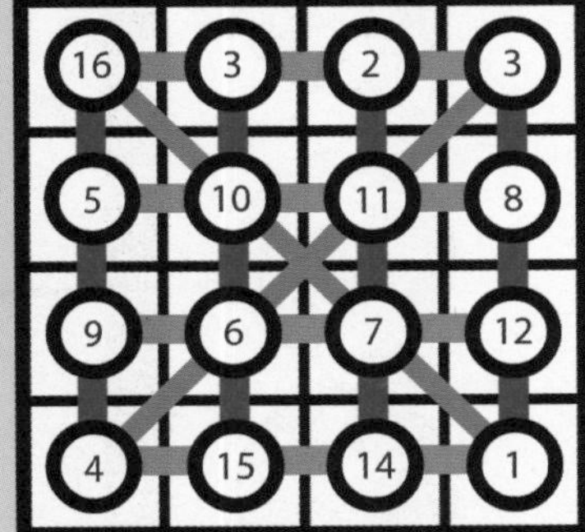

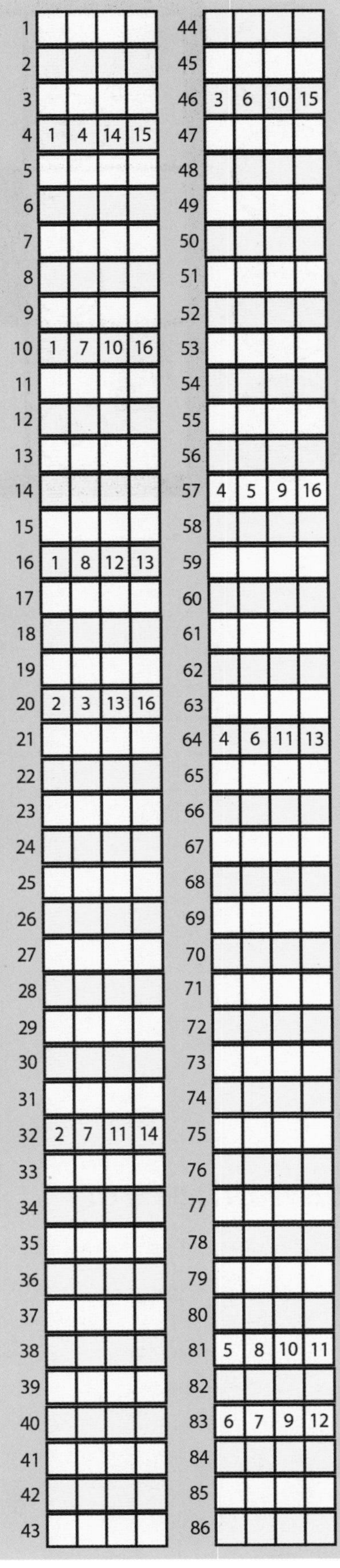

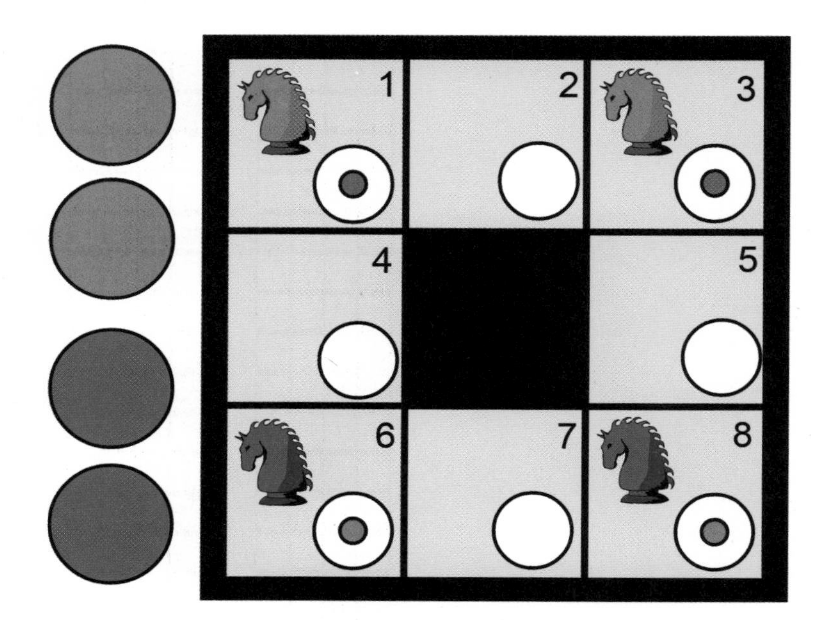

체스 말들의 자리바꿈-1512년

1512년 이탈리아의 수학자 과리니(Guarini)는 체스판에서 하는 게임인 기사 퍼즐을 소개했다. 그 퍼즐은 두 종류의 말(빨간색 말과 파란색 말)로 이루어진 두 집합에서 가능한 한 가장 적게 이동하여 두 집합의 자리를 바꾸는 것이다. 말들은 체스 게임처럼 움직인다.

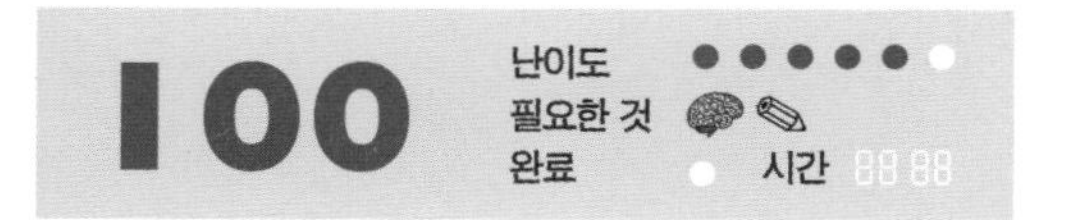

두 종류의 말로 이루어진 두 집합의 위치를 바꾸려면 최소 몇 번을 이동해야 할까?

체스 말들의 자리바꿈 (2)

오른쪽 그림에 과리니 문제의 변형 문제가 있다. 이 문제는 세 마리의 말로 이루어진 두 집합으로 하는 게임이다. 두 집합에서 두 종류의 말의 위치를 모두 바꾸려면 말들은 최소 몇 번을 이동해야 할까?

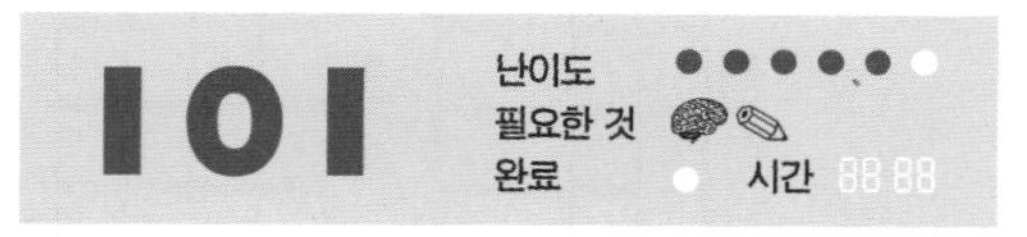

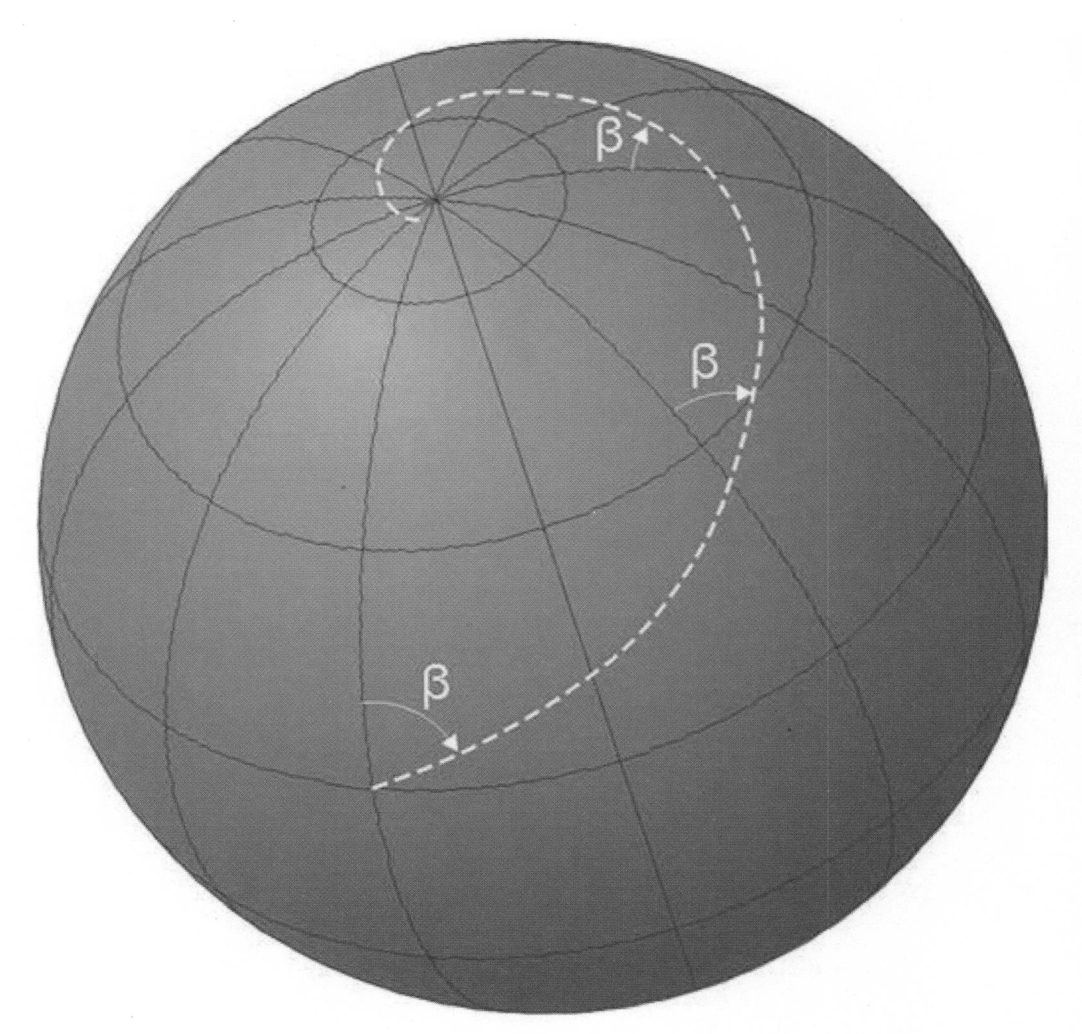

항정선-1537년

항정선(loxodrome)은 항해에서 쓰이는 용어로 모든 자오선의 경도를 같은 각도로 자르는 곡선을 말한다. 다시 말해, 항해 중 한 개의 나침반이 계속 같은 방향을 가리킬 때의 경로다. 이는 나침반이 처음에 진북(또는 자북) 방향을 선택한 후 계속 쭉 그 방향을 따라간다는 것을 의미한다.

포르투갈의 수학자 누네즈(Pedro Nunes)는 1537년에 쓴 "해도(海圖)의 방어에 대한 논문"에서 지구의 표면에서 항정선을 따라가는 가능한 방법들을 처음으로 소개한 학자였다. 이 개념은 1590년대에 토머스 해리엇(Thomas Harriot)에 의해 더욱 발전되었다.

항정선은 거대한 원인 반면, 그것은 구의 표면에 있는 두 점 사이의 가장 짧은 경로를 나타낸다. 항정선을 따라가려면 나침반은 그 방향을 수시로 바꾸어야 한다.

북극 여행

북극에서 시작해 일정한 방향을 가리키는 나침반을 따라 배가 항해하고 있다. 지구의 둥근 표면에서 배의 경로는 어떻게 되겠는가?

102
난이도 ●●●●○○
필요한 것
완료 ○ 시간

니콜로 폰타나 타르타글리아(1499~1557)

이탈리아 수학자 타르타글리아(Niccolo Fontana Tartaglia)는 베니스에서 사서와 기술자로 일했으나, 오히려 삼차방정식의 해를 구하는 공식으로 가장 잘 알려져 있다. 그의 저서인 『질문과 다양한 발명(Quesiti et Inventioni Diverse)』(1546)에는 많은 유희수학 문제들이 포함되어 있다. 아래 그림은 그의 퍼즐 중 하나인 "17마리의 말을 어떻게 나누는가"라는 문제를 묘사한 것이다.

타르타글리아가 출판한 책 중에는 많은 찬사를 받은 수학 모음집뿐만 아니라 아르키메데스와 유클리드에 관해 이탈리아어로 처음 번역한 책들도 있다. 또한, 탄도학을 발견한 것으로도 유명한데, 타르타글리아는 대포알의 경로 연구에 처음으로 수학을 적용했다. 그의 연구는 후에 갈릴레오의 낙체연구(떨어지는 물체에 관한 연구)에 의해 증명되었다.

103

CHALLENGE ● ● ● ● ● ●
REQUIRES
COMPLETED ● TIME

17마리의 말들 나누기-1546년

한 아버지가 그의 세 아들에게 17마리의 말을 유산으로 남겼다. 유언에 따르면 세 아들은 1/2 : 1/3 : 1/9의 비율로 그 말을 나눠 가져야 한다. 형제들이 아버지의 유언을 이룰 수 있을까? 어떻게 해야 할까?

CHAPTER

4

점들, 위상, 그리고 오일러의 일곱 다리 퍼즐

힘을 측정하는 아름다운 방법-1580년

1580년대에 스테빈(Simon Stevin, 1548~1620)과 갈릴레이로부터 시작된 연구로 많은 엔지니어들이 역학 원리를 수학적인 형태로 해석하게 되었는데, 이는 역학 원리의 변형을 가져왔다. 그 해석에는 힘의 평행사변형 원리와 같이 종종 원리(maxim)를 구현하는 물리 역학의 추상적인 수학적 모델의 개발이 포함되어 있다.

수학과 물리학에서, 힘의 평행사변형은 둘 이상의 힘이 한 물체에 작용해서 나타나는 결과를 계산하는 기발한 방법이다.

힘은 벡터양이다. 힘은 크기와 방향을 모두 가지고 있기 때문에 방향이 있는 직선으로 표현하는 것이 편리하다. 기울어진 표면을 물리학에서는 경사면이라 한다. 경사면 위에 놓인 물체에 작용하는 힘은 분석이 필요하다. 그림에서 보면, 경사면 위에서 작용하는 두 힘은 한 점에서 시작하는 벡터들이고, 그 힘의 크기는 경사면에 놓인 작은 금속 구들의 질량의 합으로 나타난다.

이 힘(검은색 벡터)은 중력(혹은 무게로도 알려진)을 나타내며 아래 방향으로 작용한다. 그러나 경사면에 놓여 있는 물체는 항상 적어도 두 힘의 영향을 받는다. 또 다른 힘은 경사면의 표면에 대해 항상 수직 방향으로 작용하는 일반적인 힘이다. 힘의 평행사변형을 이용하면 중력은 두 개의 힘으로 나뉜다. 하나는 경사면의 표면과 평행한 방향(빨간색 벡터)이고 다른 하나는 수직인 방향(파란색 벡터)이다.

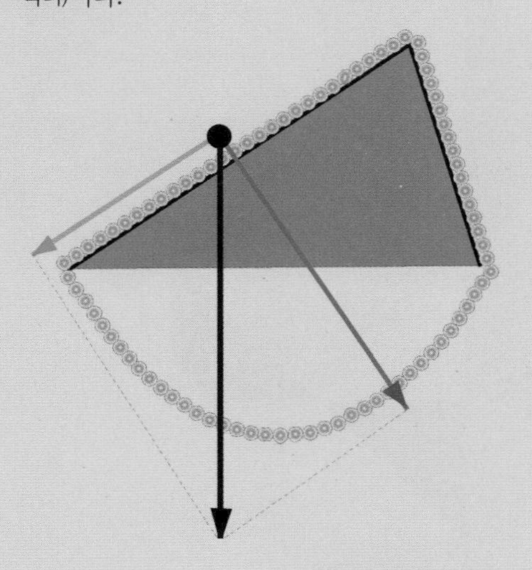

시몬 스테빈의 구로 만든 화환

플랑드르 학파의 수학자 겸 기술자이자 데카르트나 갈릴레오와 마찬가지로 진정한 르네상스 시대 사람인 시몬 스테빈은 정역학(statics, 평형상태 하에서의 힘의 과학)과 유체 정역학 분야의 업적으로 이름을 떨쳤다.

스테빈의 가장 유명한 발견은 '경사면의 법칙'이다. 스테빈은 이 법칙을 '구로 만든 화환'이라는 그림을 통해 증명했는데, 이 그림은 1615년 그의 저서인 『질량의 예술적 요소(The Elements of the Art of Weighing)』의 표지를 장식했다.

스테빈의 경사면 위에서의 힘의 법칙, 그리고 더 일반적으로 힘의 분해(힘의 평행사변형)에 관한 벡터 법칙은 사고실험에서 주목할 만한 가치를 지니고 있다. 왜냐하면 경사면의 법칙은 에너지 보존법칙이라는 일반 물리학 원리로부터 역학 법칙을 추론해낸 초기 사례 중 하나이기 때문이다.

스테빈의 문제는 '마찰이 없는 무게가 W인 물건이 마찰이 없는 경사면에서 미끄러지지 않기 위해 필요한 힘 F를 결정'하는 것이었다.

이 법칙의 기본적인 가정은 가파른 경사면에 놓인 가벼운 물체가 완만한 경사면에 놓인 무거운 물체보다 균형을 더 잘 잡는다는 것이었다. 스테빈은 이 문제를 '구로 만든 화환'이라는 사고실험으로 접근했다. 구로 만든 화환은 그림에 보이는 것과 같이 한쪽이 다른 쪽에 비해 두 배 기울어진 경사면 주변에 고리가 걸린 모양을 말하는데, 고리에는 작은 구들이 일정한 간격으로 연결되어 있다.

스테빈은 경사면 아래에 있는 구들을 제거해도 변하는 건 아무것도 없으며 모든 게 평형상태를 유지한다고 추론했다. 이런 추론을 하지 않았다면 그는 영구운동 기계 같은 '무언가 움직이는 것'이 있다고 생각했을지도 모른다. 실제로 허공에 걸려 있는 '자유로운' 구들을 제거해도 고리에 남은 구들은 평형상태를 유지한다. 이 결과를 바탕으로 스테빈은 질량이 있는 물체가 경사면에서 평형상태를 이룰 때 그 물체와 관련 있는 몸체의 질량은 그 물체가 놓인 면들의 길이에 비례한다는 것을 알게 되었다.

그는 경사면 양쪽 면 위에 놓여 있는 구들의 수를 세는 것만으로 자신이 만든 법칙을 증명했다!

스테빈은 자신이 알게 된 이 아름다운 기하학적 논거가 기쁘고 자랑스러웠다. 이런 기쁨을 담아 책의 권두 삽화에 "Wonder en is gheen wonder(불가사의한 것처럼 나타나는 것이 불가사의하지 않다)"라고 썼는데 이는 후에 그의 모토가 되었다.

경사면에서의 균형은 각 경사면의 지지 각도가 다르기 때문에 각 면에서 아래로 향하는 힘(하향력)들 간의 관계에 의존한다. 현대 용어로는 이 힘의 분해를 '힘의 평행사변형'이라 한다.

"먼저 우주를 표현한 언어를 이해하고 그 특성을 해석하는 것을 배워야만 우주를 이해할 수 있다. 우주는 수학이라는 언어로 씌어 있으며 그 특성은 기하학적인 그림으로 나타난다. 그 그림이 없으면 인간은 우주에 관한 아주 사소한 것조차 스스로의 능력으로는 이해하기 불가능하며, 그 결과 인간은 어두운 미궁 속에서 헤매게 된다."

갈릴레오 갈릴레이

갈릴레오 갈릴레이(1564~1642)

갈릴레오는 이탈리아의 물리학자, 수학자이면서 천문학자였으며, 과학 혁명과 깊은 관련이 있었다. 과학 혁명이 일어난 것은 대략 16세기 중반으로 과학의 역사가 시작되는 시기다.
여러 위대한 업적 중 '일정하게 가속하는 움직임'에 관한 체계적인 연구가 갈릴레오의 첫 연구였다. 실험에 기초를 둔 그의 연구는 아리스토텔레스의 추상적 접근법을 벗어난 의미 있는 시도였으며 실험 과학의 시작을 알리는 상징이었다. 과학에서 이룬 갈릴레오의 수많은 성과는 상대적으로 단순하고 투박한 기구들로 이룩한 것이었다.

경사면과 갈릴레오-1600년

지구 중력에 의한 가속률은 어떻게 결정될까?
16세기에 이는 매우 어려운 문제였다. 갈릴레오가 실험하면서 부딪힌 문제는 자유낙하하는 물체가 너무 빨리 떨어져서 당시 사용하던 시간 측정 도구로는 떨어지는 시간을 정확하게 측정할 수 없다는 것이었다. 그는 천재적인 통찰력으로 경사면은 가속률을 여전히 유지하면서 중력의 효과가 느리게 나타난다는 것을 알아냈다. 이 사실을 바탕으로 갈릴레오는 지구의 중력에 의한 실제 가속률을 결정할 수 있었다.
갈릴레오는 추가 흔들리는 것과 동시에 들고 있던 작은 공을 놓는 실험을 했다. 추가 흔들릴 때마다 공은 내리막에 있는 작은 종을 칠 것이다. 갈릴레오가 했던 실험을 반복적으로 해보자. 즉, 경사면 위에서 한 개의 공을 놓은 후 정확히 1초 후에 하강한 위치를 표시한다. 그런 후에 그림에 표시해 놓은 길이로 경사 전체의 길이를 나눈다. 2, 3, 4, 5, 6, 7, 8, 그리고 9초 후의 공의 위치를 표시할 수 있겠는가?
경사가 더 가파르거나 더 높아지면 이 표시들의 위치가 바뀔까?
평면의 경사를 바꾸었을 때 경사면 끝에서의 공의 속도가 달라졌는가?

104 난이도 ●●●●●○ 필요한 것 완료 시간

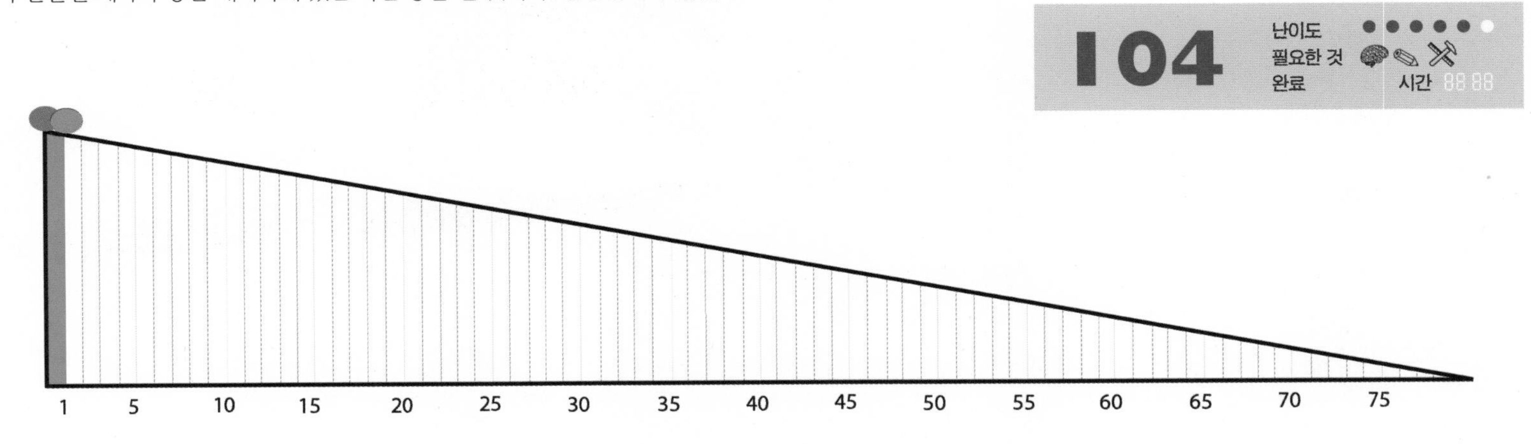

갈릴레오의 역설-1600년

105
난이도 ●●●●○○
필요한 것
완료 시간

위의 문제를 보라. 뭔지 알겠는가? 주어진 숫자만큼의 제곱수가 있는가?
갈릴레오의 역설은 무한집합의 놀라운 특성 중 하나를 보여준다. 자신의 마지막 과학 연구서인『새로운 두 과학(Two New Sciences)』에서 갈리레오는 언뜻 보면 모순이 있는 것으로 보이는 양수에 대해 언급했다. 그는 어떤 수들은 제곱수이고 다른 것들은 아니라고 주장했다. 그러므로 제곱수와 제곱수가 아닌 수들을 함께 세면 그 수의 개수는 제곱수만으로 된 수의 개수보다 분명히 더 많아야 한다. 그러나 모든 제곱수에는 양의 제곱근이 있으며, 모든 수는 단 하나의 제곱수를 가진다. 결과적으로, 제곱수의 총 개수와 제곱수와 제곱수가 아닌 수의 총 개수 중 그 어느 것도 다른 것보다 더 많을 수 없다. 이것은 무한집합의 내용에서 일대일 대응 개념으로, 최초는 아니지만 초기의 응용 형태라 할 수 있다.
갈릴레오의 결론은 적거나, 같거나, 더 많다는 개념은 유한집합에만 적용될 뿐, 무한집합엔 적용되지 않는다는 것이었다. 그러나 19세기에 독일 수학자 게오르크 칸토어(Georg Cantor)는 이 제한이 필요하지 않다는 걸 설명하기 위해 같은 방법을 적용했다. 즉, 무한집한의 개수의 크기도 비교할 수 있다는 것이다.
칸토어가 정수로 이루어진 집합과 제곱수들로 이루어진 집합이 '크기가 같다'고 한 점을 고려하면, 무한집합에서 크기를 비교하는 것은, 일부 무한집합은 다른 무한집합보다 기술적으로 더 크다는 것에 대한 의미 있는 정의를 할 수 있게 해준다.
모든 수는 제곱수를 가진다. 그러므로 수만큼의 제곱수가 있다. 맞는가?

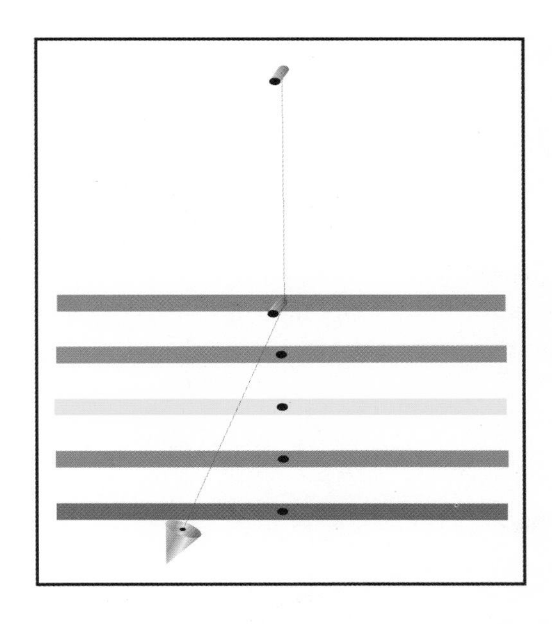

갈릴레오의 추-1600년

106

난이도 ●●●●●
필요한 것
완료 ● 시간

추는 아주 오랫동안 과학자들을 매료시켜왔다. 갈릴레오는 추의 독특한 특징을 찾아낸 첫 과학자다.
갈릴레오는 간단한 관찰을 통해 추는 일정하게 움직이고, 중력을 측정하며, 상대적 운동을 감지할 수 있다는 결론에 도달했다.
갈릴레오의 간단한 실험장치는 설명이 필요 없을 만큼 자명하다. 그림에 보이는 것처럼 추가 흔들리고 있을 때, 추를 고정하는 말뚝을 구멍 중 하나에 끼운다. 말뚝은 흔들릴 수 있는 줄의 길이를 짧게 만든다.
이 실험들이 추의 움직임에 어떤 영향을 끼칠까? 만약 추의 줄이 짧아지면 어떤 일이 일어날까? 추의 움직임이 빨라질까 느려질까? 추가 왕복하는 빈도는 바뀔까?
이런 간단한 실험과 관찰을 통해 갈릴레오는 획기적인 결과를 도출해냈고, 1642년에는 추시계를 발명했다. 등불이 앞에 걸린 피사의 성당의 천장을 관찰하여 갈릴레오는 추의 '등시성 법칙'*을 발견할 수 있었다.

● 등시성 법칙: 추의 왕복 주기는 추의 진폭에 상관없이 항상 일정하며, 그 주기는 추의 길이와 관련이 있다는 법칙이다.

추의 등시성 법칙을 발견하게 해준 갈릴레오의 등불이 앞에 걸린 피사의 성당 천장

오르막 롤러, 기계적 반중력 역설

이중 원추 오르막 롤러의 역설은 윌리엄 레이번(William Leybourn, 1626~1719)이 고안했다. 측량사이자 다작의 작가였던 레이번은 심심풀이용 책 『재미도 있고 유익하기도 한 책(Pleasure with Profit)』을 썼다. 책에는 두 개의 경사 레일에 이중 원추가 있는 '오르막 롤러'라는 기발한 기계적 퍼즐이 포함되어 있다.
오르막 롤러의 동작은 반(反) 직관적이다. 왜냐하면, 이중 원추를 이중 경사면의 가장 낮은 지점에 놓으면 중력을 거스르는 것처럼 경사 위로 굴러가기 때문이다. 이중 원추의 신기한 움직임을 어떻게 설명할 수 있겠는가?

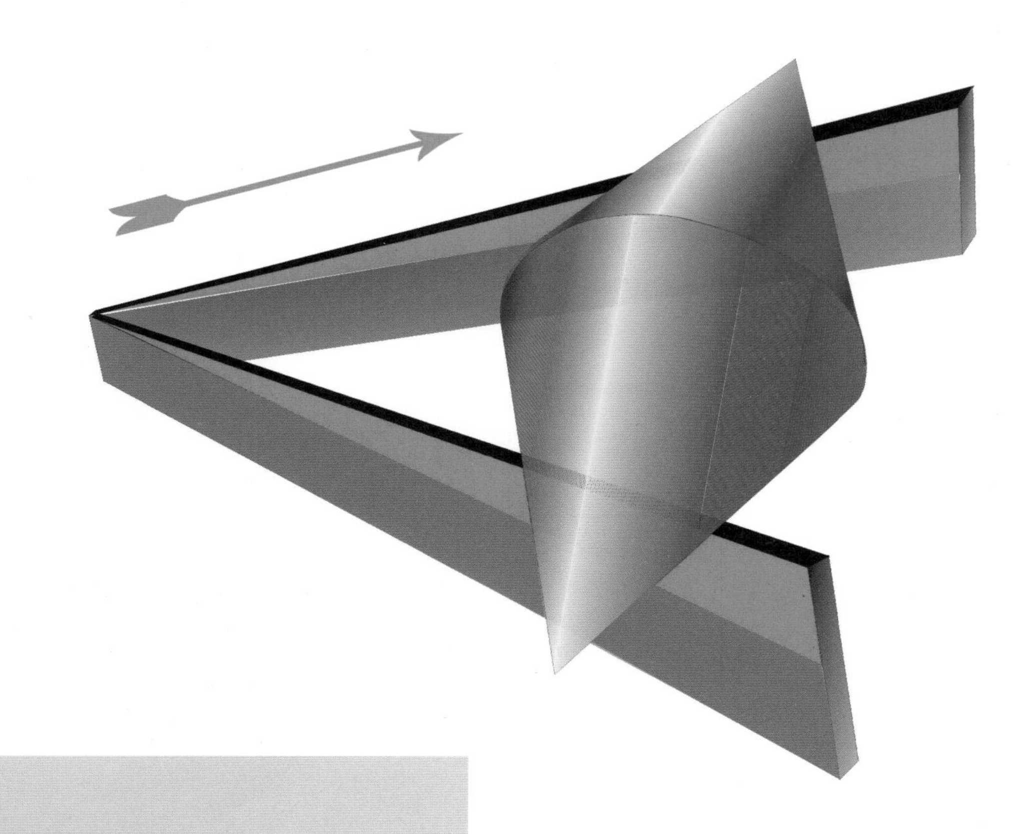

107
난이도 ●●●●●○
필요한 것
완료 ○ 시간

반중력: 뉴턴에서 아인슈타인까지

반중력의 개념은 가장 거대한 과학적 문제인 우주의 기원과 관련이 있다. 일반 상대성 이론을 발견했을 때, 알베르트 아인슈타인은 한 가지 난제에 직면했다. '왜 중력은 우주의 물질을 내면에서 붕괴시키지 않았을까?'라는 것이었다.
아이작 뉴턴(Isaac Newton, 1642~1727)은 자신의 중력이론에서 똑같은 문제에 직면했고, 물질들을 분리된 채로 두어야 하는 책임은 신에게 있다고 했다. 신을 거론하는 것이 싫었던 아인슈타인의 결론은 중력과 함께 반중력(암흑물질)을 고려하는 것이었다.
그러나 1920년대에 모든 게 바뀌었다. 천문학은 우주가 유한한 순간에 만들어졌다는 새로운 견해를 받아들였다. 이 새로운 시각은 태초에 작은 초원자(superatom)로부터 증가하고 팽창했다는 빅뱅이론의 발견을 이끌었다. 이런 시각에 반중력에 대한 믿음은 필요치 않았다.
이런 시각은 옳은 것처럼 보였고 아인슈타인도 결국 지지하기에 이른다.
그러나 이를 뒤집는 또 다른 이야기가 있었다. 놀랍게도 천문학자들이 우주는 가속되며 은하들은 점점 더 빨리 멀어져간다는 것을 그 후에 발견한 것이다. 중력으로 인해 빅뱅의 팽창은 느려야 했는데 거기에는 문제가 또 있었다. 이에 대한 가장 멋진 설명은 반중력의 존재였다.
아이슈타인조차도 자신이 틀렸음을 인정하려고 했을 때, 결국은 아인슈타인이 옳았던 것으로 결론이 난 것으로 보인다.

반중력 철로-1829년

갈릴레오의 반중력 원뿔의 매혹적인 움직임은 1829년 빅토리아 시대의 한 발명가가 그 움직임의 원리에 기반을 둔 반중력 철로를 구상하는 데 영감을 주었다.

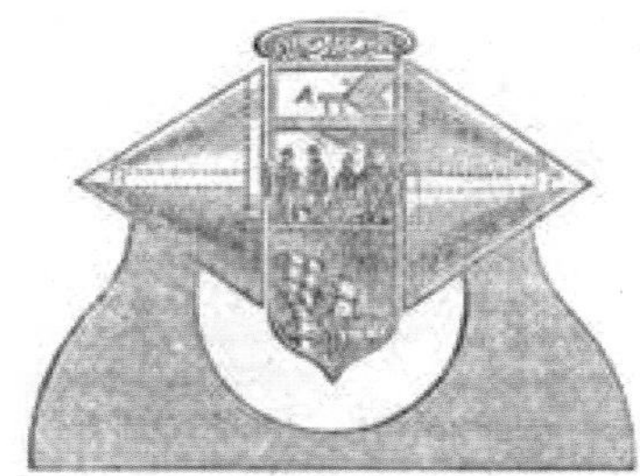

Fig. 5.—Self-moving Railway Carriage on Trundling Cones. 1829.

산가쿠-1603년

산가쿠(算額)는 에도 시대(1603~1867)부터 사용하던 나무로 만들어진 아름다운 액자로 기하학적 문제 또는 원리를 설명하고 있다. 산가쿠는 전 사회 계층의 신자들로부터 제물이나 믿음에 대한 증거로 민족신앙인 신토(Shinto)의 성지나 불교 사원에 바쳐졌다.

에도 시대 동안에는 서양 국가와의 무역과 외교관계는 엄격히 통제되었으므로 산가쿠는 서양 수학과는 별도로 발전한 일본 수학의 형태를 사용했다. 예를 들면, 미분과 적분과의 관계는(미적분학의 기본 원리) 당시 일본에는 알려지지 않았기 때문에, 면적과 부피에 관한 산가쿠의 문제는 무한급수의 확장과 항별 계산으로 풀었다.

산가쿠 문제들의 첫 모음집은 1790년 일본의 선구적인 수학자 후지타 카겐(Fujita Kagen, 1765~1821)의 저서『절에 바쳐진 수학 문제들』에 수록되었으며, 이후 1806년 조쿠 심페키 삼포(Zoku Shimpeki Sampo)에 의해 출판되었다.

일본 산가쿠 정리

108

난이도 ●●●●○○
필요한 것
완료 ○ 시간

왼쪽에 임의로 그린 볼록 불규칙 팔각형이 있다. 보이는 것처럼, 팔각형 내부는 삼각형들로 나뉘어 있고 각 삼각형에는 원이 내접해 있다. 오른쪽에는 같은 팔각형에 대해 내부를 다른 모양의 삼각형으로 나누고 그 삼각형 내부에 내접하는 원을 그린 그림이 있다.

이 두 종류의 삼각형에 내접하는 원으로 구성된 두 집합에 대해 그 원들의 크기의 관계를 알아낼 수 있겠는가?

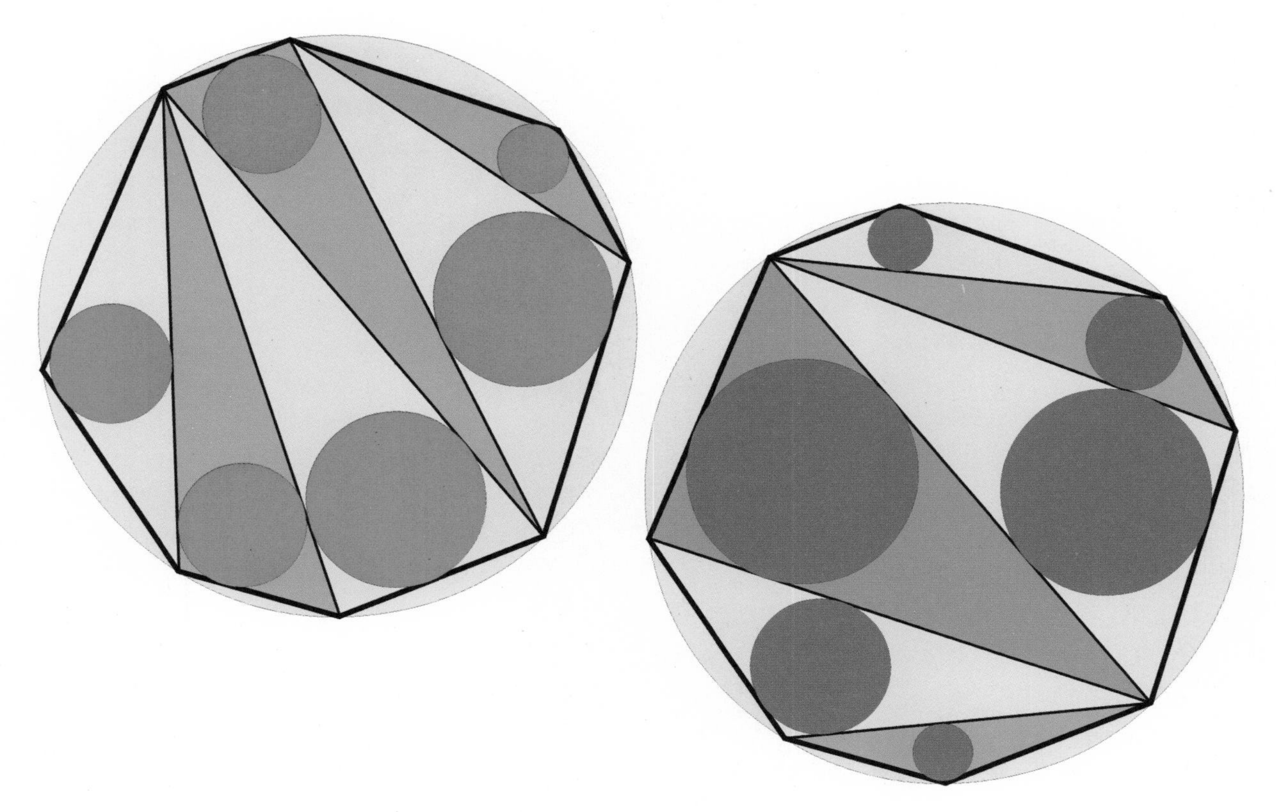

케플러의 추측-1600년

독일의 천문학자인 요하네스 케플러(Johannes Kepler,1571~1630)는 평면이나 공간에 원이나 구를 배치하는 두 가지 기본 방법이 있음을 발견했다. 바로 정사각형으로 쌓기와 육각형으로 쌓기다.

그의 이름에서 따온 '케플러의 추측'은 3차원 유클리드 공간에 구를 쌓는 것에 관한 수학적 추측이다. 같은 크기의 구로 공간을 채울 때, 그 어떤 배치도 조밀하게 배열한 정육각형 형태의 배열보다 더 큰 평균 밀도(조밀도)를 갖지 못한다고 한다. 육각형 형태로 배치했을 때의 조밀도는 74퍼센트를 약간 넘는다.

1998년 토머스 헤일스(Thomas Hales)는 페예시 토트(Fejes Toth, 1953)가 제안한 접근 방법을 이용해 케플러의 추측에 대한 증명 하나를 발견했다. 헤일스는 수많은 각각의 경우들에 대해 복잡한 컴퓨터 계산을 통해 철저하게 확인한 후 이 증명을 완성했다. 이 논문을 평가한 리뷰어는 "99퍼센트 확실"하게 헤일스의 증명이 정확하다고 했으며, 그런 연유로 지금은 케플러의 추측이 거의 하나의 정리로 받아들여지고 있다.

구들을 서로 수직으로 쌓거나 각 층의 구들을 그 아래층에 있는 4개의 구 사이사이의 공간에 놓아 정사각형으로 이루어진 층을 쌓을 수 있다.

구를 사용해 육각형 모양으로 만드는 방법에는 나란히 일직선으로 쌓는 방법과 그 아래층의 구들 사이에 엇갈리게 쌓는 두 가지 방법이 있다. 엇갈리게 쌓은 육각형 모양은 엇갈리게 쌓은 정사각형 모양과 배열이 같다. 이 배열을 공간으로 확장한다면 3차원 형태의 구쌓기가 된다. 정사각형 격자는 정육면체를, 육각형 모양의 격자는 육각형 입체를 만든다. 면심 정육면체 격자(face-centered cubic lattice)는 케플러의 마름모꼴 십이각형으로, 이는 가능한 쌓기 중 가장 조밀하게 쌓은 것이다.

쌓기의 효율성은 조밀도로 측정된다. 조밀도란 공간에서 구들이 차지하는 비율을 말한다.

평면에서 쌓은 입체들의 조밀도는 다음과 같다.

1. 정사각형 격자	0.7854
2. 육각형 격자	0.9069

3차원 공간에서 쌓은 입체들의 조밀도는 다음과 같다.

3. 정육면체 모양으로 쌓기	0.5236
4. 육각형 입체 모양으로 꽉 차게 쌓기	0.7404
5. 아무렇게나 쌓기	0.64

여러 구를 꽉 차게 쌓는 문제는 공간을 완전히 채우기 위해 서로 딱 붙게 맞추는 기하 입체와 밀접한 관련이 있다. 케플러는 그런 입체를 얻기 위해 쌓은 각 구들이 그들 사이에 있는 공간을 채우기 위해 팽창하는 상상을 했다.

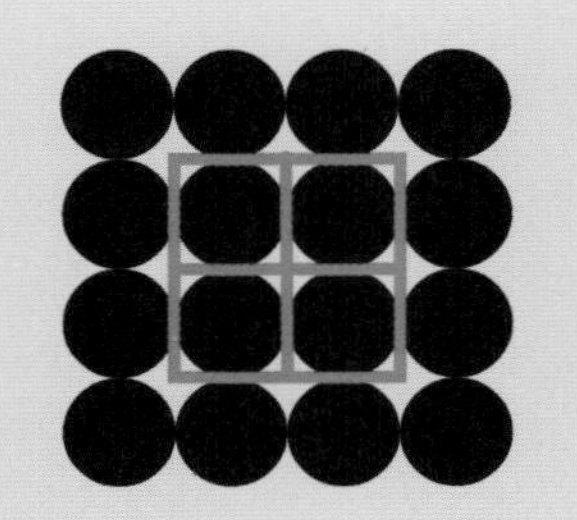

정사각형 쌓기

정육각형 쌓기

정육면체 쌓기

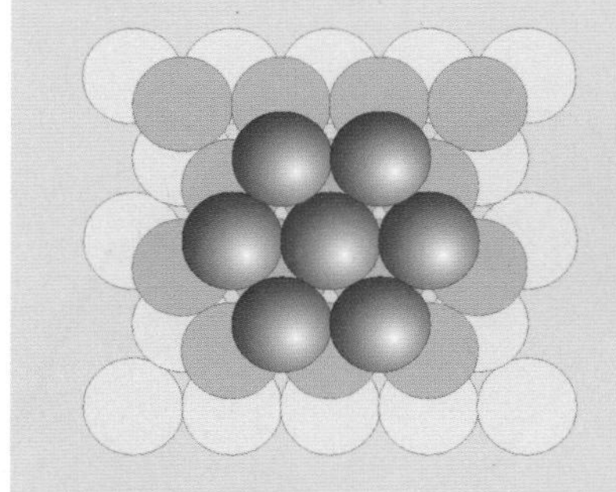

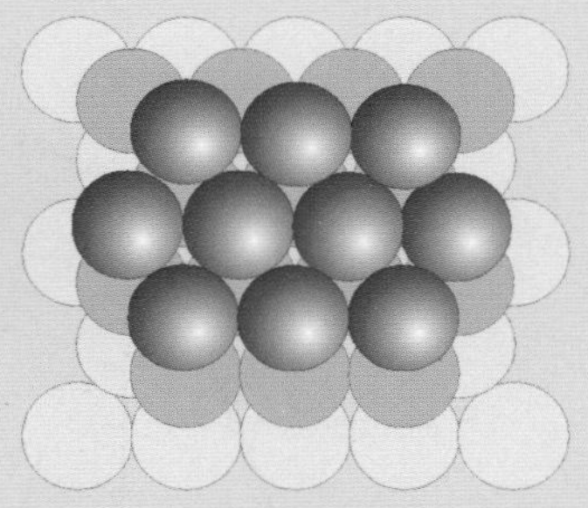

원과 구 쌓기

위에 보이는 것과 같이 평면을 원이나 구로 채우는 방법에는 두 가지가 있다.

구로 정육면체 쌓기: 정사각형 층들 사이에서 매 층마다 구를 다른 구 위에 수직으로 놓는다.

구를 육각형 입체로 쌓기: 육각형으로 된 층을 쌓는 방법에는 두 가지가 있다. 두 가지 방법은 각 층이 쌓이는 방법에 따라 다르다. 정육각형 모양 입방체 쌓기에서는 매 세 번째 층이 같고, 이는 첫 번째 층에 있는 구들의 바로 위에 있다. 반면 면심 입방체 쌓기에서는 모든 층이 같다.

구 쌓기 상자-1600년

"옛날 한 임금이 자신의 재산을 크기가 모두 같은 금으로 된 구(황금공)로 만들었다. 왕은 황금공을 커다란 나무 궤에 꽉 차도록 넣었다. 왕은 궤가 달그락거리지 않았으므로 꽉 찼다고 생각했다. 얼마 지나지 않아 왕비가 황금공을 좀 가져갔지만 여전히 궤는 달그락거리지 않았다. 그러고 나서 재무를 담당하는 관리가 황금공을 조금 더 가져갔지만 여전히 궤는 달그락거리지 않았다. 그러고 나서 수상이 황금공을 조금 더 가져갔지만 궤는 여전히 달그락거리지 않았다."

이 왕의 보물 이야기가 사실일 수 있을까? 직사각형 궤 안에는 23개의 황금공이 아주 꽉 차 있었다. 몇 개의 황금공을 꺼내도 남은 황금공이 여전히 궤를 꽉 채울 수 있는가? 꽉 차 있다는 것은 공들 각각이 안정하게 서로 붙어 있어서 공들이 움직일 수 없다는 것을 의미한다.

109
난이도 ●●●●●○
필요한 것
완료 ○ 시간 88 88

105개의 구를 한 개의 정사각형 상자 안에 쌓기

쌓아야 하는 구의 지름이 1센티미터라면,
한 변의 길이가 10센티미터인 정사각형 상자에
100개의 구를 쉽게 배열할 수 있다.
육각 배열로는 105개의 구를 배열할 수 있다.
이보다도 더 잘 쌓을 수 있겠는가?

110
난이도 ●●●●○○
필요한 것
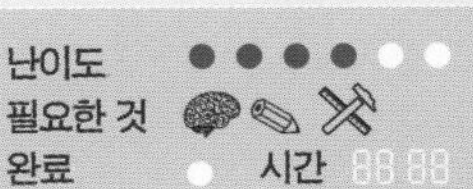
완료 ○ 시간 88 88

100개의 구들

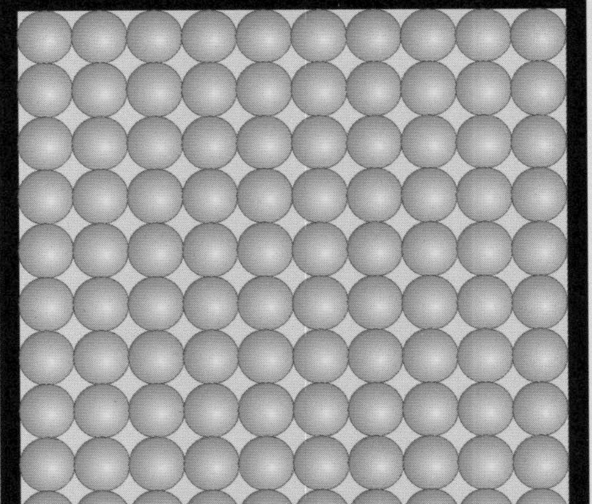

한 변의 길이가 10인 정사각형 상자

105개의 구들

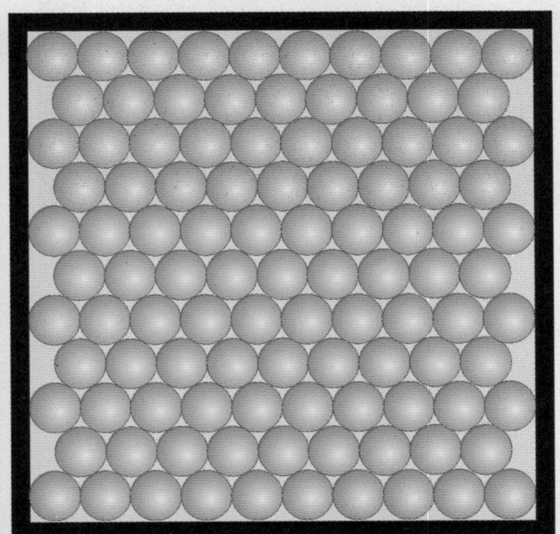

한 변의 길이가 10인 정사각형 상자

바셰의 칭량 문제–1612년

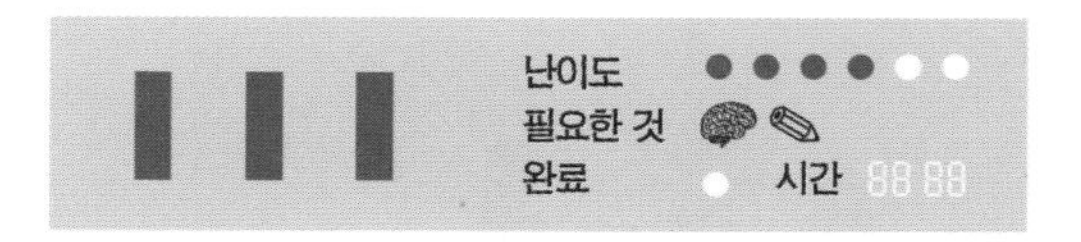

1612년 프랑스 학자 클로드 가스파르 바셰 드 메지리악(Claude-Gaspard Bachet De Méziriac, 1581~1638)은 초기의 퍼즐 모음집 『즐겁고 기쁜 숫자 문제들』을 출판했다. 이 책은 이후 유희수학 관련 서적의 선구적인 역할을 했으며 현재까지 개정 5판이 출판된 상태다.
책에서는 기하학적 퍼즐보다는 산술적 퍼즐을 강조해 고전적 산술 문제들을 포함시켰다. 그 고전 문제에는 한 개의 숫자 생각하기, 강 건너기, 마방, 요세푸스 문제, 무게 달기, 액체 붓기 등이 있다.
바셰의 책에는 고전적 무게 달기 문제도 있었다. 17세기 초 라우스 볼(W. Rouse Ball)은 바셰가 이 문제를 처음 고안했다고 하며, 이를 '바셰의 칭량 문제'라 불렀다. 그러나 바셰의 문제는 그보다 한참 전인 1202년의 피보나치까지 거슬러 올라가는데, 이런 이유로 이 문제가 정수 분할 문제의 원조가 아닐까 짐작케 한다.
그 유명한 문제가 아래에 있다. 총 무게가 1~40킬로그램인 물체의 무게를 재야 한다고 가정해보자. 만일 물체들을 양팔 저울의 한쪽에만 놓아야 한다면 무게는 최소한 몇 번을 재야 할까? 만일 물체들을 저울의 양쪽에 놓아 잴 수 있다면 무게는 최소한 몇 번을 재야 할까?

퍼즐 1.
양팔 저울 한쪽 위에만 올려
무게를 잴 수 있다.

1 =	21 =
2 =	22 =
3 =	23 =
4 =	24 =
5 =	25 =
6 =	26 =
7 =	27 =
8 =	28 =
9 =	29 =
10 =	30 =
11 =	31 =
12 =	32 =
13 =	33 =
14 =	34 =
15 =	35 =
16 =	36 =
17 =	37 =
18 =	38 =
19 =	39 =
20 =	40 =

퍼즐 2.
양팔 저울의 양쪽 위에 모두 올려
무게를 잴 수 있다.

1 =	21 =
2 =	22 =
3 =	23 =
4 =	24 =
5 =	25 =
6 =	26 =
7 =	27 =
8 =	28 =
9 =	29 =
10 =	30 =
11 =	31 =
12 =	32 =
13 =	33 =
14 =	34 =
15 =	35 =
16 =	36 =
17 =	37 =
18 =	38 =
19 =	39 =
20 =	40 =

3개의 무게 재기

무게가 다른 상자가 세 개 있다. 한 개의 저울을 사용해 가장 가벼운 상자부터 무거운 순서로 상자를 배열하려 한다. 무게를 몇 번 재면 될까?

난이도
필요한 것
완료 시간

21개의 무게 재기

21개의 같은 모양의 막대기가 있다.
이들 중 하나는 다른 것들보다 살짝 더 무겁다.
천칭저울을 사용해 더 무거운 막대기를 찾아내야 한다.
몇 번을 재면 될까?

난이도
필요한 것
완료 시간

동전 8개의 무게 재기

금으로 만들어진 동전 8개가 있다. 이 중 하나는 가짜 금이며 다른 것들보다 가볍고 나머지 7개의 무게는 모두 같다. 천칭저울을 사용해 가짜 동전을 찾으려면 최소한 몇 번을 재야 할까?

114 난이도 ●●●●●○ 필요한 것 완료 ○ 시간

무게 분류

위의 그림과 같이 반지름이 다른 강철 공 세트가 있다.
이 세트를 같은 무게를 갖는 두 개의 그룹으로 나눌 수 있겠는가?

115 난이도 ●●●●○○ 필요한 것 완료 ○ 시간

116

난이도 ●●●●●●
필요한 것
완료 ● 시간

균형 맞추기

저울 아래 있는 두 개의 원통형 받침을 제거했을 때 평형이 되도록 저울 위에 있는 5개 물건을 정렬하는 방법은 몇 가지인가?
물건이 저울의 받침점에서 멀어질수록 저울에는 더 큰 힘이 작용함을 기억하라. 즉, 저울의 2번 위치에 있는 물건은 1번 위에 있는 물건보다 저울에 더 큰 힘을 가한다.
물건들을 임의로 배치했을 때, 저울이 평형을 이룰 확률은 얼마일까?
저울 아래 있는 원통형 받침대를 제거했을 때 저울이 평형을 이루도록 6개의 물건을 배치하는 방법을 몇 가지나 찾을 수 있겠는가?

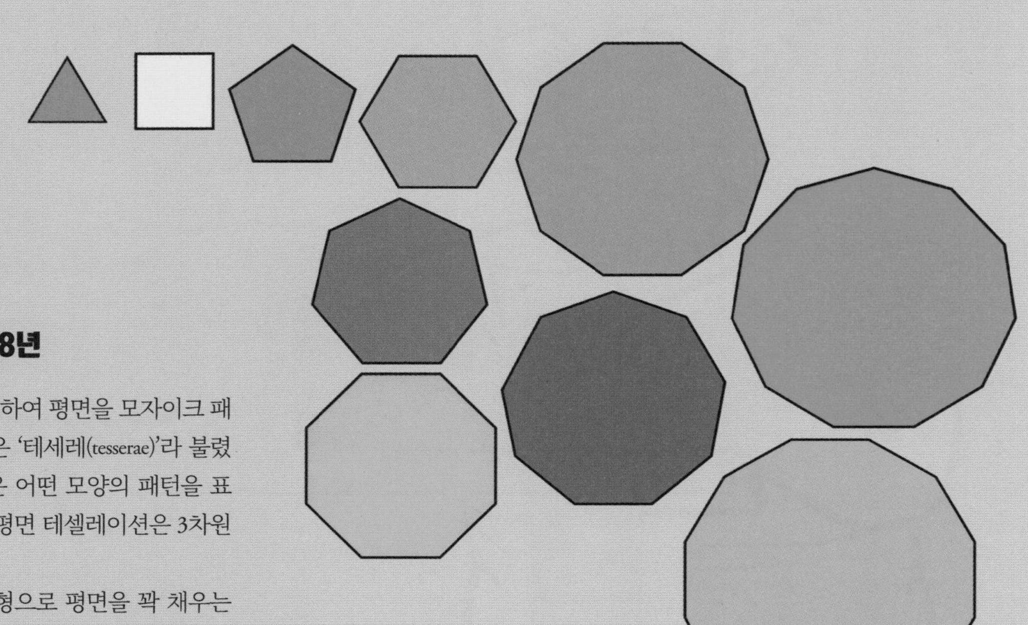

정다각형으로 이루어진 테셀레이션-1618년

'바둑판 만들기'란 기하학적인 모양들을 평면에 배열하여 평면을 모자이크 패턴으로 만드는 것을 말한다. 로마의 모자이크 양식은 '테세레(tesserae)'라 불렸으며, 테셀레이션이라는 단어는 표면을 완전히 덮은 어떤 모양의 패턴을 표현할 때 사용하는 용어로 공간을 채우는 기술이다. 평면 테셀레이션은 3차원 다면체의 기본 요소다.

정규 테셀레이션(regular tessellation)은 똑같은 정다각형으로 평면을 꽉 채우는 것을 말한다. 정다각형은 정삼각형부터 시작해 정사각형, 정오각형, 정육각형, 정칠각형, 정팔각형, 그리고 더 나아가 원까지 무수히 많다. 원은 무한 개의 변을 갖는 정다각형이라 할 수 있다.

기하학에서 가장 놀라운 반직관적 사실 중 하나는 정규 테셀레이션의 수가 적다는 것이다. 놀랍게도, 같은 정다각형을 변끼리 붙여 만든 테셀레이션은 단 세 개의 정규 테셀레이션만이 존재하는데, 바로 정삼각형, 정사각형, 그리고 정육각형이다.

정규 테셀레이션이 이것뿐이라는 사실의 이면에는 아름다운 기하학적 논리가 숨겨져 있다.

정규 테셀레이션의 기본 원소는 정다각형이므로, 하나의 기본 조건을 만족해야 한다. 바로 다각형들을 한 점을 기준으로 평면에 배열했을 때 그 점에서 다각형들의 내각의 합이 반드시 360도가 되어야 한다는 것이다. 정삼각형은 한 내각이 60도이므로 여섯 개의 정삼각형을 한 꼭짓점을 중심으로 배열하면 내각의 합은 360도다. 즉, 비는 부분 없이 평면을 채울 수 있다. 정사각형은 한 내각이 90도이므로 한 꼭짓점을 중심으로 4개의 정사각형을 배열하여 평면을 채울 수 있다. 정육각형은 한 내각이 120도이므로 정확히 3개의 정육각형이 한 꼭짓점에서 만나면서 평면을 꽉 채운다.

다른 정다각형들은 변의 수와 관계없이 평면에서 정규 테셀레이션을 만들 수 없다. 단 3개의 정규 테셀레이션이 있을 뿐이다.

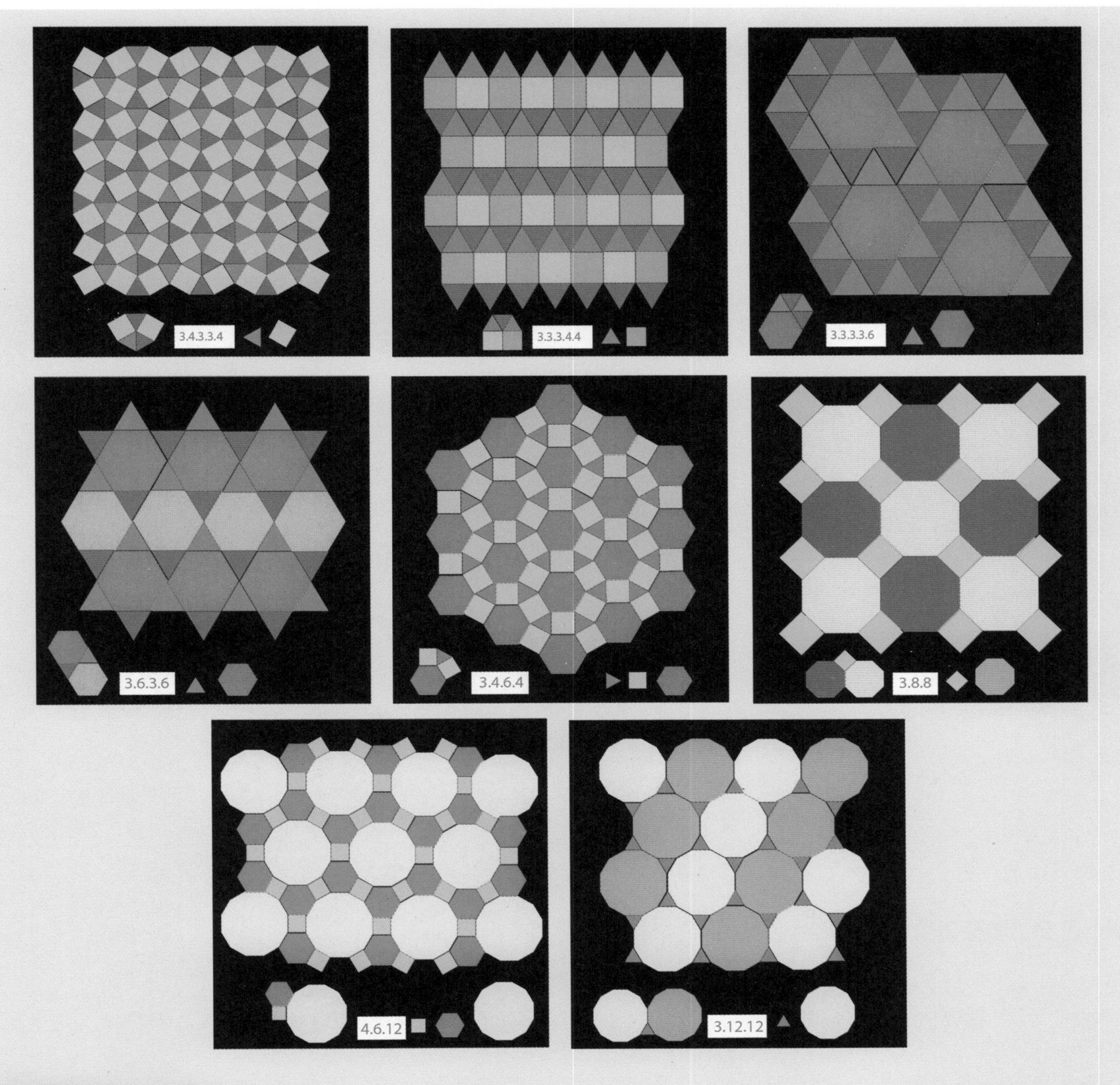

준정규 테셀레이션-1618년

준정규(semiregular) 테셀레이션은 정확하게 8개 있다. 그림에 나타난 것처럼, 준정규 테셀레이션은 5개의 정다각형인 정삼각형, 정사각형, 정육각형, 정팔각형, 그리고 정십이각형으로 이루어져 있다. 신기하리만큼 몇 개밖에 없는 정규 테셀레이션으로 인해 요하네스 케플러와 그의 제자들의 연구는 모자이크와 테셀레이션 분야의 연구에서 선구적인 역할을 했으며, 그 연구는 유희 수학뿐만 아니라 결정학, 코드 이론, 세포 구조 등에서도 유용한 도구로 활용되고 있다.

준정규 테셀레이션은 두 개 이상의 정다각형의 변을 붙여 평면을 메우는 것이다. 이는 같은 다각형이 상대적으로 같은 위치에 놓이는 방식으로 모든 꼭짓점을 둘러싸며 형성된다. 이를 수학적 용어로 표현하면, 모든 꼭짓점은 모든 다른 꼭짓점들과 '동치'라고 한다. 여기서 '동치'라는 의미는 그 꼭짓점을 중심으로 정다각형들이 배열된 모양이 같다는 것이다.

이런 정보는 슐뢰플리(Schlafli) 기호로 간단히 표현할 수 있다. 예를 들면, (3,12,12)은 모든 꼭짓점에서 하나의 삼각형과 두 개의 십이각형이 시계 방향으로 배치되어 있다는 것을 의미한다.

준정규 테셀레이션을 찾으려면 한 꼭짓점을 중심으로 배열했을 때 내각의 합이 360도가 되는 정다각형들의 조합을 찾아야 한다. 360도를 만드는 각도들의 조합을 '꼭짓점 그림'이라 한다. 이는 어떤 종류의 테셀레이션이든 테셀레이션을 만드는 데 있어서 기본 조건이 된다.

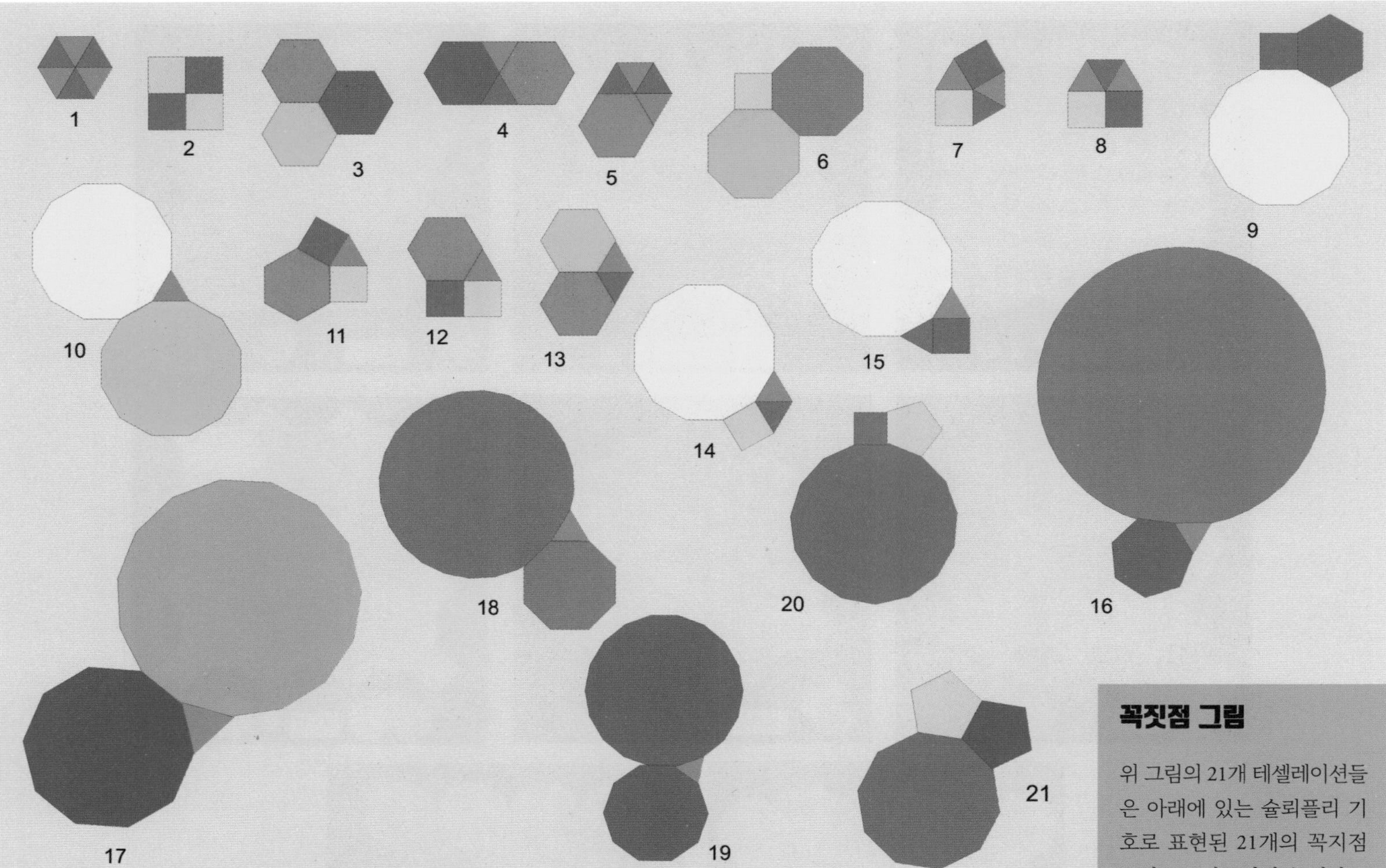

꼭짓점 그림

위 그림의 21개 테셀레이션들은 아래에 있는 슐뢰플리 기호로 표현된 21개의 꼭지점 그림으로 만들어낼 수 있다.

1- 3.3.3.3.3.3
2- 4.4.4.4
3- 6.6.6
4- 3.6.3.6
5- 3.3.3.3.6
6- 4.8.8
7- 3.4.3.3.4
8- 3.3.3.4.4
9- 4.6.12
10- 3.12.12
11- 3.4.6.4
12- 3.4.4.6
13- 3.3.6.6
14- 3.3.4.12
15- 3.4.3.12
16- 3.7.42
17- 3.9.18
18- 3.8.24
19- 3.10.15
20- 4.5.20
21- 5.5.10

테셀레이션과 슐뢰플리 기호

천문학 연구로 널리 알려진 케플러는 기하학적 테셀레이션과 다면체에 대해 관심이 많았다. 『세계의 조화(Harmonices Mundi)』(1619)에는 정다각형과 별 모양 다각형을 다양하게 배열하는 방법이 등장하는데, 케플러는 이 책에서 다음과 같이 말했다.

"외부 세계에 관한 모든 연구의 주요 목적은 세상의 합리적인 질서와 조화를 발견하는 것인데, 이러한 질서와 조화는 신이 부여했으며 신은 수학이라는 언어로 그것을 우리에게 드러냈다."

만일 모든 꼭짓점이 모든 다른 꼭짓점들과 반드시 같아야 한다(정규 테셀레이션)는 '일치성'이라는 제한을 없애면, 테셀레이션 집합을 더 만들어낼 수 있다.

이러한 모든 것엔 기본 요건이 있는데, 바로 '정다각형의 꼭짓점들에서는 완벽한 꼭짓점 그림을 형성해야 하고 내각의 합은 반드시 360도가 되어야 한다'는 것이다.

얼마나 많은 완전한 꼭짓점 그림을 찾을 수 있을까?

슐뢰플리 기호로 표현하면, 왼쪽 표에 나타나 있는 것과 같이 체계적인 과정을 통해 만들 수 있는 다른 모양의 완전한 꼭짓점 그림 또는 꼭짓점 그림은 21개뿐임을 알 수 있다. 이는 정다각형이 무한히 많음을 고려할 때 놀랄 만큼 적은 수다. 이들은 테셀레이션 문양을 만드는 데 기본적으로 필요하나 충분한 것은 아니다.

완전한 꼭짓점 그림의 어떤 특정한 조합만이 테셀레이션을 표현하는 그룹이 될 수 있다. 꼭짓점 그림 1~3은 3개의 정규 테셀레이션을 만든다. 4에서 11까지의 꼭짓점 그림은 8개의 준정규 테셀레이션을 만든다. 2개나 3개의 꼭짓점 그림을 다르게 조합하면 적어도 14개의 준반정규 테셀레이션(demiregular tessellations)이 만들어진다. 4개 이상의 다른 꼭짓점 그림에 의한 정다각형 테셀레이션은 무수히 많다.

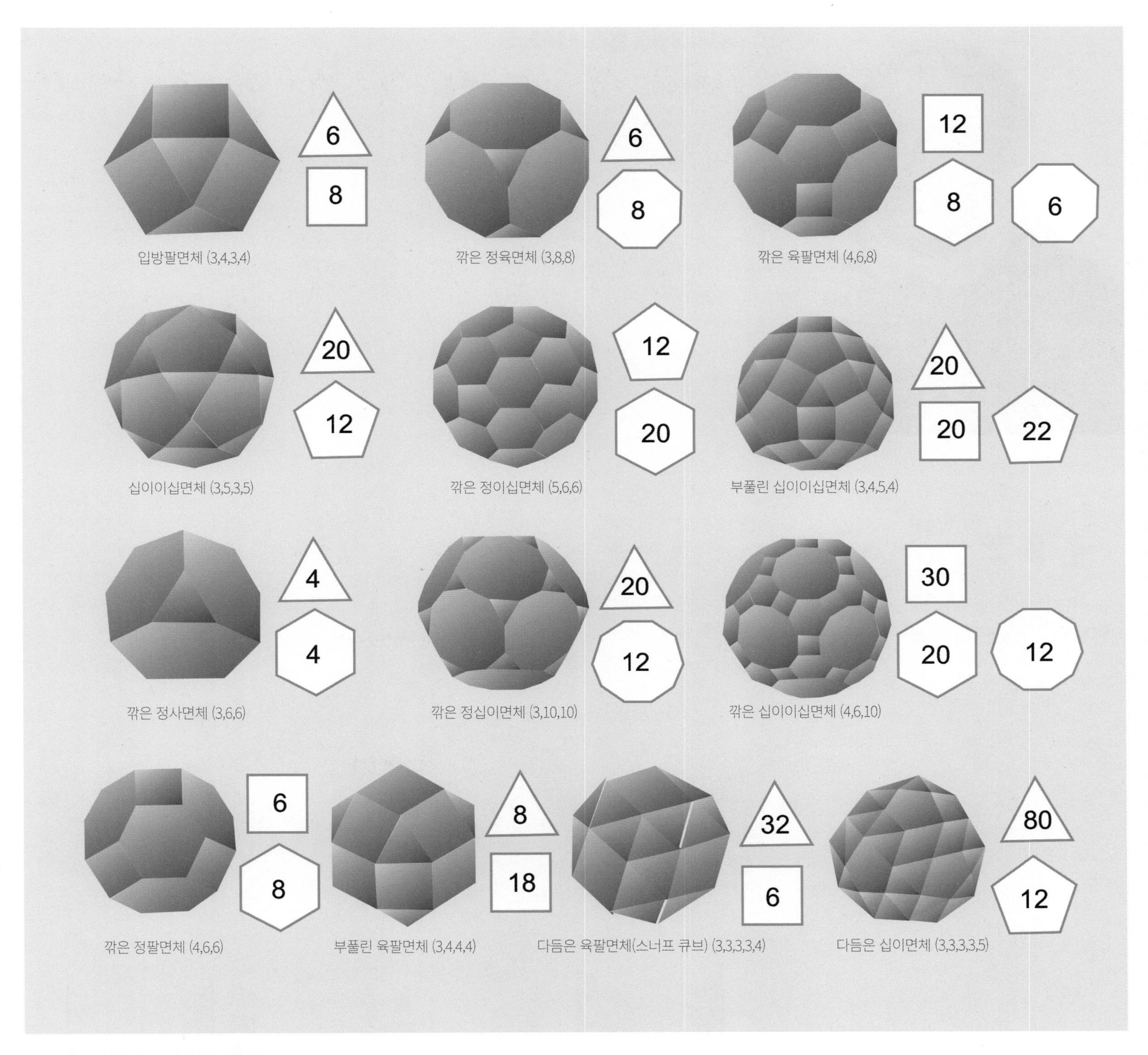

아르키메데스 입체-준정다면체

볼록 준정다면체 또는 아르키메데스의 입체는 정다면체로 구성된 아름다운 입체다. 정다면체의 모서리들은 길이가 같으나 그 면은 다른 모양의 정다각형들로 이루어져 있을 수도 있다. 준정다면체는 정확하게 13개가 존재한다. 이 입체는 아르키메데스에 의해 처음 묘사되었다. 준정다면체는 르네상스 시대에 재발견되었고, 1619년에 케플러가 완전한 집합을 재구성했는데, 그들 중 대부분은 게임과 퍼즐 분야에서 여전히 많은 미지의 가능성을 가지고 있다.

슐뢰플리 기호는 각 꼭짓점에서 기호에 나타난 도형이 순환적으로 배열되어 있음을 의미한다. 예를 들면, 깎은 정사면체 (3, 6, 6)은 각 꼭짓점에서 순서대로 삼각형, 육각형, 육면체가 배열되어 있다. 이들 입체 중 스너브 큐브(snub cube, 다듬은 육팔면체)와 스너브 십이면체(다듬은 십이면체)라 불리는 두 입체는 두 개의 거울상 또는 두 개의 좌우대칭 결정체다.

카발리에리의 원리•-1630년

이탈리아 수학자 카발리에리(Bonaventura Francesco Cavalieri)는 광학과 운동 문제에 관한 연구로 유명하며 미적분학의 선구자다. 또한, 이탈리아에 로그함수를 소개하기도 했다. 기하학에서의 카발리에리의 원리는 어느 정도 적분학의 출현을 예상케 했다.

이 원리에 의하면 피라미드의 부피는 그 밑면의 형태에 상관없이 '(1/3)×밑면×높이'로 계산된다.

● 카발리에리의 원리: 경계면이 접한 두 입체를 정해진 한 평면과 평행인 평면으로 자를 때, 두 입체의 내부에 있는 잘린 부분의 면적 비가 항상 m:n이면, 두 입체 부피의 비도 m:n이 된다는 원리다.

117

난이도 ●●●○○○

필요한 것 

완료 ○ 시간

원뿔과 피라미드의 부피

원통과 사각기둥과 밑면과 높이가 각각 같은 3개의 원뿔과 3개의 피라미드가 물로 가득 차 있다. 3개의 원뿔과 3개의 피라미드의 물을 각각 원통과 사각기둥으로 옮겼다. 원통과 사각기둥에는 물이 얼마만큼 찰까?

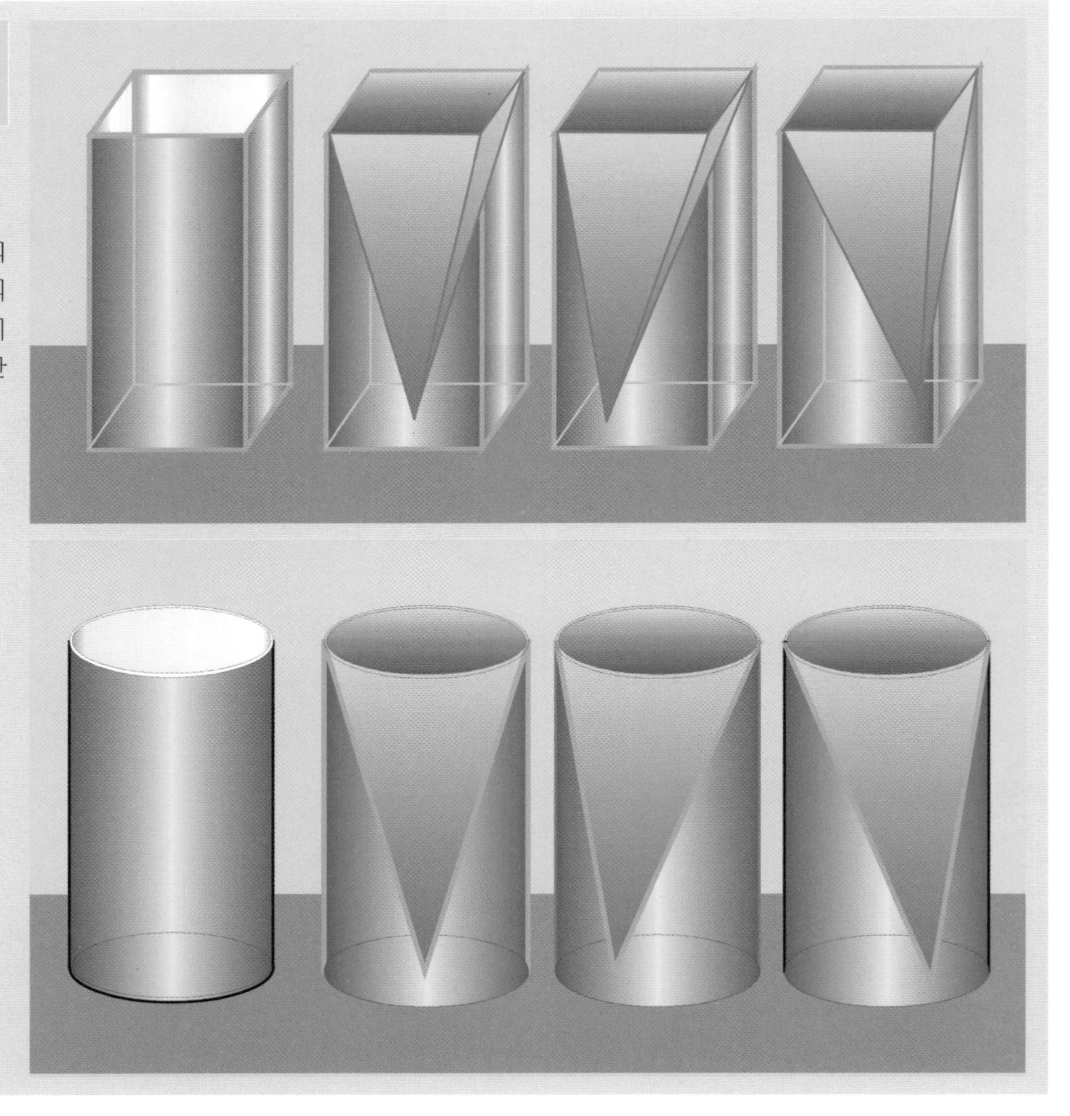

데자르그의 정리-1641년

1641년 프랑스 수학자 데자르그(Girard Desargues, 1591~1661)는 아름답고 신비로운 『그림자 수업(Shadow Lessons)』이라는 책을 출판했다.

책은 원근과 그림자 사영 간의 관계를 다루고 있는데, 이는 오늘날 단순하고 놀라운 '데자르그의 정리'로 알려져 있다. 데자르그의 정리*는 다음과 같다.

'삼각형의 변을 확장한 선과 그 삼각형의 그림자의 변을 확장한 선이 만나는 점들은 한 직선 위에 있다.'

(이를 확인해보면 이 정리가 성립한다는 것이 항상 기적처럼 느껴진다.)

원근 축

* 일반적으로 데자르그의 정리는 다음과 같이 표현된다. 공간상의 임의의 두 삼각형 ABC와 abc에 대하여, Aa, Bb, Cc를 연장한 직선들이 한 점에서 만날 때, AB와 ab, BC와 bc, CA와 ca를 연장한 직선들의 교점들은 한 직선 위에 놓인다.

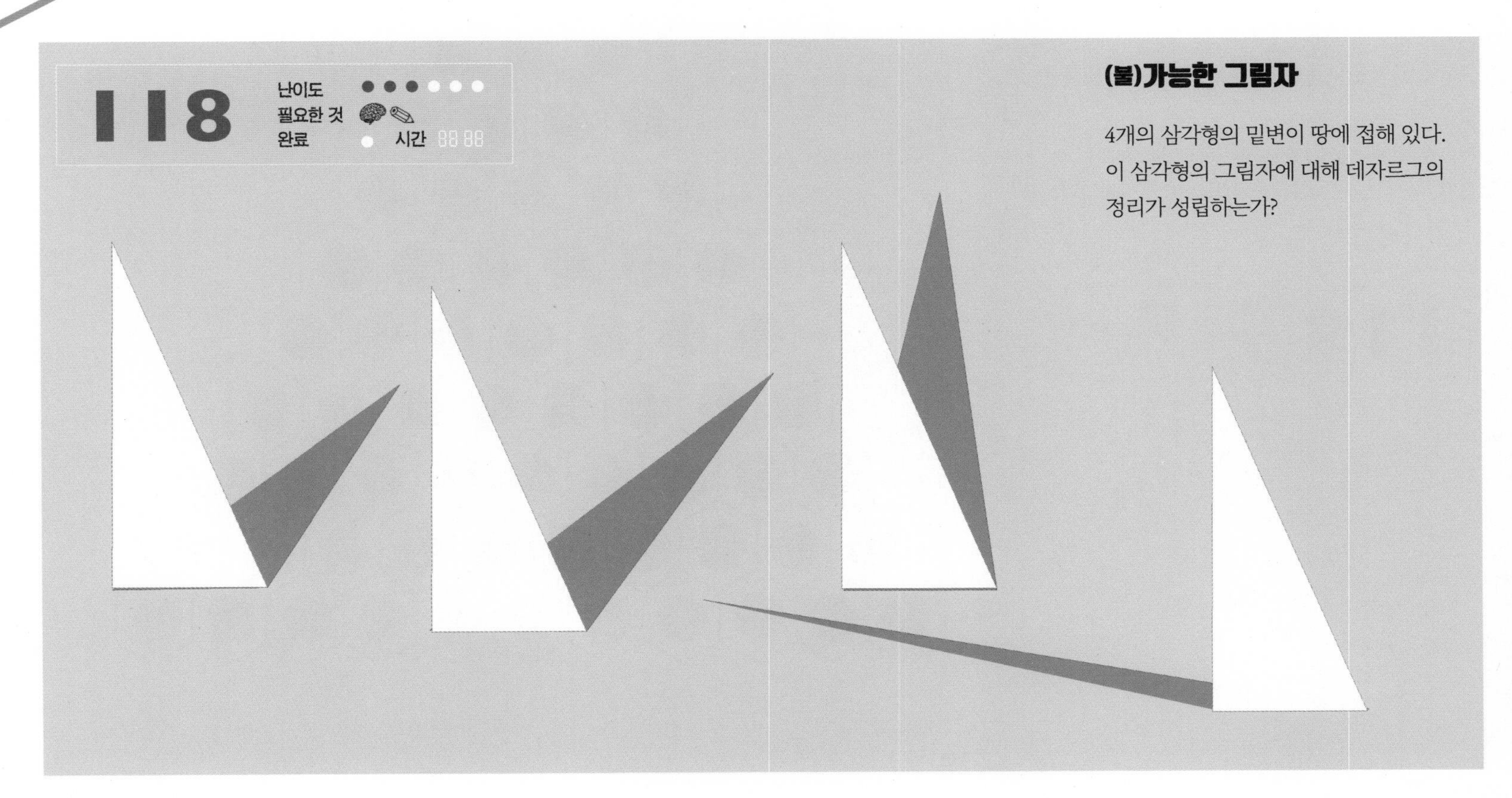

118

난이도 ●●●○○○

필요한 것

완료 ○ 시간

(불)가능한 그림자

4개의 삼각형의 밑변이 땅에 접해 있다. 이 삼각형의 그림자에 대해 데자르그의 정리가 성립하는가?

블레즈 파스칼(1623~1662)

파스칼은 프랑스의 수학자, 물리학자, 발명가, 작가면서 가톨릭 신학자였다.
루앙(Rouen)에서 세리(稅吏)로 일한 파스칼의 아버지는 아들 교육에 깊이 관여했다. 파스칼은 연구 초기에는 자연과 응용과학 연구에 집중해 액체에 관한 연구로 이 분야에 중요한 기여를 했다.
또한, 에반젤리스타 토리첼리(Evangelista Torricelli)의 작업을 연구했으며, 압력과 진공이란 개념을 더 엄밀하게 정의했다. 아직 십대였던 1642년, 파스칼은 아버지의 일을 돕기 위해 계산기계에 대한 획기적인 연구를 시작했다. 결국 '파스칼 계산기(Pascaline)'라 불리는 기계식 계산기를 발명했는데 총 20개를 만들었다. 건강이 좋지 않아 고생했던 파스칼은, 어른이 된 후에 건강이 더욱 악화되어 서른아홉 번째 생일이 지나고 두 달 후에 사망했다.

파스칼의 삼각형

수학에서 가장 아름답고 유용한 수의 패턴 중 하나는 유명한 파스칼의 삼각형이다.
처음 10행을 가진 파스칼의 삼각형이 그려져 있다. 파스칼의 삼각형의 구조의 패턴을 알아내고 행을 더 적어볼 수 있겠는가?
이러한 수의 패턴은 원래 고대 중국에서 창안되었으나, 수의 여러 가지 패턴과 유용성을 발견한 사람은 파스칼이었다. 그 유용성으로 인해 파스칼의 삼각형은 수학의 여러 분야에서 무척 중요한 도구로 여겨지고 있다.
파스칼의 삼각형에 나타나는 수는 0행으로부터 그 수까지 도달하는 가능한 모든 경우의 수를 나타낸다.

119
난이도 ●●○○○○
필요한 것
완료 ○ 시간

이 선들을 따라 숫자를 더하면 피보나치 수가 된다.

자연수
삼각수
삼각뿔수
각뿔수

1, 1, 2, 3, 5, 8, 13, 21

$(a+b)^0$ row 0: 1
$(a+b)^1$ row 1: 1 1
$(a+b)^2$ row 2: 1 2 1
$(a+b)^3$ row 3: 1 3 3 1
$(a+b)^4$ row 4: 1 4 6 4 1
$(a+b)^5$ row 5: 1 5 10 10 5 1
$(a+b)^6$ row 6: 1 6 15 20 15 6 1
$(a+b)^7$ row 7: 1 7 21 35 35 21 7 1
$(a+b)^8$ row 8: 1 8 28 56 70 56 28 8 1
$(a+b)^9$ row 9: 1 9 36 84 126 126 84 36 9 1
row 10: 1 10 45 120 210 252 210 120 45 10 1

$$(a+b)^{10} = 1a^{10} + 10a^9 b + 45a^8 b^2 + 120a^7 b^3 + 210a^6 b^4 + 252a^5 b^5 + 210a^4 b^6 + 120a^3 b^7 + 45a^2 b^8 + 10a\ b^9 + 1b^{10}$$

루퍼트 왕자의 문제-1650년

왕립협회의 창립 회원인 라인의 루퍼트 왕자(Rupert, 1619~1682)는 한 문제를 고안했다. 그 문제는 다음과 같다. '정육면체에 그 정육면체와 크기가 같거나 큰 다른 정육면체가 통과할 수 있도록 구멍을 낼 수 있는가?'

'루퍼트 왕자의 문제'로 알려진 이 문제는 100년 동안 해결되지 못한 채 남아 있었다.

정육면체를 통과하는 정육면체에 대한 수학은 월리스(John Wallis)에 의해 고안되었다. 그 후 1816년 네덜란드 수학자 니울란트(Pieter Nieuwland, 1764~1794)가 '단위 길이를 가진 정육면체'를' 통과할 수 있는 가장 큰 정육면체는 무엇인가' 하는 문제를 고민했고, 그 해법은 니울란트 사후에 출판되었다.

니울란트는 단위 길이를 가진 정육면체 내부에 딱 맞는 가장 큰 정사각형을 찾아냄으로써 이 문제의 답을 찾았다. 정육면체의 한 꼭짓점을 기준으로 정육면체를 위에서 보면, 한 변의 길이가 1인 정육면체는 한 변의 길이가 $\sqrt{3}/\sqrt{2}$인 정육각형의 윤곽을 가지고 있다.

정육면체에 들어가는 가장 큰 정사각형은 한 변이 이 정육면체 내에 들어갈 수 있어야 한다. 그 변의 길이는 $3\sqrt{2}/4=1.0606601\cdots$이다.

정육면체를 통과하는 정육면체가 원래의 정육면체보다 조금 더 크다는 것은 정말 신기하다.

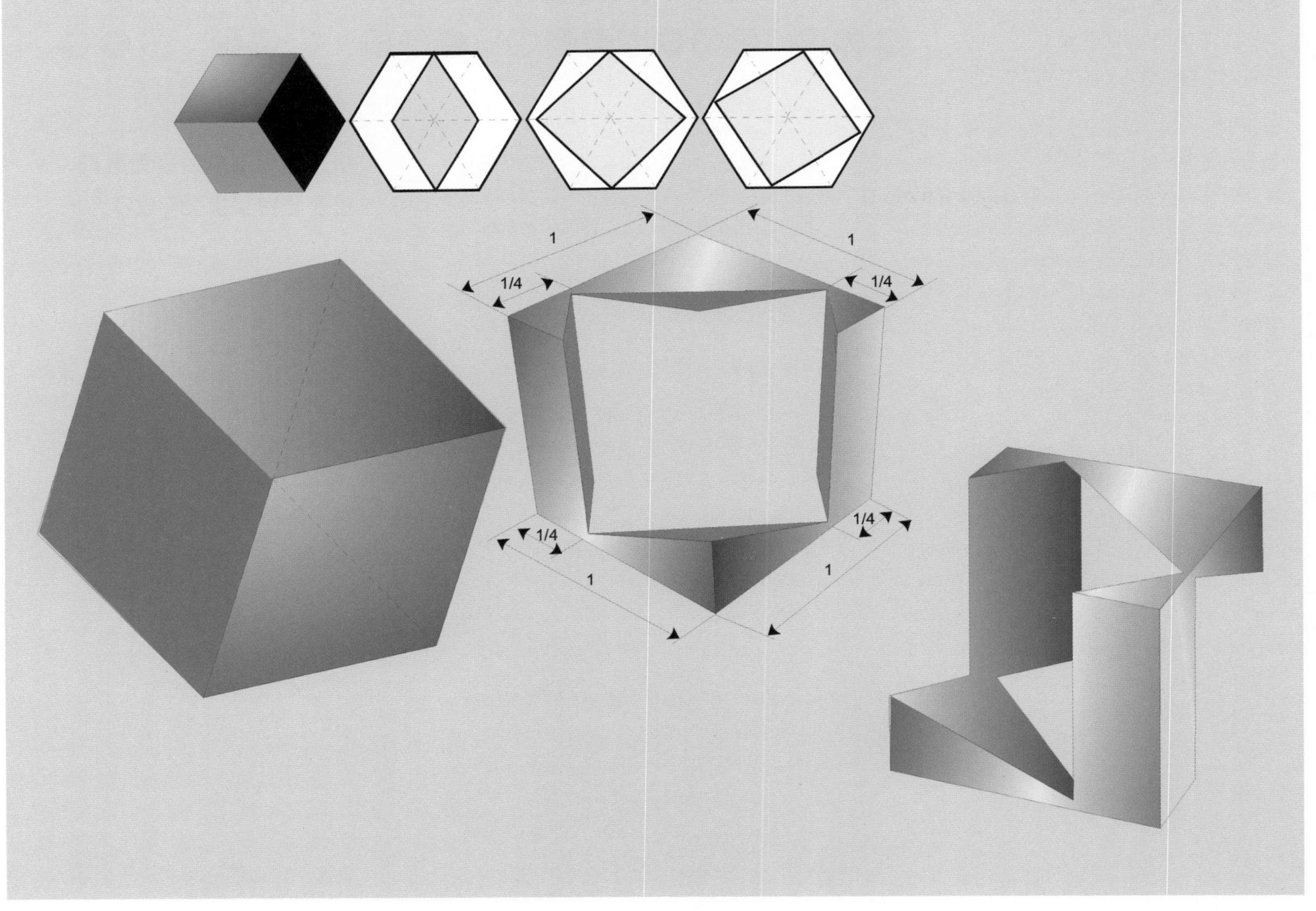

조합–세는 것을 쉽게 만들어준다

조합 문제는 고대 이래로 수학자들을 매료시켜왔다. 마방은 기원전 12세기에 쓰인 중국의 『역경(易經)』에 언급되어 있다. 파스칼의 삼각형이라는 이름을 사용한 건 분명히 아니지만, 파스칼의 삼각형은 13세기에 페르시아에서 가르친 것으로 알려져 있다.
서양에서는 17세기에 파스칼과 페르마에 의해 확률이론의 개발과 관련하여 조합에 대한 연구가 시작되었고, 이후 라이프니츠에 의해 연구가 지속되었다. 18세기에는 오일러가 학교에서 가르칠 조합수학의 개발을 책임지고 있었다. 오일러를 그래프 이론의 아버지로 만들어준 것은 쾨니히스베르크의 다리 문제였다. 19세기의 많은 조합 문제들은 오락용 문제로 나타났는데, 예를 들면 8명의 여왕 문제나 커크맨 학교 소녀 문제 등이 그것이다.
맥메이헌(Percy Alexander Macmahon)이 1915년에 쓴 『조합 해석(Combinatory Analysis)』은 조합론의 초창기 책 중 하나다. 조합론은 현대수학의 한 분야로, '조합론'이라는 이름은 '숫자와 사물이 결합하는 방법을 연구한다'는 것으로부터 유래한다.
확률, 컴퓨터 이론, 그리고 다양한 일상에서 나타나는 현상들은 조합론의 원리들, 특히 조합과 순열에 의존한다. 한 시스템에서 원소를 나열하는 방법의 수는 원소의 수가 작으면 작아 보일 수 있으나 원소의 수가 증가함에 따라 그 방법의 수는 빠르게 증가하며 곧 세는 것이 불가능할 정도로 급격히 커진다. 그림에 나타나 있는 예는 단순하기 그지없다.

한 개의 원소를 나열하는 방법은 딱 한 가지다.

두 원소 a와 b는 ab 또는 ba로 나열할 수 있으므로 총 2개의 순열이 있다.

세 원소 a, b, c는 다음과 같이
6가지 방법으로 나열할 수 있다:
abc, acb, bac, bca, cab, cba

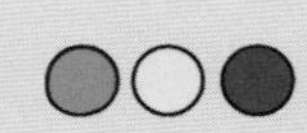

일반적인 경우로 확장하면 n개의 원소를 나열하는 방법은 원소를 한 번에 하나씩 선택하여 늘어놓는 것이다. 첫 번째 원소는 n개의 위치 중 어디에도 놓을 수 있다. 두 번째 원소는 첫 번째 원소가 놓인 위치를 뺀 나머지 n-1개의 가능한 위치 중 어디에도 놓을 수 있다. 이는 n(n-1) 가지의 배열을 만든다. 세 번째 원소는 n-2개의 나머지 위치 중 하나를 선택할 수 있으며 이런 방법으로 마지막 원소의 위치까지 결정한다.
일반적으로 n개의 원소가 있는 경우, n-1개의 원소가 있는 경우와 비교하여 n배 더 많은 순열이 있다. 예를 들면, 시스템에 4개의 원소가 있는 경우 이를 배열하는 방법은 3개가 있는 경우에 비해 4배가 더 많다. 다시 말하면, 이 경우 24가지 배열이 가능하다. 원소가 5개면 5×24, 즉 120가지, 6개면 6×120, 즉 720가지의 배열방법이 있다. 이러한 수들은 팩토리얼이라 하며 '!'로 나타낸다. 예를 들면, 6!은 720이다. 그러므로 n개의 원소를 배열하는 가능한 총수 또는 순열(permutation)의 일반 공식은 다음과 같다.

$$P = n!$$
$$= n \times (n-1) \times (n-2) \times (n-3) \times \cdots \times 3 \times 2 \times 1$$

이 수는 매우 빠르게 커진다.
n개에서 순서를 고려하지 않고 한 번에 k개를 선택하는 경우는 어떨까? 이 문제는 약간 더 교묘하다. 예를 들어, 5개의 다른 요소들(색, 또는 문자, 또는 다른 어떤 것과 같은)로부터 순서를 고려하여 3개를 선택해 만든 그룹이 몇 개인지를 알고 싶다고 하자. 이 문제는 다음과 같이 계산하면 된다.

$${}_nP_k = n!/(n-k)! = 5!/(5-3)! = 120/2 = 60$$

때로 사물의 순서(순열)에는 관심이 없고 단지 그 표본의 구성(선택한 수), 곧 조합에만 관심이 있을 수 있다. 조합은 한 그룹으로부터 몇 개를 선택하여 집합을 만들었을 때 그 집합 내에서 사물의 순서는 고려하지 않은 것이다. 그러므로 n개에서 k개를 선택하는 조합의 총수에 대한 일반적인 공식은 다음과 같다.

$${}_nC_k = n!/\{k!(n-k)!\} = 5!/\{3!(5-3)!\} = 10$$

이 예제에서는 각 그룹에 속한 원소의 순서에 상관없이 10개의 집합이 만들어짐을 알 수 있다.
지금까지 우리는 원소가 모든 다른 경우에 대해 다루었다. 그러나 때로 동일한 원소가 'a'개, 또 다른 동일한 원소가 'b'개로 구성된 집합 등 같은 원소를 가진 집합이 있을 수 있다. 예를 들면, 전체 n개의 원소가 있고 이 원소들이 세 종류로 나뉘며 각 종류가 각각 a, b, c개만큼 있다고 하면, 순열의 수는 다음과 같다.

$${}_nP_{a,b,c} = n!/(a!b!c!)$$

게임 또는 퍼즐과 관련된 확률 대부분은 가능한 모든 사건의 수와 어떤 특정한 성질을 갖는 사건이 나오는 수를 세는 것으로 결정할 수 있다. 이 두 수의 비가 확률이다. 순열과 조합에 관한 공식은 세는 것을 쉽고 간단하게 해준다.
N개의 원소에서 한 번에 k개를 선택하는 조합의 수는 유명한 파스칼의 삼각형으로부터 얻을 수도 있다.

> **"내가 뭘 하고 있는지 모를 때 하고 있는 것이 연구이다."**
>
> 베르너 폰 브라운(Werner von Braun)

비비아니의 정리-1660년

'비비아니의 정리'는 비비아니의 이름에서 따온 것이다. 이 정리는 '정삼각형의 한 내점으로부터 이 삼각형의 세 변까지의 거리의 합은 이 삼각형의 높이와 같다'는 것이다.
비비아니(Vincenzo Viviani, 1622~1703)는 이탈리아 태생의 수학자이며 과학자다. 토리첼리의 제자였던 그는 열일곱 살이던 1639년 갈릴레이의 조교였다.
1660년 비비아니는 보렐리(Borelli)와 공동으로 소리의 속도를 알아보는 실험을 했다. 멀리 떨어진 곳에서 대포의 불꽃을 보는 시간과 포 소리를 듣는 시간의 시간 차를 계산했던 것이다. 이들은 속도의 차이가 1초당 350미터라는 것을 계산해냈다. 1661년에는 푸코(Foucault)의 그 유명한 실험보다 거의 2세기를 앞서 추의 회전을 실험했다.

부러진 막대기

만일 지팡이가 세 조각으로 부러진다면 이 세 조각으로 삼각형을 만들 수 있는 확률은 얼마일까?
정삼각형의 놀라운 성질의 배후에는 '비비아니 정리'가 있다. 이 정리는 정삼각형 내부의 한 점(페르마의 점)에서 삼각형의 변들에 내린 수선(수직선분)들의 길이를 더하면 이 삼각형의 높이가 된다는 것이다.
2005년 가와사키(Kawasaki)는 이 정리를 증명하기 위해 그림에서 보이는 것과 같이 삼각형을 회전시켰다. 이 정삼각형은 위의 고전적 확률문제를 푸는 데 도움이 될 것이다. 삼각형의 높이는 지팡이의 길이와 같다.

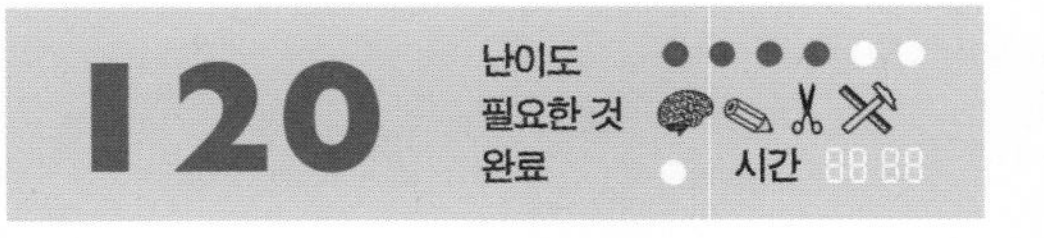

지구의 구멍-냅킨 고리 문제

잡지 《퍼레이드(Parade)》의 "마릴린에게 물어봐"라는 칼럼에 실린 몬티 홀(Monty Hall) 문제로 유명한 마릴린 사반트(Merilyn vos Savant)는 또 다른 도전적인 문제를 발표했다. 주어진 구에 구를 관통하는 6인치의 구멍을 뚫는 문제였다. 6인치 지름을 갖는 구로 이것이 가능할까?

이 문제는 17세기 일본 수학자 세키 가와(Seki Kawa)에 의해 처음 연구되었다. 그 구멍은 6인치의 높이를 가진 내부가 빈 원형 실린더 모양이다. 우리는 지름이 6인치인 구를 관통하는 6인치의 구멍을 뚫는다는 것은 불가능하다는 결론을 내릴 수 있다.

훨씬 더 큰 구에 6인치 길이의 구멍을 뚫기 위해서는 구에서 두 개의 뚜껑 부분과 6인치 높이의 부피를 제거할 수 있는 매우 두꺼운 드릴이 필요하다. 그런 드릴을 사용해 구멍을 뚫으면 그림에서 보이는 바와 같이 높이가 6인치인 냅킨 고리 같은 모양의 둥근 원형 실린더 모양만이 남는다. 구를 뚫고 남은 부분인 고리의 부피는 얼마일까?

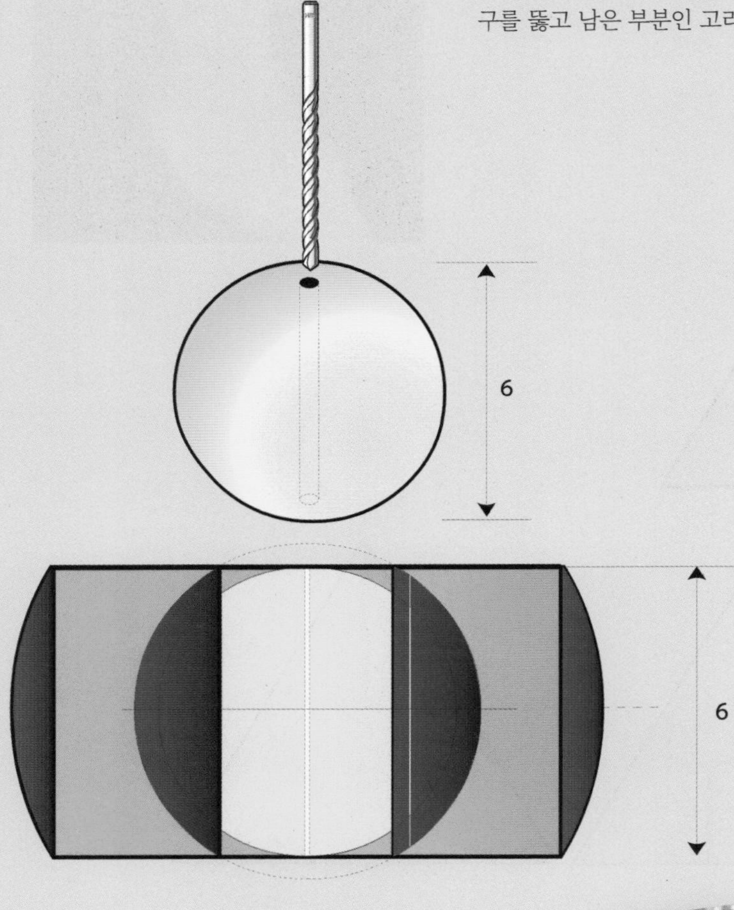

구는 지구 같은 거대한 구일 수도 있다. 주어진 그림은 답에 대한 시각적 실마리를 줄지도 모른다.

흥미로운 결과는 고리의 부피는 구의 반지름 R이 아닌 실린더의 높이 h에 달려 있다는 것이다. R이 작아지는데 h를 동일하게 유지하려면 실린더의 지름도 또한 줄어들어야 한다. 그러면 고리의 테두리는 더 두꺼워지며 그 부피는 증가한다. 그러나 R이 작아지면 고리 내부의 지름이 작아지므로 이는 부피를 줄인다. 즉, R이 작아지면 고리가 되는 부분은 상대적으로 많아지나 고리 내부의 지름이 작아지므로 부피는 작아진다. 부피의 증감을 서로 상쇄시키는 것이다.

가능한 가장 작은 구를 고려하는 가장 극단적인 경우는 구의 지름이 실린더의 높이와 같은 경우다. 이 경우에는 부피가 있는 구멍을 뚫을 수 없으므로 고리의 부피는 구의 전체 부피와 같다.

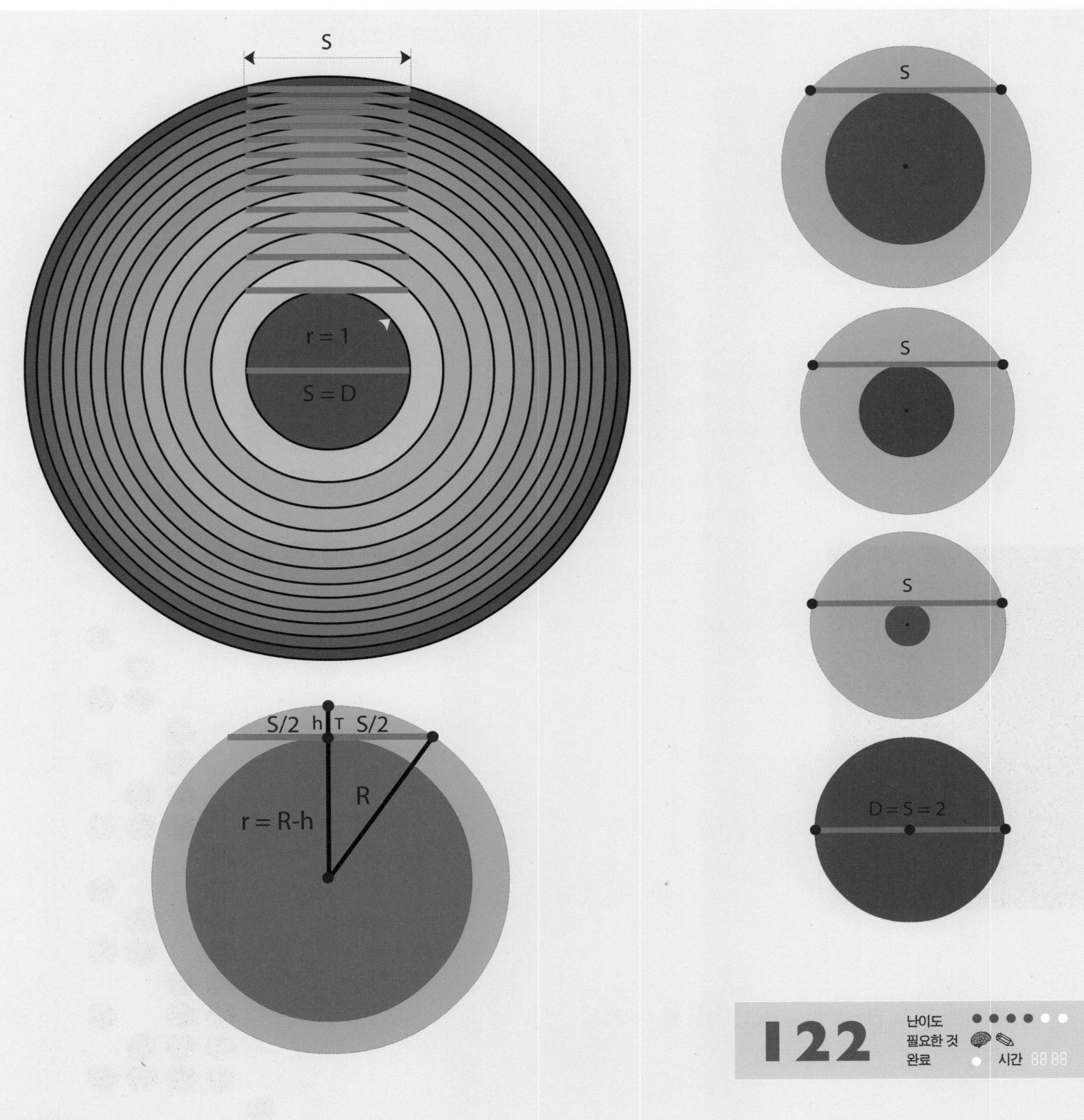

원형 고리

더 큰 원 위에서 길이 S인 현은 더 작은 원 위의 한 점 T를 지나며 이 원에 접한다. 여기에서의 문제는 위의 왼쪽 그림에서 반지름이 1인 가운데 원을 중심으로 놓인 12개 고리의 면적과 오른쪽 그림에 있는 3개의 하늘색 고리의 면적을 구하는 것이다. 이 고리들의 면적을 구하기 위한 정보가 충분하다고 생각하는가? 힌트는, 피타고라스 정리가 도움이 될 수 있다는 것이다!

이진수 체계와 컴퓨터 언어

수의 체계에서 고려할 수 있는 가장 간단한 체계는 연속적인 2의 승수에 기반을 둔 이진수 체계다. 실제로 어떤 원시 종족은 이진 셈법 체계를 사용했으며 고대 중국 수학자들은 이진체계를 인식하고 있었다. 그러나 이진수 체계는 훨씬 후인 1600년대에 독일 수학자 라이프니츠(1646~1716)에 의해 개발되었다. 라이프니츠는 논문 "이진 산술 해설"에서 이진수 체계를 묘사했다.

라이프니츠는 형이상학적 진리를 기호화할 수 있는 이진수 체계에 매료되었다. 그는 어떤 수도 0과 1만의 거듭제곱으로 충분히 표현할 수 있으며 세상은 존재와 비존재의 이분법적 나눔이 가능하다고 보았다. 라이프니츠 이전에 충분히 잘 작동하는 수 체계를 만드는 데 정말로 필요한 수가 0과 1뿐이라는 것을 아는 사람은 없었다.

1666년 라이프니츠는 논리에 대한 순수 수학적 접근이 이진체계(0: 거짓, 1: 참)를 이용해 구현될 수 있을 것이라 믿었다. 하지만 이런 생각이 동료들에게 무시당하자 라이프니츠는 이 개념을 버리게 된다. 그러나 10년 후 중국의 『역경』을 접하게 되면서, 라이프니츠는 다시 이진체계 개념에 빠져들게 되었다.

우주는 서로 상반되는 관계에 있는 물리적 성질(1)과 비물리적 성질(0)에 의해 구성되고 설계된다. 그것은 모든 것의 기초가 되는 이진 쌍이다. 우리를 둘러싼 세상의 많은 일들은 1이 아니면 반드시 0인 상반된 쌍에 기반한 컴퓨터와 같은 방법으로 작동한다.

그러나 라이프니츠의 이진체계는 그 후 수백 년이 지나 컴퓨터가 세계를 변화시킬 때까지 그저 단지 호기심의 대상일 뿐이었다.

"이진체계는 너무나 간단해서 컴퓨터조차도 할 수 있다."

케리 레드쇼(Kerry Redshaw)

이진 주판-1680년

이진 주판은 고전 주판과 같은 원리로 작동한다. 0과 1이 어떤 숫자를 표현하기 위해 행으로 적혀 있을 때 행의 각 위치는 다른 값을 나타낸다. 아래 그림에 이진체계의 처음 16개 숫자가 나타나 있다. 각 단계에서 빈 자리에 1이 더해지면 그 1은 왼쪽 첫 번째 빈자리에 놓인다. 이와 같은 방식으로 계속 진행된다.

그림 아랫부분에는 4개의 수(234, 580, 612, 1021)가 십진 체계로 주어져 있다. 이 수들을 이진수로 바꾸어보라.

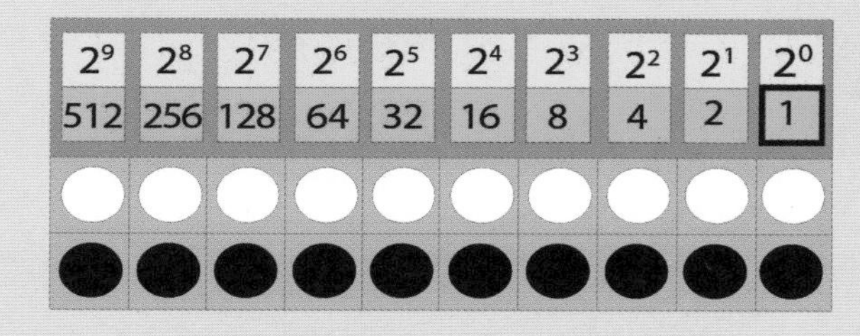

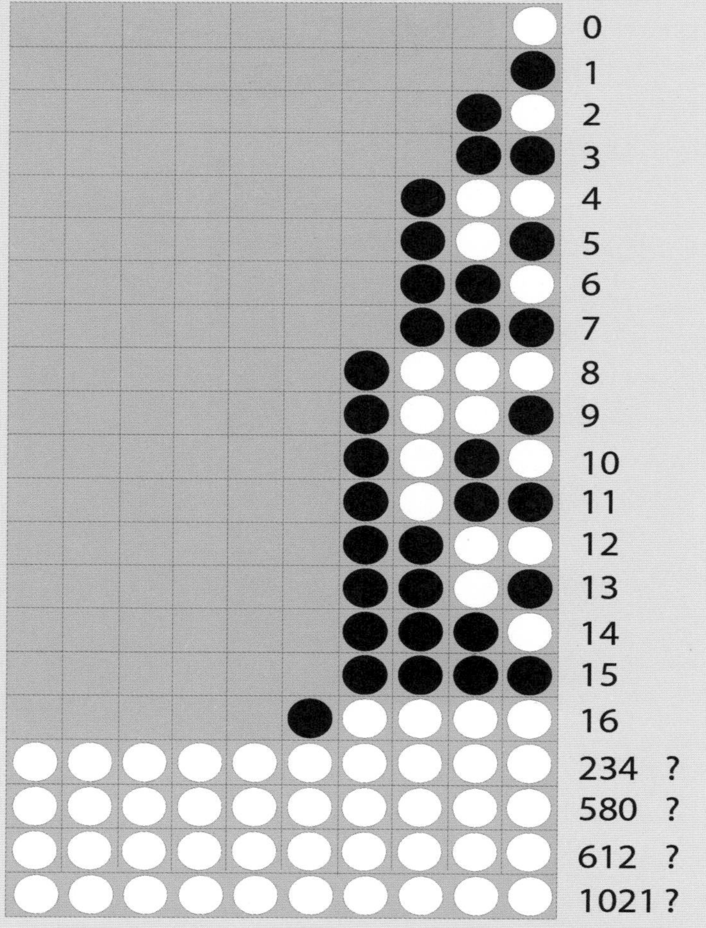

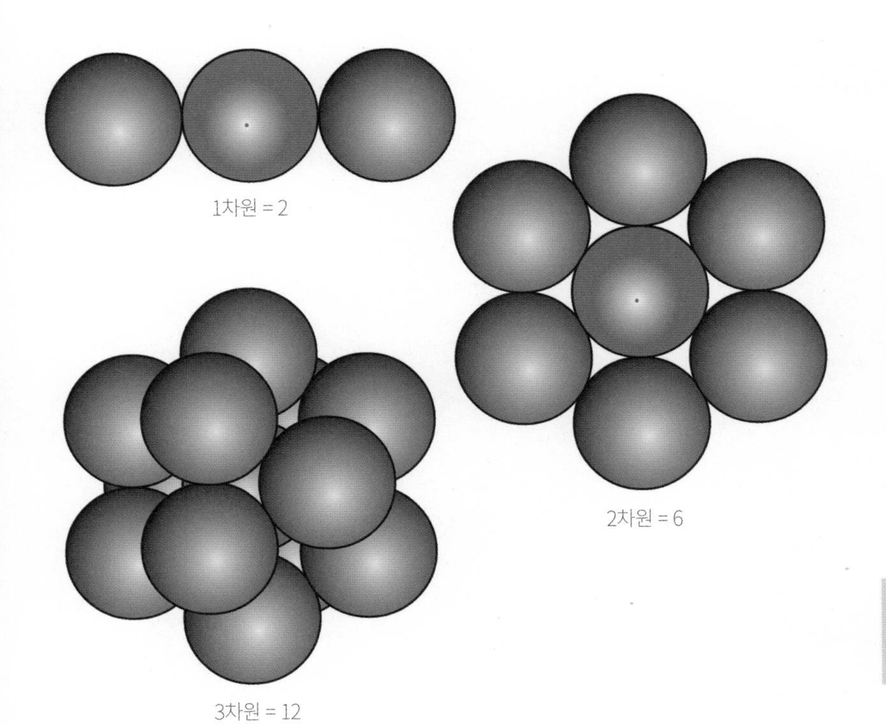

구의 입맞춤 수 문제-1694년

'구의 입맞춤 수(kissing spheres)' 문제는 1694년 데이비드 그레고리(David Gregory)와 아이작 뉴턴이 나눈 유명한 대화 중 만들어졌다.
반경이 1인 구에 동시에 접하는 반경이 1인 구는 몇 개일까?
이렇게 접하는 구의 개수를 '입맞춤 수'라 한다. 1차원의 입맞춤 수는 2이고, 2차원의 입맞춤 수는 6이다. 3차원에 대해서는 뉴턴은 입맞춤 수가 12라 한 반면, 그레고리는 13이라 믿었다. 이후 250년 이상 동안 이 문제는 풀리지 않았다. 1953년 마침내 쿠르트 쉬테(Kurt Schütte)와 바르텔 레인더르트 판데르바르던(Bartel L. van der Waerden)이 정확한 답을 찾아냈다. 흥미롭게도 현재는 24차원과 같은 아주 높은 차원에 대해서도 이 문제를 풀 수 있다. 24차원에서의 입맞춤 수는 19만 6560이다. 그레고리와 뉴턴 중 누가 맞추었는지 알 수 있겠는가?

124
난이도
필요한 것
완료 시간

가장 조밀하게 쌓기와 입방 팔면체

한 개의 구 주변에 이 구와 같은 크기의 구가 접하도록 둘러쌓는 경우에 몇 개의 구를 쌓을 수 있을까? 위에서 정의했듯, 이 수를 '입맞춤 수'라고 한다. 만일 구를 두 겹(2층)으로 쌓거나, 그 이상의 겹으로 쌓는다면, 우리는 구를 가능한 한 가장 조밀하게 쌓을 것이다. 오른쪽에 처음 세 겹이 쌓인 모습이 그려져 있다. 가장 조밀하게 쌓은 구들은 아르키메데스의 입체 중 하나인 입방 팔면체의 형태다. 처음 세 겹(1~3층)에 대해 각각 구의 개수가 몇 개인지 맞춰볼 수 있겠는가?

125
난이도
필요한 것
완료 시간

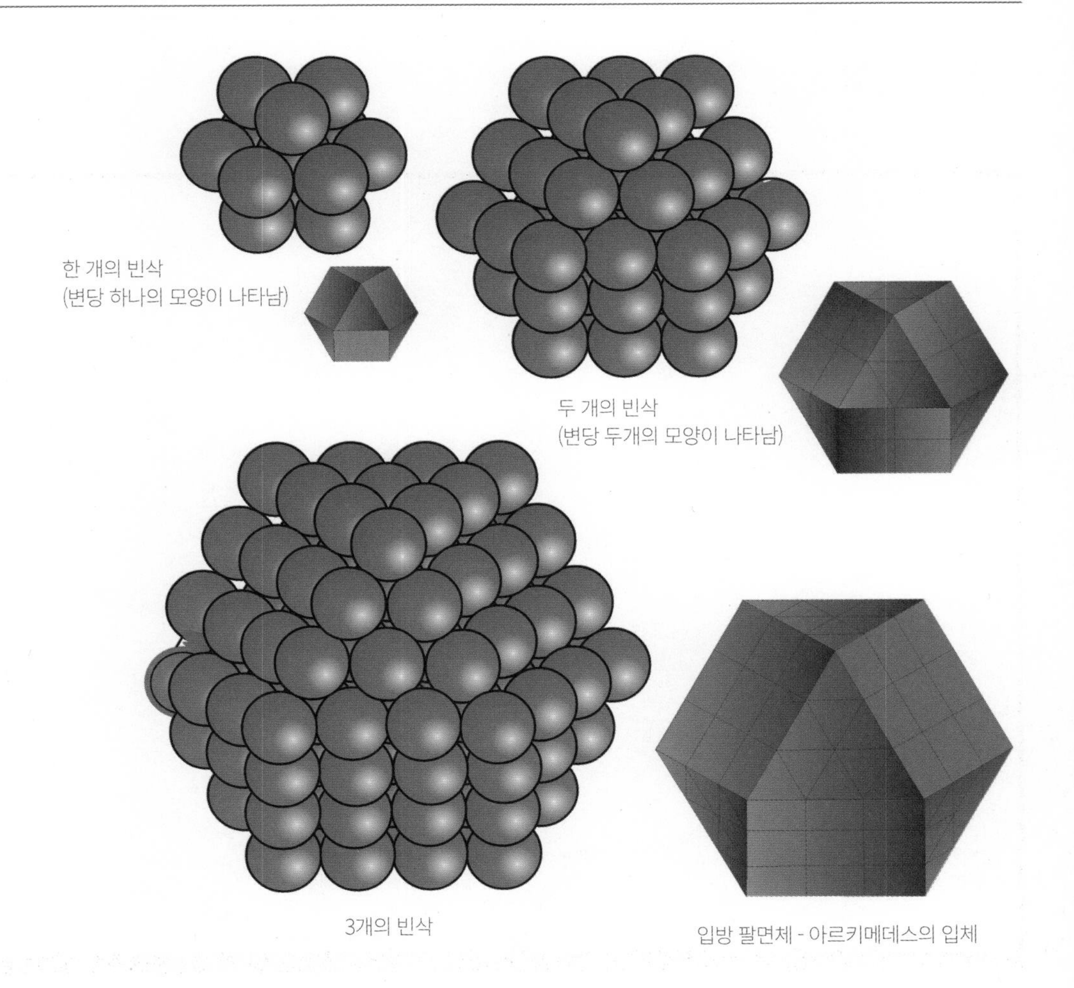

최속강하선 문제와 등시곡선 문제

1696년 요한 베르누이(1667~1748)는 최속강하선 문제를 풀기 위한 곡선을 찾기 위해 '전 세계의 수학자들(mathematicians worldwide)'이라는 대회에 도전했다. 최속강하선 문제는 마찰이 없고 중력이 상수일 때 공이 높은 위치에서 속도 0으로 굴러 바닥에 있는 점까지 도달할 때, 시작점과 끝점 사이를 가장 빠르게 하강하는 곡선을 찾는 문제다.
최속강하선 문제에 처음으로 도전한 사람은 베르누이가 아니다. 그 이전인 1638년 갈릴레오는 경사면 실험에서 최속강하선은 원이 뒤집힌 곡선 모양이라는 잘못된 결론을 내렸었다.
그 후 라이프니츠, 뉴턴, 요한 베르누이와 그의 형 야코프 베르누이가 이 문제를 연구한 끝에 해를 찾았다. 그 해를 찾을 수 있겠는가?
1659년 크리스티안 하위헌스(Christian Huygens)는 등시곡선 문제라는 다른 문제를 풀었다. 등시곡선은 공이 마찰 없이 중력에 의해서만 높은 곳에서 가장 낮은 점까지 굴러갈 때 필요한 시간이 그 공의 시작점과는 무관한 그런 곡선이다. 그는 사이클로이드 역시 등시곡선이라는 것을 증명했다.* 그의 발견은 등시 진자시계의 디자인에 중요한 역할을 했다. 등시곡선을 따라 다른 네 점에서 동시에 놓인 네 개의 공은 동시에 바닥에 이를 것이다.

* 하위헌스는 1673년 논문 "진자시계(Horologium Oscilatorium)"를 통해 진자는 호가 아니라 사이클로이드를 따라 움직일 때 진자의 궤도가 등시곡선이 된다는 것을 증명하고, 이러한 성질을 이용해 진자시계를 만들었다.

가장 빠른 강하-1696년

그림에 나타난 바와 같이 공이 직선, 꺾인 선, 원모양 곡선, 그리고 사이클로이드의 네 개의 곡선을 따라 굴러간다. 어느 공이 가장 빨리 곡선의 끝점에 다다를 것인지 알 수 있겠는가? 다시 말하면, 어느 곡선이 최속강하선인가? 최속강하선은 중력에 의해서 다른 어떤 곡선보다도 빨리 강하하는 곡선을 말한다.

126
난이도 ●●●●○○
필요한 것
완료 ○ 시간

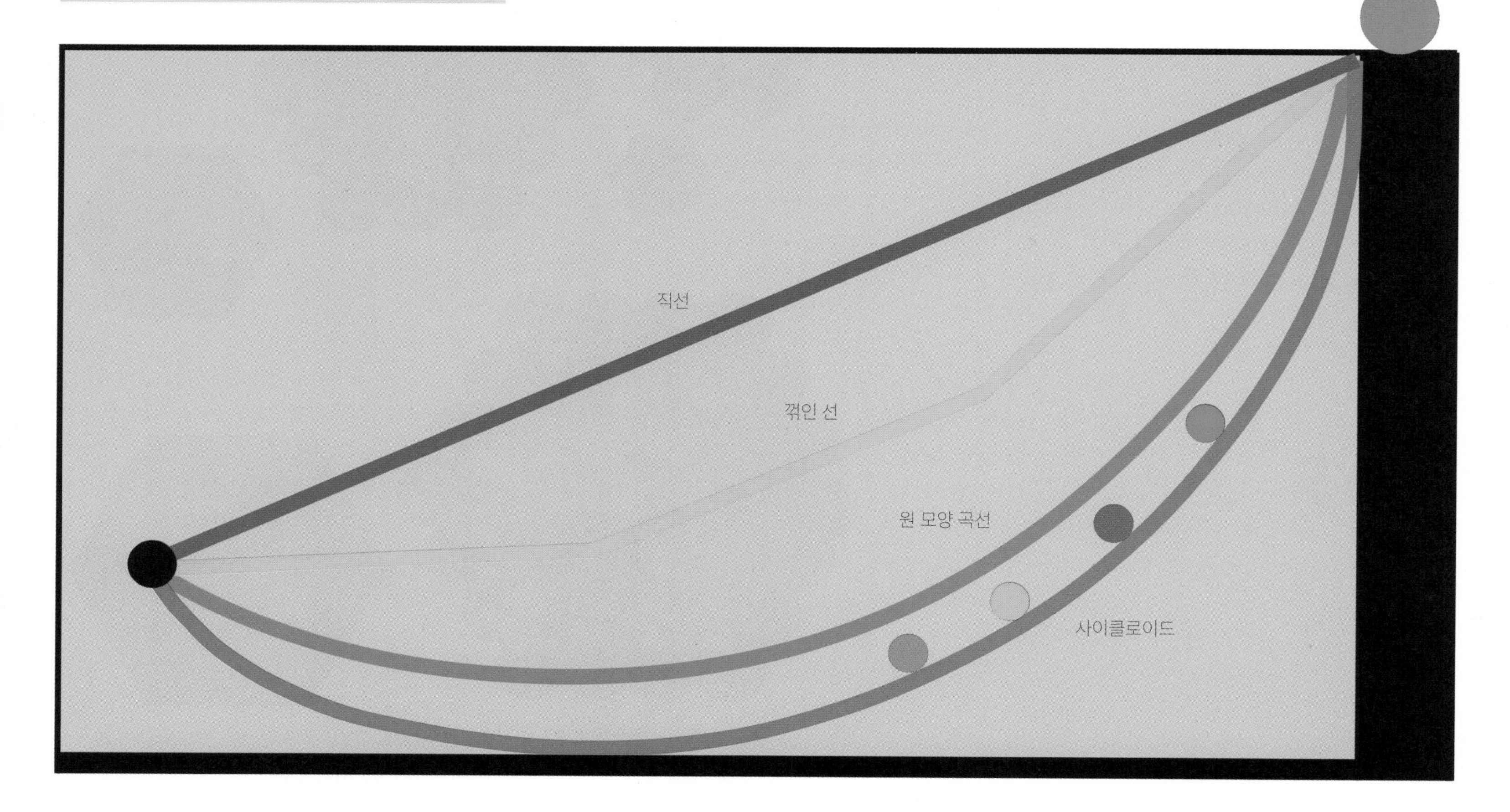

바둑돌 게임-1697년

바둑돌 게임은 한 바둑돌이 다른 바둑돌을 건너뛰면서 없애가는 게임이다. 이 게임의 원조는 1697년 루이스 14세의 법정까지 거슬러 올라가는데, 당시 클로드 베레이(Claude Auguste Berey)는 안 드 로한 샤보, 수비즈 공주를 판화로 새기면서 그녀 옆에 퍼즐을 새겨 넣었다. 바둑돌 게임판은 당시 많은 예술 작품 속에 등장하며 게임의 화려함을 보여주고 있다.

표준게임에서는 게임판 가운데 구멍을 제외하고 나머지 구멍에는 바둑돌들이 놓여 있다. 이 게임은 가운데 구멍에 한 개의 바둑돌만을 남기고 게임판의 나머지 구멍들은 비우는 것이다. 가장 인기 있는 이 게임의 변형 게임은 그림에 나타난 것과 같은 33개의 조각을 갖는 게임판이다. 가운데인 17번 자리만 빼고 나머지 32개 자리에는 바둑돌이 놓여 있다. 더 쉬운 퍼즐은 더 적은 수의 바둑돌로 시작하는 것으로, 역시 놓인 바둑돌을 모두 제거하고 가운데 위치에 바둑돌을 놓으면 끝난다.

'점프'는 바둑돌을 (주변의 바둑돌 뒤에 빈 곳이 있으면 그 주변 바둑돌을 제거하고) 그 뒤 빈 곳에 놓는 것이다. 수직과 수평 방향으로는 점프할 수 있으나 대각선 방향으로는 점프할 수 없다. 각 이동은 점프로 이루어지며, 연속적으로 여러 번 점프가 가능하고 연속 점프는 한 번 이동한 것으로 간주한다. 게임을 끝내는 방법이 얼마나 많은지는 아무도 모른다. 31번의 점프로 게임을 끝낼 수 있다는 방법이 있다는 건 확실하다. 그러나 연속적인 점프를 고려하면 이동 횟수는 31보다 작을 수도 있다.

이 게임의 '세계기록'은 1912년 베르크홀트(Ernest Bergholt)가 달성한 것으로, 18번 이동으로 게임을 끝냈다. 몇 번이나 이동해야 게임이 끝날까? 또는 점프가 더 이상 불가능한 점에 도달할 때까지 몇 번이나 이동할 수 있는가?

127

난이도 ●●●●●○
필요한 것
완료 　시간

"'솔리테르(solitaire)'라 불리는 바둑돌 게임은 정말 재미있다. 나는 이 게임을 거꾸로 한다. 다시 말하면, 빈 곳으로 점프하며 지나가는 바둑돌을 제거하는 규칙 대신, 바둑돌이 없어진 곳을 다시 채우는 즉, 바둑돌이 점프해서 비게 된 그 공간을 채우는 방법이 더 낫다고 생각했다."

라이프니츠(1716)

128

난이도 ●●●●●○
필요한 것
완료 ● 시간

이진 기억 바퀴

3~6비트 이진수를 표현하는 가능한 방법은 오른쪽에 보이는 것과 같이 '온' 또는 '오프'를 갖는 3~6개의 스위치로 표현하는 것이다. 이들은 0을 포함해 이진수 체계의 처음 64개 숫자를 나타낸다.

3비트 이진수들을 동시에 표현하려면 24개의 스위치가 필요하다. 또한 4비트, 5비트, 6비트 이진수들을 표현하기 위해서는 각각 64, 160, 384개의 스위치가 필요하다.●

그러나 그림에 나타나 있는 '이진' 바퀴는 같은 양의 정보를 매우 효율적으로 압축한 것으로, 바퀴 안쪽으로부터 각각 8, 16, 32, 그리고 64개의 스위치를 볼 수 있다. 이진 바퀴에서는 스위치들이 겹쳐짐으로써 많은 양의 정보를 나타내는 것이 가능하다.

모든 이진수가 바퀴의 시계 방향을 따라가며 이웃한 '온' 또는 '오프' 스위치들의 집합으로 표현될 수 있도록, 이진수들을 이진 바퀴를 따라서 배치하는 방법을 알 수 있겠는가? 각 수를 표현하는 스위치들은 연속적이어야 하나, 그 숫자들 자체는 한 개의 연속적인 수열로 나열될 필요는 없다.

● 그림을 보는 방법: 사각형을 각각의 스위치로 본다. 3비트 이진수를 동시에 표현한 가장 왼쪽에 있는 그림을 보면 스위치가 24(=3×8)개, 두 번째 그림인 4비트의 경우 64(=4×16)개 등으로 보는 것이다.

"세상에는 '10' 가지 유형의 사람들이 있다. 이진 수학을 이해하는 사람과 그렇지 않은 사람들이다."

익명

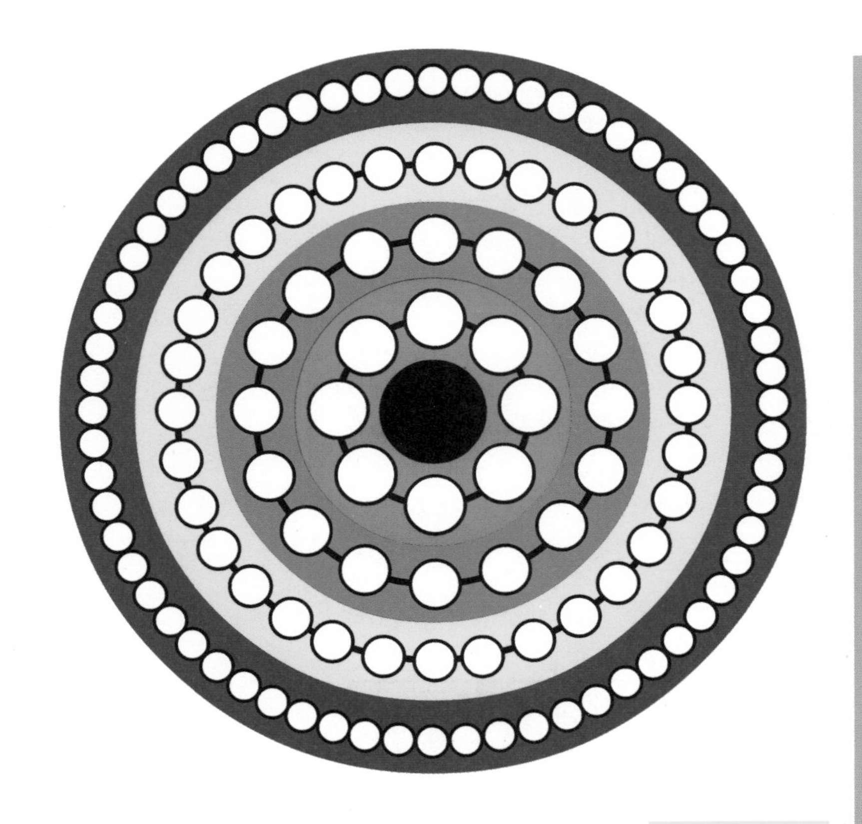

네 개의 바퀴들:
빨강: 3비트 이진수
녹색: 4비트 이진수
노랑: 5비트 이진수
파랑: 6비트 이진수

○ = 0
● = 1

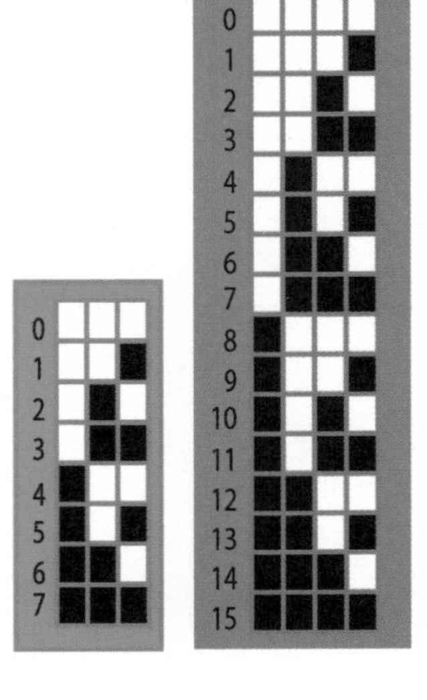

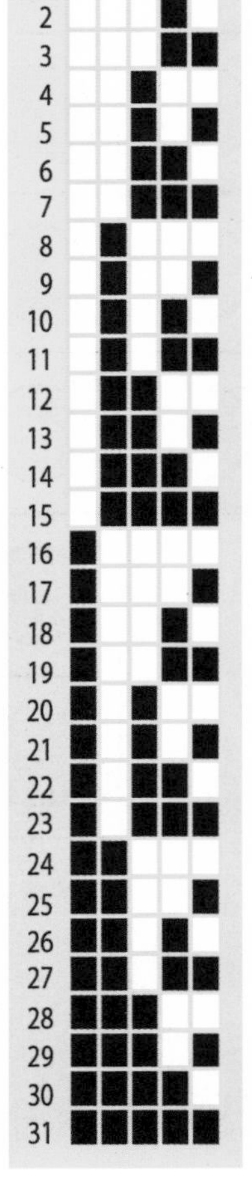

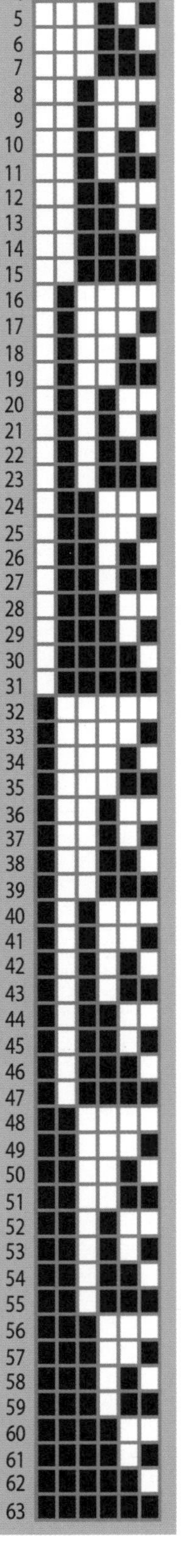

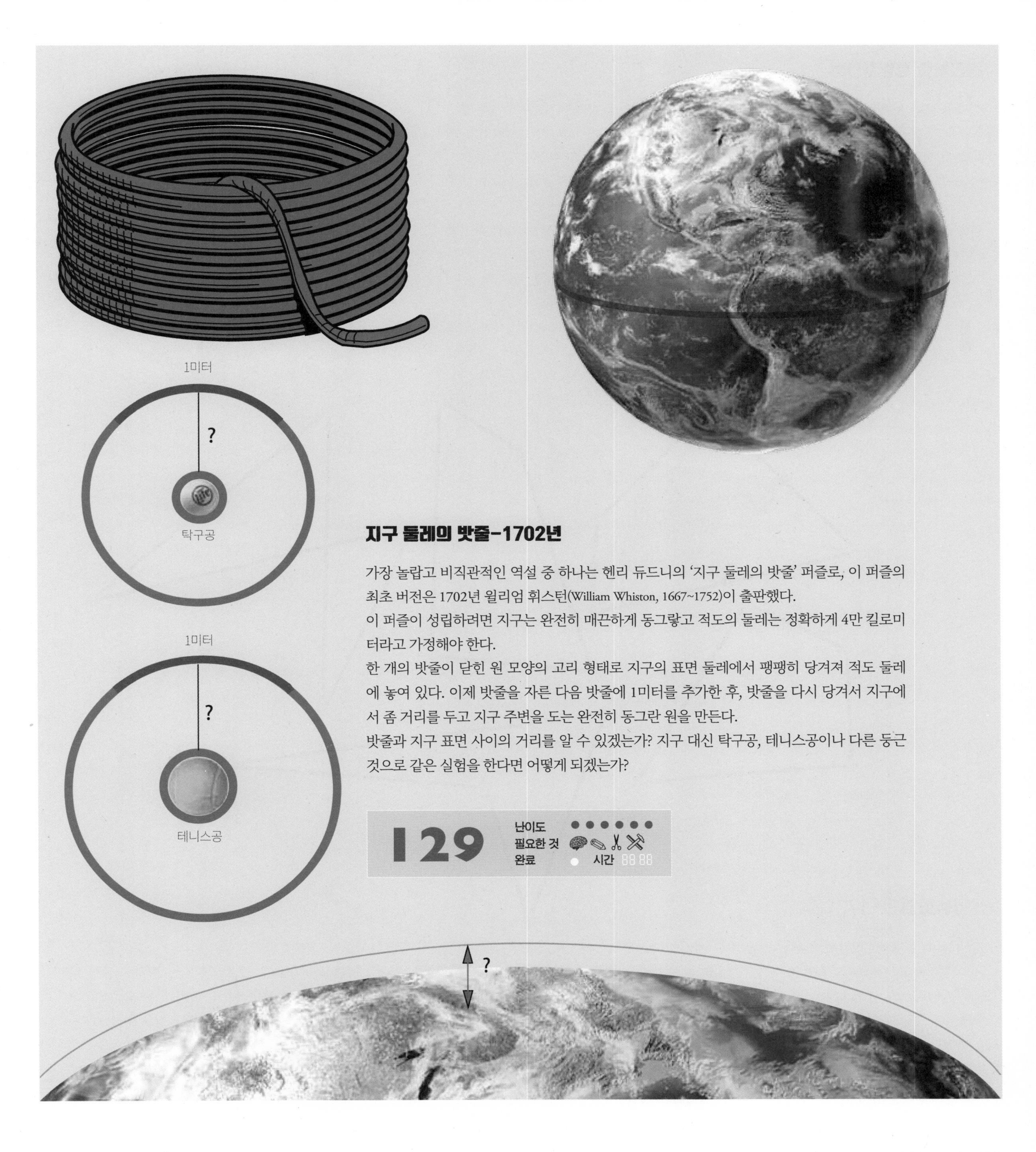

지구 둘레의 밧줄-1702년

가장 놀랍고 비직관적인 역설 중 하나는 헨리 듀드니의 '지구 둘레의 밧줄' 퍼즐로, 이 퍼즐의 최초 버전은 1702년 윌리엄 휘스턴(William Whiston, 1667~1752)이 출판했다.

이 퍼즐이 성립하려면 지구는 완전히 매끈하게 동그랗고 적도의 둘레는 정확하게 4만 킬로미터라고 가정해야 한다.

한 개의 밧줄이 닫힌 원 모양의 고리 형태로 지구의 표면 둘레에서 팽팽히 당겨져 적도 둘레에 놓여 있다. 이제 밧줄을 자른 다음 밧줄에 1미터를 추가한 후, 밧줄을 다시 당겨서 지구에서 좀 거리를 두고 지구 주변을 도는 완전히 동그란 원을 만든다.

밧줄과 지구 표면 사이의 거리를 알 수 있겠는가? 지구 대신 탁구공, 테니스공이나 다른 둥근 것으로 같은 실험을 한다면 어떻게 되겠는가?

129
난이도 ●●●●●●
필요한 것
완료 ● 시간

바리뇽의 평행사변형

맘대로 그린 네 변과 네 꼭짓점을 갖는 다각형인 사변형 5개가 있다고 하자. 왼쪽 위에 있는 사변형의 변들의 중점을 이어 평행사변형을 만든다(빨간색 평행사변형). 이 평행사변형의 변들은 그 사변형의 두 대각선과 평행하다. 이를 '쌍 별로 같고 평행하다'고 한다.
이 평행사변형의 면적 및 둘레와 원래 사변형의 면적 및 대각선과의 관계를 알아낼 수 있겠는가?
다른 사변형에 대해 유사하게 했을 때도 평행사변형이 만들어질까? 주어진 네 개의 사변형에 대해서 해보라.

130

난이도 ●●○○○○
필요한 것
완료 ○ 시간

바리뇽의 정리-1731년

'바리뇽의 정리'●는 1731년 처음 출판된 바리뇽(Pierre Varignon, 1654~1722)의 저서 『유클리드기하학(Euclidean geometry)』에 나타난 명제다. 이 정리는 임의의 사각형으로부터 바리뇽 평행사변형이라는 특별한 평행사변형을 만드는 것에 관한 것이다. 임의의 사각형의 변의 중점을 이으면 한 개의 평행사변형이 만들어지는데 이를 바리뇽 평행사변형이라 한다. 만일 사각형이 볼록하거나 요각이 있으면, 즉 교차 사변형이 아니면 평행사변형의 면적은 사각형의 면적의 반이다.
역학에서 '역학의 원리'는 바리뇽의 정리로도 알려져 있는데, 이 원리는 어떤 힘의 모멘트는 그 힘의 성분들의 모멘트들의 대수적 합과 같다는 것이다. 이 매우 중요한 원리는 종종 '이동성 원리'와 함께 사용되어 어떤 구조의 위와 내부(위 또는 내부)에 작용하는 시스템이나 힘을 결정한다.

● 바리뇽의 정리: 바리뇽 평행사변형의 면적은 사변형 면적의 반이며, 그 둘레는 사변형의 두 대각선의 합과 같다.

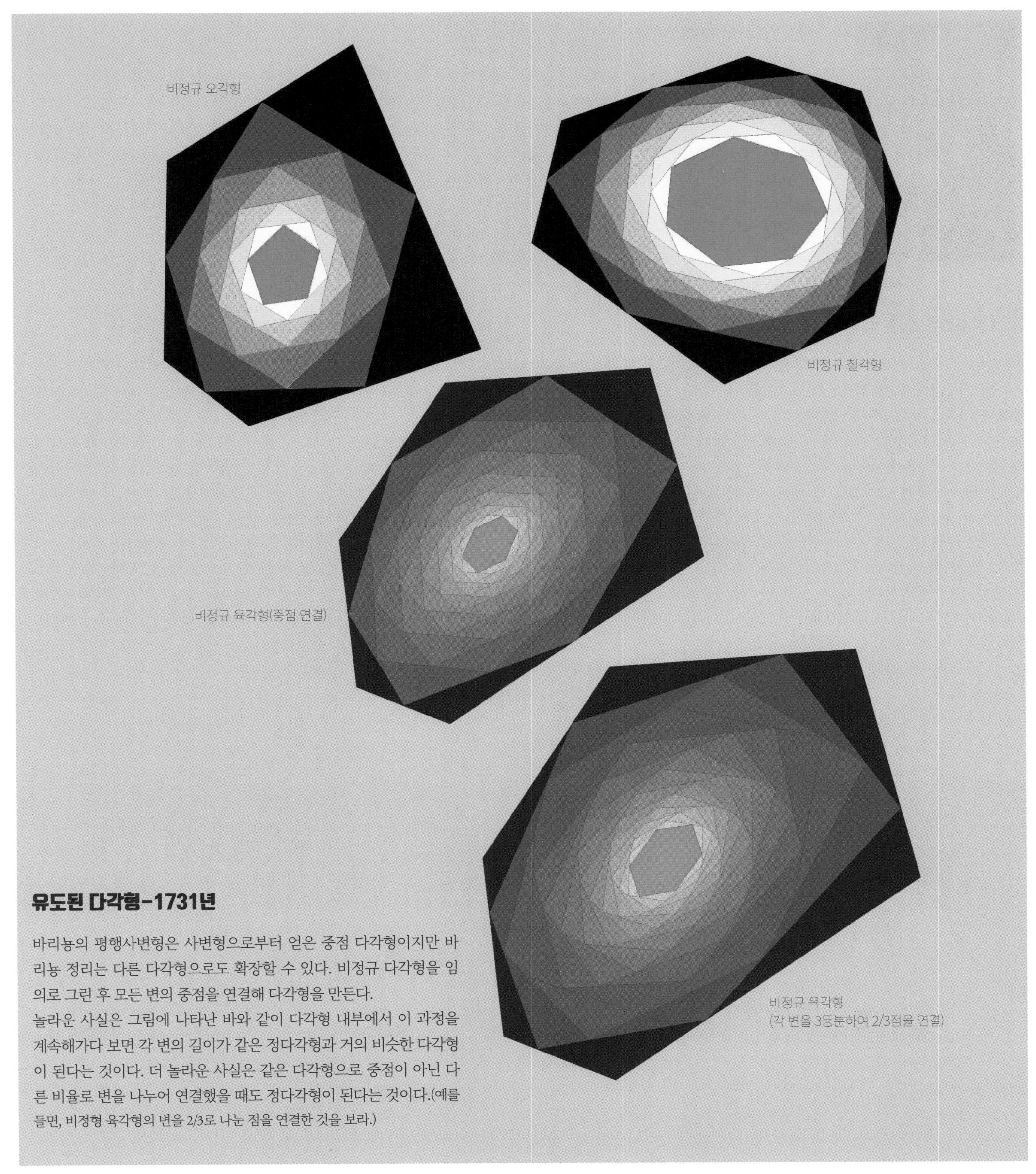

유도된 다각형-1731년

바리뇽의 평행사변형은 사변형으로부터 얻은 중점 다각형이지만 바리뇽 정리는 다른 다각형으로도 확장할 수 있다. 비정규 다각형을 임의로 그린 후 모든 변의 중점을 연결해 다각형을 만든다.
놀라운 사실은 그림에 나타난 바와 같이 다각형 내부에서 이 과정을 계속해가다 보면 각 변의 길이가 같은 정다각형과 거의 비슷한 다각형이 된다는 것이다. 더 놀라운 사실은 같은 다각형으로 중점이 아닌 다른 비율로 변을 나누어 연결했을 때도 정다각형이 된다는 것이다.(예를 들면, 비정형 육각형의 변을 2/3로 나눈 점을 연결한 것을 보라.)

오일러(1707~1783)

오일러(Leonhard Euler)는 스위스 태생의 수학자로 모든 시대를 통틀어 가장 많은 연구를 한 수학자 중 하나로 꼽힌다. 오일러는 자신의 아버지처럼 프로테스탄트 목사가 되기 위해 바셀대학에서 공부했으나, 수학에 대한 사랑으로 전공을 바꾸었다. 오일러는 13명의 자녀가 있었는데, 전하는 말에 따르면 품에 아기를 안고 있는 동안 가장 위대한 수학적 업적들을 발견했다고 한다.

수학에서의 그의 업적은 수론, 미분방정식, 변분법을 포함해 여러 분야에 걸쳐 실로 방대하다. 오일러는 수학 역사상 그 누구보다도 많은 수학 논문을 출판했다. 학술원은 그가 사망한 1783년 이후 50년 동안 출간되지 않은 그의 연구들을 계속 출판했다.

쾨니히스베르크의 7개의 다리-1735년

이 문제의 유래는 1735년으로 거슬러 올라간다. 당시 독일의 쾨니히스베르크에는 일곱 개의 다리가 있었다. 비록 답은 복잡하지만, 문제 자체는 매우 단순하다. '각 다리를 딱 한 번씩만 건너서 출발했던 자리로 되돌아올 수 있는가' 하는 것이다.

당시 사람들이 이 문제를 풀려고 했었다고 하나 결코 풀 수는 없었다고 한다. 1735년 오일러는 이 문제를 풀면서 수학의 가장 중요한 분야 중 하나인 그래프 이론의 기반을 만들었다.

오일러는 이 문제가 내포하고 있는 많은 복잡한 특징들을 제거하고 오직 점과 선만을 사용해 문제를 풀어냈다. 이렇게 오일러는 아래 그림과 같은 수학적 구조를 만들었다. 오늘날 '그래프'라 불리는 것이다.

이후 이 문제는 '한 붓 그리기' 문제가 되었다. 한 붓 그리기 문제는 점들을 선으로 연결해 만드는 그림으로, '연필을 종이에서 떼지 않고 어떤 선도 두 번 거치지 않으며 하나의 연속적인 경로로 주어진 점들을 지나는 게 가능한가' 하는 문제다.

오일러는 홀수 개의 선이 만나는 곳은 많아야 두 곳이 있고, 만일 시작한 곳으로 돌아와야 한다면 홀수 개의 선이 만나는 곳은 없어야 한다는 것을 증명했다.

일단 한번 보면 그 이유를 쉽게 이해할 수 있다. 연속적인 경로에서 시작점과 끝점을 제외하고 각 교차점은 그 교차점을 나가는 수만큼 들어올 것이다. 이제 쾨니히스베르크 다리 문제는 홀수 개의 선을 가진 네 개의 교차점으로 구성된 선들로 이루어진 네트워크를 가로지르는 문제와 동일하다는 것을 알 수 있다.

결론: 해는 존재할 수 없다. 오일러의 문제는 위상 문제 중 하나다. 위상수학은 연속적인 변형(deformation)에도 보존되는 형상들의 특성을 다루는 수학의 한 분야다. 두 개의 네트워크가 있을 때 만일 한 네트워크를 변형하여 다른 네트워크로 만들 수 있다면 두 네트워크는 '위상적으로 동일'하다고 한다. 만일 한 네트워크를 한 개의 곡선으로 연결할 수 있다면 그 네트워크와 위상적으로 동일한 어떤 네트워크도 한 개의 곡선으로 연결할 수 있다. 순수하게 유희수학 퍼즐로 시작했으나 현대 수학의 가장 중요한 분야 중 하나로 끝나는 이런 문제는 매우 흥미롭다!

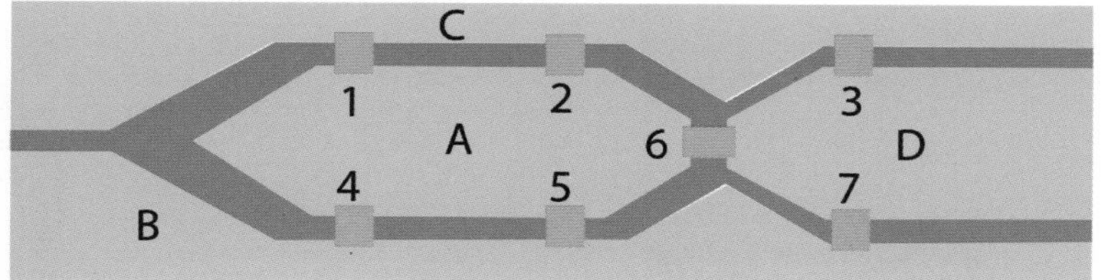

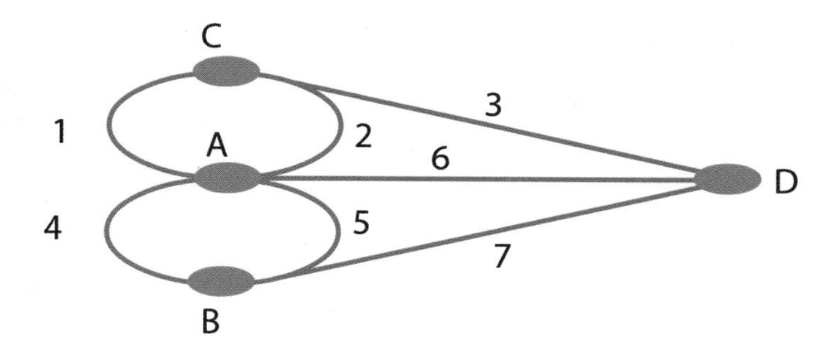

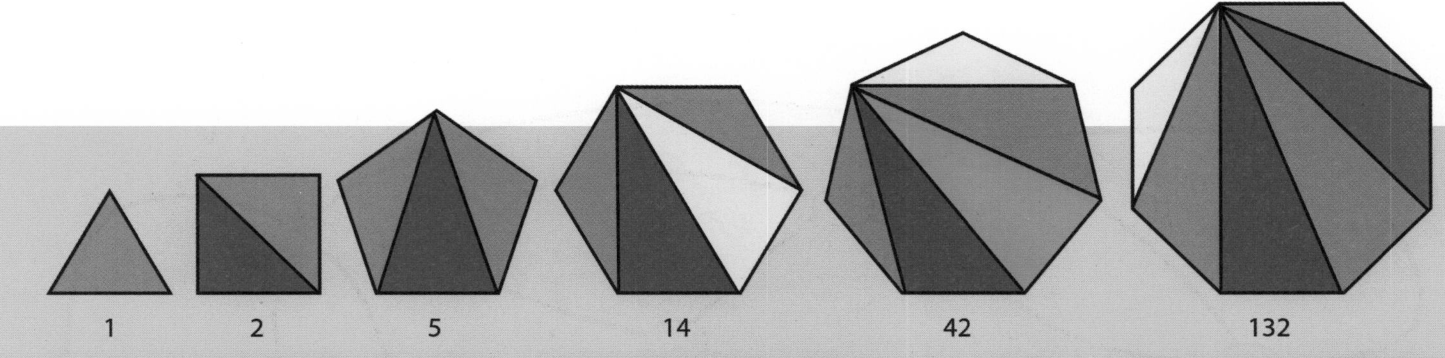

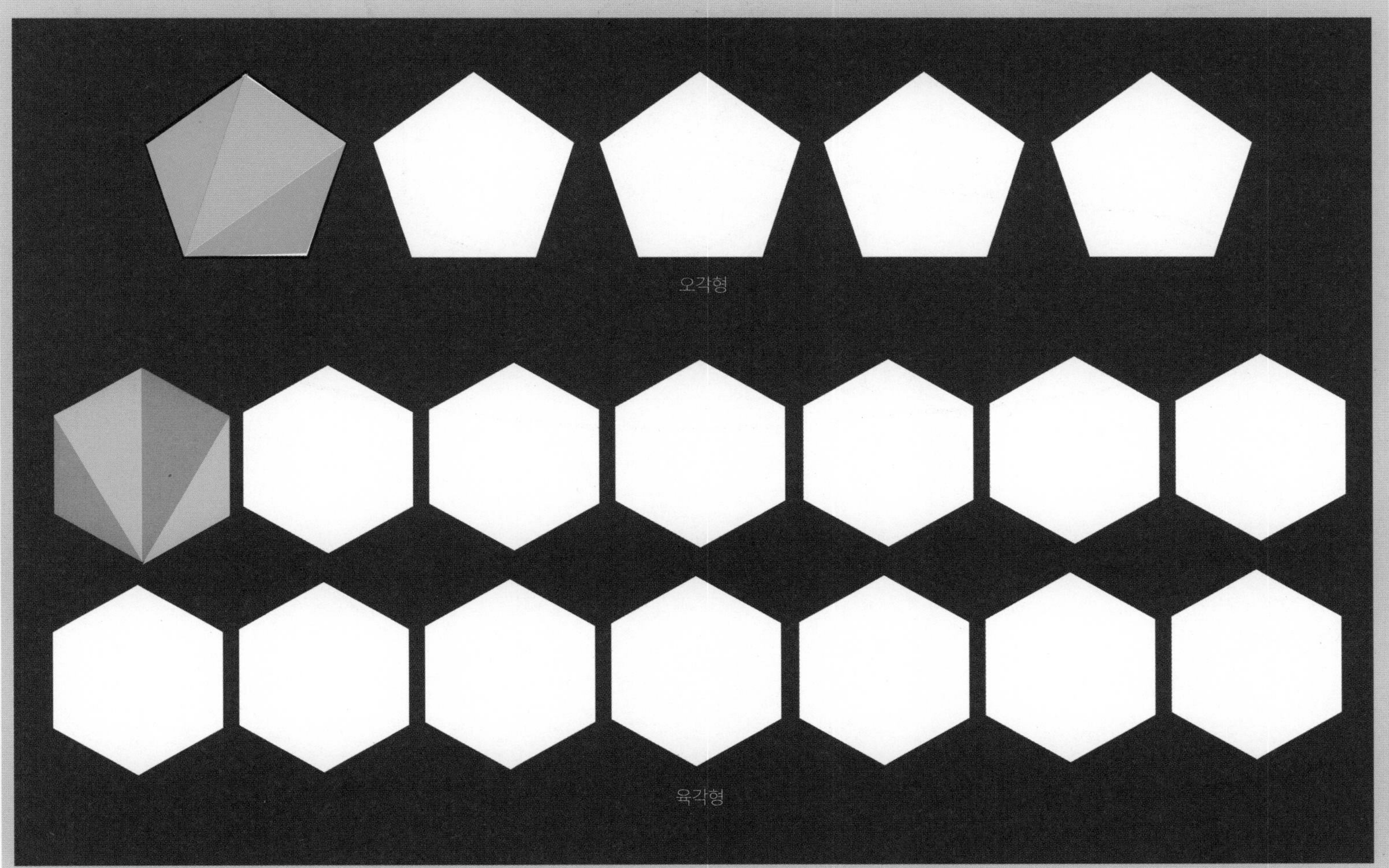

오일러의 다각형 나누기 문제-1751년

'삼각화(triangulation)'는 평면이나 평면 다각형을 삼각형으로 나누는 것이다.

기본 삼각화 문제 중의 하나는 '오일러의 다각형 나누기' 문제로 1751년 오일러가 골드바흐에게 제안했던 것이다. n개의 변을 갖는 평면 볼록 정다각형을 그 다각형에서 그릴 수 있는 대각선들을 이용해 n-2개의 삼각형으로 나누는 다른 방법은 얼마나 될까? 여기서 회전해서 얻을 수 있는 것과 대칭은 다른 것으로 간주하며 자르는 선이 서로 교차해서는 안 된다.

위에 보이는 오각형과 육각형에 대해 다른 삼각화를 찾을 수 있겠는가?

이 문제는 보이는 것만큼 그렇게 간단하지는 않으며 그동안 많은 관심을 불러일으켰다. n개의 변을 갖는 볼록 다각형의 대각선과 삼각형의 개수를 알 수 있겠는가?

131

난이도 ●●●●○○
필요한 것 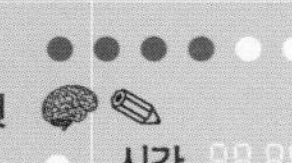
완료 ● 시간

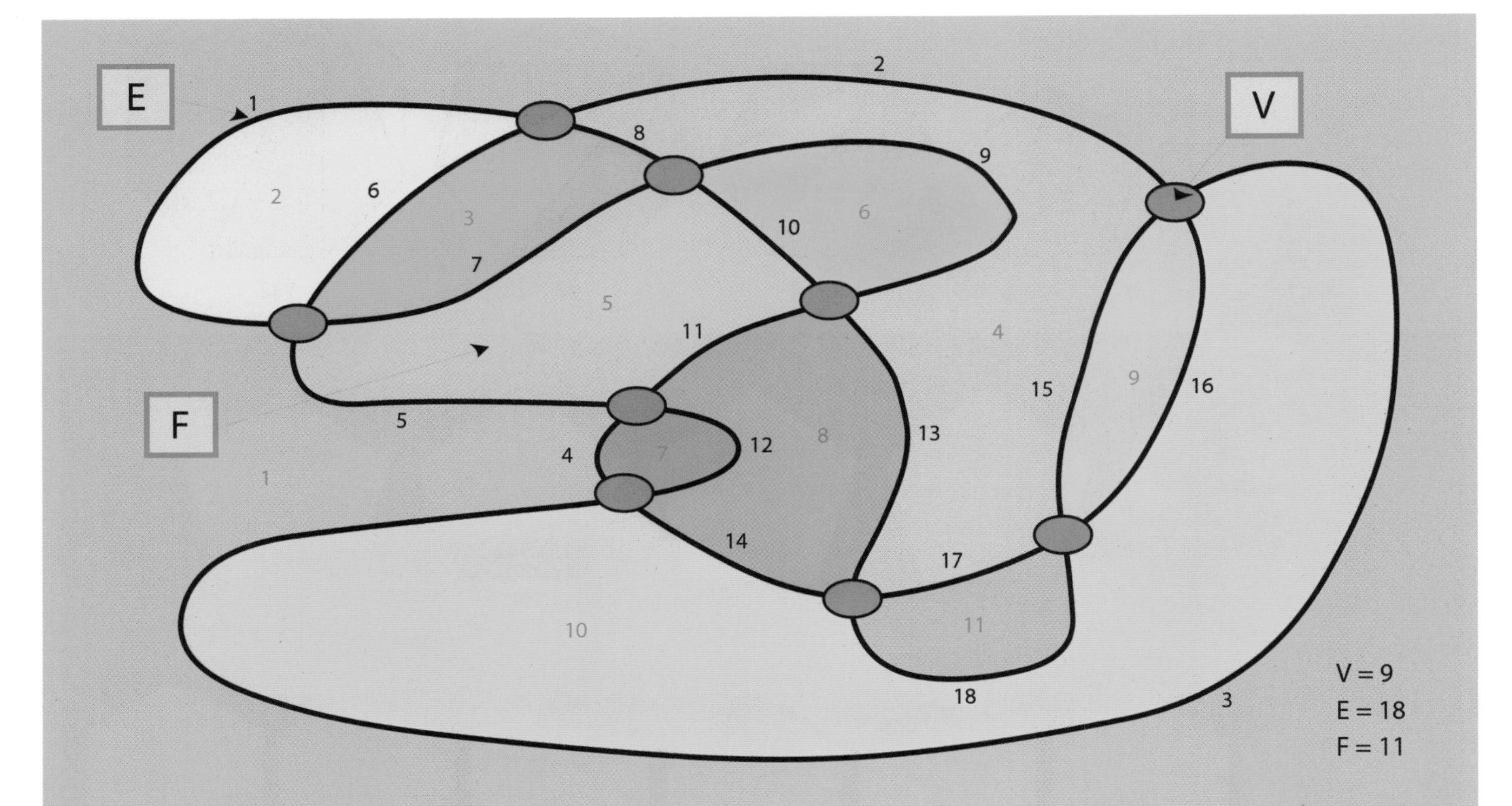

오일러 공식-1752년

맘대로 아무렇게나 뭔가를 끄적거렸다고 하자. 정말로 아무렇게나 그리기 위해서, 종이 위에 펜을 올려놓은 후 눈을 감고 펜이 종이 밖으로 나가지만 않도록 주의를 기울이면서 펜을 떼지 않고 선을 그리고 난 후, 눈을 뜨고 시작점과 끝점을 연결해보자. 이런 그림을 그려보아라. 이 문제는 그렇게 맘대로 그린 그림에서조차도 엄청난 수학적 의의를 갖는 패턴들이 숨겨져 있다는 것을 보여주기 위한 것이다.
이 그림에서 뭔가를 찾을 수 있겠는가? 그린 낙서에 어떤 것들이 있을지 궁금하다.

1. 얼마나 많은 교차점(V)이 있는가?
2. 얼마나 많은 변(E)이 있는가? 변은 두 점을 연결하는 선이다.
3. 얼마나 많은 영역(F)이 있는가?

물론 시간을 들여서 이것들을 셀 수도 있다. 그러나 다른 방법이 있다. 만일 이 세 개의 값 중 두 값을 안다면 나머지 하나는 자동으로 결정된다.
'오일러 공식' 또는 '오일러 특성식'이라 불리는 공식을 알 수 있겠는가?
수식 가운데 가장 아름답고 중요한 식 중 하나인 오일러 공식은 우리가 평면에 그리는 연결된(시작점과 끝점이 같은) 낙서에서조차도 큰 직관력이 있음을 알게 한다. 그러나 그 안엔 그 이상의 무언가가 있다. 모든 볼록 다각형은 그 다각형의 꼭짓점, 변, 그리고 면에 대해 오일러 공식이 성립한다는 것을 보일 수 있다.
비록 그 정리의 이름은 오일러의 이름에서 따왔지만, 오일러 자신이 완벽한 증명을 한 건 아니다. 2세기에 걸쳐 데카르트, 오일러, 르장드르(1752~1833), 그리고 코시(1789~1857) 등 지금까지 살았던 가장 천재적인 수학자들에게 전수되면서 오일러 공식은 마침내 완벽하게 증명되었다.

132
난이도 ●●●●●○
필요한 것
완료
시간

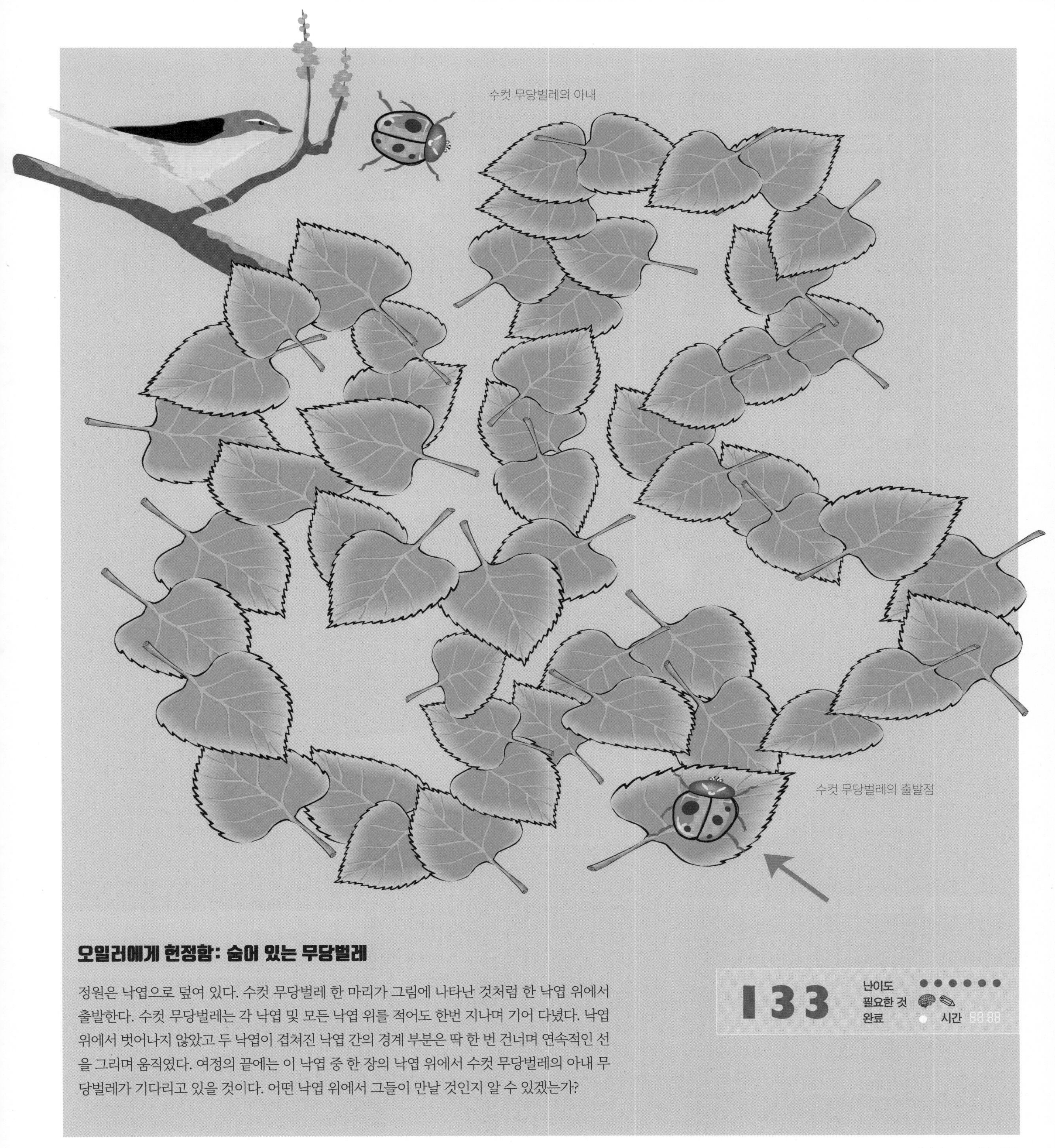

오일러에게 헌정함: 숨어 있는 무당벌레

133

난이도 ●●●●●●
필요한 것
완료 ● 시간

정원은 낙엽으로 덮여 있다. 수컷 무당벌레 한 마리가 그림에 나타난 것처럼 한 낙엽 위에서 출발한다. 수컷 무당벌레는 각 낙엽 및 모든 낙엽 위를 적어도 한번 지나며 기어 다녔다. 낙엽 위에서 벗어나지 않았고 두 낙엽이 겹쳐진 낙엽 간의 경계 부분은 딱 한 번 건너며 연속적인 선을 그리며 움직였다. 여정의 끝에는 이 낙엽 중 한 장의 낙엽 위에서 수컷 무당벌레의 아내 무당벌레가 기다리고 있을 것이다. 어떤 낙엽 위에서 그들이 만날 것인지 알 수 있겠는가?

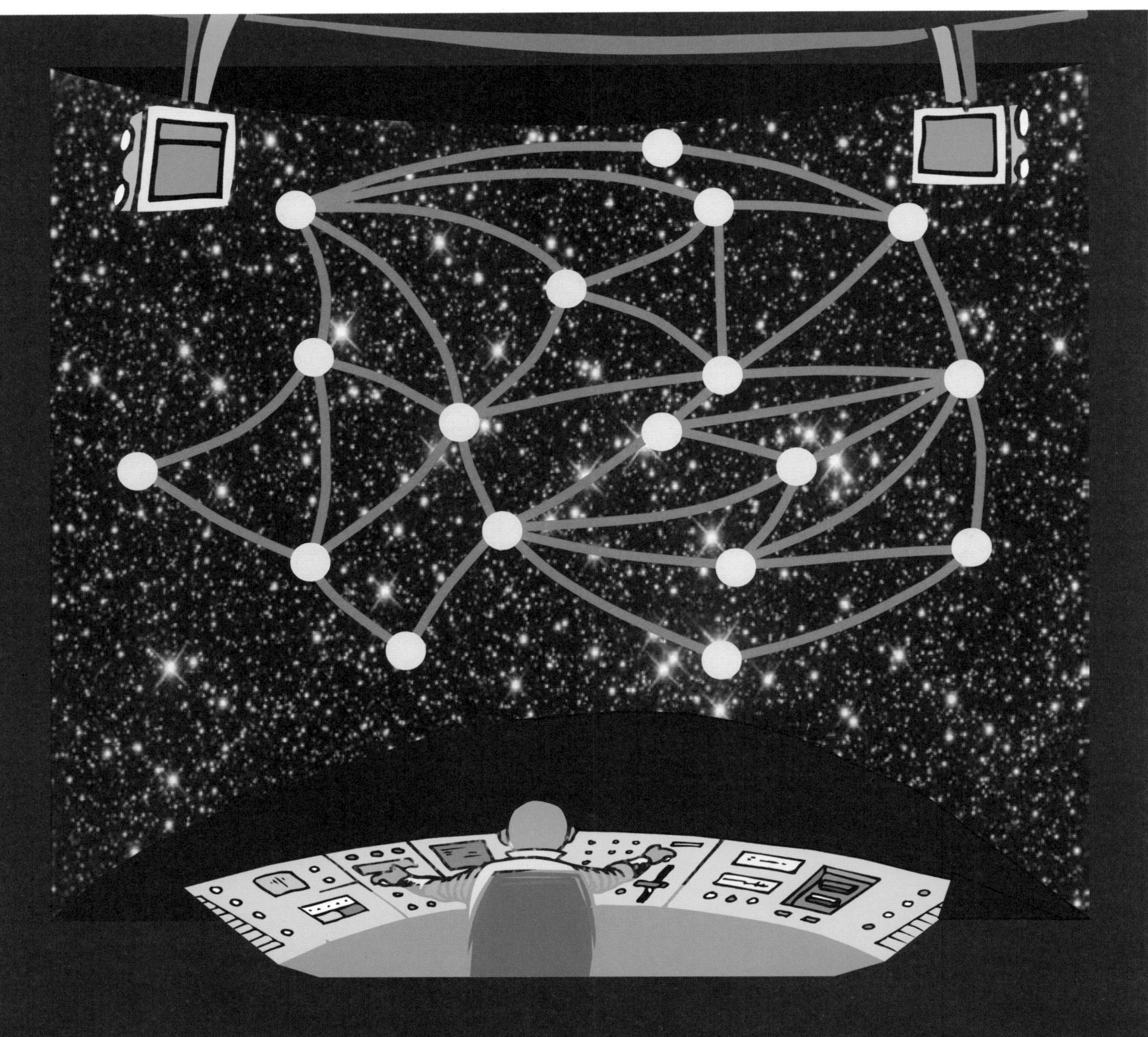

오일러에게 헌정함: 행성 간의 스파이(간첩)

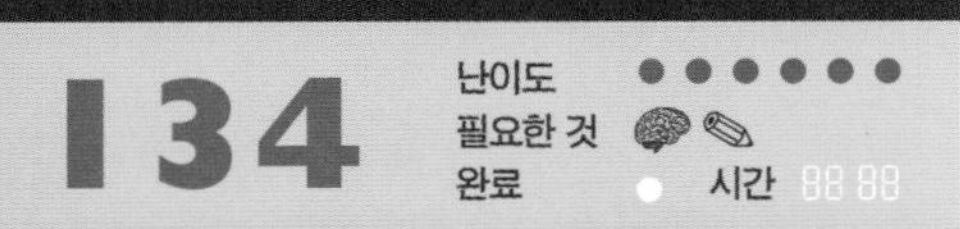

행성 간 보안관은 자신의 컴퓨터 스크린에 나타난 침략 우주선을 쫓아갔다. 외계 간첩선은 북쪽으로부터 우리의 행성계로 들어왔다. 간첩선은 행성 간에 설정된 모든 경로를 한 개의 연속 경로로 하여 한 번 지난 경로는 다시 지나지 않으면서 모든 행성을 방문하며 비밀 정보를 수집한다. 간첩은 아무에게도 들키지 않고 가능한 한 빨리 우리 태양계를 떠나려고 한다.

그러나 우리 군대는 간첩선이 떠나려는 지점에서 기다렸고 간첩선이 도망갈 수 있을 확률은 매우 낮다.

어떤 지점에서 우리의 행성 방위군이 기다리고 있는지 추측할 수 있겠는가?

바늘 던지기

만일 한 개의 바늘이나 성냥을 높은 위치에서 게임판으로 떨어뜨리면 그 바늘이 선 위에 놓일 확률은 얼마나 될까? 게임판의 표면에는 평행한 선들이 그어져 있으며 선들 사이의 간격은 바늘의 길이와 같다고 가정한다.

성냥을 100번 던지고 성냥이 선 위에 떨어진 횟수를 세어라. 200을 이 수로 나누어라. 결과가 π(=3.14)에 얼마나 가까운가?

135 난이도 필요한 것 완료 시간

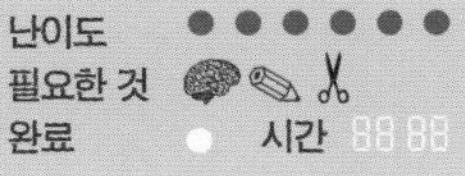

뷔퐁의 바늘 실험-1750년

뷔퐁의 바늘 실험은 기하확률 분야에서 가장 오래된 문제 중 하나다. 이것은 전혀 기대하지 않은 이상한 곳에서 나타나는 수 π에 대한 가장 놀라운 예제 중 하나이기도 하다.

뷔퐁 백작 조르주 루이 르클레르(1707~1788)는 44권으로 이루어진 그의 사전 『자연사』에서 자연의 세계에 관한 모든 것을 묘사했다.

이 사전의 부록에 뷔퐁은 (자연사와는 전혀 무관한) 바늘 실험 문제를 넣었다. 이로 인해, 그는 어느 날 갑자기 당대에 가장 중요한 자연사가가 되어버렸다.

동전 던지기: 달랑베르의 역설–1760년

동전 던지기는 수많은 확률의 원리들을 보여준다. 초기의 확률 역설 중의 하나가 달랑베르(1717~1783)의 이름을 딴 '달랑베르의 역설'이다. 두 개의 동전을 던질 때 세 가지 사건이 나올 수 있다. 각 사건이 나올 확률은 각각 1/3로 같은가? 사실 그 세 사건의 확률이 모두 같지는 않으며, 이러한 사실은 달랑베르와 당대인들의 이목을 끌지는 못했다. 실제로 두 개의 동전을 던지면(또는 한 개의 동전을 두 번 던지면) 네 가지 경우가 가능한데, 이는 오늘날엔 일반 사람들도 아주 잘 알고 있는 사실이다!

만일 이 지식을 가지고 과거로 시간여행을 갈 수 있는 행운아가 있다면 그는 순식간에 아주 쉽게 매우 운 좋은 도박꾼이 될 것이다. 동전의 양면에 수를 매기거나 색을 입힌다면 네 가지 경우가 가능하다는 것을 쉽게 알 수 있다.

1. 앞면(동전1) - 앞면(동전2)
2. 뒷면(동전1) - 뒷면(동전2)
3. 앞면(동전1) - 뒷면(동전2)
4. 뒷면(동전1) - 앞면(동전2)

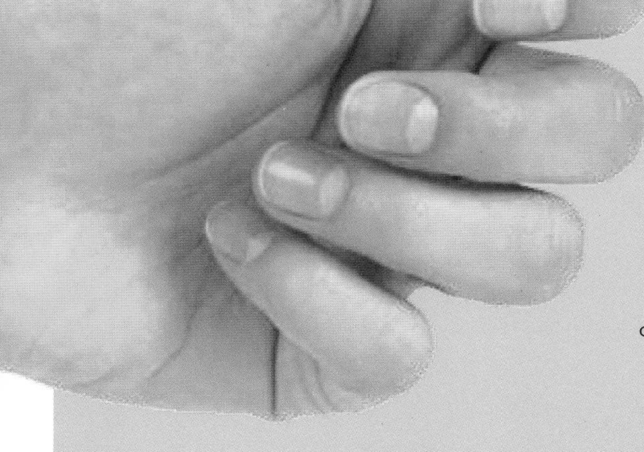

한 개의 동전을 던졌을 때 그 동전이 어떤 식으로 바닥에 떨어질지는 아무도 모른다. 이제 동전을 백만 번 던지면 아주 작은 오차로 앞면이 반, 뒷면이 반 나올 것이다. 이것이 확률론의 기본 개념이다.

근본적으로 두 개의 법칙이 확률에 나타난다. 두 사건이 동시에 일어나는 확률을 계산하는 '그리고 법칙'과 두 사건 중 한 사건이 일어나는 확률을 계산하는 '또는 법칙'이 그것이다.

'그리고 법칙'은 '두 독립사건이 모두 일어날 확률은 각 사건이 일어날 확률을 곱한다'는 것이다.

예를 들면, 한 개의 동전을 던져 앞면이 나올 확률은 1/2이다. 동전을 두 번 던졌을 때 첫 번째와 두 번째 모두 앞면이 나올 확률은 1/2×1/2, 즉 1/4이다.

'또는 법칙'은 '상호 배타적인 사건에서 한 사건 또는 다른 사건이 발생할 확률은 각 사건이 일어날 확률의 합과 같다'는 것이다.

예를 들면, 하나의 동전을 한 번 던졌을 때 앞면이나 뒷면이 나올 확률은 앞면이 나올 확률과 뒷면이 나올 확률을 더한 것과 같다. 즉, 1/2+1/2=1이다.

세 개 이상의 동전을 던지면 어떤 일이 일어날까? 파스칼의 삼각형(142쪽을 보라)은 임의의 횟수만큼 동전을 던지는 경우에 대한 답을 제공해준다. 파스칼의 삼각형을 보면 한 줄의 첫 번째 숫자는 동전이 모두 앞면이 나올 경우의 수다. 다음 수는 한 개를 뺀 나머지 동전이 앞면이 나올 경우의 수다. 그다음 수는 뒷면이 두 번 나머지는 앞면이 나오는 경우의 수며, 그다음 수는 뒷면이 세 번 나머지는 앞면이 나오는 경우의 수를 나타내며, 다른 수들도 이런 방식으로 해석한다.

예를 들면, 동전을 네 번 던질 때 모두 앞면일 확률은 1/16이다. 파스칼의 삼각형을 보고 10개의 동전을 던졌을 때 (또는 동전 하나를 10번 던졌을 때) 앞면이 5개 나올 확률을 구할 수 있겠는가?

이를 알아보기 위해, 먼저 그렇게 나올 수 있는 다른 경우들이 얼마나 많은지 결정한다. 대각선 5와 10행이 만나는 곳에 있는 값 252가 답을 알려줄 수 있다. 10번째 행의 수를 모두 더한 것이 가능한 경우의 수다. 짧게 표현하면, n번째 행의 합은 항상 2^n이다. 그러므로 동전을 10개 던져 앞면이 5개 나올 확률은 252/1024다.

네 개의 동전 던지기 실험

확률은 잘 맞아 떨어진다!

동전 네 개를 100번 던졌을 때 앞면이 나온 동전의 수를 기록한 결과가 아래 주어져 있다. 이 결과의 빈도 그래프가 오른쪽에 나타나 있는데, 이 빈도 그래프는 확률이론을 이용해 얻은 그래프와 비교할 수 있다.*

만일 동전 던지는 횟수를 증가시킨다면 그 발생빈도는 이론적으로 얻은 곡선과 점점 더 비슷해질 것이다. 그러나 그렇다 하더라도 파스칼 삼각형의 네 번째 행으로부터 매우 근사한 확률을 구할 수 있다. 실험을 해보고 확률이론에 의해 예측된 결과와 비교해보라. 서로 잘 맞아떨어지는가?

● 여기에서 확률이론은 이항분포다.

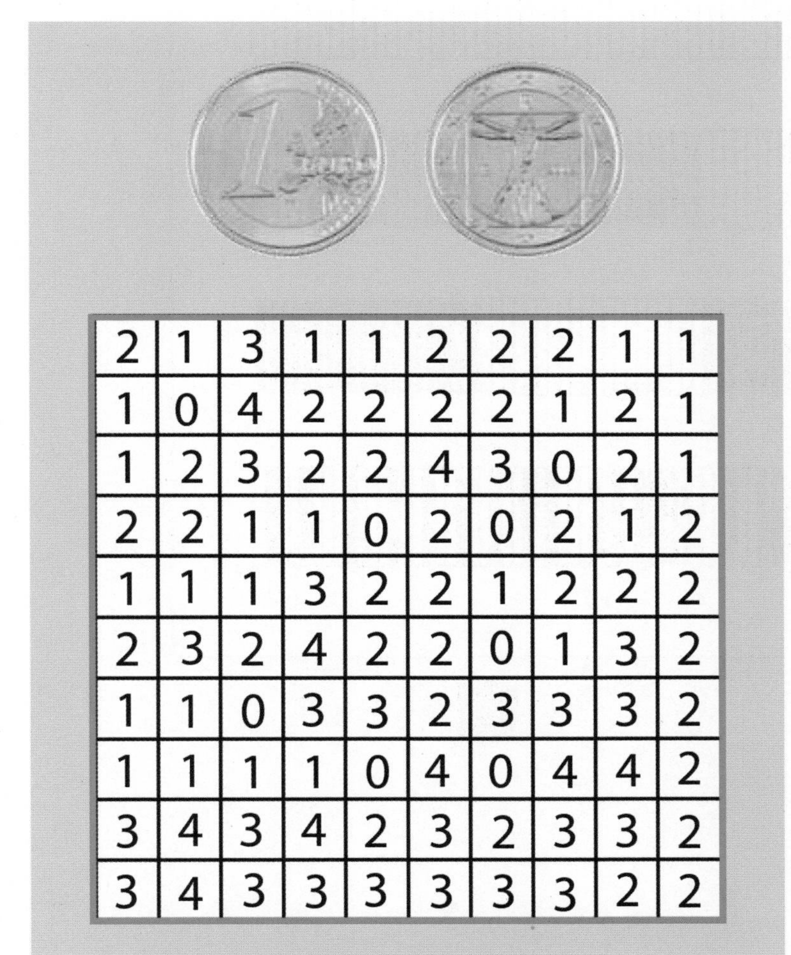

2	1	3	1	1	2	2	2	1	1
1	0	4	2	2	2	2	1	2	1
1	2	3	2	2	4	3	0	2	1
2	2	1	1	0	2	0	2	1	2
1	1	1	3	2	2	1	2	2	2
2	3	2	4	2	2	0	1	3	2
1	1	0	3	3	2	3	3	3	2
1	1	1	1	0	4	0	4	4	2
3	4	3	4	2	3	2	3	3	2
3	4	3	3	3	3	3	3	2	2

앞면의 수	나온 횟수	비율	파스칼
0 -	8	8%	6%
1 -	24	24%	25%
2 -	36	36%	37%
3 -	23	23%	25%
4 -	9	9%	6%

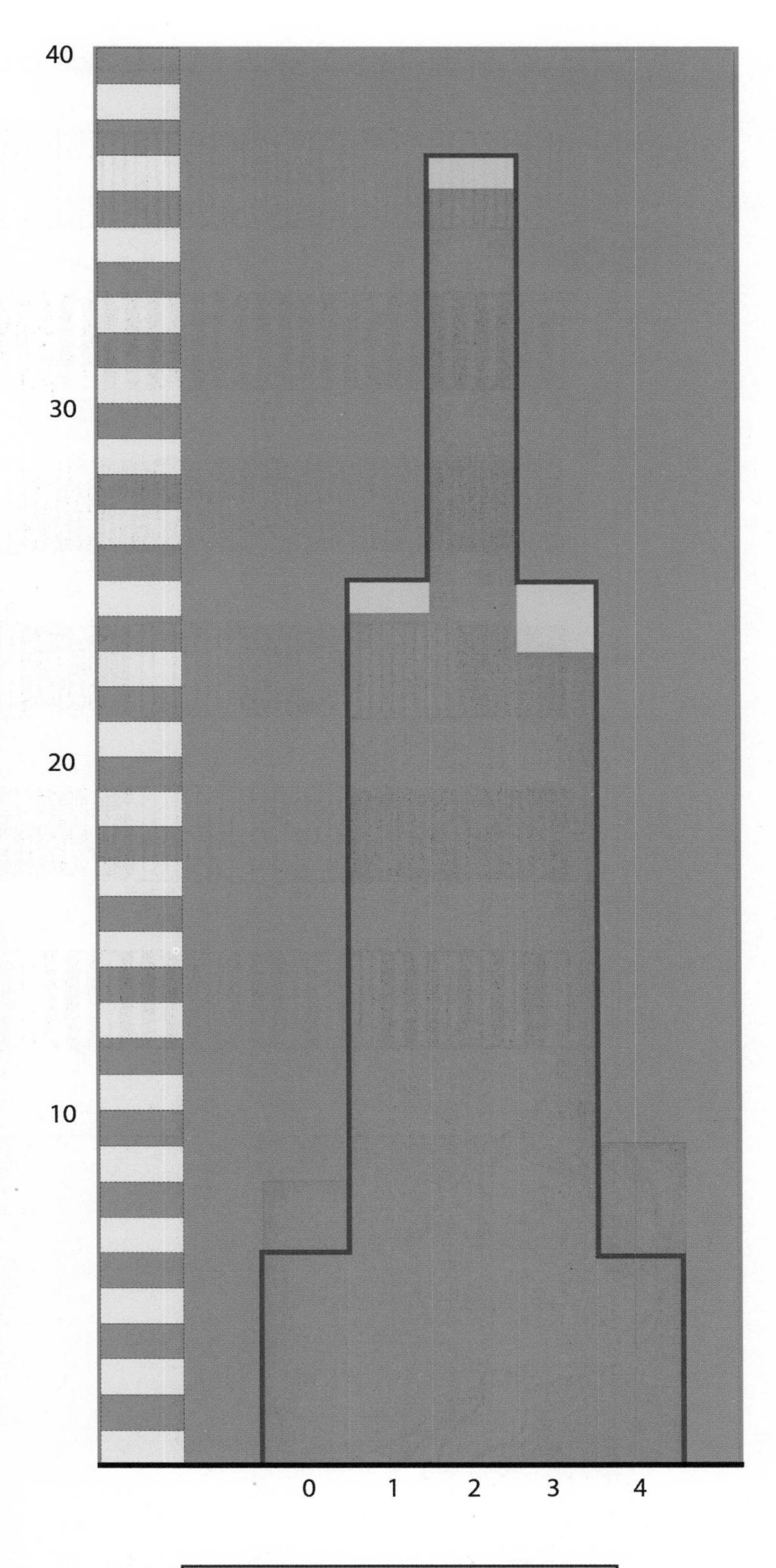

빨간색 그래프: 통계적 결과
파란색 그래프: 파스칼의 삼각형에 의한 확률

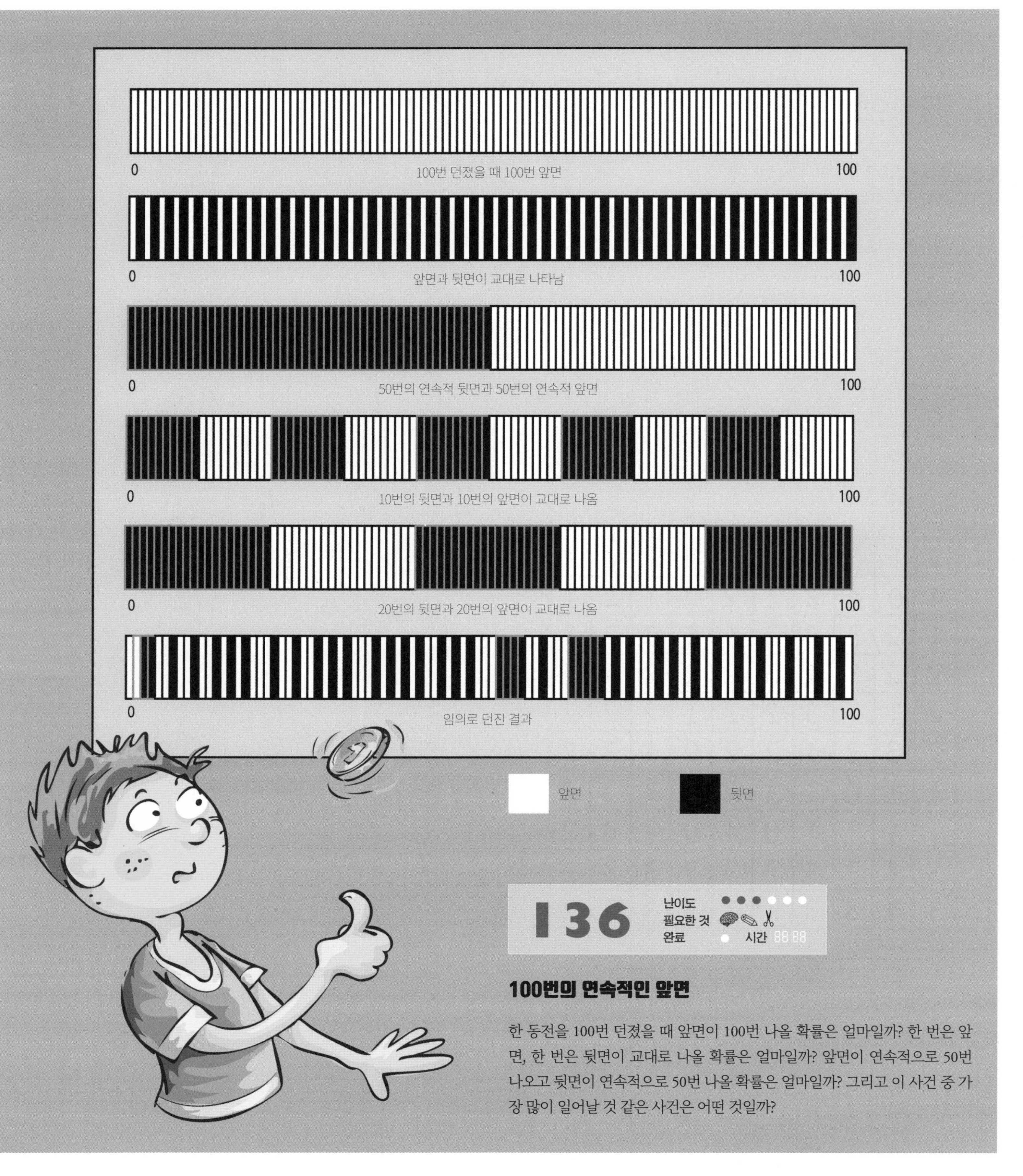

136
난이도 ●●●○○○
필요한 것
완료 ○ 시간

100번의 연속적인 앞면

한 동전을 100번 던졌을 때 앞면이 100번 나올 확률은 얼마일까? 한 번은 앞면, 한 번은 뒷면이 교대로 나올 확률은 얼마일까? 앞면이 연속적으로 50번 나오고 뒷면이 연속적으로 50번 나올 확률은 얼마일까? 그리고 이 사건 중 가장 많이 일어날 것 같은 사건은 어떤 것일까?

최소 경로•

몇 개의 점들을 이을 때 최소 경로를 찾는 것은 매우 어렵다.
예를 들면, 2, 3, 4, 5, 6개의 점을 각각 가장 적은 수의 경로로 연결하면 어떤 모양이 될지 추측할 수 있겠는가? 그 점들은 지도에서 도시 또는 다른 어떤 것을 표현할 때 사용한다.

• 경로의 수가 최소인 경로를 말한다.

두 점	세 점	세 점	네 점	네 점
두 점에 대한 최소신장트리	정삼각형의 세 점에 대한 최소신장트리	정삼각형의 세 점에 대한 슈타이너 트리 – 한 개의 슈타이너 점을 추가하여 얻음	정사각형의 네 점에 대한 최소 신장트리	정사각형의 네 점에 대한 최소 슈타이너 트리 – 두 개의 슈타이너 점을 추가하여 길이가 최소가 됨(한 개의 추가 점으로는 불가능)

137 난이도 ●●●○○○ 필요한 것 완료 시간

야코프 슈타이너의 최소 트리 (minimum trees)

평면에 몇 개의 점이 있을 때 생각할 수 있는 또 다른 문제는, 이 점들을 직선으로 연결하면서 총 길이는 최소가 되게 하는 문제이다. 이 문제는 '최소 신장 트리(minimum spanning trees)'와 '최소 슈타이너 트리(minimum Steiner trees)'로 구별할 수 있다. 최소 슈타이너 트리는 슈타이너 점이라 불리는 1개 이상의 여분의 점을 추가해서 총 길이를 최소화하는 문제다. 슈타이너 점과 슈타이너 트리는 스위스 기하학자 야코프 슈타이너(Jacob Steiner,1796~1863)의 이름에서 따온 것으로, 슈타이너는 최소화 문제를 연구한 최초의 수학자다.

비눗방울과 플라토 문제

이런 어려운 유형의 문제를 연구하는 또 다른 방법이 있다. 바로 비눗방울을 이용한 문제다! 이 문제는 심오한 과학이나 수학과는 다소 동떨어진 단지 비눗방울을 부는 어린아이들의 문제로 보일지도 모른다. 그러나 이는 과학자들도 관심을 갖는 문제로, 우주정거장이나 여러 다른 물건을 디자인하고, 자연에 대한 어떤 심오한 의구심에 대한 답을 찾는 데 필요하다. 우리는 마치 우리가 비눗물 막과 관련되어 있는 원리를 '아는' 것 같으며, 비누 용액에 담긴 단순한 전선 모델(wire model)은 종종 복잡한 문제에 대해 바로 해답을 주기도 한다. 그러나 이런 단순한 실험에서, 우리는 수학의 한 분야인 변분법(calculus of variations) 분야의 문제를 다루고 있다는 것을 인식할 필요가 있다.
이런 실험의 배후에 숨겨진 주요 목적 중 하나는 '어떻게 하면 재료를 조금 사용해서 구조를 만들 수 있는가'를 아는 것이다. 비눗방울은 왜 둥근가? 구의 표면장력은 표면을 가능한 한 최대로 팽팽하게 당기기 때문이다. 비눗방울은 최소한의 표면으로 주어진 부피를 담을 수 있는 형태를 만드는데, 그것이 바로 구다. 1760년 라그랑주(Joseph-Louis Lagrange)에 의해 처음으로 구체화된 플라토 문제는, 주어진 경계를 가지며 표면적을 최소화하는 형태를 찾는 문제를 포함하고 있다. 이 문제는 벨기에 물리학자인 플라토(Joseph Plateau, 1801~1883)의 이름에서 따온 것으로 플라토는 비눗물 막 실험을 한 최초의 과학자였다. 플라토는 1832년 자신이 페나키스토스코프(phenakistoscope)라 부른 회전하는 원판을 이용해 움직이는 형상에 대한 환영을 보여준 최초의 과학자이기도 했다. 플라토 문제는 1930년에야 비로소 제시 더글러스(Jesse Douglas)와 티보 라도(Tibor Rado)가 서로 독립적으로 완전히 다른 방법으로 일반 해를 찾았다.

CHAPTER

5

확률, 케이크 나누기, 그리고 추의 신비

기사의 여행

체스에서 기사는 수평으로 두 칸을 수직으로 한 칸을, 또는 수직으로 두 칸을 수평으로 한 칸을 이동한다.

가장 오래되고 가장 재미있는 체스판 퍼즐 중 하나는 '기사의 여행'이라는 퍼즐이다. 이 퍼즐은 16세기에 인도에서 유래했으나, 처음으로 분석한 사람은 오일러다.

기사는 체스판의 모든 칸을 딱 한 번씩만 갈 수 있을까? 수학적으로 보면 이 문제는 그래프에 관한 문제다. 기사의 닫힌 여행 경로*문제는 그래프 이론에서는 해밀턴 순환을 찾는 하나의 예다(더 자세한 설명은 이 장에 있다).

닫힌 여행은 짝수개의 변을 갖는 게임판에서만 볼 수 있다. 오일러는 기이한 대칭성이 있는 패턴을 가진 많은 경로를 찾았는데, 이는 심미적으로 매우 아름다웠다.

다음 쪽에 있는 더 작은 게임판 위에서 기사의 여행 경로를 찾을 수 있겠는가?

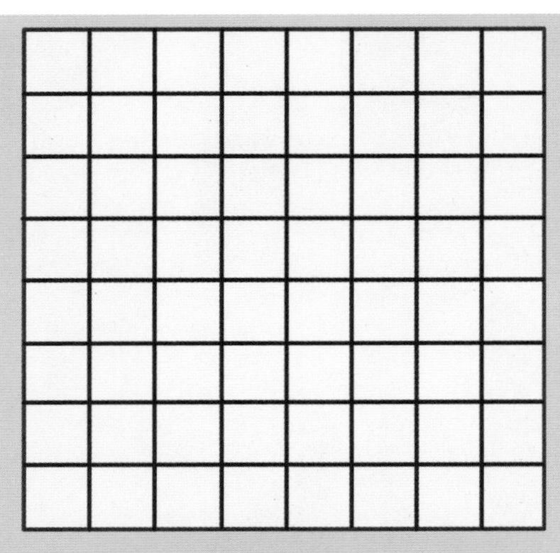

기사의 닫힌 여행 경로 문제는 그래프 이론에서는 해밀턴 순환을 찾는 하나의 예다.

체스판에 13, 267, 364, 410, 532가지의 기사의 닫힌 여행 경로가 있다!

* 닫힌 경로: 시작점과 끝점이 같은 경로다.

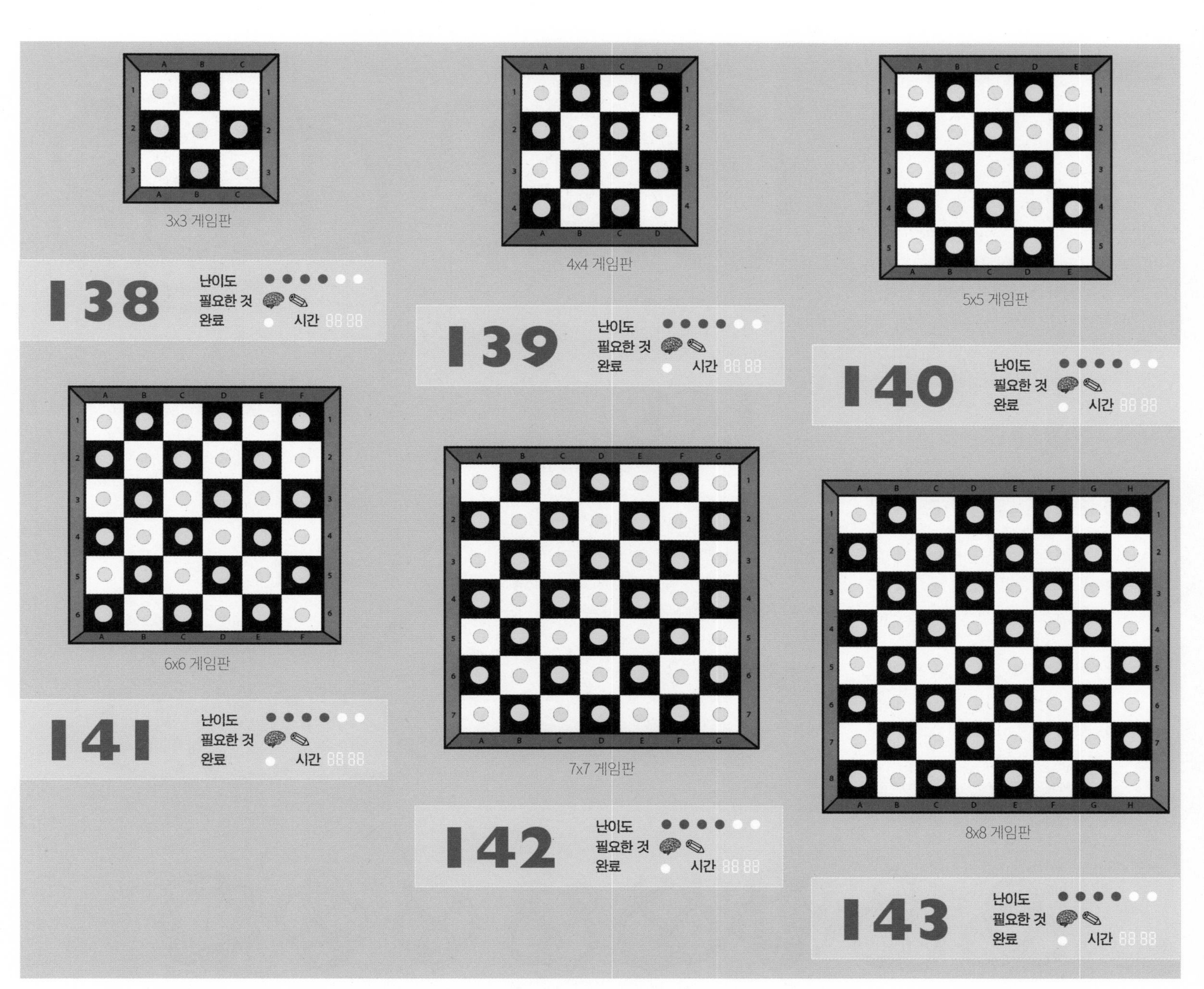

경로가 교차하거나 교차하지 않는 기사의 여행

1968년 7월호 《유희수학 저널(Journal of Recreational Mathematics)》에 야부로(L. D. Yarbrough)는 '기사의 여행'이라는 고전적 문제의 새로운 변형을 소개했다. 체스판을 여행하는 기사가 한 칸을 두 번 갈 수 없다는(닫힌 여행에서는 처음에 방문한 칸을 마지막에 방문하는 경우는 제외한다. 그렇지 않으면 열린 경로 여행이 된다) 규칙 이외에, 자신이 갔던 경로를 교차해서 갈 수 없다는 규칙을 덧붙였다. 경로는 시작하는 점에서 끝나는 점까지의 모든 이동을 직선으로 연결해 표현한다. 이 변형 퍼즐은 '교차점이 없는 가장 긴 기사여행'•이라 불린다.

마틴 가드너는 저서 『수학 서커스(Mathematical Circus)』에 이 문제를 실으면서, 야부로가 발견한 6×6 크기의 기사여행을 16번의 이동에서 17번의 이동으로 개선할 수 있다는 것을 설명했다.

반면, 도널드 쿤스(Donald Knuth)는 8×8 크기의 게임판에까지 적용할 수 있는 경로를 알아보는 프로그램을 만들었다. 3×3부터 8×8까지의 각 크기의 게임판에 대해 그가 알아낸 해의 이동 횟수는 각각 2, 5, 10, 17, 24, 그리고 35다.

• 교차점이 없는 가장 긴 기사의 여행: n×n 크기의 게임판에서 경로에 겹치는 점이 없으면서 가장 긴 경로를 찾는 문제다.

매듭이론

매듭이론의 기본문제는 두 개 또는 그 이상의 매듭에 대해 이들이 동치(equivalence)임을 인식하는 것으로, 이는 매우 어려운 문제다.
두 개의 매듭에서 하나를 다른 하나로 변형시킬 수 있다면 두 매듭은 '동치 관계에 있다'고 한다. 이 문제를 풀 수 있는 알고리즘들이 있지만, 그 알고리즘들을 사용하는 것은 시간 낭비가 될 수 있다. 문제를 풀 수 있는 하나의 특별한 경우는, 실제 매듭에서 매듭지어지지 않은 것을 알아내는 것이다. 그림에서 왼쪽과 가운데 그림은 지어진 매듭이 없으므로 그 둘은 동치다. 오른쪽에 있는 그림에 매듭이 있는지 없는지 알 수 있겠는가?

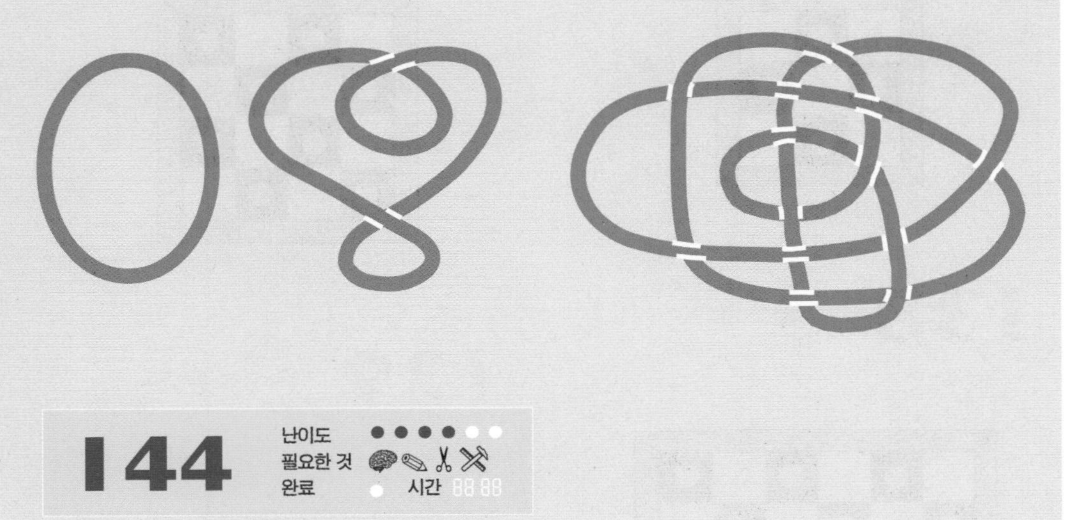

고리가 세 개인 삼엽형 매듭

고리가 세 개인 삼엽형 매듭은 매듭의 가장 간단한 예다. 그림에 나타난 바와 같이 이 매듭은 왼손잡이형과 오른손잡이형의 매듭 형태가 있다.
왼손잡이형 매듭은 어떻게 해도 오른손잡이형 매듭으로 바꿀 수 없다. 이 두 매듭의 차이는 곡선의 방향에 있는 것이 아니라 단지 교차점이 위에 있는지 아래에 있는지에 있다.
이 모양이 벽에 투사되었을 때 이 둘 중 어느 것인지 정확히 맞출 수 있는 확률은 얼마일까?

145
난이도
필요한 것
완료 시간

매듭 테이블

위의 그림에는 매듭들이 복잡해지는 순서로 그려져 있다. 복잡도를 나타내는 척도로 자주 사용되는 것은 매듭이 교차되는 수(교차수, crossing number)나 또는 그 매듭을 평면에 투사했을 때 두 번 투사된 점의 수다. 삼엽형 또는 클로버 잎 모양 매듭만이 교차수가 세 개(거울 반사를 고려하지 않으면)인 매듭이다. 교차수가 네 개인 매듭은 2번째 그림의 매듭뿐이다.

교차수가 5개인 매듭은 2개, 6개인 매듭은 3개, 그리고 7개인 매듭은 7개가 있다. 이런 점으로 미루어 보아 교차수가 증가하면 그에 해당하는 매듭은 매우 빠르게 증가함을 알 수 있다. 한 번의 최소 투사에서 13개 이하의 교차수를 갖는 매듭은 1만 2965개 있고, 16개 이하의 교차수를 갖는 매듭은 170만 1935개 있다. 가장 간단한 16개의 매듭이 위의 그림에 나타나 있다.

정육면체 격자 매듭과 삼엽형 매듭

위상적으로 삼엽형 매듭은 단순하지 않은 매듭의 가장 간단한 예다. 삼엽형은 매듭이 위로 걸쳐진 두 개의 느슨한 끝점을 연결해서 만든다. 그 결과 매듭지어진 고리가 생긴다.
가장 간단한 매듭인 삼엽형 매듭은 수학의 매듭이론 연구에서 기본적으로 사용되는 매듭이다.

매듭이론은 위상, 기하, 물리학, 그리고 화학에서 광범위하고 다양하게 활용되고 있다.

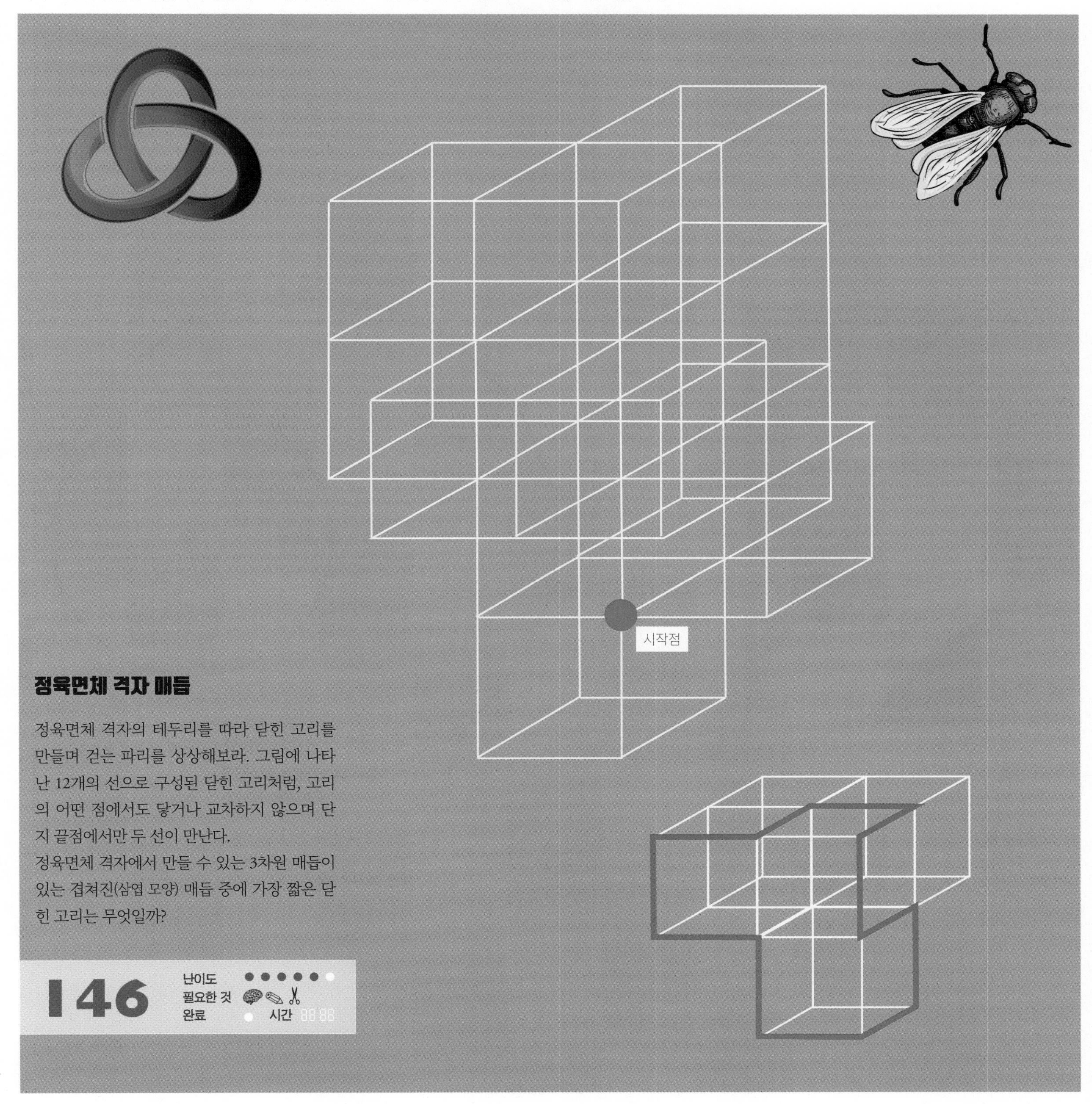

정육면체 격자 매듭

정육면체 격자의 테두리를 따라 닫힌 고리를 만들며 걷는 파리를 상상해보라. 그림에 나타난 12개의 선으로 구성된 닫힌 고리처럼, 고리의 어떤 점에서도 닿거나 교차하지 않으며 단지 끝점에서만 두 선이 만난다.
정육면체 격자에서 만들 수 있는 3차원 매듭이 있는 겹쳐진(삼엽 모양) 매듭 중에 가장 짧은 닫힌 고리는 무엇일까?

146
난이도 ●●●●●○
필요한 것
완료 ○ 시간

가우스의 17각형-1796년

유클리드는 컴퍼스와 직선 자만을 사용해 정삼각형, 정사각형, 정오각형과 이를 확장한 6-8-10-12-16-20-24-32-40-4864의 변을 갖는 정다각형들을 그리는 방법을 알아냈다.

가우스는 19살 때 17개의 변을 갖는 정다각형의 아름다운 구조를 발견했다. 이 발견으로 가우스는 자신이 평생 수학을 연구할 수 있다고 확신했으며, 이런 그의 결정은 수학의 발전에는 행운이었다.

가우스는 정17각형을 발견한 것을 매우 기뻐했으며 정17각형을 자신의 묘비에 그려 달라기까지 했다고 한다. 석공은 이는 너무 어려운 작업이며, 묘비에 그리면 거의 원처럼 보일 것이라며 반대했다. 이런 이유로 가우스의 묘비에는 정17각형 대신 별 모양 도형이 조각되어 있다.

제약이 있는 그리스 작도법으로 어떤 다각형의 작도가 가능한지를 결정하는 데는 가우스의 천재성이 필요했다. 그는 그릴 수 있는 일련의 다각형들이 페르마 소수라 불리는 수와 관련이 있다는 것을 증명했다. 페르마 소수는 이를 처음으로 연구한 페르마의 이름을 따서 붙인 수로 공식 $F_n=2^{2^n}+1$(n은 음이 아닌 정수)로 만들어지는 수들이다. 처음 몇 개의 페르마 수는 3, 5, 17, 257, 65537, 4294967297이다.*

정17각형의 작도법은 많은데, 그중 1893년에 고안된 작도법이 아래 그림에 나타나 있다.

● 1637년 페르마는 위의 공식으로 표현되는 모든 정수는 소수일 것으로 추측했다. 그러나 1732년 오일러가 F_5=4,294,967,297를 641×6,700,417로 소인수분해 함으로써 현재까지 알려진 페르마 수는 3, 5, 17, 257, 65537뿐이다.

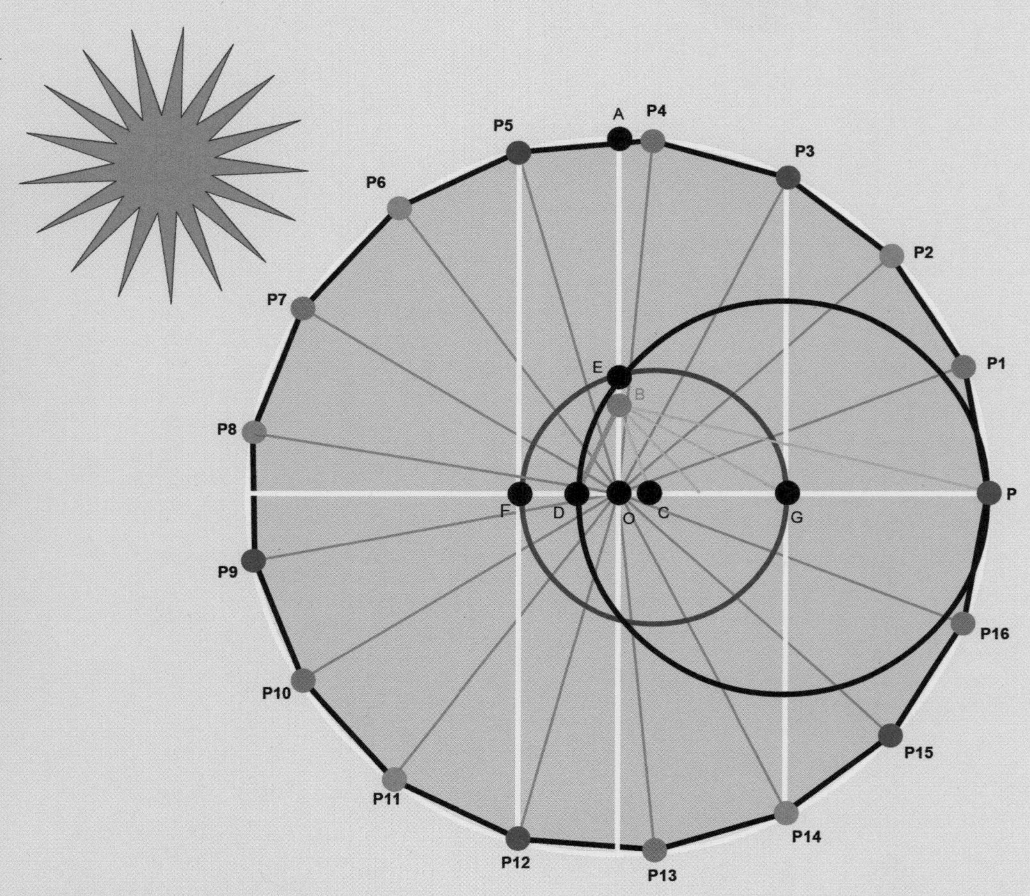

17개의 변을 갖는 정다각형의 가장 아름다운 작도법-1893년

정17각형의 가장 아름다운 작도는 1893년에 고안되었다. 작도법은 다음과 같다.

중심이 O인 원을 그리고, 그 원 위에서 한 점 P를 택한다. 선분 OP에 선분 OA가 수직이 되도록 점 A를 원 위에서 찾고, 중심부터 OA의 길이의 1/4이 되는 점 B를 선분 OA 위에서 찾는다. 선분 OP 위에서 각OBC가 각OBP의 1/4이 되도록 하는 점 C를 찾는다. OP의 연장선 위에서 각DBC가 45도가 되는 점 D를 찾는다. 선분 DP의 길이를 지름으로 갖는 원을 그린 후, 그 원과 선분 OA와 만나는 점을 E라 하자.

이제 C를 중심으로 E를 지나는 원을 그리고, 이 원과 선분 OP의 연장선과 만나는 점을 F와 G라 하자. 그림에 나타난 바와 같이, 선분 OP와 수직인 직선을 점 F와 G에서 그려 처음 원과 만나는 점을 각각 P5와 P3라 하자. 세 점 P, P3, P5는 정17각형의 0번째, 3번째, 그리고 5번째 꼭짓점이며, 여기서 각P3-O-P5를 동일한 두 개의 각으로 나누었을 때 원 위의 점을 P4라 하자. 이와 같은 방식으로 나머지 꼭짓점들도 쉽게 찾을 수 있다.

탱그램(Tangrams)–1802년

가장 오래된 것으로 알려진 수학적 조합 퍼즐 중 하나는 중국에서 처음으로 고안된 탱그램•이다. 탱그램은 스토마키온과 유사한 퍼즐로 언제부터 놀이로 했는지는 명확하지 않다. 탱그램은 '탄(tans)'이라 불리는 조각 7개로 구성되어 있다. 『탄의 여덟 번째 책(The Eighth Book of Tan)』에 나오는 탱그램에 대한 허구같은 역사에 따르면, 탱그램은 4000년 전에 발명되었다고 한다. 초기 탱그램의 예는 1802년으로 거슬러 올라간다. 탱그램은 1815년에 미국에 들어왔고, 1817년과 1818년에 걸쳐 전 세계적으로 인기를 끈 첫 퍼즐이었다. 탱그램의 절묘함과 수많은 조합 방법은 그것을 가지고 놀지 않으면 알 수 없다. 가지고 놀아야만 그 진가가 나타날 것이다. 퍼즐의 역사에서 진짜 독창적인 발명은 항상 높은 수준의 아이디어, 변형, 그리고 새로운 퍼즐을 만들어내며 전 세계적으로 창의력을 고무시켰다.

기본적인 그림을 만들어내는 오락과 달리, 탱그램은 많은 변형 퍼즐이 있다. 이러한 변형 퍼즐에는 정사각형뿐만 아니라 직사각형, 원, 타원, 하트 모양과 그 외 다른 모양을 분할한 것들이 포함되어 있다. 현재 수십 개의 탱그램 변형 퍼즐들이 있지만 이 유형의 퍼즐 중에서는 원조 형태의 탱그램이 여전히 가장 훌륭한 것으로 보인다.

탱그램 다각형, 탱그램 역설(유명한 듀드니의 역설과 같은), 그리고 그림에 나타난 것과 같은 탱그램에 영향을 받은 매우 복잡하고 도전할 만한 많은 퍼즐과 다양한 시도방법들이 있다. 여기에 나타나 있는 문제들을 푼 후에는 스스로 자신만의 디자인을 만들 수도 있다. 보람도 있을 뿐만 아니라 교육적으로도 의미 있는 오락이다. 탱그램에 몰두했던 유명한 사람으로는 에드거 앨런 포(Edgar Allan Poe), 루이스 캐럴(Lewis Carrol)을 포함해 많은 사람들이 있다. 나폴레옹은 추방당했을 때 수많은 시간을 탱그램을 발명하고 풀면서 보냈다고 한다.

● 탱그램: 사각형을 7개의 조각으로 잘라 놓은 것을 여러 형태로 맞추는 중국식 퍼즐이다. 우리나라에서는 칠교라 한다.

고전적인 탱그램 퍼즐

탱그램의 7조각을 복사해서 그림에 보이는 것 같은 다양한 모양을 만들어보라.

147

난이도 ●●●●●○

필요한 것

완료 ○ 시간

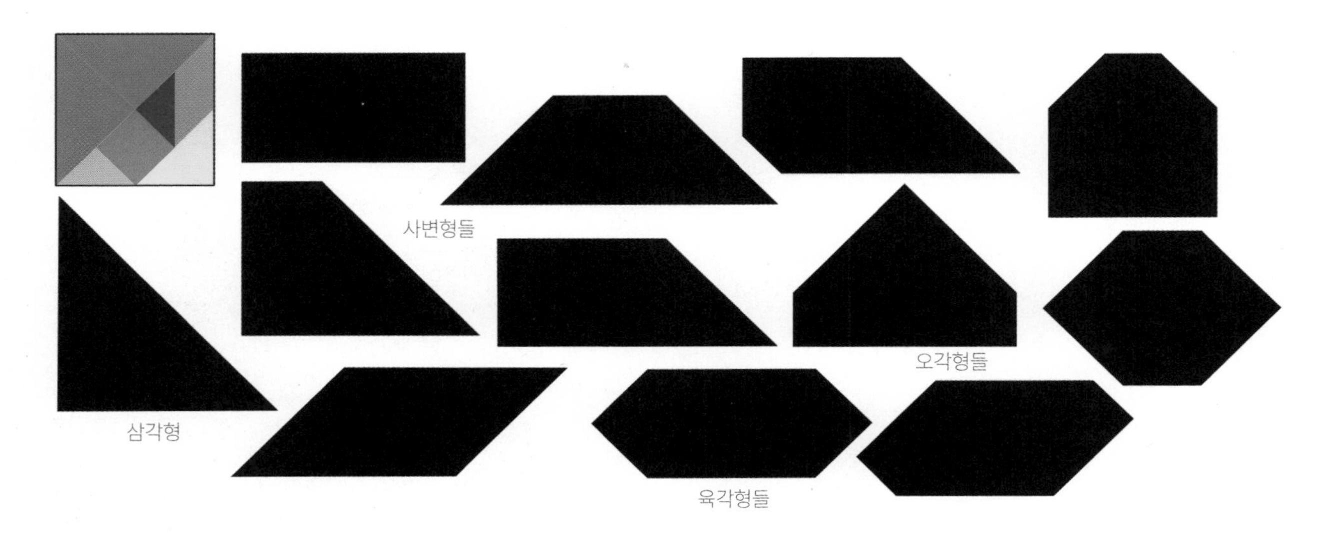

탱그램 볼록 다각형

탱그램으로 만들 수 있는 배열 형태는 거의 셀 수 없을 만큼 많음에도, 탱그램으로 만들 수 있는 볼록 다각형의 수는 매우 제한적이라는 사실은 아주 흥미롭다. 두 명의 중국 수학자 후샹왕(Fu Traing Wang)과 촨친숭(Chuan-Chin Hsiung)은 7개의 탱그램 조각을 사용해 만들 수 있는 볼록 다각형이 13개임을 증명했다. 13개의 볼록 다각형은 한 개의 삼각형, 6개의 사각형, 2개의 오각형, 그리고 4개의 육각형이다. 이 다각형들을 만들어보라.

148 난이도 ●●●●●● 필요한 것 완료 시간

탱그램 역설

오른쪽에 있는 도형들은 모두 7개의 탱그램 조각을 이용해 만든 것이다.
퍼즐을 풀어서 이 도형들 간의 미세한 차이를 설명할 수 있겠는가?
역설적인 탱그램 문제들은 제리 슬로쿰(Jerry Slocum)이 쓴 『탱그램 북(The Tangram Book)』에 수록되어 있는데, 그 책에 포함된 내용은 중국, 프랑스, 샘 로이드의 책, 헨리 듀드니의 책, 잔니 사르코네(Gianni Sarcone)의 책 및 다른 여러 책에서 수집한 것이다.

149 난이도 ●●● 필요한 것 완료 시간

말파티의 대리석 문제-1803년

수학에서는 너무나 쉬워서 잘못된 결론을 내리는 경우가 매우 잦다. 이를 보여주는 아름답고 설득력 있는 사례가 말파티 문제 이야기이다.

1803년 이탈리아 수학자 말파티(Gian Francesco Malfatti, 1731~1807)는 직각삼각형 각기둥으로부터 가능한 한 총 횡단면이 가장 큰 세 개의 동그란 대리석 원기둥(필요하면 크기가 다른)을 만드는 문제를 제안했다.

이 문제는 임의의 모양의 삼각형에서 그 내부에 겹치지 않게 세 원을 그리는 데 그 원들의 총면적이 최대가 되도록 그리는 방법을 찾는 것과 동일한 문제다.

현재 이 문제는 '대리석 문제'로 알려져 있다(Martin 1998). 자신이 답을 안다고 생각한 말파티는 '말파티 원'이라는 세 개의 원을 정답으로 제시했다. 세 개의 원은 서로 접하면서 삼각형의 두 변에 접하는 것이었다.

그러나 1930년에 증명된 정삼각형의 경우는 말파티의 '해'가 맞지 않는 특별한 경우로, 세 개의 원 중 큰 원은 삼각형의 세 변에 모두 접하는 형태를 이루는 것이 더 낫다는 것이었다.

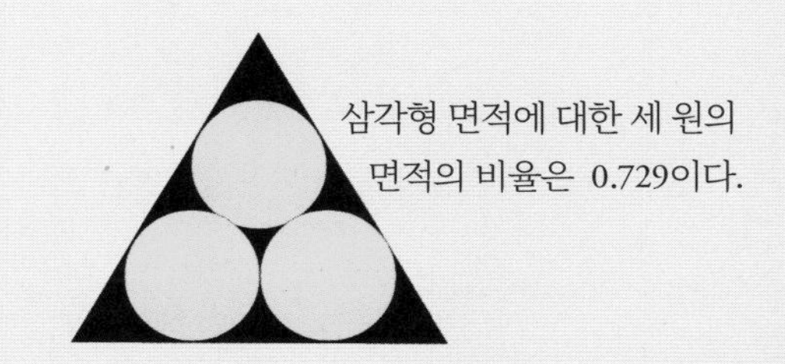

삼각형 면적에 대한 세 원의 면적의 비율은 0.729이다.

삼각형 면적에 대한 이 세 원의 면적의 비율은 0.739이다.

그래서 말파티의 해에서 정삼각형은 예외라는 결론을 내렸다.
그러나 1965년 하워드 이브스(Howard Eves)는 말파티의 해는 길고 뾰족한 직각삼각형에서도 맞지 않는다는 것을 밝혀냈다.

두 번째 삼각형이 말파티의 해보다 더 좋은 결과임은 명백하다.

마침내, 1967년 골드버그(Michael Goldberg)는 말파티의 해는 전혀 옳지 않다는 것을 보였다.
골드버그는 '원 중 하나는 항상 삼각형의 모든 변과 접해야 한다'는 것이 올바른 해임을 보였다.

타원 테이블-1821년

존 잭슨(John Jackson)은 자신의 책『겨울 저녁을 위한 합리적인 놀이(Rational Amusement for Winter Evenings)』(1821)에서 한 고전 퍼즐을 제안했다. 원형 테이블을 자르거나 변형해서 가운데 가늘고 긴 구멍을 가진 두 개의 타원형 테이블을 만드는 퍼즐이었다. 잭슨은 테이블을 8개의 조각으로 나누어 풀었는데 그 해법이 오른쪽 위의 그림에 나타나 있다. 오른쪽 아래 그림은 샘 로이드가 5000개의 퍼즐을 수록한『백과사전(Cyclopedia)』에 있는 해로 단 여섯 조각으로 그 퍼즐을 풀었다. 그러나 로이드는 여기서 그치지 않고 이 문제를 더 적은 수의 조각으로 푸는 방법을 계속 연구했고, 그 결과 얼마 지나지 않아 놀라울 정도로 멋지게 네 조각으로 나누어 푸는 방법을 찾아냈다.

150

난이도 ●●●○○○
필요한 것
완료 ○ 시간

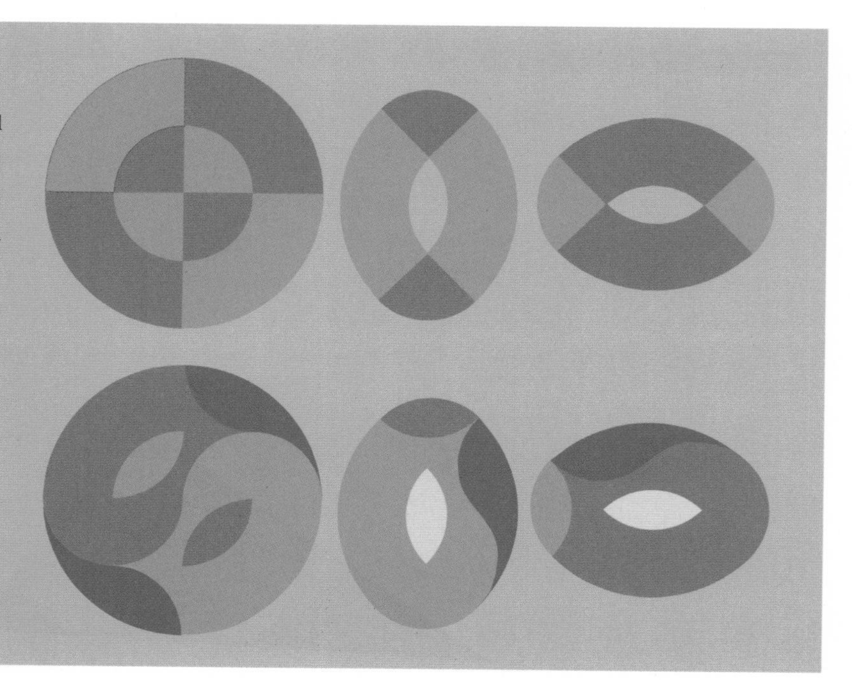

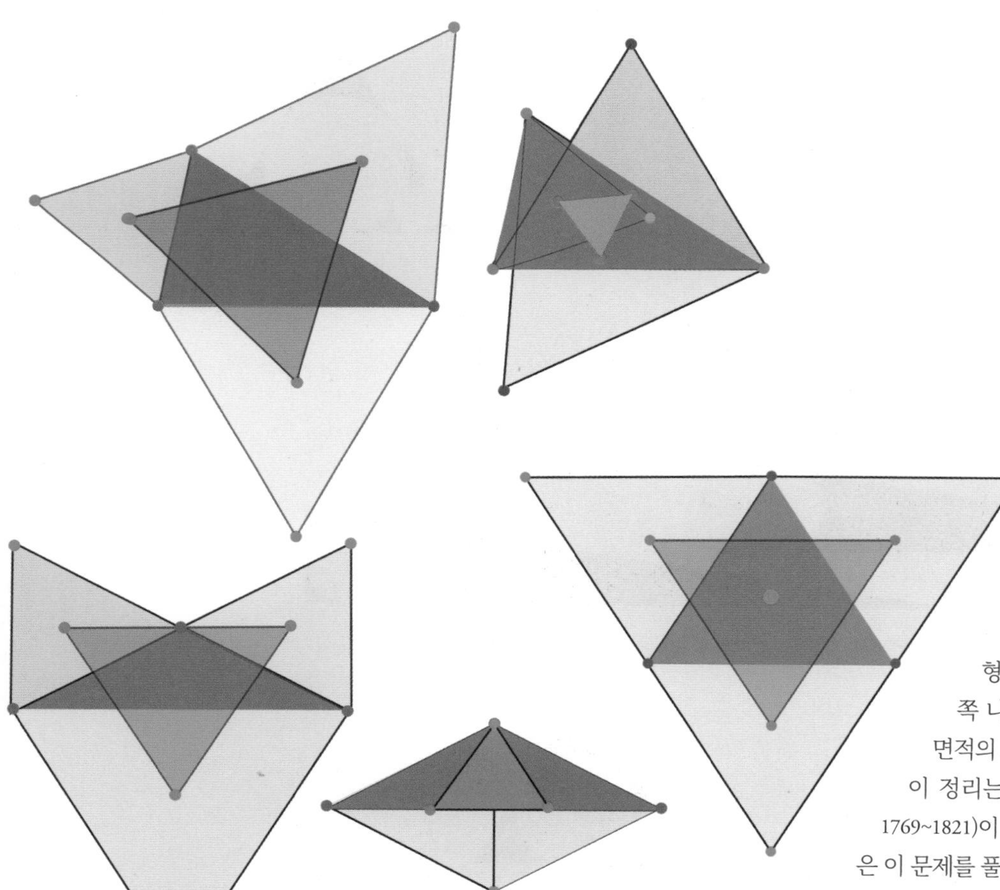

나폴레옹의 정리-1825년

'나폴레옹의 정리'는 '한 삼각형에서 그 변들을 한 변으로 갖는 정삼각형 세 개를 모두 삼각형의 내부 또는 모두 외부에 그린 후, 이 삼각형들의 중심을 연결하면 정삼각형이 된다'는 것이다. 중심을 연결한 삼각형은 '바깥쪽 또는 안쪽 나폴레옹 삼각형'이라 한다. 바깥쪽 삼각형과 안쪽 삼각형의 면적의 차이는 원래 삼각형의 면적과 같다.

이 정리는 아마추어 수학자로 알려진 나폴레옹(Napoleon Bonaparte, 1769~1821)이 제안했다고 알려져 있으나, 그가 이 문제를 제안했는지 혹은 이 문제를 풀었는지에 대해서는 알려진 것이 없다.

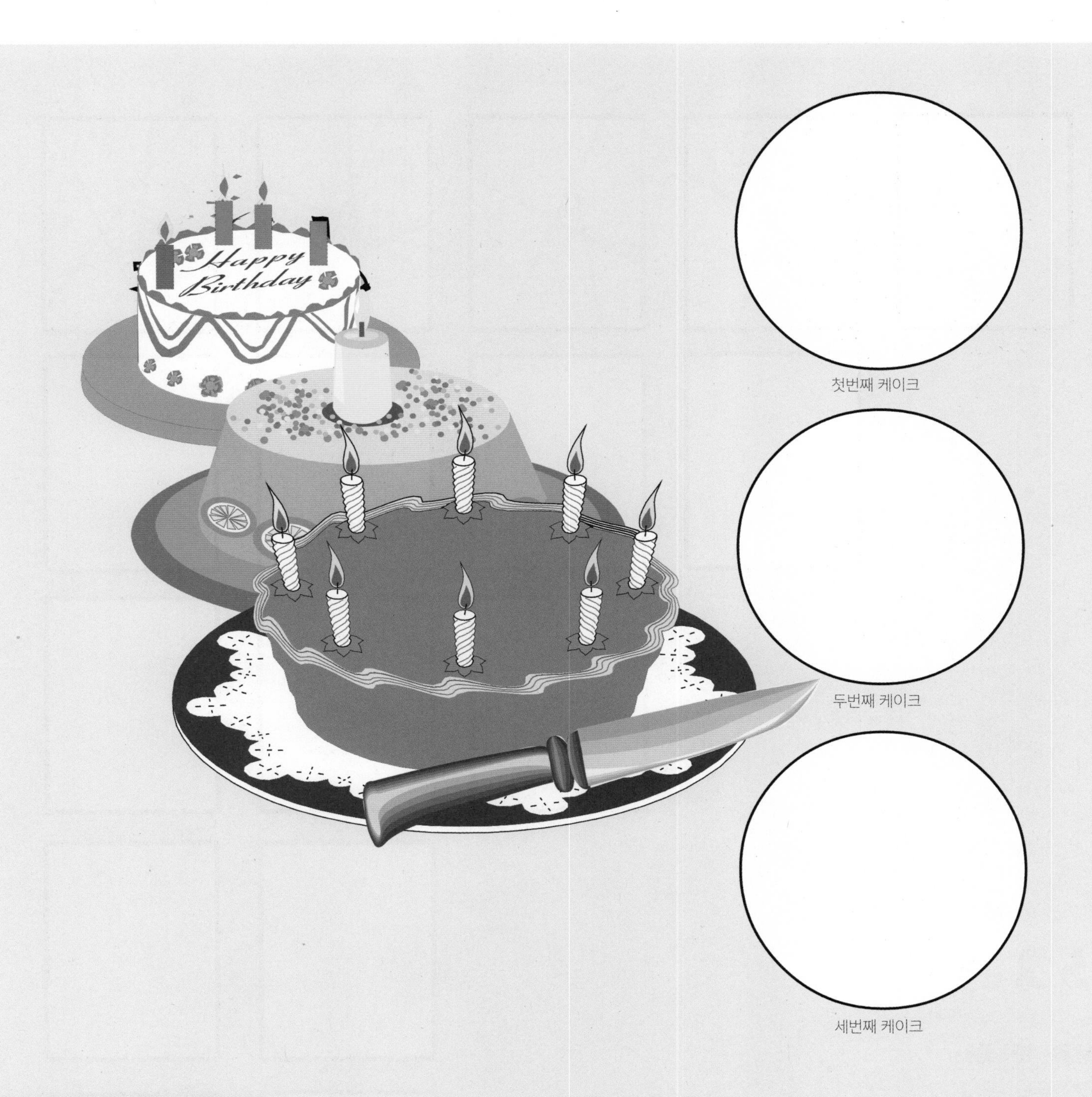

3개의 케이크 자르기-1826년

퍼즐은 무수히 많은 변형 퍼즐을 만들지만, 아마도 분할 퍼즐만큼 오래된 것은 없을 것이다.
19세기의 분할 퍼즐과 유사한 문제가 고대 중국에서 다루었던 '케이크 자르기' 문제다. 생일 파티에서 케이크 3개를 34명의 어린이에게 나눠주어야 한다. 이를 위해 곧은 칼로 케이크를 정확하게 34개의 조각으로 나누어야 한다.

1. 케이크를 직선으로 몇 번 잘라야(아주 똑같은 크기는 아니더라도) 각 어린이가 케이크를 먹을 수 있을까? 단, 자르는 데는 조건이 있는데, 케이크 각각은 적어도 두 번은 잘라야 한다는 것이다. 이 조건 아래서 어린이 모두가 케이크를 먹을 수 있을까?
2. 모든 어린이가 똑같은 크기의 케이크를 먹으려면 직선으로 최소한 몇 번을 잘라야 할까?

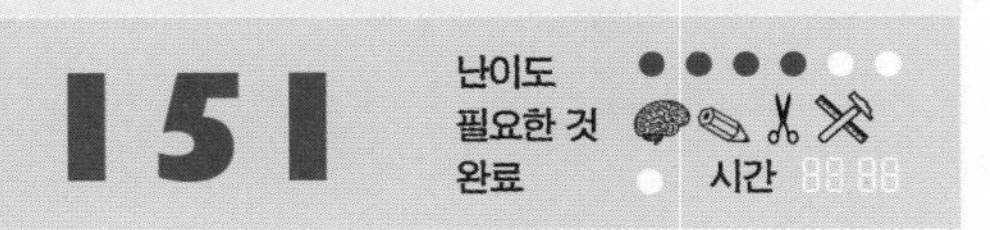

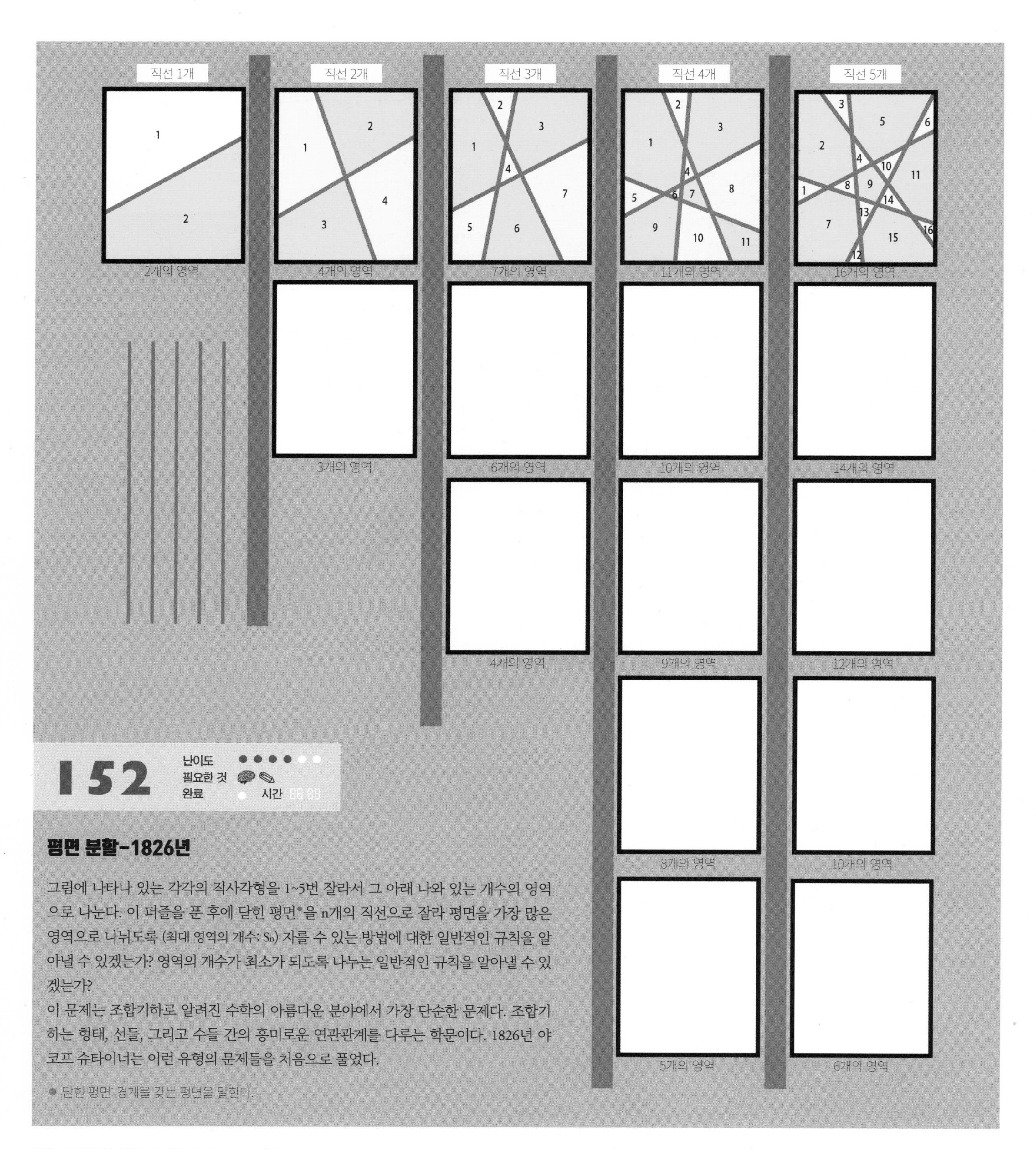

152

난이도 ●●●●○○

필요한 것

완료 ○ 시간

평면 분할-1826년

그림에 나타나 있는 각각의 직사각형을 1~5번 잘라서 그 아래 나와 있는 개수의 영역으로 나눈다. 이 퍼즐을 푼 후에 닫힌 평면*을 n개의 직선으로 잘라 평면을 가장 많은 영역으로 나뉘도록 (최대 영역의 개수: S_n) 자를 수 있는 방법에 대한 일반적인 규칙을 알아낼 수 있겠는가? 영역의 개수가 최소가 되도록 나누는 일반적인 규칙을 알아낼 수 있겠는가?

이 문제는 조합기하로 알려진 수학의 아름다운 분야에서 가장 단순한 문제다. 조합기하는 형태, 선들, 그리고 수들 간의 흥미로운 연관관계를 다루는 학문이다. 1826년 야코프 슈타이너는 이런 유형의 문제들을 처음으로 풀었다.

● 닫힌 평면: 경계를 갖는 평면을 말한다.

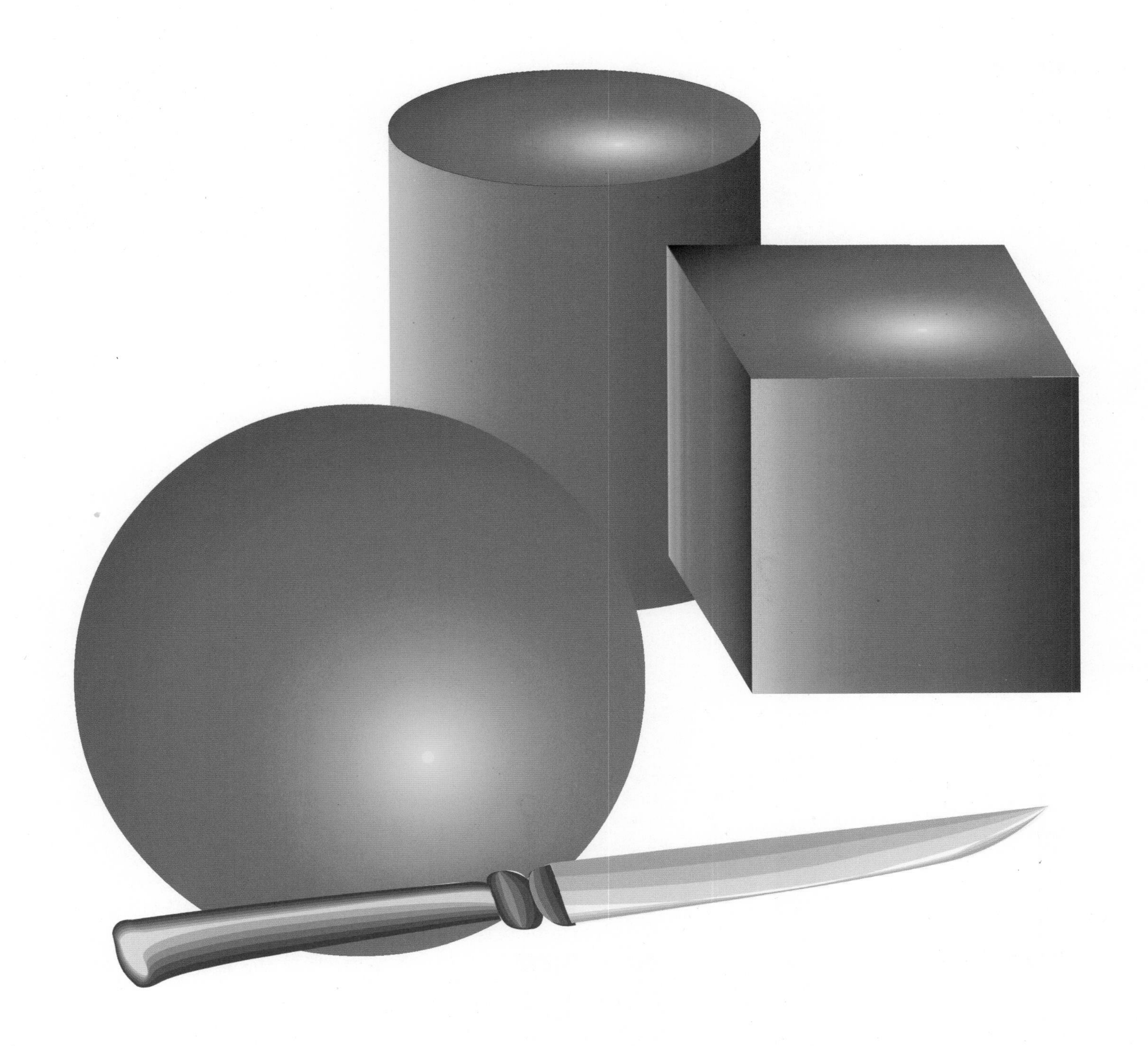

공간, 구, 정육면체, 원기둥의 분할-1826년

공간, 구, 원기둥, 그리고 정육면체를 4개의 평면으로 자르면 최대 몇 개의 영역으로 나뉘는가?
4개의 평면이 구, 원기둥, 그리고 정육면체를 관통하는 경우 이 입체들이 얼마나 많은 영역으로 나뉘는지를 상상해 볼 수 있겠는가?
1826년 야코프 슈타이너는 이 분할문제를 풀었다. 평면으로 자르는 문제처럼, 입체를 최대한 많은 조각으로 나누려면 두 개 이상의 평면은 평행하면 안 되고, 세 개 이상의 평면은 한 점에서 만나면 안 된다.
한 개의 평면으로 자르면 두 개의 분리된 영역, 두 개의 평면으로 자르면 4개, 세 개의 평면으로 자르면 8개의 분리된 영역이 생길 것이라고 쉽게 상상할 수 있을 것이다. 네 개의 평면으로 자르면 몇 개의 분리된 영역이 생길지 알 수 있겠는가?

153
난이도 ●●●●●
필요한 것
완료
시간

성냥개비 퍼즐-1827년

성냥은 1827년 영국의 화학자 워커(John Walker)가 발명했다. 성냥은 당시 사용되던 부싯돌 통을 순식간에 대체했다. 그러면서 성냥개비 퍼즐이라는 새로운 유형의 오락이 나타나기 시작했는데, 성냥개비 퍼즐은 여러 성냥 회사가 성냥갑에 퍼즐을 인쇄하면서 유행하게 되었다. 그러자 출판사들도 덩달아 성냥개비 퍼즐에 관한 책을 출판하기 시작했다.
이 책에 수록된 퍼즐들은 이러한 고전 성냥개비 퍼즐에 기반한 것이다.

154
난이도 ●●●●●○
필요한 것
완료 시간

성냥개비 삼각형

네 개의 성냥개비를 옮겨
두 개의 작은 정삼각형을 만들고,
다시 네 개의 성냥개비를 옮겨
네 개의 더 작은 정삼각형을 만들 수 있겠는가?

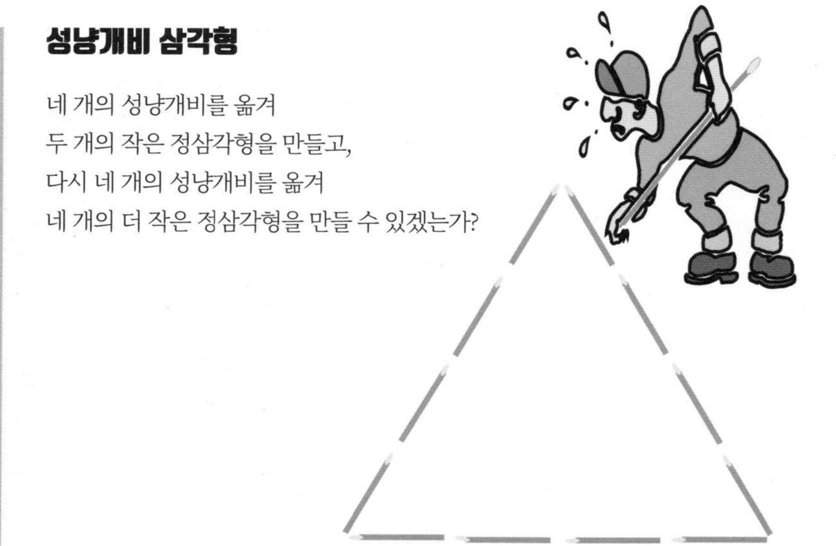

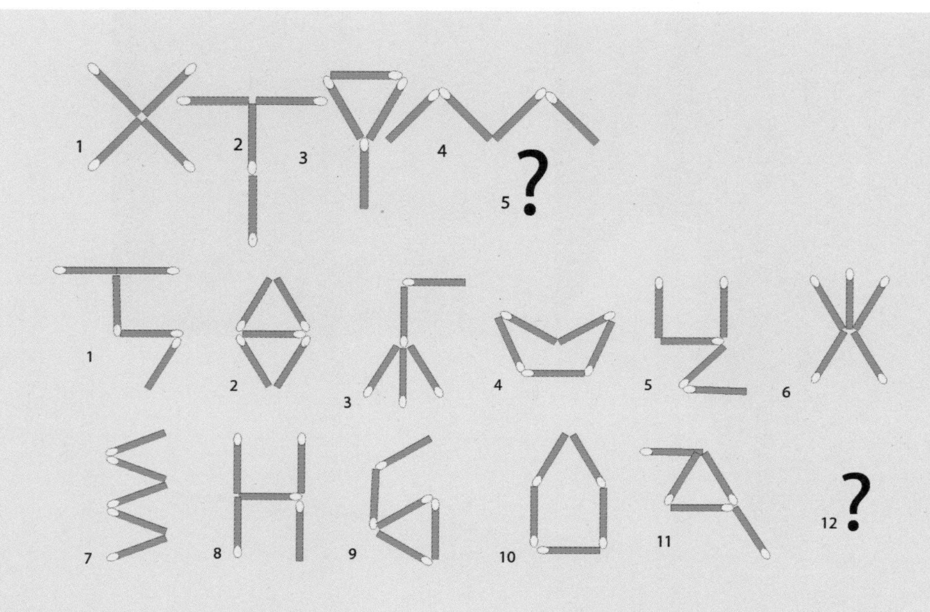

성냥개비 4개와 5개

다음의 조건을 고려하면 위상적으로 다른 배열을 만들 수 있는데, 4개의 성냥개비로는 5가지, 5개의 성냥개비로는 12가지의 다른 배열이 가능하다.
1. 성냥개비는 끝점만 닿을 수 있다(교차해서는 안된다).
2. 성냥개비는 평평한 표면에 놓인다.
주석: 일단 배열이 하나 만들어지면, 그 배열에서 연결된 점을 끊지 않으면서 형태를 바꿔 위상적으로 동치인 형태를 무한히 많이 만들어낼 수 있다. 왼쪽 그림에는 성냥개비 4개와 5개로 만들 수 있는 위상적으로 다른 배열이 나타나 있다. 각 경우에서 배열이 하나씩 빠져 있는데 빠진 배열이 무엇인지 알아낼 수 있겠는가?

한 점에서 만나는 성냥개비

재미있는 성냥개비 문제 중에는 주어진 개수의 성냥개비가 (한 점에서) 교차하지 않고 만나는 패턴을 찾는 문제가 있다. 3개의 성냥개비로 만들어지는 정삼각형은 2개의 양 끝 점이 모두 만나는 가장 간단한 형태다.
성냥개비 3개로 모든 끝점이 만나는 가장 작은 패턴을 찾을 수 있겠는가? 4개의 성냥개비에 대해서는 어떤가?

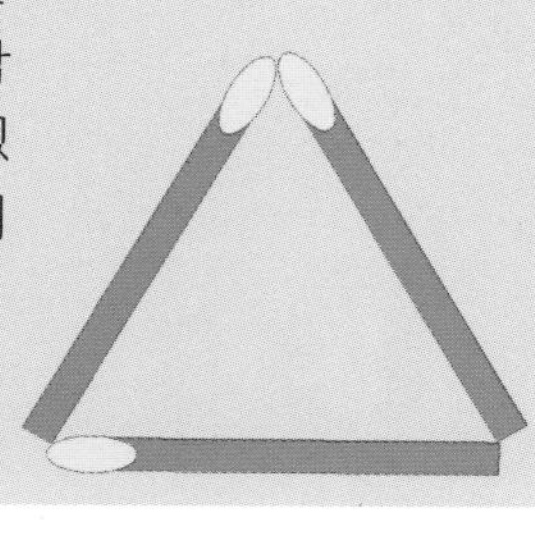

성냥개비로 만든 아기사슴 밤비

조찬회의에서 마틴 가드너는 멜 스토버가 만든 까다로운 퍼즐을 내게 풀어보라 했다. 그 퍼즐은 성냥개비 하나만을 움직여 아기사슴 밤비의 형태는 바꾸지 않으면서 밤비가 보는 방향을 바꾸어보라는 것이었다.
성냥개비를 뒤집는 것과 돌리는 것은 가능하다.

성냥개비로 만든 강아지

장난기 많은 강아지가 주의하지 않고 달리다가 차에 치였다. 다행스럽게도 강아지는 살았고 동물병원으로 옮겨졌다. 그림에 나타난 강아지 모습에서 성냥개비 두 개의 위치를 바꿔 동물병원 테이블에 누워 있는 강아지의 모습을 만들 수있겠는가?

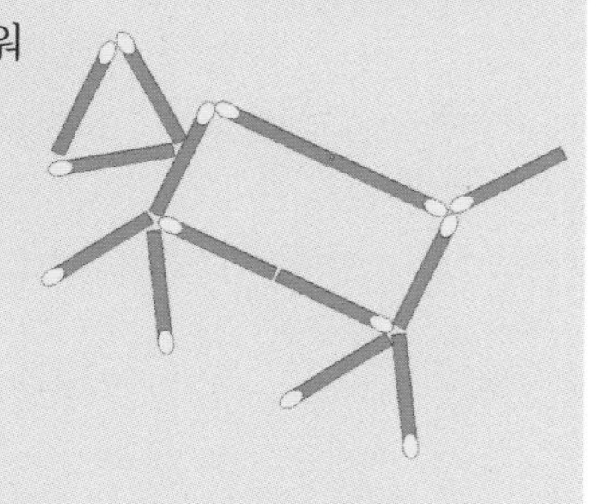

최대로 튀어나오는 문제

19세기 초의 한 문제에는 같은 모양의 블록 더미가 테이블의 모서리에서 얼마나 많이 튀어나올 수 있는가 하는 문제가 있다. 한 예로, 블록의 길이가 1일 때 세 개의 블록으로 가장 많이 튀어나올 수 있는 형태가 도시되어 있다. 그림에 보이는 것은 한 개의 블록 위에 한 개의 블록이 놓여 있는 모습인데, 이를 '조화롭게 쌓기(harmonic stacking)'라 한다. 튀어나온 부분의 길이는 거의 1이다. 이러한 패턴으로 블록을 계속 쌓아보자. 그림에 보이는 것처럼, 4개의 블록을 조화롭게 쌓으면 튀어나온 부분의 최대길이는 1보다 조금 크다. 더 많은 블록을 쌓는다면 길이는 얼마나 될까? 이를테면, 10개의 블록을 조화롭게 쌓았을 때 튀어나온 부분의 최대길이는 얼마나 될까?

1955년 슈턴(R. Sutton)은 이보다 더 많이 튀어나올 수 있는 최적 쌓기 방법을 소개했다. 그 쌓기에서는 한 블록 위에 딱 한 개의 블록을 쌓는다는 제한을 없앴다. 즉, 다음 층에는 한 개 이상의 블록을 쌓아 올리는 것이 가능하다. 최적 쌓기에서는 3개의 블록만으로도 튀어나온 부분의 길이가 1이 될 수 있다. 어떻게 쌓으면 되는지 보여줄 수 있겠는가? 그림과 같이, 4개의 블록으로 최적 쌓기를 했을 때 튀어나온 부분의 길이는 1보다 클 수 있다.

155 난이도 ●●●●●○ 필요한 것 완료 시간

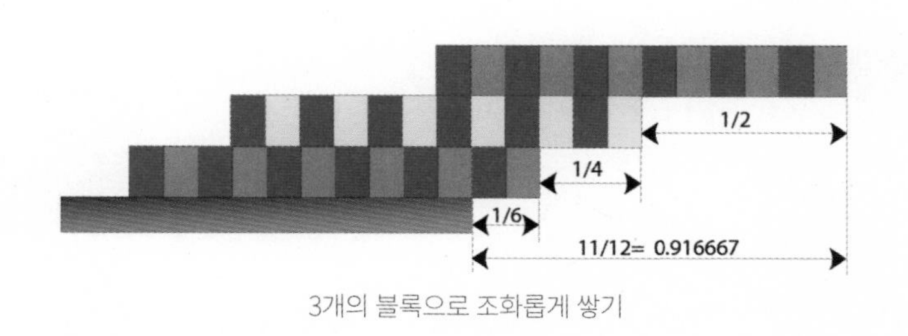

3개의 블록으로 조화롭게 쌓기

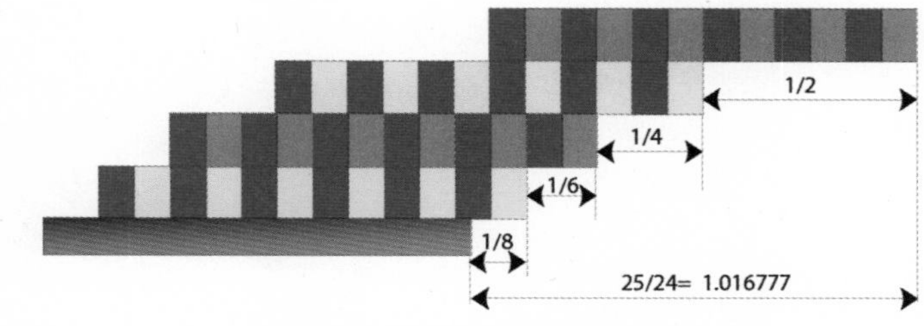

4개의 블록으로 조화롭게 쌓기

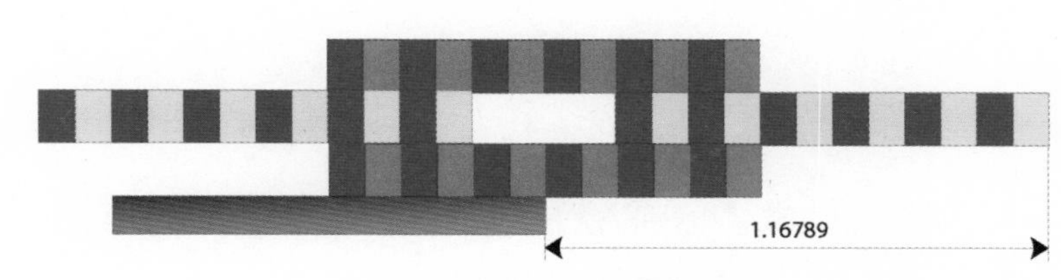

4개의 블록으로 최적 쌓기

네커 정육면체-1832년

네커 정육면체는 1832년 스위스의 결정학자 루이스 알버트 네커(Louis Albert Necker)가 처음 공개했다. 네커 정육면체는 광학적 착시에 의한 것으로 지각 체계의 혼동을 보여주는 초창기 실증 과학 중 하나다. 네커 정육면체를 잠시 보고 있으면 그 단순함과 그것이 만들어내는 놀라운 현상을 볼 수 있다.

네커 정육면체는 아래에 도시된 것과 같이, 같은 길이의 선이 원근으로 보일 수 있도록 표현된 정육면체의 선 그림으로, 앞과 뒤를 구별할 수 없는 3차원 정육면체의 2차원 골격이다. 네커 정육면체와 이후 고안된 착시를 일으키는 여러 다른 애매한 그림들은, 실제로는 하나의 그림인데 그 그림들을 볼 때 둘 또는 그 이상의 다른 방식으로 '볼 수' 있다는 것을 보여준다. 네커 정육면체를 보고 있으면 앞과 뒤를 구분하기 어렵다. 생각하기에 따라 앞도 되고 뒤도 될 수 있다. 그림의 위아래가 뒤집혀 보이는 것은 그림이 그런 것이 아니라 보는 사람이 그렇게 보기 때문이다. 보는 사람의 주관적인 생각은 어떤 한 모습으로 물체를 본 후 그 물체를 다른 모습으로도 볼 수 있게 해준다. 그러나 정말 이상한 일이지만, 그러한 반전(위아래가 뒤집혀 보이는)은 공간에서의 그 사람의 위치를 의미한다. 아래 그림에서, 빨간색 판이 수평으로 놓여 있는 그림에서는 전체 정육면체는 눈 아래에 있는 것처럼 보이며 내려다보는 것 같다. 반면에 빨간색 판이 수직으로 놓인 정육면체는 눈 위에 있는 것처럼 보인다.

한 사람이 동시에 여러 위치에 있을 수는 없으므로 네커 정육면체에서 보이는 것처럼 동시에 양쪽에서 보는 것은 불가능하다. 그러므로 네커 정육면체를 통해 볼 수 있는 우리의 지각구조는 처음에 예상했던 것보다 훨씬 더 복잡하고 애매하다. 우리의 시각계는 우리가 공간에서 어디에 있는지를 결정해야 하기 때문에, 우리는 결코 양쪽을 함께 볼 수 없다. 에셔(Escher), 그레고리(Gregory), 펜로즈(Penrose)를 포함한 여러 사람이 '불가능한 그림'이라 부르는 그림들에도 같은 논리를 적용할 수 있다.

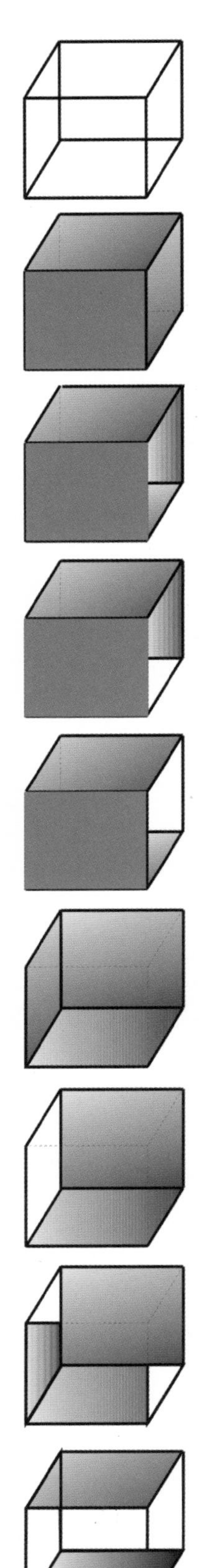

모서리 정육면체

위 그림에서 다른 그림이 몇 개나 보이는가? 큰 정육면체의 모서리 앞에 작은 정육면체가 보이는가? 아니면 큰 정육면체 내부 모서리에 작은 정육면체가 보이는가? 아니면 큰 정육면체에서 모서리의 작은 정육면체가 떨어져 나간 것으로 보이는가?

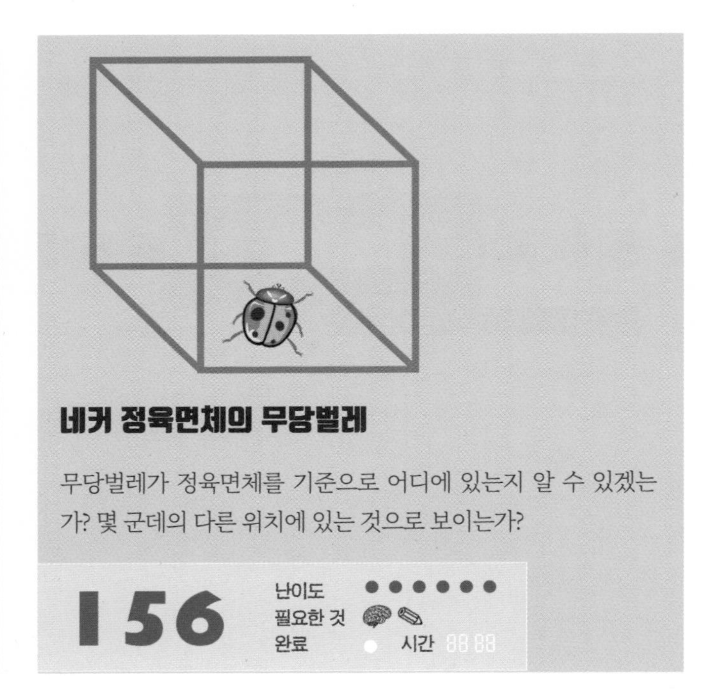

네커 정육면체의 무당벌레

무당벌레가 정육면체를 기준으로 어디에 있는지 알 수 있겠는가? 몇 군데의 다른 위치에 있는 것으로 보이는가?

156
난이도 ● ● ● ● ● ●
필요한 것
완료 ● 시간

모호한 네커 정육면체

정육면체를 보고 있으면 갑자기 위아래가 뒤집혀 보이며 앞면으로 보였던 것이 뒷면으로, 뒷면으로 보였던 것이 앞면으로 보인다. 네커 정육면체는 우리가 보는 것이 단지 우리의 시각계에 의한 '최선의 추측'이라는 것을 보여준다. 빨간색 판은 네커 정육면체의 모호함을 조금 줄여준다. 당신은 이제 각각에 대해 뒤집힘과 방향을 명확히 볼 수 있다.

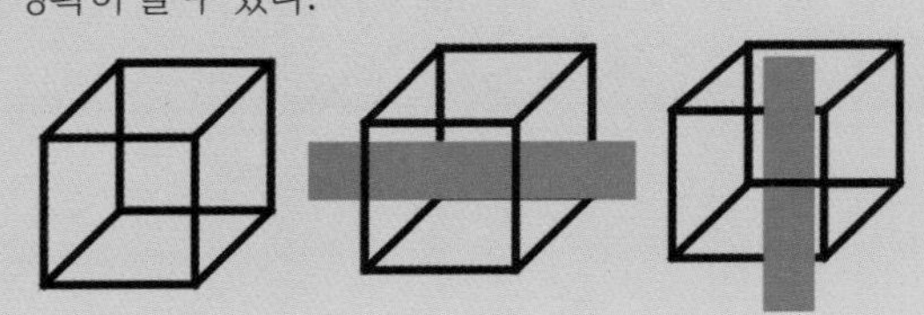

네커 상자

네커 상자의 면에 대한 정보가 없는 상태에서 선으로 이루어진 골격을 보면, 상자의 위아래가 뒤집혀 보여 오른쪽에 나타나 있는 상자 중 어떤 것으로도 보일 수 있다.

비둘기 집 원리-1834년

수학에서 '비둘기 집 원리'는 'n개의 물건을 m(m<n)개의 비둘기 집에 넣을 때 적어도 하나의 비둘기 집에는 두 개 이상이 물건이 들어 있어야 한다'는 것이다.
일상생활에서 볼 수 있는 이 원리의 예로는 '3개의 장갑에는 적어도 두 개의 왼손 장갑 또는 두 개의 오른손 장갑이 있다'와 같은 것이 있다. 이것은 셈에 관한 문제이고 자명한 것처럼 보이지만 기대하지 않은 결과를 보여주는 데 사용될 수 있다. 예를 들면, 런던에 있는 두 사람은 똑같은 수의 머리카락을 갖고 있다(아래 그림을 보라).
1834년 디리클레(Johann Dirichlet)는 '서랍 원리'라는 이름으로 이 개념을 최초로 공식화한 것으로 알려져 있다. 이런 이유로 이 개념은 종종 디리클레의 상자 원리 또는 '디리클레 원리'라 불리기도 한다.

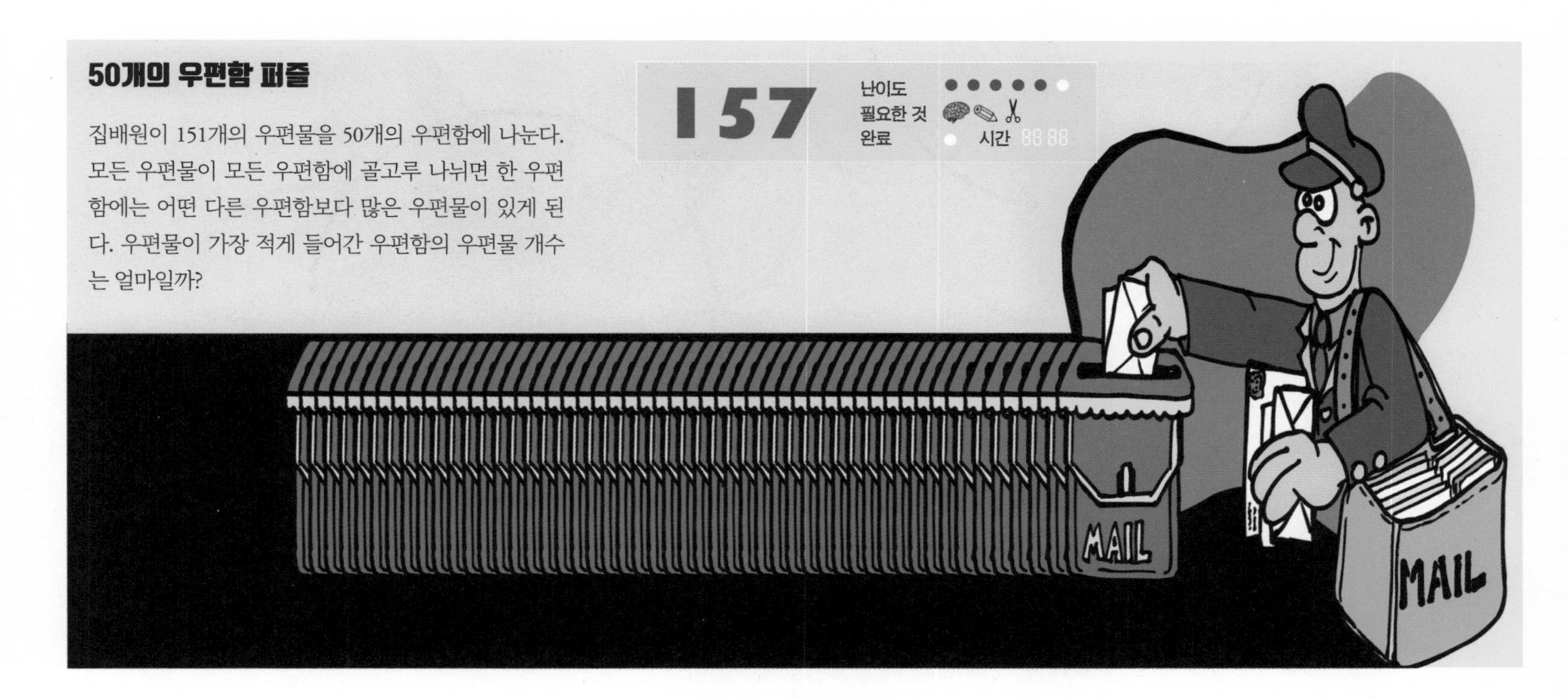

50개의 우편함 퍼즐

157
난이도 ●●●●●
필요한 것
완료 시간

집배원이 151개의 우편물을 50개의 우편함에 나눈다. 모든 우편물이 모든 우편함에 골고루 나뉘면 한 우편함에는 어떤 다른 우편함보다 많은 우편물이 있게 된다. 우편물이 가장 적게 들어간 우편함의 우편물 개수는 얼마일까?

머리카락 수 퍼즐

현재 살아있는 사람 중
머리카락 수가 같은 두 사람이 있을까?

158
난이도 ●●●●●●
필요한 것
완료 시간

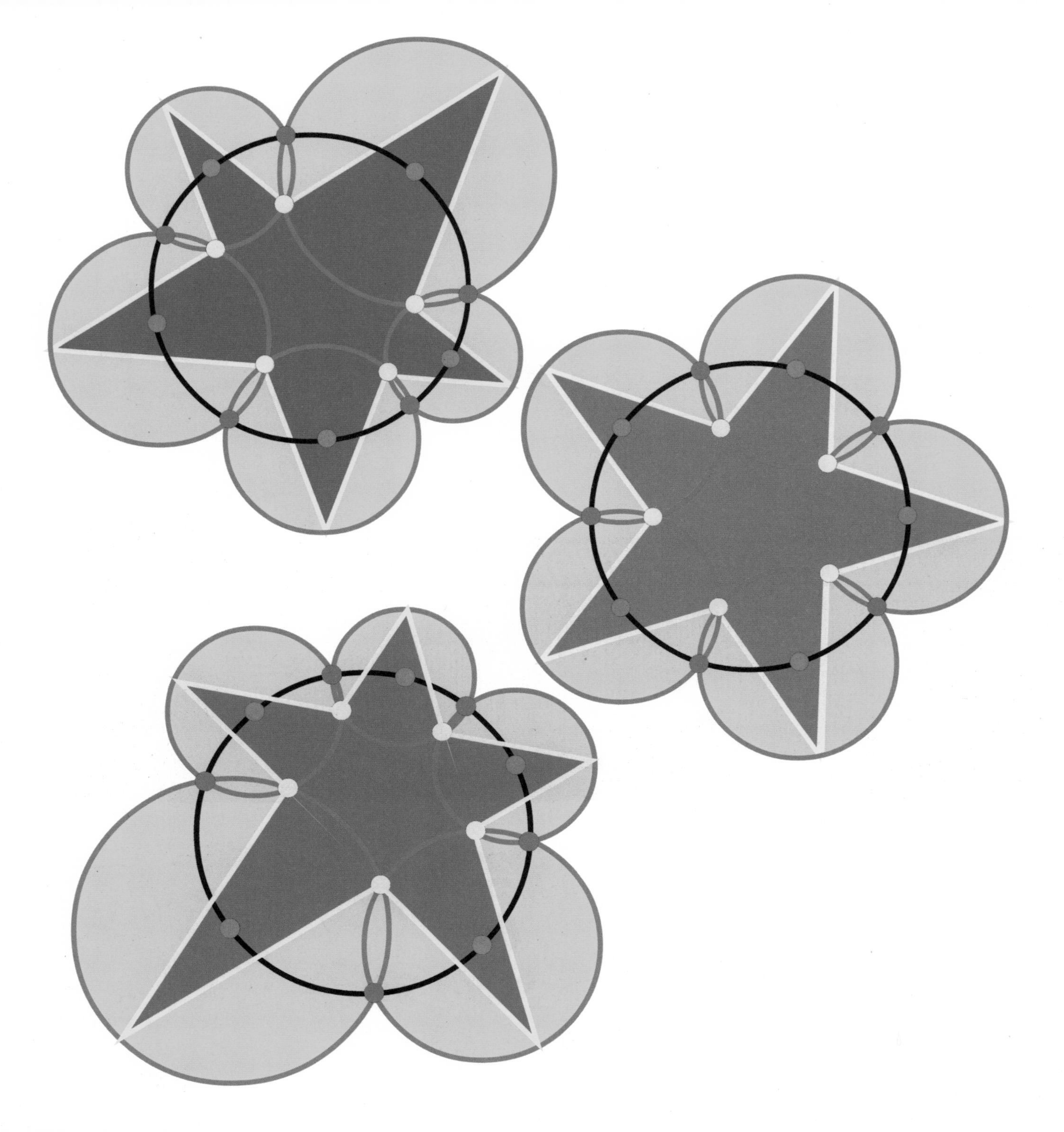

미겔의 다섯 개 원의 정리–1836년

5개의 빨간색 원과 그 원들의 중심을 연결한 검은색 원이 그려져 있다. 각 원은 이웃에 있는 원들과 각각 두 점에서 만난다. 이 두 점에서 한 점은 녹색(첫 번째), 다른 점은 노란색(두 번째)으로 표시되어 있다. 5개의 원 위에서 각각 점 하나를 적절히 선택한 후 노란색 점들과 연결하여 오각형 모양의 별을 그린다. 다섯 개의 원의 크기에 상관없이 오각형 모양의 별을 항상 그릴 수 있는가? 그려보라.

미겔(Miquel)의 '다섯 개 원의 정리'는 다음과 같다. '서로 두 개의 교점을 갖도록 사슬 모양으로 배열된 5개의 원에서 중심을 연결하여 여섯 번째 원을 그린다. 이 5개의 원 위의 두 번째 교점과 각 원 위에서 임의로 선택한 한 점을 연결하면 오각형이 된다.'

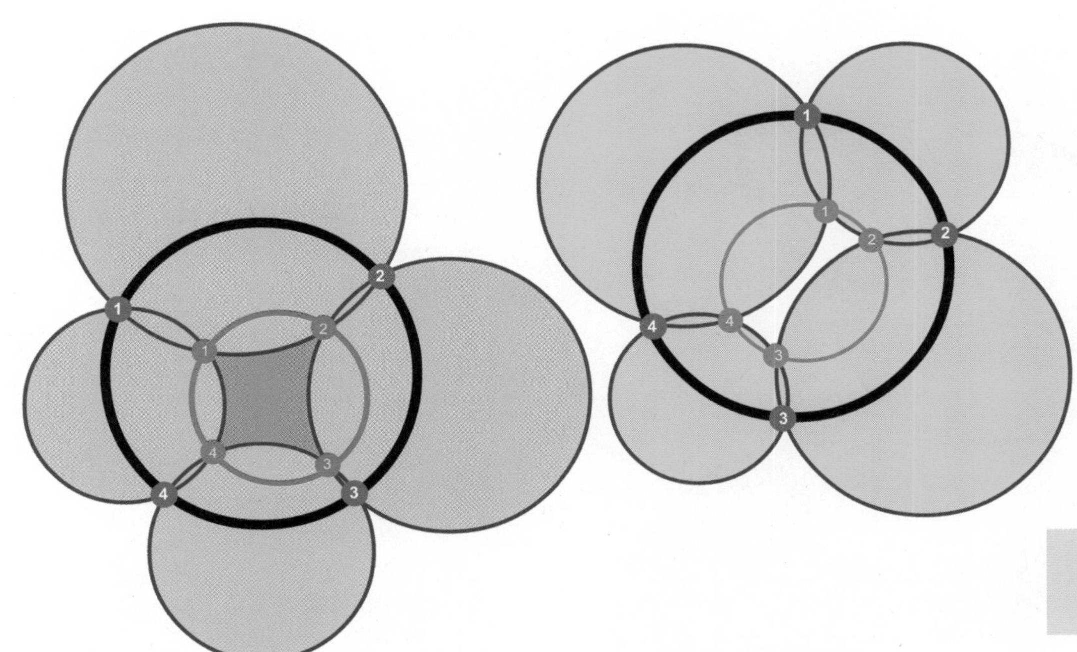

여섯 개 원의 정리 (1)

또 다른 흥미로운 정리는 미겔의 '여섯 개 원의 정리'다. 그림에는 검은색 원 위에 4개의 점이 있고 이 점을 지나는 4개의 원이 이웃 원들과 두 점에서 만나도록 겹쳐지게 그려져 있다. 4개 원의 두 번째 교점들 또한 원(빨간색 원) 위에 있을 것이다.

처음의 원(검은색 원)이 직선으로 바뀌는 경우에도 이것이 성립할 것인가? 한번 그려보라.

159 난이도 ●●○○○○ 필요한 것 완료 시간

여섯 개 원의 정리 (2)

삼각형을 하나 그리고 그 삼각형의 내부에 삼각형의 두 변에 접하는 원을 하나 그린다(1번 원). 그 원과 접하면서 삼각형의 두 변과 접하는 다른 원을 그린다(2번 원). 같은 방식으로 계속 원을 그려나간다. 이렇게 하면 여섯 번째 원은 첫 번째 원과 같으며, 다른 원은 더 이상 생기지 않는다는 놀라운 결과를 얻을 것이다.* 원들 중 어떤 원은 그 일부분이 삼각형 외부에 그려질 때도 똑같은 현상이 일어날까? 그려보라.

160 난이도 ●●○○○○ 필요한 것 완료 시간

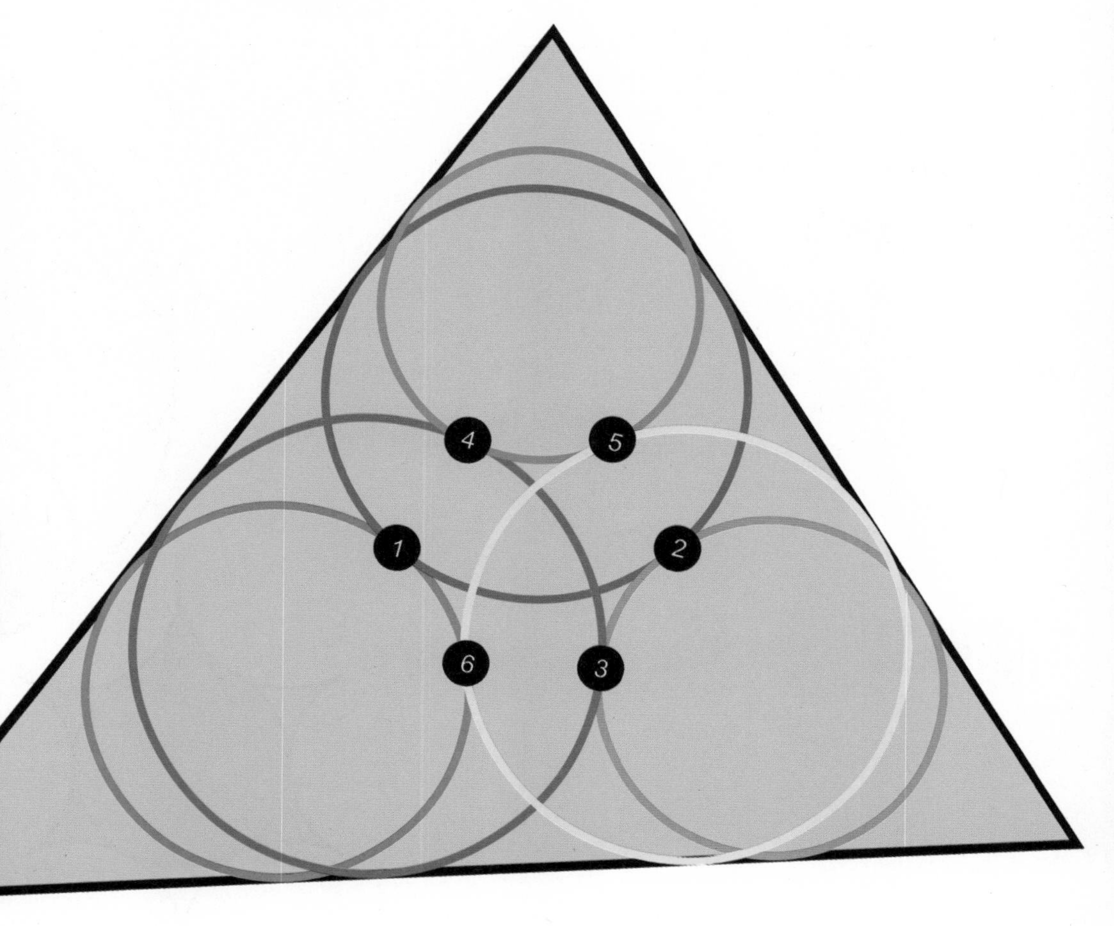

* 여섯 개 원의 정리처럼 원을 반복적으로 그리다가 처음 원과 일치하는 원이 그려지면 그 원들은 '닫힌 사슬'을 이룬다고 한다.

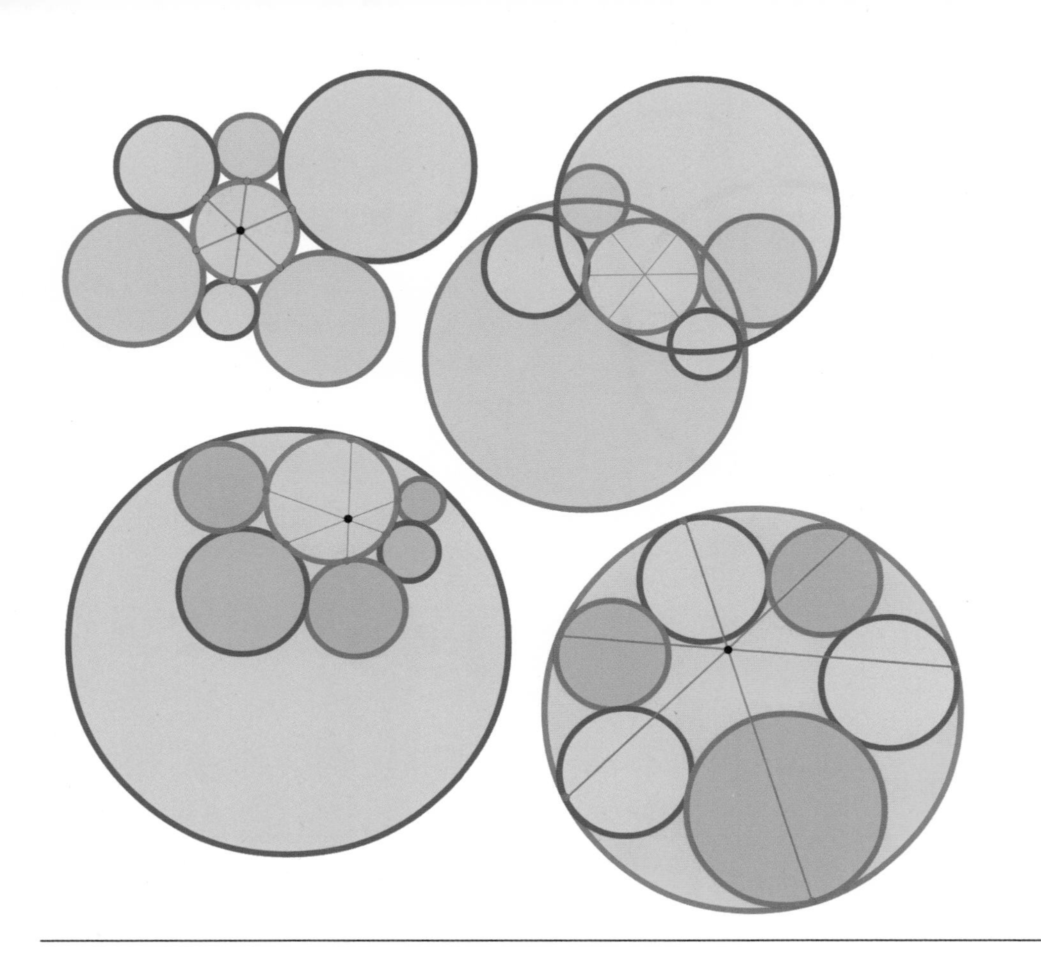

일곱 개 원의 정리 (1)

가운데 있는 빨간색 원에서 시작해서 6개의 원을 빨간색 원 및 이웃한 원들과 접하도록 배열한다. 이 6개의 원이 빨간색 원과 접하는 접점들을 서로 반대편에 있는 접점과 연결해 세 개의 직선을 그리면 이 직선들은 한 점에서 만난다. 왼쪽에 이런 그림 4개가 그려져 있으며, 다른 배열도 가능하다.
만일 주변에 있는 3개의 원(파란색 또는 녹색)의 지름을 무한히 크게 한다면 무슨 일이 일어날지 상상할 수 있겠는가? (이에 관한 정리는 1974년 에벨린(Evelyn), 머니 카우츠(Money-Coutts), 그리고 티렐(Tyrrell)에 의해 발견되었다.)

161 난이도 ●●●● 필요한 것 완료 시간

일곱 개 원의 정리 (2)

그림에서 보이는 것과 같이 같은 크기의 원 7개는 하나의 원을 중심으로 서로 접하도록 배열할 수 있다.
바깥 부분에 있는 6개의 원 주변에 큰 원을 그리면, 그 원들의 안쪽에 같은 모양의 도형 6개와 바깥쪽에 같은 모양의 도형 6개가 만들어진다. 처음의 작은 원들의 지름은 바깥에 그린 큰 원의 지름의 1/3이다.
빨간색 부분과 노란색 부분의 면적을 계산할 수 있겠는가?

162 난이도 ●●●● 필요한 것 완료 시간

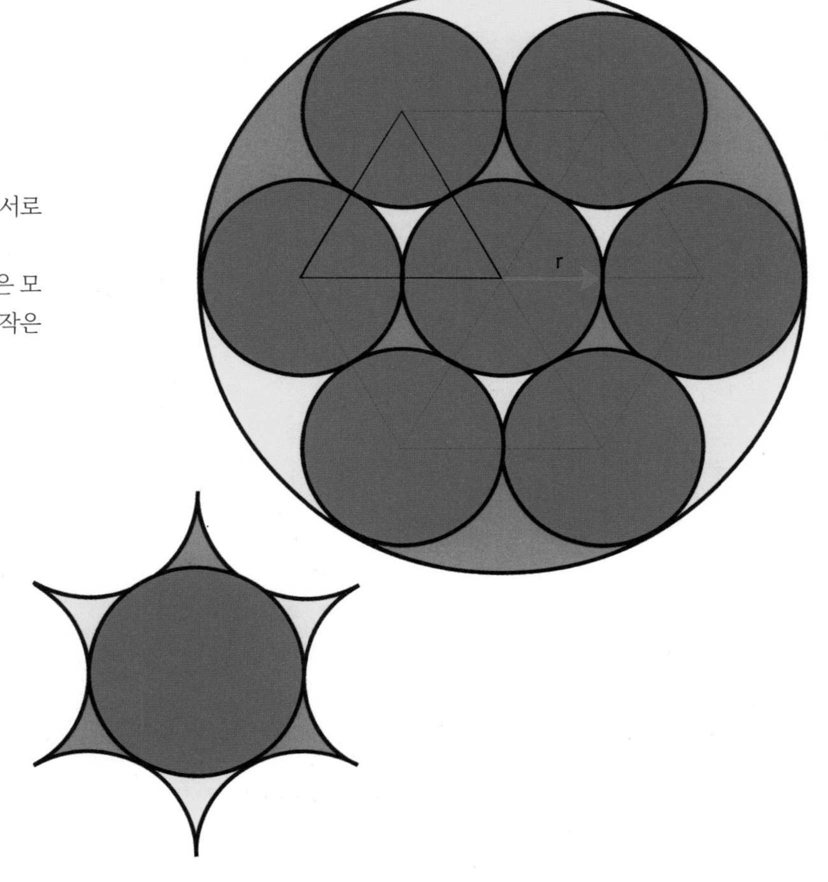

아홉 개 원의 정리

9개의 접하는 원들은 예상치 못한 닫힌 사슬 형태를 이룰 수 있다.
평면에 세 개의 원(1, 2, 3, 빨간색 원들)을 늘어놓고 두 번째 원과 세 번째 원에 접하는 네 번째 원(4)을 그린다. 네 번째 원 및 처음 세 개의 원들 중 두 원에 접하는 원(5)을 그린다. 이런 방식으로 바로 전에 만든 원에 접하며 처음의 세 원들 중 두 원에 접하는 원을 8개까지 계속 그려나간다. 사슬 형태를 이루며 연속적으로 접하는 원을 그리는 방법은 다양하지만, 아홉 번째 원은 첫 번째 원과 접하고 마지막 원은 첫 번째 원과 일치한다.

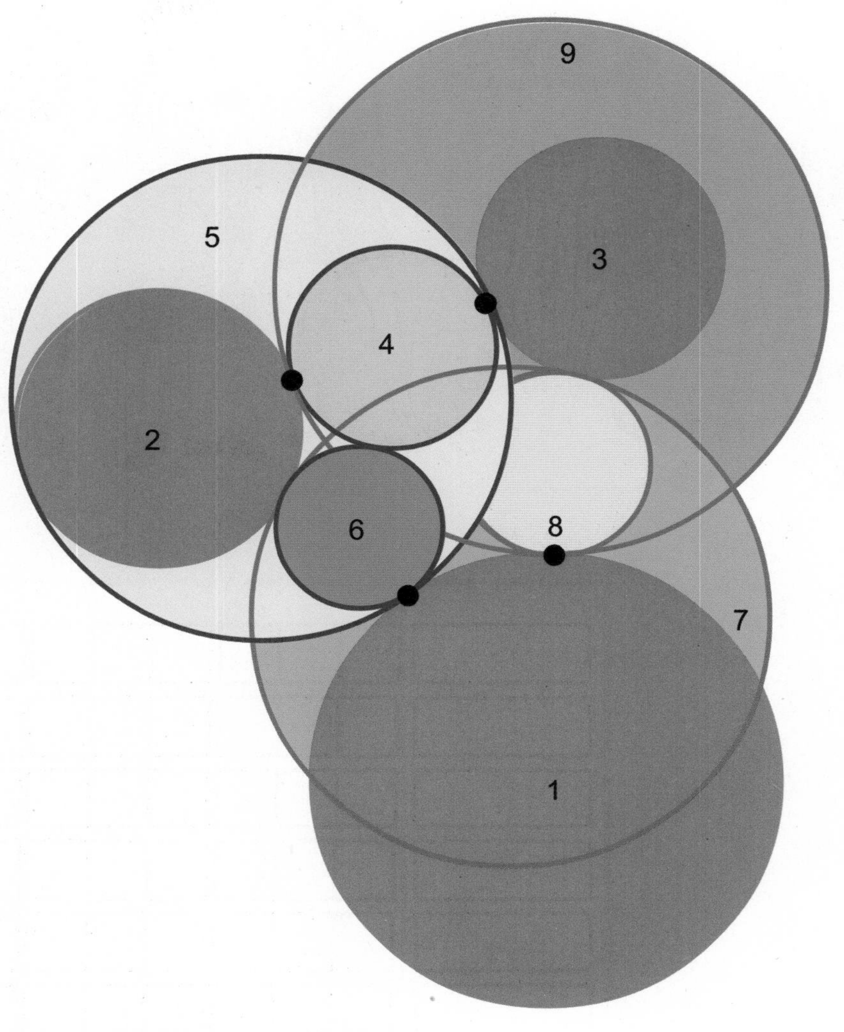

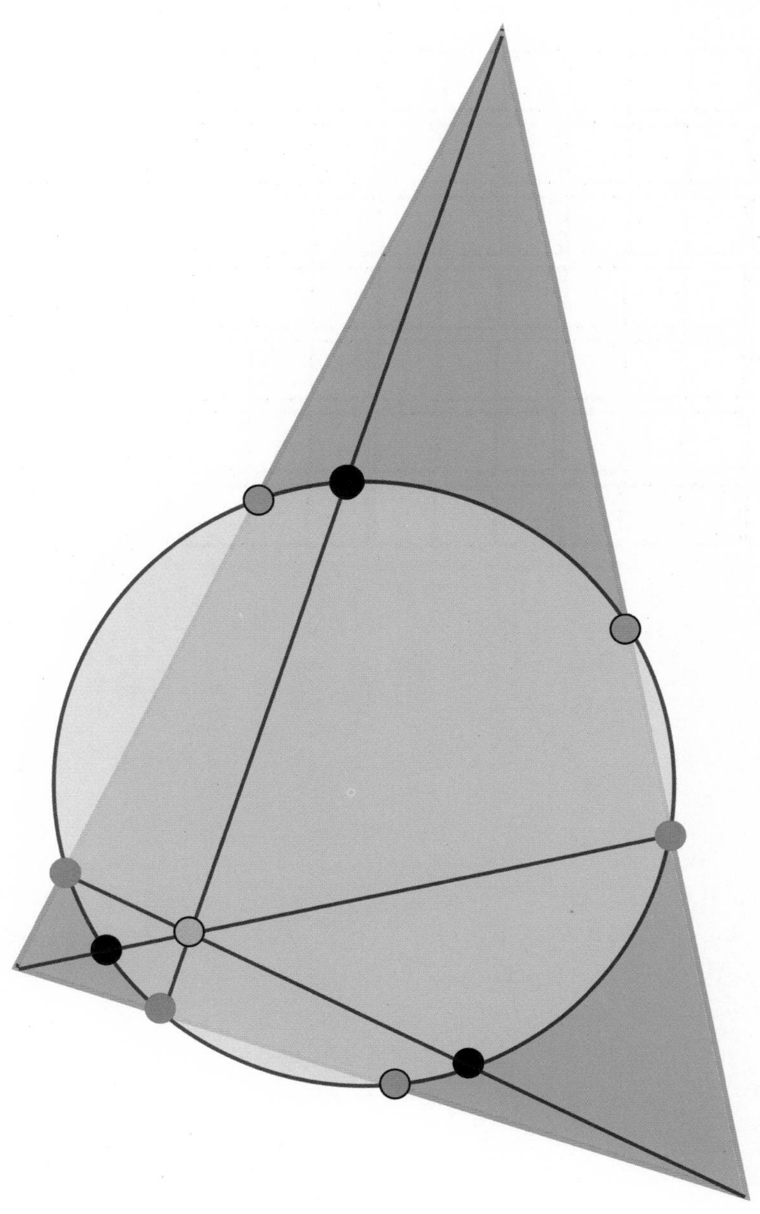

아홉 개의 점으로 이루어진 원

주어진 삼각형에서 아홉 개의 점을 지나는 원을 그릴 수 있다. '아홉 개의 점으로 이루어진 원'이라는 이름은 모든 삼각형에서 정의되는 아홉 개의 중요한 점들을 지나는 원이라 해서 붙여진 것이다. 이 점들은 다음과 같다.

- 삼각형의 각 변의 중점(파란색 점 3개)
- 각 꼭짓점에 대응하는 변으로 수선을 그어 변과 만나는 점(수선의 발, 빨간색 점 3개)
- 삼각형의 각 꼭짓점과 삼각형의 수심(오렌지 색 점)을 연결하는 직선의 중점(검은색 점 3개). (수심은 3개의 수선이 만나는 점이고 여기에서의 직선은 각각 수선 위에 있다.)

예각 삼각형의 경우는 6개의 점(중점 3개와 수선의 발 3개)은 삼각형의 변 있는 반면, 둔각 삼각형의 경우는 아홉 개 점에서 수선의 발 중 두 개는 삼각형의 바깥쪽에 있다.
아홉 개의 점으로 이루어진 원은 독일의 철학자 포이어바흐(Andreas von Feuerbach, 1804~1872)의 이름을 딴 '포이어바흐의 원'을 포함하여 여러 이름으로 알려져 있다.

3조쌍들															
1일															
2일															
3일															
4일															
5일															
6일															
7일															

커크먼의 여학생 퍼즐-1848년

163

난이도
필요한 것
완료
시간

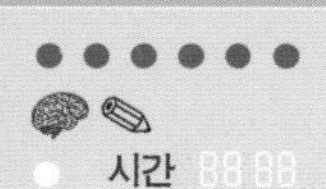

아마추어 수학자인 커크먼(Penyngton Kirkman, 1806~1895)은 1847년 한 퍼즐을 제안했다. 그 퍼즐은 지금까지 고안된 가장 유명한 조합퍼즐 중 하나로 다음과 같다.

'15명의 여학생이 있다. 이들은 일주일 동안 매일 3명이 한 조인 5조로 나뉘어 조 별로 같이 다닌다. 그들 중 어느 두 학생도 두 번 이상 같은 조에 있어선 안 된다. 조를 어떻게 구성할 수 있겠는가?'

이를 좀 더 수학적인 용어로 표현하면 '1에서 15까지(각 수는 여학생) 15개의 수를 7개의 행(각 행은 한 주에서 하루)에 나눌 수 있는가? 각 행은 3개의 수로 구성된 5개의 집합으로 구성되며 7개의 행에는 어떤 두 개의 수도 같은 집합에 두 번 이상 나타나서는 안 된다.

7개의 행이 위에 그려져 있다. 15개의 수를 겹치지 않게 3조로 나누는 방법은 유일하게 7가지가 있다. 해를 찾을 수 있겠는가?

1~15의 수에서 3개의 수를 한 조로 묶는 방법은 얼마나 될까? 이 퍼즐의 해를 찾기 위해서는 3개의 수로 구성된 한 조를 묶는 많은 방법들 중 35개를 선택해야 하는데, 35는 매우 큰 수다. 커크먼의 퍼즐은 행렬이론과 매우 밀접한 관련이 있다.

수학에서 행렬은 수나 기호를 미리 정해진 어떤 패턴에 따라 행과 열에 나열한 것이다.

커크먼의 여학생 퍼즐은 다른 종류의 슈타이너 삼중계(Steiner triple systems)를 다루는 여러 아름다운 고전 조합 퍼즐 중 하나다. 슈타이너 삼중계는 n개의 사물(숫자, 기호, 또는 다른 어떤 것)을 3개씩 배열하는 것으로 사물의 각 쌍이 3개로 이루어진 한 조에 한 번씩만 나타나야 한다. 일반적으로 어떤 'n'에 대해서도 슈타이너 삼중계가 가능할까?

n=4

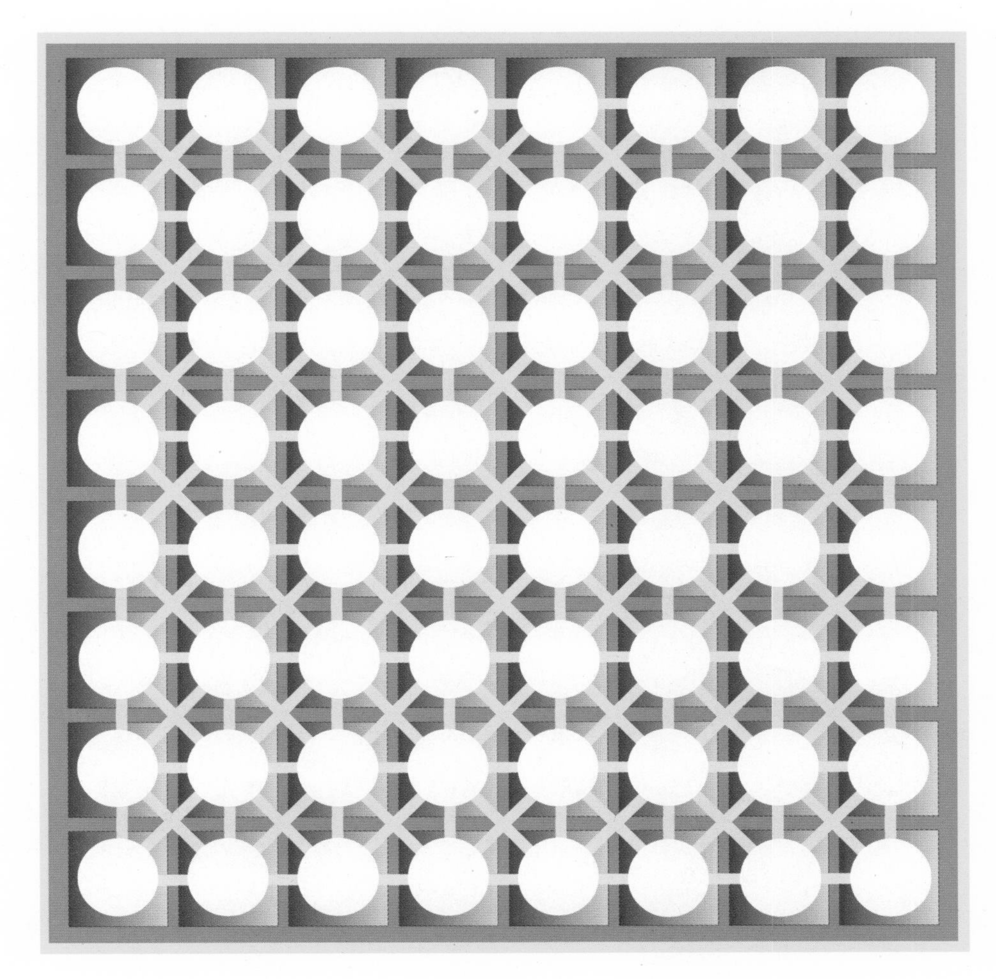

n=8

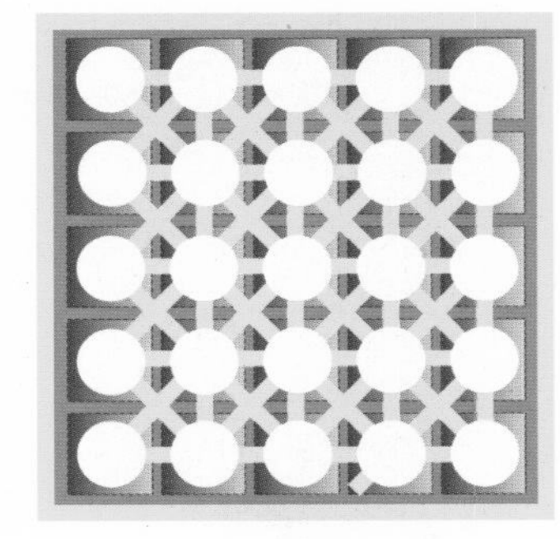

n=5

n=6

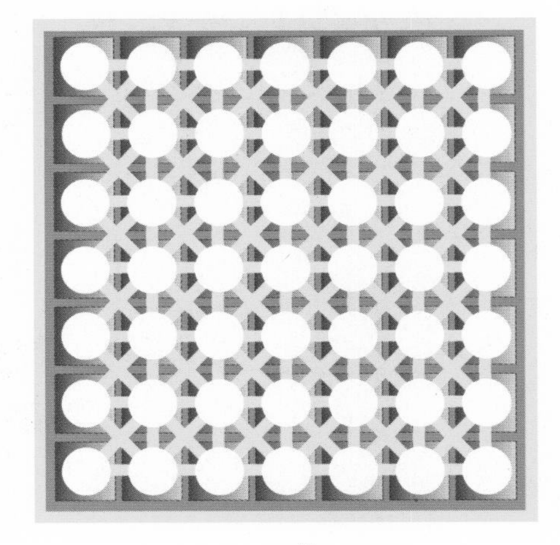

n=7

여덟 여왕 문제-1848년

여러 체스 조각 및 조각의 위치와 관련된 문제들은 수 세기 동안 퍼즐을 만들거나 푸는 사람들에게 즐거움을 주었다.

어느 여왕도 다른 여왕에게 잡히지 않도록 여덟 개의 체스 여왕을 체스판 위에 놓을 수 있겠는가? 여왕은 수직, 수평, 그리고 대각선 방향에 있는 빈자리 아무 데나 몇 칸이든지 이동할 수 있음을 기억하라.

이 문제는 1848년 막스 베즐(Max Bezzel)이 처음 제안한 것으로 유희수학 분야에서 보석 같은 퍼즐 중 하나로 여겨지고 있다.

이 문제는 12개의 다른 해가 있다. 해를 몇 개나 찾을 수 있겠는가? n이 작은 경우인 5~7에 대해 여왕 문제의 해를 적어도 하나 찾을 수 있겠는가?

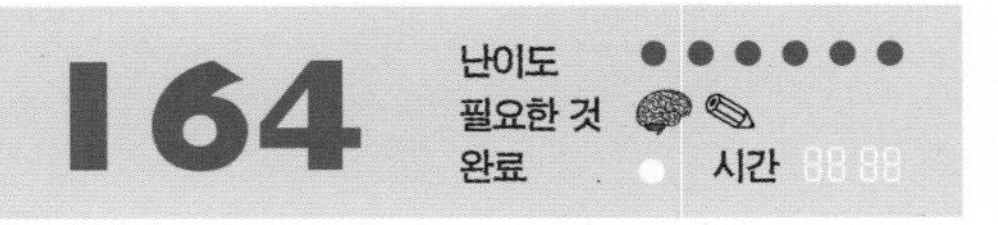

뫼비우스 마술-1850년

꼬임을 가진 뫼비우스 띠는 아름답고 신비롭다. 19세기 독일 수학자 뫼비우스(A. F. Möbius, 1790~1868)는 한 개의 면과 한 개의 변만을 가지며, 내부와 외부가 없는 면을 만드는 것이 가능하다는 것을 발견했다. 뫼비우스 띠는 한 가지 색으로 칠할 수 있다. 뫼비우스 띠의 표면에서 띠를 따라 줄을 그리면 한 번 회전한 후 줄을 시작한 점이면서 띠의 '반대편 면'에 있는 점으로 돌아올 것이다. 즉, 하나의 '면'만을 갖고 있다는 것을 보여준다.

뫼비우스 띠 같은 물건을 상상하기는 어렵지만, 뫼비우스 띠를 만드는 것은 매우 간단하다. 종이 띠를 만들고 끝에서 한번 꼰 후 두 끝변을 붙이기만 하면 된다.

변형된 뫼비우스 띠는 수많은 흥미로운 구조들과 퍼즐을 만드는 기반이 되는데, 이는 위상분야에 의미 있는 발전을 가져온 놀랍고 역설적인 여러 특성을 가지고 있다.

그들 중 몇몇은 이 책에서 보여줄 것이다. 뫼비우스 띠를 가지고 놀면 아주 재미있긴 하지만, 이를 실생활에서 사용하는 곳이 과연 있을까? 물론 있다. 예를 들면, 컨베이어 벨트는 양 '면들'이 고루 마모될 수 있도록 종종 뫼비우스 띠 형태로 디자인된다. 어떤 오디오 카세트는 테이프의 두 면이 연속적으로 재생될 수 있도록 뫼비우스 띠처럼 꼬아 만든다. 이 외 다른 것들도 실생활에서 찾아볼 수 있다.

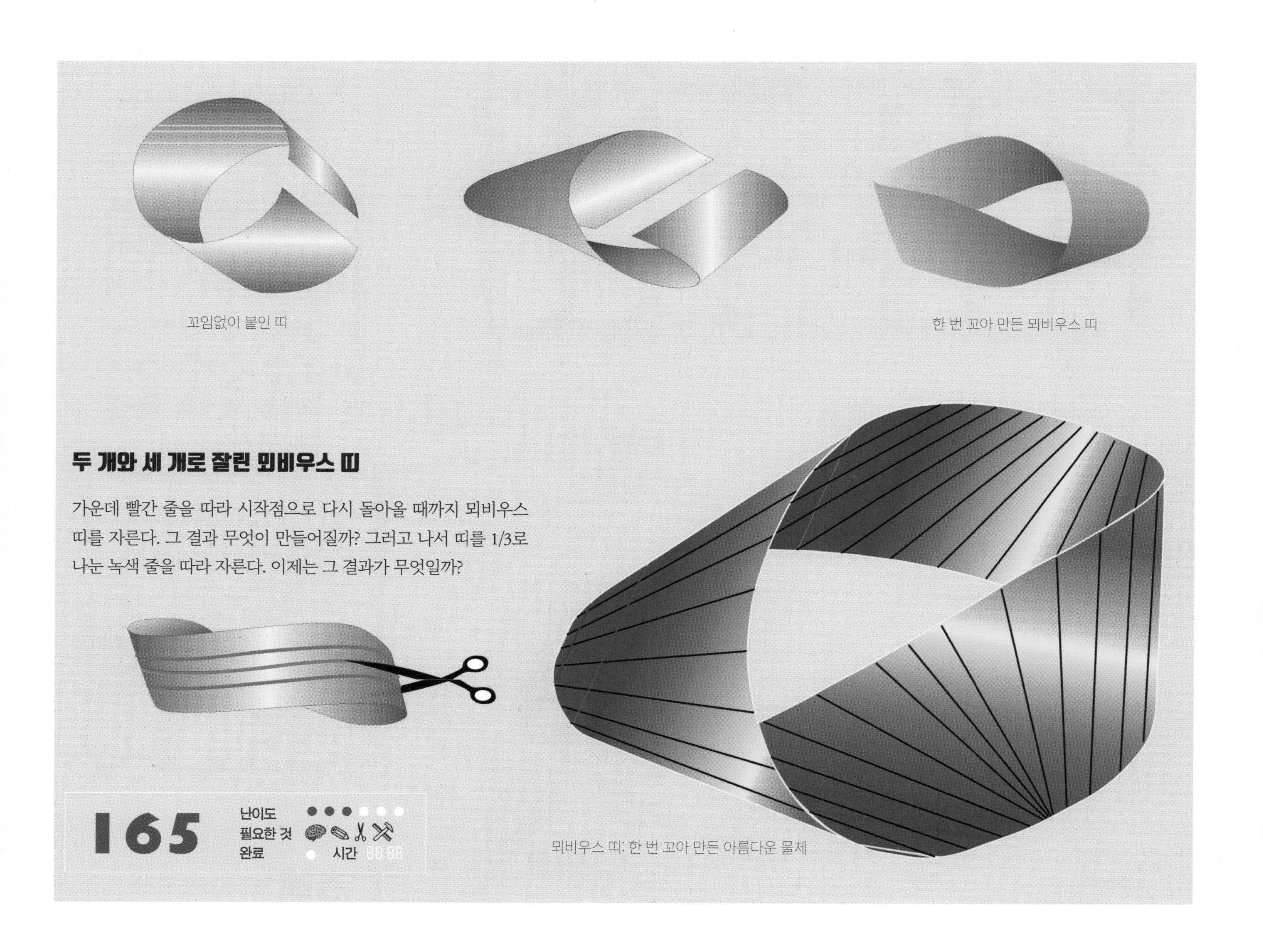

꼬임없이 붙인 띠

한 번 꼬아 만든 뫼비우스 띠

두 개와 세 개로 잘린 뫼비우스 띠

가운데 빨간 줄을 따라 시작점으로 다시 돌아올 때까지 뫼비우스 띠를 자른다. 그 결과 무엇이 만들어질까? 그러고 나서 띠를 1/3로 나눈 녹색 줄을 따라 자른다. 이제는 그 결과가 무엇일까?

뫼비우스 띠: 한 번 꼬아 만든 아름다운 물체

클라인 병-1882년

클라인 병은 1882년 독일 수학자 펠릭스 클라인(Felix Klein)에 의해 처음으로 묘사되었다. 과학자들은 클라인 병을 '닫힌 비가향 곡면(closed non-orientable surface)'이라 정의한다. 쉽게 말하면, 클라인 병은 왼쪽과 오른쪽을 일관되게 정의할 수 없는 2차원 다양체 곡면이다.
곡면이 두 개의 면을 가지면 방향성이 있으며, 이러한 곡면은 '가향 곡면(orientable surface)'이라 한다. 가향 곡면은 한쪽 면은 양의 면, 다른 면은 음의 면으로 정해 방향을 줄 수 있다.
어떤 곡면이 그 구조에 뫼비우스 띠가 나타나면 그 곡면은 방향성이 없다. 뫼비우스 띠는 경계를 갖는 곡면인 반면, 클라인 병은 경계가 없다. 이와는 대조적으로 구는 경계가 없는 가향 곡면이다.

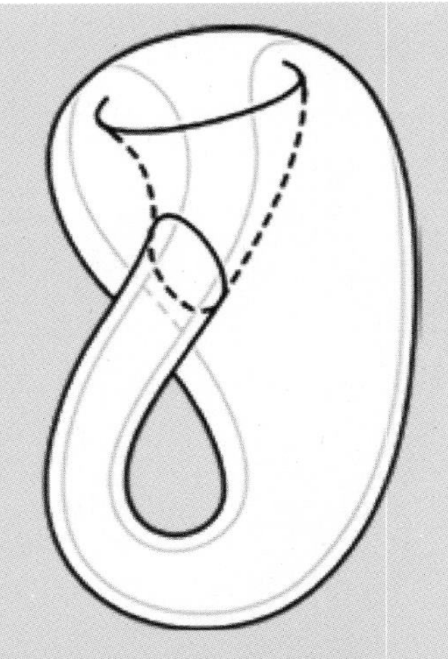

클라인 병을 한 개의 곡선을 따라 자르면 두 개의 뫼비우스 띠를 얻는다.

뫼비우스 띠

뫼비우스 띠를 만들기 전까지는 한 개의 면을 가진 곡면이 존재하는지에 대해 회의적이었다는 것은 이해할 수 있는 일이다.
뫼비우스 띠는 한 개의 면을 갖는 곡면 중 가장 간단한 곡면이다. 뫼비우스 띠는 경계가 있지만, 구는 경계가 없다.
한 면으로만 이루어진 곡면은 모서리가 전혀 없는가? 답은 '그렇다'이다. 그러나 3차원 공간에서는 곡면이 자기 자신을 통과해야만 모서리가 없는 곡면이 된다.
오른쪽에 앨런 베넷(Alan Bennett)이 유리를 불어 만든 아름다운 클라인 병 사진이 있다. 클라인 병은 하나의 작고 둥근 곡면에서 그 자신과 만난다. 위상학자들은 이상적인 클라인 병을 생각할 때 그 교차면은 고려하지 않는다.

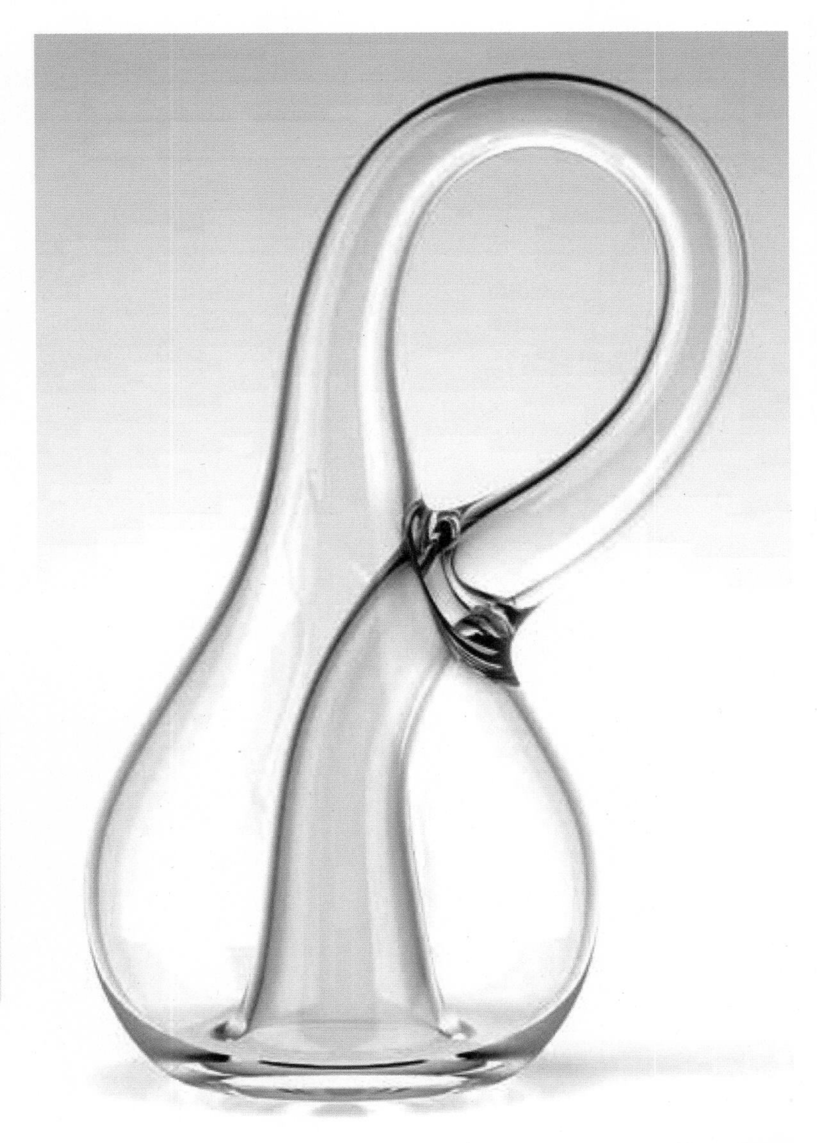

"클라인이라는 수학자는 뫼비우스 띠를 신성하다고 생각했다. 그는 '만일 두 개의 뫼비우스 띠의 모서리를 붙이면 내가 가진 것과 같은 신기한 모양의 병을 얻을 것'이라고 말했다."

레오 모서(Leo Moser, 1921~1970)

쌍둥이 뫼비우스

두 번째 그림에 보이는 것처럼 종이 띠 한 장을 자른다.
A는 A와 B는 B와 만나도록 꼬아서 붙이고, 또한 A'는 A'와 B'는 B'와 만나도록 꼬아서 붙이는데 이때는 A, B를 꼰 것과는 반대 방향으로 꼰다. 이렇게 하면 첫 번째 그림과 같은 모양의 띠를 얻을 것이다.
그림에 나타난 빨간색 선을 따라 자르면 어떤 결과가 나올지 상상할 수 있겠는가?

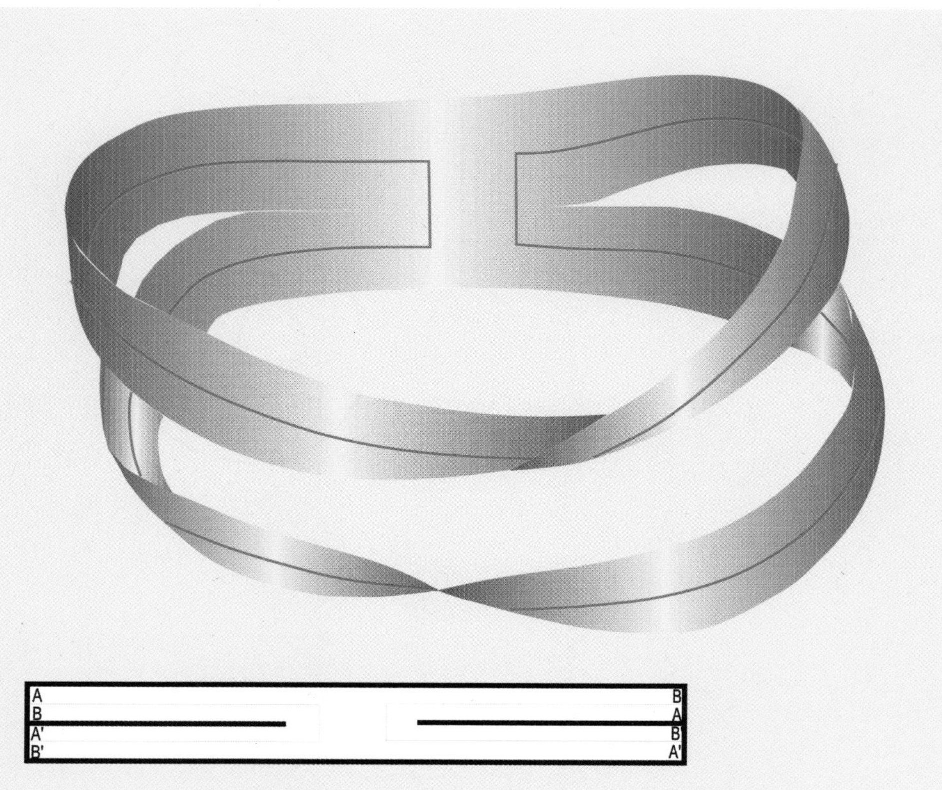

166
난이도
필요한 것
완료
시간

뫼비우스인가 아닌가?

마틴 가드너는 오로라(Aurora, Mo.) 사의 조시아 매닝(Josiah Manning)이 그에게 보낸 오른쪽에 보이는 종이 구조를 독자들에게 보여주며, 이 곡면이 위상적으로 뫼비우스 띠와 같은지를 물었다.
그림의 종이 구조에서 빨간색 선을 따라 자르면 어떤 결과가 나올지 알 수 있겠는가?

푸코의 진자-1851년

지구가 움직인다는 것을 어떻게 알까? 플라톤 시대부터 16세기까지의 천문학자들은 지구는 가만히 있고 다른 모든 것들이 지구 주변을 돈다고 생각했다. 이러한 견해와 상반되는 견해들은 있었으나 그에 대한 확실한 증거가 없다는 것이 문제였다. 우리가 움직이는 지구 위에 있다는 것은 확실하게 느낄 수 없다. 하지만 지구가 움직이는 것을 볼 수 있을까?
지구가 회전하는 것을 보는 것이 가능할까?
1543년 코페르니쿠스는 책『천구(天球)의 회전에 대하여』의 사본을 극히 절제된 문장을 적은 유명한 쪽지와 함께 교황 바오로 3세에게 보냈다. 거기에 적힌 글은 다음과 같다. "소신은 사람들이 지구의 움직임을 이야기한 이 책을 읽자마자 소신과 소신의 책을 즉시 없애야 한다고 아우성을 칠 것이라는 걸 쉽게 짐작할 수 있습니다."
어떤 사람들은 프랑스 물리학자 푸코(Jean Bernard Foucault)가 1851년 파리 전시회의 일부였던 과학전시를 주관하기 위해 초대되었을 때까지도 여전히 그 이론을 믿지 않았다.
푸코는 61미터의 피아노 줄과 27킬로그램의 포탄으로 구성된 진자를 팡테온의 천장에 매달았다. 포탄 밑바닥에는 한 층의 고운 모래를 뿌려 놓았다. 포탄 아랫부분에 고정된 펜이 모래 위에 경로를 그려 진자의 움직임을 기록했다. 한 시간이 지난 후 모래 위의 선은 11도 18분만큼 이동했다. 만일 추가 같은 평면에 있었다면 어떻게 모래 위에 다른 경로를 남겼겠는가?•
푸코의 진자 실험은 그때나 지금이나 전 세계의 과학박물관과 과학 전시회에서 가장 아름답고 감동적인 과학 실험 중 하나로 손꼽힌다. 푸코가 과학에 남긴 지대한 공헌은 진자를 이용해 복잡한 개념을 모든 사람이 이해할 수 있도록 한 것이다.

● 일반적으로 진자에 작용하는 힘은 중력과 장력뿐이므로 일정한 진동면을 유지해야 한다. 진자를 장시간 진동시키면 자전 방향의 반대방향으로 돌게 된다. 이는 지면이 회전하는, 즉 지구가 자전하는 것을 입증하는 것이다.

168 난이도 ●●●●●● 필요한 것 완료 시간

파리의 팡테온에 있는 푸코의 진자

4색 정리-1852년

1852년 21살의 프랜시스 거스리(Francis Guthrie)는 최근까지 '4색 문제'라 불린 문제에 관해 "말로 하면 매우 간단하지만, 증명은 쉽지 않다"고 말했다. 어떤 지도에 색을 칠하는데 경계면이 접하는(한 점에서 접하는 것이 아니라 변이 접하는) 인접 지역을 모두 다른 색으로 칠하려면 얼마나 많은 색이 필요할까?

적어도 4색이 필요하다는 것을 보이기는 어렵지 않다. 19세기에 켐프(Kempe)라는 수학자는 어떤 지도도 5가지 색으로 칠할 수 없음을 증명하고 이를 출판했다. 그러나 10년 후 그 증명에 미묘하게 중요한 실수가 있음을 발견한 켐프는 자신의 증명이 어떤 지도도 6가지 색으로 칠할 수 없다는 것을 보인 것이라고 했다. 이후 한 가지 색의 차이를 메우는 일은 될 듯 될 듯 하면서도 좀처럼 해결되지 못했다.

그 후 약 100년 동안 사람들은 이 문제와 씨름했다. 하지만 누구도 5가지 색으로 칠할 수 있는 지도를 찾지 못했다. 그렇다고 그런 지도는 없다고 결론 내릴 수 있는 증명을 한 사람도 없었다. 그 문제는 고전 수학에서 가장 단순한 미해결 문제 중 하나로 악명을 떨쳤다. 설상가상으로, 더 복잡한 곡면들을 다루는 유사한 문제들은 해결책을 찾았다. 예를 들면, 도넛 모양 위에 그려진 지도는 7가지 색으로 항상 칠할 수 있고, 6가지 색으로 칠할 수 있는 지도도 존재한다. 클라인 병이라 불리는 한 면만을 가진 신기하게 생긴 곡면 위의 지도에 색을 입히려면 6가지 색이 필요하고 또 그것으로 충분하다.

1970년대 후반 일리노이대의 두 수학자는 슈퍼컴퓨터를 이용해 마침내 4색 문제를 풀어냈다. 이렇게 우리는 많은 아름다운 퍼즐의 기반이 되는 '4색 정리'를 갖게 되었다.

다섯 번째 색이 필요할 것 같은 지도에 색을 칠하는 동안 다섯 번째 색을 사용해야 할 것 같은 '막다른 골목'에서 네 가지 색으로 마무리 되는 이해하기 어려운 상황은 이런 문제들과 게임들을 더 도전적인 문제로 만든다. 4색 정리의 해는 아펠(Kenneth Appel)과 하켄(Wolfgang Haken)이 개발한 디지털 컴퓨터의 막대한 계산력을 처음으로 수학에 활용한 것으로, 해를 찾는 계산에는 수천 시간의 시간이 필요했다.

이것은 수학 정리의 증명이 손으로 검증되지 못한 첫 사례였다.

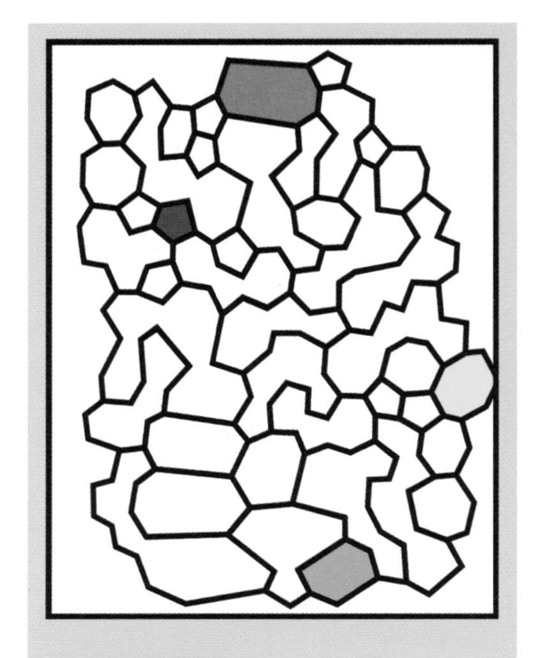

문양에 색 입히기

문양에 색을 입히는데, 경계면이 닿는 두 지역에는 다른 색을 칠하려 한다. 얼마나 많은 색이 필요할까?

169

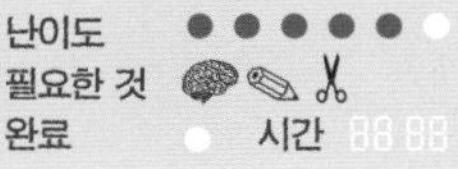

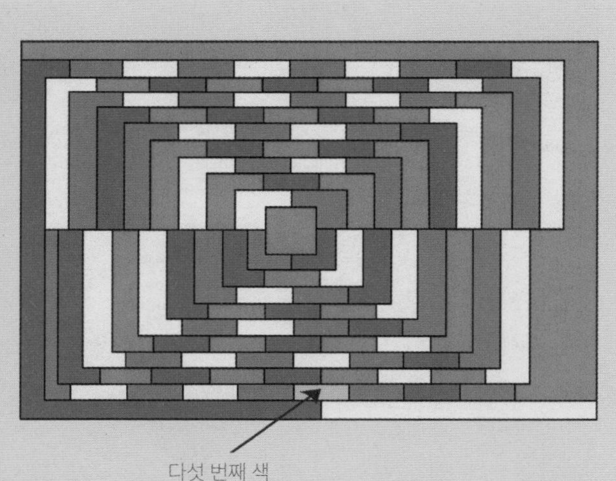

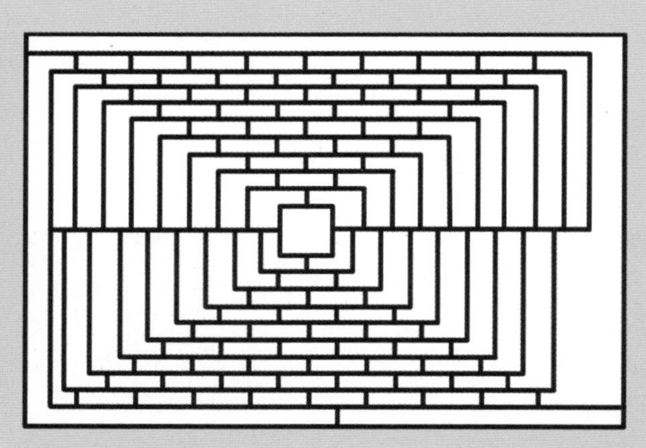

다섯 번째 색

1975년 4월 1일, 마틴 가드너는 윌리엄 맥그리거가 디자인한 색이 칠해져 있는 지도(왼쪽 그림)를 출판했다. 이 지도는 5가지 색보다 더 적은 수의 색으로는 색을 다 입힐 수 없다. 오른쪽에는 색이 칠해지지 않은 같은 지도가 있다. 더 적은 수의 색을 사용해 지도에 색을 칠할 수 있겠는가?

170

난이도
필요한 것
완료
시간

칵테일 잔

한 개의 구와 두 개의 부정형 모양의 입체 위에 판이 평평하게 올려 있고 그 판 위에 3개의 칵테일 잔이 놓여 있다.
만일 이 세 입체가 회전하면 잔에는 무슨 일이 일어날까? 칵테일이 쏟아질까?

171 난이도 ●●●●●● 필요한 것 완료 시간

뢸로 삼각형, 뢸로 다각형-1854년

원은 지름이라는 '일정한 폭'을 가진 가장 단순한 폐곡선이다. 이런 이유로 옛날엔 아주 무거운 것을 한 곳에서 다른 곳으로 옮길 때 원기둥 모양의 롤러를 사용했다.
그렇다면 원과 같이 일정한 너비를 갖는 다른 도형이 있을까? 이런 특성을 갖는 도형은 수없이 많다.
원이 아니면서 일정한 폭을 갖는 가장 간단한 도형이 '뢸로 삼각형'이다. 뢸로 삼각형은 일찍이 오일러(18세기)와 레오나르도 다빈치(15세기)가 그 존재를 알고 있었다. 또한 뢸로 삼각형은 벨기에 브뤼허(Bruges)에 건축된 노트르담 성당(13세기)의 창문에서도 나타난다. 그러나 뢸로 삼각형이라는 이름은 독일의 엔지니어 뢸로(Franz Reuleaux, 1829~1905)의 이름에서 따온 것이다.
이 도형의 폭은 모든 방향에서 정삼각형의 한 변 또는 삼각형의 꼭짓점으로부터 맞은편에 있는 호까지의 길이와 같다. 그 길이는 또한 삼각형에 접하는 두 평행선(삼각형의 위 꼭짓점과 아래 변에 접하는 두 평행선) 사이의 거리이기도 하며, 그 거리는 곡선이 회전해도 일정하다.
뢸로 삼각형과 그 역학적 특성은 1957년 반켈(Wankel) 내연기관의 초기 디자인에서 발견된다.
뢸로 삼각형은 쉽게 그릴 수 있다. 정삼각형을 그린 후 각 세 꼭짓점에서 그 꼭짓점을 중심으로 해서 다른 두 꼭짓점을 지나는 원을 그리면 된다. 뢸로 삼각형의 많은 놀라운 특징 중 하나는 너비(폭)와 원주의 비율이 원과 마찬가지로 π라는 것이다.
뢸로 삼각형은 일정한 너비를 갖는 뢸로 다각형 중 가장 단순하고 가장 널리 알려져 있다. 뢸로 다각형은 무수히 많다.

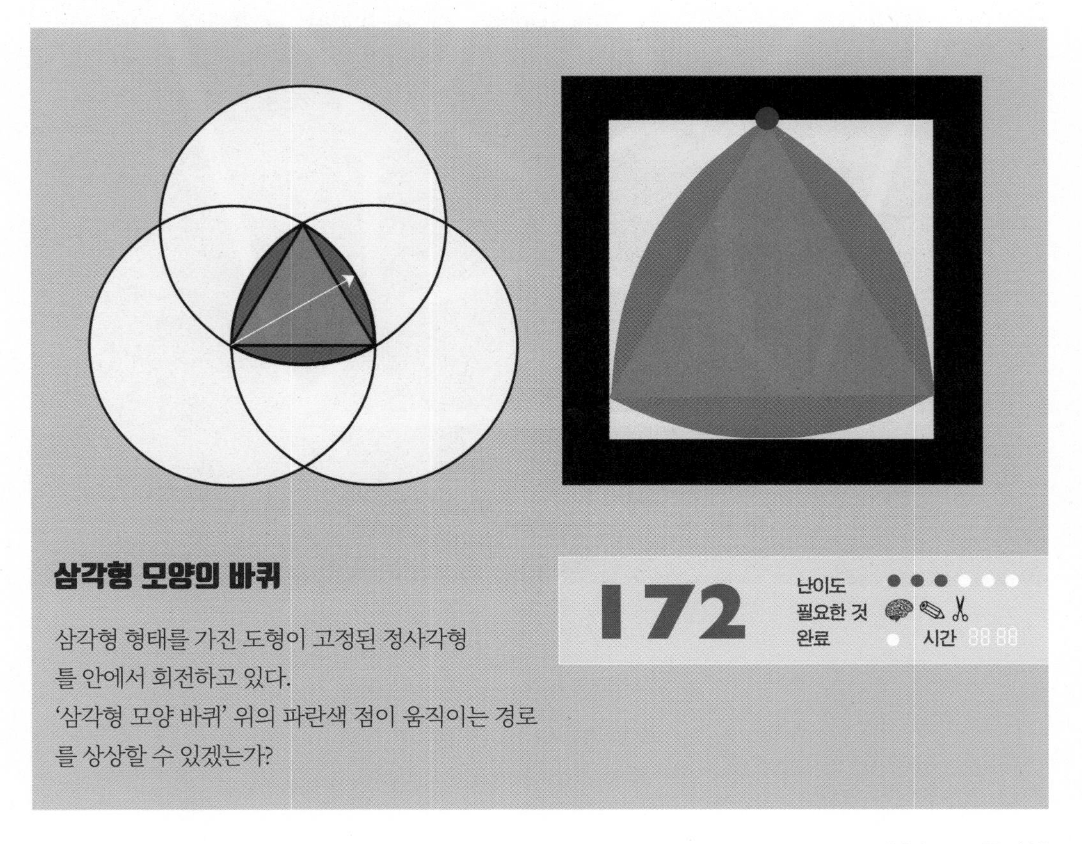

삼각형 모양의 바퀴

172 난이도 ●●● 필요한 것 완료 시간

삼각형 형태를 가진 도형이 고정된 정사각형 틀 안에서 회전하고 있다.
'삼각형 모양 바퀴' 위의 파란색 점이 움직이는 경로를 상상할 수 있겠는가?

윌리엄 로언 해밀턴(1805~1865)

아일랜드의 물리학자, 천문학자, 수학자인 해밀턴(William Rowan Hamilton)은 수체(number of fields) 분야에서 신동으로 알려져 있다. 그는 여러 새로운 수학적 개념과 기술을 발견했는데, 특히 고전역학, 광학, 그리고 대수학에 지대한 업적을 남겼다. 수학에서는 아마도 쿼터니언(quaternions)을 발견한 것으로 가장 널리 알려진 것 같지만, 그가 실제로 유명해진 것은 현재 '해밀턴 역학'이라 불리는 뉴턴역학을 재공식화했기 때문이다. 그의 연구는 전자기학 같은 고전 장(場) 이론의 현대적 연구와 영자역학의 발전에 구심점이 되었다.

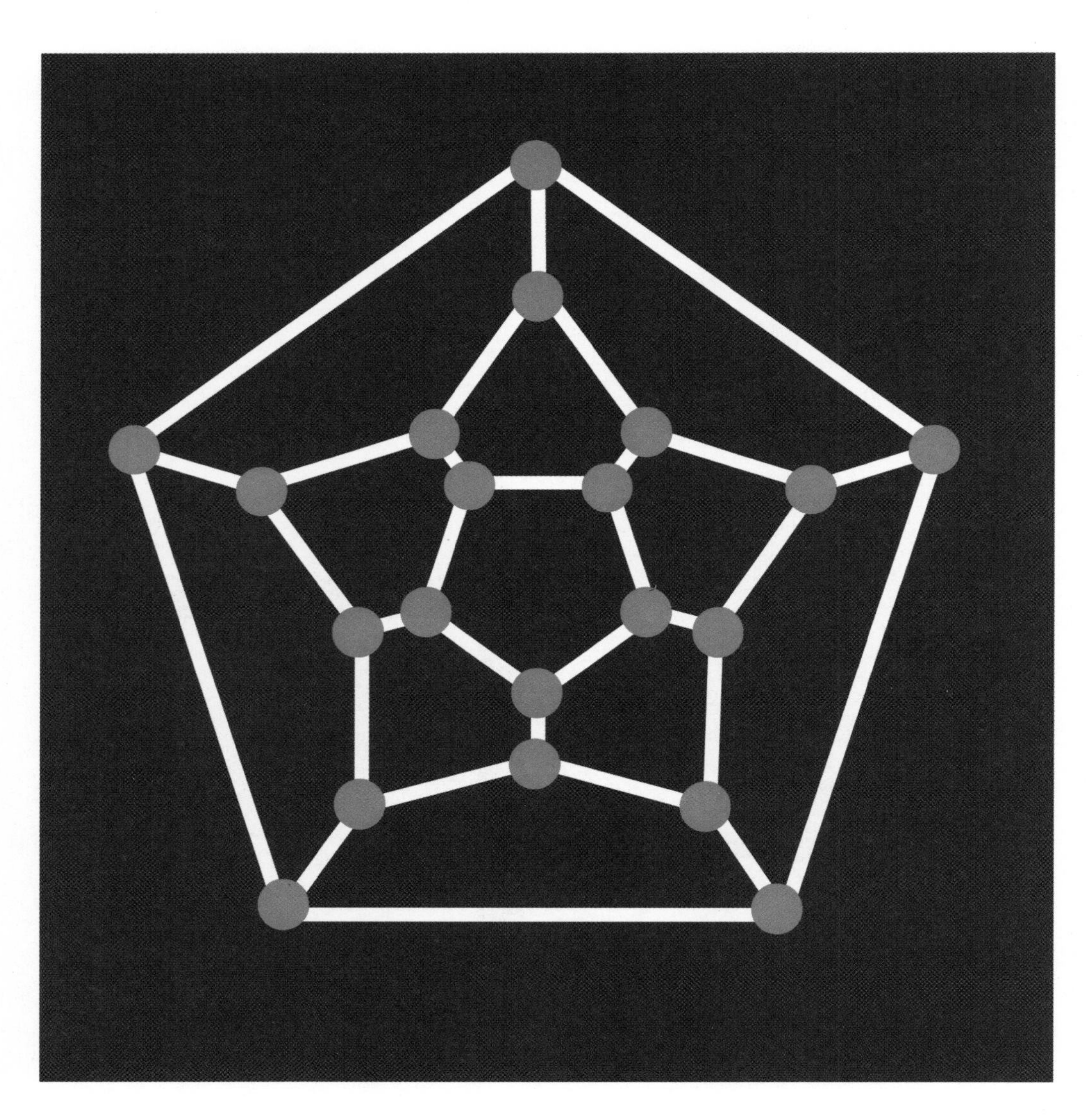

12면체를 둘러싼 여행-1859년

우리는 평면에 있는 그래프를 여행하고 있다. 평면에서의 여행보다 더 어려운 문제는 3차원 물체 위에서 길을 찾는 것이다.

이런 문제에 대한 첫 번째 고전적인 예는 1859년 해밀턴이 고안한 것으로 12면체에 대한 것이다. 변을 따라 길이 존재하는지를 묻는 것으로, '한 번 지난 변은 다시 지나지 않으면서 20개의 꼭짓점을 모두 지난 후 시작한 점으로 되돌아올 수 있는가' 하는 문제였다. 이러한 경로를 '해밀턴 회로'라 한다.

주석: 해밀턴 경로 또는 회로는 모든 꼭짓점은 거쳐야 하나 변에 대해서는 지나지 않은 변도 있을 수 있음에 주목하자. 이런 3차원 문제를 쉽게 풀기 위해 해밀턴은 위상적으로 3차원 입체와 동일한 슐레겔 다이어그램(Schlegel diagram)이라 불리는 12면체의 2차원 도표를 사용했다.

해밀턴은 3차원 입체 위에서 경로를 찾는 문제를 풀면서 그래프 이론 분야에서 '아이코지언 계산(Icosian calculus)'이라는 수학의 한 분야를 창안했다. 그의 아이코지언 게임 퍼즐은 페그보드게임(pegboard game)으로 상업화되었다. 페그보드게임은 12면체 그래프 위에서 하는 게임으로, 12면체 그래프의 점에는구멍이 뚫려 있는데 그 구멍에 나무못을 꽂는 게임이다. 그 게임은 다양한 형태로 변형되어 유럽 전역에서 판매되었다.

173 난이도 ●●●●●●
필요한 것
완료 ● 시간

삼각형을 만드는 이중그래프-1857년

만일 그래프의 선마다 하나의 화살표를 그리면 이 그래프는 방향그래프가 된다. '완전 방향그래프'는 모든 쌍의 점들이 한 개의 화살표로 연결된 그래프를 말한다. 오른쪽에 있는 그림은 7개의 점을 갖는 완전 그래프다.*

이 퍼즐은 모든 선에 한 개의 화살표를 그려 완전 방향그래프로 만드는 것인데, 완전 방향그래프에서는 어떤 두 점도 세 번째 점에서 한 단계를 거치면 항상 그 두 점에 도달할 수 있어야 한다.

한 예로 그림에 세 개의 선에 화살표가 그려져 있다. 점1과 점2를 보면, 점7에서 점1과 점2에 도달하기 위해서는 각각 한 단계(한 개의 화살표)가 필요한 것을 볼 수 있다. 모든 점에서 이 조건을 만족하도록 그래프의 각 선에 나머지 화살표를 그릴 수 있겠는가?

방향그래프의 개념은 그래프 이론에서 활용도가 풍부한 이론 중 하나로, 주로 물리적 문제에서 그 활용성이 크다.

● 완전 그래프: 모든 꼭짓점 쌍들을 각각 단 하나의 선으로 연결한 그래프를 말한다.

174 난이도 ●●●●○○ 필요한 것 완료 시간

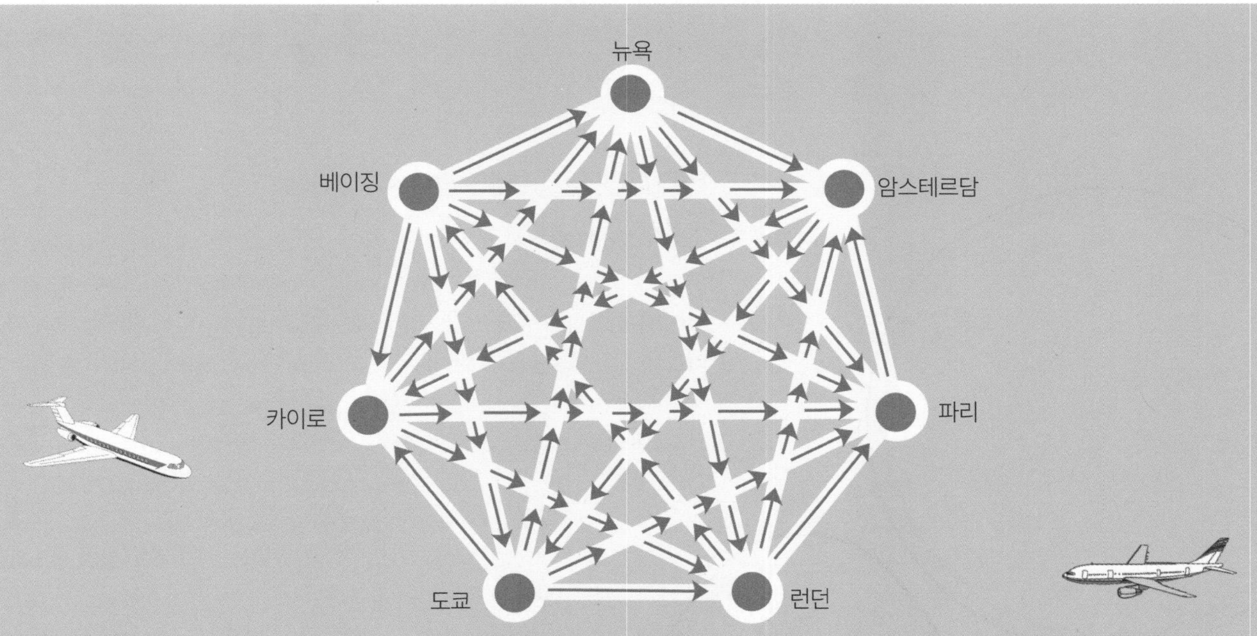

세계여행 방향그래프

어떤 한 도시를 선택해 각 선 위에 나타난 화살표 방향을 따라 그 선을 한 번씩만 거치면서 모든 도시를 방문할 수 있겠는가? 이를테면, 베를린에서 모든 도시를 거쳐 런던까지 가려면 어떤 순서로 가야 할까?

그림에 나타난 그래프 같은 7개의 점을 갖는 완전 방향그래프를 '토너먼트'라 한다.

완전 방향그래프의 놀라운 성질은 화살표가 그려진 것과 상관없이 토너먼트는 모든 꼭짓점을 한 번만 지나는 해밀턴 경로를 갖는다는 것이다. 이는 어떤 토너먼트라도 해당한다. 여행하는 동안 지나지 않는 선이 있더라도 해밀턴 경로가 완성될 수 있다는 점에 주목해야 한다.

175 CHALLENGE ●●●●○○ REQUIRES COMPLETED TIME

여행하는 외판원 문제-1859년

해밀턴 회로와 관련된 것으로 여행하는 외판원 문제가 있다.

이 문제는 완전 가중치 그래프에서 해밀턴 회로를 찾는 문제로, 각 변의 가중치의 합은 최소가 되어야 한다.

'완전 그래프'는 모든 꼭짓점 쌍을 단 하나의 선으로 연결한 그래프인 반면, '가중치 그래프'는 그래프의 각 선에 '가중치'라는 수가 할당된 그래프다.

가중치는 거리나 다른 어떤 값이 될 수 있다. 모든 가중치의 합은 '회로의 무게'라 한다.

여행하는 외판원 문제의 해는 최소의 무게를 갖는 회로다. 대부분의 문제에서는 한 개의 특별한 꼭짓점이 시작점으로 정해진다.

5개의 점을 갖는 가중치 그래프에 대해 최소의 무게를 갖는 회로를 찾을 수 있겠는가?

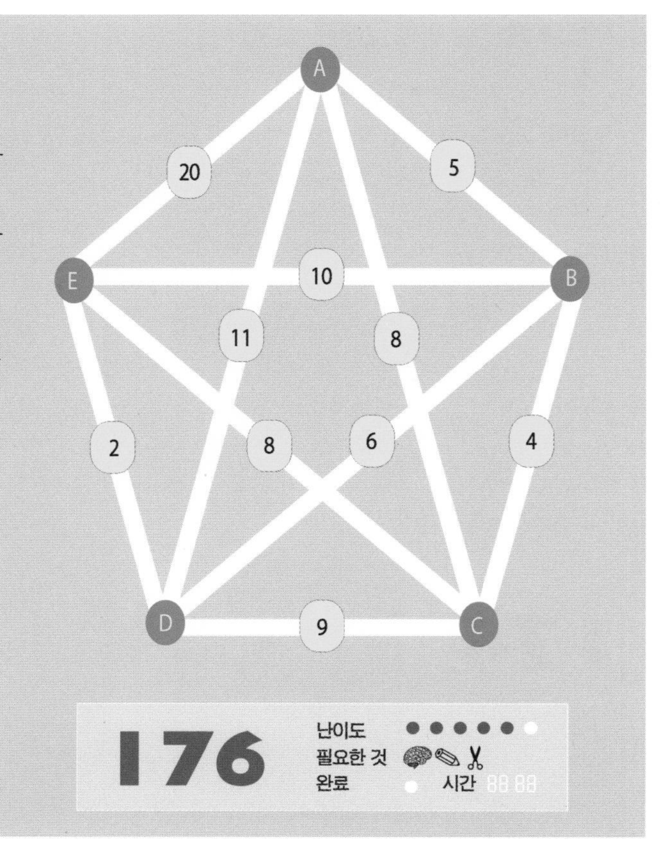

176
난이도
필요한 것
완료
시간

홀디치의 정리-1858년

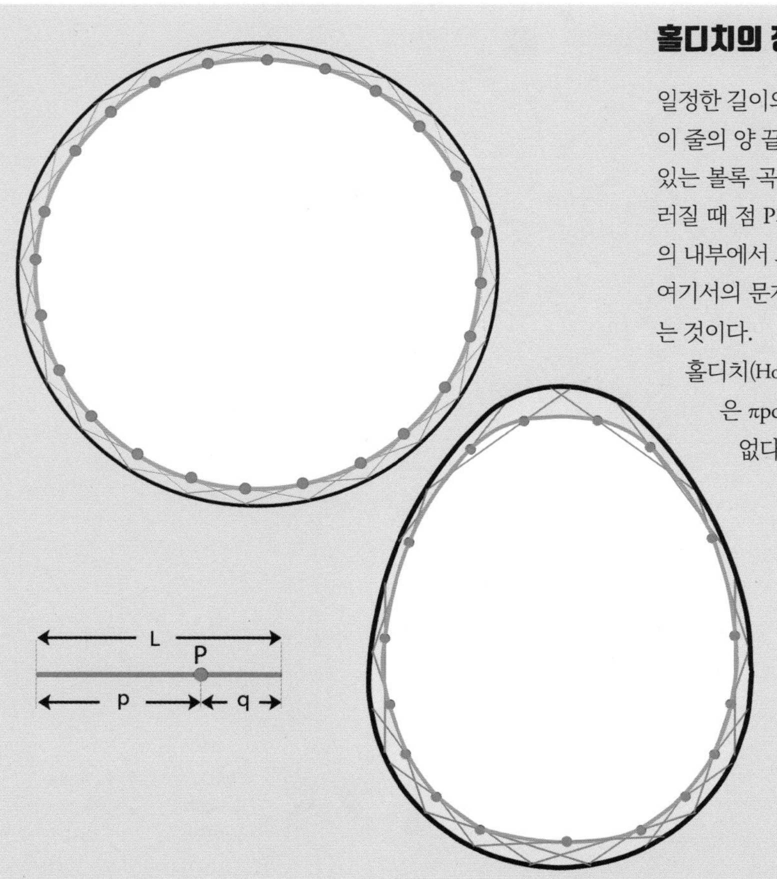

일정한 길이의 줄에서 그 줄 위에 있는 점 'P'는 줄을 길이 p와 q인 두 개의 선분으로 나눈다. 이 줄의 양 끝점이 한 볼록 곡선과 접하며, 그 볼록 곡선을 따라 미끄러진다. 그림에 나타나 있는 볼록 곡선은 원과 달걀 모양 곡선이다. 그림에 보이는 것처럼 줄이 곡선을 따라 미끄러질 때 점 P가 지나는 위치 즉, P의 자취는 곡선의 내부에 새로운 곡선을 만들 것이다. 원의 내부에서 그 곡선은 다른 원이다.

여기서의 문제는 원래 곡선과 새로 만들어진 곡선 사이의 영역(파란색 영역)의 면적을 구하는 것이다.

홀디치(Holditch)는 1858년 이런 내용의 정리를 출판했다. 바로 '이 두 곡선 사이의 면적은 πpq이다'라는 정리였다. 이 영역의 면적이 주어진 곡선의 형태와는 전혀 관련이 없다는 것은 매우 놀라운 결과다.

해밀턴의 경로와 회로

오일러의 경로와 회로는 한 그래프의 모든 변을 지나는 경로를 찾는 것이다. 반면, 해밀턴의 경로와 회로는 모든 꼭지점을 지나는 문제들을 다룬 것으로, 한 그래프의 모든 변을 다시 지나는지 아닌지에는 관심이 없다.

이런 유형의 문제는 아일랜드의 수학자 해밀턴 경이 처음 연구했다. 해밀턴은 특히 모든 꼭짓점을 딱 한 번 지나며 시작한 꼭짓점으로 되돌아오는 해밀턴 회로를 찾는 문제에 관심이 있었다.

모든 꼭짓점을 지난 후 시작점으로 돌아오지 않는 경로는 해밀턴 경로라 한다. 오일러의 경로와 회로와 달리, 일반적으로 한 그래프가 해밀턴 경로 또는 회로를 갖는지를 결정하는 문제에는 왕도가 없다.

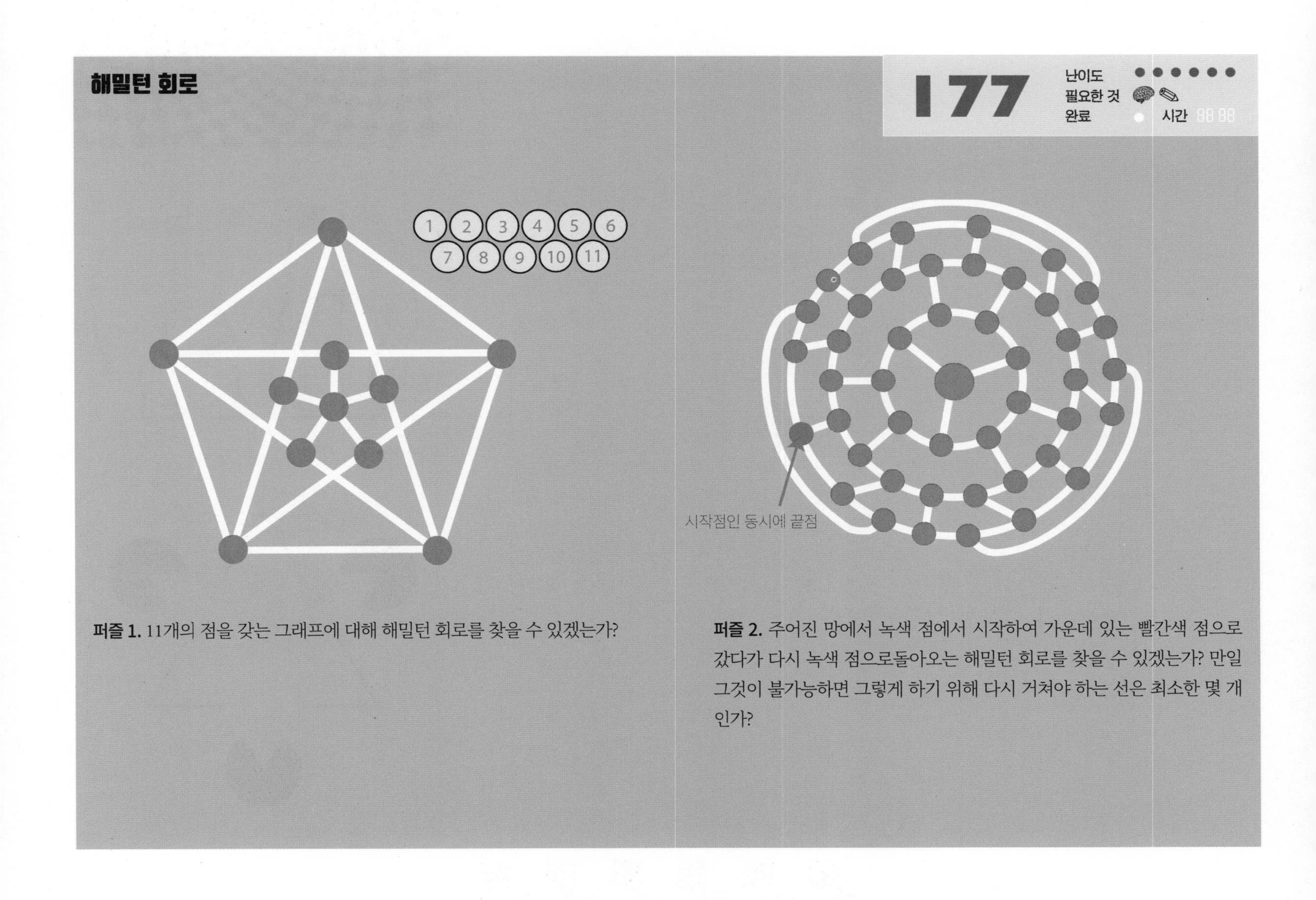

퍼즐 1. 11개의 점을 갖는 그래프에 대해 해밀턴 회로를 찾을 수 있겠는가?

퍼즐 2. 주어진 망에서 녹색 점에서 시작하여 가운데 있는 빨간색 점으로 갔다가 다시 녹색 점으로돌아오는 해밀턴 회로를 찾을 수 있겠는가? 만일 그것이 불가능하면 그렇게 하기 위해 다시 거쳐야 하는 선은 최소한 몇 개인가?

환상적인 퍼즐의 세계-1860년

가장 흥미로운 지각현상 중 하나가 착시 또는 때로 '기하학적 역설'이라 불리는 것이다.

착시는 물체를 있는 그대로 보기보다는 우리가 생각하는 모습으로 보는 것인데, 이러한 현상은 우리의 이전 경험과 그 영향에 의한 것이다. 우리 지각시스템의 이런 시각적 특성은 과학, 수학, 예술과 디자인 등 우리의 삶에 광범위하게 적용되고 있다.

착시는 대개 우리의 관찰과 감각이 믿을 만한 것인지에 대해 경각심을 불러일으키며 측정의 중요성을 강조한다.

착시는 형태가 변한 것처럼 보일 수 있다는 점을 (우리가 물체를 보는 방식이 변화한다는 것을) 다른 방식으로 보여준다. 우리가 사물을 보는 방법, 또는 더 정확하게는 우리가 보는 것을 이해하는 방법도 어떤 규칙에 기반을 두고 있다. 이는 쓰여 있는 규칙이 아니라 경험을 통해 학습된 것이다.

논리적 규칙들이 역설들로 나타날 수 있는 것처럼 우리 지각의 규칙들도 잘못 나타날 수 있다.

이런 일이 발생하면 착시가 일어난다. 착시가 일어났을 때 무슨 일이 발생하는지에 대한 이해는, 그 규칙들이 얼마나 중요한지를 알고 우리가 그 규칙에 얼마나 의존하는지를 정확하게 이해하는 데 도움을 준다.

우리는 사물이 실제 크기보다 크다고 믿을 수 있으며, 2차원의 평면에서 두께를 보게 될 수도 있다. 색이 없는데 색을 보고, 움직임이 없는데도 움직임을 볼 수 있다. 대부분의 지각은 배워야 하는 언어와 같다.

우리가 세상과 접촉하는 것의 90퍼센트는 (우리가 세상에 대해 눈이라는 장치를 닫을 때까지 온종일) 눈을 통해 일어난다. 시각계는 정보를 직접 받고 기록하는 카메라처럼 단순하지 않다. 눈은 뇌와 함께 외부 세계로부터 들어오는 수많은 양의 데이터를 분석하고 처리하여 체계화하는 장치다. 시각장치는 부적절한 것을 제거하고 익숙하지 않은 것을 인식하는 능력뿐만 아니라, 우리가 보면서 얻는 제한된 정보만으로 작동하는 능력도 있다. 즉, 시각장치는 간극이 있는 곳은 '채운다.'

이는 '등등 원칙(the etcetera principle)'이라 불리기도 하는데, 이 말은 '일련의 집합 중 일부만을 보고 나머지는 짐작하면서 모두를 보았다고 생각한다'는 것을 의미한다.

예술 대부분은 채우고, 완전하게 하고, 체계화하기 위해 이런 원칙에 기반을 두고 있으며, 대부분의 시각계에서도 비슷한 경향이 나타난다. 일반적으로 지각에서는 훨씬 더 놀라운 점이 있는데, 이 주제에 대해 더 깊이 연구한다면 그것을 알 수 있을 것이다.

어떤 경우든 우리의 감지능력에는 한계가 있으며, 어떤 특별한 감지능력에 대해서는 아무리 많은 연습도 충분하지 않다는 것을 알고 있어야 한다. 이를 해결하기 위해서는 우리의 감각 능력을 증진해야 하는데, 이는 이를 가능하게 하는 도구를 개발함으로써 가능하다.

다행스러운 것은, 역사를 보면 인류는 인류가 필요로 하는 도구를 창조하는 데 늘 성공해왔다는 점이다.

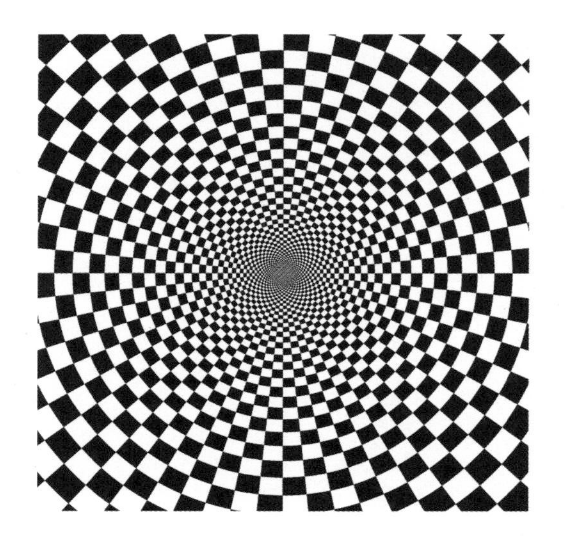

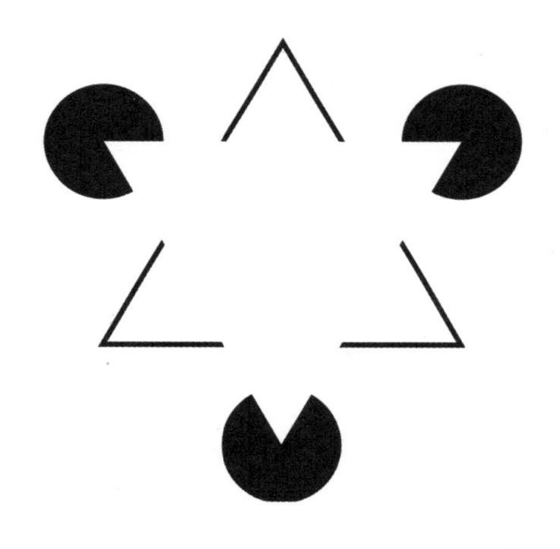

쵤너 착시-1860년

독일의 천체물리학자 쵤너(Karl Friedrich Zöllner, 1834~1882)는 오늘날 그의 이름을 따서 부르는 쵤러 착시라는 고전적 착시를 발견했다.
쵤너는 자신의 발견을 1860년 포겐도르프(Johann Christian Poggendorff)에게 보내는 편지에 썼다. 포겐도르프는 학자이자『물리·화학 연보』의 편집자로 후에 (쵤너 착시와) 관련된 포겐도르프 착시를 발견한 물리학자다.
쵤너 착시는 검은색 선들이 평행임에도 평행이 아닌 것처럼 보이는 것이다. 긴 직선들 위에 짧은 선들이 각을 이루며 놓여 있는데, 이는 보는 이로 하여금 더 긴 직선의 한 끝이 그 직선의 다른 한 끝보다 옆에 있는 긴 직선에 더 가까워 보이는 착시를 불러일으킨다.

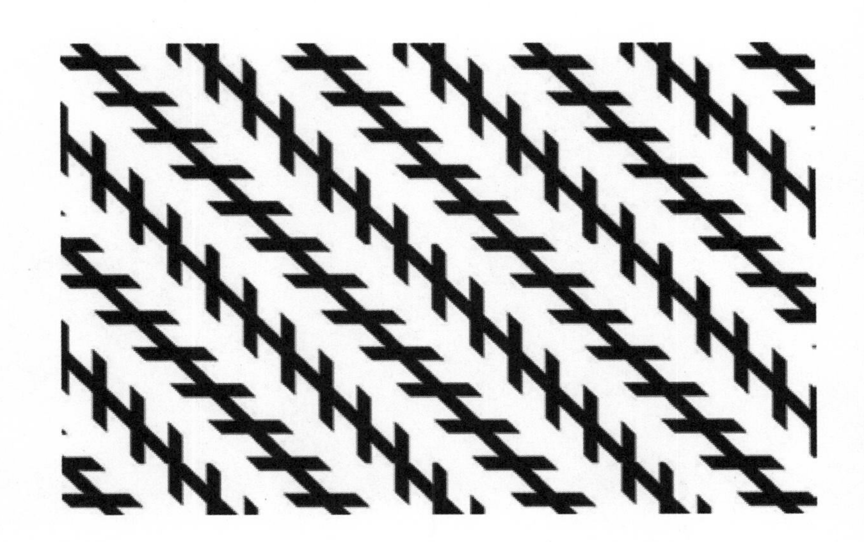

포겐도르프 착시

포겐도르프 착시는 한 불투명한 구조(여기서는 검은색 직사각형) 뒤에 이 구조를 가로지르는 직선이 놓여 있을 때 이 직선의 한 부분의 위치를 뇌가 잘못 인식하여 일어나는 기하학적 착시다.

178

난이도 ●●○○○○
필요한 것 🧠
완료 ○ 시간

퍼즐 1. 직선 자를 사용하지 않고 검은색 판 뒤에 있는 두 검은색 선과 연결된 선이 무슨 색 선인지 알 수 있겠는가?

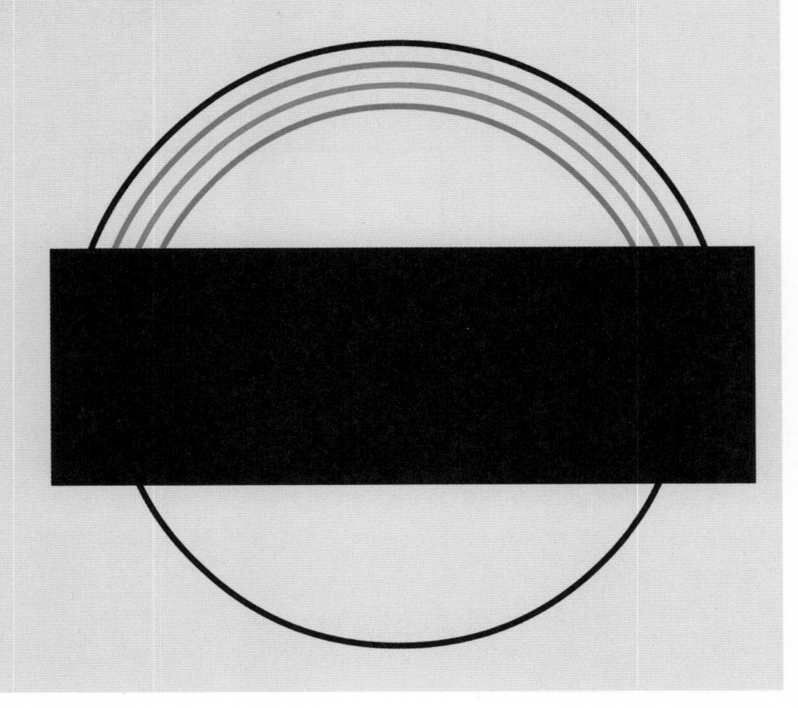

퍼즐 2. 그냥 보기만 해서, 검은색 판 아래에 놓인 원과 연결된 위의 원이 무슨 색 원인지 알 수 있겠는가?

1일	
2일	
3일	
4일	
5일	
6일	
7일	
8일	
9일	
10일	
11일	
12일	

1일			
2일			
3일			
4일			

세 마리가 한 조로 이루어진 강아지-1863년

179

난이도 ●●●●●●
필요한 것
완료 시간

퍼즐 1. 6명의 소녀와 3명의 소년이 자신들의 강아지와 함께 쌍을 이루며 3쌍이 한 조가 되어 12일 동안 차례로 산책을 한다. (보호자와 강아지로 이루어진 한 쌍은 한 조에 한 번만 나와야 한다.) 12일 동안 어떻게 조를 이루어 산책해야 하는지 알 수 있겠는가?

퍼즐 2. 이 문제의 변형 문제를 슈타이너가 소개했다. 9명의 어린이가 3명씩 한 조를 이루어 하루에 3개조씩 차례로 4일을 강아지와 산책한다고 하자. (각 어린이는 한 조에 한 번만 들어가야 한다.) 이 경우 4일 동안 어떻게 조를 이루어 산책해야 하는지 알 수 있겠는가?

선과 연결장치-점들과 선들

연결장치의 움직임에는 뭔가 매력적인 것이 있다. 고정용 철물인 파스너와 아일렛으로 연결된 판자 조각들을 사용해 이 연결장치들과 비슷한 단순한 연결장치를 쉽게 만들 수 있다. 평면의 연결장치는, 움직이는 연결장치로 서로 연결되었거나 자유롭게 방향을 바꾸는 중심축에 의해 평면에 고정된 막대들로 이루어진 장치다.

초창기의 문제는 다음과 같이 쉽게 생각할 수 있는 문제였다. 연결장치의 연결점 중 하나를 움직여서 직선운동을 만들어내는 연결장치가 있을까? 막대의 한 끝에 중심점을 잡으면, 중심점이 없는 (자유로운) 다른 끝은 어떻게 움직일까? 원에서는 어떨까? 연결장치에서 원형의 움직임은 쉽고 자연스럽다. 고정된 직선이 없는 상태에서 어떻게 직선운동을 만들어내는지가 비결이다.

이는 단순히 기하학적 이론의 문제만은 아니다. 증기기관에 의해 만들어지는 자연적인 움직임은 회전운동이다. 회전운동은 피스톤에 의해 직선운동으로 변환될 수 있지만, 피스톤은 베어링이 필요하고 베어링은 닳는다.

연결장치는 이보다 더 만족스러운 결과를 가져다줄 것이다. 와트(James Watt, 1736~1819)가 개발한 증기기관은 이에 대한 실용적인 첫 장치로 대략 비슷하게 만들어졌을 뿐이다.

> **"자연에 아주 정확한 직선, 정확한 원, 절대적인 크기가 없다는 것을 처음부터 알았더라면 수학은 분명히 존재하지 않았을 것이다."**
>
> 프리드리히 니체(Friedrich Nietzsche)

포셀리어-립킨 연결장치와 와트의 연결장치-1864년

1864년 발명된 포셀리어-립킨(Peaucellier-Lipkin) 연결장치는 회전운동을 완전한 직선운동으로 바꾸고 직선운동을 회전운동으로 바꾼 첫 평면 연결장치다. 이 장치의 이름은 프랑스의 장교인 포셀리어(Charles-Nicolas Peaucellier, 1832~1913)와 유명한 리투아니아의 랍비의 아들인 립킨(Yom Tov Lipman Lipkin, 1846~1876)의 이름에서 따온 것이다. 이 연결장치가 발명되기 전에는 기계의 이동통로 역할을 하는 미끄럼 홈 없이 평면에서 직선운동을 만들 방법은 없었다. 따라서 이 연결장치는 기계의 구성요소로 특별히 중요하며 제조 분야에서 중요한 부분을 차지하게 되었다.

구체적인 예가 피스톤 머리인데, 도구를 다루기 위해서는 피스톤 머리를 손잡이에 효율적으로 붙여야 한다. 포셀리어 연결장치는 증기기관의 개발에 중요한 역할을 했다.

포셀리어-립킨 연결장치에 나타나는 수학은 원의 역전(뒤집힘)과 직접적인 관련이 있다.

사루스 연결장치(Sarrus linkage)는 포셀리어-립킨보다 11년 앞서 피에르 살루스(Pierre Sallus)에 의해 발명된 장치로 직선으로 작동하지만, 당시에는 거의 관심을 받지 못했다. 이 연결장치는 납작한 직사각형 판들로 이루어진 경첩들로 구성되어 있는데, 그중 두 개는 평행하지만 서로 맞물려서 정상적으로 움직일 수 있게 되어있다. 포셀리어-립킨 연결장치는 평면에서 작동하는 반면, 사루스 연결장치는 3차원에서 작동하는 것으로 공간 크랭크라고도 불린다. 두 개의 연결장치를 보고, 파란색 연결장치가 원을 따라 회전운동을 할 때 흰 점의 경로가 어떻게 나타날지 짐작할 수 있겠는가?

> **"역학은 수학적 과학의 낙원이다. 왜냐하면, 역학을 통해 수학의 결실을 얻을 수 있기 때문이다."**
>
> 레오나르도 다빈치

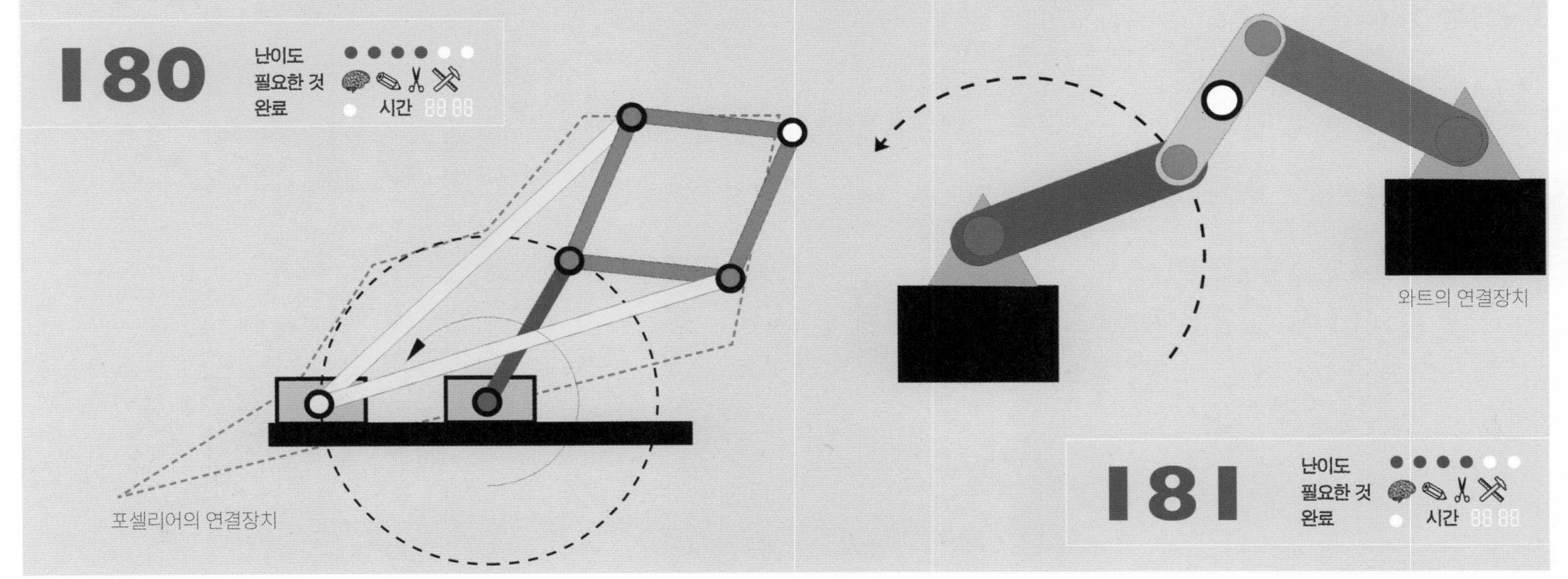

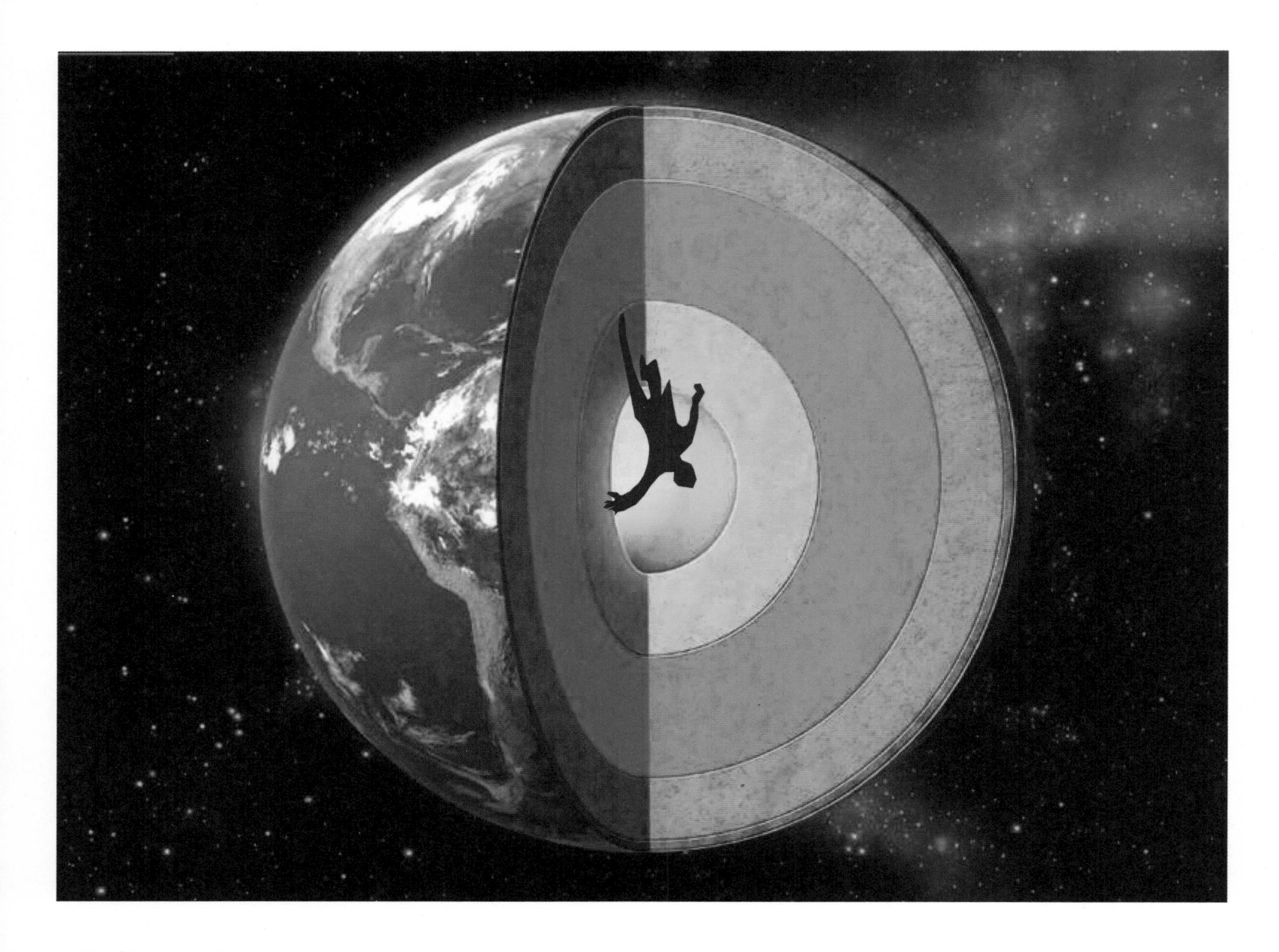

지구여행-1864년

자, 이제 지구를 관통하는 구멍을 뚫었다.

만일 인간이 그 구멍으로 떨어지는 것을 신이 막는다면 무슨 일이 생길 것인지 상상하는 사고실험을 해보자.

당신이 구멍을 따라 여행하는 동안 동안 지구의 밀도는 균일하고 공기 마찰은 없으며 지구 내부는 고온이라는 것 등을 가정한다.

182

난이도 ● ● ● ● ● ●
필요한 것
완료 시간

문제 풀기와 퍼즐

마르셀 다네시(Marcel Danesi)는 도전정신을 불러일으키는 자신의 책『하노이의 거짓 역설과 탑: 전시대를 통틀어 가장 멋진 10개의 수학 퍼즐』에서, 샘 로이드의 '교묘한 노새 퍼즐'은 퍼즐과 문제를 풀 때 필요한 매우 중요한 통찰력을 키우는 멋진 예라고 언급했다.
일반적으로 퍼즐을 풀 때 다음과 같은 3가지 다른 유형의 전략이 있다.

1. 연역법: 문제와 관련하여 미리 지식을 갖는 전략
2. 귀납법: 문제에 포함된 사실들을 관찰하여 이성과 논리로 결론을 유추하는 전략
3. 통찰력: 시행착오를 거치며 시작하여 추측이나 짐작으로 문제의 숨겨져 있는 답을 직관적으로 찾아내는 전략

통찰력은 수학의 발전에서 커다란 진전이 일어나는 데 필요한 기본 요소다. 많은 수학 문제들은 독창적으로 창안되거나 혹은 도전할 만한 퍼즐의 모습으로 나타났다.

교묘한 말 퍼즐

'교묘한 말' 퍼즐은 미국의 위대한 퍼즐 창안자인 샘 로이드에 의해 만들어진 광고 퍼즐인 '교묘한 노새'에 기반을 두고 있다.
이 퍼즐은 로이드가 10대일 때 만들었다. '교묘한 노새'는 해당하는 퍼즐의 유형에서 지금까지 고안된 퍼즐 중 가장 아름다운 퍼즐 중 하나이며, 그야말로 수평적 사고를 볼 수 있게 하는 시각적인 걸작이다.
상상력을 동원하여, 잘린 카드에 있는 두 기수를 두 마리 말 위에 각각 앉힐 수 있겠는가?
어떻게 해야 할지 모르겠다면 그림을 복사해서 두 기수가 있는 부분을 자르고, 자른 조각을 두 기수가 각각의 말에 적절하게 탈 수 있도록 배치해보라.
힌트:이 문제는 당신이 직접 해볼 때까지는 믿을 수 없을 만큼 간단해 보인다.

자른 조각을 딱 맞게 맞추면 기진해 보이던 말들은 미친 듯이 질주하는 말로 변하는 기적이 일어날 것이다! 어떤 술책을 쓰거나, 구부리거나, 접거나, 자르면 안 된다.
이 퍼즐에 맞닥뜨리면 많은 사람들은 '막혔다'는 느낌이 들면서, 아무런 이유없이 그저 그 기수를 적절히 말 위에 태울 수 없다고 말할지도 모른다. 그러나 정답은 정말 쉽다.
로이드는 자신의 교묘한 노새 퍼즐을 바넘(P. T. Barnum)에게 팔았는데, 바넘은 단 몇 주 만에 수백만 개를 팔아 당시로는 큰 금액인 만 달러를 로열티로 벌었다. 이후 이 퍼즐의 변형 퍼즐이 수백만 개 생겨났다.
로이드의 교묘한 노새 퍼즐은 잉크로 그린 17세기의 페르시아 말의 그림에서 영감을 받은 것일지도 모른다.

"그들이 정답을 몰랐던 것은 아니다. 그들은 그 문제를 볼 수 없었던 것뿐이다."

체스터턴(G. K. Chesterton)

"적절하게 표현된 문제는 잘 풀리는 문제다."

버크민스터 풀러(Buckminster Fuller)

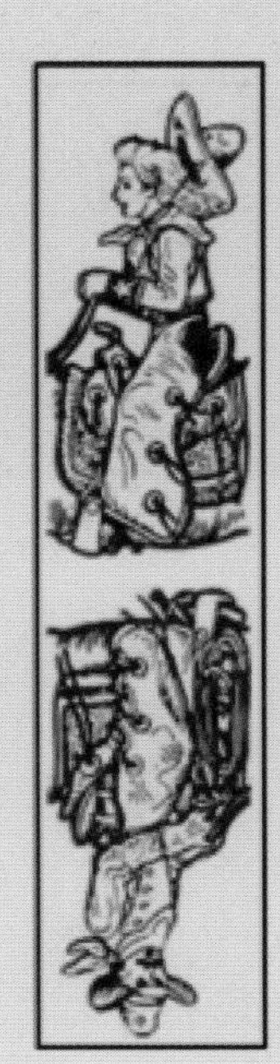

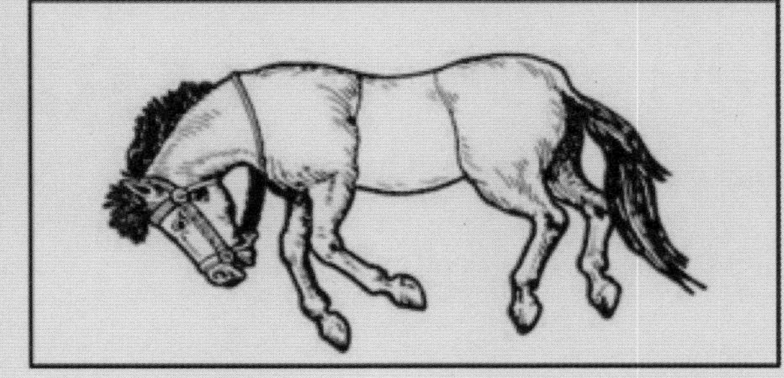

183
난이도 ●●●●○○
필요한 것 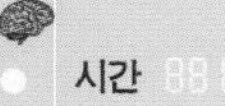
완료 ○ 시간

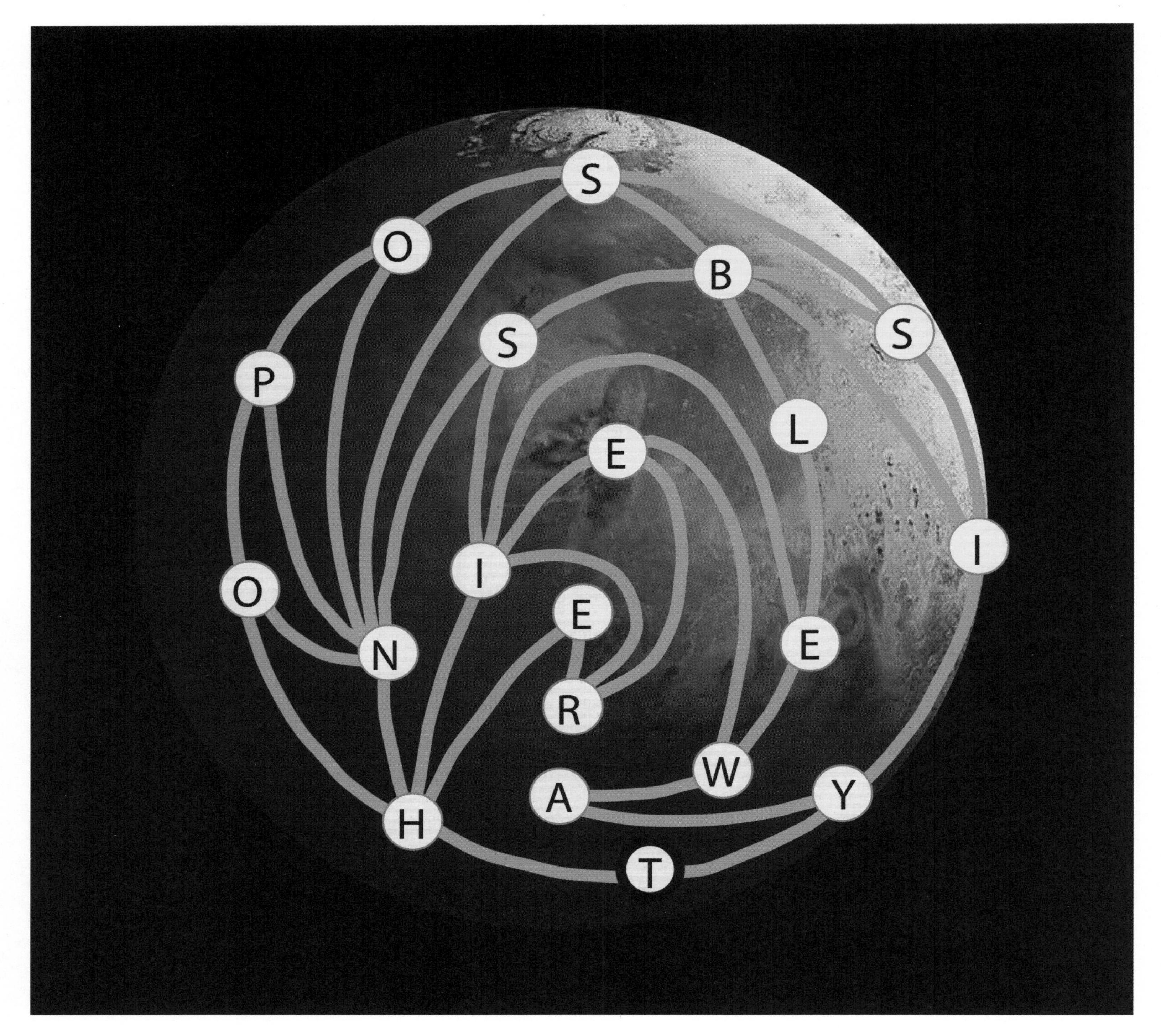

샘 로이드의 화성 퍼즐

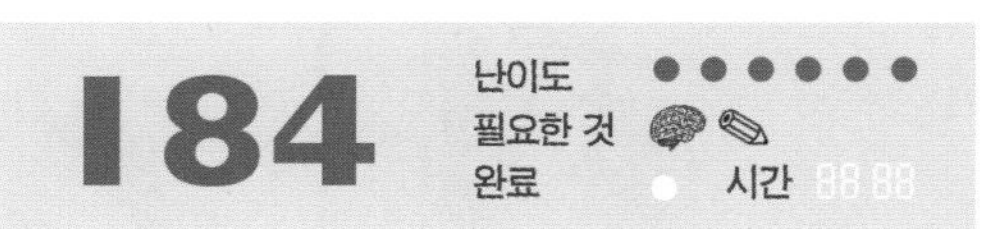

'T'에서 출발해 화성에 있는 20개의 모든 역을 지나면서 영어 문장을 만들어보라. '운하'를 따라서 여행해야만 하고 모든 역은 딱 한 번씩만 지나야 한다.
화성 퍼즐을 처음 출판했을 때, 로이드는 정답과 관련하여 "가능한 방법이 없는 것 아니냐"는 항의 편지를 만 통 이상 받았다. 이 퍼즐을 풀 수 있겠는가?

기하학적으로 사라지는 퍼즐-1871년

'기하학적 역설' 또는 '기하학적으로 사라지는 퍼즐'이라고 알려진 놀라운 그림들은 너무나 절묘해서 계속 흥미와 놀라움을 불러일으킨다. 심지어 왜 이런 일이 벌어지는지 알게 된 이후에도 사람들에게 회자되고 우리의 지각력에 의구심을 불러 일으키고 있다.

미국의 퍼즐 창안자인 샘 로이드는 이런 종류의 퍼즐 중 가장 잘 알려진 퍼즐인 '지구를 떠나라'라는 퍼즐을 고안했다. 멜 스토버(Mel Stover, 1912~1999)를 포함한 여러 사람이 그 퍼즐의 절묘한 변형 퍼즐들을 만들고 원리를 보완해 그 퍼즐을 완벽하게 만들었다.

기하학적 역설들에는 총 길이나 면적을 분리하고 재정렬하는 것이 포함되어 있다. 재정렬한 후에는 그림의 한 부분이 왠지 모르게 사라진다. 이는 '숨겨진 분포의 원리(principle of concealed distribution)'로 설명이 가능하다. 마틴 가드너가 명명한 이 원리는 재정렬한 모습을 보았을 때 우리의 눈이 허용할 수 있는 오차에 의한 것이다. 우리의 시각은 때로 부분들 간의 차이나 다시 합쳐진 조각들의 길이 간의 미세한 증가를 알아채지 못한다. 이로 인해, 변형된 두 개의 형태가 같은 길이나 면적을 갖는다고 믿는다.

예를 들면, 왼쪽에 있는 그림에서 선 아랫부분을 오른쪽으로 밀면 12개였던 직선이 11개가 된다. 오른쪽에 있는 그림에서는 안쪽에 있는 원을 반시계방향으로 돌려 선을 맞추면 12개였던 선이 11개가 된다. 두 경우 모두 사라진 것이 없음은 분명하다.

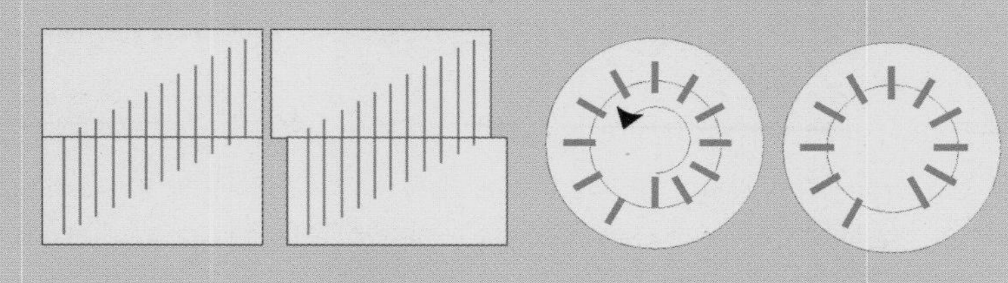

연필 마술 (1)

위에 있는 그림에는 7개의 파란색 연필과 6개의 빨간색 연필이 있다. 이제 내부에 있는 원을 시계방향으로 돌려 연필이 그 연필로부터 세 번째 떨어진 연필 위치로 가게 해보자. 그러면 6개의 파란색 연필과 7개의 빨간색 연필이 있는 아래 그림이 된다. 어떤 연필의 색이 바뀌었는지 알 수 있겠는가?

185
난이도
필요한 것
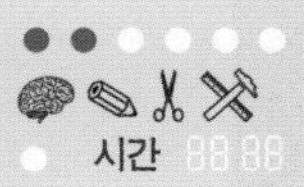
완료
시간

연필 마술 (2)

7개의 빨간색 연필과 6개의 파란색 연필이 있다. 아랫부분에서 두 개를 바꾼다고 상상해보라. 무슨 일이 일어날지 추측할 수 있겠는가?

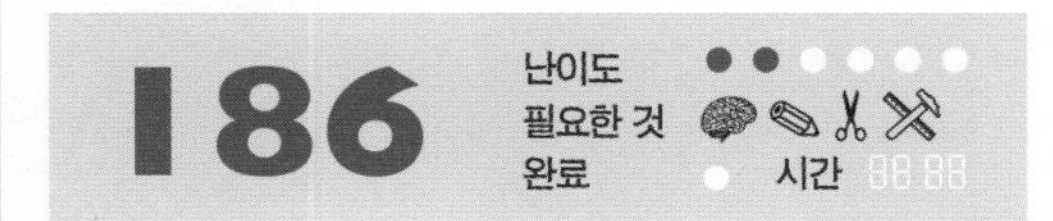

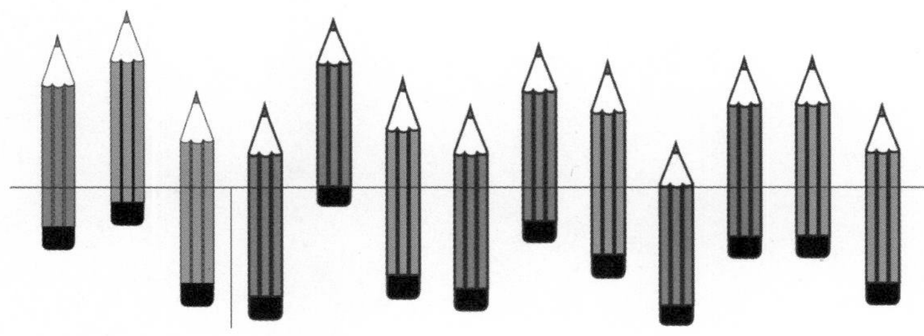

통 쌓기 문제-1873년

통 쌓기 문제로 알려진 일련의 문제들은 산업과 기술 분야에서 중요하다.

이 문제는 물건들을 여러 개의 통 안에 쌓는 것인데, 총 무게(길이 또는 총 부피)가 어떤 주어진 값(쌓은 통의 크기)을 넘지 않아야 한다.

쌓을 물건을 무작위로 선택하여 통에서 처음에 딱 맞는 곳에 쌓는 알고리즘을 '최초 적합(first-fit) 통 쌓기'라고 한다. 이 알고리즘은 매우 비효율적이다.

최초 적합 알고리즘을 간단한 경험과 논리에 기반을 둔 '최초 적합, 무거운 것에서 가벼운 것으로'로 바꾸면 효율성이 많이 좋아진다. 대체된 알고리즘은 첫 번째 통에 딱 맞게 넣을 물건들을 넣기 전에 가장 무거운 물건에서 가벼운 물건 순서로 정렬한 후 넣는 것이다. 그러나 이 알고리즘도 효율성이 22퍼센트 이상 개선되지는 않는다.

1973년 AT&T에서 일하던 데이비드 존슨(David Johnson)은 어떤 통 쌓기 전략도 22퍼센트 이상은 개선될 수 없다는 것을 증명했다.

론 그레이엄(Ron Graham)은 반직관적인 역설과 관련해 다음과 같은 흥미로운 통 쌓기 문제를 제안했다. '최초 적합, 무거운 것에서 가벼운 것으로' 알고리즘을 사용하여 524킬로그램의 용량을 갖는 여러 개의 통에 다음과 같은 무게(킬로그램)를 갖는 33개의 물건을 그림과 같이 쌓을 수 있겠는가?

442, 252, 252, 252, 252, 252, 252, 252, 127, 127, 127, 127, 127, 106, 106, 106, 106, 85, 84, 46, 37, 37, 12, 12, 12, 10, 10, 10, 10, 10, 10, 9, 9.

187 난이도 ●●●● 필요한 것 완료 시간

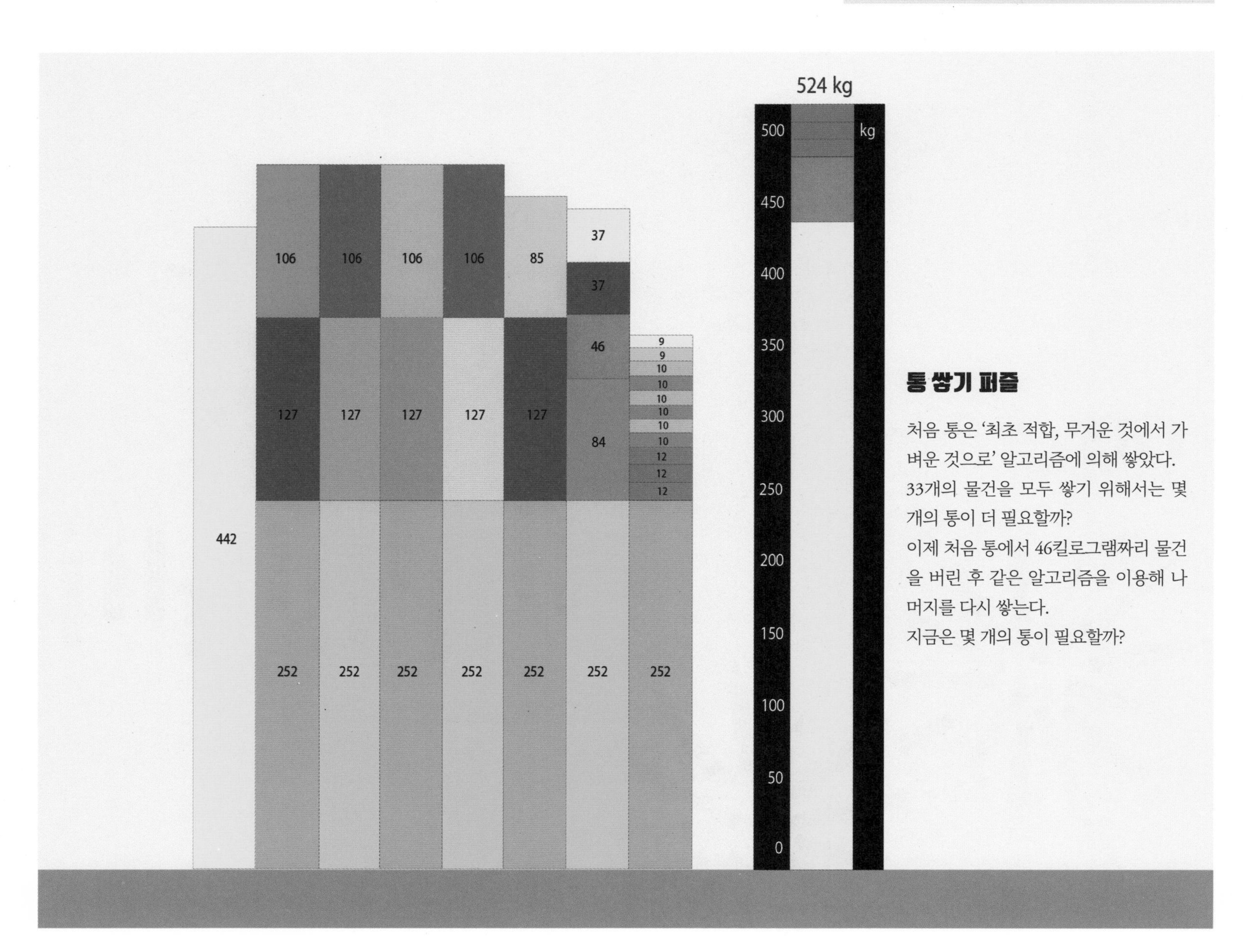

통 쌓기 퍼즐

처음 통은 '최초 적합, 무거운 것에서 가벼운 것으로' 알고리즘에 의해 쌓았다. 33개의 물건을 모두 쌓기 위해서는 몇 개의 통이 더 필요할까?

이제 처음 통에서 46킬로그램짜리 물건을 버린 후 같은 알고리즘을 이용해 나머지를 다시 쌓는다. 지금은 몇 개의 통이 필요할까?

유명한 슬라이딩 퍼즐(그리고 그 뒷이야기)-1880년

숫자 1~15가 적힌 정사각형 타일에서 14와 15의 순서가 뒤바뀌어 있다. 이 타일들을 밀어 14와 15가 순서대로 놓이도록 바꿀 수 있겠는가? 모든 슬라이딩 퍼즐들의 원조는 두말할 것도 없이 '15퍼즐'이며, 이 퍼즐은 현재도 여러 가지 다른 형태와 변형된 형태로 널리 팔리고 있다. 만일 이 14-15 퍼즐을 풀려고 했다면, 풀지 못하는 것에 실망했을지도 모른다. 그러나 실망할 필요가 없다!

오래전에 샘 로이드가 생각했던 것처럼 이 14-15 퍼즐*은 풀 수 없다. 퍼즐과 유희수학의 역사를 보면, 전 세계를 열광하게 했던 두 가지 퍼즐이 있었다. 120여 년 전의 14-15 퍼즐 그리고 최근의 루빅 큐브(Rubik's Cube)다(루빅 큐브에 대해서는 9장을 보라). 로이드는 자신의 퍼즐을 푸는 사람에게 천 달러의 상금을 걸었는데, 그는 상금을 받는 사람이 아무도 없을 것이라 확신했음이 틀림없다. 14-15 퍼즐 블록을 배열하는 6000억 이상의 가능한 방법 중 50%는 14와 15의 순서로 바꿀 수 없었고, 로이드의 퍼즐 배열도 바꿀 수 없는 정렬 중 하나였다.

로이드는 블록의 숫자가 순서대로 놓이기 위해서는 숫자들이 짝수 번만큼 바뀌어 있어야 한다는 것을 알고 있었다. 실제로 단순한 홀수-짝수 검사만으로 어떤 배열이 풀릴 것인지 아닌지를 알 수 있다. 홀수-짝수 검사란 다음과 같다. 원하는 패턴이 나올 때까지 바꾸는 횟수를 세어가며 두 개의 수를 서로 바꾼다. 만일 바꾼 횟수가 짝수면 수를 밀어 바꿔가면서 퍼즐을 풀 수 있다. 만일 홀수면 퍼즐은 풀 수 없다. 일반적으로 알려진 15 퍼즐 그리고 이와 유사한 슬라이딩 퍼즐은 컴퓨터 관점에서 보면 일련의 기계 모델들이다.

한 블록의 각 이동은 입력값으로, 각 배열이나 블록들의 상태를 나타낸다.** 퍼즐을 푸는 사람은 원하는 상태를 만드는 데 필요한 최소 이동 횟수를 찾는 동안 블록을 미는 것이 거의 최면에 걸린 것 같은 매력이 있다는 것을 금방 눈치챌 것이다. 이는 결코 시행착오가 아니다! 이 게임에서 어떤 행이나 열들은 막다른 골목으로 가는 반면, 다른 행이나 열들은 풀 수 있는 희망이 있다는 것을 곧 '알게' 될 것이며, 결국 당신은 직관으로 그 해를 찾게 될 것이다.

샘 로이드는 자신이 15퍼즐을 고안했다고 주장했다. 그러나 사실 15퍼즐은 1874년 뉴욕의 카나스토타(Canastota)의 우체국장인 채프먼(Noyes Palmer Chapman)이 '보석 퍼즐'이라는 이름으로 고안한 것이었다. 로이드는 1880년 5월 이 퍼즐에 대해 특허를 신청했으나 1878년 이미 특허(등록번호: US 207124)를 취득한 킨제이(Ernest U. Kinsey)의 '퍼즐 블록'과 비교해 특허를 줄 만큼 색다른 점이 없다는 이유로 특허 신청이 반려되었다. 이 실화는 15퍼즐을 다룬 아름답고도 최고의 책으로 꼽히는 슬로컴과 소니벨드(Slocum and Sonneveld)의 책에 실리면서 알려졌다.

● 14-15 퍼즐: 1~15의 수로 이루어진 퍼즐에서 14와 15를 바꾸고 다른 수들도 바꾸어 놓은 퍼즐을 말한다.

●● 블록이 미끄러져 이동하면 수들의 배열이 바뀌는데 이것을 일련의 기계들이 작동하도록 하는 입력으로 보았다.

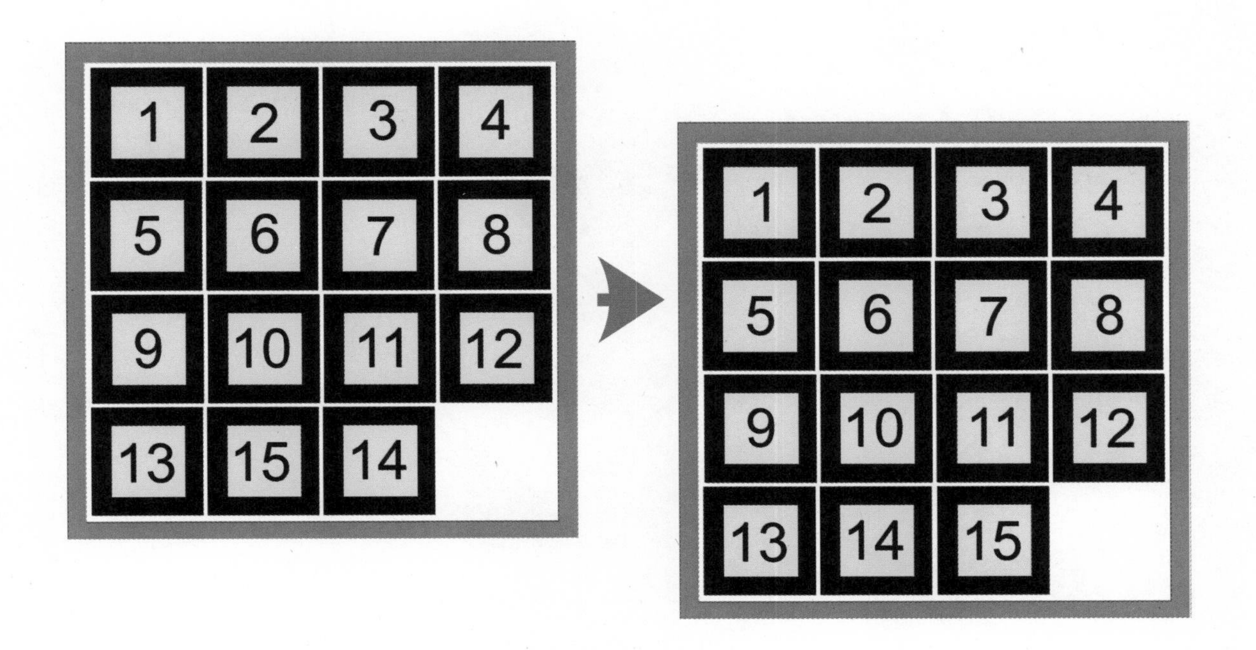

CHAPTER

6

과학, 차원, 임의성, 그리고 하노이 탑 퍼즐

뤼카의 퍼즐(Lucas' puzzle)–1883년

아홉 살 생일 때 생애 첫 퍼즐을 선물로 받았다. 그 퍼즐에는 나무 판에 7개의 말뚝이 박혀 있었는데, 그중 3개에는 빨간색 고리가 3개에는 파란색 고리가 끼워져 있었다. (아래 그림과 비슷했다.) 퍼즐은 간단한 규칙에 따라 빨간색 고리와 파란색 고리의 자리를 바꾸는 것이었는데, 매우 단순해 보였다. 하지만 한 시간 정도를 끙끙대던 나는 이 퍼즐은 풀 수 없다고 결론 내리며 퍼즐 풀기를 포기했다!

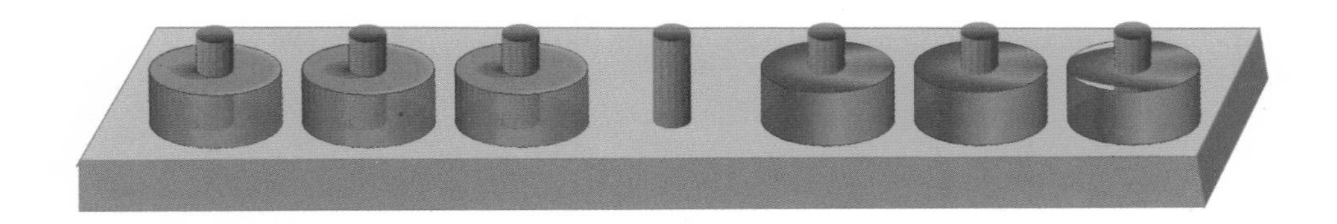

며칠 후에 퍼즐이 너무 궁금했던 나는 그 퍼즐을 다시 풀어보기로 했다. 설명서에 쓰인 대로라면 풀 수 있는 퍼즐이었다. 퍼즐을 풀기로 작정하고 다시 풀기에 몰두했다. 문제를 풀기 위해 끈질기게 새로운 시도들을 했고, 몇 시간 후 갑자기 문제가 풀렸다. 너무 기뻤고 문제를 푼 나 자신이 자랑스러웠다. 이 일 이후 나는 퍼즐을 좋아할 수밖에 없었다. 당시 몰랐던 것은 퍼즐에 대한 열정에 순간적으로 사로잡혔다는 것과 퍼즐을 풀 때 내가 '완력(brute force)'이라(무식하게 하나하나 다 따져보듯 힘으로 한다는 뜻) 불리는 방법을 사용했다는 것이었다.

이 퍼즐은 소위 뤼카의 퍼즐이라 불리는 것으로, 유명한 프랑스 수학자인 에두아르 뤼카(Edouard Lucas, 1842~1891)가 고안한 것이었다. 뤼카는 유희수학에서 가장 위대한 몇 개의 퍼즐을 고안했다.

뤼카의 퍼즐은 초기 퍼즐 중 하나로, 패를 특별한 배치나 배열로 정렬하는 게임이다.

이후에 내가 퍼즐과 게임을 고안하고 발명하기 시작하면서 관심을 두었던 분야 중에는 교묘한 버튼 퍼즐(Tricky Buttons puzzle)과 관련된 분야가 있다. 그 퍼즐은 뤼카 퍼즐의 기초적인 조합 개념에서 영감을 받은 것으로, 빨간색과 파란색 두 집합으로 이루어져 있던 뤼카 퍼즐을 여러 개의 집합으로 확장한 것이다. 이 책에 수록된 4개의 퍼즐이 이에 해당한다. 다음 쪽에 있는 게임판은 책에서 바로 퍼즐 게임을 할 수 있도록 디자인되어 있다.

교묘한 버튼 퍼즐

다음 쪽에 나와 있는 네 퍼즐은 간단한 규칙에 따라 두 패의 집합(각각 3, 4, 5, 그리고 6개로 구성)을 바꿔 패턴을 뒤집는 것이다. 시작할 때는 빨간색이 왼쪽, 파란색이 오른쪽에 놓여 있다. 두 동전 집합으로 이루어진 견본 게임에 나타난 것처럼, 8번 이동해야 퍼즐이 풀린다.

1. 한 번에 한 개의 동전만을 이동할 수 있다.
2. 동전은 옆에 있는 빈자리로 이동할 수 있다.
3. 동전은 다른 색의 동전을 뛰어넘어 빈자리로 이동할 수 있다.
4. 동전은 같은 색의 다른 동전은 뛰어넘을 수 없다.
5. 빨간색 동전은 오른쪽으로만, 파란색 동전은 왼쪽으로만 이동할 수 있다.

각 퍼즐을 풀려면 최소한 몇 번 이동해야 하겠는가? 두 집합의 동전의 수에 상관없이 문제를 푸는 데 필요한 이동 횟수를 알아낼 수 있는 일반적인 규칙을 찾을 수 있겠는가? 예를 들면, 10개의 동전으로 이루어진 두 집합에서 퍼즐을 풀려면 최소한 몇 번 이동해야 하는지 알 수 있겠는가?

퍼즐 1
두 개의
동전 교환

퍼즐 1
두 개의
동전 교환
빨간색 1

퍼즐 1
두 개의
동전 교환
파란색 2

퍼즐 1
두 개의
동전 교환
빨간색 2

퍼즐 1
두 개의
동전 교환
파란색 1

퍼즐 1
두 개의
동전 교환
빨간색 1

두 세트의 조각게임: 동전이나 유사한 물건

뤼카의 해:
8번 이동으로 풀리는 세트당 두 조각으로 이루어진 두 세트 퍼즐

188

난이도 ●●●●●●
필요한 것
완료 ● 시간

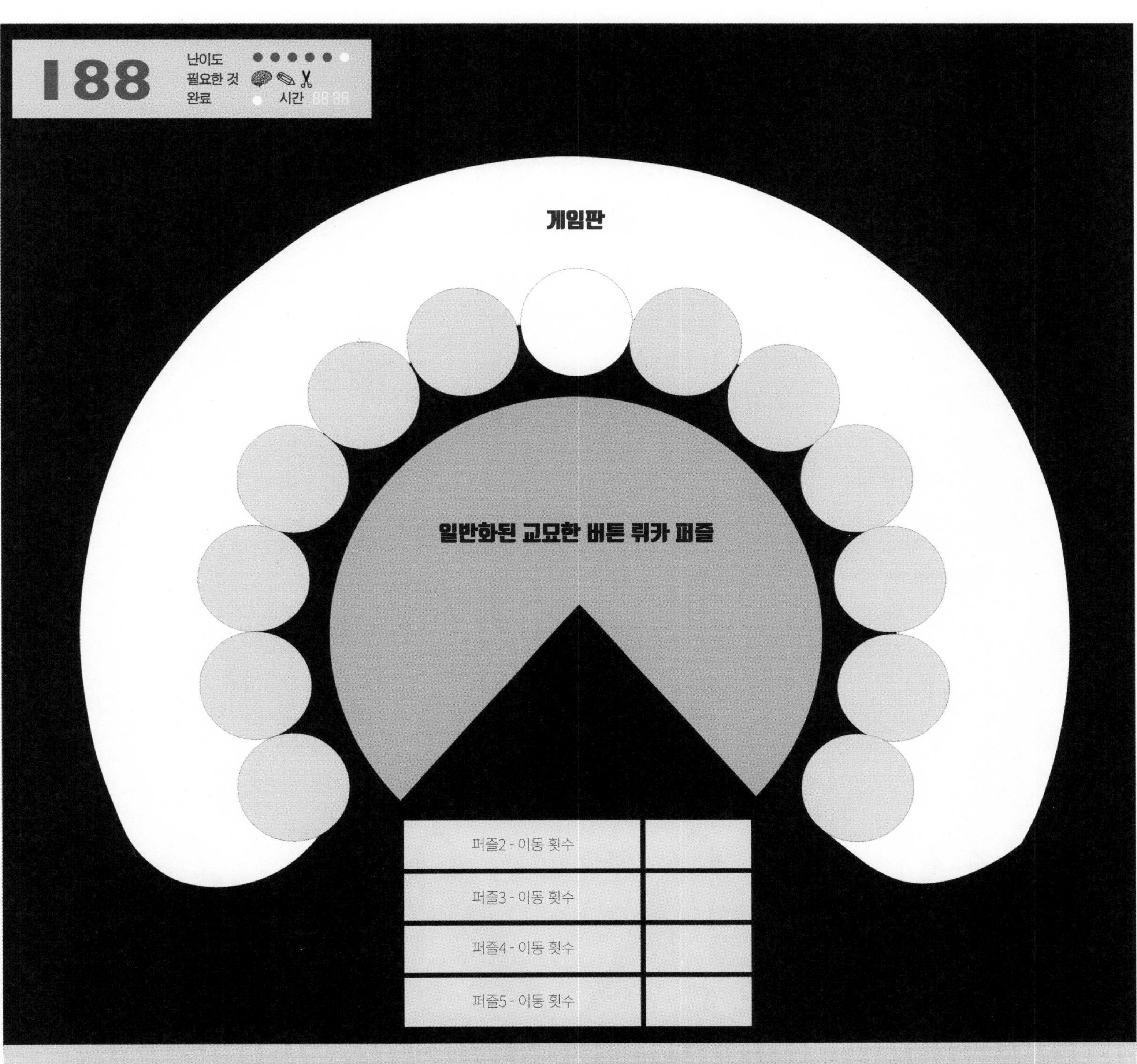

퍼즐2 - 이동 횟수	
퍼즐3 - 이동 횟수	
퍼즐4 - 이동 횟수	
퍼즐5 - 이동 횟수	

1-2-3-3-3-2-1

1-2-3-4-4-4-3-2-1

1-2-3-4-5-5-5-4-3-2-1

1-2-3-4-5-6-6-6-5-4-3-2-1

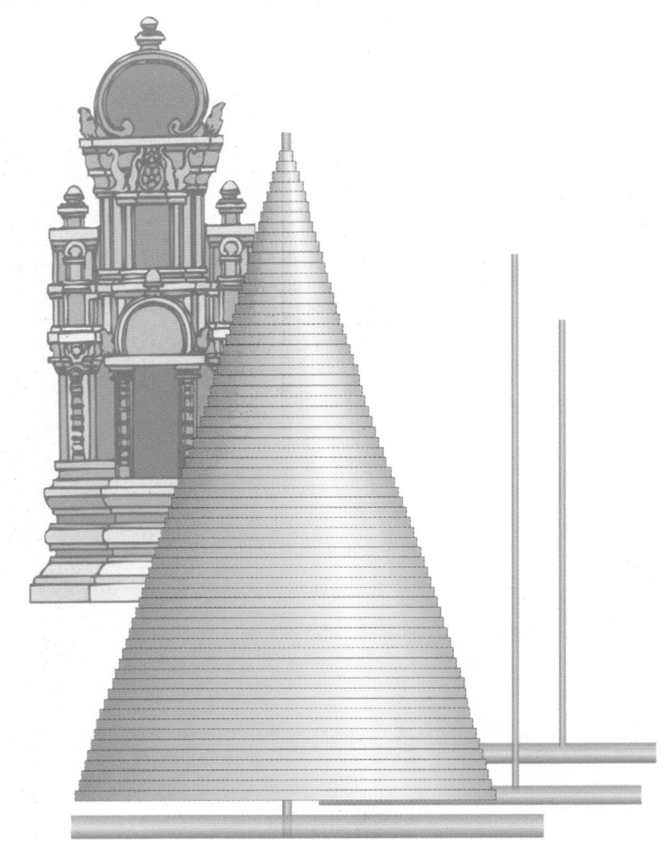

하노이의 탑-1883년

1883년 프랑스의 수학자 뤼카가 고안한 하노이의 탑은 지금까지 고안된 매우 아름다운 퍼즐 중 하나로, 이 퍼즐에는 다음과 같은 전설이 있다. 베나레스에 있는 큰 사원에는 3개의 고정된 수직 핀이 있는 청동접시가 있다. 태초에 청동접시에는 금으로 된 원판 64개가 한 개의 핀에 쌓여 있었다. 원판은 가장 큰 원판이 바닥에 놓이고 크기가 작아지는 순서로 쌓여 있었다.

전설에 따르면, 한 승려가 밤낮으로 일정한 속도로 원판을 다른 핀으로 옮긴다. 다른 두 핀을 이용할 수 있는데, 어떤 원판도 더 작은 원판 위에 쌓아서는 안 된다. 처음과 똑같은 모양의 탑이 다른 두 핀 중 어느 하나에 쌓이면 우주는 멸망한다. 그렇지 않으면 그 전설은 계속될 것이다. 전설이 사실이라 해도 걱정할 필요는 없다.

한 개의 원판을 옮기는 데 1초가 걸린다 해도 이 일에는 약 6000억 년 또는 태양 수명의 60배보다 더 긴 시간이 걸릴 것이다. n개의 원판을 가진 하노이의 탑을 완성하는 데 필요한 이동 횟수는 2^n-1로 계산될 수 있다. 즉, 2개의 원판은 3번, 3개의 원판은 7번의 이동이 필요하며, 같은 방식으로 임의의 개수의 원판에 대해 필요한 이동 횟수를 계산할 수 있다.

바빌론

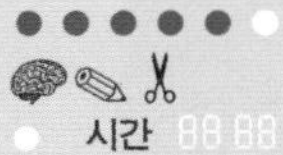

바빌론은 고전적인 하노이의 탑 퍼즐의 변형 퍼즐이다.

이 퍼즐은 아래 그림에 있는 샘플 퍼즐처럼 난이도가 다양하다. 처음에 각 퍼즐의 왼쪽 열에 보이는 것처럼 원판을 쌓는다.(원판에는 수가 적혀 있다.) 각 퍼즐은 원판을 왼쪽에 보이는 것과 같은 순서가 되도록 오른쪽 열로 이동한다. 즉, 가장 큰 수가 바닥에 놓여야 한다.

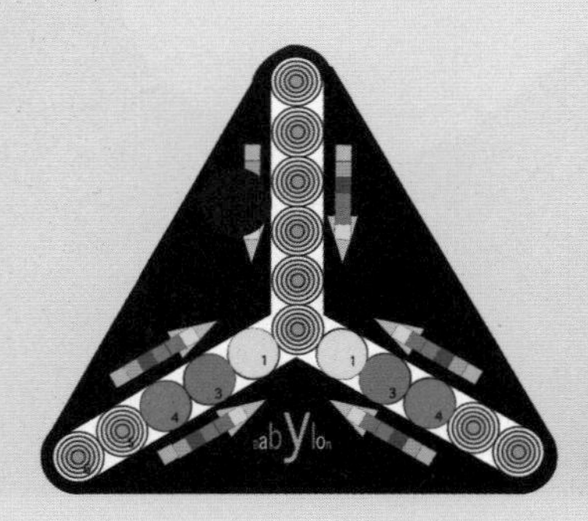

n=3
이동 횟수: ?

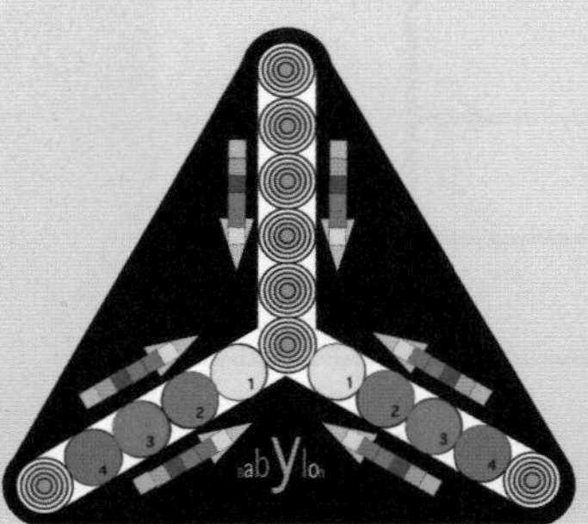

n=4
이동 횟수: ?

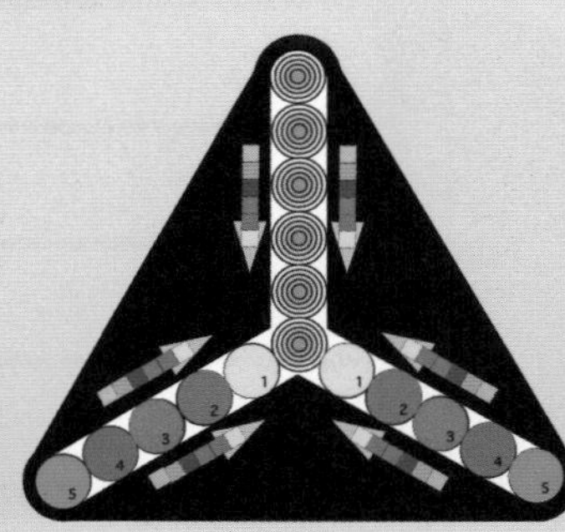

n=5
이동 횟수: ?

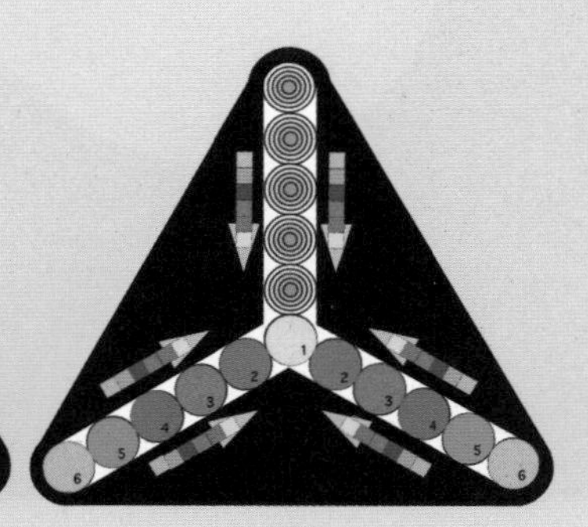

n=6
이동 횟수: ?

이 4개의 퍼즐은 3, 4, 5 및 6개의 원판을 오른쪽 열로 옮기되 왼쪽과 같은 순서로 쌓이도록 옮기는 것이다. 즉, 가장 큰 수가 바닥에 놓이고 올라갈수록 수가 작아져야 하며 다음의 규칙을 따라야 한다.

1. 한 번에 한 개의 원판만을 옮긴다.
2. 어떤 원판도 더 작은 수를 갖는 원판 위에 쌓아서는 안 된다.
3. 가운데 열을 사용할 수 있으나 위의 규칙 1과 2를 따라야 한다.

이 퍼즐을 완성하려면 몇 번 이동해야 할까? 어려운 퍼즐을 풀기 전에 3개의 원판을 가진 가장 쉬운 첫 번째 퍼즐을 풀어보라.

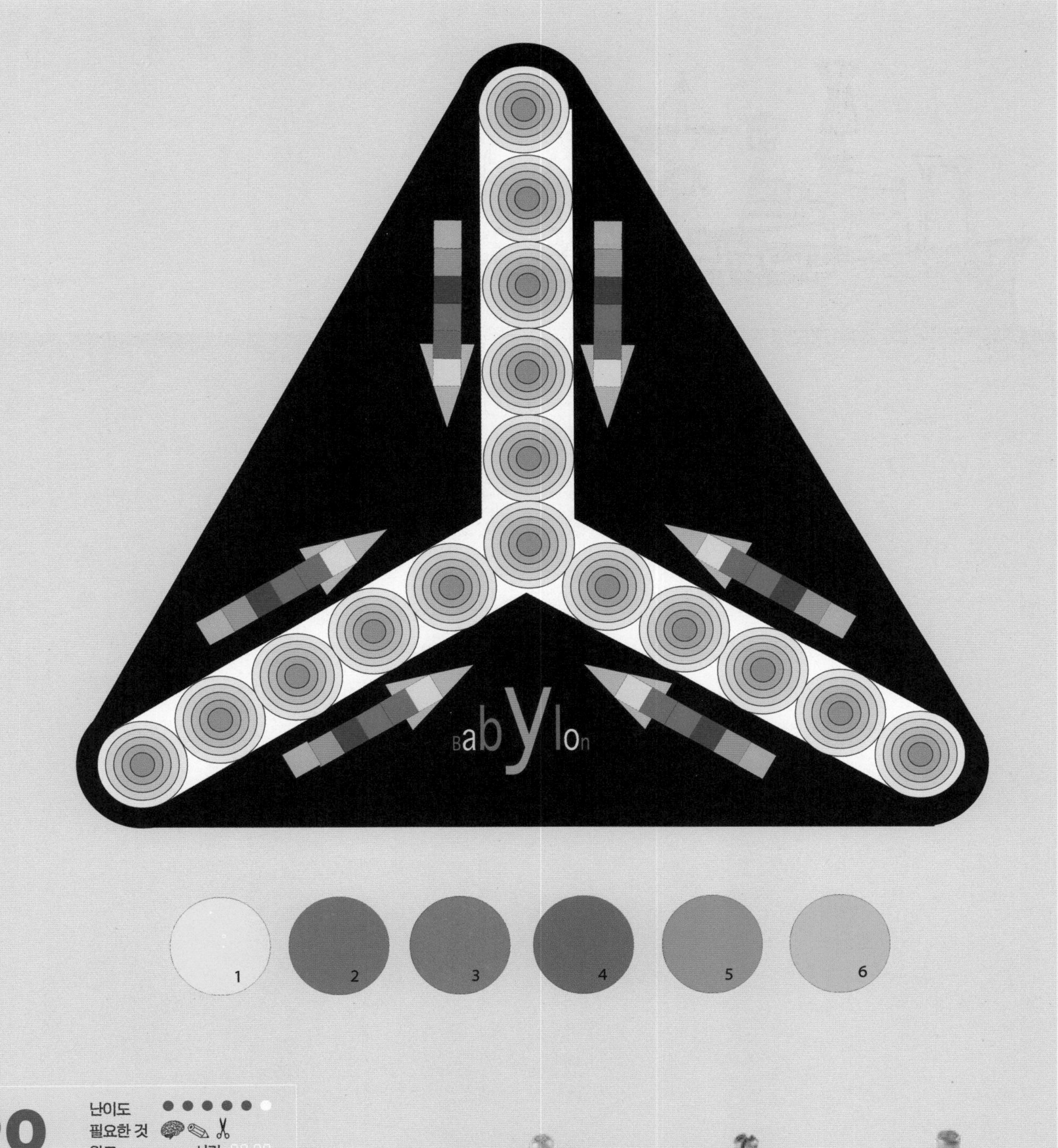

190

난이도 ●●●●●●
필요한 것
완료 ● 시간

하노이 탑 게임판

원판 또는 두 개의 작은 동전 집합을 사용해 앞 쪽에 있는 4개의 퍼즐을 풀어보라.

191 난이도 필요한 것 완료 시간

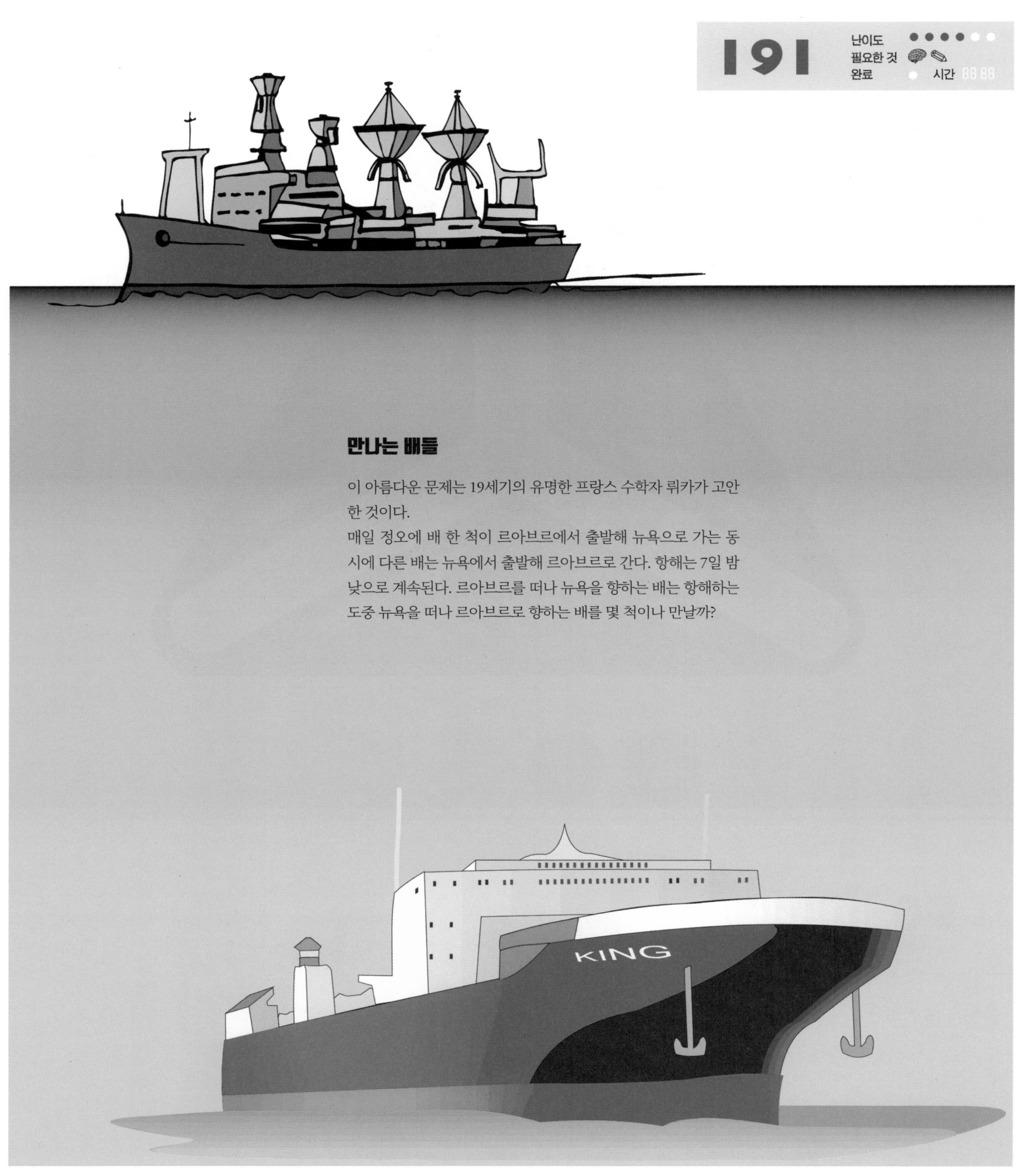

만나는 배들

이 아름다운 문제는 19세기의 유명한 프랑스 수학자 뤼카가 고안한 것이다.
매일 정오에 배 한 척이 르아브르에서 출발해 뉴욕으로 가는 동시에 다른 배는 뉴욕에서 출발해 르아브르로 간다. 항해는 7일 밤낮으로 계속된다. 르아브르를 떠나 뉴욕을 향하는 배는 항해하는 도중 뉴욕을 떠나 르아브르로 향하는 배를 몇 척이나 만날까?

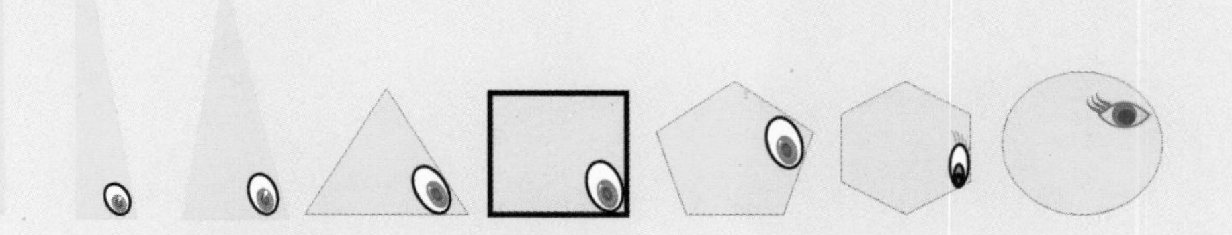

192

난이도 ●●●●○○
필요한 것
완료 ● 시간

평평한 땅, 2차원-1884년

천체물리학자들은 우주는 3차원 공간과 1차원 시간으로 이루어진 4차원이라 말한다. 최근의 어떤 이론들은 심지어 더 높은 차원이 있다고 주장하고 있다.

우리가 가상적인 고차원을 이해하려면 어디서부터 시작해야 할까? 이를 알아보기 위해 우리가 있는 정상 시스템인 3차원이 아닌 2차원만을 가진 세계를 상상해볼 수 있다.

성직자이며 대중 과학자인 애보트(Edwin A. Abbott)는 2차원으로만 이루어진 세계를 표현하기 위해 1884년에 흥미로운 시도를 했다. 애보트는 풍자소설『평평한 땅(Flatland)』에서, 2차원 세계의 특징은 넓은 테이블 윗면 같은 무한한 2차원 평면의 표면 위에 스며드는 것 같은 기본적인 기하학적 도형들이라고 했다. 무시할 정도의 두께는 차치하고, 평평한 땅의 거주민들에게 3차원 또는 더 높은 차원에 대한 인식은 없다.

애보트는 평평한 땅에 대한 어떤 물리적 법칙이나 기술적인 진보도 기술하지 않았지만, 많은 사람들이 이 문제로 씨름하게 하는 결과를 가져왔다. 이를 다룬 책으로는 애보트의 아이디어를 멋지게 확장한『평평한 땅의 에피소드(An Episode of Flatland)』가 있는데, 1907년 힌톤(Charles Howard Hinton)이 쓴 책이다.

힌톤의 책에 나타나 있는 상황은 명백한 2차원 행성인 아스트리아(Astria)에서 일어난다. 아스트리아는 그냥 하나의 큰 원이며, 여기에 서식하는 생물은 영원히 한 방향을 바라보며 원의 둘레에 산다. 수컷들은 모두 동쪽을 바라보지만, 암컷들은 모두 서쪽을 바라본다. 자신의 뒤에 무엇이 있는지 보기 위해서 아스트리아인은 반대 방향이 보이도록 굽히거나 물구나무를 서거나 거울을 사용해야 한다.

아스트리아는 두 나라로 나뉘어 있는데, 동부에는 문명화된 종족인 우네안스, 서부에는 원시종족인 시시안스가 있다. 두 나라 사이에 전쟁이 일어나면 시시안스는 우네안스를 뒤에서 공격할 수 있다는 이점이 있다. 운 나쁘고 속수무책인 우네안스는 큰 바다와 접한 영역으로 내몰린다.

완전히 멸망에 처한 우네안스는 그들의 천문학자가 그 행성이 둥글다는 것을 발견하는 과학적 진보로 살아남는다. 우네안스의 한 무리는 바다를 건너 뒤쪽에서는 한 번도 공격을 당해본 적이 없는 시시안스를 뒤에서 공격한다. 이제 우네안스에게 적과 싸워 승리할 수 있는 능력이 생긴 것이다.

아스트리아의 집들은 한쪽에만 입구를 낼 수 있다. 앞뒤가 다 뚫려 있는 관 또는 파이프는 존재하지 않는다. 지렛대, 고리, 그리고 추는 사용될 수 있지만, 밧줄은 매듭을 지을 수 없다(매듭은 3차원에서 가능하다).

평평한 땅의 계급

애보트의 평평한 땅은 수학적으로는 2차원 세계다.

- 여자는 날카로운 직선이다.
- 군인과 일꾼은 이등변 삼각형이다.
- 중간 계층은 정삼각형이다.
- 전문가는 정사각형과 정오각형이다.
- 상류계층은 정육각형부터 시작하여 평평한 땅의 최고계층인 수도자를 나타내는 원까지 간다.

직선인 여자는 뒤에서는 볼 수 없으므로 충돌 위험이 있다. 이러한 이유로 여자들은 끊임없이 몸을 꼬고 꿈틀거리며 움직여 항상 자신들을 보이게 하도록 법으로 정해져 있다.

평평한 땅의 재난

'평평한 땅'이라 불리는 2차원 표면 세계에 갇힌 똑똑한 외계인을 상상해보라. 그들은 평평한 땅에 물리적으로뿐만 아니라 감성적으로도 갇혀 있다. 이들은 2차원 표면 세계 밖의 어떤 것도 감지할 수 있는 능력이 없다.

1만 년마다 사고가 발생하는데, 이는 3차원의 거대한 한 정육면체 운석이 평평한 땅과 충돌하며 평평한 땅을 훑고 지나가는 것이다. 평평한 땅의 거주민들이 이 무시무시한 재난을 어떻게 느낄 것인지 설명할 수 있겠는가?

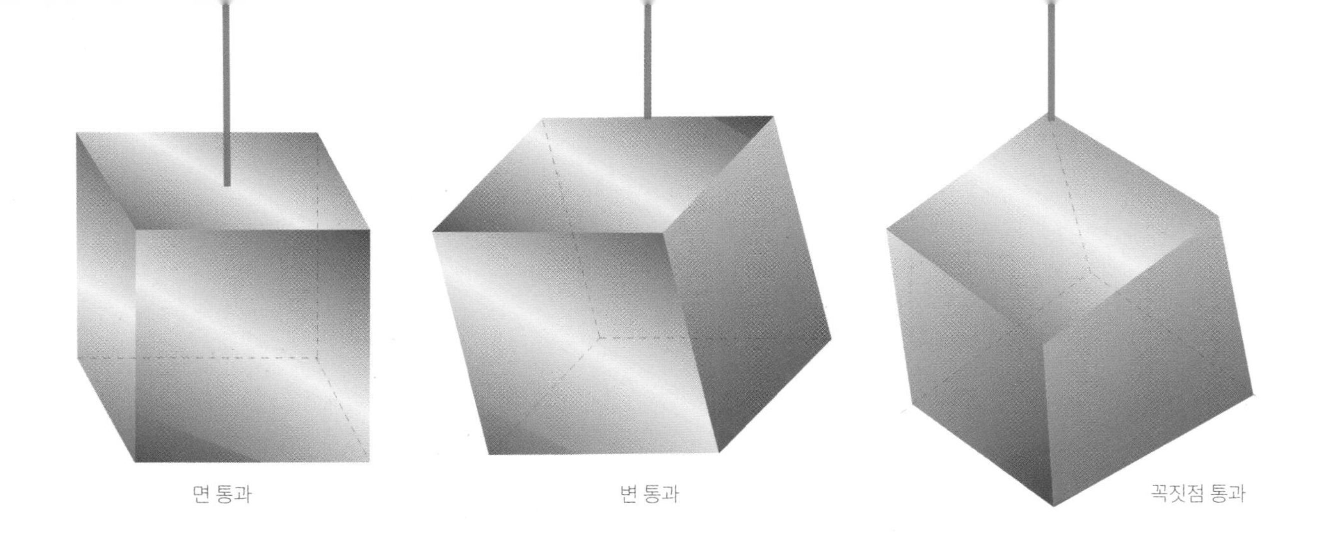

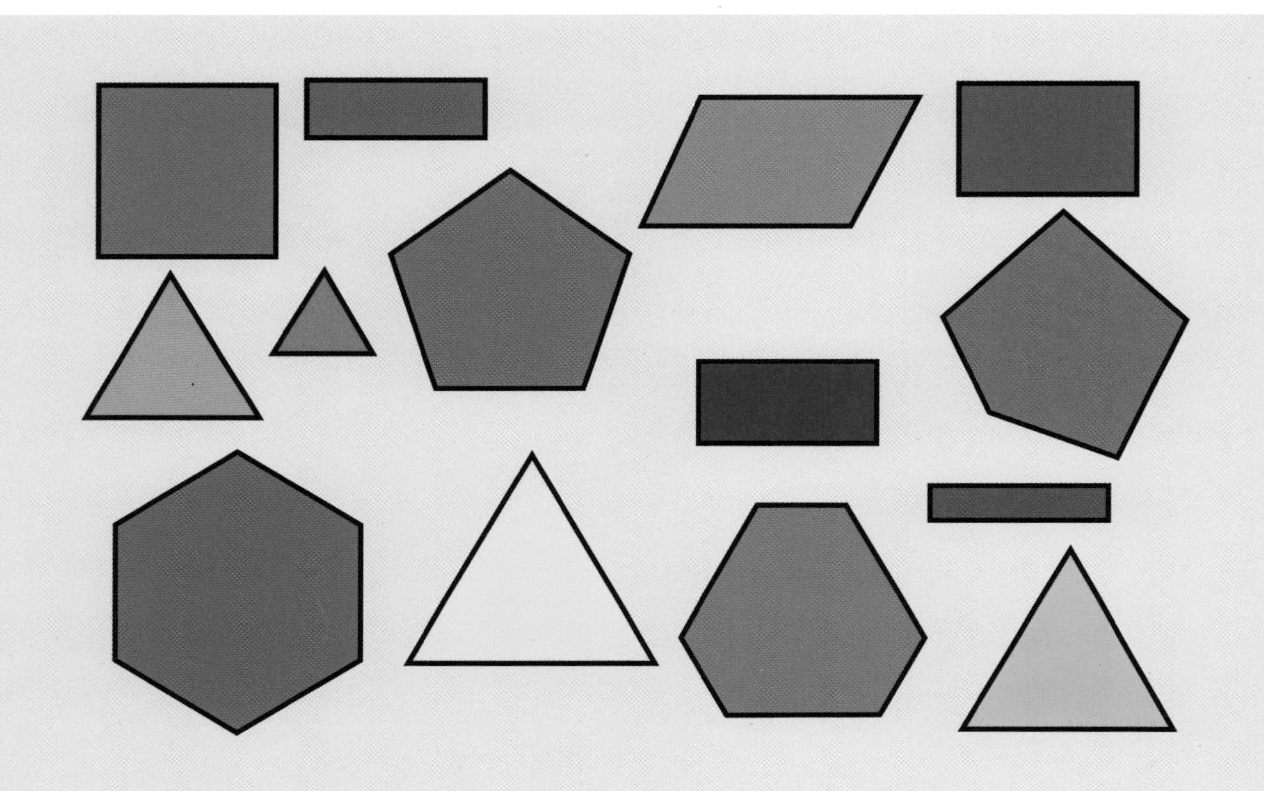

정육면체 단면–1885년

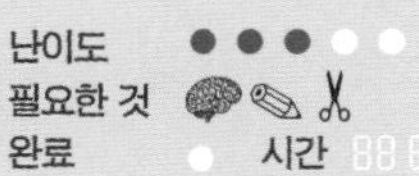

1880년대에 유치원이라는 개념을 창시한 프뢰벨(Friedrich Froebel)은 어린이 교육에서 기하학적 놀이와 사고 도입의 중요성을 강조했다.
애보트의 평평한 땅에서처럼 하나의 구가 평면을 관통하면 어떤 일이 일어날지 쉽게 상상할 수 있다. 접하기 시작한 점이 어디든 상관없이, 접하는 순간엔 점이었다가 최대 원까지 되었다가 다시 점이 된다.
그러나 정육면체라면 어떨까? 정육면체가 평면을 통과하면 어떤 모양의 도형이 만들어질까? 위에 보이는 모양의 도형들이 모두 만들어지겠는가?
보너스 퍼즐! 정사각형 절단면이 생기려면 사면체를 어떻게 잘라야 할까?

조르당의 곡선 정리-1887년

'조르당 곡선'은 단순 닫힌곡선의 다른 이름이다. 단순 곡선은 자신과 만나는 점이 없는 곡선이고 닫힌곡선은 시작점과 끝점이 같은 곡선을 말한다.
조르당 곡선 정리에 따르면, 평면 위에 있는 조르당 곡선은 평면을 곡선에 의해 유계된 '내부'와 곡선과 가깝거나 먼 모든 바깥 점을 포함하는 '외부'의 두 영역으로 나눈다. 그러므로 내부에 있는 점과 외부에 있는 점을 잇는 연속인 곡선은 조르당 곡선 위의 어떤 점과 만난다.

'조르당 곡선 정리'는 다음과 같다. "단순 닫힌곡선 외부의 한 점에서 평면에 있는 임의의 한 점과 연결하는 직선을 그린다. 만일 그 직선이 곡선과 만나는 횟수가 홀수면 그 임의의 점은 곡선 내부에 있다."
이 정리는 자명한 것처럼 보이지만 기초적인 이론을 이용해 증명하기는 쉽지 않다. 확실한 증명은 대수위상이라는 수학이론을 이용해야 가능하며, 이는 더 높은 차원의 공간에 대한 일반화를 가능하게 한다.

조르당 곡선 정리는 이를 처음으로 증명한 수학자 조르당(Camille Jordan, 1838~1922)의 이름에서 따온 것이다. 오랫동안 그의 증명은 근거가 없다고 알려져 있었는데, 이런 생각은 최근 들어 달라지기 시작했다.
조르당의 증명은 부드러운 곡선에서는 명백하다. 그러나 극도로 복잡한 곡선도 있는데, 실제로 코흐 곡선과 같은 복잡한 곡선에서는 성립하지 않는다.

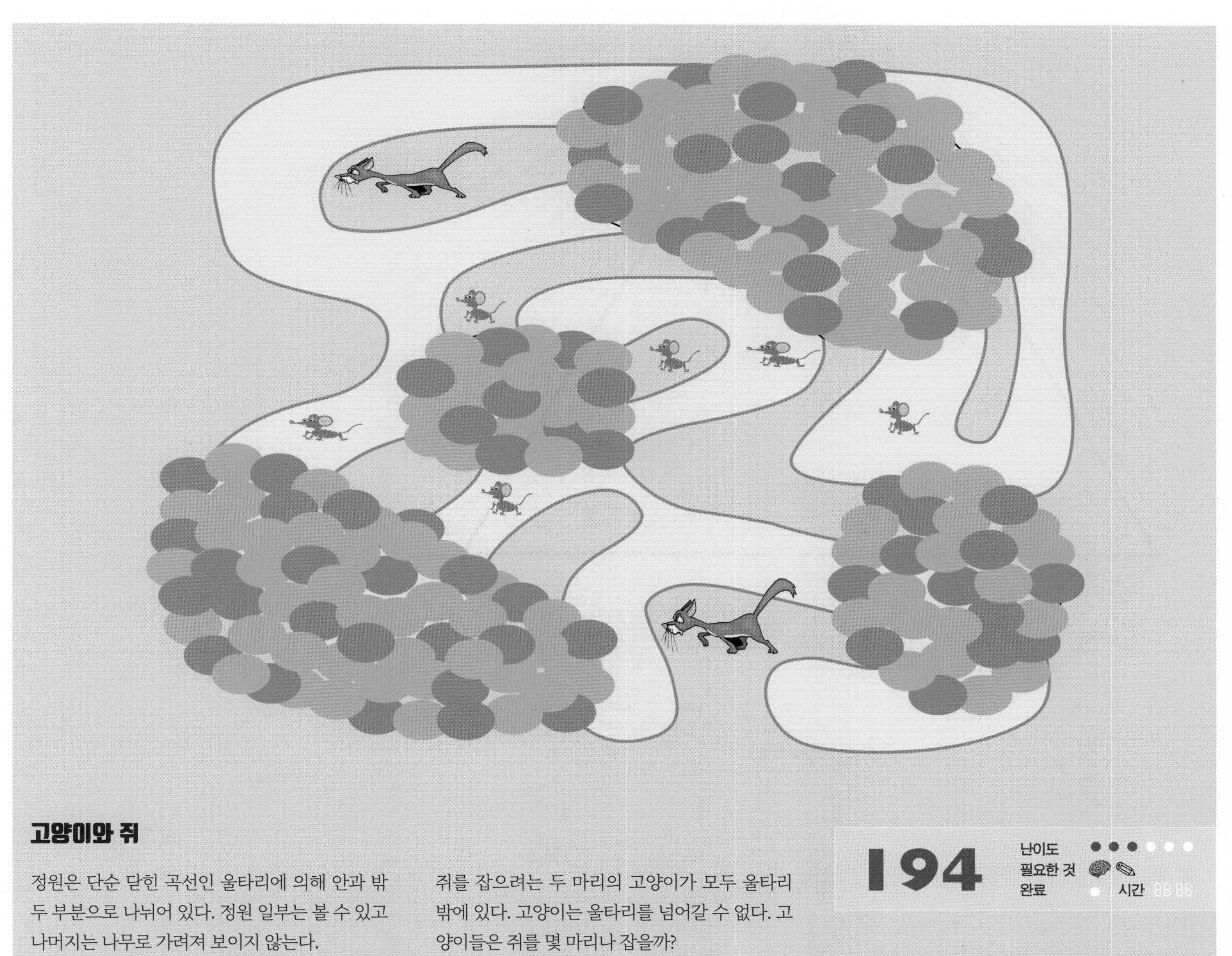

고양이와 쥐

194

난이도 ●●●○○○
필요한 것
완료　　시간

정원은 단순 닫힌 곡선인 울타리에 의해 안과 밖 두 부분으로 나뉘어 있다. 정원 일부는 볼 수 있고 나머지는 나무로 가려져 보이지 않는다.
보이지 않는 부분이 있는 이런 조건에서도 조르당 곡선 정리가 성립할 수 있을까?

쥐를 잡으려는 두 마리의 고양이가 모두 울타리 밖에 있다. 고양이는 울타리를 넘어갈 수 없다. 고양이들은 쥐를 몇 마리나 잡을까?

베르트랑의 현의 역설-1888년

1888년 조제프 베르트랑(Joseph Bertrand, 1822~1900)은 자신의 책 『확률 계산(Calcul des probabilités)』에서 다음과 같은 고전적이고 중요한 문제를 언급했다. '만일 변수를 만드는 방법이 명확하게 정의되지 않으면 그 변수에 대한 확률도 잘 정의되지 않는다.' 베르트랑이 제안했던 문제는 다음과 같다. 원 내부에 정삼각형을 그린다. 두 끝점이 원 위에 있는 현(직선) 하나를 임의로 택한다. 이 현의 길이가 삼각형의 한 변의 길이보다 길 확률은 얼마일까?

베르트랑은 현을 선택하는 3가지 방법을 제시했는데, 그 선택방법에는 아무 문제가 없지만, 선택방법에 따라 결과는 다르다. 이러한 이유로 이 역설에는 그의 이름이 붙었다. 현을 선택하는 방법이 유일하지 않으므로 해가 유일하다고 할 수는 없다. 현의 선택방법이 분명하게 정해진 경우에만 그 문제에 대한 해가 있을 것이다.

다음에 나타나 있는 3가지 그림은 현의 3가지 선택방법을 설명하고 이를 시각적으로 보여주고 있다.

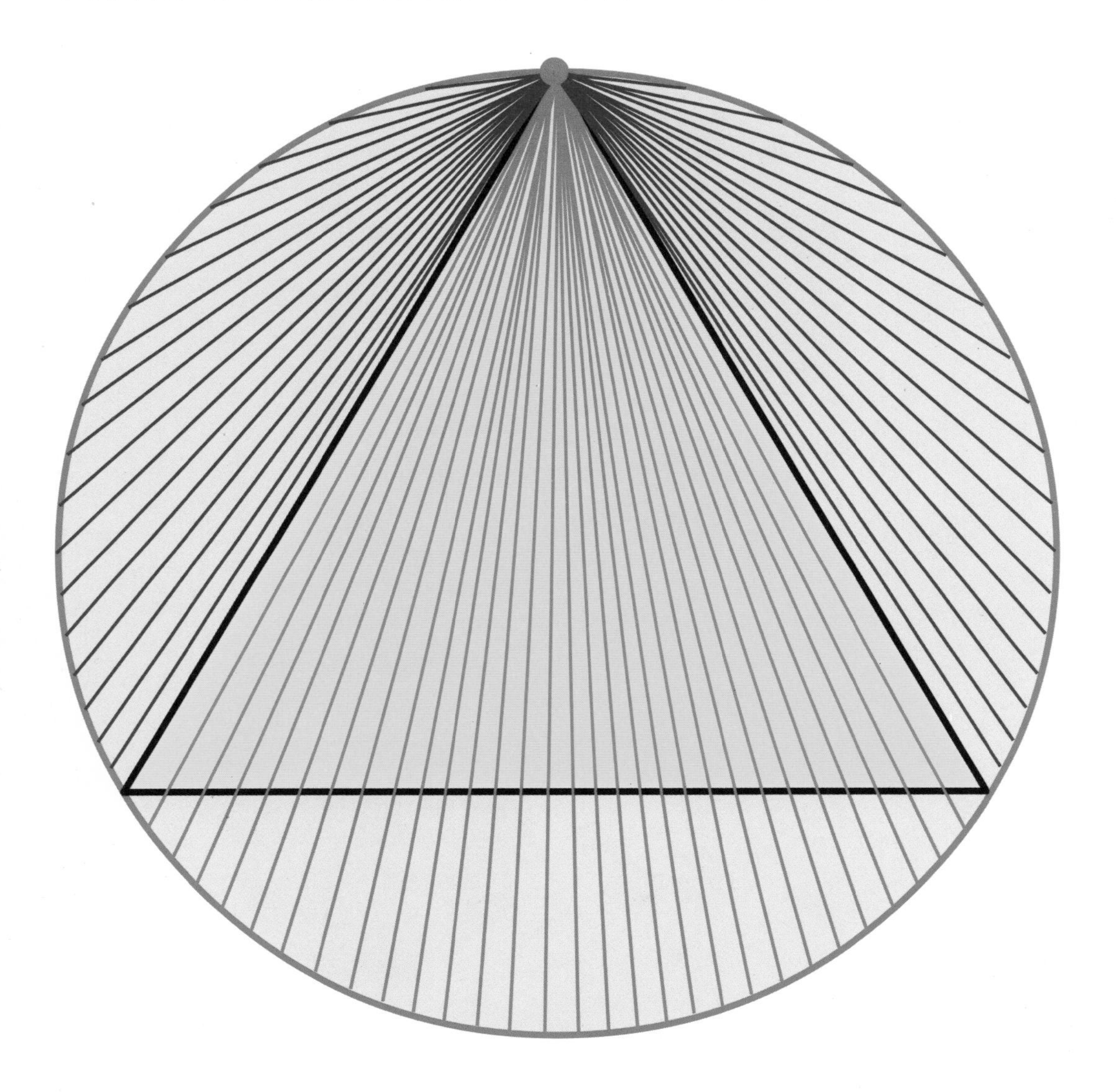

빨간색 현들:
삼각형의 한 변보다 길다.
확률: 0.33(33퍼센트)

파란색 현들:
삼각형의 한 변보다 짧다.
확률: 0.67(67퍼센트)

첫 번째 해: 끝점을 임의로 선택하는 방법

원의 주변에서 임의로 점을 두 개 선택하는데, 그중 하나는 삼각형의 꼭짓점을 선택한다. 만일 선택한 다른 점이 삼각형의 다른 두 꼭짓점 사이의 곡선 위에 있으면 그 두 점을 잇는 현의 길이는 삼각형의 한 변의 길이보다 길다. 삼각형의 두 꼭짓점 사이의 곡선의 길이는 원둘레의 1/3이다. 그러므로 이렇게 선택된 현의 길이가 삼각형의 한 변의 길이보다 길 확률은 1/3이다.

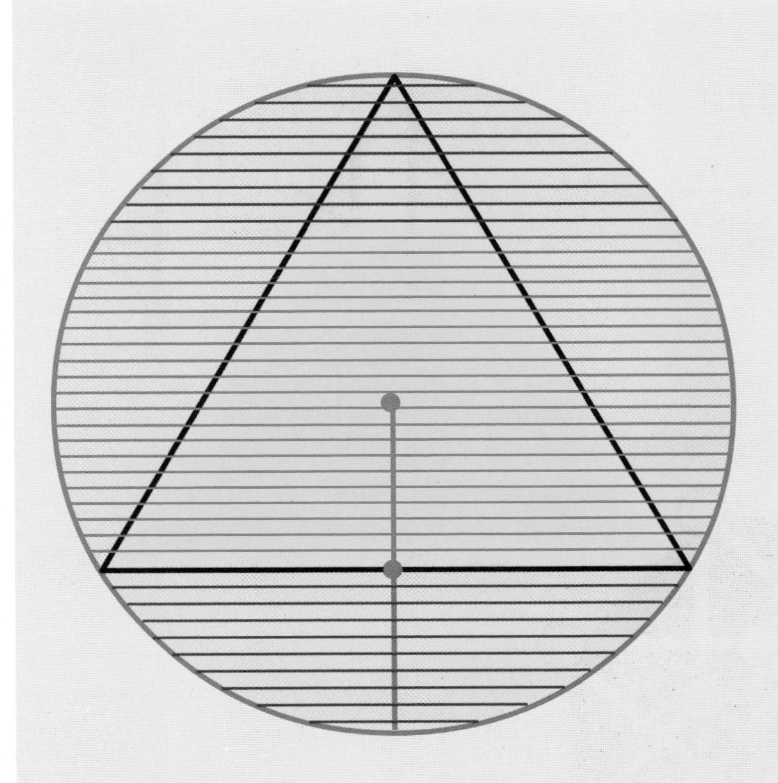

두 번째 해: 반지름을 임의로 선택하는 방법

삼각형의 한 변을 이등분하는 원의 반지름을 선택한다. 그 반지름 위에서 한 점을 선택하고, 이 점을 지나면서 반지름과 수직인 현을 그린다.
만일 선택한 점이 반지름과 삼각형과 만나는 점(삼각형의 변 위에 있는 빨간 점)보다 원의 중심에 더 가까우면 현의 길이는 삼각형이 한 변의 길이보다 길다. 그러므로 이 경우 임의의 한 현이 삼각형의 한 변의 길이보다 길 확률은 1/2이다.

빨간색 현들:
삼각형의 한 변보다 길다.
확률: 0.5(50퍼센트)

파란색 현들:
삼각형의 한 변보다 짧다.
확률: 0.5(50퍼센트)

세 번째 해: 중점을 임의로 선택하는 방법

원의 내부에서 임의의 한 점을 선택해서 그 점을 현의 중심이 되도록 현을 그린다. 원래 원과 중심이 같고 반경은 1/2이 되는 원을 그린다.
선택한 점이 그 원의 내부에 있으면, 현의 길이는 삼각형의 한 변의 길이보다 길다. 작은 원의 면적은 큰 원의 면적의 1/4이므로 현의 길이가 삼각형의 한 변의 길이보다 길 확률은 1/4이다.

빨간색 현들:
삼각형의 한 변보다 길다.
확률: 0.25(25퍼센트)

파란색 현들:
삼각형의 한 변보다 짧다.
확률: 0.75(75퍼센트)

4차원 정육면체, 초입방체-1888년

정육면체가 정사각형의 3차원 버전인 것처럼, 4차원 정육면체는 정육면체의 4차원 버전 도형이다.
정육면체의 겉면은 6개의 정사각형으로 구성되지만, 4차원 정육면체의 초겉면은 8개의 정육면체로 이루어져 있다.
4차원 정육면체는 6개의 볼록 정사다면체(4-폴리토프) 중 하나다.
정육면체를 3차원보다 더 큰 차원으로 일반화한 것을 "초입방체", "n-정육면체", 또는 "n-차 다면체"라 한다.
따라서 4차원 정육면체는 4차원 초입방체 또는 4-정육면체다.

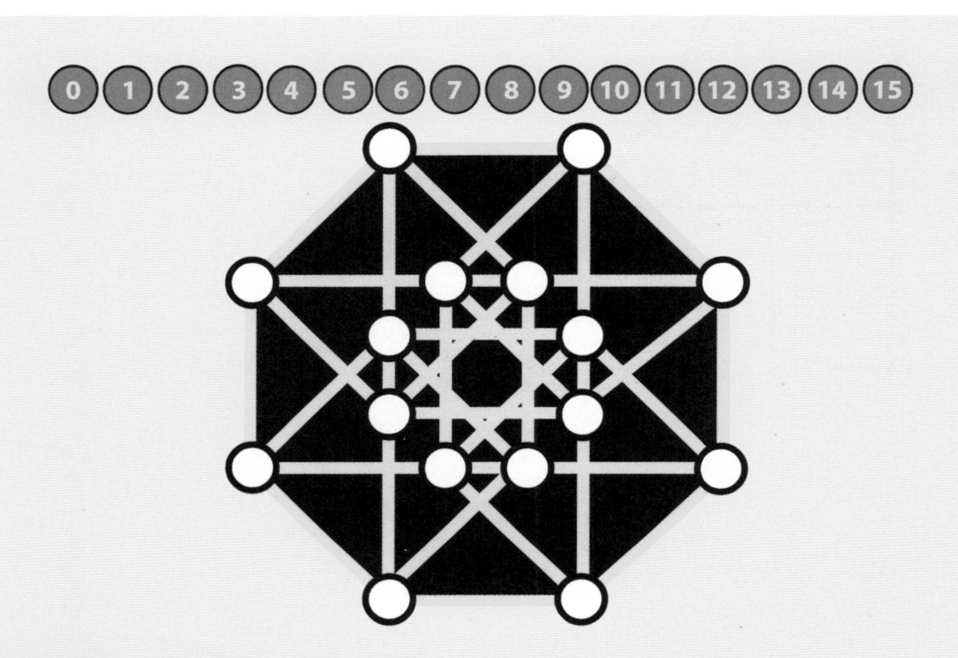

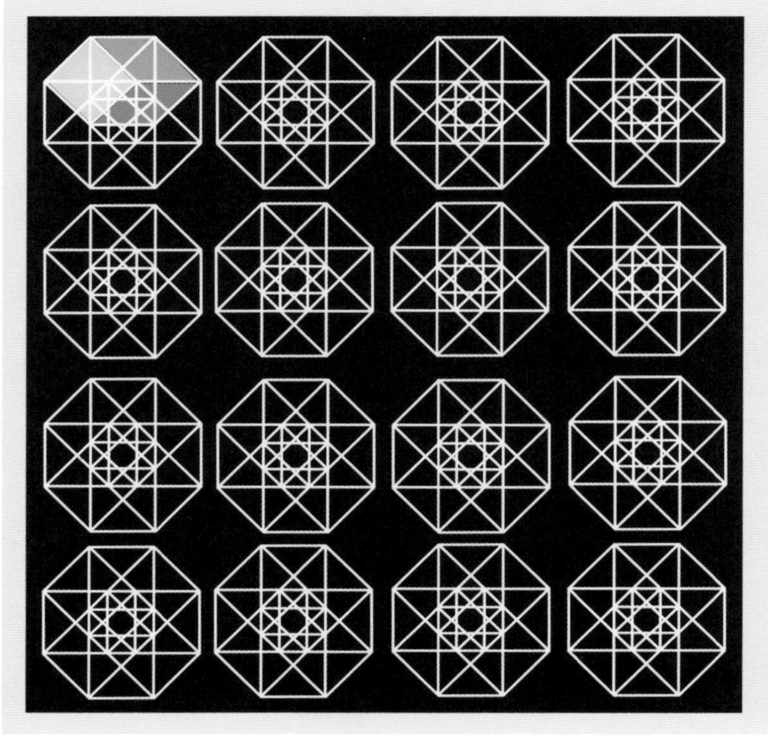

4차원 정육면체 퍼즐

퍼즐 1. 한 개의 4차원 정육면체에는 얼마나 많은 모서리, 면, 그리고 정육면체가 있는가?

퍼즐 2. 위에 있는 4차원 정육면체의 원으로 표시된 원꼭짓점(vertex circles)에 0~15의 수를 넣는다. 이때 원근감이 있는 정육면체 골격에서 정사각형의 면 위에 있는 수의 합은 30이 되어야 한다.

퍼즐 3. 왼쪽에 있는 4차원 정육면체의 2차원 그림에서, 처음에 보인 것과 같은 골격의 정육면체를 몇 개나 찾을 수 있는가?

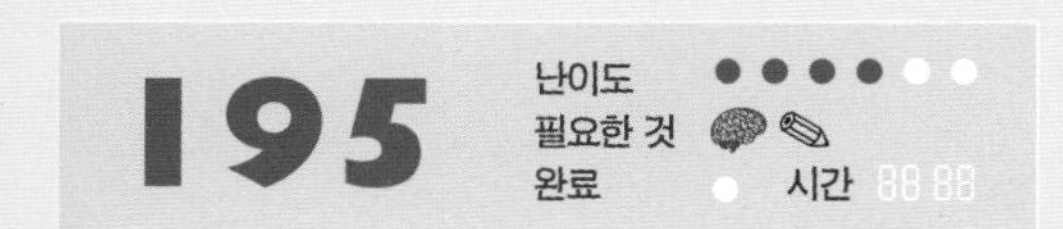

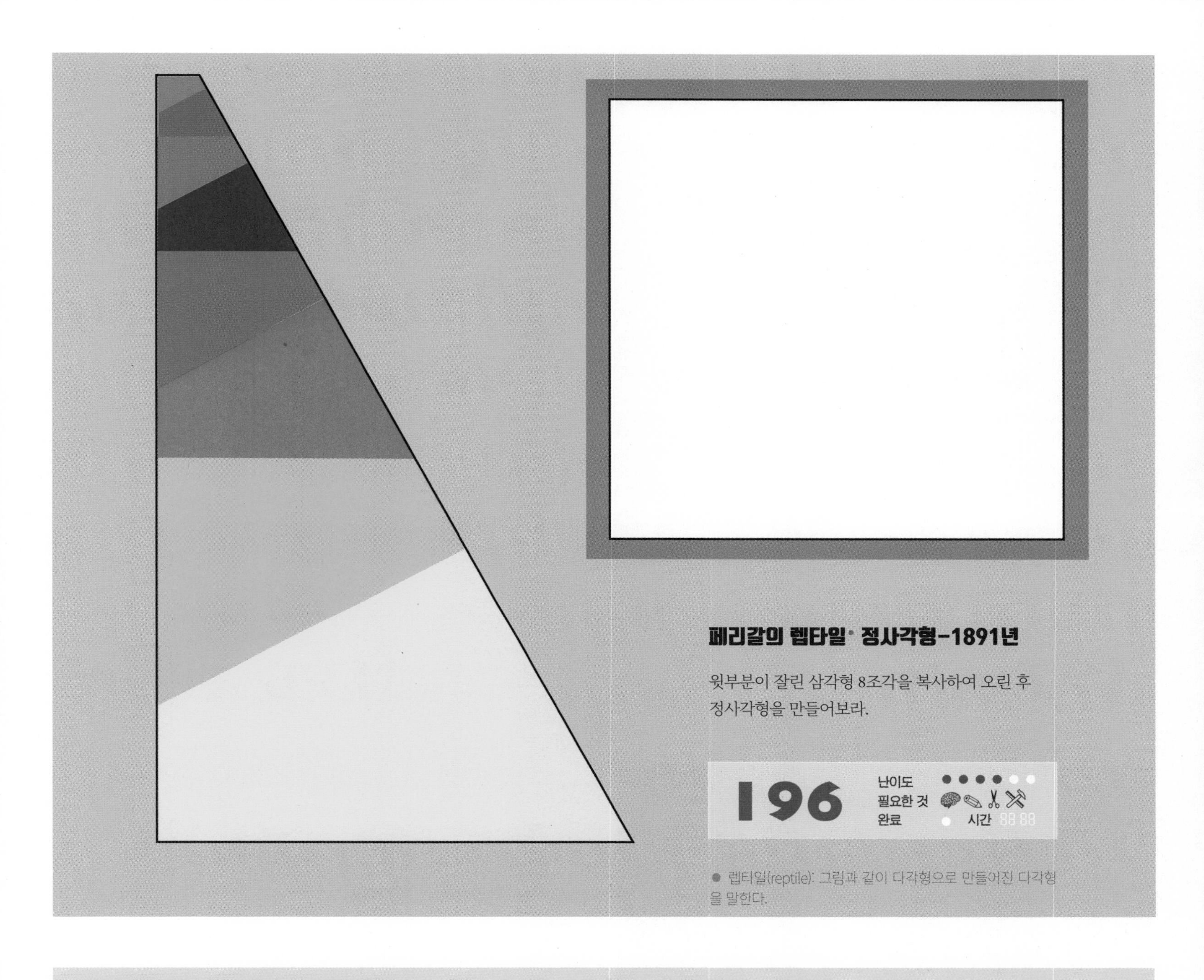

페리갈의 렙타일• 정사각형-1891년

윗부분이 잘린 삼각형 8조각을 복사하여 오린 후 정사각형을 만들어보라.

196
난이도 ●●●●○○
필요한 것
완료 ○ 시간

● 렙타일(reptile): 그림과 같이 다각형으로 만들어진 다각형을 말한다.

헨리 페리갈(Henry Perigal, 1801~1898)

페리갈은 영국의 아마추어 수학자였고, 1868년에서 1897년까지 런던 수학학회의 회원을 지냈다. 그는 피타고라스 정리를 '잘라 붙이기' 또는 '분할'이라는 방법으로 증명한 것으로 잘 알려져 있다. 1891년에 쓴『기하학적 분할과 전위(Geometric Dissections and Transpositions)』에는 피타고라스 정리의 멋진 증명이 실려 있는데, 이 증명은 두 개의 작은 정사각형을 잘라 하나의 큰 정사각형을 만드는 아이디어를 기반으로 한 것이다.
그가 발견한 5조각 분할은 한 개의 정사각형 타일 위로 겹쳐서 만들 수 있는데, 이 정사각형은 두 개의 작은 정사각형으로 이루어진 피타고라스 타일들로 만들어진 큰 정사각형이다.
페리갈은 또한 그 책에 원을 정사각형으로 만드는 고전적 문제를 분할에 기반한 방법을 써서 풀 수 있을 것이라는 자신의 바람도 적어놓았다. 그러나 그 문제는 이미 그보다 전인 1882년 린데만-바이어슈트라스 정리에서 풀 수 없다는 것이 증명되었다.

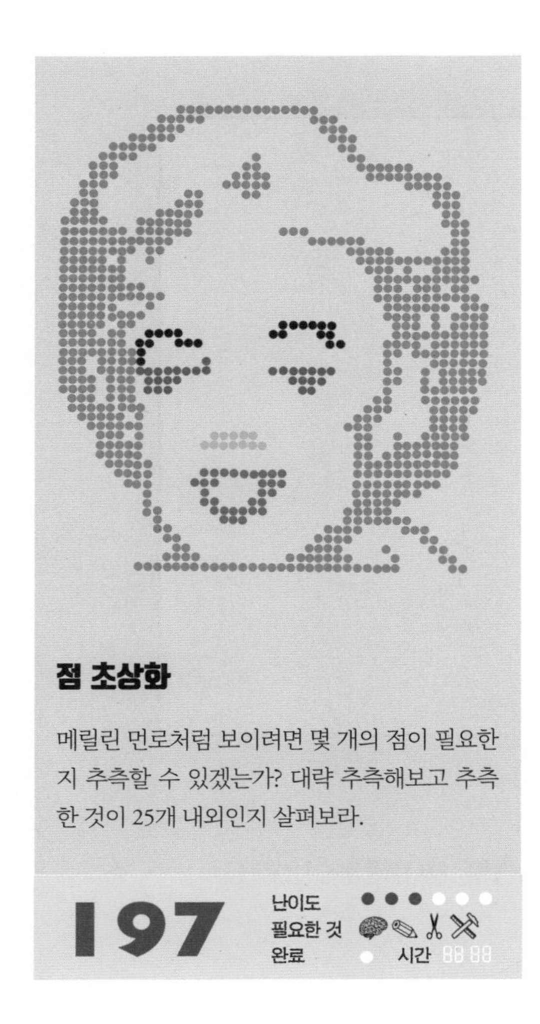

점 초상화

메릴린 먼로처럼 보이려면 몇 개의 점이 필요한지 추측할 수 있겠는가? 대략 추측해보고 추측한 것이 25개 내외인지 살펴보라.

197
난이도
필요한 것
완료 시간

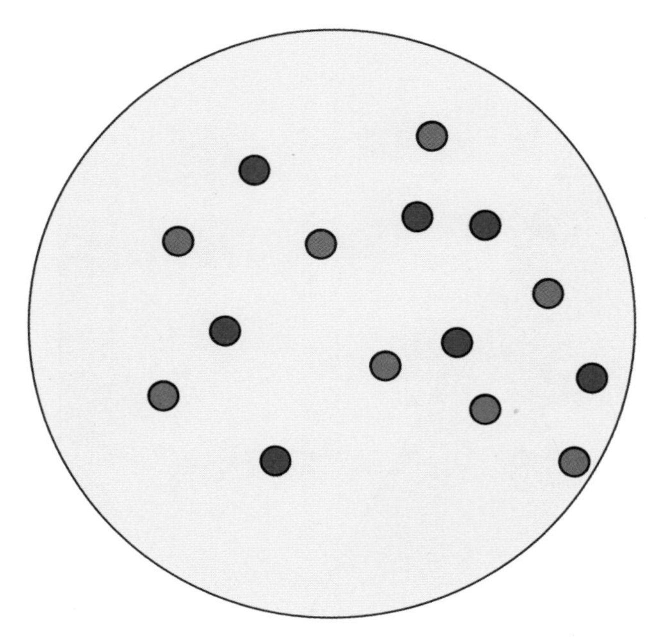

원 안의 200만 개의 점

이 원 내부에 정확하게 200만 개의 점이 있지만, 육안으로는 그 점을 볼 수 없다고 상상해보라. 원을 가로지르는 직선으로 영역을 나누었을 때 각 영역에 정확하게 100만 개의 점이 있도록 나눌 수 있는 직선이 있겠는가? 이 문제를 풀기 위한 사고실험(이론적 절차를)을 찾을 수 있겠는가?

198
난이도
필요한 것
완료 시간

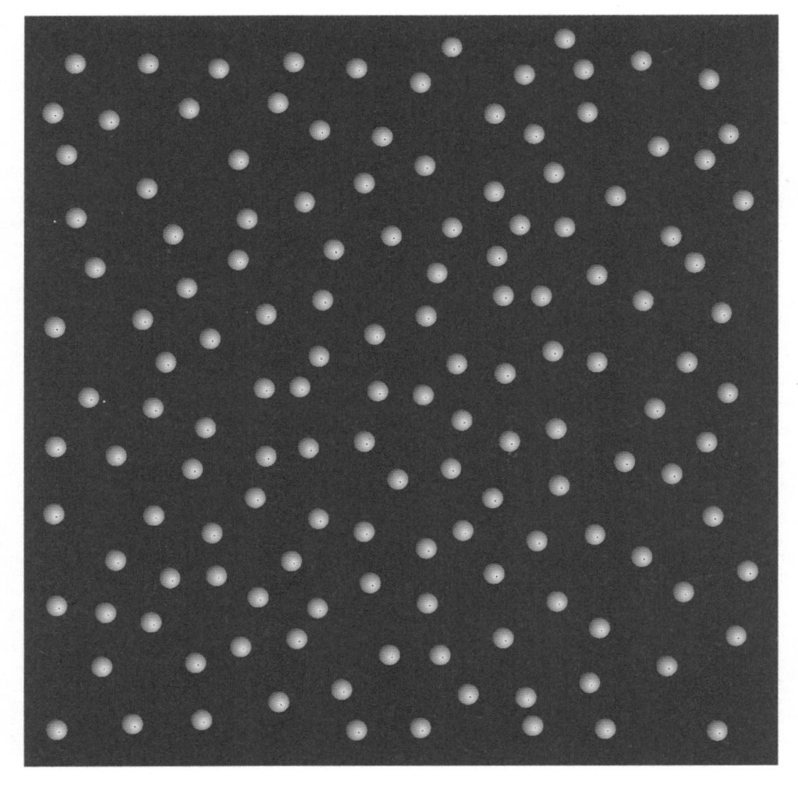

실베스터 직선 정리-1893년

직선 위의 점 가운데 딱 두 개의 점만 보일 때 그 직선을 찾을 수 있겠는가?
1893년 실베스터(James Joseph Sylvester, 1814~1897)는 평면에 주어진 유한 개의 점에 대해 딱 두 개의 점을 포함하는 직선이 적어도 한 개는 있다는 가설을 제기했다(그렇지 않으면 모든 점은 같은 직선 위에 있다). 이 가설은 1944년 헝가리 수학자 갈라이(Tibor Gallai)가 증명했다.
오늘날 실베스터-갈라이 정리라 불리는 실베스터의 직선 문제는 다음과 같다. "유한 개의 점이 있을 때 그중 임의의 두 점을 지나는 직선이 그 두 점과 다른 세 번째 점을 지나도록 점들을 늘어놓는 것은 불가능하다. 만일 가능하다면, 모든 점은 한 직선 위에 있다."

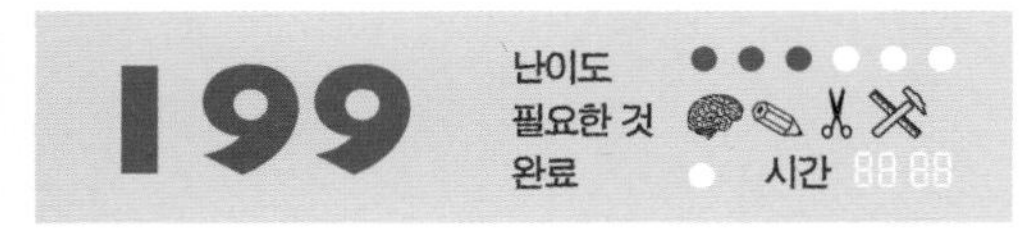

마술 육각형

마술 정사각형을 다룬 책은 많으나 '마술'이라는 용어는 정사각형뿐만 아니라 삼각형, 육각형, 원, 별 모양 도형 및 다른 다각형들과도 연관 지을 수 있다.

퍼즐 1. 2겹 마술 육각형은 가능한가? 2겹 마술 육각형이란 오른쪽에 보이는 벌집 모양의 정육면체에서 내부에 있는 7개의 작은 정육면체에 숫자 1~7을 넣는데, 모든 직선 방향에 놓인 육각형 내의 숫자의 합이 모두 같도록 숫자를 배치하는 것이다. 할 수 있겠는가? 숫자를 어떻게 배치해도 푸는 방법은 없을 것이다. 2겹 마술 육각형은 확실히 불가능하다. 이를 증명할 수 있겠는가?

퍼즐 2. 반면, 아래에 보이는 것처럼 3겹 마술 육각형은 가능하다.

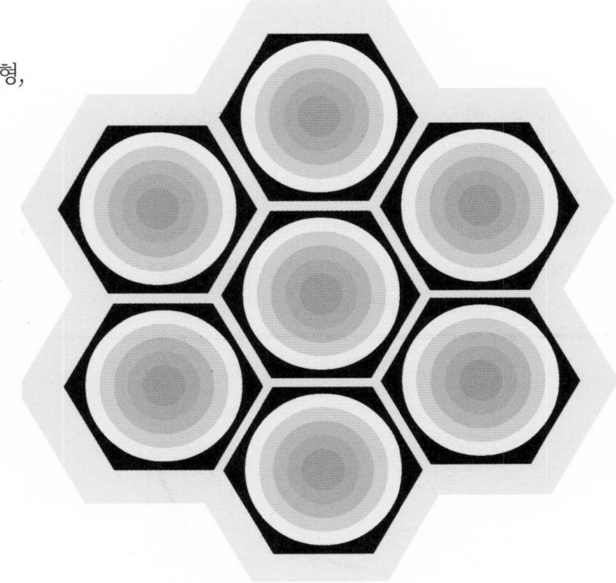

200
난이도 ●●●●○○
필요한 것
완료 ○ 시간 88:88

마술 육각형 퍼즐-1895년

1895년 윌리엄 레드클리프(William Radcliffe)는 많은 시행착오 끝에 숫자 1~19가 적힌 19개의 육각형 조각을 어떤 직선 방향(육각형을 3~5개 갖는 열들)으로 더해도 항상 38이 되는 벌집 모양으로 만드는 것이 가능하다는 것을 발견했다. 1963년 트리그(Charles Trigg)는 유일하게 3겹의 벌집 모양만이 유일한 마술 육각형임을 증명했다!

레드클리프의 마술 육각형은 독창적이고 놀라운 숫자 패턴 마술이다. 숫자 1~19를 어떤 직선 방향으로 더해도 항상 38이 되도록 육각형 게임판에 배치할 수 있겠는가?

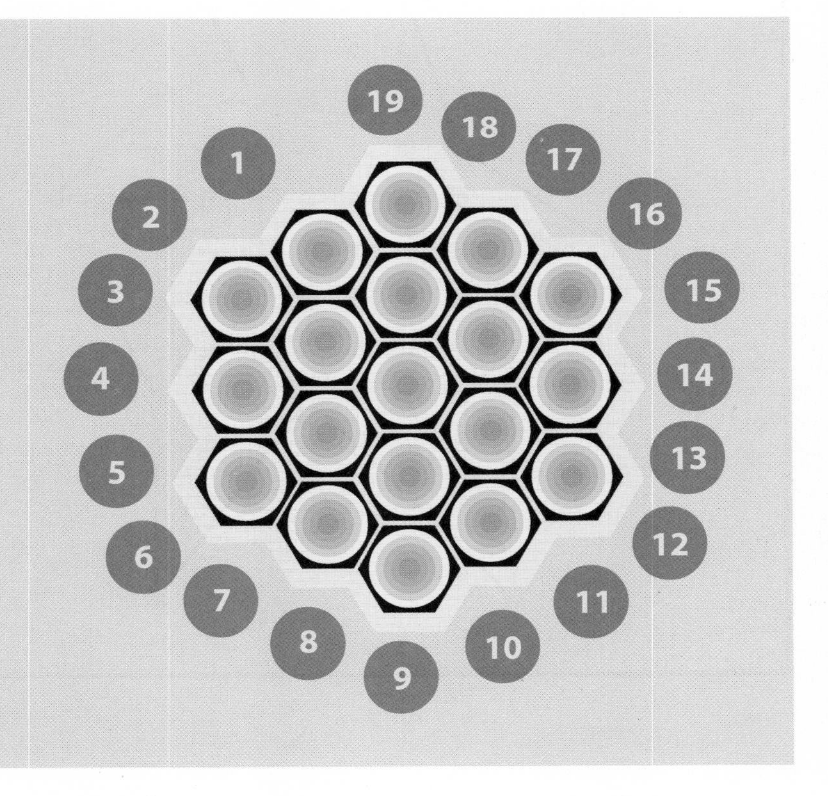

201
난이도 ●●●●○○
필요한 것
완료 ○ 시간 88:88

픽의 정리(Pick's Theorem)–1899년

그림에 보이는 것과 같이 사각형 격자에 있는 점을 꼭짓점으로 갖는 단순 격자 다각형이 있다고 하자. 단순 다각형이란 자신과 만나지 않으며 내부에 '구멍(hole)'이 없는 다각형을 말한다.

이 퍼즐은 다각형 내부의 면적을 계산하는 것이다. 이를 계산하는 한 가지 방법으로 그림에 나타난 바와 같이 다각형의 내부를 잘라 각 부분의 면적을 더하는 복잡한 방법이 있다. 이 방법으로 다각형의 면적이 84.5제곱센티미터라는 것을 알았다. 그러나 픽의 천재적인 공식을 이용하면 똑같은 결과를 아름답고 간단하게 구할 수 있다. 픽의 정리는 단순 격자 다각형의 면적을 구하는 우아하면서도 빠른 방법이다.

픽의 정리: 격자 다각형의 면적 A를 구하는 식은 $A=i+b/2-1$이다. 여기서 i는 내부에 있는 점(파란색 점)의 개수이고 b는 경계점(빨간색 점)의 개수다. 이 공식을 이용하면 그 면적은 처음에 얻은 결과와 같은 84.5제곱센티미터가 나온다.

게오르크 알렉산더 픽
(Georg Alecxander Pick, 1859~1942)

픽은 오스트리아의 수학자다. 나치 정권의 희생자로 1942년 테레지엔슈타트 강제수용소에서 사망했다. 픽은 격자 다각형의 면적을 구하는 공식으로 잘 알려져 있다. 이 공식은 1899년 한 논문으로 출판되었으나, 후고 슈타인하우스(Hugo Steinhaus)가 자신의 책인 『수학적 스냅숏(Mathematical Snapshots)』 1969년 판에 포함하면서 비로소 널리 알려지게 되었다.

"내가 뭔가 재미있는 것을 발표하기까지는 아주 오랜 시간이 걸렸다. 마침내, 그 우아함과 단순성으로 나를 매혹했던 기하학과 관련이 있는 뭔가를 발견할 수 있었다. 나는 한순간도 헛되이 보내지 않을 것이며 필요한 정의들과 그 정리를 바로 찾아낼 것이다."

게오르크 알렉산더 픽, 자신의 정리에 관해서 한 말

"삼각형 같은 단순한 그림에 그렇게 무궁무진한 특성이 있다는 것은 정말 놀라운 일이다."

오거스트 레오폴드 크렐레(August Leopold Crelle), 1816

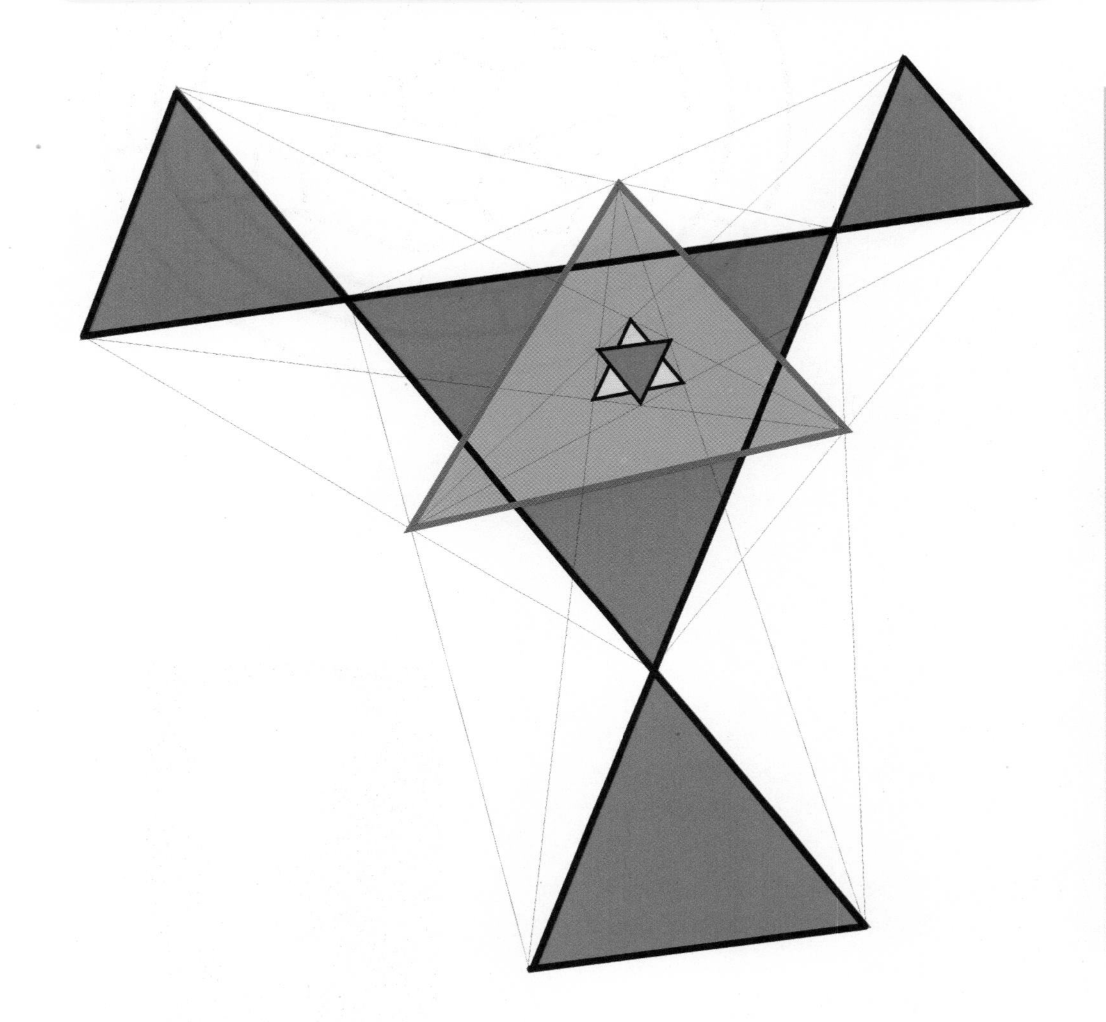

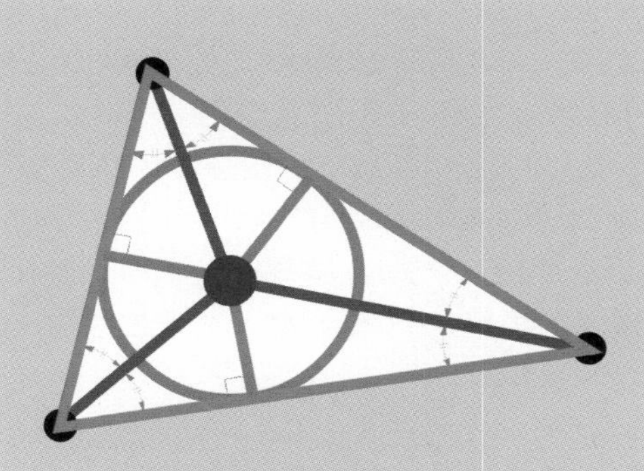

삼각형의 내각 이등분하기

유클리드는 한 삼각형에서 임의의 두 내각을 이등분한 직선들이 만나는 점이 삼각형의 세 변에서 같은 거리에 있는 점이라는 것을 보였다. 이 점은 내심(內心)이라 불리며, 삼각형의 내접원(내부에 접하는 원)의 중심이다.

이와 관련하여 각을 삼등분한 직선들이 만나는 점에 관해 궁금증이 생기는 건 아주 자연스러운 일이다. 하지만 이 궁금증을 풀어주는 '몰리의 삼등분 정리'가 나오기까지는 2000년 이상이나 걸렸다.

몰리의 삼등분 정리-1899년

1899년 영국의 수학교수 몰리(Frank Morley, 1860~1937)는 아름다운 정리 하나를 발견했는데, 이는 기하에서 매우 놀라운 관계 중 하나다.

그의 정리는 다음과 같다. "임의의 삼각형의 한 내각을 삼등분한 직선과 그 내각과 이웃한 각을 삼등분한 직선은 세 점에서 만나며 이 점들을 연결하면 정삼각형이 된다."

임의의 삼각형을 생각해보자(녹색 삼각형). 내각을 삼등분하고 그 내각과 이웃한 각의 삼등분선들과 만나는 교점들을 연결한다. 그러면 그림에 보이는 것과 같이 정삼각형(빨간색)을 얻을 것이다. 이것이 첫 번째 몰리 삼각형이다.

그렇다면 이것은 항상 성립할까?

여러 개의 삼각형을 그려 성립하는지 보라. 6개의 삼등분선이 삼각형 내부에 6개의 교점을 만드는 것에 주목하자. 다른 세 개의 교점을 연결하면 다른 삼각형이 만들어지는데 이 삼각형은 정삼각형이 아니다. 이것이 두 번째 몰리 삼각형이다(노란색).

몰리 정리를 일반화하여 삼등분선을 삼각형의 바깥 부분으로 연장하면 그림에 보이는 것과 같이 4개의 정삼각형을 더 얻을 수 있다.

분리된 m개의 영역을 같은 색으로 칠하는 문제(M-pire 문제)-1890년

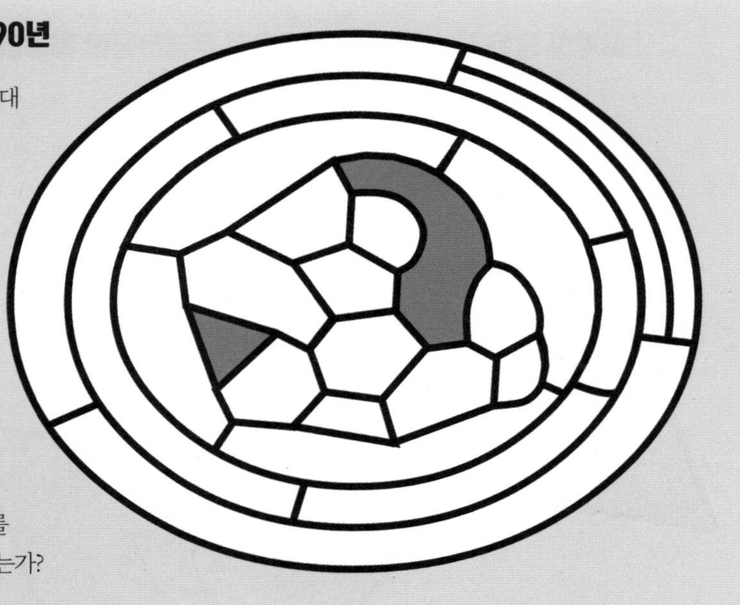

유명한 '4색' 정리는 최근에 와서야 컴퓨터를 이용해 해를 찾았다. 서던캘리포니아대학의 허버트 테일러(Herbert Taylor)는 지도를 색칠하는 문제를 일반화하면 "색칠해야 하는 각 나라 또는 지역이 'm'개의 분리된 지역으로 이루어진 지도를 고려하는 것"이라는 데 주목했다.

분리된 한 나라의 모든 지역은 같은 색으로 칠하지만, 경계를 접하는 지역들은 다른 색으로 칠해야 하는 경우 지도를 색칠하기 위해서는 최소한 몇 가지의 색이 필요할까? 이런 일반화된 문제에서 4색 문제는 m이 1인 특별한 경우이고 필요한 색은 네 가지다.

m이 2인 경우(이를 '2-pire 문제'라 하는데, 각 국가는 같은 색으로 칠해진 식민지 하나를 가지고 있음을 의미한다)는 흥미롭게도 1890년에 퍼시 존 히우드가 이미 문제를 푼 바 있었다. 히우드는 m-pire 지도를 색칠하기 위해 6m개보다 많은 색은 필요하지 않다는 것을 처음으로 증명했으며, 12가지 색이 필요한 m이 2인 지도를 만들어냈다. 오른쪽 그림은 히우드가 만든 2-pire 지도다. 12가지 색으로 칠할 수 있겠는가? 그림에는 식민지 한 곳을 가진 나라 하나(한 개의 2-pire)가 이미 색이 칠해져 있다.

202

난이도 ●●●●●○
필요한 것
완료 ○ 시간

존 히우드(Percy John Heawood, 1861~1655)

히우드는 옥스퍼드대학에서 연구한 영국 수학자다. 그는 오랜 세월 학교에서 일하면서 주로 4색 정리를 풀면서 보냈다. 1890년 그는 11년 동안 옳다고 여겨지고 있었던 켐프(Alfred Kempe)의 증명에서 하나의 오류를 발견했다. 이로 인해 4색 문제는 다시 검토되었고, 히우드는 대신 5색 정리를 푸는 데 전념했다. 4색 정리 자체는 1976년 컴퓨터를 통해 마침내 증명되었다.

디랙(G. A. Dirac)은 히우드를 기념하며 런던 수학학회지에 이렇게 썼다.

"외모, 매너, 그리고 생각하는 습관으로 보아 히우드는 매우 보기 드문 비범한 사람이었다. 수염이 덥수룩하고 말랐으며 등은 약간 구부정했다. 평소에는 이상한 패턴이 그려져 있는 오래돼 보이는 소매가 없는 망토를 입었고 낡은 가방을 들고 다녔다. 종종거리듯 바쁘게 걸어 다녔던 그는 때로 개와 함께 다니곤 했다. (개는 강의실에도 들어오는 게 허용되었다.) 히우드는 투명하리만치 진실했고, 경건하고, 선했으며, 기인 같은 특별함을 지녔으며 지나칠 만큼 소박했다. 빈틈없는 성격은 자신이 몰두하는 일에도 큰 성과를 가져왔을 뿐만 아니라 동료들의 관심과 존경을 받을 만했다. 히우드는 자연을 좋아했으며, 그의 관심사 중 하나는 수학자로선 보기 드물게 히브리어였다. 별명은 '계집애'였다. 더럼 대학에서는 매해 수학과 졸업생 중 마지막 해에 뛰어난 성적을 보인 학생에서 히우드 상을 수여하고 있다."

도미노 집합

203 난이도 필요한 것 완료 시간

삼각형, 정사각형, 그리고 정육면체의 변, 꼭짓점, 면 및 모서리 들을 각각 2, 3, 4 및 6가지 색으로 칠한다. 이는 일반화된 도미노를 구성할 수 있는 구별되는 완전 색 집합(complete color set)을 만든다. 이 퍼즐은 각 집합에서 도미노를 다르게 칠하는 방법의 수를 찾고, 더 나아가 형태와 크기가 다른 게임판에 완전 집합을 맞추는 것이다. 이때 변이 접하는 쌍들은 같은 색이어야 한다는 도미노의 기본조건이 만족되어야 한다.

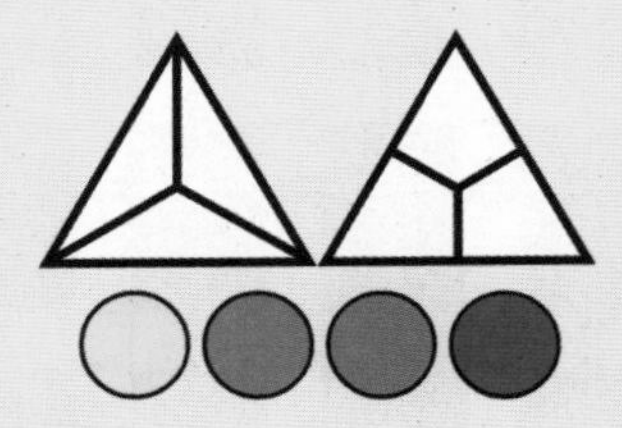

색 삼각형

삼각형이 그림에 보이는 것과 같이 3개 영역으로 나뉘어 있다. 4가지 색을 사용해 변들과 꼭짓점들을 칠할 때 삼각형을 다르게 칠하는 방법은 몇 가지나 있는가?

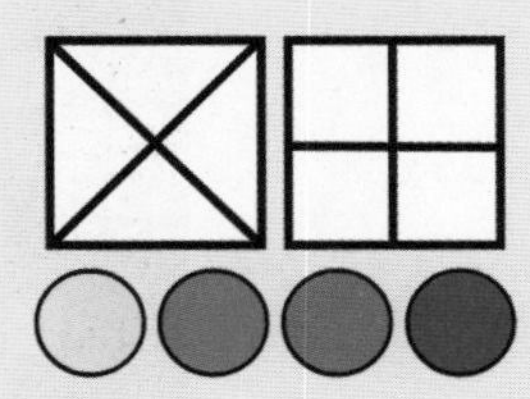

색 정사각형

정사각형이 그림에 보이는 것과 같이 4개 영역으로 나뉘어 있다. 4가지 색을 사용해 변들과 꼭짓점들을 칠할 때 정사각형을 다르게 칠하는 방법은 몇 가지나 있는가?

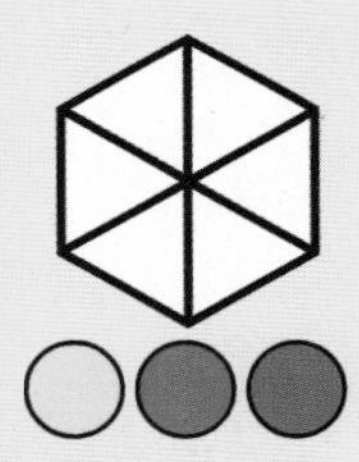

색 정육각형

정육각형이 그림에 보이는 것과 같이 6개 영역으로 나뉘어 있다. 3가지 색을 사용해 변들을 칠할 때 정육각형을 다르게 칠하는 방법은 몇 가지나 있는가?

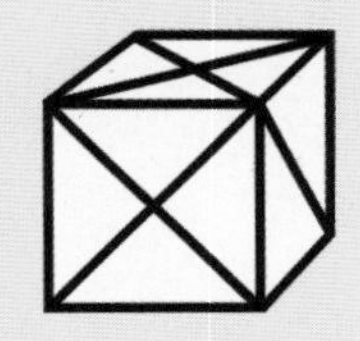

색 정육면체

3차원 공간에 한 개의 정육면체를 다르게 놓는 방법이 몇 가지나 있는가?

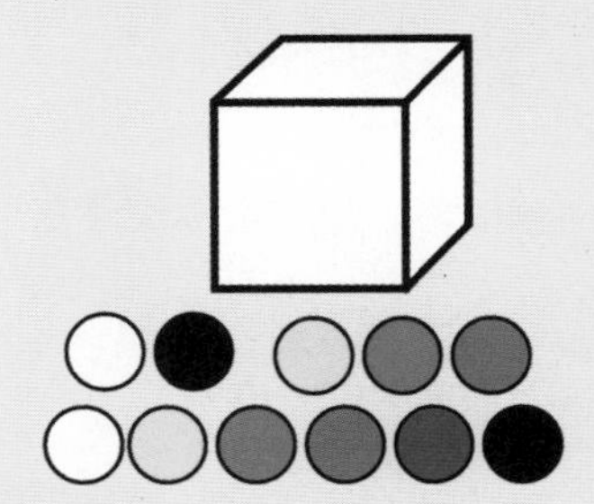

2색, 3색, 그리고 6색 정육면체

정육면체의 면들이 2색, 3색 및 6색으로 칠해져 있다. 2색, 3색 및 6색 정육면체를 다르게 칠하는 방법은 각각 몇 가지나 있는가?

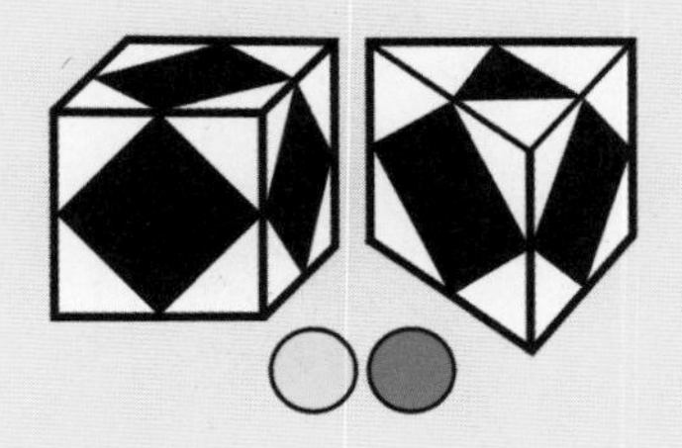

2색 모서리 정육면체와 각기둥(프리즘)

빨간색과 노란색만을 사용해 정육면체의 모서리와 각기둥을 다르게 칠하는 방법은 몇 가지나 있는가?

맥메이헌의 일반화된 도미노-1900년

고전 도미노 게임은 기본적으로 선형 숫자 게임이다. 색을 더하고 형태가 복잡해지면(3차원 정육면체를 포함한) 재미있는 조합 게임을 만들 수 있다(조합론의 아름다움에 대한 더 자세한 사항은 4장에 있다).

알렉산더 맥메이헌(Alexander MacMahon, 1854~1929)은 다각형 형태를 사용해 이와 같은 일반화된 도미노 게임을 많이 고안했는데, 게임들은 평면에 타일을 깔고 체계적인 방식으로 색을 칠하는 것이었다.

맥메이헌의 타일들은 제멋대로 만들어진 것이 아니다. 어느 두 개도 똑같지 않은 '완전 집합(complete set)'을 만들기 위해 동일한 기본 형태의 타일을 모든 가능한 방법으로 색칠한다. 대칭 모양의 타일은 다른 것으로 간주하지만, 회전해서 같은 타일이 되면 같은 타일로 간주한다. 타일은 보통 한 면만을 색칠하므로 뒤집을 수는 없으나 평면에서는 어려움 없이 회전할 수 있으므로, 이는 자연스러운 가정이다. 게임은 완전 타일 집합을 도미노 원칙에 따라 어떤 기하학적 또는 대칭적 패턴으로 배열하는 것이다.

이에 대한 맥메이헌의 연구는 '대칭함수의 이론'에 기반을 두고 있다. 여기서 대칭함수의 이론이란 '문자들이 재배열되어도 대수적 표현들은 변하지 않는다'는 것이다.

예를 들면, $a \times b \times c$와 $ab \times bc \times ca$는 a, b 및 c에 관한 대칭함수들이다. 만일 맥메이헌 도미노의 완전 집합의 색이 자리를 바꾼다면, 이전과 정확히 똑같은 타일 집합으로 끝낼 수 있다. 이러한 도미노의 아름다운 조합적 특성은 이 심오한 순열 대칭으로부터 나온다.

맥메이헌의 아이디어는 새로운 퍼즐에 대한 많은 미지의 영역을 여전히 제공하고 있다.

30색 정육면체

퍼시 알렉산더 맥메이헌은 일반화된 도미노 개념을 소개했다. 그는 평면을 쌓아 표준 도미노를 볼록 다각형으로 확장하고, 색을 더하고, 도미노를 완전조합 집합으로 제한했다.

1893년 소개된 맥메이헌의 고전적인 세트인 30색 정육면체는 유희수학에서는 귀한 보석 중 하나다. 30색 정육면체는 다음과 같은 문제에 기반을 두고 있다. '만일 한 정육면체의 여섯 면에 모두 다른 색을 칠한다면, 그 색들을 사용해 정육면체를 다르게 칠하는 방법은 몇 가지인가?' 회전해서 얻을 수 있는 정육면체는 같은 것으로 간주하지 않지만, 대칭은 다른 것으로 간주한다.

오른쪽에 정육면체의 도면 30개가 있다. 6가지 색을(또는 1에서 6까지의 수를) 사용해 서로 다른 정육면체 30개로 이루어진 집합을 만들 수 있겠는가?

지루하고 재미없는 한 가지 방법은 6가지의 색 또는 6개의 수로 720개의 모든 가능한 순열을 찾는 것이다. 정육면체 하나를 다른 방향으로 놓는 방법은 24가지 있으므로, 각 정육면체는 24개의 모양으로 나타날 수 있을 것이며, 이는 서로 다른 30개의 정육면체를 만들어줄 것이다. 그러나 더 나은 방법은 정육면체들을 체계적으로 색칠하는 방법을 찾는 것이다.

204

난이도 ● ● ● ● ● ●
필요한 것
완료 ● 시간

이반의 큐브(Ivan's cubes)

맥메이헌 정육면체의 독창적인 디자인은 퍼즐의 영역을 아주 어린 아이들부터 모든 세대를 위한 퍼즐로 확장하여 적용할 수 있다. 예를 들면, 1960년대에 오르다(Orda) 사에서 생산한 '쿠주(Cu-Zoo)'는 어린이용 게임이다.

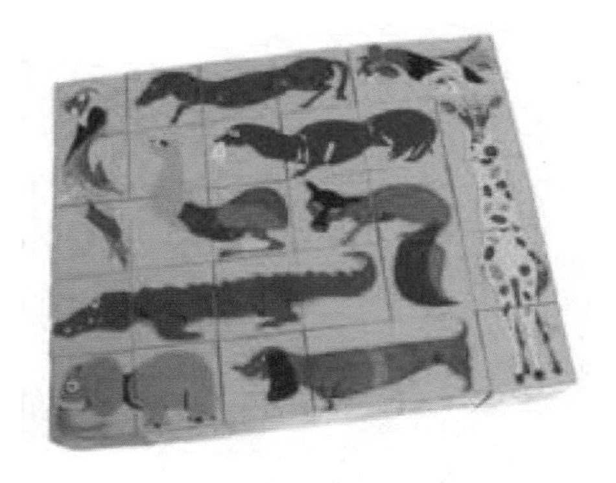

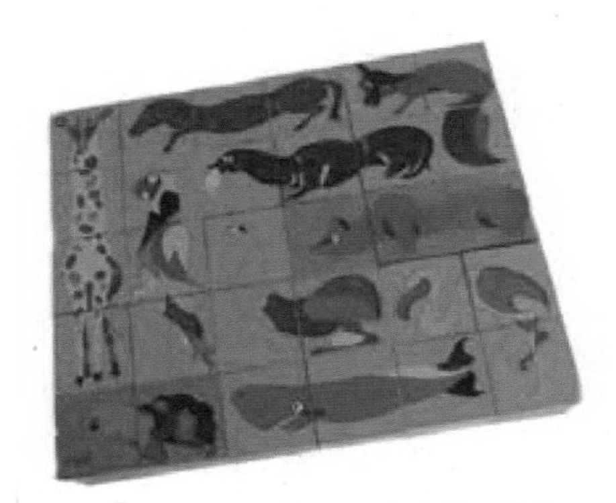

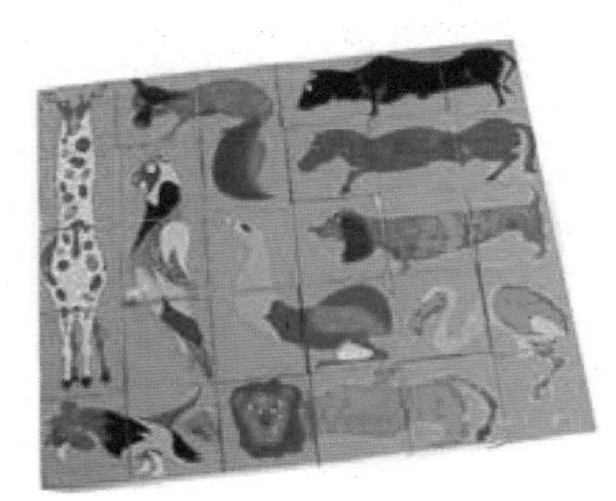

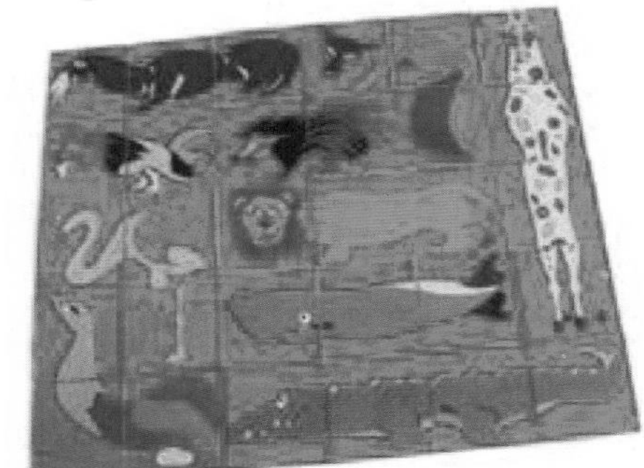

맞물린 다각형-1902년

'정삼각형을 4조각으로 잘라 정사각형을 만드는 문제'는 1902년 헨리 듀드니가 처음 소개한 것으로 '해버대셔(방물장수) 퍼즐(Haberdasher's Puzzle)'로도 알려져 있다. 이 문제의 해는 '각 조각은 한 꼭짓점에서 맞물릴 수 있다'는 특징으로 악명이 높은데, 그 꼭짓점에서 조각들은 원래의 삼각형을 만들기 위해 시계방향 또는 정사각형이 되기 위해 반시계방향으로 닫힌 사슬 형태를 이룬다.

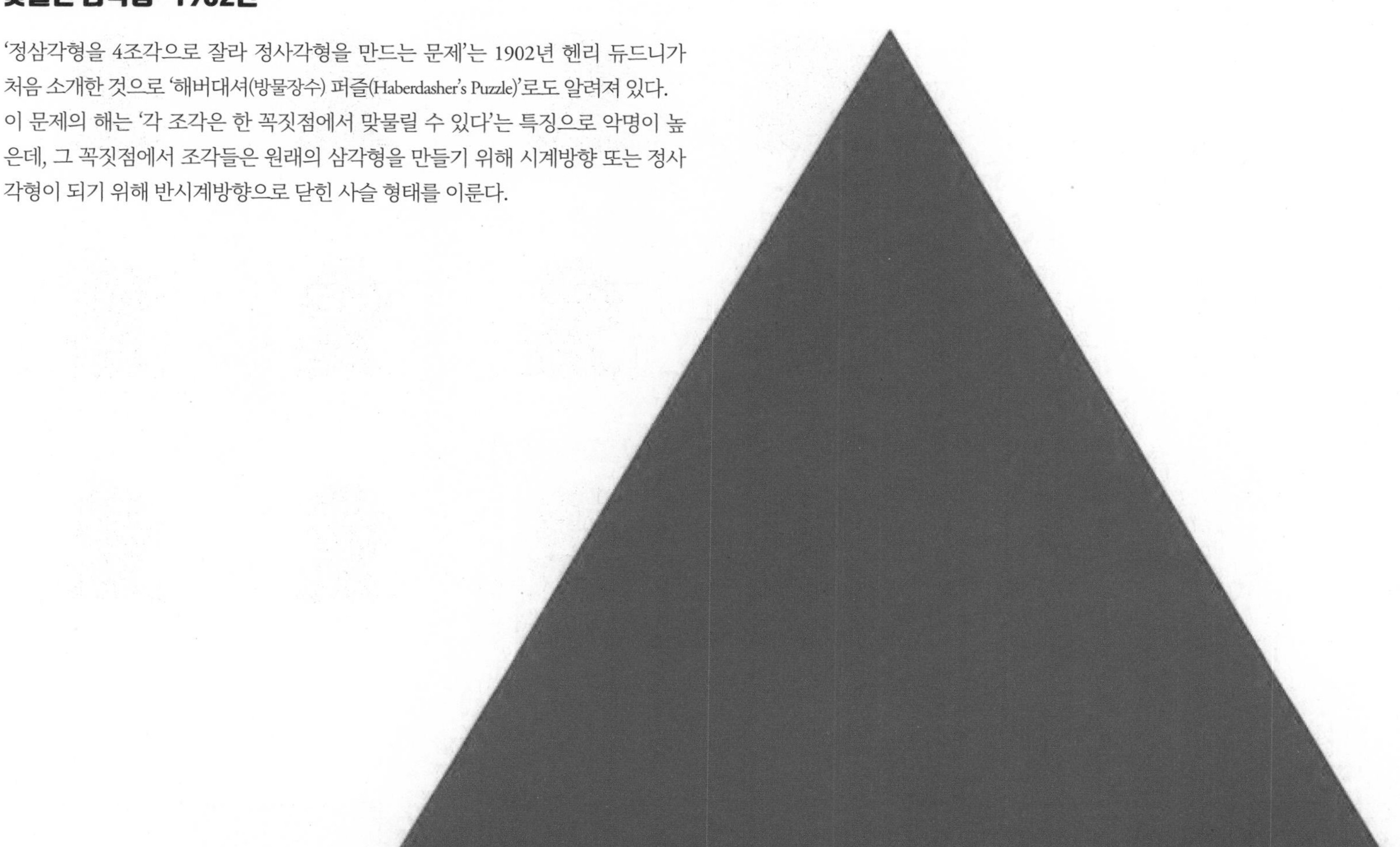

205

난이도 ● ● ● ● ● ●
필요한 것
완료 시간

헨리 어니스트 듀드니(1857~1930)

듀드니는 작가, 수학자, 영국의 위대한 발명가이며 많은 퍼즐을 창안한 사람이다.
그는 '퍼즐 풀기'는 '사고력을 증대시키고 논리적 결정력을 개선하는 데 가장 중요한 창조적인 활동'이라고 믿었다. 듀드니가 남긴 가장 위대한 수학적 업적은 '해버대셔의 퍼즐'이라 불리는 분할 퍼즐의 발견이었다. 이 퍼즐은 정삼각형을 여러 개의 직선을 이용해 4개의 조각으로 자르는 것이다.

듀드니의 우표 문제-1903년

듀드니의 우표 문제는 폴리오미노(polyominoes)*, 구체적으로 5개의 테트로미노**와 관련된 초기 문제 중 하나다. 우표는 사각형 모양의 우표 전지로 살 수 있는데, 우표 전지는 3개의 행으로 이루어져 있고 각 행에는 4개의 우표가 붙어 있다. 이 퍼즐은 우표 4개를 서로 변이 붙은 채로 자르는 것이다. 4개의 우표를 아래 그림에 보이는 것처럼 다른 모양의 테트로미노로 자르는 방법은 얼마나 많을까?

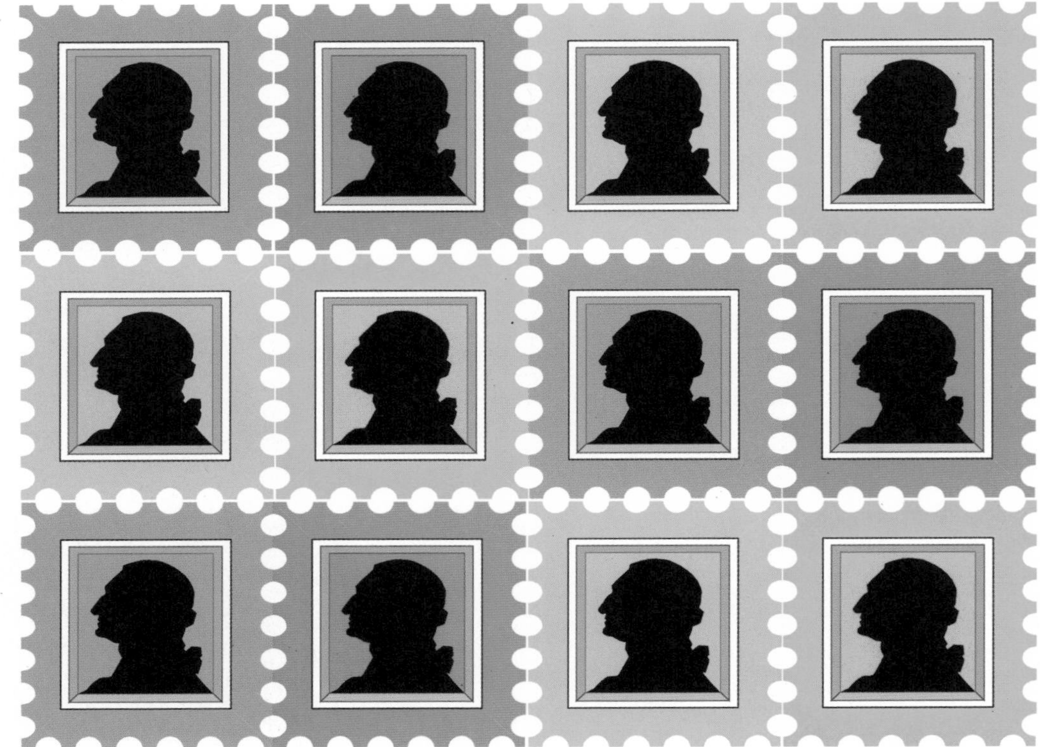

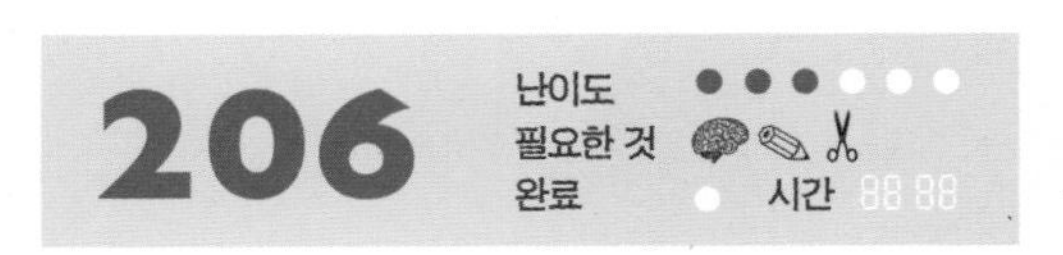

● 폴리오미노: 여러 개의 정방형 도형을 조합해 만드는 다각형을 말한다.

●● 테트로미노: 4개의 정사각형의 변을 연결해서 만든 폴리오미노다.

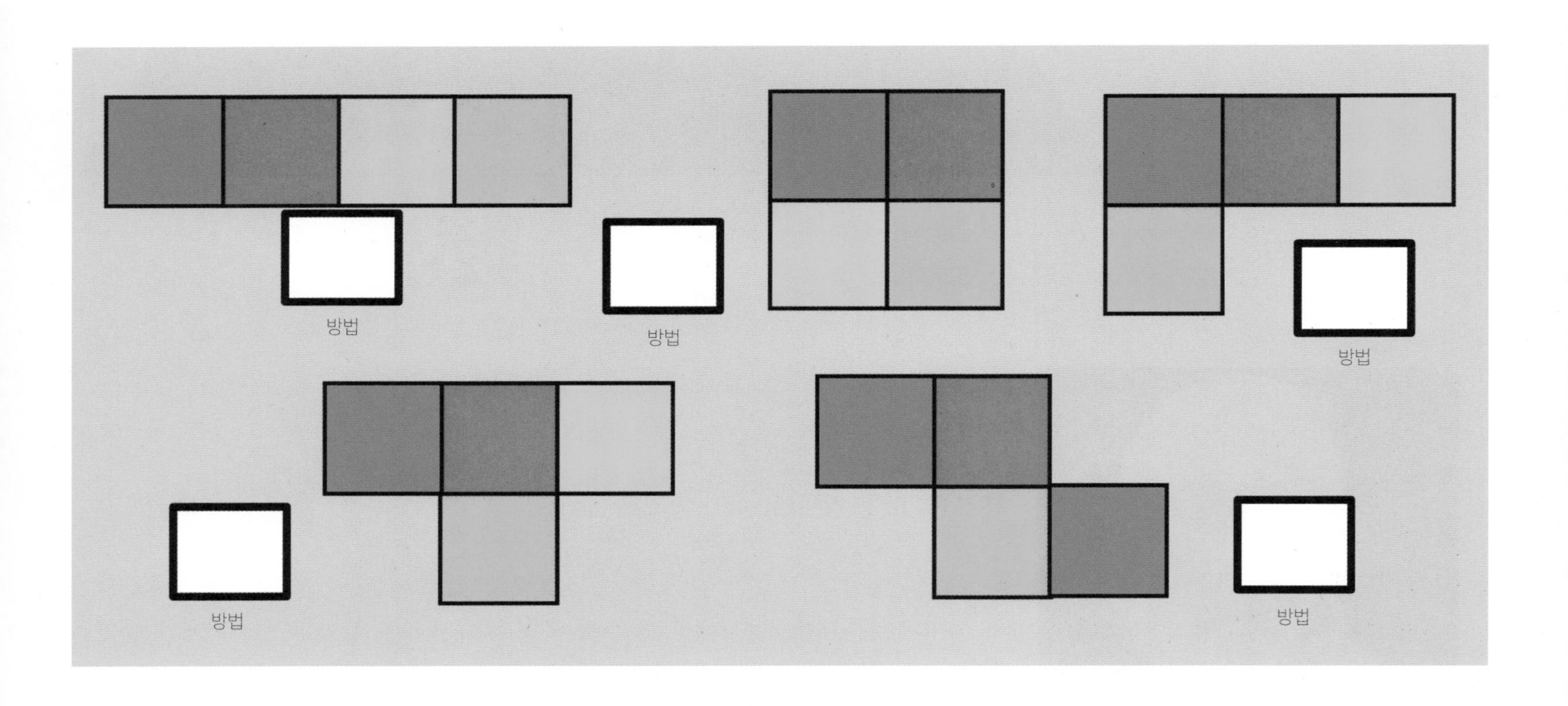

스마트 체(smart alec)-1903년

정사각형 면적의 1/4인 이등변 삼각형을 제거해 만든 오목 오각형을 4개의 조각으로 자른 후 그 조각으로 정사각형을 만들려고 한다. 샘 로이드는 그림에 보이는 것 같은 해를 찾았는데 이는 결함이 있는 것으로, 그 '정사각형'은 실제로는 직사각형이다.
이 퍼즐에 대해 4개의 조각으로 만들 수 있는 알려져 있는 해는 없다. 듀드니는 5개의 조각으로 만들 수 있는 아주 멋진 해를 찾았다.

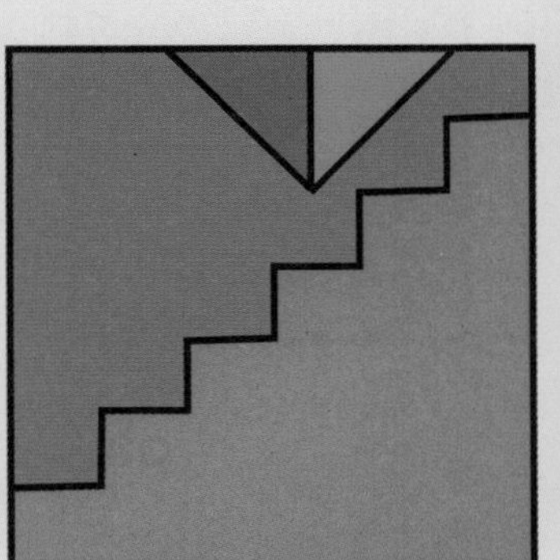

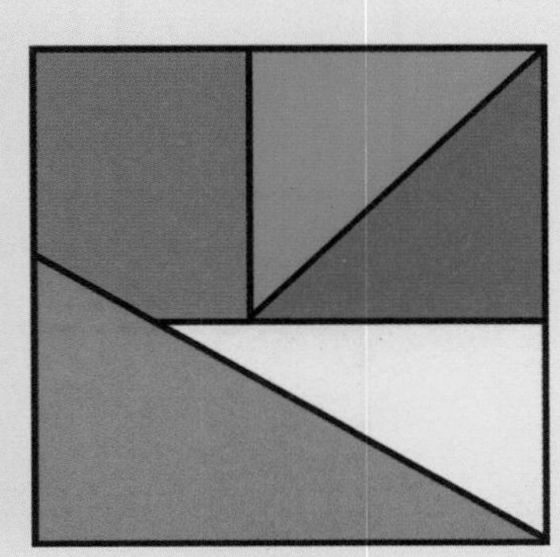

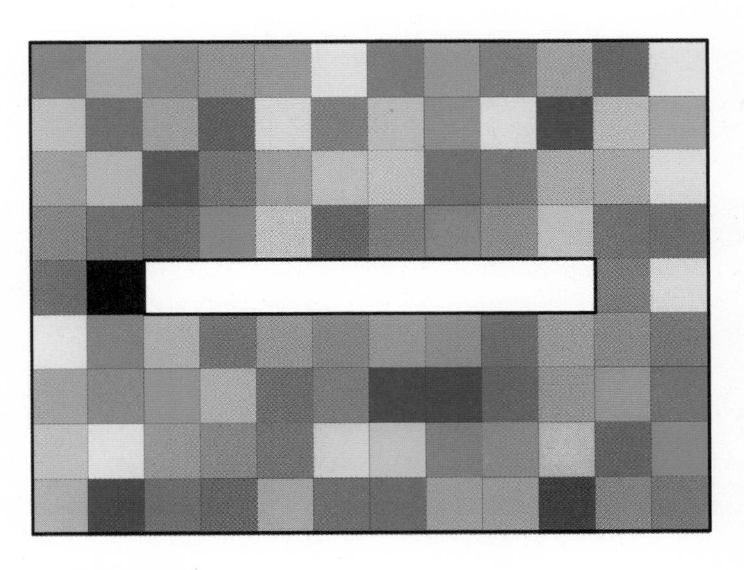

듀드니의 퀼트

이 아름다운 퀼트는 원래 가로세로의 길이가 각각 1인 정사각형 조각들을 이어 만든 것이었다. 그러나 가운데에 있는 8개의 정사각형 조각에 좀이 슬어 그 부분을 제거하니 긴 구멍이 생겼다. 이 퀼트를 정사각형 선을 따라 두 부분으로 자른 후 바느질하여 구멍이 없는 새로운 퀼트로 만들 수 있겠는가?

207 난이도 필요한 것 완료 시간

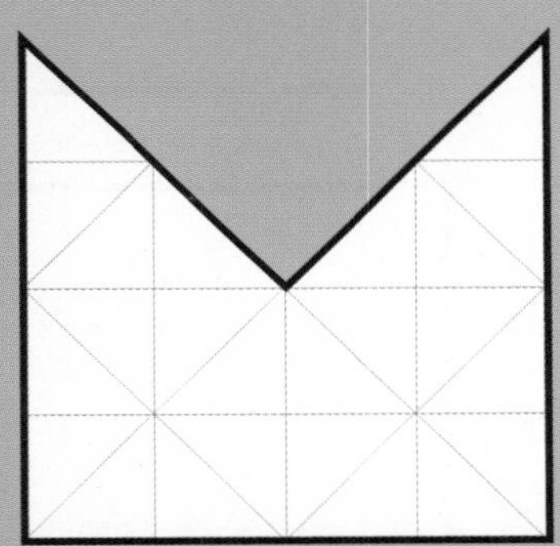

마이터 퍼즐(miter puzzle)

샘 로이드는 자신의 마이터 퍼즐에서 그림에서 보이는 것과 같이 오목 오각형을 4가지 색을 사용해 24개의 동일한 삼각형으로 나누었다.
오각형 내에서 삼각형들을 재배치하여 같은 모양의 연결된 도형 4개를 만들 수 있겠는가? 4개의 도형들은 각각 한 가지 색으로만 이루어지며, 그 모양은 어떤 모양의 대칭이거나 그 모양을 회전해 얻은 것이라도 동일한 것으로 간주한다.

208 난이도 필요한 것 완료 시간

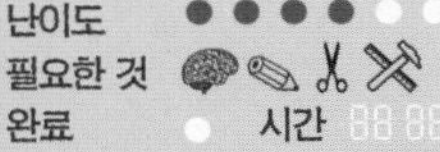

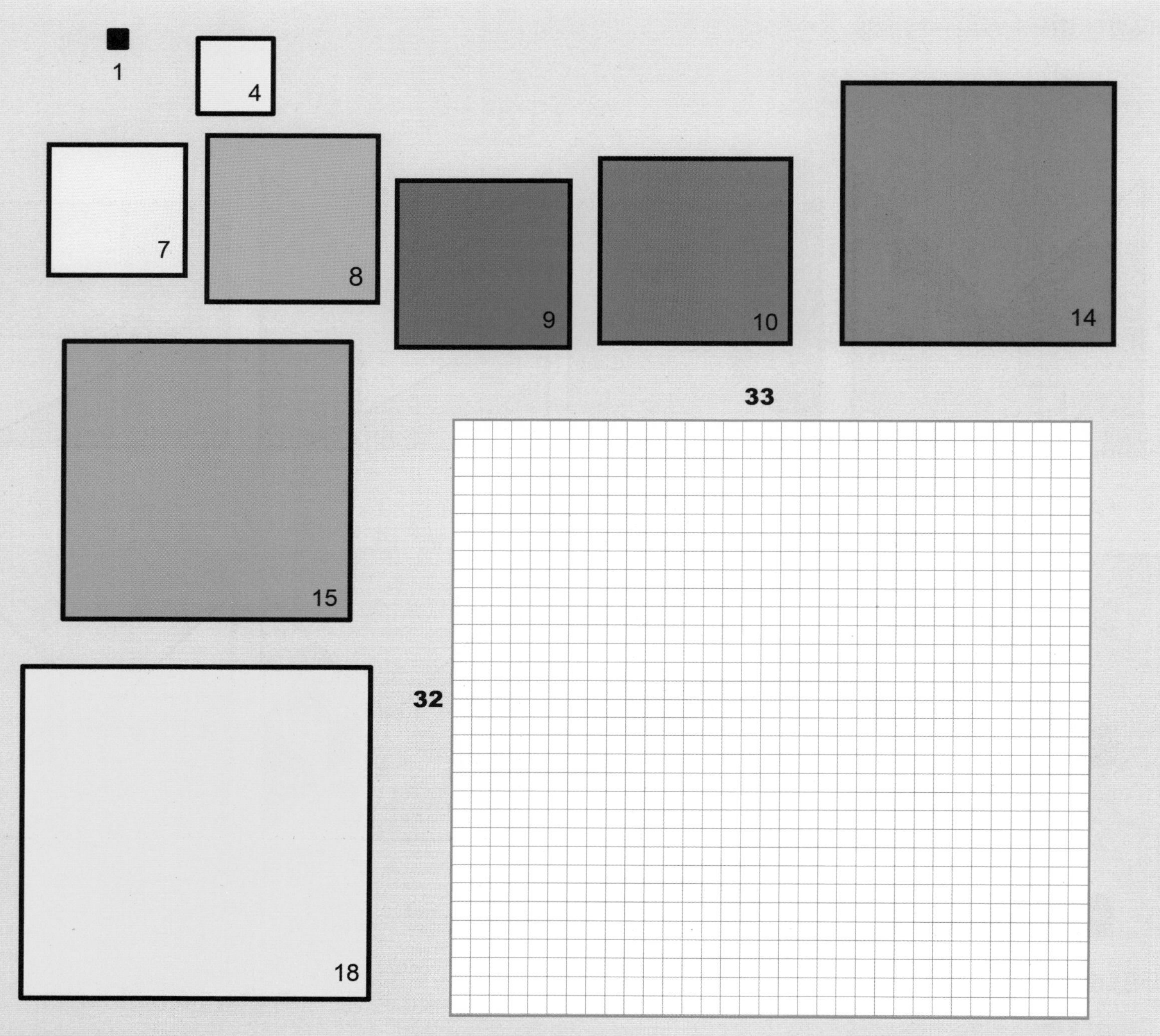

가장 작은 완전 직사각형●-1903년

한 개의 직사각형을 크기가 모두 다른 더 작은 정사각형들로 나눌 수 있을까? 1903년 막스 덴(Max Dehn)은 다음과 같은 정리를 증명했다. "만일 하나의 직사각형을 여러 개의 정사각형으로 자른다면, 정사각형들의 한 변의 길이와 직사각형의 한 변의 길이는 같은 수로 나누어진다. 즉, 그 변들은 어떤 숫자의 자연수 곱으로 나타날 수 있다." 길이의 단위는 모든 정사각형의 변의 길이가 정수가 되도록 선택한다.

1909년 모런(Z. Moron)은 크기가 모두 다른 9개의 정사각형으로 나뉠 수 있는 한 개의 직사각형을 발견했다. 1940년 튜트(Tutte), 브룩스(Brooks), 스미스(Smith), 그리고 스톤(Stone)은 이 직사각형이 크기가 모두 다른 9개의 정사각형으로 나눌 수 있는 '가장 작은' 직사각형임을 증명했다. 여기서 '가장 작다'는 것은 9개의 다른 크기의 정사각형으로 나눌 수 있는 더 작은 직사각형은 없다는 것을 의미한다. 이들은 어떤 직사각형도 8개 이하의 크기가 다른 정사각형으로 나눌 수 없다는 것도 증명했다.

가장 작은 완전 직사각형은 정사각형의 한 변의 길이가 1, 4, 7, 8, 9, 10, 14, 15, 18인 32×33 크기의 직사각형이다. 이 9개의 정사각형을 겹치게 않게 놓아 가장 작은 완전 직사각형을 만들 수 있겠는가?

209

난이도 ●●●○○○
필요한 것
완료 ○ 시간

● 완전 직사각형: 크기가 모두 다른 정사각형으로 나눌 수 있는 직사각형을 말한다.

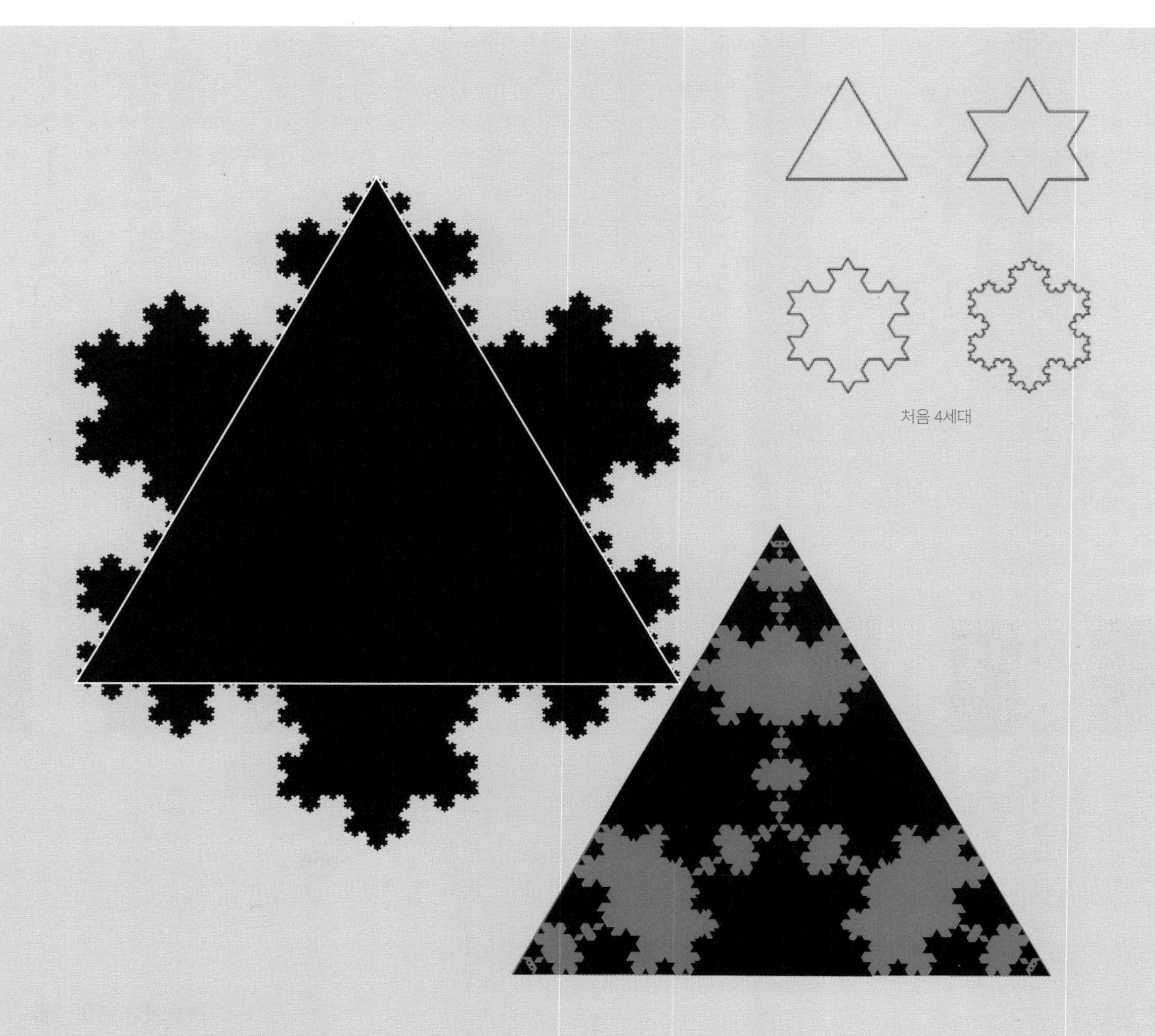

눈송이 곡선과 반 눈송이 곡선-1904년

검은색과 빨간색 그림은 유명한 눈송이 곡선과 반(反) 눈송이 곡선의 처음 4세대를 보여주고 있는데, 이는 '코흐의 프랙털(Koch fractals)'이라고도 알려져 있다. 눈송이 곡선은 각 변의 길이가 1인 정삼각형에서 시작하여, 삼각형의 세 변에서 가운데 1/3 부분에 그 변의 길이의 1/3을 변의 길이로 갖는 정삼각형을 더하는 (또는 빼는) 과정을 반복해 얻는다.

이 과정을 무한히 반복하면 곡선의 길이와 곡선으로 둘러싸인 면적이 얼마나 될지 알 수 있겠는가? 곡선은 일련의 다각형들로 이루어지므로 기본적으로 증가하는 패턴이다. 눈송이 곡선의 3차원 모양은 있는가?

눈송이와 유사한 소위 '병리적 곡선'이라 불리는 곡선을 통해 볼 수 있는 중요한 원칙은 '복잡한 형태는 매우 단순한 규칙을 반복적으로 적용해서 얻을 수 있다'는 것이다.

이런 형태를 '프랙털'이라 한다. 1904년 코흐(Helge von Koch, 1870~1924)가 발견한 눈송이 곡선은 초기에 발견한 프랙털 중 하나다.

210 난이도 ●●●●●○ 필요한 것 완료 ○ 시간 88:88

랜덤워크-1905년

랜덤워크(random walk)는 임의의 연속적인 걸음으로 구성된 경로의 공식적인 수학 표현이다. 랜덤워크의 예로는 용액이나 가스 안에 있는 입자가 움직이며 만드는 경로, 먹이를 찾아 헤매는 동물의 자취, 그리고 오르락내리락하는 주가의 변동성 등이 있다.

랜덤워크라는 용어는 1905년 칼 피어슨(Karl Pearson)이 처음 소개했다. 랜덤워크의 개념은 진화론, 경제학, 심리학, 컴퓨터 공학, 물리학, 화학과 생물학 등 많은 분야에서 사용되고 있다. 랜덤워크는 이러한 분야에서 관찰된 행동과정들을 설명해주는 수학적 모형으로, 기록된 확률적 행동에 대한 기본 모형으로 사용된다.

동전 던지기

이 퍼즐에서는 한 개의 동전을 반복적으로 던진다. 동전을 던져 앞면이 나오면 오른쪽으로 한 발짝 움직이고, 뒷면이 나오면 왼쪽으로 한 발짝 움직인다. 만일 동전을 36번 던진다면 걷는 사람이 시작점에서 얼마나 떨어져 있는지 추측할 수 있겠는가? 추측한 다음, 동전을 36번 던져 예측을 확인해보라. 그가 걷는 동안 지나는 어떤 점에서 걷기를 시작한 점으로 되돌아올 확률이 얼마인지 알 수 있겠는가? 걸음은 무한히 계속된다고 가정한다.

211
난이도 ●●●●○○
필요한 것
완료 ○ 시간

"자연에서 제멋대로 일어나는 것은 없다. … 어떤 것이 제멋대로 일어난다고 하는 것은 순전히 우리의 지식이 불완전하기 때문이다."

바뤼흐 스피노자(Baruch Spinoza, 1632~1677)

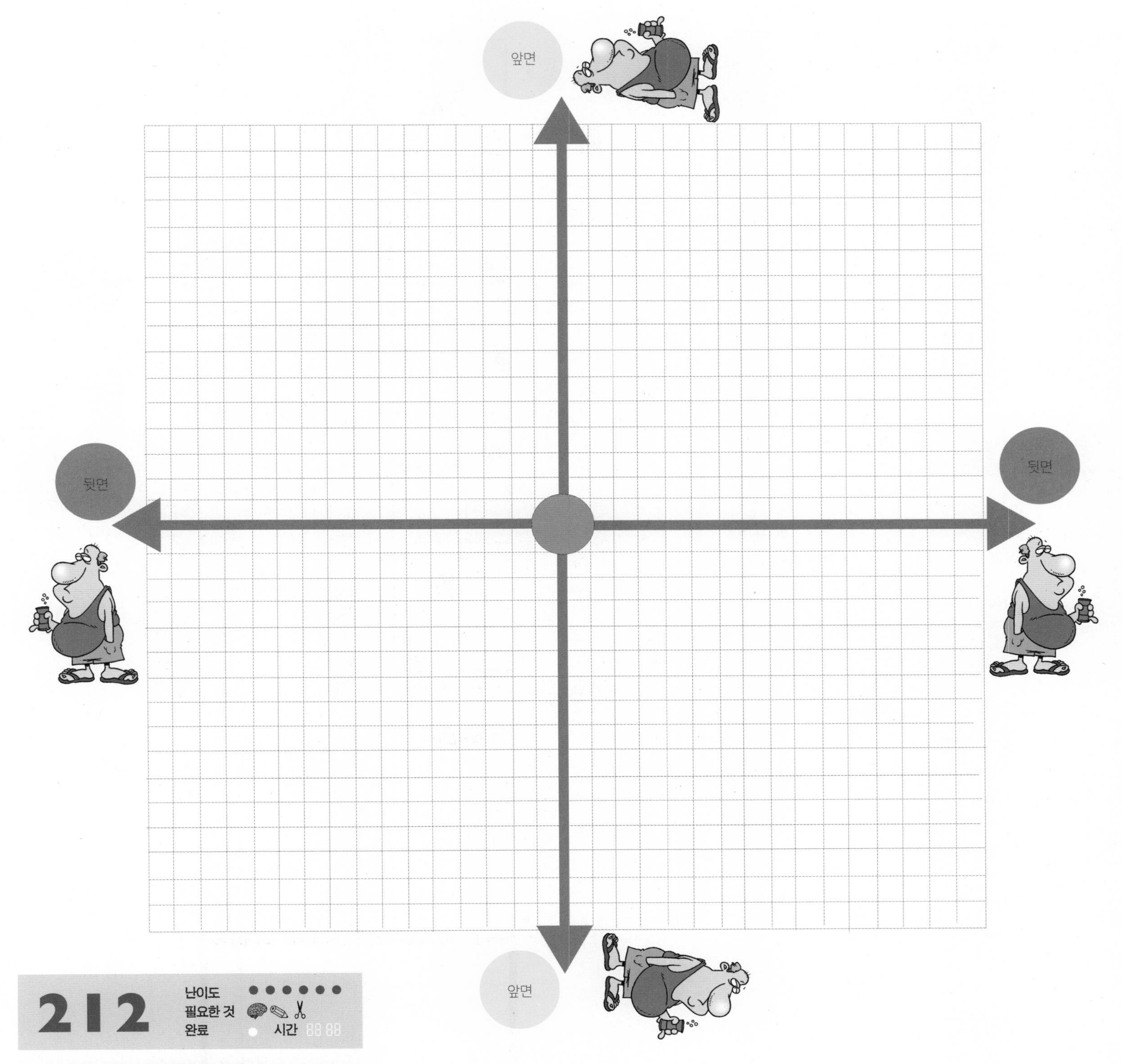

212
난이도 ●●●●●●
필요한 것
완료 ● 시간

술주정뱅이의 비틀거리는 걸음-1905년

가운데 지점에서 시작한 술주정뱅이의 비틀거리는 걸음(랜덤워크)은 그림에 나타난 것과 같이 빨간색 동전과 노란색 동전을 던져 나온 결과에 따른다. 이는 확률 랜덤 과정의 가장 간단한 예로써 한 입자가 용액이나 기체 주변의 분자들을 '차며 돌아다니는' 것을 표현하는 브라운 운동(Brownian motion)을 유추하는 좋은 예다.

동전을 여러 번 던진 후에 술주정뱅이가 어디쯤 있을지 알 수 있겠는가? 또한, 술주정뱅이가 어떤 점에서 시작점으로 돌아오는 확률을 추측할 수 있겠는가? 격자로 이루어진 큰 사각형은 벽이며, 걸음은 유한하다고 가정한다.

펜토미노(pentominoes)-1907년

도미노는 조각이나 타일로 하는 놀이로 100년의 역사를 가지고 있다. 타일은 크기가 같은 정사각형 2개의 변을 붙여 만드는데, 이런 도미노를 만드는 방법은 딱 한 가지다. 그러나 오락과 그 외 목적으로 수학자들은 연속적으로 정사각형을 더 추가해서 기본 도미노 형태를 만들려 했다.

그 결과 정사각형 3개로 만드는 트로미노, 정사각형 4개로 만드는 테트로미노, 정사각형 5개로 만드는 펜토미노 등을 아우르는 폴리오미노라 불리는 도미노 형태들이 생겨났다.

만일 정사각형 3개로 트로미노를 만든다면 얼마나 많은 트로미노를 만들 수 있겠는가? 만일 정사각형 4개 또는 5개를 사용하면 얼마나 많은 테트로미노 또는 펜토미노를 만들 수 있겠는가?

이에 대응하는 일반적인 문제는 다음과 같다. '어떤 특정한 개수의 정사각형들로 다른 모양의 도형을 얼마나 많이 만들 수 있는가?' 이를 더 일반화한 형태는 '어떤 다각형들을 붙여 다른 모양의 폴리폼*을 얼마나 많이 만들 수 있는가?'라 할 수 있다. 기하학적 조합 및 퍼즐들과 씨름하기 위해서는 폴리폼, 특히 부피가 있는 펜토미노에 대해 언급해야 하며, 여기에는 시간과 노력이 필요하다.

첫 번째 폴리오미노 문제는 1907년에 나타났다. 그러나 유희수학에서의 새로운 형태와 교육에서의 수학을 풍성하게 해준 새로운 형태로 이런 문제가 유행하게 된 것에는 솔로몬 골롬(Solomon Golomb), 도널드 커누스(Donald Knuth), 그리고 마틴 가드너의 공이 크다. 폴리오미노를 퍼즐, 게임, 그리고 문제의 형태로 넓은 독자층에 소개한 것이 바로 이들이기 때문이다.

크기가 같은 정사각형 2개로 이루어진 도미노는 가장 단순한 폴리오미노다. 이는 단 하나의 모양인 직사각형 도미노만이 가능하다. 정사각형 3개로는 2개의 트리오미노, 정사각형 4개로는 5개의 테트로미노, 정사각형 5개로는 12개의 펜토미노, 정사각형 6개로는 35개의 헥소미노, 정사각형 7개로는 108개의 헵토미노, 그리고 정사각형 8개로는 369개의 옥토미노가 가능하다.

폴리폼, 폴리오미노들, 특히 펜토미노들과 관련된 책들은 많이 있다. 폴리폼은 정사각형 대신 다른 다각형을 이용한 골롬의 폴리오미노를 일반화한 것이다. 폴리아몬드(polyamond)는 정삼각형, 헥시아몬드(hexiamond)는 정육각형으로 만든 것이며, 다른 다각형으로도 유사하게 다양한 폴리폼을 만들 수 있다.

● 폴리폼(polyform): 똑같은 모양의 다각형들의 변들을 붙여 만든 평면이나 다각형 입체를 말한다.

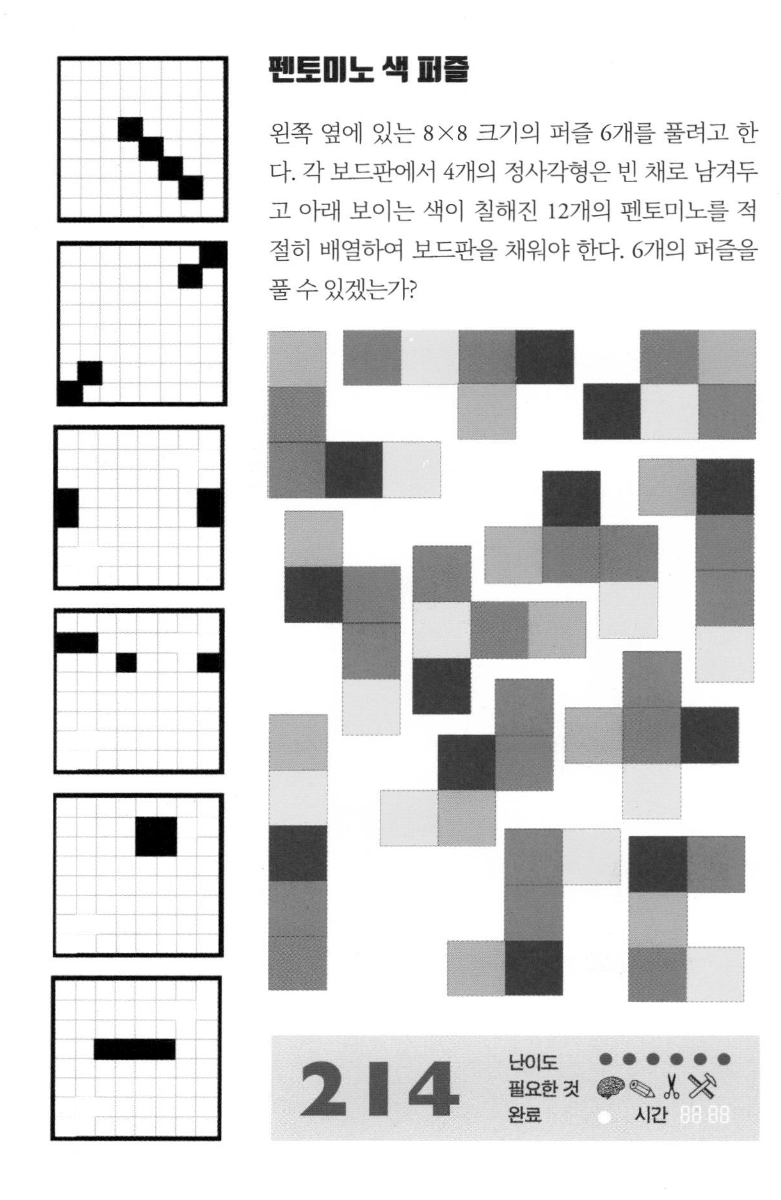

펜토미노 색 퍼즐

왼쪽 옆에 있는 8×8 크기의 퍼즐 6개를 풀려고 한다. 각 보드판에서 4개의 정사각형은 빈 채로 남겨두고 아래 보이는 색이 칠해진 12개의 펜토미노를 적절히 배열하여 보드판을 채워야 한다. 6개의 퍼즐을 풀 수 있겠는가?

214 난이도 ●●●●●● 필요한 것 완료 ● 시간

최소 펜토미노 게임

8×8 크기의 게임판을 펜토미노로 꽉 채우려 한다. 몇 개의 펜토미노가 필요할까?

213 난이도 ●●●●●○ 필요한 것 완료 ● 시간

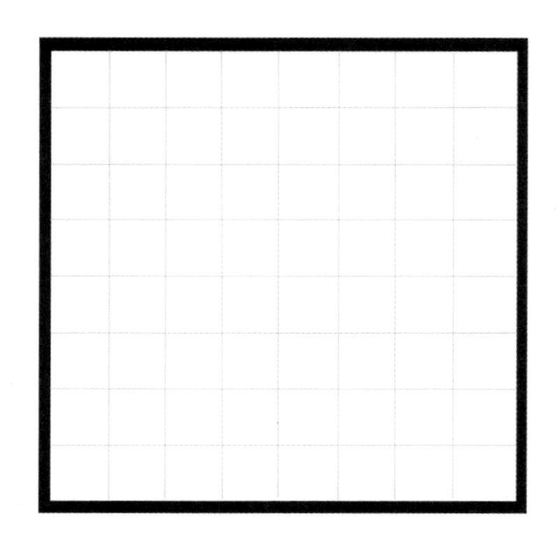

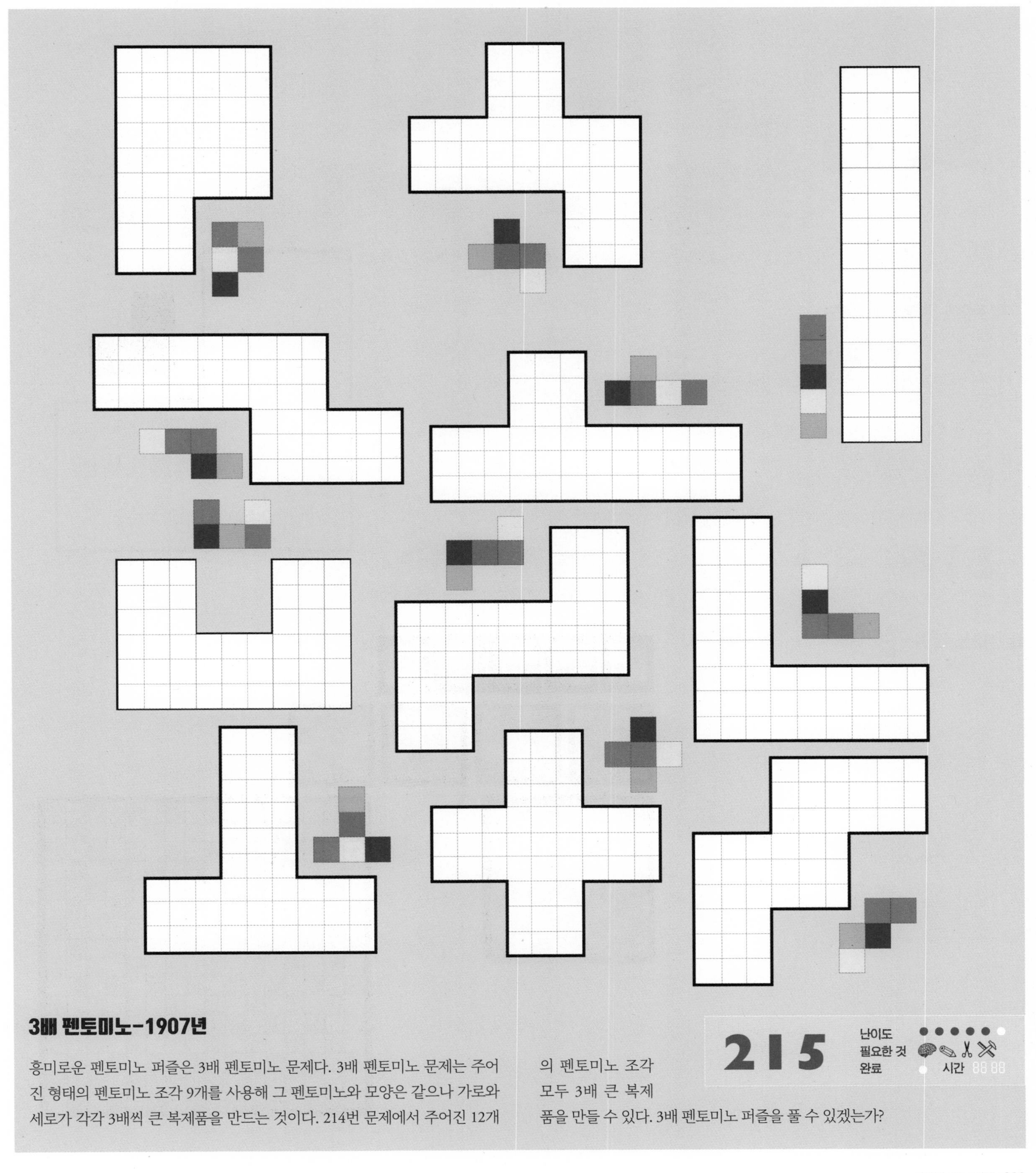

3배 펜토미노-1907년

흥미로운 펜토미노 퍼즐은 3배 펜토미노 문제다. 3배 펜토미노 문제는 주어진 형태의 펜토미노 조각 9개를 사용해 그 펜토미노와 모양은 같으나 가로와 세로가 각각 3배씩 큰 복제품을 만드는 것이다. 214번 문제에서 주어진 12개의 펜토미노 조각 모두 3배 큰 복제품을 만들 수 있다. 3배 펜토미노 퍼즐을 풀 수 있겠는가?

215
난이도
필요한 것
완료
시간

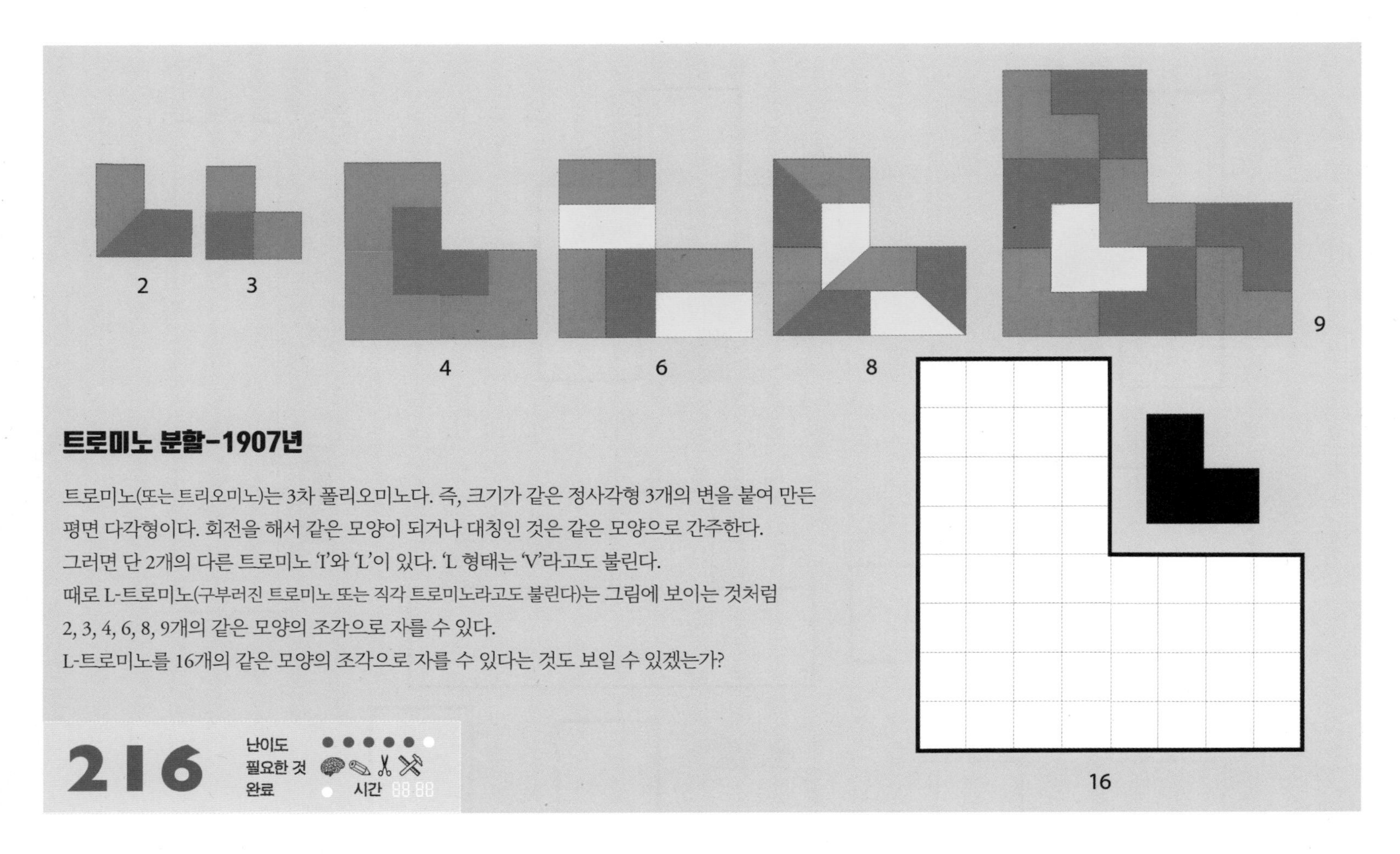

트로미노 분할-1907년

트로미노(또는 트리오미노)는 3차 폴리오미노다. 즉, 크기가 같은 정사각형 3개의 변을 붙여 만든 평면 다각형이다. 회전을 해서 같은 모양이 되거나 대칭인 것은 같은 모양으로 간주한다.
그러면 단 2개의 다른 트로미노 'I'와 'L'이 있다. 'L 형태는 'V'라고도 불린다.
때로 L-트로미노(구부러진 트로미노 또는 직각 트로미노라고도 불린다)는 그림에 보이는 것처럼 2, 3, 4, 6, 8, 9개의 같은 모양의 조각으로 자를 수 있다.
L-트로미노를 16개의 같은 모양의 조각으로 자를 수 있다는 것도 보일 수 있겠는가?

216
난이도
필요한 것
완료 시간

트로미노 쌓기

L-트로미노는 어떤 크기의 체스판에서도 3개의 정사각형 칸을 덮는다. 여기에서는 L-트로미노로 $2^n \times 2^n$(n>1) 크기의 체스판을 덮는 문제를 다룰 것이다.
이런 체스판에서 한 개의 정사각형을 제거하고(흰색), 체스판의 나머지 부분은 적절한 개수의 L-트로미노로 덮으려고 한다.
$2^n \times 2^n$ 크기의 모든 체스판에서 어떤 정사각형이 제거되더라도 이것이 가능할까?
n=1이면, 위에 보이는 2×2 체스판이다.
n이 2, 3 및 4인 경우에 어떤 정사각형이 제거되더라도 체스판을 덮을 수 있겠는가?

n=1

n=2

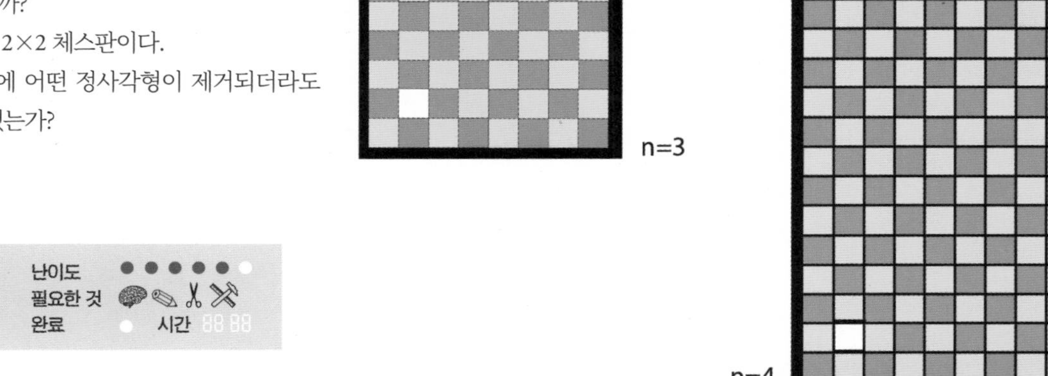

n=4

217
난이도
필요한 것
완료 시간

렙타일(Reptile)-1907년

어떤 특정한 모양의 작은 도형은 그 도형을 몇 개 모아 붙이면 같은 모양의 큰 도형을 만들 수 있다는 걸 아는가? 또한, 그런 모양의 도형들은 적절하게 나누면 크기만 작은 같은 모양의 도형을 만들 수 있다는 걸 아는가?

렙타일은 더 크거나 더 작은 복제물을 만들 수 있는 다각형으로 이루어진 퍼즐이다. 솔로몬 골롬은 이러한 도형에 렙타일이라는 이름을 붙였고, 이를 연구해 복제 다각형의 일반이론에 대한 초석을 다졌다. 아래 퍼즐에 나타나 있는 물고기, 새들, 그리고 건축물은 렙타일들이다. 더 큰 복제물을 만들려면 작은 모양이 각각 몇 개씩 필요할까?

그물망

물고기 18마리를 겹치지 않게 그물망 위에 놓아 그물망을 덮을 수 있겠는가?

218 난이도 ●●●○○○ 필요한 것 완료 시간

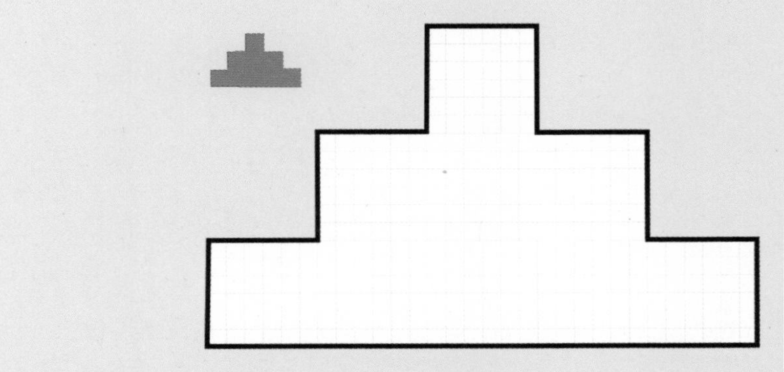

건축물

큰 건축물은 그 건축물 모양과 똑같은 모양의 작은 건축물 여러 개로 만들어졌다. 큰 건축물 내부의 격자무늬를 따라 놓을 수 있는 작은 건축물의 개수와 방향을 알 수 있겠는가?

219 난이도 ●●●○○○ 필요한 것 완료 시간

복제 고양이와 복제 새

작은 새 9마리가 배고픈 큰 고양이에게 잡혀 먹힐 위험에 처해 있다. 고양이의 뱃속에 몇 마리의 새가 들어갈 수 있을까? 혹은 고양이의 윤곽선 내부에 몇 마리의 새를 겹치지 않게 놓을 수 있을까?

220 난이도 ●●●○○○ 필요한 것 완료 시간

무한 원숭이 정리와 확률-1909년

'무한 원숭이 정리'는 무한에 관한 복잡한 사고실험이다. 이 정리는 1909년 에밀 보렐(Emile Borel)이 쓴 확률 관련 책에서 처음으로 표현된 아이디어에 기반을 두고 있다. 무한 원숭이 정리는 다음과 같다. "무한한 시간이 주어진다면, 제멋대로 자판을 두드리는 원숭이는 하나의 주어진 문장, 예를 들면, 셰익스피어 전집에 들어 있는 문장을 거의 확실하게 똑같이 칠 것이다."

만일 그런 실험을 한다면, 원숭이가 주어진 한 문장을 정확하게 치는 일이 일어나는 건 아주 먼 미래인데다가 일어날 가능성은 너무나 희박하다. 즉, 우주 나이만큼의 시간 동안 자판을 두드리더라도 정확하게 칠 확률은 낮다. 물론 아예 불가능한 건 아니다.

무한 원숭이 정리와 그와 관련된 그림들은 확률에서는 꽤 유명한 그림이다. 2003년 '원숭이 셰익스피어 시뮬레이터'라는 웹사이트가 생겼다. 이 웹사이트에는 제멋대로 자판을 두드리는 많은 원숭이를 표현한 자바 애플릿이 포함되어 있는데, 여기에는 원숭이가 셰익스피어의 작품 하나를 처음부터 끝까지 완벽하게 치기 위해 얼마나 긴 시간이 필요한지 알아내고자 하는 의지가 담겨 있다. 그나마 좀 나은 것은『헨리 4세』2부에 있는 특별한 한 줄의 글이었는데, 그 문장의 24개의 글자를 맞히려면 237.785양● 년의 원숭이 시간이 필요하다.

이 문제와 유사한 문제가 아마도 복권 번호를 선택하는 일일 것이다. 당신은 매우 부자고 복권에 당첨되기를 무척 바라고 있다고 하자. 돈이 많으므로 당신은 수들의 조합으로 만들 수 있는 가능한 모든 복권을 모두 살 수 있다. 그러면 당신은 반드시 당첨될 것이다.

● 양: 10^{28}을 나타내는데『화엄경』에서는 이를 '나유타'라 한다.

주사위를 던져 6을 얻기

무한 원숭이 정리를 생각하는 다른 방법은 여섯 면을 가진 주사위를 6이 나올 때까지 계속 던지는 상황을 상상해보는 것이다. 처음 던졌을 때 6이 나올 수도 있지만 계속 던져도 6이 나오지 않을 수 있다. 물론 결국 언젠가는 6이 나올 것이다. 주사위를 6번 던졌을 때 6이 적어도 한 번 나올 확률은 얼마일까?

221

난이도
필요한 것
완료

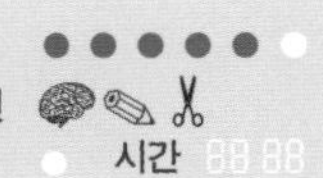

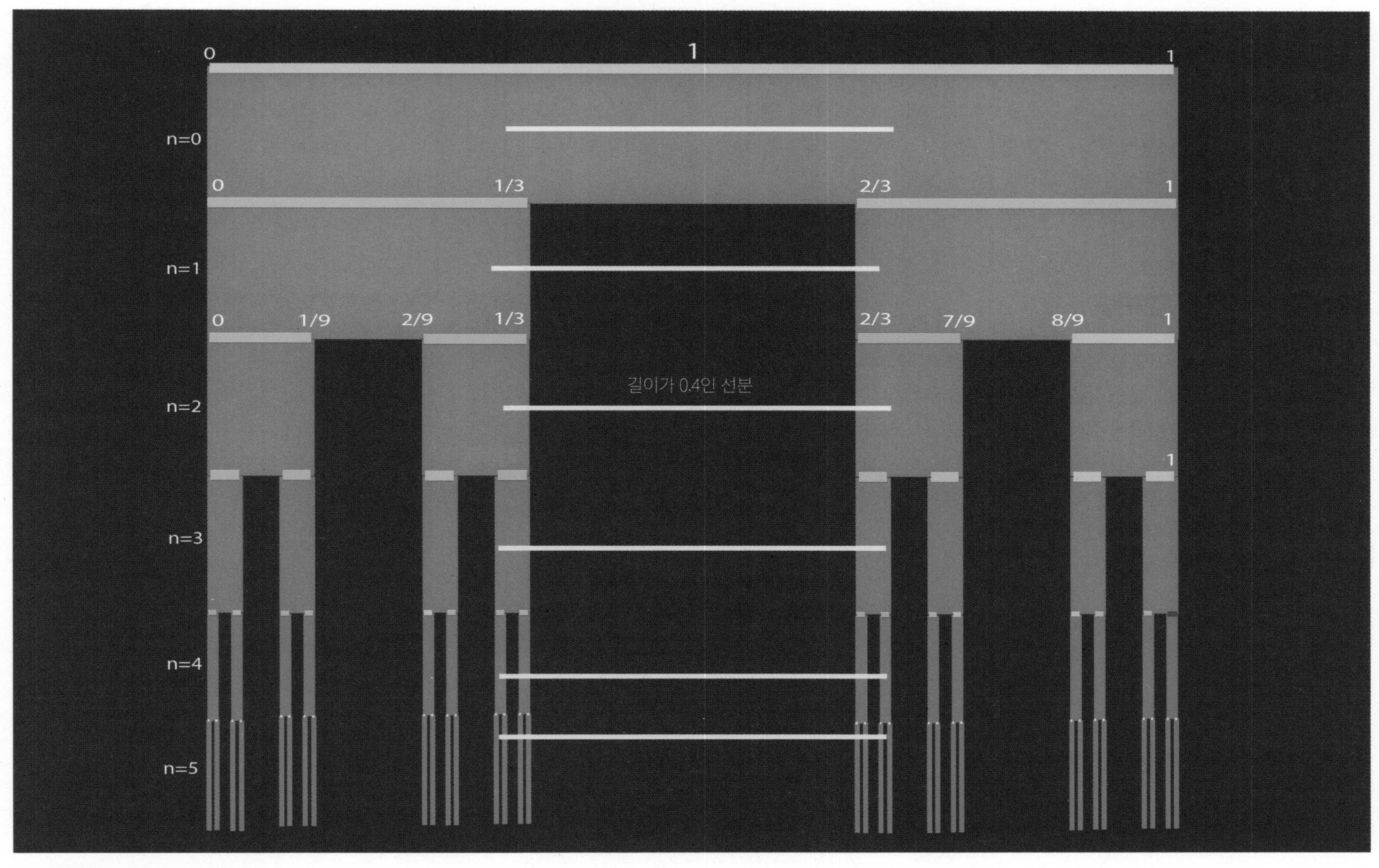

칸토어의 빗-1910년

길이가 1인 선(파란색 선)에서 시작해, 그 선의 가운데 부분 1/3을 제거한다. 이제 두 조각으로 남은 선에서 각각 가운데 부분 1/3을 제거한다. 이 과정을 무한히 반복한다. 이렇게 해서 남은 것이 '칸토어의 빗'이다. 이를 5번 했을 때의 모습이 그림에 나타나 있다. 선에서 n번을 제거한 칸토어의 빗의 총 길이를 계산할 수 있는 식을 알 수 있겠는가?

'칸토어 집합(Cantor's set)'의 놀라운 성질은 '선을 아주 많이 제거해 처음 선에 비해 많은 부분이 제거되었음에도 불구하고, 칸토어 집합에는 두 점 사이의 거리가 0에서 1 사이의 어떤 수도 되는 두 점을 항상 찾을 수 있다'는 것이다. 그림은 칸토어의 빗에서 모든 n에 대해 길이가 0.4인 선분이 있음을 보여주고 있다(노란색). 다른 길이들에 대해서도 이것이 성립하는지 알아보라.

222 난이도 ●●●●●○ 필요한 것 완료 시간

게오르크 칸토어(Georg Cantor, 1845~1918)

게오르크 칸토어는 덴마크 태생의 독일 수학자로 수학의 기본이 된 집합론의 창시자로 유명하다. 칸토어는 두 집합의 원소들 간 일대일 대응의 중요성을 알아냈고, 무한과 순서가 있는 집합을 정의했으며, 실수가 자연수보다 '더 많다'는 것을 증명했다. 칸토어가 했던 이 정리의 증명법은 '무한들의 무한'의 존재성을 나타내고 있다. 유한성을 초월한 수(초한수)에 대한 그의 정리는 직관에 반대된다는 점 때문에 처음에는 강한 비판을 받았다.

이로 인해 칸토어는 1884년부터 그가 사망한 1918년까지 심한 좌절로 인해 고통을 받았고, 어떤 사람들은 동료들의 심한 비판은 어느 정도 비난받아 마땅하다고 말하기도 했다. 그러나 생애 마지막 해에 칸토어는 수학자로서는 가장 명예로운 상 중 하나를 받았다. 1904년 왕립협회가 실베스터 메달을 수여한 것이다.

다비트 힐베르트(David Hilbert)는 수많은 비난이 쏟아졌던 초한수에 대한 칸토어의 이론을 옹호하면서 이런 유명한 말을 남겼다. "그 누구도 칸토어가 만든 낙원에서 우리를 쫓아낼 수 없다."

시에르핀스키 프랙털-1915년

시에르핀스키 삼각형(시에르핀스키 체 또는 시에르핀스키 가스켓이라고도 한다)은 프랙털로 흥미로운 고정된 형태의 집합이다. 시에르핀스키 삼각형이라는 이름은 1915년 처음으로 이 삼각형을 묘사한 폴란드 수학자인 바츠와프 시에르핀스키(Waclaw Sierpinski)의 이름에서 유래한 것이다. 그러나 이와 유사한 패턴의 출현은 이보다 훨씬 앞선 13세기로 거슬러 올라간다. 예를 들면, 이탈리아의 아나니(Anagni) 성당에 있는 코즈마티 모자이크에 나타난 문양과 산타 마리아 인 코스메딘 성당(Santa Maria in Cosmedin)의 신도석에 나타난 문양 등은 시에르핀스키 프랙털과 유사하다.

시에르핀스키 카펫 프랙털

길이가 1인 정사각형의 각 변을 길이가 같게 삼등분하여 9개의 정사각형으로 나누고 가운데 있는 작은 정사각형에는 금색을 칠한다(1세대). 그다음에 나머지 파란색 정사각형들을 같은 방식으로 나누어 역시 가운데 있는 작은 정사각형에 금색을 칠한다(2세대). 이러한 과정을 계속 반복하면 처음의 파란색 정사각형의 면적에 대한 금색 칠이 된 정사각형의 면적의 비가 얼마가 될지 추측할 수 있겠는가?

223 난이도 ●●●●○○ 필요한 것 완료 시간

시에르핀스키 삼각형 프랙털

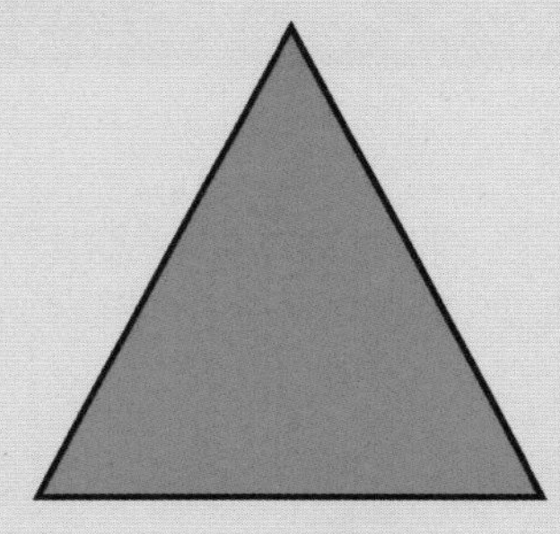

처음 삼각형

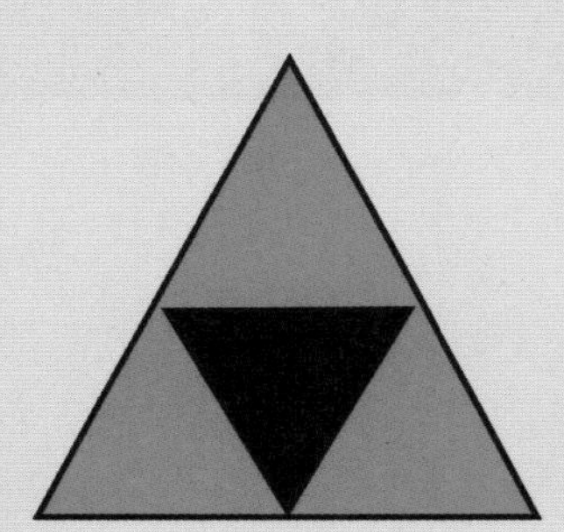

1세대
1/4=0.25

2세대
7/16=0.44

3세대
37/64=0.58

시에르핀스키 삼각형 프랙털의 3세대가 도시되어 있다.

주어진 격자 삼각형에 4세대 모습을 그릴 수 있겠는가? 전체 삼각형 면적에 대한 검은 색 영역의 비를 계산할 수 있는 수열을 찾을 수 있겠는가?

정삼각형에서 시작하여 4개의 작은 정삼각형으로 나눈 후 가운데 정삼각형을 제거하면 제거된 검은 색 삼각형은 구멍이라 생각할 수 있다. 나머지 3개의 삼각형을 같은 방식으로 나누고 이 과정을 무한히 반복한다.

이런 과정을 통해 만들어진 패턴을 시에르핀스키 프랙털이라 한다.

224 난이도 ●●●●○○ 필요한 것 완료 시간

4세대

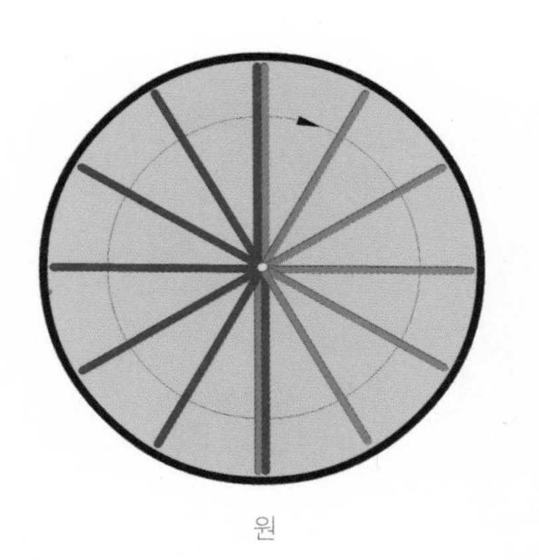

원

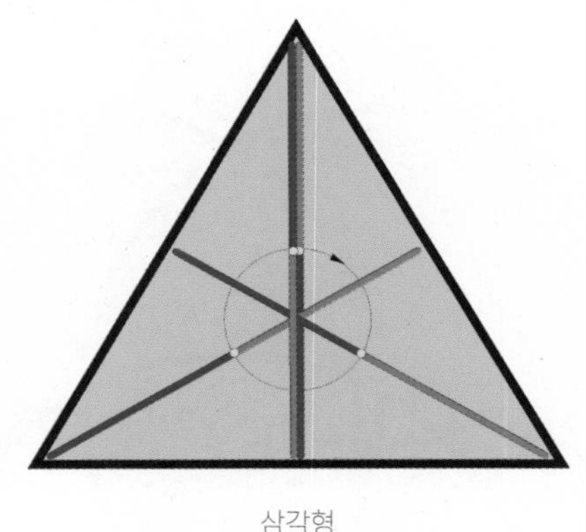

삼각형

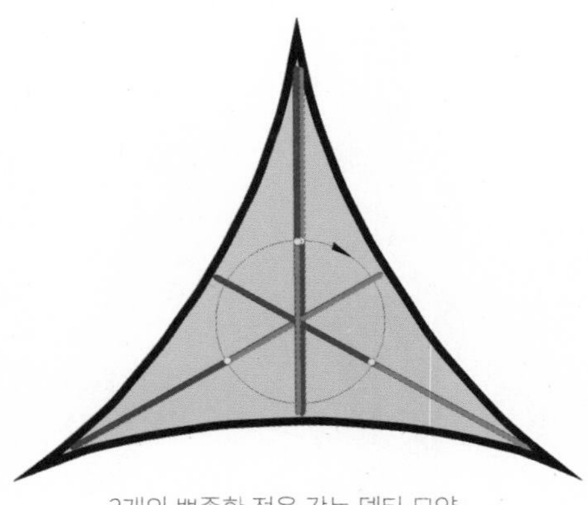

3개의 뾰족한 점을 갖는 델타 모양

카케야의 바늘 역설-1917년

유명한 카케야 바늘 문제는 평면에서 바늘(길이가 1인 직선 선분)이 180도 회전할 때 필요한 최소의 영역에 대해 알아보는 것이다. 이 문제는 1917년 카케야(Soichi Kakeya, 1886~1947)에 의해 처음 제시되었다.
바늘이 지름이 1인 원에서 회전하는 것은 명백하며 또한 정삼각형(높이가 1이고 면적이 0.58) 안에서 회전할 수 있다. 그러나 카케야는 다음과 같은 더 나은 해를 제안하였다. '최소의 영역은 글자 델타 모양으로 세 개의 꼭짓점이 뾰족하고 면적이 0.39인 하이퍼사이클로이드(a 3-cusped hypocycloid)다.' 카케야의 이 제안은 오랫동안 가장 좋은 해라고 여겨져 왔다.
이 시점에서 더 나은 해가 있을지 궁금하나, 최상의 해는 없으므로 이 질문은 적절치 않다. 최상의 해가 없다는 사실은 1928년 베시코비치(Besicovitch)가 내린 결론인데, 매우 반직관적이어서 수학계는 충격을 받았고 크게 놀라워했다. 베시코비치는 델타 모양의 곡선들은 무수히 많은 뾰족한 점들을 가질 수 있고 충분히 작을 수 있다는, 심지어 면적이 0도 될 수 있을 만큼, 작을 수 있다는 것을 보였다.

5개의 뾰족한 점을 갖는 별 모양

페론 트리

베시코비치의 증명

베시코비치는 카케야의 바늘 역설에 대한 해가 없다는 것을 증명했다. 또는 더 정확히 말하면, 최소 면적을 갖는 해는 없다는 것을 보였다. 면적은 원하는 만큼 작게 만들 수 있다. 어떻게 그럴 수 있을까?
정삼각형의 밑변을 반으로 나눈 후 또다시 반으로 나눈다. 이웃한 삼각형들이 조금 겹쳐지도록 삼각형을 움직인다. 이 삼각형들의 쌍들에 대해 원하는 크기의 면적이 될 때까지 이 과정을 반복할 수 있다. 위의 그림처럼 이런 과정을 반복해서 얻은 도형을 페론 트리(Perron tree)라 한다. 일반적으로, 그림을 볼록한 도형으로 제한하면, 카케야가 증명했듯 가장 작은 볼록한 도형은 높이가 1인 정삼각형이다.
베시코비치는 볼록한 도형이어야 한다는 제한을 없애면 최소 면적은 없음을 증명한 것이다. 델타 모양 도형, 5개의 뾰족한 점을 갖는 별 모양, 7개의 뾰족한 점을 갖는 별 모양 등의 내부에서 직선 선분을 회전시키면 이를 확인할 수 있을 것이다.

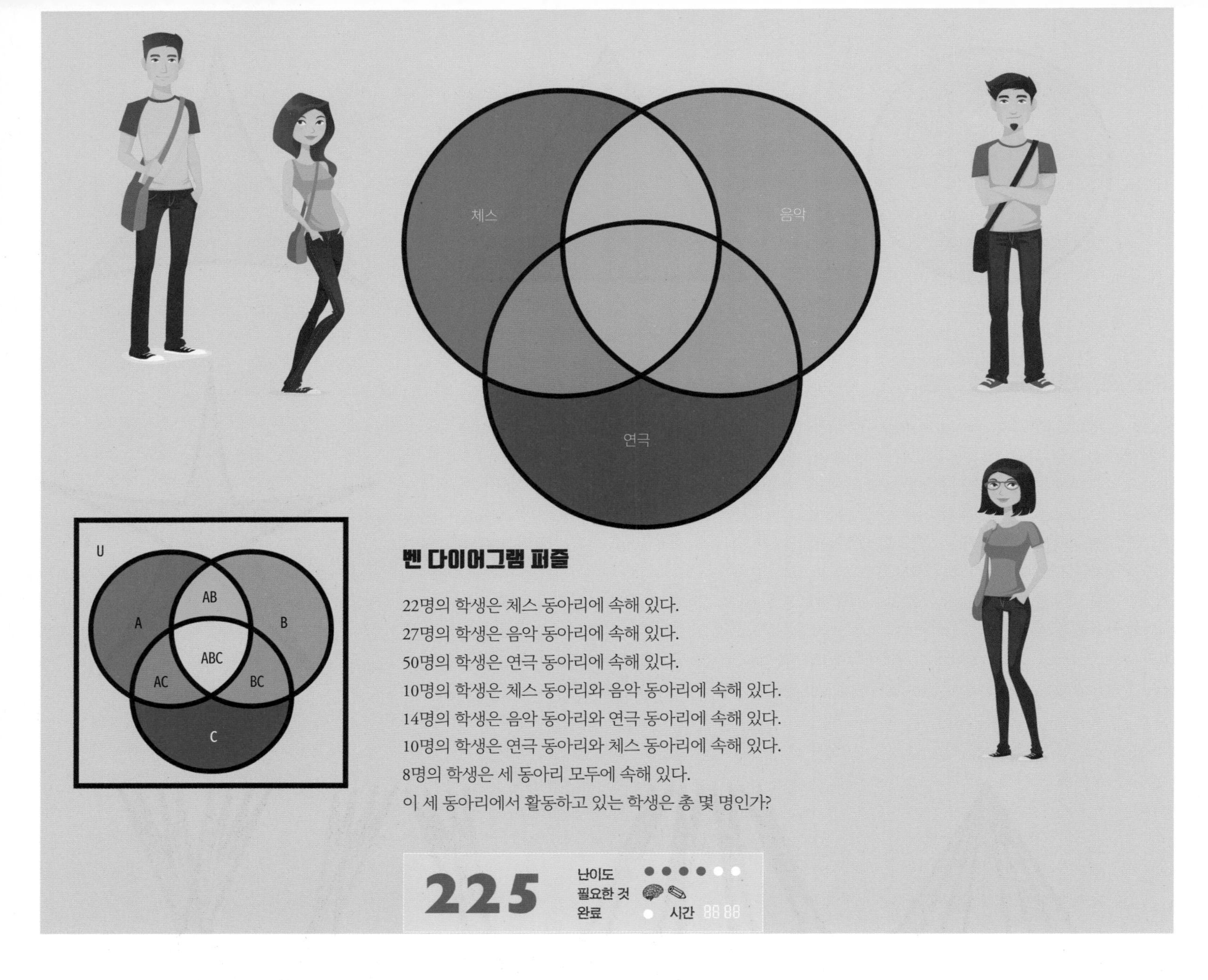

벤 다이어그램-1920년

수학적 사유는 기호 체계와 논리라는 정확한 의미를 갖는 개념에 기반을 두고 있다. 우리는 모두 논리에서 사용되는 많은 원리를 직관적으로 파악한다. 수학자들은 종종 직관만으로는 설명할 수 없는 더 복잡한 전제들(논리적으로 연결된 개념들의 연결고리의 시작점이 되는)에서 결론을 도출하기 위해 논리를 적용한다.
이런 결론들은 벤 다이어그램을 사용해 두(또는 그 이상의) 집합의 관계 등을 간단히 표현함으로써 더 쉽게 도출할 수 있다. 벤 다이어그램은 케임브리지 대학에서 강의했던 논리학자이자 목사였던 존 벤(John Venn, 1834~1923)이 창안했다. 벤 다이어그램은 그룹 간의 논리적 연관성을 시각적으로 보여주는 형태로, 표현을 쉽게 하도록 도와주며, 개체들의 어떤 개수의 원소나 항목들의 특징들을 비교할 수 있도록 해준다.
벤 다이어그램은 전체 집합으로 시작한다. 전체 집합은 보통 'U'로 나타내며 직사각형으로 표현한다. 집합들은 한 개의 직사각형과 그 직사각형 내부의 원들로 표현한다. 원 내부의 영역은 그 집합의 원소와 관련이 있다. 중복된 영역은 여러 집합에 공통으로 속해 있음을 의미한다.
숨겨져 있는 논리적 관계들을 알아보기 위해 벤 다이어그램이 유용하다는 발상이 위의 벤 다이어그램 퍼즐에 나타나 있다. 이 퍼즐을 풀 수 있겠는가?

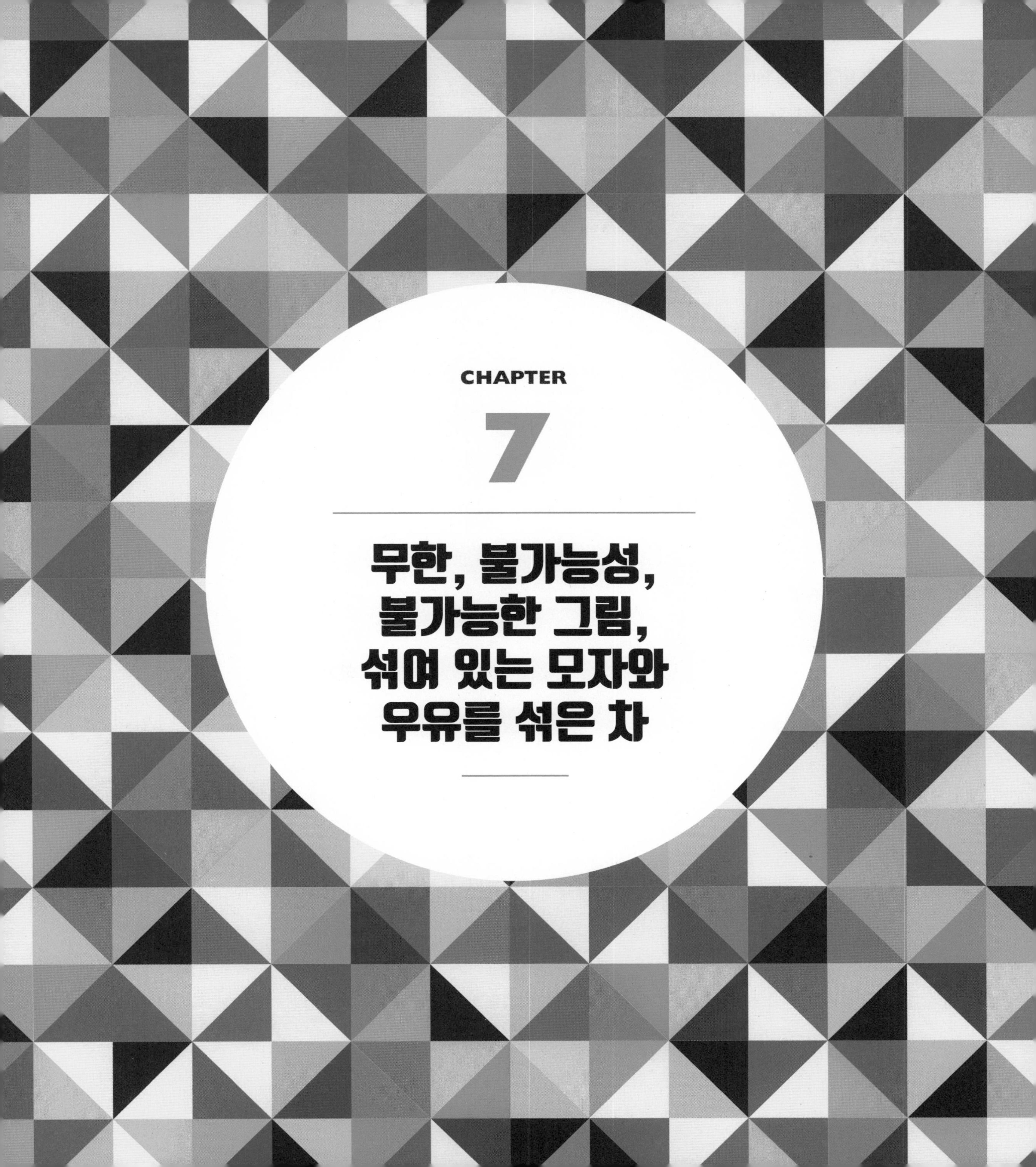

CHAPTER

7

무한, 불가능성, 불가능한 그림, 섞여 있는 모자와 우유를 섞은 차

프랭크 플럼프턴 램지(Frank Plumpton Ramsey, 1903~1930)

프랭크 플럼프턴 램지는 영국 수학자다. 스물여섯 살의 젊은 나이로 사망했지만, '어떤 구조도 반드시 질서가 있는 하부구조를 가진다'는 그의 이론은 수학계에 큰 영향을 주었다.

램지 이론은 '한 구조가 어떤 하부구조를 갖기 위해서 얼마나 복잡해야 하는가'하는 것을 알아내는 것이 목적이다.

천문학자들은 램지 이론이 타당하다는 것을 경험으로 알았다. 천문학자들은 하늘에서 패턴들을 발견했다. 많은 별들은 어떤 패턴을 만들 것이다. 패턴은 완전한 직사각형에서부터 북두칠성 또는 어떤 다른 모양도 될 수 있다. 무질서의 출현은 실제로 크기의 문제다.

램지 이론의 고전적인 예로는 널리 알려진 '파티 퍼즐'이 있다. 램지는 사물들의 집합에서 공통으로 어떤 성질을 갖는 사물들의 집합 중 가장 작은 집합을 찾고자 했다. 예를 들면, 두 사람이 같은 성별이려면 최소한 3명은 있어야 한다. 만일 두 명만이 있다면 남자 한 명과 여자 한 명일 수 있다. 세 번째 사람은 남자거나 여자이므로 두 명으로 구성된 집합에 한 명을 추가한 세 명으로 구성된 집합에서는 적어도 두 명은 같은 성이다.

또는 이런 문제를 생각해보자. 완전 그래프에서 그래프의 변을 두 가지 색으로만 칠하는데, 세 변 모두 같은 색인 삼각형은 만들어지지 않도록 칠할 수 있겠는가? 램지는 이 문제에 대해 하나의 일반 정리를 증명했지만, 4, 5, 또는 6개의 점을 갖는 예제들은 연필과 종이만 있으면 풀 수 있을 만큼 간단하다. 파티 퍼즐은 램지의 연구에 기반을 두고 있다.

멋지게 그려지는 그래프의 진가를 알려면 다음과 같은 종류의 문제를 풀어야 한다. 6명이 서로를 알고 있을지 아닐지에 대한 가능한 조합은 총 3만 2768가지다. 각 조합이 원하는 관계를 포함했는지를 확인한다고 상상해보라.

더 발전한 램지 문제는 한 파티에서 어떤 4명이 모두 친구거나 또는 4명이 모르는 사이인(또는 넷 모두가 서로 애인이거나 미워하는 관계인) 경우를 생각해보는 것이다. 이런 일이 일어나려면 파티에는 총 몇 명이 있어야 할까? 이 문제에 대해 램지는 파티에는 18명이 있어야 한다는 것을 증명했다. 이 상황을 18개의 점을 갖는 완전 그래프로 그린다면, 두 가지 색을 사용해 변을 어떻게 색칠하더라도, 두 가지 색 중 한 가지 색으로만 네 점(네 사람)을 연결한 사변형이 반드시 있어야 한다.

그러나 서로 친구이거나 모르는 사이로 이루어진 5명이 적어도 한 팀이라도 있으려면 파티에 최소한 몇 명이 참석해야 하는지는 여전히 풀리지 않은 문제다. 그 수는 43에서 49 사이라는 것만 알려져 있다.

램지 이론의 아름다움은 그 단순성과 더불어 '직관적으로 이해될 수 있다'는 사실에 있다.

"완전한 무질서는 불가능하다."

프랭크 램지(Frank Ramsey)와
에르되시 팔

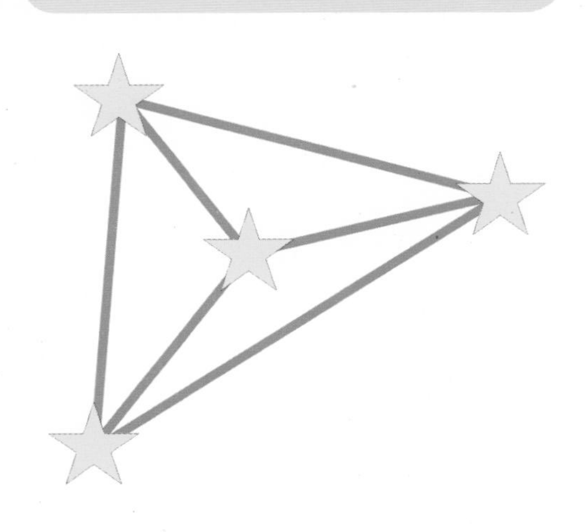

해피엔딩 문제

별이 가득한 하늘에서 별들을 직선으로 연결해 볼록 사변형을 만들려면 얼마나 많은 별을 선택해야 하는가? 그림에 나타난 것처럼, 4개의 별을 선택하는 것으로는 충분하지 않다.•

n개의 점을 평면에 임의로 늘어놓았을 때(어떤 3개의 점도 하나의 직선 위에 있지 않도록 하면서) n개의 변을 갖는 볼록 다각형을 '항상' 만들 수 있는 가장 작은 'n'은 얼마일까?

클라인(E. Klein)과 세케레시(G. Szekeres)는 볼록 사변형에 대해 이 정리를 증명했다. 클레인과 세케레시는 약혼한 후 결혼했는데, 그런 이유로 에르되시는 이 문제에 '해피엔딩 문제'라는 이름을 붙였다.

● 4개의 점으로 볼록 사변형을 만들 수도 있지만 '항상' 만들 수 있는 건 아니다.

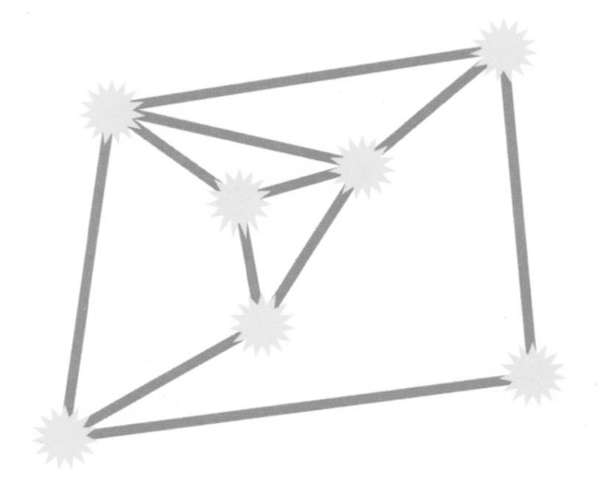

226

램지의 게임

6개의 점을 지나는 15개의 흰 선은 완전 정육각형 모양의 그래프를 만든다. 이 게임에서는 15개의 선에 빨간색이나 파란색 중 한 가지 색을 칠할 수 있다.
두 선수가 교대로 빨간색 또는 파란색을 칠한다. 두 색 중 한 가지 색으로 그래프의 세 점을 연결했을 때 사용한 색의 삼각형이 먼저 나오는 선수가 진다. 이 게임에는 승자가 반드시 있다. 색이 다르게 칠해질 수 있는 삼각형은 몇 개나 될까? 누군가 이기려면 그전에 몇 개의 선에 색칠이 되어야 할까? 가능한 게임의 수는 몇 개일까?

227
난이도
필요한 것
완료 시간

6과 관련된 파티 퍼즐-1930년

3명이 서로 좋아하거나 싫어하는 그룹이 생기지 않도록 5명의 친구를 파티에 초대할 수 있겠는가?
이 문제는 6명을 6개의 점으로 구성된 완전 그래프를 만드는 것으로 단순화할 수 있다. 6개의 점으로 이루어진 그래프에서 점(사람)들 사이를 연결하는 선으로 이루어진 삼각형을 만들어보는 것으로, 3개로 이루어진 가능한 모든 그룹을 명확히 구별할 수 있다. 만일 서로 좋아하는 사람들은 빨간색 선으로, 서로 싫어하는 사람들은 파란색 선으로 연결한 그래프를 그린다면 에르되시가 창안한 훌륭한 방법으로 문제를 풀 수 있다.
빨간색과 파란색 중 하나로 그래프의 선들을 하나씩 칠해보자. 세 점을 이을 때 두 가지 색 중 한 가지 색으로만 된 삼각형이 생기지 않도록 할 수 있다면, 서로 좋아하거나 싫어하는 세 사람으로 구성된 그룹은 만들어지지 않을 것이다. 6명으로 이러한 결과를 만들어낼 수 있겠는가?

228
난이도
필요한 것 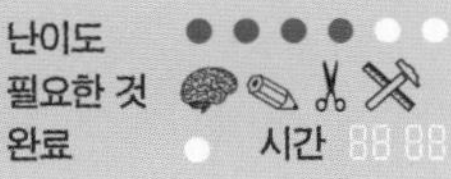
완료 시간

애증 관계

4명이나 5명으로 구성된 그룹에서 서로 사랑하거나 미워하는 3명이 같은 소그룹에 속하지 않도록 할 수 있다. 이것은 그래프의 각 선을 두 가지 색 중 하나로만 칠하는 것으로 증명할 수 있다.
오른쪽에 보이는 것처럼, 이는 세 점을 연결해 삼각형을 만들 때 연결한 선이 같은 색이 되지 않도록 하면 된다.

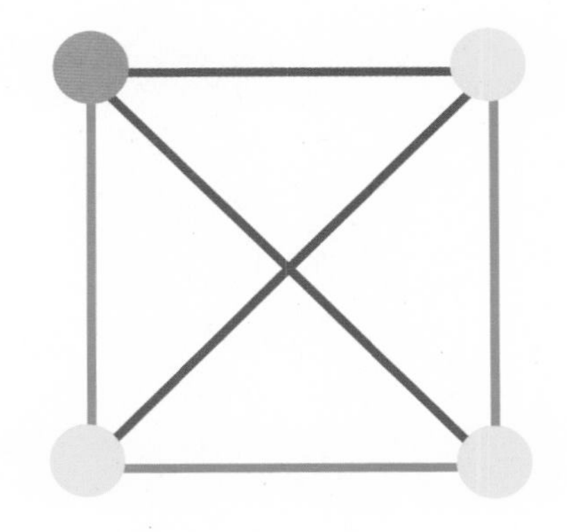

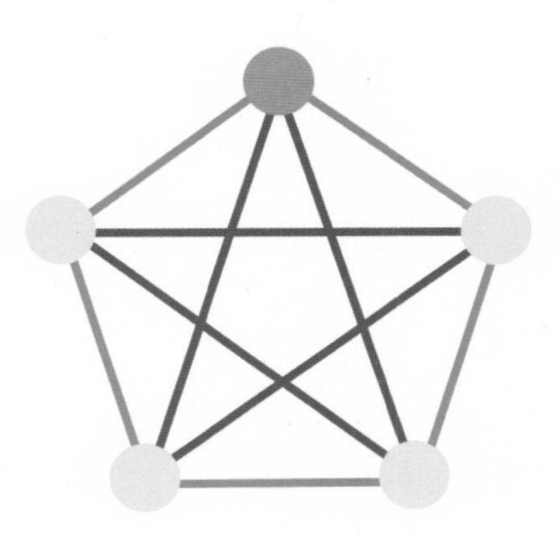

램지 이론•

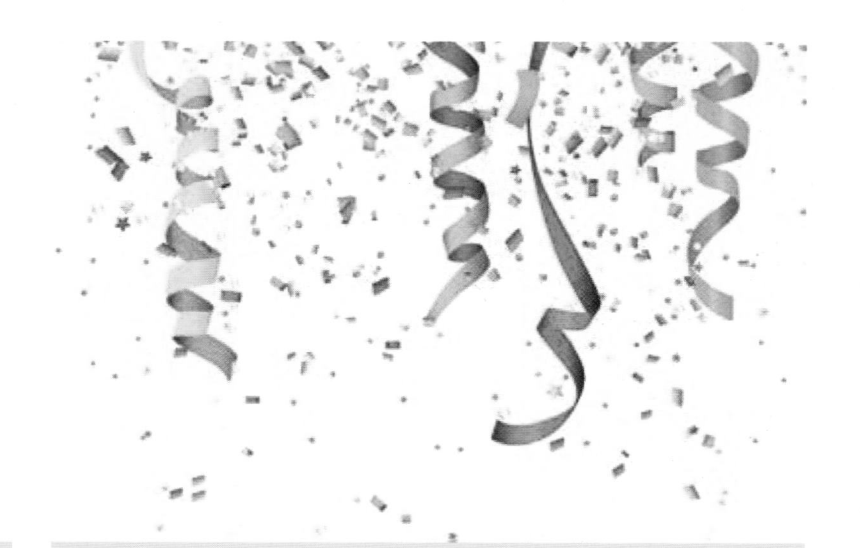

램지 이론은 실은 파티 문제를 일반화한 것이다.

램지 수는 n개의 빨간색 점이 있거나, m개의 파란색 점이 있을 수 있는 최소의 점의 개수를 말하며, R(n, m)으로 나타낸다. 앞에서 언급한 파티 문제는 3명이 알거나 혹은 3명이 모르는 사이인 사람들이 파티에 있어야 하므로 R(3, 3)으로 나타낼 수 있으며, 이는 R(3, 3)=6임을 이미 알고 있다. 또한, 다음과 같은 램지 수들이 알려져 있다.

R(3, 4)=9(아래의 파티 문제), R(5, 3)=14, R(4, 4)=18, R(6, 3)=18, R(7, 3)=23, R(5, 4)=25, R(5, 5)=43 또는 49

● 램지 이론: 점의 개수가 충분히 많은 완전 그래프에서, 이 그래프의 모든 변을 두 가지 색으로 임의로 색칠해도 n개의 점을 갖는 빨간색 완전 그래프 또는 m개의 점을 갖는 파란색의 완전 그래프가 있다는 이론이다.

파티 문제 (1)

그래프의 선들을 빨간색이나 파란색으로 하나씩 칠한다. 세 점이나 네 점을 연결해 빨간색 삼각형이나 파란색 사각형이 만들어지려면 몇 개의 선에 색칠이 되어야 할까? 혹은 빨간색 삼각형이나 파란색 사각형이 생기지 않도록 모든 선을 칠할 수 있을까?

229 난이도 ●●●○○○ 필요한 것 완료 시간

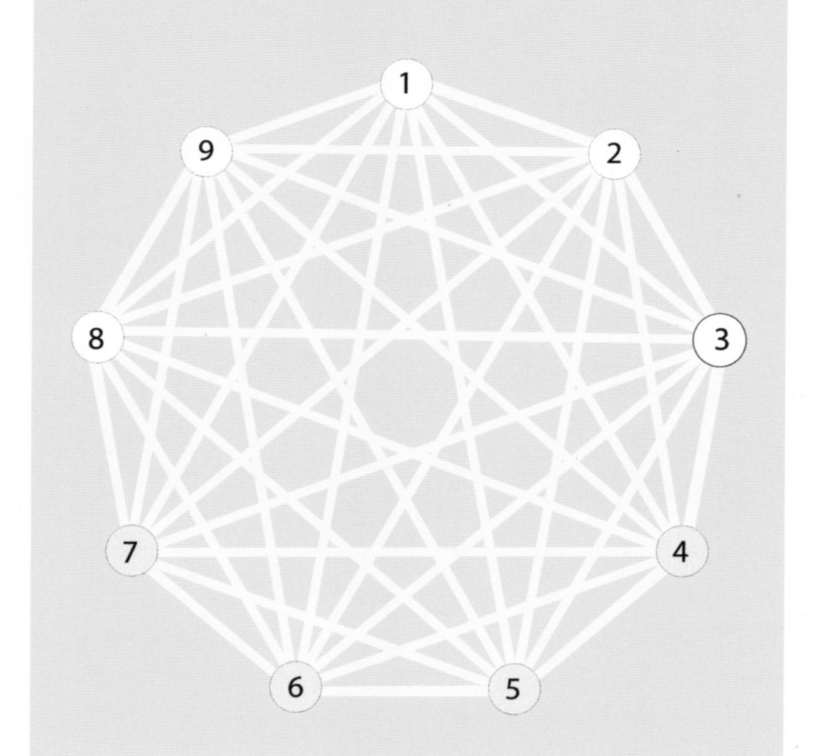

파티 문제 (2)

아래에 3개의 선이 칠해지지 않은 견본 게임이 그려져 있다. 3개의 선을 두 가지 색 중 어떤 색으로 칠해도 빨간색 삼각형 또는 파란색 사각형이 반드시 만들어질 것이다.

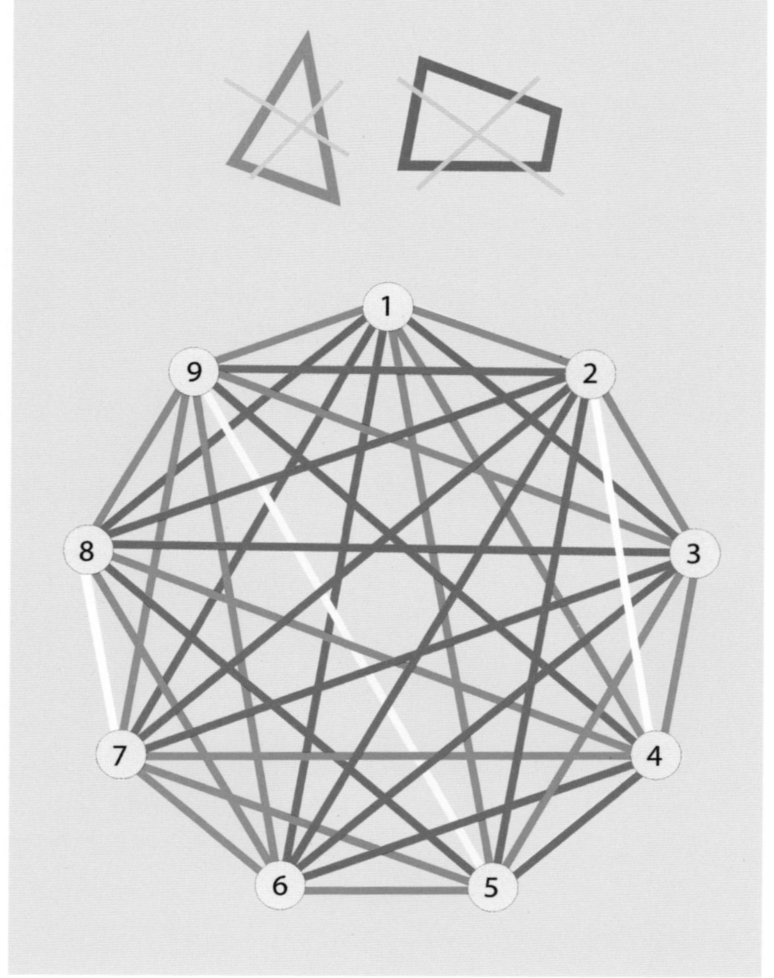

공익사업 문제-1930년

세 가구는 전화, 전기, 그리고 수도가 필요하다. 그러므로 각 가구는 세 개의 공급선이 필요하다. 어떤 공급선도 서로 교차하지 않도록 각 공급선과 각 가구를 연결할 수 있을까?

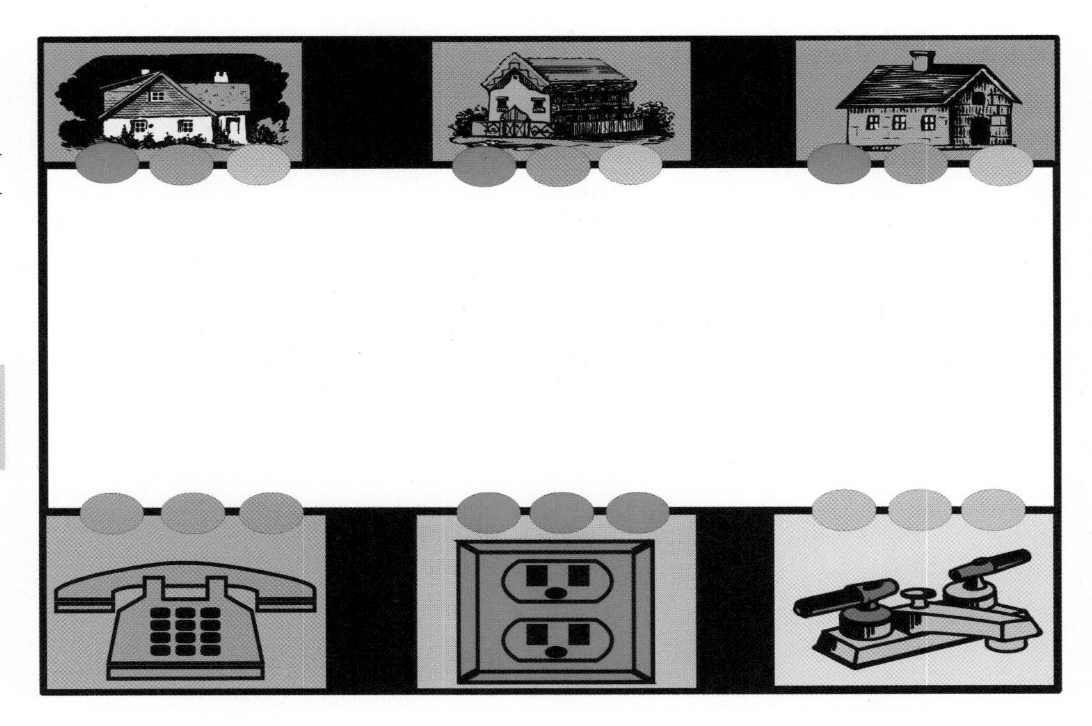

230

난이도 ●●●○○○
필요한 것
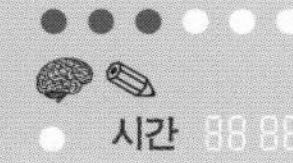
완료 ○ 시간

이웃들과의 교차

주택단지 내에 있는 인접한 세 집은 각각 개별 출입문으로 드나들 수 있도록 울타리로 둘러싸인 분리된 도로를 갖기를 원한다. 집 색깔과 집 출입문의 색은 같으며, 도로는 서로 만나지 않아야 한다.
그림에 나타난 도로는 빨간색 점에서 두 도로가 만나므로 이 문제의 답은 아니다.
집에서 나갈 때 이웃을 만나지 않도록 도로를 그릴 수 있을까?

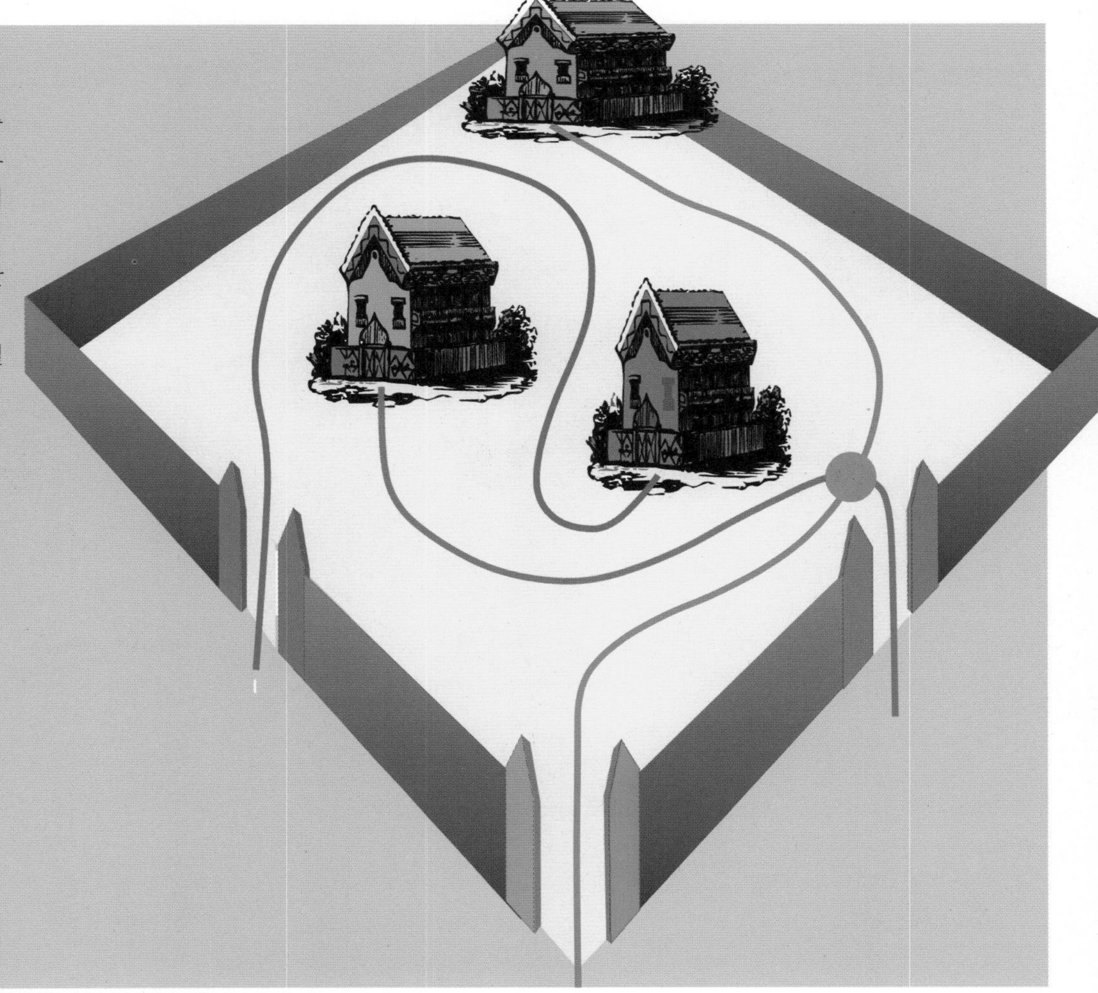

231

난이도 ●●●○○○
필요한 것
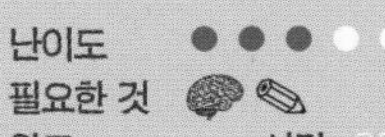
완료 ○ 시간

다분(여러 그룹으로 나누는) 퍼즐(1)

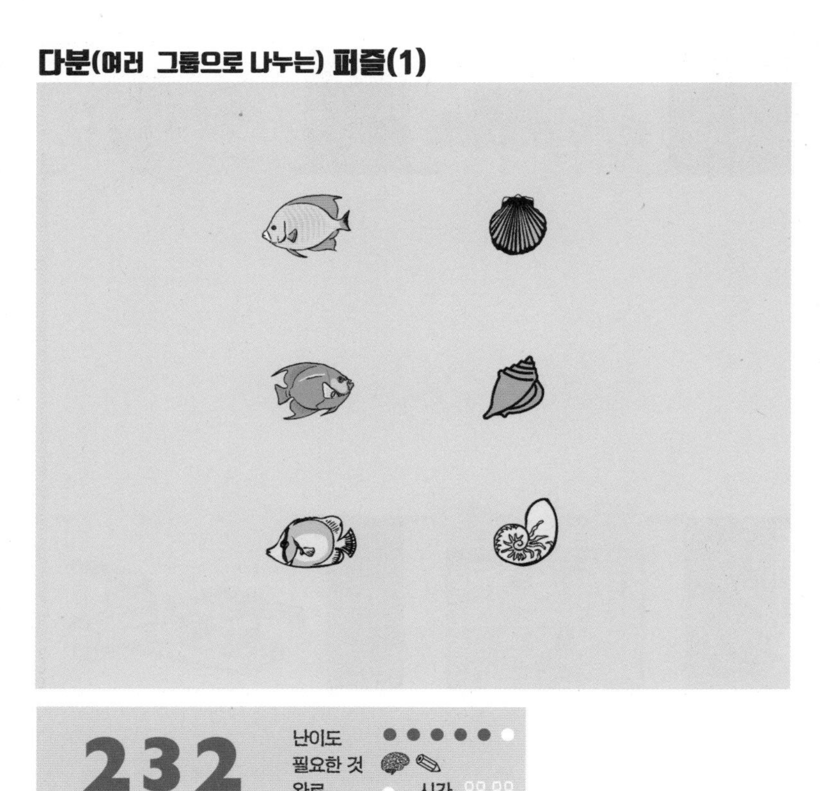

232 난이도 ●●●●●○ 필요한 것 완료 시간

여러 그룹으로 나누는 그래프-1930년

각 퍼즐에서는 동물들을 연결하는데 다른 색깔이나 다른 그룹의 동물과 연결해야 한다. 예를 들면, 첫 번째 퍼즐에서 빨간색 물고기는 빨간색 조개나 다른 물고기와 연결하면 안 되고, 초록색 물고기는 초록 조개와 연결하면 안 되며, 노란색 물고기는 노란색 조개와 연결하면 안 된다.
곡선으로 연결해도 된다고 하면, 각 퍼즐에서 연결선이 서로 만나지 않도록 연결할 수 있는 선은 몇 개일까?
공익사업 문제처럼 이분(bipartite, 두 그룹으로 구성된) 그래프에 기반을 둔 점들로 구성된 두 그룹 대신, 이런 유형의 퍼즐은 특별히 여러 그룹으로 나뉘는 그래프에 기반을 둔 것으로, 점으로 구성된 세 그룹이나 3개로 나뉜 그래프로 구성되어 있다.

다분(여러 그룹으로 나누는) 퍼즐(2)

233 난이도 ●●●●●○ 필요한 것 완료 시간

다분(여러 그룹으로 나누는) 퍼즐(3)

234 난이도 ●●●●●○ 필요한 것 완료 시간

피트 하인의 초타원-1931년

반지름 1인 원의 방정식은 $x^2+y^2=1$임을 알 것이다. 이 방정식에 두 상수 a와 b를 추가로 고려하면 타원 방정식 $(x/a)^2+(y/b)^2=1$을 얻는다.

프랑스 수학자 가브리엘 라메(Gabriel Lame, 1795~1870)는 만일 타원 방정식에서 거듭제곱 2를 n으로 바꾼 식 $(x/a)^n+(y/b)^n=1$에서는 무슨 일이 일어날지 궁금했다. 만일 n=0이면 교차하는 한 쌍의 직선을 얻는다. 만일 n<1이면 4개의 점이 있는 별 모양 곡선인 에스트로이드(astroid)가 되며, n=1이면 다이아몬드 모양, n=2면 타원을 얻는다. 만일 n>2이면서 점점 더 커지면 타원은 점점 더 직사각형 모양에 가까워진다.

피트 하인(Piet Hein)은 n=2.5인 특별한 경우의 곡선을 '초타원(superellipse)'이라 했으며 이를 많은 부분에 적용했다. 예를 들면, 그는 초타원을 사용해 스톡홀름의 세르겔(Sergel) 광장 주변의 차량 흐름을 효율적으로 다시 디자인했다. 직사각형 모양에서의 각이 진 가장자리나 둥근 고리 모양으로 길이 낭비되는 공간 사이를 절충하는 데 초타원이 사용되었다. 타원은 모서리 부분의 많은 공간을 낭비하고 원활한 교통의 흐름에는 위험이 된다. 반면, 직사각형에서는 속도를 줄여야 하며 이는 교통의 흐름을 늦출 것이다. 하인은 초타원으로 이 문제를 해결했다. 초타원은 원도 아니고 직사각형도 아니지만, 참으로 멋지게 문제를 해결한 것이다.

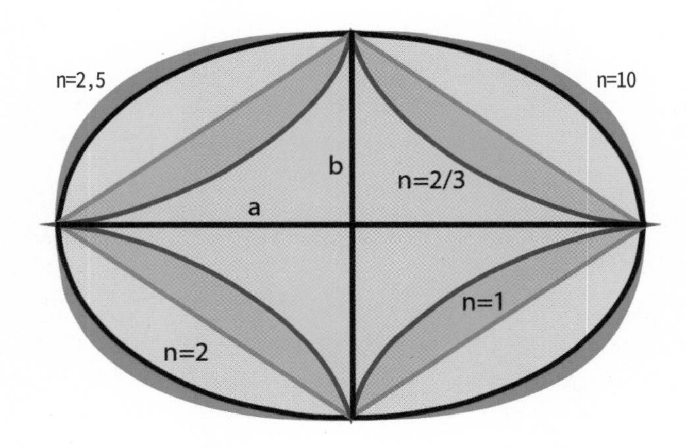

피트 하인(1905~1996)

피트 하인은 과학자, 수학자, 발명가, 디자이너이자 시인이었으며, 재능이 많은 사람이었다. 모국 덴마크가 나치 치하에 있는 동안 그는 지하 저항군으로 싸우며 '구룩(grooks)'이라 불리는 짧은 시들을 썼는데, 이 시들은 제2차 세계대전이 끝난 후 신문에 실렸다. 또한 하인은 여러 종류의 게임을 개발했는데, 그가 개발한 게임으로는 헥스(Hex), 탱글로이드(Tangloids), 모라(Morra), 타워(Tower), 폴리테어(Polytaire), 택틱(TacTic), 님비(Nimbi), 큐레이지 큐브(Qrazy Qube), 피라미스터리(Pyramystery), 그리고 소마 큐브(Soma Cube)가 있다. 아울러 도시 디자인, 가구 제조 등 여러 분야에서는 자신의 초타원을 이용하기도 했다. 모스코비치는 피트를 여러 번 만났고 말할 수 없을 만큼 그를 존경했다고 한다. 피트가 친구인 것을 자랑스러워했고, 레오나르도 다빈치 같은 천재라고 생각했다고 한다.

큰 달걀

장축을 중심으로 초타원을 회전시키면 큰 달걀 모양의 회전면을 얻는다. 이 흥미로운 3차원 입체는 양 끝이 균형을 잘 잡고 있다.

소마 큐브

피트 하인이 소마 큐브를 개발했을 때 그의 나이는 겨우 스물여섯 살이었다. 소마 큐브는 모양이 다른 7개의 조각으로 구성되어 있는데, 이것이 합쳐지면 한 개의 정육면체 또는 다양한 구조를 만들어낼 수 있는 퍼즐이다. 그러나 소마에는 게임만이 아닌 그 이상의 무엇이 있다. 그것은 다름 아닌 세련되게 표현된 위상적 아름다움이었다. 하인은 자신이 만든 소마 큐브에 대해 이런 글을 남겼다. "그것은 정육면체로 이루어진 모양이 다른 7개의 조각이 단순하지만 불규칙하게 조합되어 다시 한 개의 정육면체를 형성한 아름다운 기형물이다. 동일한 것에서 나온 다양성은 동일한 것으로 되돌아간다. 그것은 세계에서 가장 작은 철학 체계다." 마틴 가드너와 존 호턴 콘웨이는 소마 큐브를 자세히 분석했다. 콘웨이는 소마 큐브는 회전해서 같은 것과 대칭인 것을 제외하면 240개의 서로 다른 해가 있다는 것을 발견했다.

에르되시 팔(1913~1996)

에르되시 팔(Erdös Pál)은 조합론, 그래프 이론, 수론, 고전 분석, 근사이론 및 확률론 문제를 연구한 유명한 헝가리 수학자다. 수학을 가장 널리 대중화한 수학자로 꼽히는 에르되시를 동료들은 그의 분야에서 가장 훌륭한 생각을 하는 수학자로 여겼다.

성인이 되고 나서는 여행 가방 두 개로 충분한 단출한 삶을 살았으며, 다른 사람에게 능력을 인정받는 것이나 물질적인 편안함에는 관심이 없었다. "재산은 골칫거리다"라고 말하며 자신이 받은 상금을 돈이 필요한 다른 수학자에게 아낌없이 주기도 했다.

괴짜같은 그의 성격에도 불구하고, 아니 어쩌면 그런 성격때문에, 수학자들은 그를 존경했고 그와 같이 연구하고 싶어했다. 수학자들은 에르되시를 수학계의 재간둥이라고 여겼는데, 이는 다른 수학자들은 많은 방정식을 동원해 여러 쪽에 걸쳐 계산해 푸는 문제를 에르되시는 짧고 기발한 방법으로 해결하는 능력이 있었기 때문이다.

에르되시와 수많은 수학자들의 공동연구는 '에르되시의 수(Erdös number)'라는 개념을 탄생시켰다. 에르되시 수 1로 인정받기 위해, 수학자는 에르되시와 공동으로 한 편의 논문을 출판해야만 했다. 에르되시 수 2는 에르되시와 논문을 공동 출판한 누군가와 함께 출판해야 그 수를 인정받으며, 더 큰 에르되시의 수들도 그런 방식으로 논문을 출판하여 얻을 수 있다. 에르되시 수 2에는 4,500명의 수학자가 있다.

에르되시의 유머감각이 나타나 있는 그가 사용한 특이한 단어에는 다음과 같은 것들이 있다. 그는 아이들을 '엡실론'이라 불렀다(수학에서 특히 미적분학에서, 임의의 작은 양수는 일반적으로 그리스 문자 엡실론을 사용하기 때문이다). 여성은 '보스', 남성은 '노예', 수학을 하지 않는 사람은 '죽은 사람', 신체적으로 사망한 사람들은 '남겨졌다(또는 소외감을 느낀다)', 알코올이 포함된 음료는 '독', 음악은 '잡음', 결혼한 사람은 '포로', 이혼한 사람은 '해방된 사람', 수학 강의를 하는 것은 '설교', 그리고 학생에게 구술시험을 보게 하는 것은 학생들을 '고문하는 것'으로 표현했다.

에르되시는 신과 자주 교감을 가진 것으로 보인다. 그는 자신의 상상 속에 있는 책인『그 책(The Book)』에 관해 자주 이야기하곤 했는데, 그 책에서 신은 수학적인 정리와 아이디어들을 멋지게 적어 두었고 가장 훌륭하게 증명해 놓았다고 말했다. 1985년 에르되시는 이렇게 말했다. "당신은 신을 믿을 필요는 없지만,『그 책』은 믿어야 합니다."

그는 자신의 묘비명에 이렇게 써달라고 했다고 한다. "나는 마침내 멍청이가 되는 걸 멈췄다."

에르되시는 1996년 바르샤바에서 열린 어느 학회에서 방정식을 풀다가 심장마비로 사망했다.

에르되시 팔(1913~1996)

에르되시-체비셰프 정리

1보다 큰 수에 대해서 그 수와 그 수의 두 배가 되는 수 사이에는 항상 적어도 한 개 이상의 소수가 있다. 예를 들면, 2와 2의 두 배인 4 사이에는 소수 3이 있다.

이것은 1930년에 이 정리를 증명한 러시아의 수학자 파푸누티 체비셰프(Pafnuty Chebyshev, 1821~1894)의 이름을 따서 명명된 '베르트랑-체비셰프 정리(Bertrand-Chebyshev Theorem)'로 알려져 있다. 그 후 에르되시도 이 문제를 증명했는데, 그의 증명은 더 깔끔했다.

에르되시의 +1, -1 수열

+1과 -1을 한 줄로 같은 개수 n만큼 늘어놓는다. 예를 들면, n=2인 경우에는 +1 +1 -1 -1, n=3인 경우에는 +1 +1 +1 -1 -1 -1 등과 같이 늘어놓는다. 이 두 수열을 다르게 늘어놓는 방법은 얼마나 될까?

235 난이도 ●●○○○○ 필요한 것 완료 시간

"나는 마침내 멍청이가 되는 걸 멈췄다."

에르되시 팔, 그의 비문에 적혀 있는 말

불가능한 그림

불가능한 물체라고도 불리는 '불가능한 그림'은 2차원 이미지를 3차원 물체로 인식하는 착시현상으로, 우리의 뇌가 순간적, 무의식적으로 잘못 인식하여 일어나는 현상이다. 기하학적 관점에서 보면 존재할 수 없는 물체이다.
수많은 '불가능한 물체'를 의도적으로 처음 설계한 사람은 스웨덴의 예술가 오스카 로이터바르드(Oscar Reutersvärd, 1915~2002)였다. 이런 이유로 오스카는 '불가능한 그림의 아버지'라고 불린다. 오스카는 등각 투영도(isometric projection)●로 이런 그림을 2500장 이상 만들었으며, 그의 작품은 여러 언어로 번역되었다.
3차원 물체에 대한 첫인상은 비록 그것이 잘못된 것이라는 것을 감지한 후에도 잔영이 남아 있긴 하다. 그러나 조금만 그림에 집중해도 '불가능한 물체'는 보통 제대로 확실히 보인다. '불가능한 물체'인지 아닌지가 아주 확실하지는 않은 다른 예들이 있다. 이런 예들은 그것이 '불가능한 물체'인지가 즉시 드러나지는 않는다. '불가능한 물체'라는 것을 확실하게 파악하려면, 물체의 기하학적 구조를 자세히 분석해야 한다. 불가능성이 착각이 아니면, 모든 것의 가장 큰 착각은 무엇일까?

● 등각 투영도: 서로 직교하는 세 축이 120도씩 같은 각으로 교차되어 있는 것처럼 보이는 방향에 투영된 그림을 말한다.

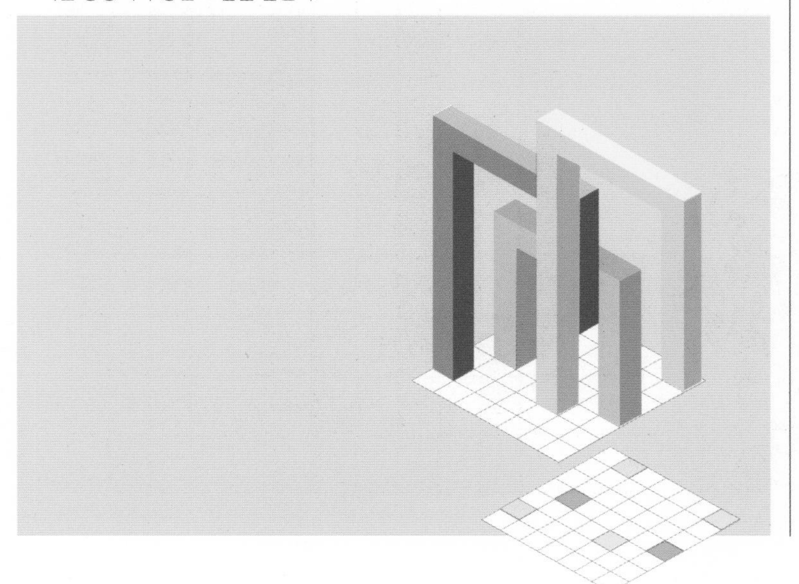

불가능한 삼각형-1934년

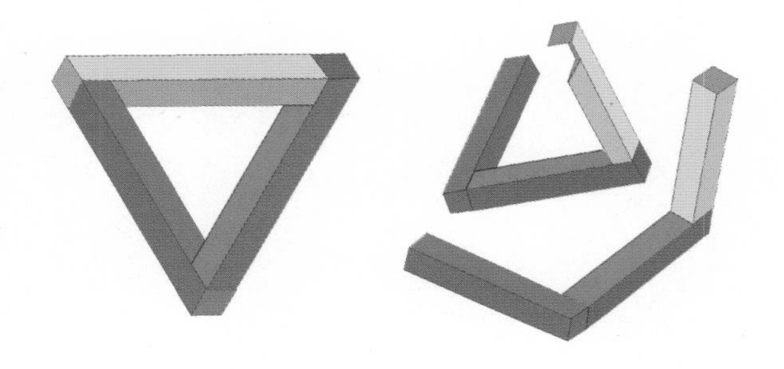

1934년 오스카 로이터바르드가 처음 창안한 펜로즈 삼각형(Penrose triangle)은 '불가능한 그림'의 좋은 예다. 펜로즈 삼각형은 펜로즈 삼발 블록(Penrose tribar)이라고도 불린다.
1950년대에 로저 펜로즈(Roger Penrose)는 이를 독자적으로 고안해 대중화시켰는데, 펜로즈는 펜로즈 삼각형을 '그것의 가장 순수한 형태로는 불가능하다'고 묘사했다.
이런 그림은 예술가 에셔(M. C. Escher)의 작품에서 두드러지게 나타난다. 에셔는 '불가능한 물체들' 주변에 사람이 사는 세계를 건설한 반면, 로이터바르드의 디자인은 보통 순수한 기하학적 형태로 구성된다.
유명한 '불가능한 삼각형'은 오랫동안 존재할 수 없다고 여겨져왔다. 그러나 위의 사진에서 볼 수 있듯이, 리처드 그레고리(Richard Gregory) 교수는 불가능한 삼각형을 만들어냈으며, 이후 영국 브리스톨에 있는 테크니퀘스트 실습 과학센터(Techniquest hands-on science center)의 책임자인 존 비틀스톤(John Beetlestone)도 이를 재현했다. 과학센터 입구에 설치된 불가능한 삼각형은 방문자가 지나갈 수 있을 만큼 컸다.
그러나 그레고리 교수가 실제로 불가능한 삼각형을 만들었을까? 위에서 볼 수 있듯이 실제로는 아니다. 그저 특정 위치에서 보았을 때 불가능한 삼각형과 똑같아 보이는 단순한 구조를 만들었을 뿐이다.
이런 점으로 미루어보아, 양 끝이 정확히 일직선으로 정렬되면 뇌의 지각 체계는 그것이 한 평면에 놓여 있는 것으로 받아들이는 것 같다. 그러나 이는 애초부터 역설적인 인식을 만들어낸 잘못된 인상이다.

로타르 콜라츠(1910~1990)

로타르 콜라츠(Lothar Collatz) 교수는 독일의 수학자다. 그는 수치해석의 모든 분야에서 근본적인 연구를 했다. 주변 사람들은 모두 콜라츠가 수학 분야에서 독창성과 창의성이 있었다고 입을 모았다.
마이나르두스(Meinardus)와 뉘른베르거(G Nürnberger)는 콜라츠를 추모하며 이렇게 썼다. "콜라츠는 수학과 수학자는 실제 현상에서 동기를 얻고, 그들의 연구 결과를 실제로 일어나는 현상에 적용할 책임이 있다고 믿었습니다. 그는 이 신념을 위해 지치지 않고 끊임없이 싸웠습니다."

콜라츠 문제와 우박 수-1937년

오늘날 사람들이 콜라츠라는 이름을 알게 된 것은 그가 1937년에 제안한 '콜라츠 문제' 덕분이다. 이 문제는 '콜라츠의 가설'로도 알려져 있다. 이 문제에서 나타나는 수열은 우박 수열 또는 우박 수, 아니면 '경이로운 숫자'로 알려져 있다. 그가 제안한 이후 그 문제는 수학자들에게는 흥미로운 문제가 되었다.
콜라츠 문제는 다음과 같이 간단하게 표현할 수 있다. 양의 정수 'x'를 택한다. 만일 그 수가 짝수면 그 수의 반인 'x/2'로, 그 수가 홀수면 그 수에 3을 곱한 다음 1을 더한다. 그 결과 나온 정수에 똑같은 방식을 적용해 계속 수를 만든다. 숫자 1을 얻을 때까지 계속하는데 일단 1이 나오면 그 이후엔 4, 2, 1이 반복적으로 무한히 나온다.
콜라츠는 이런 일이 항상 일어난다는 사실에 놀랐지만, 증명할 수는 없었으며, 1로 끝나지 않는 단 하나의 사례도 찾아낼 수 없었다.
콜라츠의 가설은 '모든 정수에 대해 이렇게 만들어진 수열은 항상 1에 도달한다'는 것이다. 주어진 도표는 이에 관한 처음 14개의 정수를 보여주는 것으로, 1~14의 수에 대한 우박 수열은 상대적으로 짧은 수열로 끝남을 알 수 있다. 그림에서 보듯이, 각 수에 대해 수열은 4, 2, 1로 구성된 무한 루프에 들어가기 전에, 조금 빠르게 혹은 조금 느리게 1에 도달한다. 그러면 15는 어떨까?
콜라츠 문제에 의해 생성된 수들은 우박 수라 알려져 있는데, 이는 그 값이 구름에서 쏟아지는 우박처럼 들쭉날쭉해서 붙여진 이름이다.
콘웨이는 이 문제는 공식적으로 증명할 수도 없고 증명하지 않을 수도 없으므로, 결론적으로 이 문제는 결정적이지 않다는 것을 증명했다. 에르되시는 수학이 그런 문제를 해결하기에는 아직 충분히 발전하지 않았다는 것을 알았다.
현재의 슈퍼컴퓨터로 27조(27,000,000,000,000,000)까지의 숫자를 조사했는데 1로 끝나지 않는 우박 수열은 아직까지 발견되지 않고 있다. 현재까지 가장 긴 우박 수는 15자리 수로 그 우박 수를 갖는 수의 우박 수열은 1820개의 수로 이루어져 있다.

236
난이도 ●●○○○○
필요한 것
완료 시간

수	수열
1	4, 2, 1
2	1
3	10, 5, 16, 8, 4, 2, 1
4	2, 1
5	16, 8, 4, 2, 1
6	3, 10, 5, 16, 8, 4, 2, 1
7	22, 11, 34, 17, 52, 26, 13, 40, 20, 10, 5, 16, 8, 4, 2, 1
8	4, 2, 1
9	28, 14, 7, 22, 11, 34, 17, 52, 26, 13, 40, 20, 10, 5, 16, 8, 4, 2, 1
10	5, 16, 8, 4, 2, 1
11	34, 17, 42, 21, 64, 32, 16, 8, 4, 2, 1
12	6, 3, 10, 5, 16, 8, 4, 2, 1
13	40, 20, 10, 5, 16, 8, 4, 2, 1
14	7, 22, 11, 34, 17, 52, 26, 13, 40, 20, 10, 5, 16, 8, 4, 2, 1

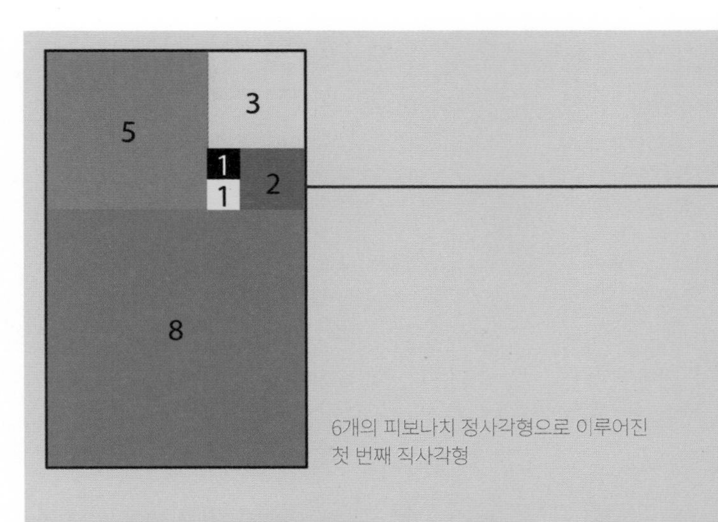

6개의 피보나치 정사각형으로 이루어진
첫 번째 직사각형

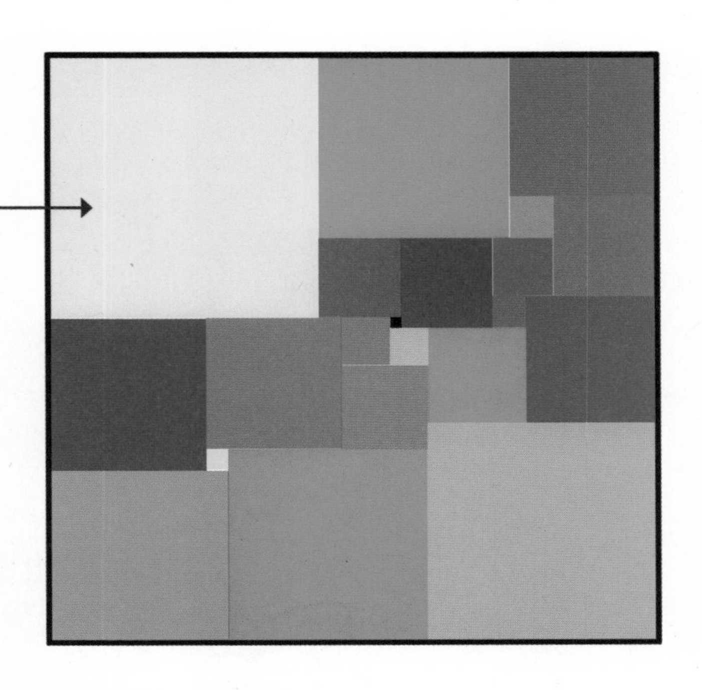

완전 정사각형-1938년

수학자들은 어디서나 질서를 찾는다. 수학자들은 자신들이 질서를 발견했다고 생각하면 숫자, 정사각형, 직사각형, 삼각형, 그리고 평행사변형들에 대해 '완전', '불완전' 등의 용어를 정의함으로써 자신들이 그 질서에 열광하고 있음을 표현하려 한다.
원을 정사각형으로 만드는 문제는 고대 그리스 때부터 시작된 오래된 문제지만, 정사각형을 정사각형으로 만드는 문제는 아주 최근의 일이다.
유명한 헝가리의 수학자 에르되시는 1934년에 다음과 같은 분할 문제를 제기했다. '한 개의 정사각형을 크기가 다른 두 개의 작은 정사각형들로 나눌 수 있는가?' 그런 정사각형은 '완전하다' 또는 '정사각화 된다'고 한다.
에르되시는 이런 정사각형은 있을 수 없다는 잘못된 결론을 내렸다. 아마도 '한 정육면체를 크기가 모두 다른 여러 개의 작은 정육면체로 나눌 수 없다'는 쉽게 증명되는 사실에 영향을 받은 것으로 보인다. 에르되시는 한 개의 '직사각형'을 크기가 모두 다른 작은 정사각형들로 나누는 것이 가장 잘할 수 있는 것이라는 결론을 내렸다.
정사각화 할 수 있는 완전 정사각형의 존재 여부는 오랫동안 알려진 것이 없었다. 그러나 1938년 스프라그(R. Sprague)는 크기가 모두 다른 55개의 정사각형으로 분할할 수 있는 정사각형이 있음을, 즉 완전 정사각형을 발견했다. 그 후 1948년 윌콕스(Willcocks)는 크기가 모두 다른 24개의 정사각형으로 분할할 수 있는 완전 정사각형을 발견했다. 수십 년 동안 윌콕스의 정사각형이 가장 작은 완전 정사각형이라 여겨졌다. 그러던 중 1978년 네덜란드의 수학자 다위베스테인(A. J. W. Duijvestijn)은 크기가 모두 다른 21개의 정사각형으로 분할되는 정사각형이 있음을 발견했다. 현재는 이것이 가장 작은 완전 정사각형으로 알려져 있으며, 그 정사각형을 분할하는 방법은 유일하다. 만일 크기가 같은 정사각형의 분할도 허용된다면, 그 정사각형 또는 직사각형은 '불완전' 또는 '퍼킨스의 퀼트 부인(Mrs. Perkins's quilts)'이라 불린다.

가장 작은 완전 정사각형

피보나치 직사각형에서는 첫 번째 피보나치 수를 한 변으로 갖는 정사각형에 그다음 피보나치 수를 한 변으로 갖는 정사각형을 돌려 쌓는 방식으로, 크기가 다른 정사각형들로 무한 평면을 바둑판 모양으로 메우는 오래된 문제를 해결했다.
한 개의 정사각형을 작은 정사각형들로 나누는 것에는 아무 문제가 없다. 그러나 이 문제를 오랫동안 가장 아름답고 어려운 문제 중 하나로 만든 것은, 모든 정사각형이 '서로 다른 크기'여야 한다는 조건이었다. 다위베스테인에 의해 발견된 가장 작은(낮은 차수의) 완전 정사각형은 다음에 나열된 21개의 수를 한 변의 길이로 갖는 정사각형들로 구성된다.
2-4-6-8-9-11-15-16-17-18-19-24-25-27-29-33-35-37-42-50.

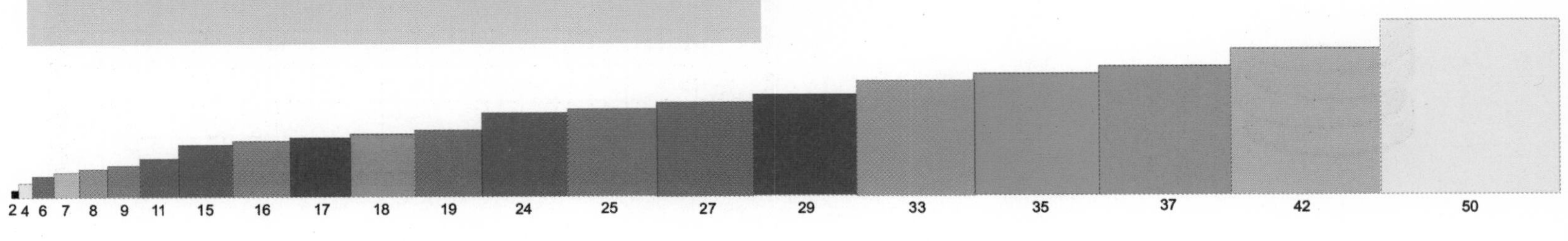

벤포드의 법칙

1998년 8월 4일 〈뉴욕타임스〉는 테드 힐(Theodore P. Hill) 박사의 다음과 같은 이야기를 실었다. 힐은 조지아공대에서 자신의 수학 강좌를 수강하는 학생들에게 집에 가서 동전을 200번 던지고 그 결과를 기록해보거나, 동전을 200번 던졌다고 가정하고 가짜로 200개의 결과를 만들어보라 했다. 〈뉴욕타임스〉는 "다음 날 힐은 숙제로 낸 데이터를 보고 가짜로 데이터를 만든 학생들을 쉽게 찾아내 학생들이 놀랐다"고 썼다. 힐은 인터뷰에서 "사람들 대부분은 실전에서 실제로 어떤 이상한 일이 일어날지 모르기 때문에, 데이터를 믿을 수 있을 만큼 그럴듯하게 가짜로 만들 수는 없는 것이 사실이다"라고 말했다.

이런 일은 비단 수업시간에만 있는 것은 아니다. '벤포드 법칙'으로 알려진 놀라운 수학적 정리를 확신하는 통계학자, 회계사, 그리고 수학자가 나날이 증가하는 상황이고 힐 박사도 그중 한 명이었다. 벤포드 법칙은 사기, 횡령, 탈세, 엉성한 회계, 그리고 컴퓨터 버그로 의심되는 것 등을 찾아내는 강력하지만 비교적 간단한 방법이다.

벤포드 법칙은 제너럴 일렉트릭(GE)에서 일했던 고 프랭크 벤포드(Frank Benford) 박사의 이름을 딴 것이다●. 1938년 그는 1로 시작하는 숫자에 대응하는 로그(logarithms)의 페이지가 다른 페이지보다 훨씬 더 지저분하고 마모된 것에 주목했다. 비록 벤포드 법칙이 다양한 데이터 집합에 적용되고 있긴 하지만, 이 현상에 대한 간단한 설명은 없다.

● 이 현상을 처음 발견한 것은 미국의 수학자이자 천문학자인 사이먼 뉴컴(Simon Newcomb)이다. 벤포드의 법칙은 거의 모든 데이터에서 특정 숫자의 비율이 일정하다는 법칙이다.

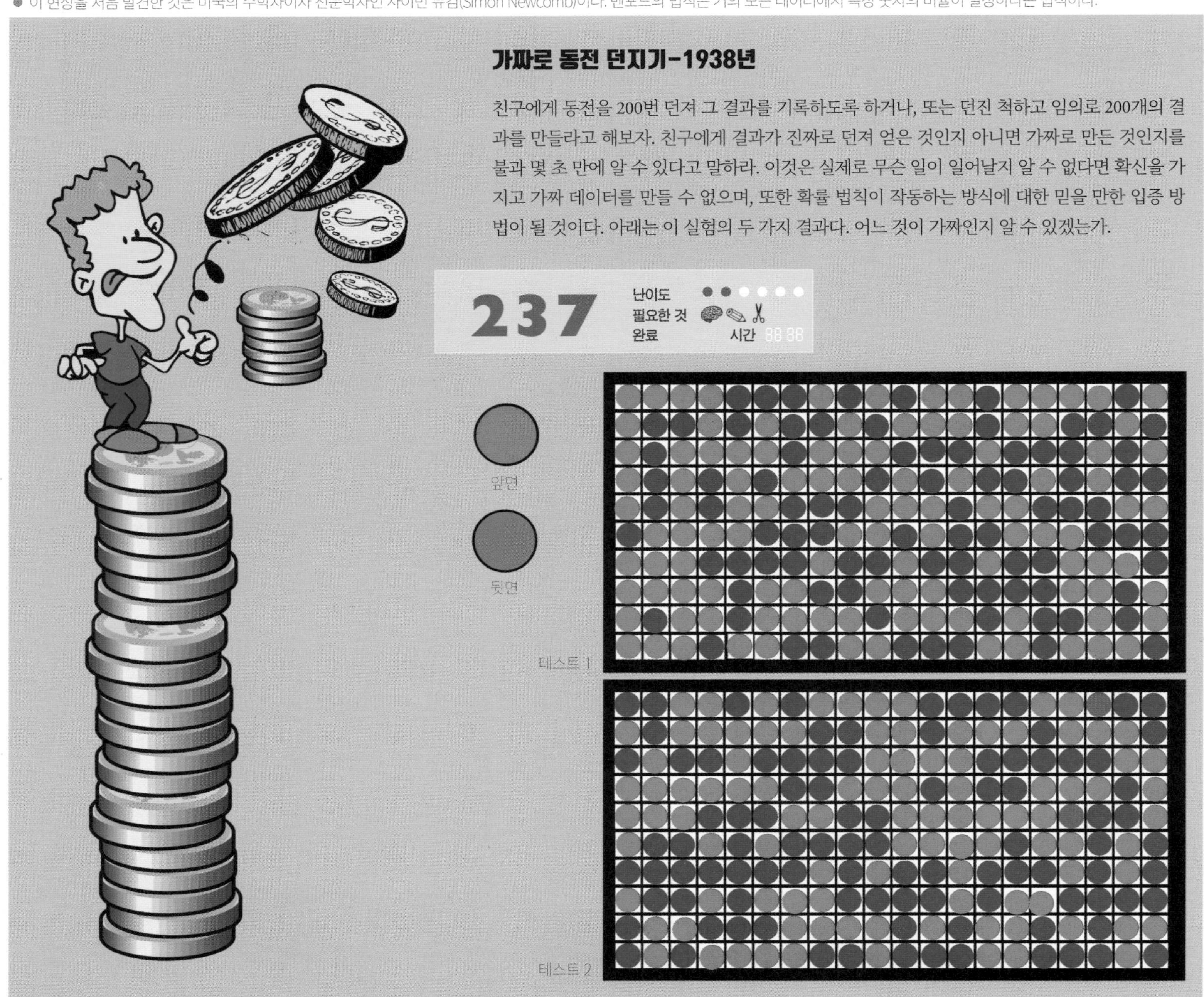

플렉사곤(flexagons)-1939년

플렉사곤은 납작한 위상 구조로, 보통 종이 띠들을 접어서 만든다. 종이 띠들은 원래 있는 앞면과 뒷면의 두 면 외에 다른 면을 나타내기 위해 여러 방법으로 구부리거나 접을 수 있는데, 이렇게 해서 만들어지는 것은 보통 정사각형이나 직사각형 플렉사곤(tetraflexagons) 또는 육각형 플렉사곤(hexaflexagons)이다. 1939년 아서 스톤(Arthur H. Stone)은 첫 번째 플렉사곤인 트리헥사 플렉사곤(trihexa flexagon)을 발견했다. 이 트리헥사 플렉사곤은 대형 인쇄용지를 편지지 크기로 만들면서 우연히 발견했다는 이야기가 있다. 스톤의 동료인 브라이언트 터커맨(Bryant Tuckerman), 리처드 파인만(Richard P. Feynman), 그리고 존 투키(John W. Tukey)는 이후 프린스턴 플렉사곤 위원회를 설립했다. 이들은 처음으로 '터커맨 횡단(Tuckerman traverse)'이라 불리는 위상적 방법을 정의했고, 이를 이용해 플렉사곤의 모든 면들을 밝혀냈다. 플렉사곤은 프린스턴대에서 매우 인기가 좋았다.

1959년 마틴 가드너는 《사이언티픽 아메리칸》 데뷔 기사에서 플렉사곤을 소개했는데, 이를 계기로 플렉사곤은 전 세계로 급속히 퍼지게 되었다.

플렉사곤은 음료 컵 받침, 카드, 그리고 장난감과 같은 일부 제품의 마케팅에 나타나는 등 상업적으로 관심을 받았으나, 본질적으로는 수학적 호기심으로 고안된 것이다. 1960년대 이래로, 이 책의 저자는 플렉사곤과 종이접기에 매료되어, 종이를 접어 만드는 독창적인 퍼즐과 장난감을 상당히 많이 발명했다.

아서 해럴드 스톤(1916~2000)

아서 해럴드 스톤은 당대 가장 뛰어난 위상수학자로 일반 위상수학의 여러 세부 영역에서 수많은 업적을 남겼다. 스톤은 루마니아에서 영국으로 이민을 간 유대인 부모 아래서 런던에서 태어났다. 1935년 스톤은 케임브리지의 트리니티대에서 최고의 장학금을 받았다. 그는 바이올린 연주와 체스에 빼어난 능력이 있었을 뿐만 아니라 학문 분야에서도 탁월했다. 1938년 학사학위를 받은 스톤은 프린스턴으로 옮겨 렙셰츠(S. Lefschetz)의 지도로 박사학위를 받았다.

비록 외골수 수학자였지만 관심사는 넓었고, 그가 가진 다양한 능력은 유명한 플렉사곤(flexagon, 종이를 접어 만드는 다면체)의 발견과 같이 예상치 못한 방식으로 종종 나타났다.

또한, 한 개의 정사각형을 크기가 다른 더 작은 정사각형들로 나누는 방법에도 관심이 많았다(완전 정사각형 참조). 스톤은 정사각형을 69개의 작은 정사각형으로 나누는 것을 연구했는데, 이는 후에 다른 사람들에 의해 더 발전되었다.

스톤은 1948년부터 런던수학회 회원으로 활동하기도 했다.

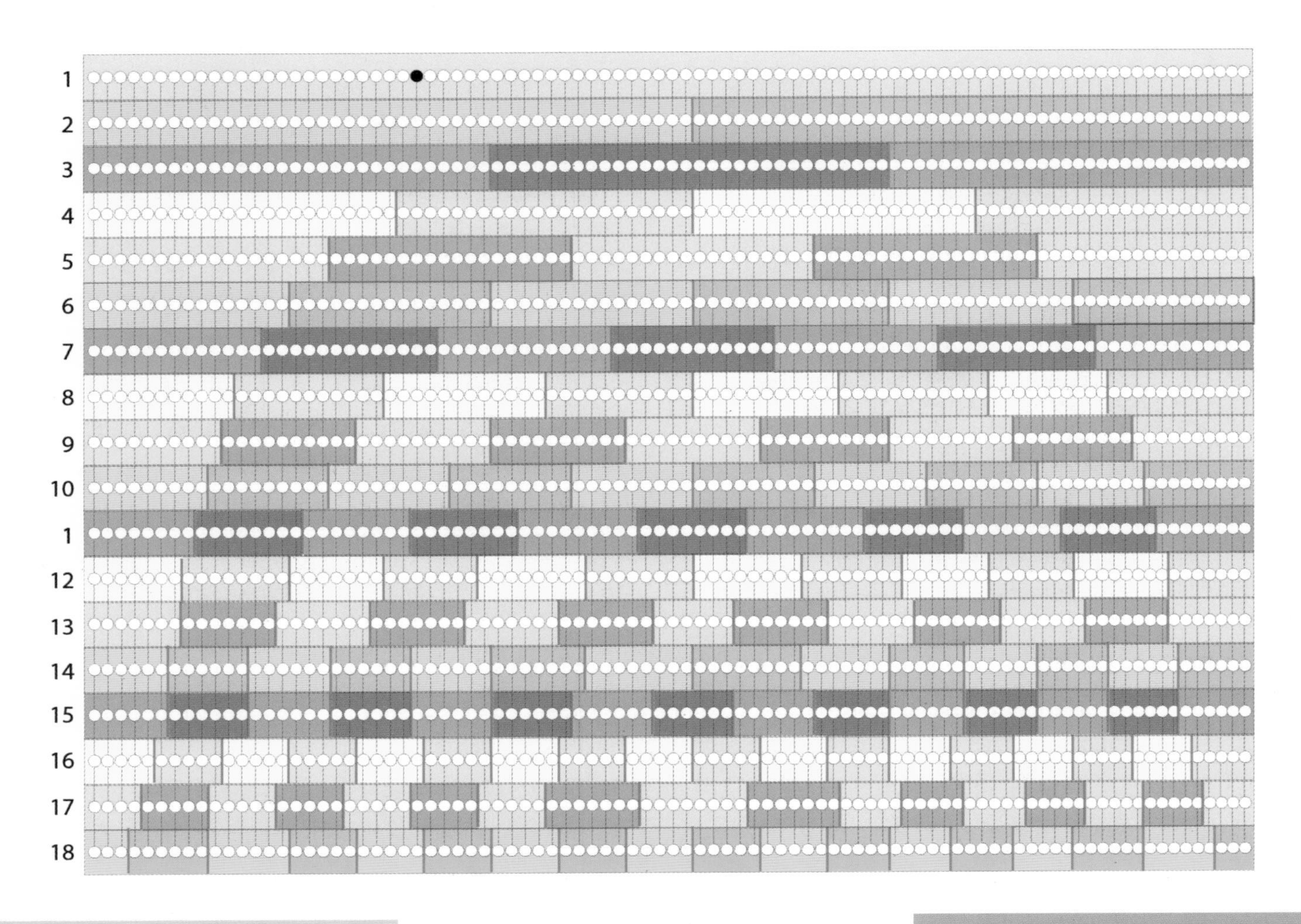

238
난이도
필요한 것
완료 시간

18개의 점 배열 게임

한 그루의 나무가 심겨 있는 띠처럼 생긴 땅이 있다고 하자. 나무는 점으로 표시되어 있으며 어디에나 있을 수 있다(1행). 땅을 둘로 나누고, 나무가 없는 땅(두 번째 땅)에 나무 한 그루를 심는다(2행). 그런 다음 다시 땅을 3등분 해 그중 나무가 없는 부분에 또 다른 나무 한 그루를 심는다(3행). 이 과정을 계속 반복한다. 이 과정 중 매번 이미 심은 나무는 다행스럽게도 분리된 영역으로 나뉜다.

주어진 땅을 같은 크기를 가진 땅으로 점점 작게 나누더라도 나무를 심을 수 있는 분리된 영역이 충분히 나올 거라 예측할 수 있겠는가? 같은 영역에 두 그루의 나무가 심길 때까지 이 과정을 계속하면 몇 그루의 나무를 심을 수 있을까? 두 그루의 나무가 같은 영역에 있게 되면 이 게임은 끝난다.

이 책 뒤의 해답에(10장) 6번 나누면(6세대) 게임이 끝나는 해를 볼 수 있다. 세대 수열(sequence of generations)이란 '증가하는 수에서 각각의 수로 땅을 나누었을 때 나뉜 땅의 길이'를 나타낸다는 것을 기억하자. 이 문제를 푸는 동안 2인이 경쟁하는 게임을 할 수도 있다. 선수들은 번갈아 가며 나무를 심는다. 자신이 나무를 심을 차례에 땅에 이전에 심은 나무가 있으면 게임에서 진다. 즉, 자신의 차례에서 더 이상 나무를 심을 땅이 없으면 게임에서 지는 것이다.

18점 문제

18개의 점 배치 게임은 유명한 18개의 점 문제가 단순화된 변형 문제다. 18개의 점 문제는 무한 개의 점을 가진 하나의 직선을 여러 개의 작은 직선으로 나누는데, 이 직선 위에 18개의 점을 배치하는 문제와 유사한 방식으로 직선이 나뉜다.

직선 위에 무한 개의 점을 놓을 수 있다고 생각할 수도 있지만 사실 그렇지 않다. 점들을 어떻게 배치하든 간에, 17개의 점보다 많이 배치할 수는 없다. 게임은 18번째 점에서 항상 끝날 것이다.

이 멋진 문제는 1939년 폴란드 수학자 후고 슈타인하우스의 저서『초등 수학 100문제』에 처음 등장했다.

이후 가드너, 콘웨이, 워무스(Warmus), 벌레캄프(Berlekamp), 백스터(Baxter) 등 여러 사람이 광범위하게 다루었다.

17개 점 문제는 768가지의 다른 해가 있다.

생일 역설-1939년

적어도 두 사람의 생일이 같은 날 파티를 하려고 한다. 생일은 같은 달, 같은 날이어야 하나, 같은 연도일 필요는 없다. 초대하는 사람의 생일을 모를 때 두 사람의 생일이 같을 확률이 0.5 이상이려면 얼마나 많은 사람을 초대해야 할까? 생일이 같은 사람이 있으려면 실제로 얼마나 많은 사람을 초대해야 할까?
놀랍게도, 23명만 모이면 그중 두 사람의 생일이 같을 확률은 약 0.5이다. 이를 계산하려면, 모든 사람의 생일이 다를 확률을 알아보아야 한다. 한 그룹에 서로 다른 생일을 가진 두 사람이 있을 확률은 364/365로 매우 높다. 한 그룹에서 세 사람의 생일이 다를 확률은 363/365로 약간 낮은데, 이는 두 사람이 이미 다른 생일을 갖는 그룹에서 세 번째 사람이 다른 생일일 확률을 곱해서 얻는다.•
그 그룹에서 모든 사람의 생일이 다를 확률이 0.5 이하로 떨어질 때까지 계속해보라. 이는 다시 말하면, 어느 두 사람의 생일이 같을 확률이 0.5 이상이 된다는 것을 의미한다.
이 현상은 '생일 역설'로 알려져 있다. 직관적으로 보면 366명은 있어야 생일이 같은 사람이 나올 거라고 생각할 수 있지만, 사실 단 57명 이상만 있어도 생일이 같은 두 사람이 있을 확률이 거의 확실하다고 생각되는 확률인 0.99까지 나오기 때문에 이런 역설이 생겼다.
이 결론은 한 해의 어떤 날(2월 29일을 제외하고)도 가중치가 같다고 가정하고 얻은 것이다.

• $364/365 \times 363/364 = 363/365$

리처드 폰 미세스(1883~1953)

리처드 폰 미세스(Richard von Mises)는 고체역학, 유체역학, 공기역학, 항공학, 통계학 및 확률이론을 연구한 유태인 과학자이자 수학자다. 미세스는 오스트리아에서 태어났지만, 1933년 나치 정권이 권력을 잡은 후 위협이 심해지자 이를 피해 터키로 이주했다. 1939년 미국으로 건너간 미세스는 1944년 하버드대학의 공기역학 및 응용수학과의 고든 매케이(Gordon-McKay) 교수로 임명되었다.
그는 확률이론에서 지금은 '생일 문제'로 유명한 문제를 처음으로 제안했다. 생일 역설은 무작위로 선택된 두 개의 견본이 같은 값을 가질 수 있다는 문제로, 파티에서 생일이 같은 사람들이 있는가 하는 문제다. 역설은 '우연히 일치하는 확률이 실제로는 예상보다 훨씬 더 많이 일어난다'는 것에 있다.

색이 다른 구슬 섞기와 우유와 차 섞기

가장 반직관적이면서 흥미로운 퍼즐 중 하나는 한 잔의 차와 한 잔의 우유에 관한 고전적인 문제다. 이 문제는 우유가 있는 잔에서 한 작은 술(티스푼 사용)을 떠서 차가 있는 잔에 넣고 잘 저은 후 그 잔에서 한 작은 술을 떠서 우유가 있는 잔에 넣었을 때, 우유 잔의 차가 더 많은지 찻잔의 우유가 더 많은지를 알아보는 것이다.

문제만큼이나 까다로워 보이는 반직관적인 대답은 차 속에 있는 우유와 우유 속에 있는 차의 양은 똑같다는 것인데, 그 이유는 각 잔에 있는 액체의 총 부피는 일정한 양만큼을 서로 옮겨도 변하지 않기 때문이다. 즉, A잔에서 B잔으로 옮겨진 순부피는 B잔에서 A잔으로 옮겨진 부피와 맞먹는다는 것이다.

처음에 나는 이 대답에 대해 약간 회의적이었는데, 차와 우유 대신 두 가지 색상의 대리석 구슬을 사용해 비슷한 실험을(여러분도 쉽게 할 수 있다) 직접 해 본 몇 년 후까지 그 회의는 사라지지 않았다.

구슬로 가득 차 있는 두 개의 상자를 생각해보자. 예를 들면, 그림에 보이는 것같이 한 상자에는 50개의 빨간색 구슬이, 다른 상자에는 50개의 녹색 구슬이 담겨 있다고 하자. 빨간색 구슬 상자에서 구슬 5개를 꺼내 녹색 구슬 상자에 넣는다. 녹색 구슬 상자를 잘 섞은 후 무작위로 5개의 구슬을 선택해 빨간색 구슬 상자에 넣는다. 각 상자에는 다른 색 구슬이 몇 개씩 들어 있을까?

아래 그림에 보이는 것처럼 녹색 구슬 상자에 있는 빨간색 구슬을 다시 빨간색 구슬 상자에 넣는 방법은 6가지가 있다. 각 경우에 빨간색 구슬 상자와 녹색 구슬 상자에는 다른 색 구슬이 같은 수만큼 있다.● 옮기는 구슬의 수에 상관없이 똑같은 일이 항상 일어날 것이다.

● 예를 들면, 첫 번째 경우에는 각 상자에 다른 색 구슬은 없는 반면, 두 번째 경우에는 각 상자에 다른 색 구슬이 한 개씩 있다. 나머지도 마찬가지다.

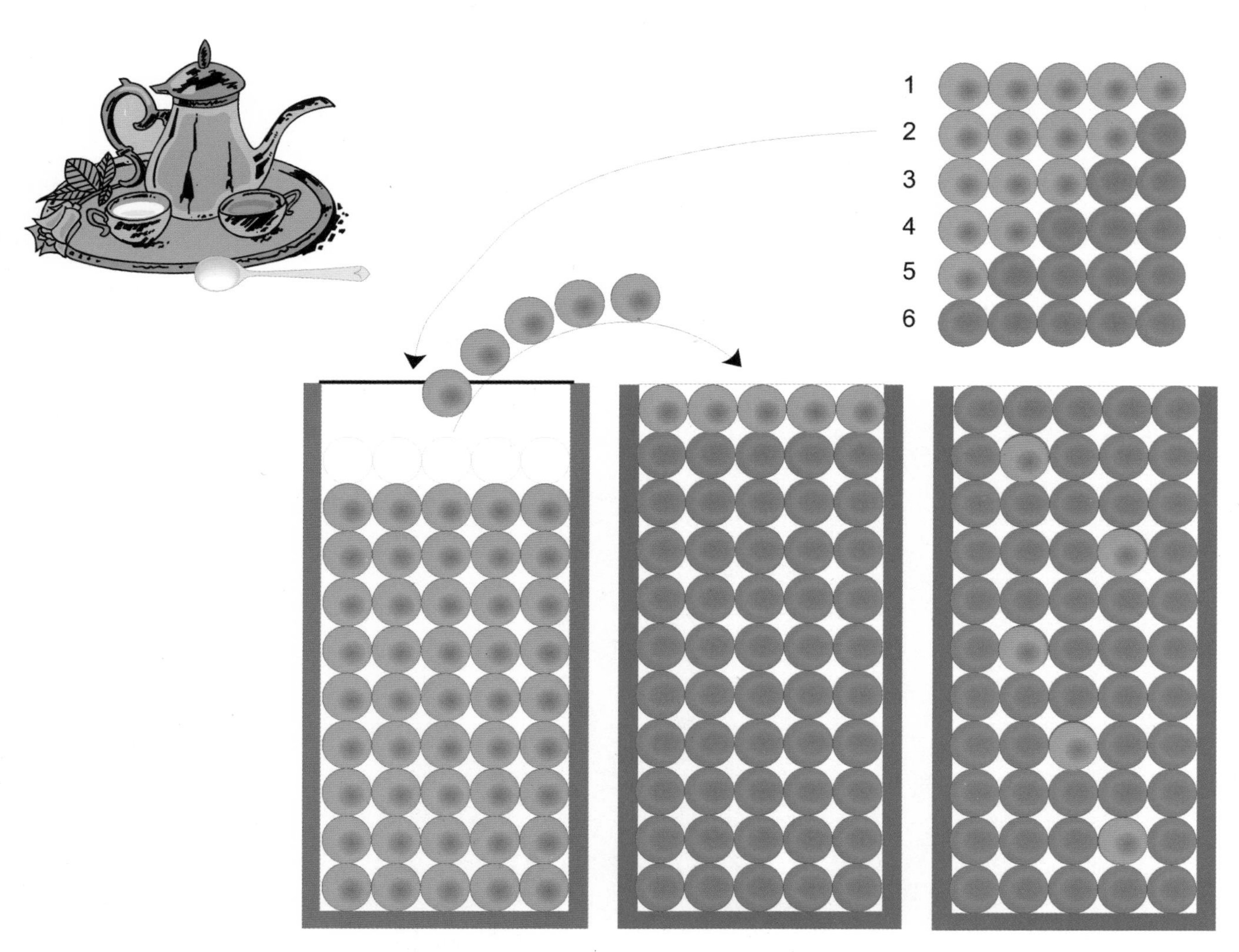

1. 녹색 구슬 상자로 5개의 구슬을 옮긴다.
2. 녹색 구슬 상자를 잘 섞는다.
3. 그림과 같이 빨간색 상자로 5개의 구슬을 다시 옮기는 방법은 6가지다.

16진수 게임(Hex)-1942년

가장 아름다운 위상 게임 중 하나는 16진수 게임으로, 이 게임은 1942년 덴마크의 탁월한 발명가이자 자유의 투사인 피트 하인이 발명했다. 하인은 위상에서의 4색 문제를 분석하면서 16진수 게임을 발명했다.

1948년에는 MIT대학의 노벨상 수상자인 존 내쉬(John F. Nash)가 독립적으로 이 게임을 재발명했다. 이 게임은 '연결(connectivity)'의 원리를(연결이란 게임판을 가로지르는 원리를 말한다) 도입한 게임의 원형으로, 이후 발명된 많은 게임들, 예를 들면 트윅스트(Twixt), 브릿지잇(Bridge-It) 등의 게임 역시 이 원리를 기반으로 하고 있다. 16진수 게임은 쉽게 배울 수 있고 게임 방법이 아주 간단하지만, 수학적으로 놀라운 묘미가 있다. 이 게임은 다음 쪽에 나타난 육각형으로 이루어진 11×11 크기의 게임판을 이용했지만, 나중에는 게임판의 크기가 다양해진다. 게임에서 한 선수는 빨간색 말, 다른 선수는 녹색 말을 사용한다. 이 게임은 종이와 연필로도 할 수 있는데, 두 선수는 게임판 위에서 색을 사용하거나, 'O'와 'X'와 같은 표시를 사용하거나, 또는 앞면이나 뒷면이 나오는 작은 동전들을 사용할 수도 있다. 선수들은 교대로 비어있는 육각형 셀에 그들의 말을 놓는다. 게임은 게임판의 한쪽 면에서 시작하여 다른 면으로 같은 색의 말을 놓는데 이때 연결이 끊어지지 않게 사슬을 완성해야 한다. 모서리에 있는 육각형들은 두 가지 색(또는 표식) 중 하나가 차지할 수 있다. 말을 끄는 것은 불가능하며, 이기는 선수는 항상 있다.

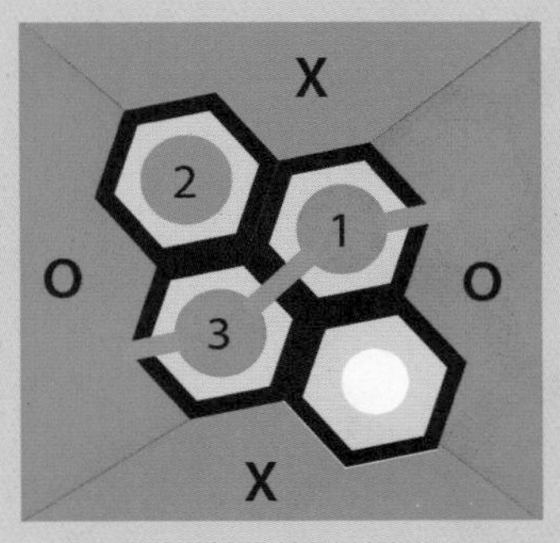

2×2 게임판에서는 게임을 먼저 시작하는 선수가 쉽게 이긴다.

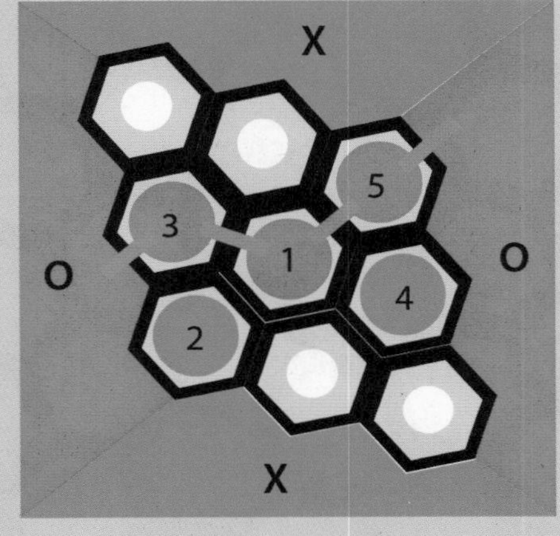

3×3 게임판에서는 첫 번째 선수가 첫 수를 중앙 셀에 두면 이긴다.

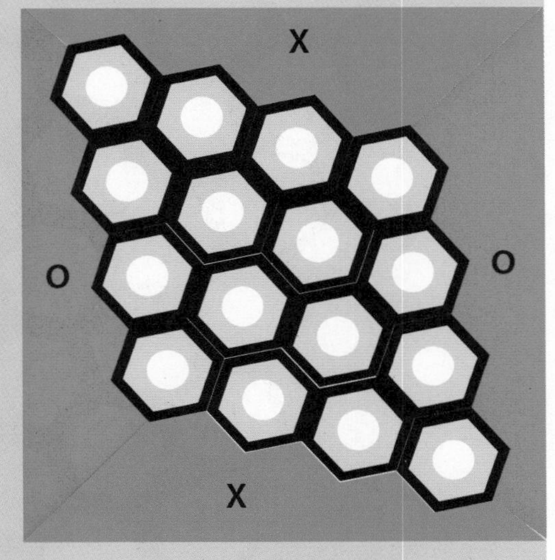

4×4 게임판에서 첫 번째 선수가 이기려면 얼마나 많은 이동을 어떻게 해야 할까?

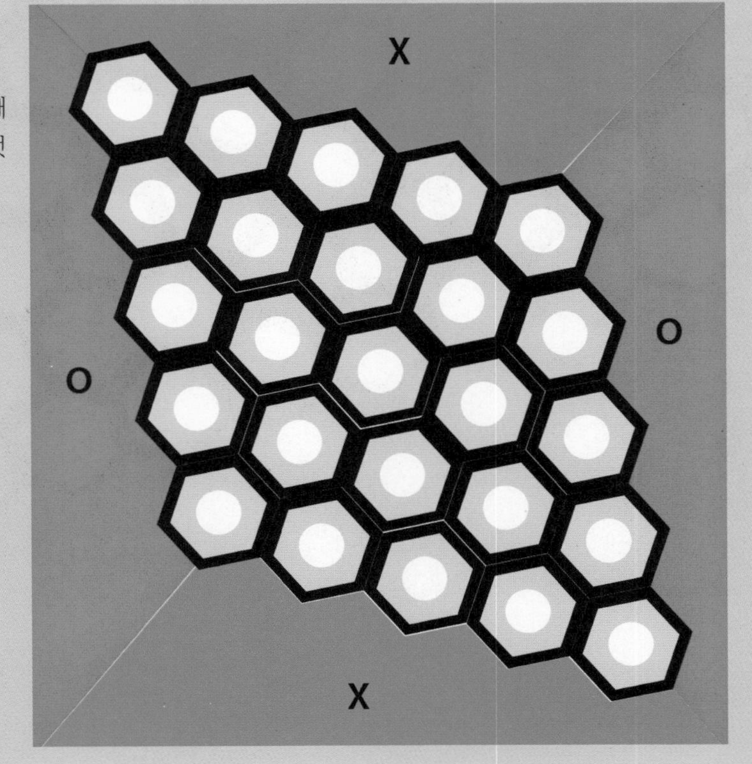

5×5 게임판에서 첫 번째 선수가 이기는 방법은 무엇일까?

239 난이도 ●●●●●○ 필요한 것 완료 시간

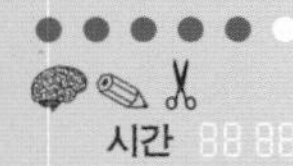

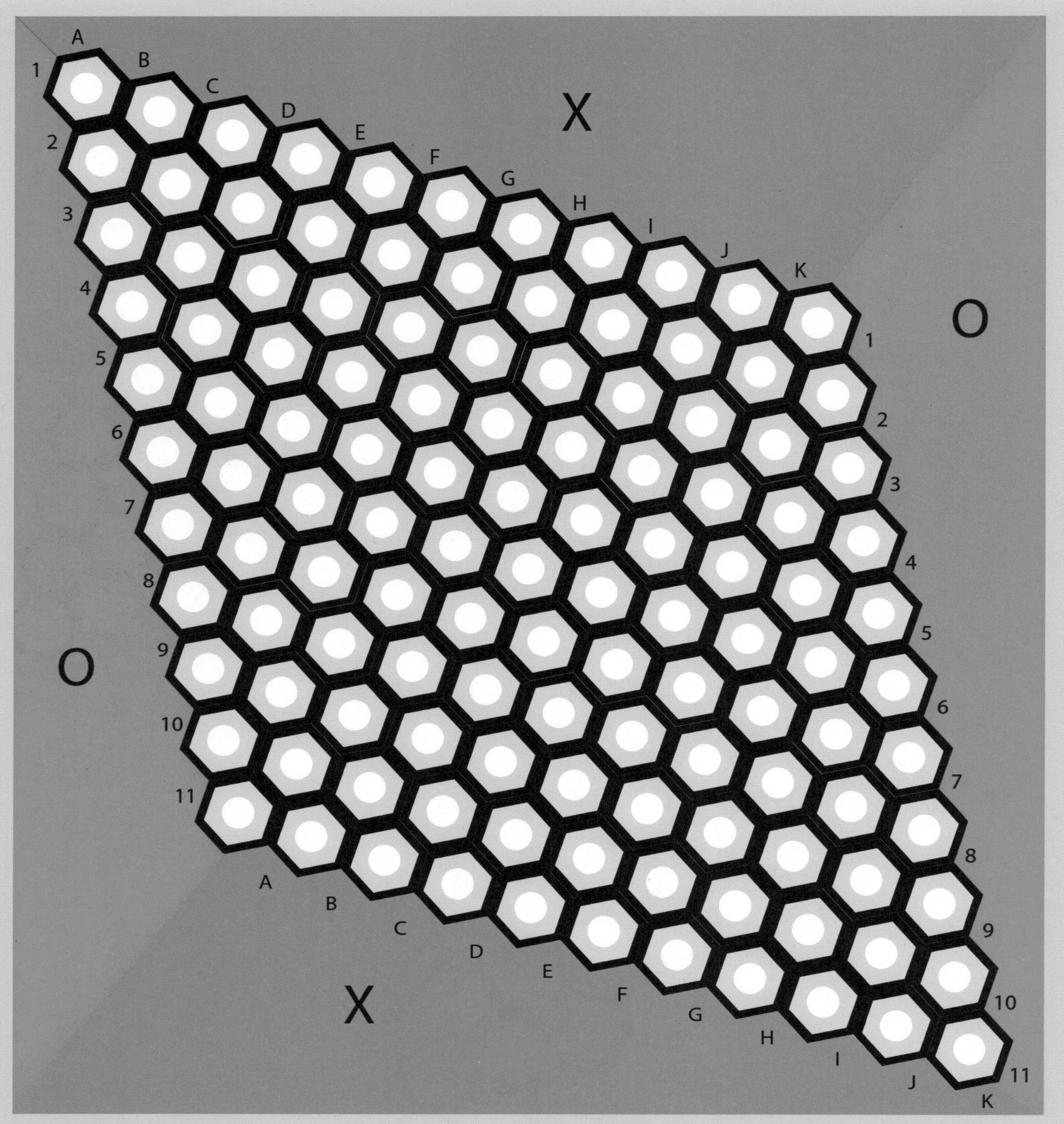

16진수 게임(Hex)

2인용 게임을 위한 표준 게임판이다. 작은 동전이 있으면 즉시 게임을 할 수 있다.

해럴드 스콧 맥도널드 콕서터(1907~2003)

해럴드 스콧 맥도널드 '도널드' 콕서터(Harold Scott Macdonald Coxeter)는 캐나다 출신의 기하학자다. 런던에서 태어났지만, 대부분의 삶을 캐나다에서 보냈다. 그는 20세기의 위대한 기하학자 중 한 사람으로 종종 '기하학의 왕'이라고도 불린다.
콕서터는 기하학 분야에 지대한 공헌을 했다. 1936년 토론토대의 교수로 임용되어 60년 동안 연구에 임하며 12권의 책을 출판했으며, 정규 폴리토프(regular polytopes)와 고차원 기하학에 대한 연구로 이름을 떨쳤다. 기하학 연구에서 대수적 접근방법이 점점 인기를 얻었던 당시 추세에 역행하여, 콕서터는 기하학의 고전적 접근법을 옹호했다.

정다각형과 별-1950년

앞서 보았듯이, 한 개의 다각형은 다음과 같은 두 가지 성질이 있는 경우 정다각형이라고 한다.

1. 모든 변의 길이가 같다.
2. 모든 내각이 같다. 원은 변이 무한 개인 정다각형으로 볼 수 있다.

또한, 무한히 많은 정다각형들은 그림에 나타난 바와 같이 다음과 같은 하위 소그룹으로 세분화할 수 있다.

- 단순한 정다각형들(빨간색)
- 별 모양 정다각형들
- 합성 정다각형들

그림에는 처음 9개의 별 모양 정다각형들(파란색)과 합성 정다각형들(녹색)이 나타나 있다. 별 모양 다각형은 원주 위에 일정한 간격으로 놓여 있는 P개의 점 중 q번째의 점들을 직선으로 연결해서 얻은 그림이다. P와 q는 양의 정수다.

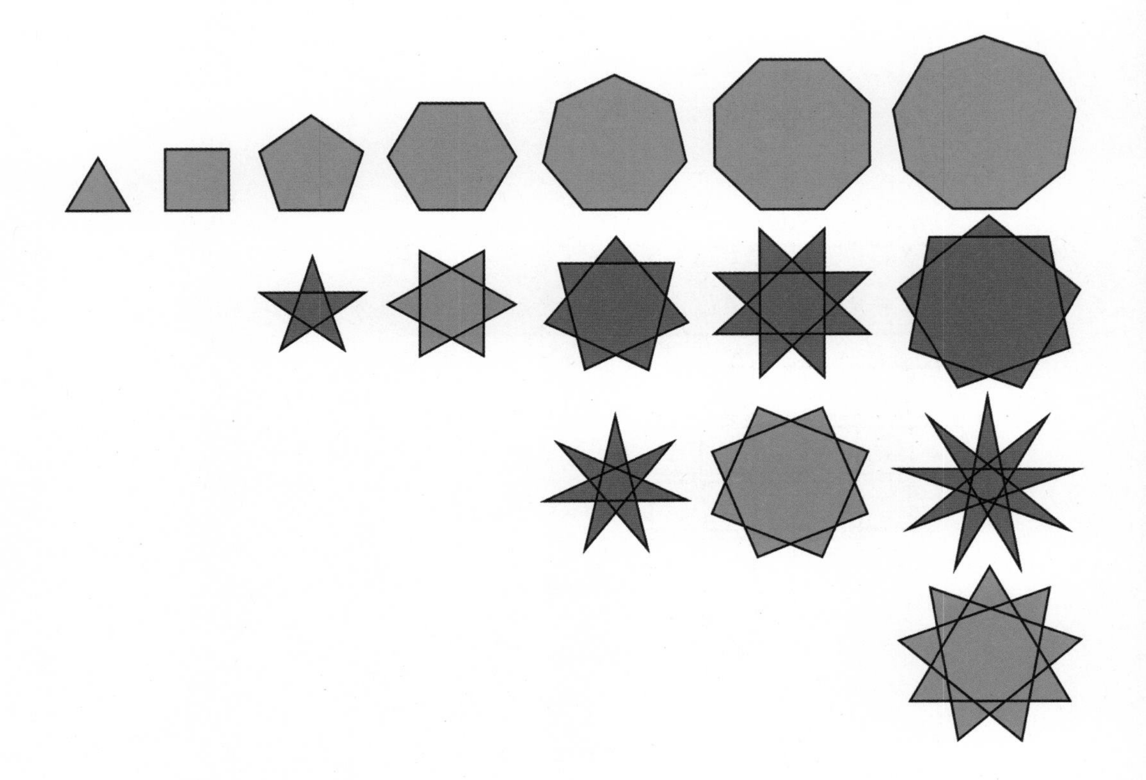

별들과 합성 다각형들

정10각형, 정11각형 및 정12각형(10개, 11개, 12개의 변을 가진 정다각형)에서 별들과 다각형들을 각각 몇 개씩 만들 수 있을까?

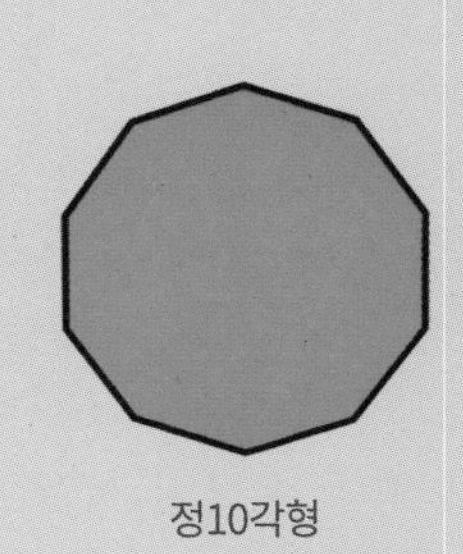

정10각형

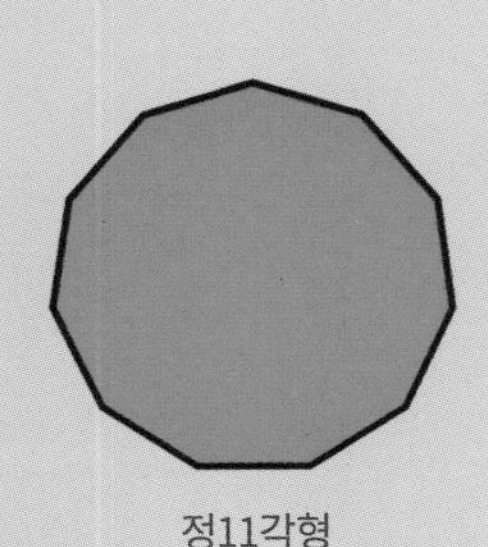

정11각형

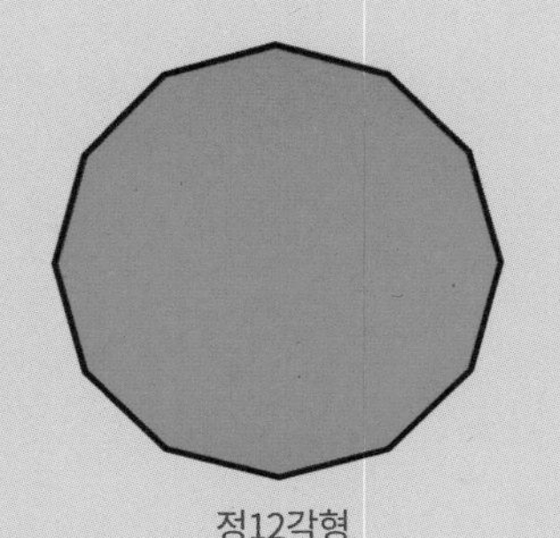

정12각형

240

난이도 ●●●●●○
필요한 것
완료 시간

완벽하고 최적화된 골롬 눈금자-1952년

골롬 눈금자는 특이한 방식의 측정 개념으로, 1952년 밥콕(W. C. Babcock)이 소개했다. 골롬 눈금자는 현재 서던캘리포니아대의 수학전기공학과 교수로 재직 중인 솔로몬 골롬(Solomon W. Golom)의 이름을 따서 골롬 눈금자라 불린다. 골롬 교수는 그 개념을 새롭고 예상하지 못했던 방향으로 광범위하게 분석하고 확장했다.
골롬 눈금자는 어떤 두 쌍의 표식자•도 같은 거리를 나타낼 수 없도록 설계된 자다. 골롬 눈금자 위의 표식자는 고정된 간격의 정수 배에 해당하는 위치에 놓여 있어야 한다. 골롬 눈금자는 주어진 개수의 표식자를 사용해 두 표식자 사이의 거리가 다른 것이 최대한 많이 생기도록 표식자들을 배치한 눈금자다. 이를 위해서는 표식자 간의 거리가 중복되지 않도록 하면서, 표식자들을 아주 효율적으로 배치해야 한다.
길이가 n인 '완벽한' 골롬 눈금자에서는 1에서 'n'까지 '모든' 정수 길이를 정확히 한 번에 측정할 수 있다. 완벽한 골롬 눈금자는 자의 길이가 4개의 표식자를 가진 자에 대해서까지만 존재한다. 한 특정 표식자 집합에서 가능한 가장 짧은 골롬 눈금자를 '최적'의 골롬 눈금자라 하는데, 최적의 골롬 눈금자가 되기 위한 조건은 어떤 두 쌍의 표식자에 대해서도 그들 간의 거리가 같아서는 안 된다는 것이다. 그러나 0부터 눈금자의 길이까지 연속적인 정수 거리를 모두 갖지 않을 수는 있다.
표식자의 수가 증가할수록 최적의 골롬 눈금자를 찾아내고 이를 증명하는 것은 더욱 어려워진다. 현재까지 24개의 표식자를 갖는 최적의 골롬 눈금자까지 발견되었으며, 최근에는 25개의 표식자와 26개의 표식자를 갖는 골롬 눈금자에 대해 최적의 눈금자를 찾고 있다.
골롬 눈금자 문제는 유희수학에서 가장 아름다운 문제 중 하나다. 또한 골롬 눈금자는 다양한 과학 및 기술 분야에서도 필요하며, 오락문제와 순수수학과의 관련성을 입증하면서 수학적 연구를 이끌고 있다.
골롬 눈금자는 천문학(안테나 배치), X선 감지 장치들(센서 배치) 및 기타 여러 분야에 적용되는 일반적인 간격에 대한 원리를 제공한다.

• 아래 그림에서 파란색 막대가 표식자다.

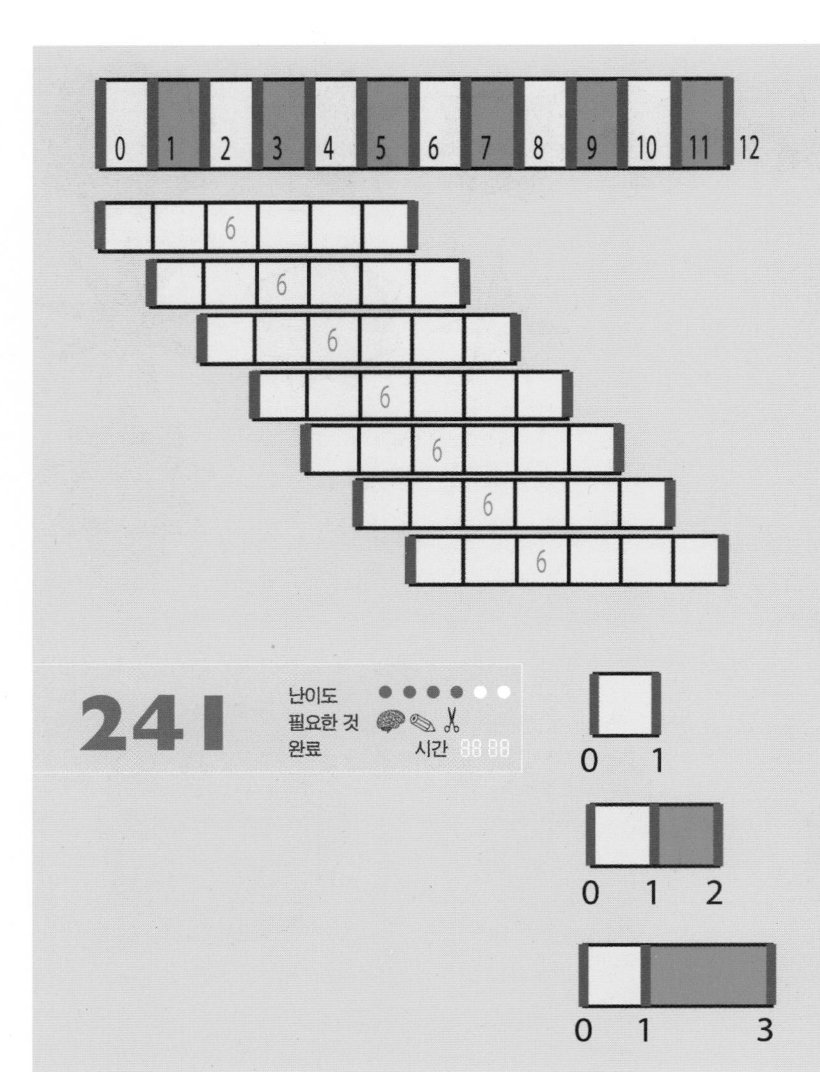

13개의 표식자를 가진 12단위 길이 눈금자

각 단위 길이마다 표식자가 있는 13개의 표식자를 가진 12단위 길이의 눈금자로는 1~12단위 길이 사이의 모든 정수 거리를 측정할 수 있다. 그러나 수학적 관점에서 볼 때, 이것은 아주 경제적인 배열은 아니다. 13개의 표식자를 사용하여 1에서 12까지의 길이를 측정하는 것은 매우 비효율적이기 때문이다.
예를 들면, 그림에 나타난 바와 같이 이 눈금자에서는 단위 길이를 12가지 다른 방법으로 측정할 수 있으며, (단위) 길이가 6인 것을 7가지 다른 방법으로 측정할 수 있는 등 하나의 길이를 여러 방법으로 측정할 수 있다. 즉, 이는 분명히 골롬 눈금자가 아니다.
이처럼 하나의 길이를 쓸데 없이 여러 방법으로 측정하는 것을 줄이고, 13개가 아닌 (13개보다 적은) 다른 개수의 표식자로 최적 또는 완벽한 골롬 눈금자를 만들 수 있겠는가?

완벽한 골롬 눈금자

두 개의 표식자를 가진 한 단위 길이(길이가 1)의 눈금자는 '완벽'하지만 너무 자명하다. 3개의 표식자를 가진 길이가 2인 눈금자는 단위 거리를 두 가지 방법으로 측정할 수 있기 때문에 '완벽'하지 않다.
3개의 표식자를 가진 길이가 3인 눈금자가 실제로 첫 번째 '완벽'한 눈금자다.•
길이가 'n'인 완벽한 눈금자에 대한 정의는 '1에서 'n'까지 모든 정수 길이를 측정하는 방법이 딱 한 가지'라는 것이다. 두 번째 완벽한 골롬 눈금자를 찾을 수 있겠는가?

• 표식자를 0, 2, 3 혹은 0, 1, 3 위치에 놓으면 길이 1, 2, 3을 한 번에 측정할 수 있다.

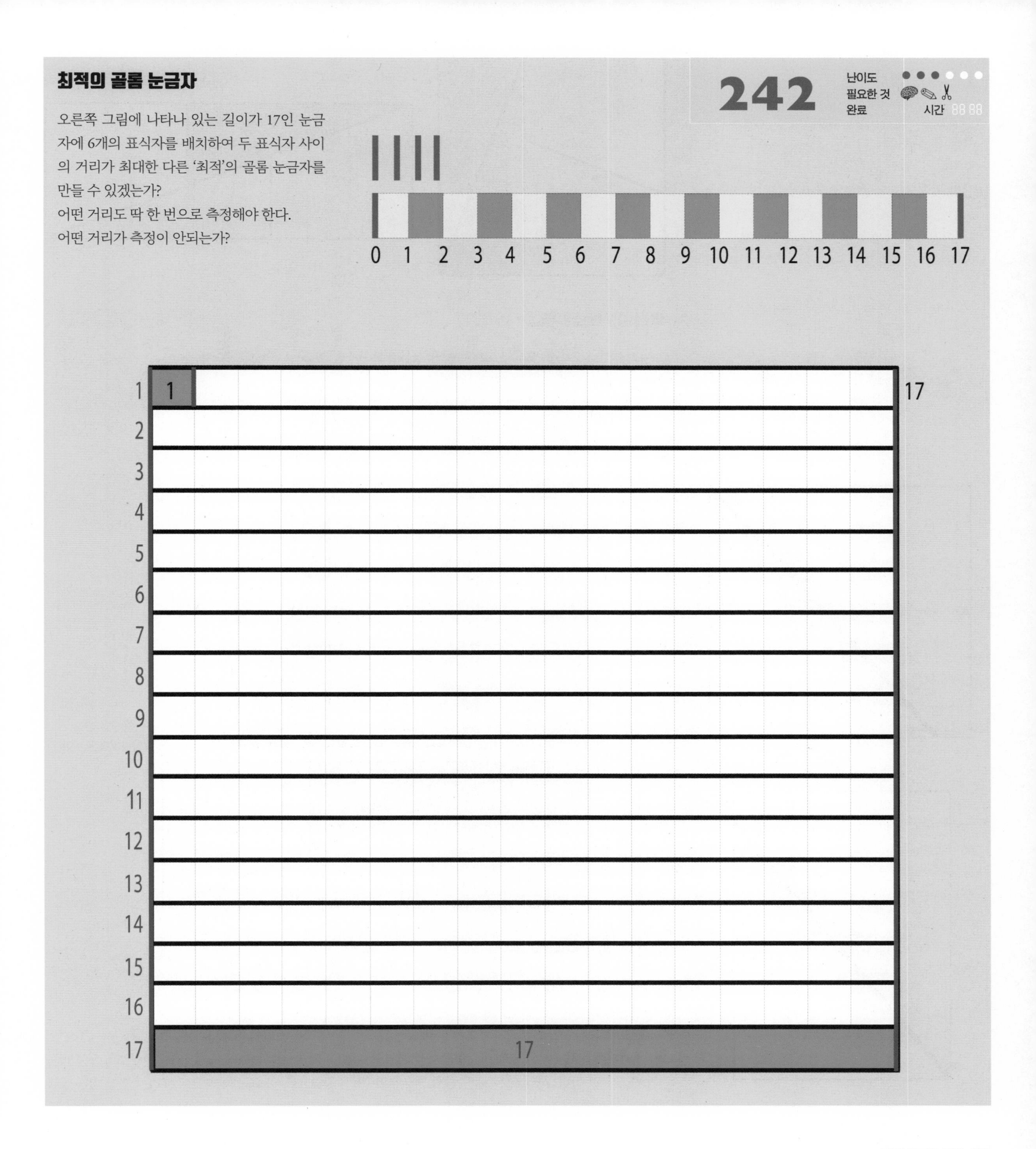
최적의 골롬 눈금자
242
난이도
필요한 것
완료
시간
오른쪽 그림에 나타나 있는 길이가 17인 눈금자에 6개의 표식자를 배치하여 두 표식자 사이의 거리가 최대한 다른 '최적'의 골롬 눈금자를 만들 수 있겠는가?
어떤 거리도 딱 한 번으로 측정해야 한다.
어떤 거리가 측정이 안되는가?
0 1 2 3 4 5 6 7 8 9 10 11 12 13 14 15 16 17
1 2 3 4 5 6 7 8 9 10 11 12 13 14 15 16 17
1
17
17

사라지는 정사각형

아래의 첫 번째 그림을 보면 체스판이 대각선을 따라 두 부분으로 나뉘어 있다. 그림에서 보는 것처럼, 그림의 아랫부분을 대각선을 따라 한 칸씩 왼쪽으로 이동하고 나머지 삼각형(파란색 부분)을 왼쪽 아래 부분의 삼각형 공간에 넣는다. 이렇게 해서 얻은 두 번째 그림은 크기 7×9의 직사각형으로 면적은 63제곱센티미터다. 이는 원래 체스판인 8×8 크기의 면적인 64제곱센티미터보다 면적이 1제곱센티미터 작다. 이 역설을 설명할 수 있겠는가?

243 난이도 필요한 것 완료 시간

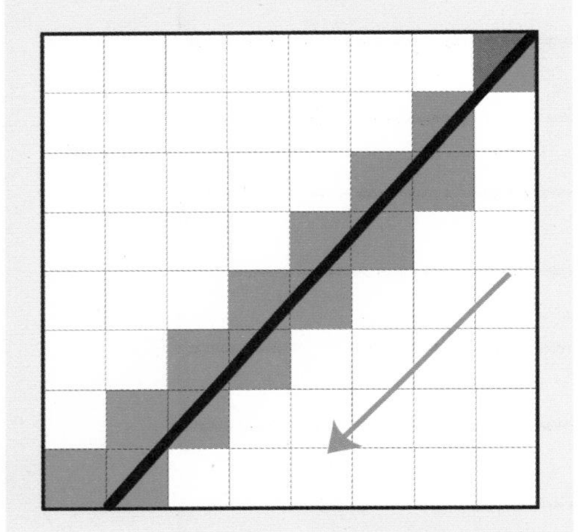

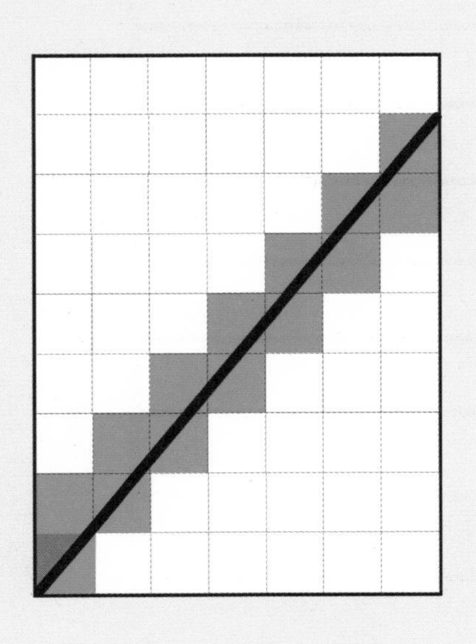

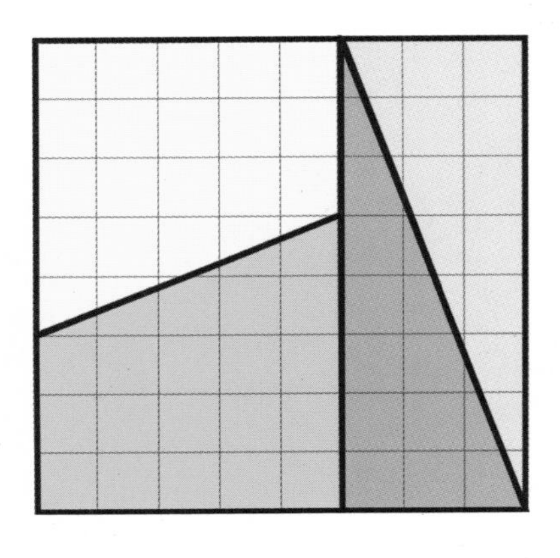

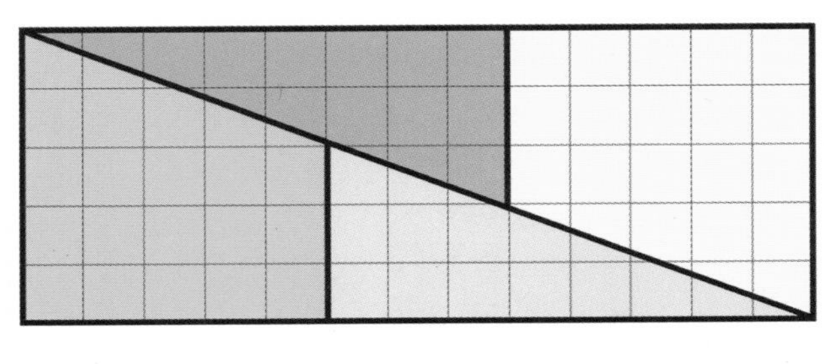

커리의 체스판 역설-1953년

244 난이도 필요한 것 완료 시간

그림과 같이 8×8 크기의 체스판을 단위 정사각형 격자 선을 따라 4개의 조각으로-사다리꼴 2개, 삼각형 2개로-자른다. 네 영역은 원래 정사각형의 면적인 64제곱센티미터보다 1제곱센티미터의 면적을 더 갖는 65개의 단위 정사각형 격자를 갖는 5×13 모양의 직사각형으로 재배치할 수 있다. 더 생긴 1제곱센티미터 면적의 정사각형을 어떻게 설명할 수 있겠는가?

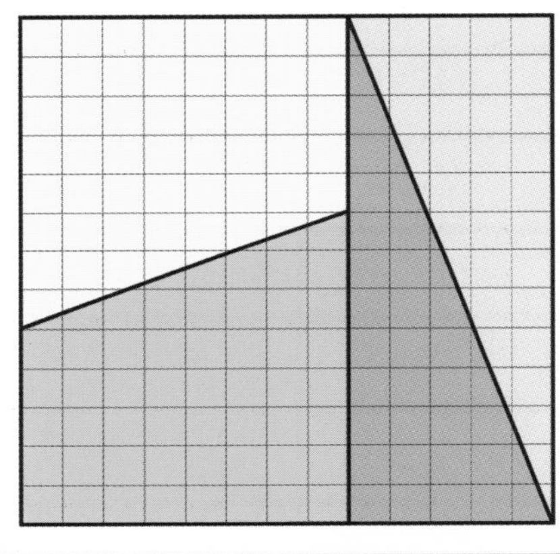

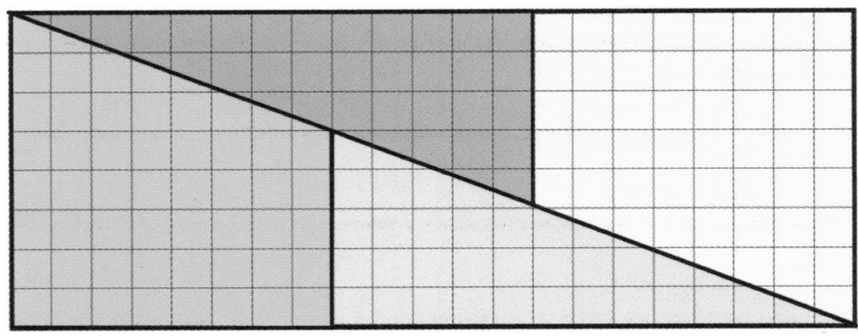

커리의 정사각형 역설

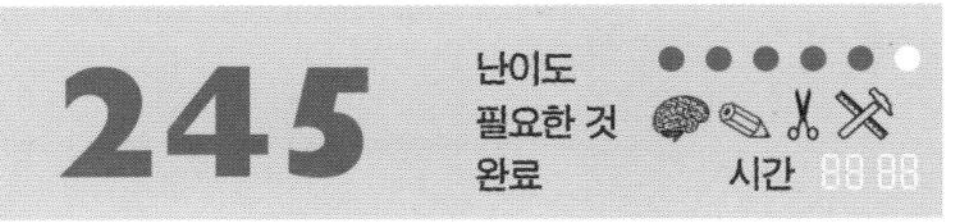

유사한 방법으로 13×13 크기의 체스판(면적은 169제곱센티미터)을 네 부분으로 잘라서 8×21(면적은 168제곱센티미터) 모양의 직사각형에 재배치한다. 즉, 재배치한 직사각형은 원래 사각형보다 면적이 1제곱센티미터 작다. 사라진 한 개의 단위 정사각형을 어떻게 설명할 수 있겠는가?

1774년 윌리엄 후퍼(William Hooper)가 쓴 『합리적 유희(Rational Recreation)』에서 종종 '도형소실 퍼즐(geometrical vanishes)'이라고도 불리는 분할 역설 문제들에 관한 초기의 참고자료들을 찾아볼 수 있다.

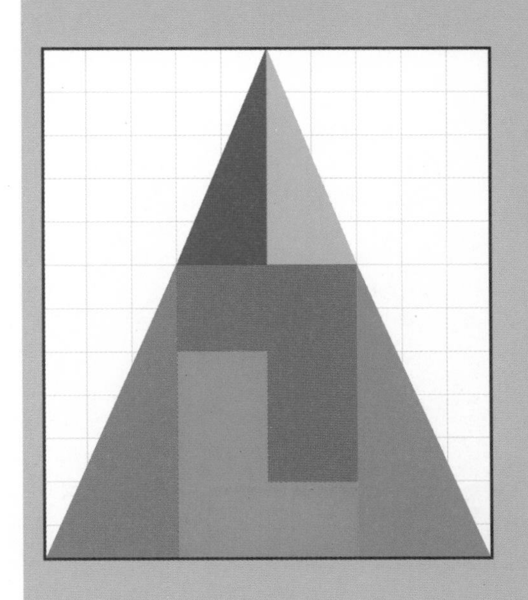

커리의 삼각형 역설-1953년

사라진 사각형 퍼즐이라고도 알려진 커리 삼각형은 미국 신경정신과 의사 보스버그 라이언스(L. Vosburgh Lions)가 만들어낸 분할 오류로, 1953년 뉴욕의 마술사 폴 커리(Paul Curry)가 발견한 현상의 한 사례이기도 하다.

채워진 삼각형의 면적은 60제곱센티미터다. 조각 6개의 총면적 역시 60제곱센티미터다. 이 6개의 조각을 복사해서 회색 삼각형 안에 재배열해보라. 이 회색 삼각형 역시 면적은 60제곱센티미터지만 이번에는 중간에 한 개의 구멍이 있다. 어떻게 된 것일까? 어떻게 하면 있었던 것이 없어질 수 있을까? 커리는 마술사였기 때문에 마술이 관련되어 있다고 생각할 수도 있다. 그러나 아래 그림에서 볼 수 있듯 마술은 필요 없다.

그림은 6개의 다각형 조각들로 구성된 똑같은 조각 세트들로 면적이 60제곱센티미터인 삼각형, 직사각형 구멍이 있는 면적이 58제곱센티미터인 삼각형, 그리고 면적이 59제곱센티미터인 한쪽 부분이 없어진 직사각형을 만들 수 있음을 보여준다. 이는 애초 부정확하게 세분했기 때문으로 설명할 수 있다. 크고 작은 삼각형들의 접한 빗변들이 약간 비스듬해서 역설이라는 착각을 만든 것이다.

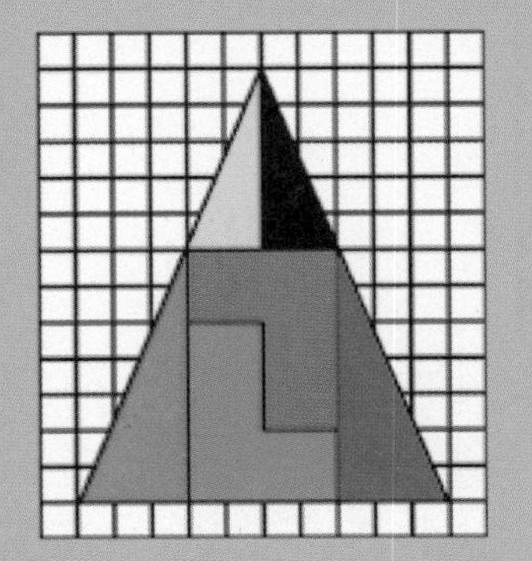

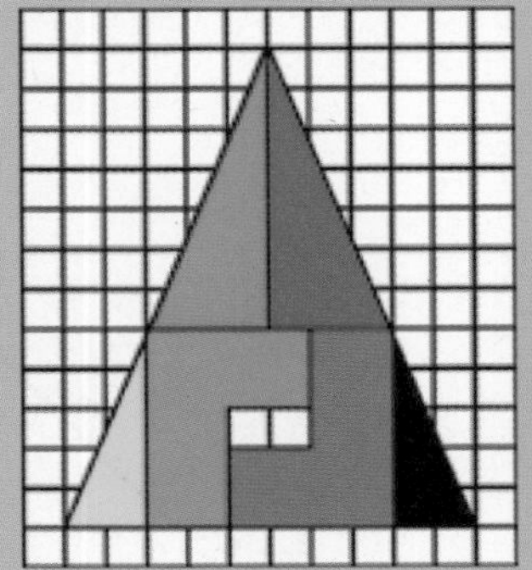

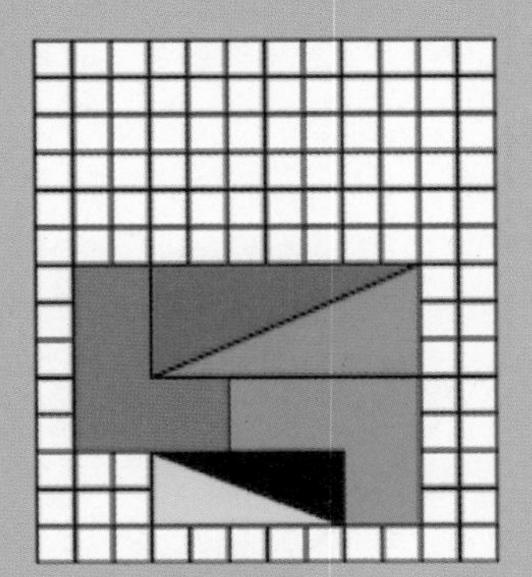

묶여 있는 강아지

강아지 짱이는 길이가 20미터인 밧줄로 지름 2미터의 두꺼운 나무에 묶여 있다.
짱이는 21미터 반경의 원 안에서 달리며 돌아다닐 수는 있지만 원 안에 지어진 창고는 짱이의 움직임을 방해하고 돌아다닐 수 있는 영역을 줄인다.
창고로 인해 줄어든 영역의 크기를 알 수 있겠는가? 또한 그림과 같이 놓여 있는 뼈를 짱이가 먹을 수 있겠는가?

246 난이도 ●●●○○○ 필요한 것 완료 시간

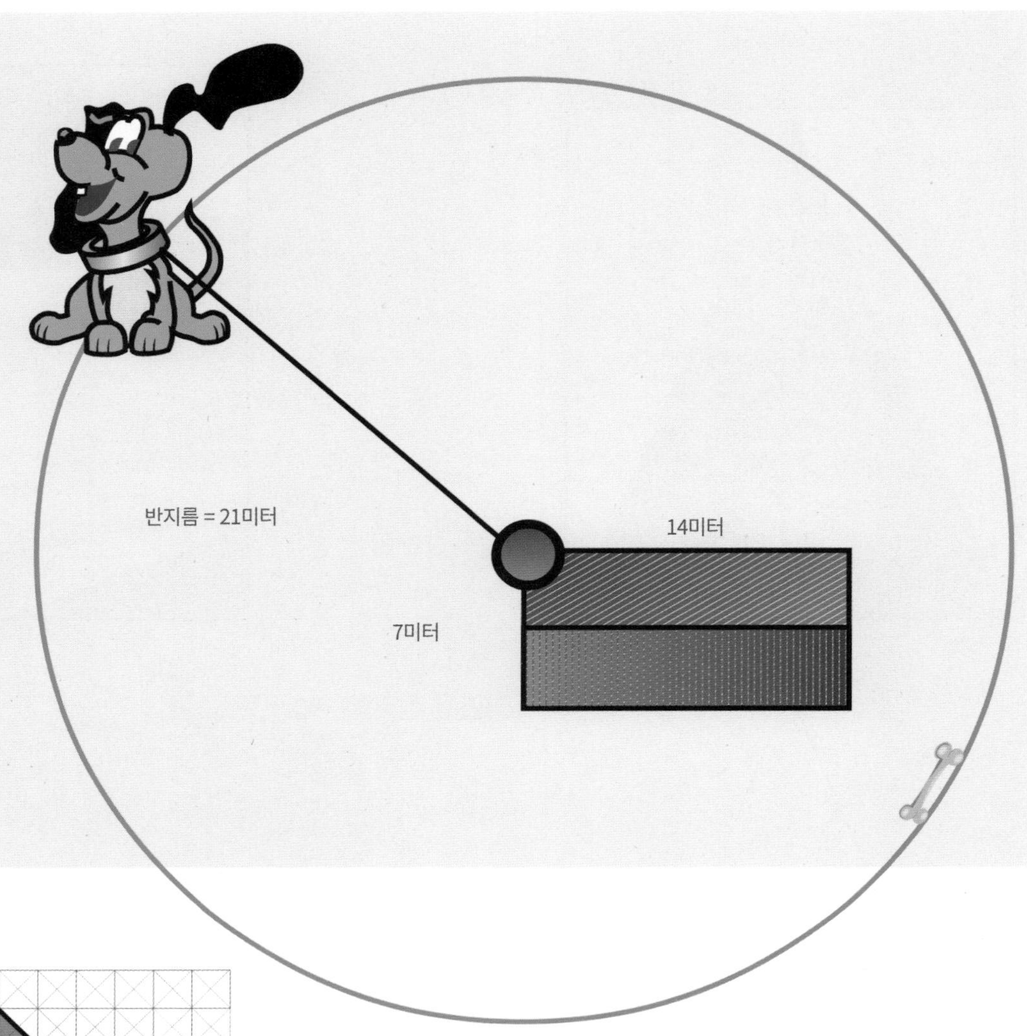

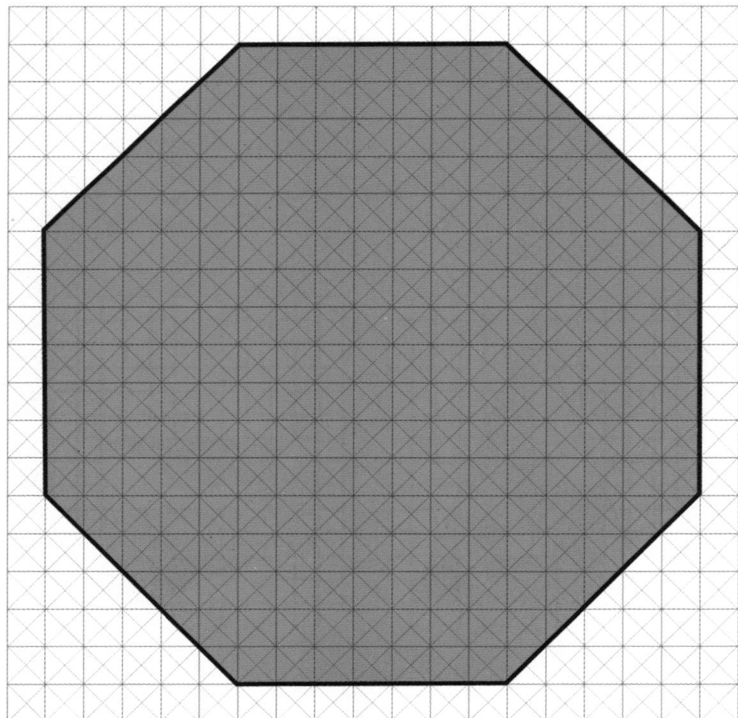

정팔각형

빨간색 팔각형이 정팔각형이라고 확신하는가?

247 난이도 ●●●○○○ 필요한 것 완료 시간

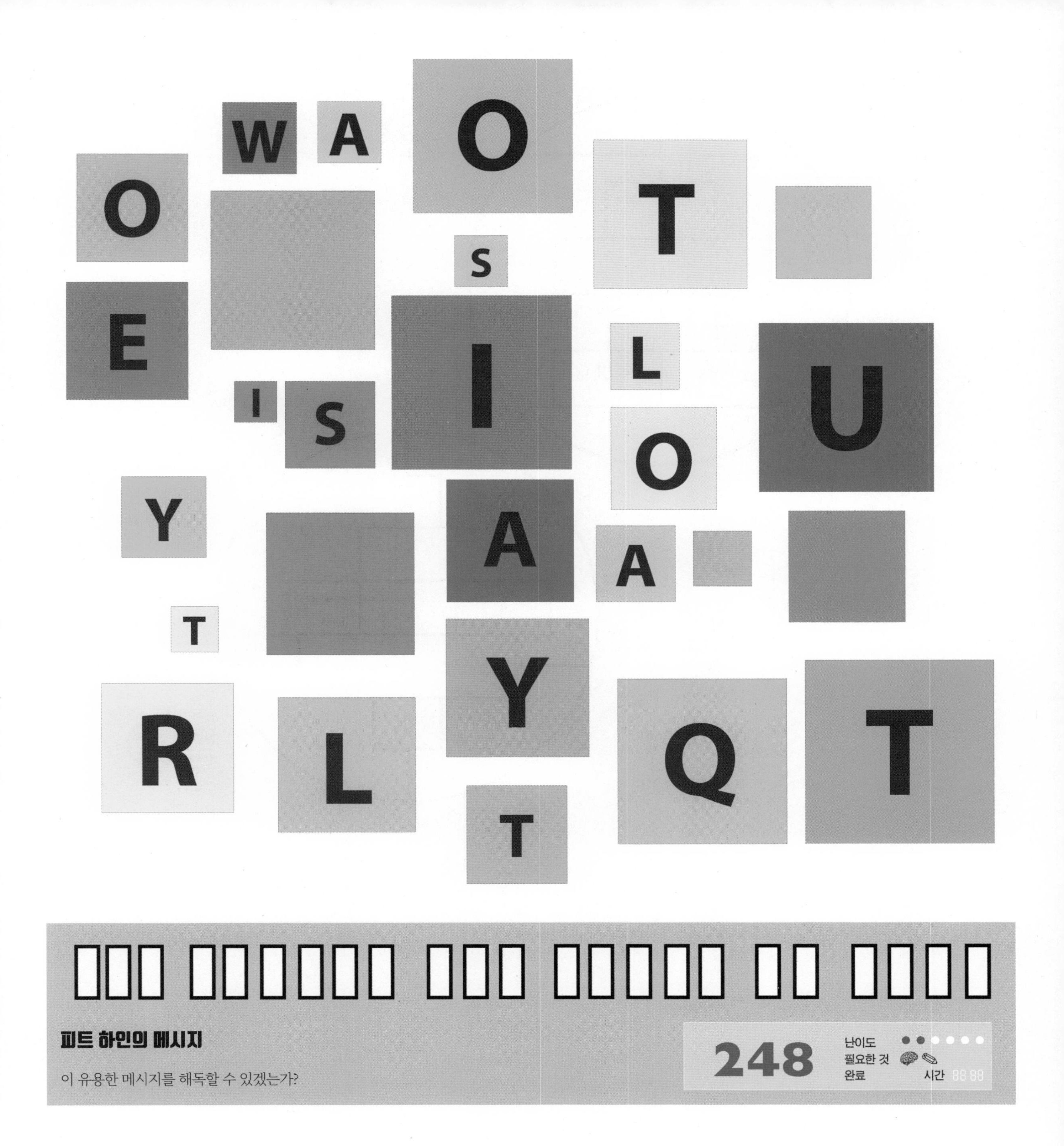

피트 하인의 메시지

이 유용한 메시지를 해독할 수 있겠는가?

248 난이도 필요한 것 완료 시간

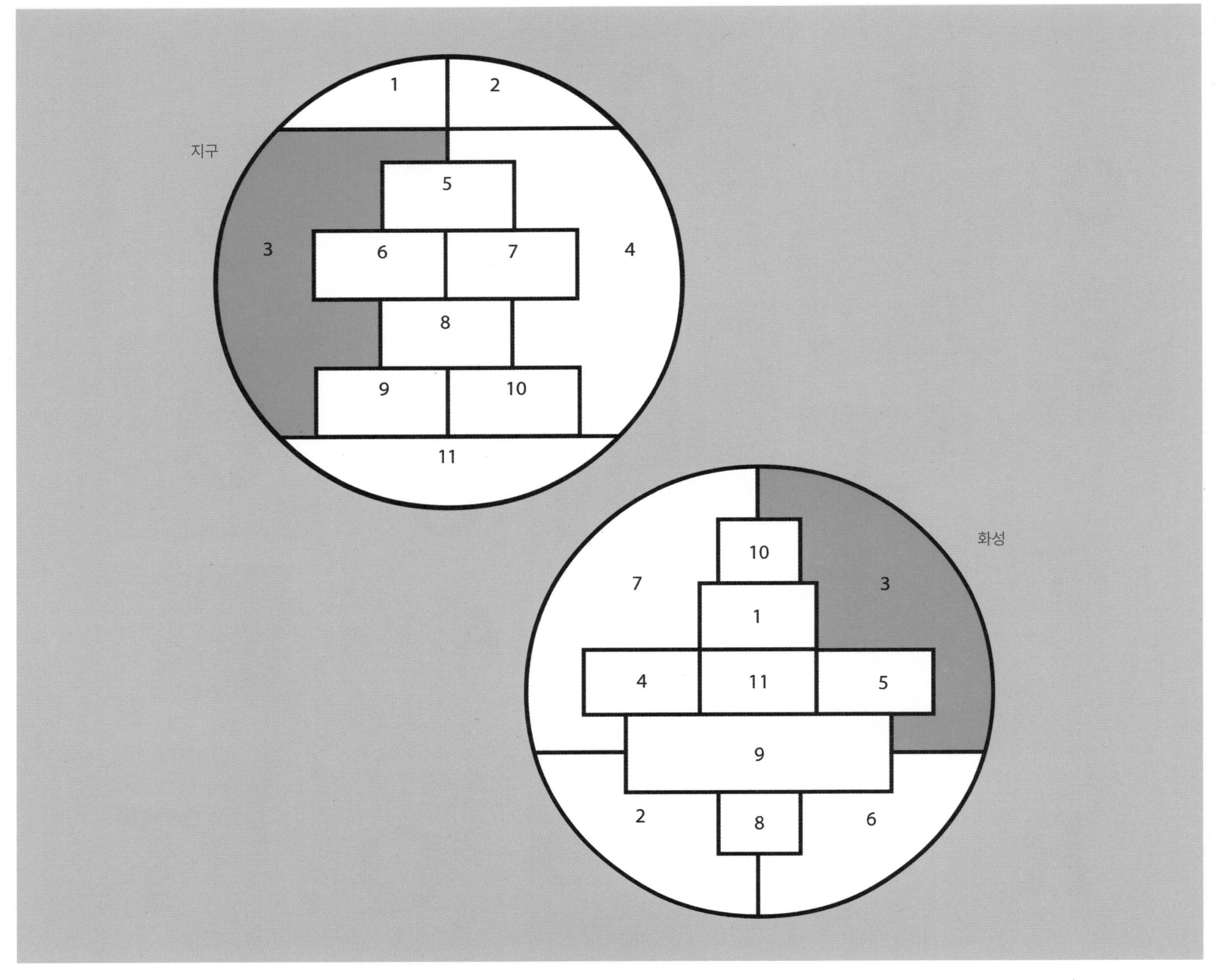

화성 식민지-1959년

재미있는 지도 색칠하기 문제는 1959년 게르하르트 링겔(Gerhard Ringel)이 제안했다. 지구에 있는 국가들이 화성을 식민지화했으며, 각 국가는 지구와 화성에 각각 하나의 지역을 가지고 있다고 가정한다. 이 나라들은 지구 지도에서 식민지를 표시할 때 사용하는 색과 같은 색을 화성 지도에도 사용하겠다는 자연스러운 주장을 할 것이다.

2개 행성에 있는 2쌍의 11개 영역에 색을 칠하는 데, 같은 수가 적힌 두 영역에는 같은 색을 칠하고 이웃 영역은 다른 색으로 칠한다. 두 행성의 한 지역에 색(빨간색)이 칠해져 있다. 이 지도를 칠하기 위해서는 최소 몇 가지의 색이 필요할까?

249 난이도 ●●●●●○
필요한 것
완료 시간

게르하르트 링겔(1919~2008)

링겔은 독일 베를린자유대의 수학자이자 그래프 이론 분야의 개척자였다. 그는 4색 정리와 밀접한 관련이 있는 히우드(Heawood) 가설의 증명(현재는 링겔-영의 정리라고 불린다)에 크게 이바지했다. 후에 링겔은 캘리포니아대 교수를 지냈다.

최소 신장 트리 문제–1956년

그래프 이론에서 신장 트리(spanning tree)는 회로(닫힌 고리)가 없는 그래프의 부분집합이며 모든 꼭짓점은 포함하지만 보통 모든 변을 포함하지는 않는다. 변에 가중치가 적용되면 그 문제는 비용이 가장 낮은 신장 트리를 찾는 문제가 된다.

이 문제는 크러스컬 알고리즘(Kruskal algorithm)으로 풀 수 있다. 크러스컬 알고리즘은 가중치를 증가하는 순서로 나열한 다음 그 값들을 나열된 순서대로 선택하는데, 회로는 만들어지지 않아야 한다.

오른쪽에 보이는 10개의 꼭짓점과 21개의 가중치가 주어진 변을 갖는 그래프에 대해 최소 신장 트리를 찾을 수 있겠는가?

크러스컬의 알고리즘을 사용한 한 가지 해가 아래 나타나 있다.

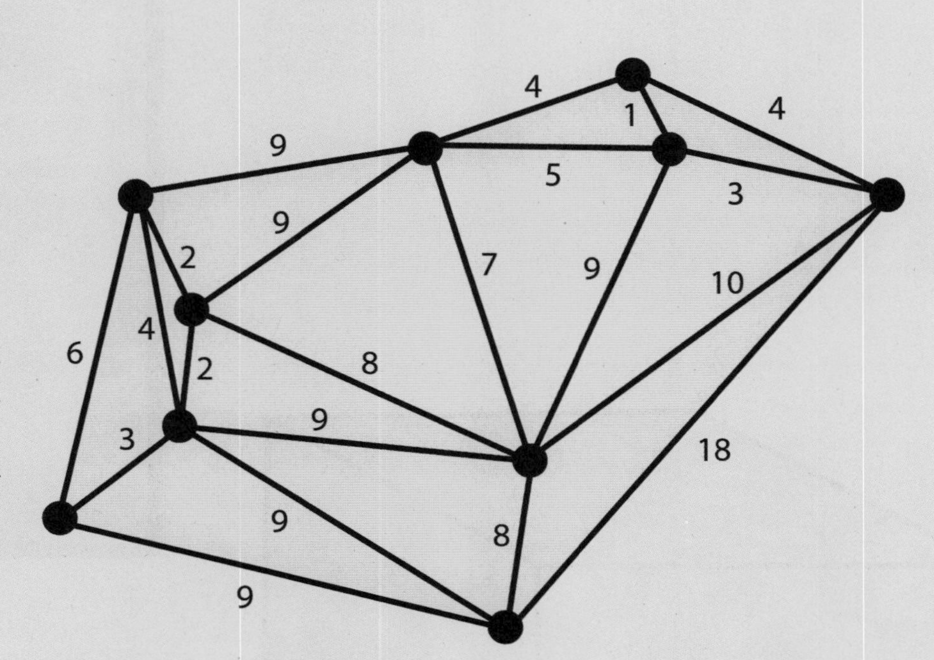

1 - 2 - 2 - 3 - 3 - 4 - 4 - 4 - 5 - 6 - 7 - 8 - 8 - 9 - 9 - 9 - 9 - 9 - 9 - 10 - 18

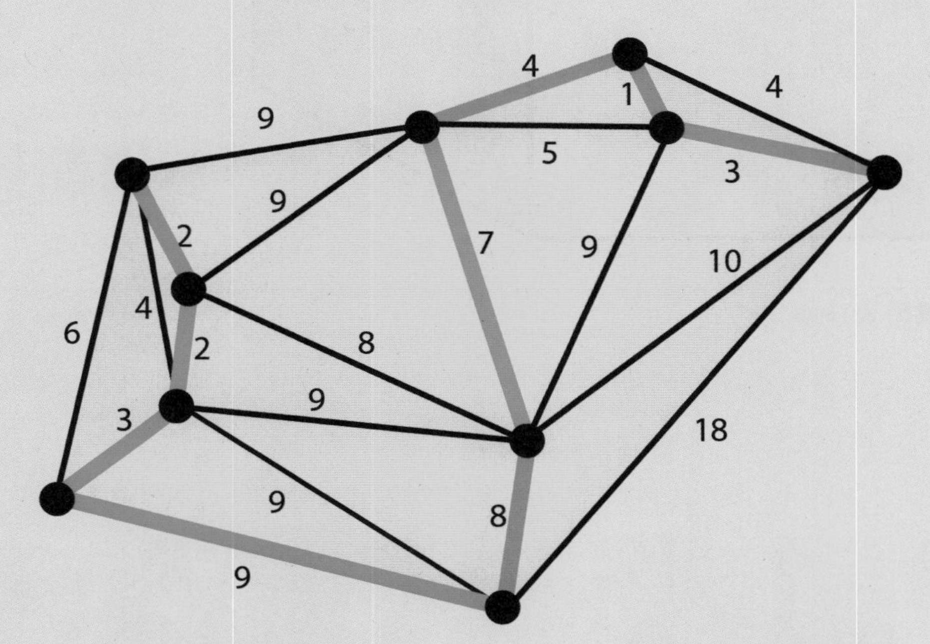

해: 1 - 2 - 2 - 3 - 3 - 4 - 4 - 4 - 5 - 6 - 7 - 8 - 8 - 9 - 9 - 9 - 9 - 9 - 9 - 10 - 18 = 39

정사각형 체스판-1956년

체스판의 격자를 따라 크기가 다른 정사각형들을 몇 개나 찾을 수 있는가? 생각해보지 않고 바로 64개의 정사각형이 있다고 말할지도 모른다. 그러나 이 정사각형 행렬에는 64개의 단위 정사각형 이상의 정사각형이 있다. 크기가 다른 정사각형의 총 개수를 알아낼 수 있겠는가? 한 변이 n개의 단위 정사각형으로 이루어진 정사각형 격자에서 크기가 다른 정사각형의 개수를 찾는 방법을 일반화할 수 있겠는가?

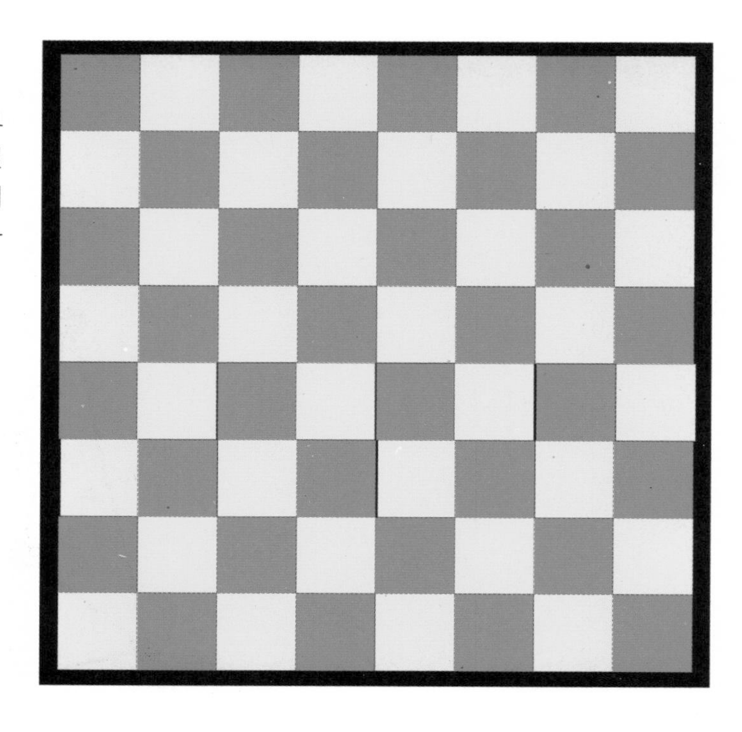

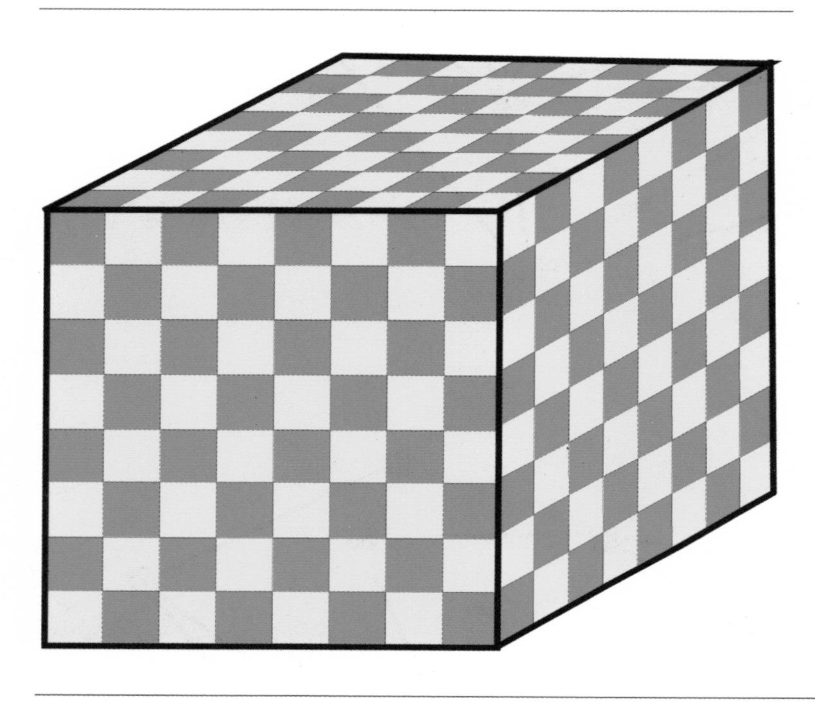

체스 모양 정육면체

8×8×8 크기의 3차원 체스 모양 정육면체에는 크기가 다른 정육면체가 몇 개나 있는가?

251
난이도
필요한 것
완료
시간

정사각형 격자 수

만일 주어진 정사각형에서 그 정사각형에 포함되어 있는정사각형뿐만 아니라 다른 크기의 직사각형을 포함하도록 확장하면, 주어진 정사각형 격자에 대한 격자 수를 얻는다.*

퍼즐 1. n=2에서 n=8까지의 정사각형 격자에 대해 격자 수 L(n)이 얼마인지 알 수 있겠는가?

퍼즐 2. 8×8 크기의 정사각형 격자 체스판에는 크기가 다른 정사각형들과 직사각형들이 몇 개나 있는가?

* 정사각형 격자 수: 주어진 정사각형에서 만들 수 있는 크기가 다른 사각형의 총 개수를 말한다.

다락방의 램프

퍼즐 1. 창문에 검은 커튼이 달려 있고 다락방에는 램프가 한 개 달려 있는 오래된 성이 있다. 출입구에는 3개의 전등 스위치가 있다. 그중 하나는 다락방의 램프를 켜는 스위치다. 3개의 스위치 중 어느 것이 램프를 켜는 스위치인지를 알아내야 하는데, 딱 한 번만 다락방으로 올라가서 빛을 확인할 수 있다. 어떤 스위치가 다락방의 램프를 켜는 스위치인지 어떻게 알 수 있겠는가?

퍼즐 2. 퍼즐 1에서는 램프를 켤 수 없는 스위치가 2개 있었다. 이제 세 개의 스위치가 있고 다락방에 세 개의 램프가 있다. 각 램프는 세 개의 스위치 중 하나로 켤 수 있다. 이전과 마찬가지로, 램프가 켜졌는지를 확인하러 성에는 딱 한 번만 들어갈 수 있다. 어느 스위치로 어떤 램프를 켰는지 어떻게 알 수 있겠는가?

253
난이도 ●●●●●○
필요한 것
완료
시간

죽마고우와의 만남

러시아 수학자 둘이 비행기에서 만났다. 이반이 물었다. “내 기억이 맞다면 자네는 아들 셋을 두었지. 지금 아들들 나이가 어떻게 되는가?” 이고르가 답했다. “세 아들의 나이를 곱하면 36이고, 나이를 모두 더하면 오늘 날짜가 된다네.” 잠시 후 이반이 말했다. “이고르, 미안하지만 그걸로는 아이들 나이를 모르겠는걸.” 이고르가 말했다. “오, 막내아들이 막 태어난 갓난아기라는 걸 말해주지 않았구만.” 그러자 이반이 말했다. “아, 이제 확실해졌군. 자네의 세 아들의 나이를 이제는 정확히 알겠네.” 이반은 아이들의 나이를 어떻게 알았을까?

254 난이도 ●●●●●● 필요한 것 완료 시간 88:88

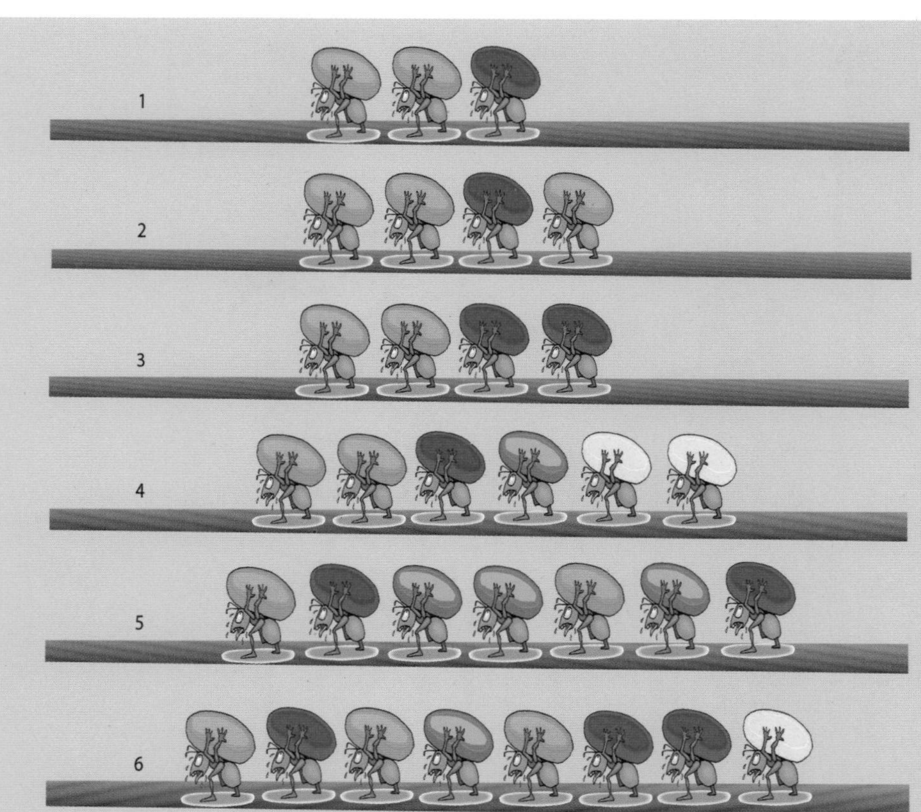

개미 행렬-1958년

뉴욕대학교의 컴퓨터학과 교수인 데니스 샤샤(Dennis E. Shasha)는 ‘놀라운’ 기호 수열을 정의했다. 놀라운 기호 수열은 ‘기호 x가 일정하게 같은 간격으로 기호 y 앞에 나타나는데 이런 일이 두 개 이상의 쌍에 나타나지는 않는 x와 y로 구성된 수열’을 말한다.*
예를 들면, 그림에서 세 번째 행은 기호 x(주황색)가 y(파란색) 앞에 나오고 그 둘은 2만큼 떨어져 있다. 그런데 그런 것이 두 번 나오기 때문에 놀라운 수열이 아니다. 이 퍼즐에서 기호는 다른 색의 달걀을 옮기는 개미다. 여섯 가지 개미 행렬 중 놀라운 수열과 그렇지 않은 수열을 구별할 수 있겠는가?

255 난이도 ●●●●○○ 필요한 것 완료 시간 88:88

● 놀라운 수열: x가 일정하게 같은 간격으로 y 앞에 나타나지 않거나 만일 그렇게 나타난다고 하면 한 개의 쌍에만 나타나는 수열을 말한다.

랭퍼드의 문제-1958년

'랭퍼드의 문제'는 스코틀랜드의 수학자 더들리 랭퍼드(C. Dudley Langford)의 이름을 딴 것이다. 1958년 랭퍼드는 자신의 아들이 색이 있는 정육면체 조각을 가지고 노는 것을 보고 이 문제를 만들었다.
아이는 세 쌍의 블록을 한 줄로 늘어놓았는데, 두 개의 빨간색 블록 사이에 한 개의 블록, 두 개의 파란색 블록 사이에 두 개의 블록, 그리고 두 개의 노란색 블록 사이에 세 개의 블록을 늘어놓은 모습이었다. 또한 2개의 녹색 블록을 추가해 그 블록 사이에 4개의 블록을 끼워 넣었고, 약간 조정을 한 후 위의 특성이 유지되도록 했다.
조합수학에서 '랭퍼드 수열'이라고도 알려진 랭퍼드 쌍은 동일한 수의 쌍으로 이루어진 수열의 순열(permutation of the sequence)을 말하는데, 두 수 1은 1만큼 떨어져야 하고, 두 수 2는 2만큼 떨어져야 하며, 일반적으로 두 수 k는 k만큼 떨어져야 한다. 랭퍼드의 문제는 주어진 값 n에 대해 랭퍼드 쌍을 찾는 문제다.

주자들의 퍼즐

퍼즐 1. 두 명의 주자가 한 팀으로 구성된 팀이 네 팀이 있다. 오른쪽 그림에는 경주를 하는 주자들의 모습이 나타나 있다. 결승선에 다다랐을 때 주자들의 순서가 바뀌어 빨간색 유니폼을 입은 두 선수 사이에 한 명의 주자, 파란색 유니폼을 입은 두 선수 사이에 두 명의 주자, 녹색 유니폼을 입은 두 선수 사이에 세 명의 주자, 마지막으로 노란색 유니폼을 입은 두 선수 사이에 네 명의 주자가 서게 되었다. 우리가 유일하게 아는 것은 노란색 유니폼을 입은 주자가 마지막 주자라는 것이다. 결승선을 들어오는 처음의 승자 세 명이 어떤 색 유니폼을 입고 있는지 알 수 있겠는가?

퍼즐 2. 세 명의 주자가 한 팀으로 구성된 팀이 아홉 팀이 있다. 각 팀에는 연속적으로 1부터 9까지의 번호와 9가지 색이 배정되었다. 결승선에 다다르면서는 주자들의 위치가 바뀌므로, 한 팀인 3명을 묶어볼 때 중간에 있는 주자의 앞뒤에 있는 주자들의 수는 양 끝에 있는 주자(첫 번째와 세 번째 주자)의 앞뒤에 있는 주자들의 수와는 다르다.
주자들이 랭퍼드 수열을 만들며 결승점을 통과한다고 할 때 주자들이 들어오는 순서를 알 수 있겠는가?

256
난이도
필요한 것
완료
시간

섞어놓은 모자-1959년

우연의 일치를 다루는 퍼즐과 문제는 많이 있다. 이런 유형에서 아주 유명한 문제 중 하나가 섞어놓은 모자 또는 섞어놓은 글자 문제인데, 이는 때로 '몽포르 문제(Montfort problem)'라고도 불린다.

n명이 파티에 참석했는데, 모자를 섞어놓은 보관소 직원의 도움으로 모자를 찾는다고 가정해보자. 섞어놓았음에도 불구하고 적어도 한 명이 자신의 모자를 되돌려 받을 확률은 얼마일까? 그들 중 누구라도 자신의 모자를 쓸 확률이 0.5보다 크다고 생각하는가?

놀랄 만한 결론은 n이 커질수록 어떤 특정한 사람이 자신의 모자를 되돌려 받을 확률은 더 낮아지지만, 반면에 적어도 한 사람이 자신의 모자를 되돌려 받을 확률은 커진다는 것이다. 이 두 가지 효과는 서로 상쇄된다. 적어도 한 사람이 자신의 모자를 되돌려 받을 확률은 약 0.63이다.

이 결과의 타당성은 카드 한 벌로도 확인할 수 있다. 카드를 섞은 후 한 번에 한 장씩 뒤집으며 이렇게 말하는 것이다. "에이스, 2, 3, 4, … , 10, 잭, 퀸, 킹, 에이스, 2, 3, …." 말한 것과 같은 카드가 나올 확률은 얼마일까? 사실 이것은 섞어놓은 모자 문제와 같은 문제다. 적어도 한 번 또는 그 이상 맞을 가능성은 매우 크다. 한번 해보라!

섞어놓은 모자 퍼즐 (1)

세 남자가 자신의 모자를 맡긴다. 모자를 받은 부주의한 직원이 모자를 내주기 전에 모자를 뒤섞어 놓았다. 후에 세 남자가 자신의 모자를 달라고 할 때, 그들 중 적어도 한 명이 자기 모자를 되돌려 받을 확률은 얼마일까?

257 난이도 ●●●●○○ 필요한 것 완료 시간

섞어놓은 모자 퍼즐 (2)

이번에는 6명의 남자가 모자를 맡긴다. 그들 중 적어도 한 명이 자신의 모자를 되돌려 받을 확률은 얼마일까?

258 난이도 ●●●●○○ 필요한 것 완료 시간

초기 컴퓨터 예술

최초의 컴퓨터그래픽 전시회는 1965년에 열렸는데 수많은 사람이 참석했다. 가장 주목할 만한 전시회는 1968년 런던의 사이버네틱 세렌디피티(Cybernetic Serendipity) 전시회였다. 전시회의 카탈로그는 책 형태로 출간되고 있는데, 이 카탈로그는 여전히 새로운 예술 양식에 대한 정보를 가장 풍부하고 포괄적으로 담고 있는 연구로 꼽힌다. 우리 시대는 컴퓨터가 점점 더 인간의 노동력을 대체하고 있는 기술의 시대인데, 이 기술이 순전히 실용적인 것만은 아니다. 컴퓨터가 초기에 그린 그림들은 수학적 곡선과 도형으로, 이들은 예술 분야에선 아주 오래전부터 아름다움으로 탐구되던 것들이었다.

과학을 예술로 만든 기계-1951년

프랑스의 물리학자 쥘 리사주(Jules Antoine Lissajous, 1822~1880)는 리사주 그림을(그의 이름을 따서 이름 붙여졌다) 발견했다. 리사주는 조율 포크에 부착된 거울을 진동시키기 위해 다른 주파수를 갖는 소리를 사용했다. 거울로부터 반사된 빛줄기는 소리의 주파수를 기반으로 멋진 패턴을 만들어낸다. 오늘날 레이저 쇼에서도 이와 유사한 설정이 사용된다.

고전적인 빅토리아 하모노그래프 장난감 그림인 리사주 그림은 보통 두 개의 진자로 구성되어 있다. 두 진자는 서로 직각으로 진동하며, 한 진자는 펜을 다른 진자는 종이를 옮긴다. 리사주 곡선들이 만들어내는 곡선들은 진자가 마찰에 의해 감쇄되는 지점에서 끝난다.

수십 개의 초기 하모노그래프가 특허를 취득했다. 초기 하모노그래프는 설계 탓에 그림의 크기와 품질에 한계가 있었고, 예술적 표현에서도 별다른 것이 없었지만, 과학교구로 사람들의 이목을 끌었다.

1950년대 후반 모스코비치는 새로운 '하모노그래프'라는 이름의 특허를 냈는데, 이 하모노그래프는 완전히 새로운 디자인으로 거대한 크기의 아름다운 예술 작품을 만들어냈다. 전 세계적으로 특허를 취득한 '모스코비치의 하모노그래프'와 그 창조물인 하모노그램은 1968년 런던의 사이버네틱 세렌디피티 전시회에서 지대한 관심을 불러일으켰다.

사이버네틱 세렌디피티 전시회에서의 호평과 70~80년대에 제네바 발명품 박람회에서 메달을 획득한 후, 모스코비치는 베를린 국제디자인센터, 멕시코시티의 현대예술박물관, 바젤과 하노버에서의 디닥타 전시회(Didacta exhibitions), 그리고 예루살렘의 이스라엘박물관(Israel Museum) 등 전 세계의 많은 미술 전시회와 여러 1인 쇼에 초대되었다.

1980년 영국 장난감 회사인 피터팬 플레이씽즈(Peter Pan Playthings)는 80년대에 성공적으로 판매된 하모노그래프 완구를 출시했다. 오늘날 모스코비치의 하모노그래프는 스위스 빈터투어(Winterthur)의 과학센터인 테크노라마(Technorama)에서 주요 관객 소통형 전시품 중 하나로 사용되고 있다.

모스코비치의 딸 힐라(Hila)는 현재 전 세계의 미술 애호가와 수집가들로부터 높은 평가를 받는 독특하고 독창적인 하모노그램을 제작하고 있다.

리사주의 광학 장치

조율 포크, 거울, 그리고 핀-포인트 광원을 진동시켜 움직이는 리사주 곡선과 패턴을 투영하는 쥘 리사주(J. Lissajous)의 장치

빅토리아 하모노그래프

빅토리아 시대부터 1951년 모스코비치가 발명할 때까지 사용한 하모노그래프(harmonographs)* 의 기본 디자인

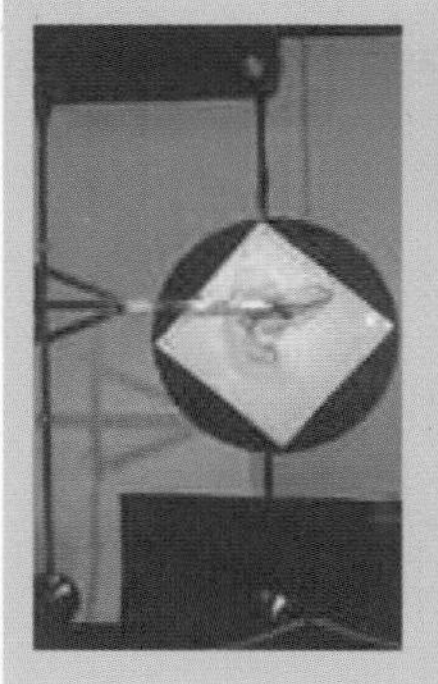

모스코비치의 하모노그래프

회전판 위의 하모노그램으로 1961년 특허를 취득한 세계 최초의 하모노그래프 원형

● 진자의 조합을 이용해 리사주 곡선을 기반으로 이미지를 생성하는 기계장치다.

하모노그램

1968년 런던의 사이버네틱 세렌디피티 전시회에서 전시된 모스코비치의 하모노그램들

오번의 폴리아볼로 (Polyaboloes of O'beirne)–1959년

폴리아볼로*는 폴리오미노와 유사하다. 폴리아볼로는 같은 길이의 변을 따라 연결된 'n'개의 직각 이등변삼각형(정사각형의 반)으로 구성된다. 같은 경계를 가진 폴리아볼로는 '동일하다'고 한다. 삼각형들의 내부 구조가 달라도 형태가 같으면 같은 폴리아볼로로 간주한다.
모노볼로, 디아볼로, 트리아볼로는 각각 1개, 3개, 4개의 직각이등변삼각형으로 만들어진 폴리아볼로다.

● 폴리아볼로: 기하학의 다양한 배치에서 이등변 삼각형들의 같은 길이의 변을 붙여서 만든 폴리폼을 말한다. 폴리폼은 동일한 기본 다각형을 결합하여 구성된 평면도로, 여기서 기본 다각형은 정사각형 또는 삼각형 등이다.

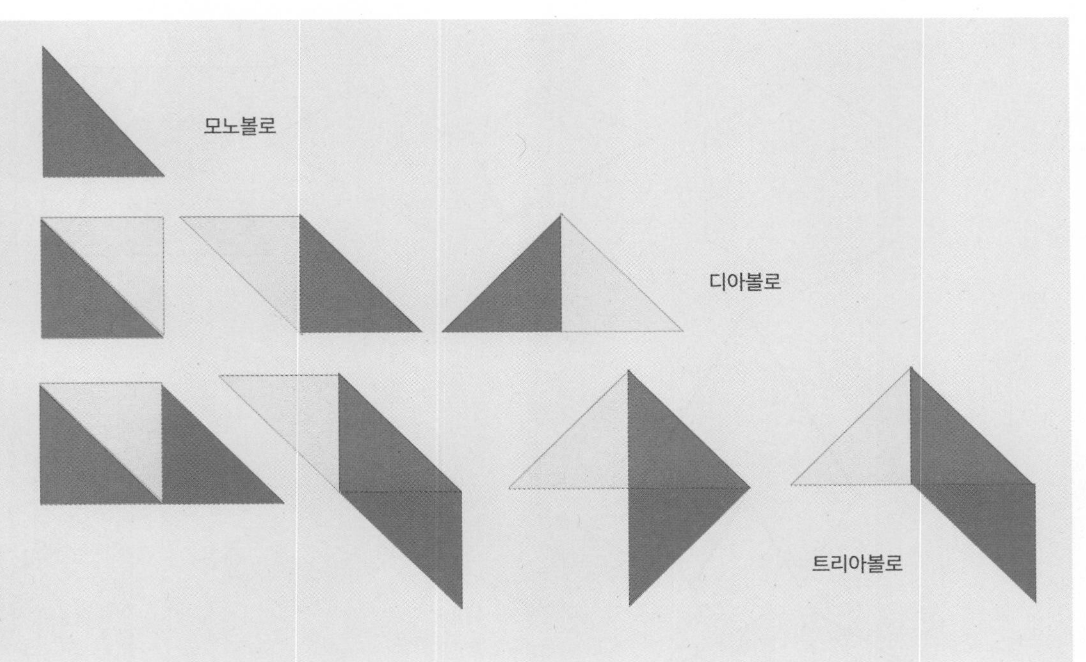

오번의 테트라볼로(tetraboloes of O'beirne)

오른쪽에 14개의 테트라볼로(4개의 직각이등변삼각형으로 만들어진 폴리아볼로)가 그려져 있다. 'n'개의(n: 자연수) 삼각형으로 구성된 폴리아볼로들의 개수는 다음과 같다.
1, 3, 4, 14, 30, 107, 318, 1106, ...

오번의 헥시아몬드-1959년

1959년 토머스 오번(Thomas O'Beirne)은 6개의 정삼각형을 붙여 만들 수 있는 폴리오미노 중 5개는 대칭이지만 7개는 대칭이 아니라는 것을 알아냈다. 그러므로 비대칭 헥시아몬드(hexiamonds)의 대칭 모양까지 고려하면 총 19개의 모양이 있다. 이 19개는 각 변이 3개의 굴곡을 갖는 정육각형으로 구성된 3×3 배열의 게임판과 같은 면적을 덮는다(다음 쪽 그림 참조). 그는 다음과 같은 문제를 제기했다. '헥시아몬드 19개가 정육각형 19개로 만들어진 게임판을 덮을 수 있는가?'

오번의 헥시아몬드 문제는 현재까지 고안된 가장 도전적인 2차원 퍼즐 중 하나다.

오번의 해

오번이 이 문제를 푸는 데는 수개월이 걸렸다. 오른쪽 그림이 첫 번째 풀이다.
리처드 가이(Richard K. Guy)는 풀이방법을 분류했는데, 그의 추측에 따르면 약 5만 개의 해법이 있으며, 그의 모음집에는 이미 4200개가 넘는 해법이 수록되어 있다. 다른 해법을 찾을 수 있겠는가?

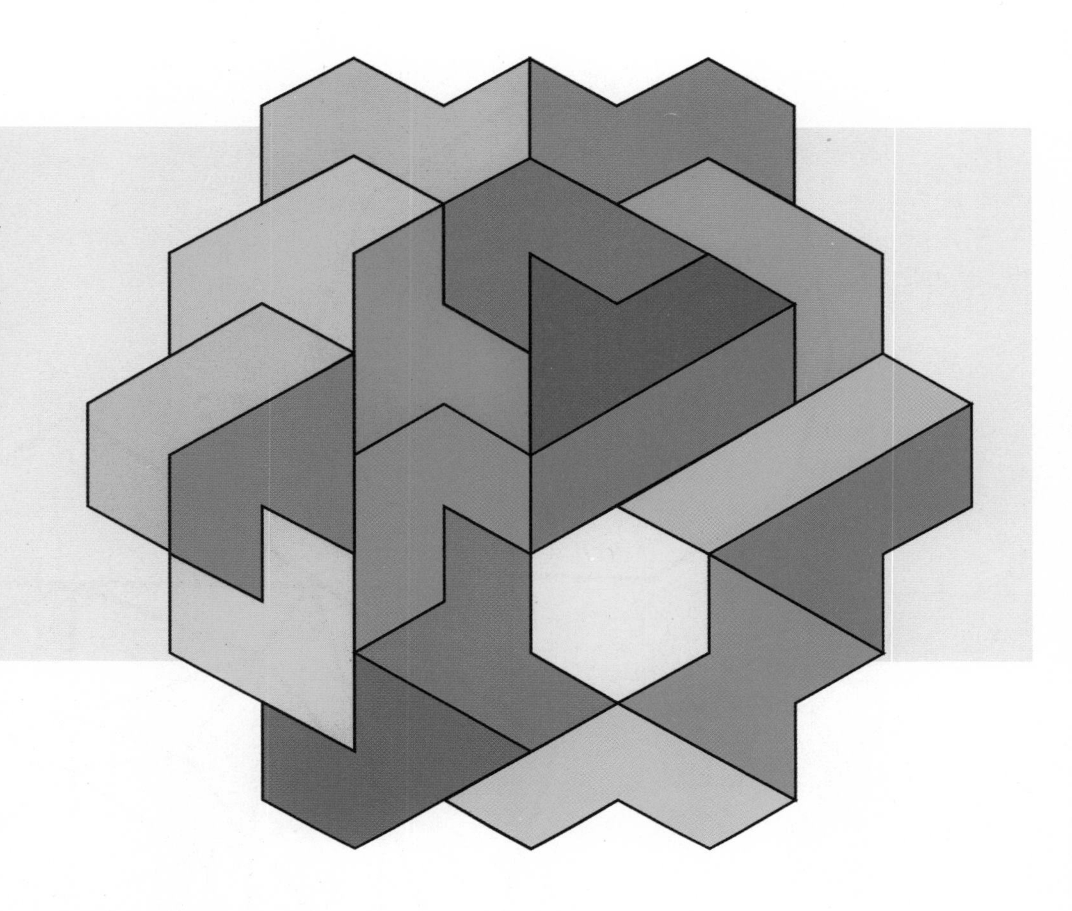

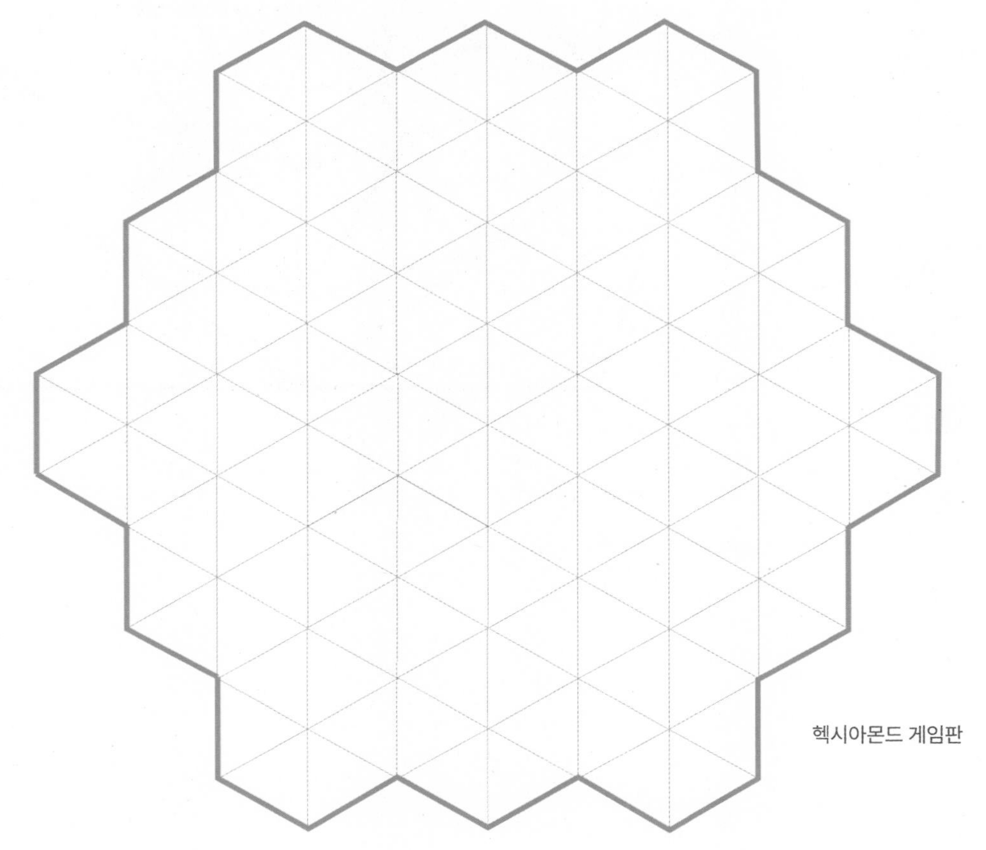

헥시아몬드 게임판

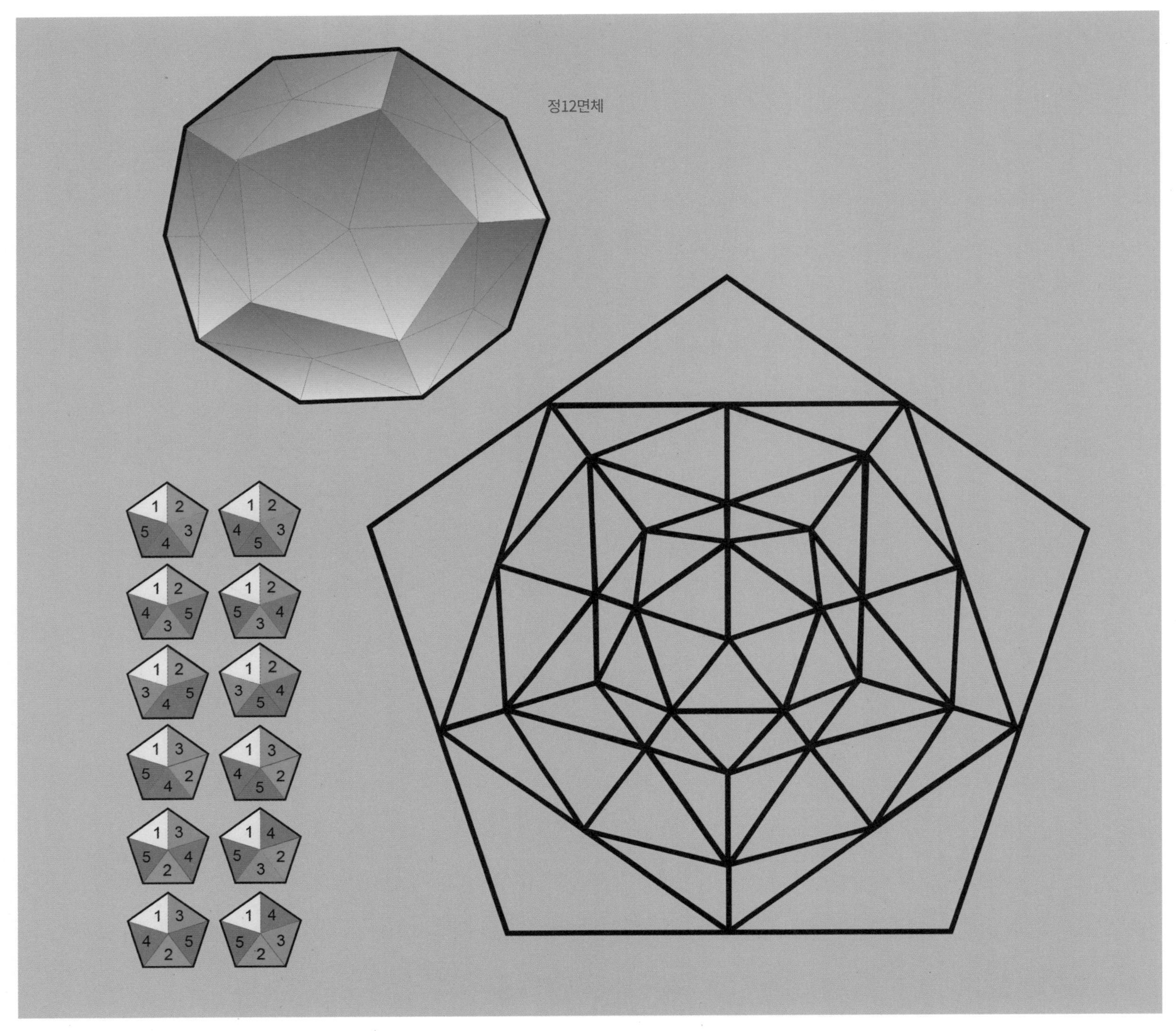

면들이 정오각형인 12면체(qunintomino dodecahedron)

정12면체는 3차원 입체로, 면은 12개의 정오각형으로 이루어져 있다. 콘웨이는 12면체의 변에 색을 칠해, 12개의 정오각형(퀸토미노)이 12면체의 면 중 어디에 나타나는지를 알아보려 했다.

12면체의 면 위에 12개의 정오각형을 놓는 방법을 찾을 수 있겠는가? 이 퍼즐을 풀기 위해 3차원 입체를 구성하거나, 평면에서 12면체의 슐레겔 다이어그램(Schlegel diagram)*을 이용할 수 있다. 12면체의 슐레겔 다이어그램은 3차원 입체와 동일한 위상을 가지며 이 문제를 풀기에 더 편리하다. 왜곡된 다이어그램에서는, 뒷면이 확장되어 다이어그램의 바깥쪽 가장자리가 됨에 주목하자.

● 슐레겔 다이어그램: 고차원을 저차원으로 표현하는 방법으로, 3차원 도형을 2차원에, 4차원 도형을 3차원에 그리는 식이다. 이는 고차원 도형의 측면이나 면 위의 한 점을 지나 저차원에 정사영을 그려 만든다.

259
난이도 ●●●●●○
필요한 것
완료
시간

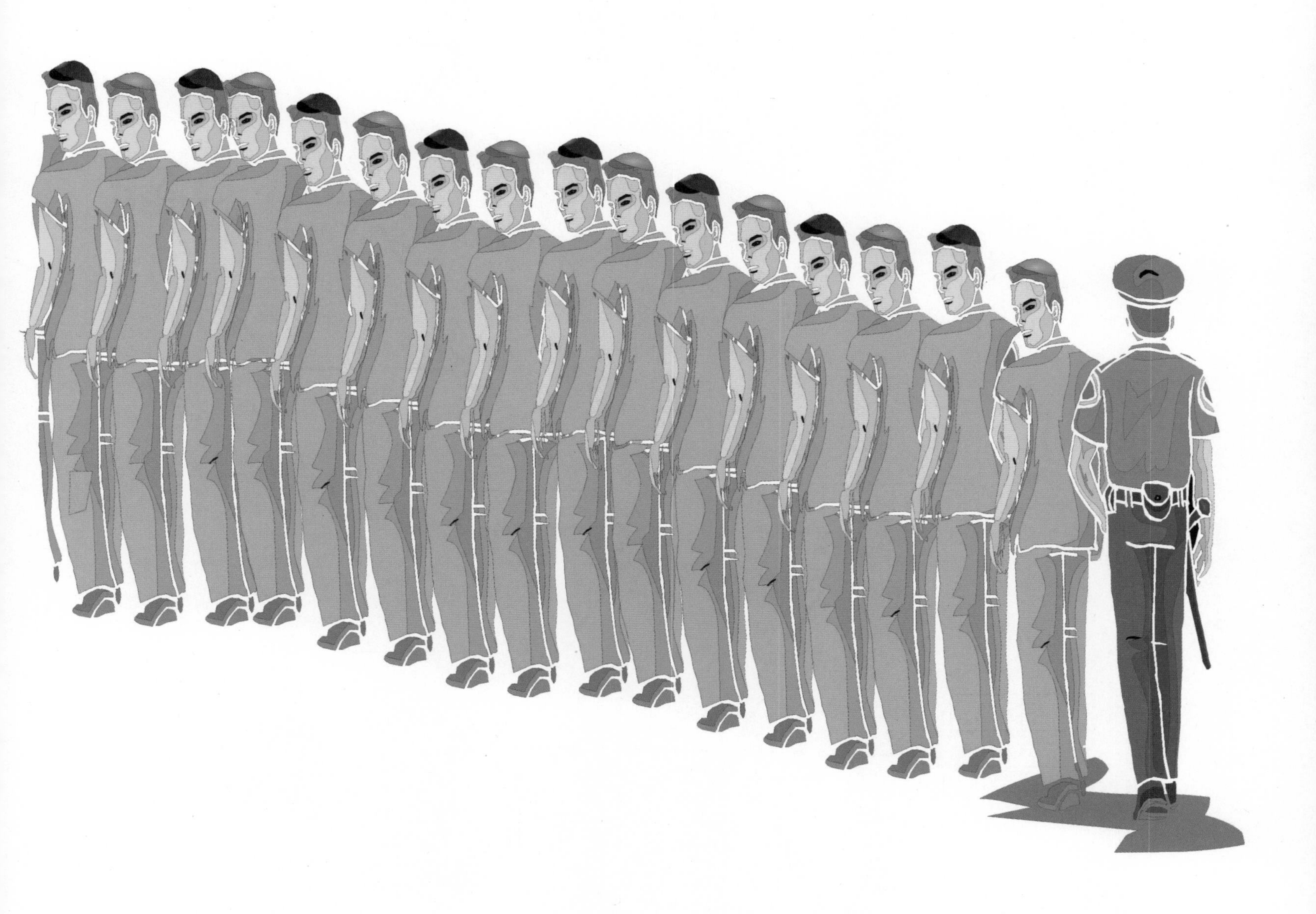

모자와 포로들

최근에는 모자 퍼즐과 같은 고전적인 범주에 속하는 논리 문제들을 독창적으로 비틀어 만든 문제들이 있다. 제1차 세계대전 중 포로수용소에는 포로로 잡힌 군인 100명이 있었다. 휴가를 가고 싶어 했던 수용소 경비들이 생각했던 방법 중 하나는 포로들을 모조리 죽이는 것이었다. 그나마 조금 온전한 생각을 가진 수용소 지휘관은 그 생각에 동의하면서도 한 가지 제안을 했다. 그 제안은 포로가 한 질문에 답하지 못하면 총을 맞을 거라고 말하자는 것으로 결정되었다.

지휘관은 포로들을 다 모아놓고 이렇게 말했다. "이 더러운 개들, 모두 총살할 것이다. 그러나 공정한 사냥꾼으로서 너희에게 마지막 기회를 주겠다. 식당에 가면 식탁 위에 너희의 마지막 음료수가 있을 것이다. 내가 홀 앞에서 같은 개수의 빨간색(50개)과 검은색(50개)모자가 들어 있는 큰 상자를 정리하는 동안 너희들은 서로 이야기할 수 있다. 그리고 식당에서 한 명씩 나오면 앞에 있는 상자에서 무작위로 골라낸 모자를 너희 머리 위에 씌울 것이다. 너희는 자신의 모자 색깔을 볼 수는 없겠지만 다른 사람의 모자는 볼 수 있다. 너희는 일렬로 서 있는다. 서로 이야기하거나 입이라도 벙긋하면 그 자리에서 총살될 것이다. 이후 내가 너희 옆을 차례로 지나며 너희가 쓰고 있는 모자의 색을 물어볼 것이다. 답을 맞히면 석방될 수 있지만, 그렇지 않으면 총살이다."

커다란 홀로 끌려간 포로들은 상황을 논의하고 대처할 수 있는 전략을 짰다. 얼마가 지난 후, 각 포로에게 모자가 씌워졌다. 수용소의 지휘관은 포로의 50퍼센트 이상을 쏠 수 있을 것이라 기대하면서 포로들이 쓰고 있는 모자의 색깔을 묻기 시작했다. 얼마나 많은 포로가 석방되었을 거라 생각하는가?

260 난이도 ●●●●●○ 필요한 것 완료 시간

최단경로 문제

7개의 점(노드)을 갖는 간단한 가중치 그래프가 주어져 있다.
최단경로 문제인 이 문제는 두 점 A와 G를 잇는 경로 중 가중치의 합이 최소가 되는 경로를 찾는 것이다. 이 그림과 같은 간단한 그래프에서는 시행착오를 거쳐 최소가 되는 가중치의 합은 16이라는 결론을 내릴 수 있다.
그러나 보다 복잡한 그래프에서는 아래에 있는 다익스트라 알고리즘(Dijkstra's algorithm) 같은 수학 증명 없이는 그 값을 결코 확신할 수 없다.

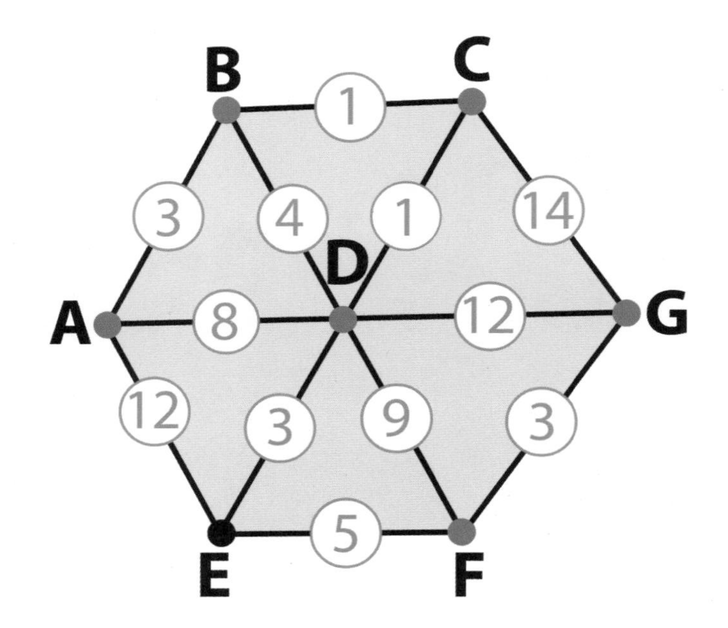

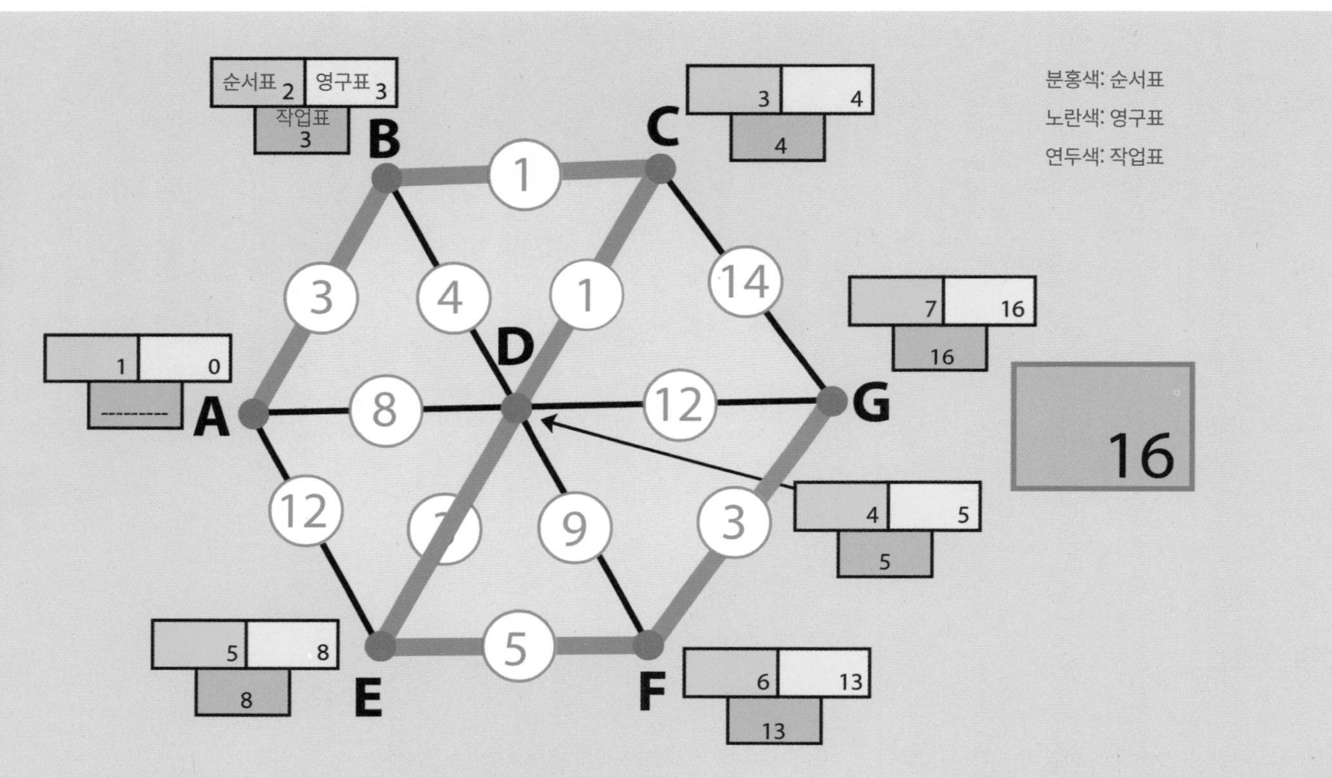

다익스트라 알고리즘

아래에 설명된 바와 같이 다익스트라 알고리즘을 이용해 두 점 A와 G 사이의 최단 경로를 찾을 수 있겠는가? 다익스트라 알고리즘을 이용하려면 각 점에 순서표(ordering label), 영구표(permanent label), 그리고 작업표(working label)를 할당해야 한다. 이러한 표들은 다음과 같은 방식으로 할당된다.

1. 시작점에는 영구표 0, 그리고 순서표 1을 할당한다.
2. 마지막 점과 직접 연결된 어떤 점의 영구표에는 한 개의 작업표를 할당하는데, 이 작업표는 마지막 점과 연결한 그 점의 영구표와 두 점을 잇는 변에 할당된 가중치를 더한 것과 같다. 만일 작업표가 이미 할당되어 있다면, 새로운 작업표가 더 작은 경우에만 새로운 작업표로 교체한다.
3. 네트워크에서 작업표 중 가장 작은 값을 선택하고 그 값을 그 점의 영구표로 사용한다.
4. 만일 목표점에 영구표가 있으면 단계 5로 이동하고, 그렇지 않으면 단계 2를 반복한다.
5. 목표점을 시작점과 연결하여 거꾸로 작업을 한다. 각 끝점의 영구표들 간의 차이가 변의 가중치와 같은 변을 선택한다.

연속적으로 정사각형 채우기-1960년

유희수학의 흥미진진한 보석은 한 변의 길이가 1인 정사각형에서 시작하여 어떤 특정 수까지를 한 변으로 갖는 정사각형들로 구성된 집합과 관련된 퍼즐이다. 그런 작은 정사각형들을 겹치지 않게 배열하여 주어진 정사각형을 완전히 덮을 수 있는 큰 정사각형을 찾을 수 있겠는가?

이를 실험해보자. 한 변이 1과 2로 주어진 두 정사각형으로는 정사각형을 만들 수 없다. 이 경우 할 수 있는 최고의 방법은 한 변이 3인 정사각형 안에 배열하는 것인데 이때는 큰 정사각형 안에 비는 공간이 생긴다. 마찬가지로 한 변이 1, 2, 3인 정사각형은 빈 곳을 남기지 않고는 큰 정사각형을 채울 수 없으며, 한 변이 1, 2, 3, 4인 경우도 큰 정사각형을 꽉 채울 수 없다.

이 문제를 해결하기 위해서는, 한 변이 자연수인 연속된 정사각형의 면적의 합이 어떤 자연수의 제곱이 될 때까지 하는 것이다. 그러나

$1^2+2^2=5$

$1^2+2^2+3^2=14$

$1^2+2^2+3^2+4^2=30$

이며, 이들 중 완전제곱은 없다.

만일 완전제곱을 얻을 때까지 계속한다면, 결국 $1^2+2^2+3^2+4^2+\cdots+24^2=4900=70^2$을 얻는다. 사실 놀랍게도, 이것이 첫 번째 완전제곱일 뿐만 아니라 연속된 제곱을 더해서 완전제곱을 얻을 수 있는 유일한 수다. (이에 대한 증명은 수론에서는 어려운 연습 문제며, 상당히 오랫동안 미해결 문제였다.)

처음 24개의 연속된 정사각형의 면적이 70×70 크기의 정사각형의 면적과 같다는 것을 이용하면 다음과 같은 아름다운 기하학적 퍼즐이 생긴다. '한 변의 길이가 1인 것부터 자연수를 따라 연속적으로 한 변의 길이가 24인 정사각형들까지를 70×70 크기의 정사각형에 겹치지 않고 딱 맞게 넣을 수 있는가?'

면적이 같다는 것은 필요조건이지만 충분조건은 아닐 수 있다. 게다가, 사실 완벽하게 딱 맞추는 방법은 아직 발견되지 않았으며 그렇다고 그것이 불가능하다는 것도 증명되지 않았다. 그러므로 이 문제는 다음과 같이 바꿔 쓸 수도 있다. 처음 24개의 정사각형 중 70×70 크기의 정사각형에 몇 개를 겹치지 않게 배열할 수 있을까?

지금까지 알려진 가장 훌륭한 답은 정사각형 중 '하나만 제외'된 것이다. 현재까지 알려진 모든 예제에서는, 그림에 나타난 것과 같이 7×7 정사각형이 배제되었다. 이보다 더 잘할 수 있겠는가?

1에서 24까지 연속인 24개의 정사각형들

70×70 크기의 정사각형에 한변의 길이가 1에서 24까지 24개의 정사각형에서 한 변의 길이가 7인 정사각형을 뺀 나머지가 배열되어 있다. 이보다 더 잘할 수 있겠는가?

261
난이도 ●●○○○○
필요한 것
완료 시간

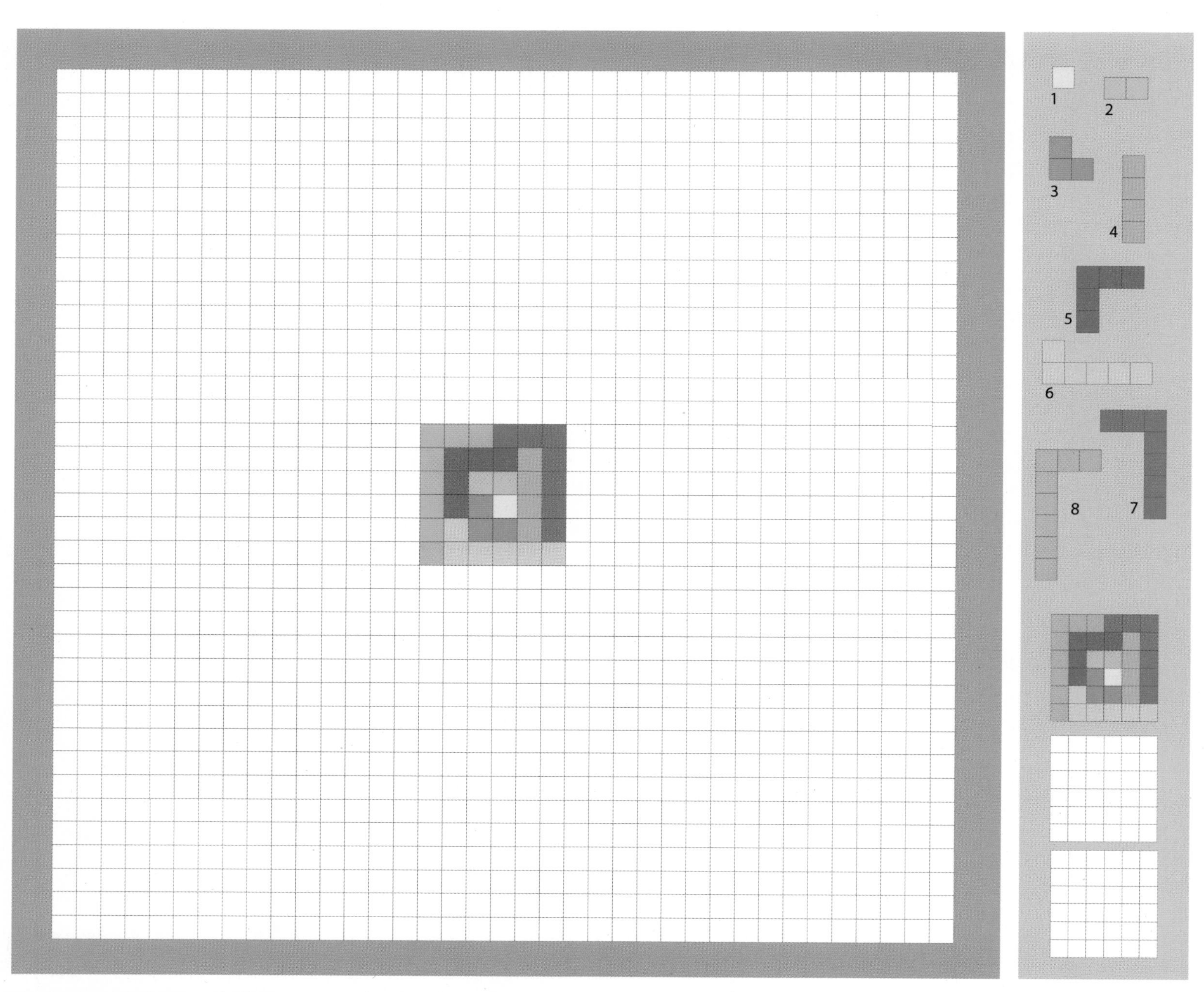

연속적인 폴리오미노로 이루어진 나선 모양의 정사각형-1960년

삼각수•가 어떤 수의 제곱이 될 수 있을까? 명백하게 첫 번째 삼각수 '1'은 1의 제곱이다. 두 번째로, 위의 그림에 보이는 것처럼 여덟 번째 삼각수 '36' 역시 6의 제곱이다. 어떤 수의 제곱이 되는 그다음 삼각수는 무엇일까?

그림에 나타난 것과 같이 중앙에 있는 모노미노(한 개의 정사각형으로 이루어진 폴리오미노, 노란색 정사각형)로 시작해 크기가 자연수를 따라 연속적으로 증가하는 일련의 폴리오미노를 도미노처럼 쌓아 반시계방향의 나선형 그림을 얻을 수 있다.

처음 8개의 연속적인 폴리오미노는 6×6 크기의 정사각형 바둑판 모양을 형성하며 나선 폴리오미노를 만든다.

이러한 구성 원칙과 관련하여 다음과 같은 재미있는 질문과 문제들을 생각해볼 수 있다.

1. 위에 나타난 6×6 크기의 정사각형 내의 조각들을 재배열해 다른 정사각형 패턴을 만들 수 있을까?
2. 더 많은 연속적인 폴리오미노들로 나선 모양을 계속 만들어나간다면, 다음 직사각형은 언제 만들어지며 그 직사각형의 가로세로 비율은 얼마가 될까?
3. 그다음 정사각형은 언제 만들어지며 그 크기는 얼마일까?

262 난이도 ●●●●○○ 필요한 것 완료 시간

● 삼각수: 일정한 물건으로 삼각형 모양을 만들 때, 그 삼각형을 만드는 데 사용된 물건의 총 개수로 1, 3, 6, 10, 15, 21, 28, 36, 45, 55, 66, 78, 91, 105, 120, ... 등이 있다.

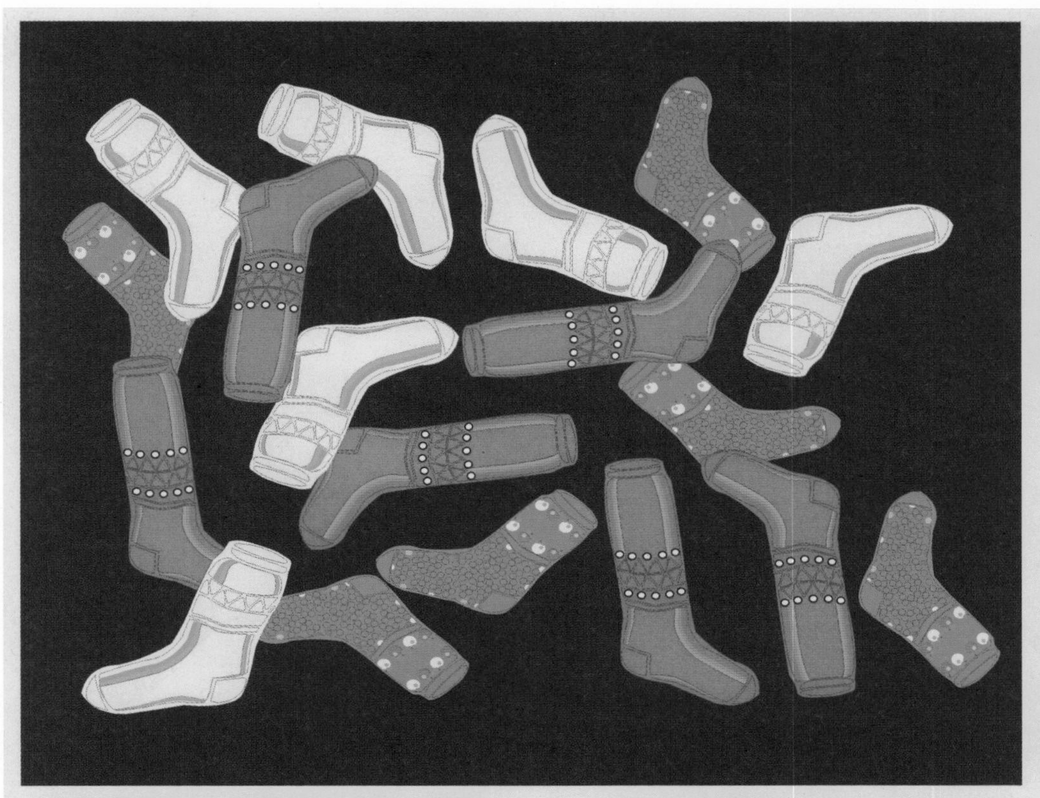

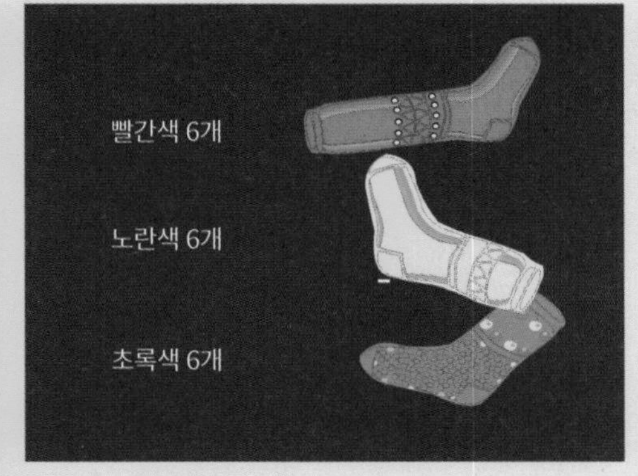

어둠 속의 양말

서랍에는 빨간색, 노란색, 초록색 양말이 각각 6개 있다. 아주 깜깜한 상황에서 같은 색의 양말 한 켤레를 찾으려면 몇 개의 양말을 꺼내야 할까? 같은 색의 양말 3켤레를 만들려면 몇 개의 양말을 꺼내야 할까?

263 난이도 ●●●○○○ 필요한 것 완료 시간

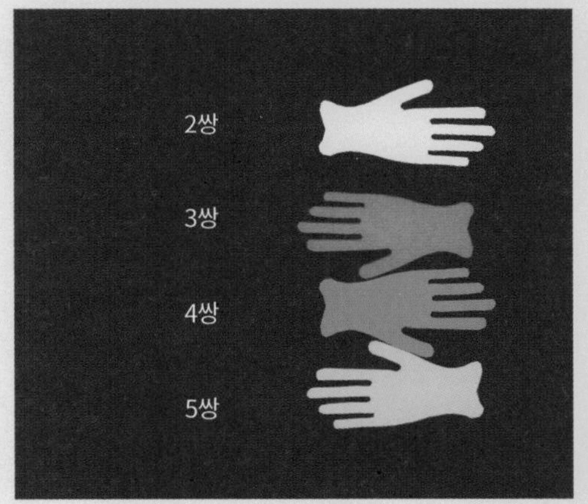

어둠 속의 장갑

서랍에는 노란색 장갑 2쌍, 빨간색 장갑 3쌍, 초록색 장갑 4쌍, 그리고 파란색 장갑 5쌍 있다. 아주 깜깜한 상황에서 같은 색의 장갑 한 쌍(오른손과 왼손 장갑)를 꺼내려면 몇 개의 장갑을 꺼내야 할까?

264 난이도 ●●●○○○ 필요한 것 완료 시간

265 난이도 ●●●●●○ 필요한 것 완료 시간

잃어버린 양말과 머피의 법칙

5켤레의 양말을 세탁한 후 두 개의 양말이 없어졌다고 상상해보자. 다음 중 어떤 상황이 가능성이 더 큰가?

1. 없어진 양말 두 개가 한 켤레이고 짝이 맞는 양말 4켤레가 남아 있다.
2. 짝이 맞는 양말 3켤레와 짝이 없는 양말 2개가 남아 있다.

에드워드 머피(Edward A. Murphy) 선장은 "잘못될 수 있는 일은 가능한 한 최악의 시간에 발생한다"라고 말했다. 머피의 법칙은 양말 서랍에서도 일어날까?

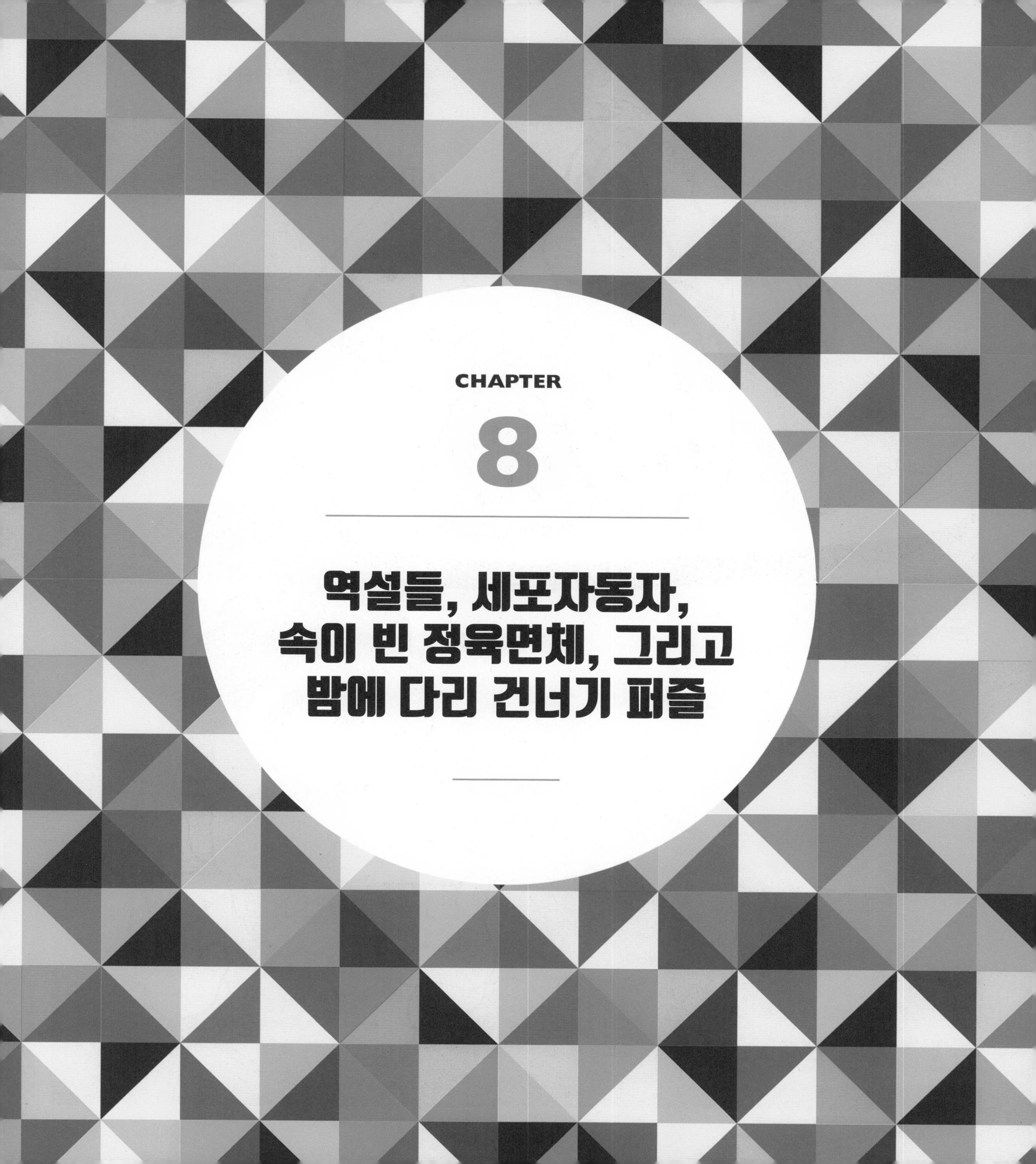
CHAPTER
8
역설들, 세포자동자,
속이 빈 정육면체, 그리고
밤에 다리 건너기 퍼즐

수박 역설-1960년

식당에서 손님이 즐겨 먹는 큰 수박은 수확할 때는 무게가 10킬로그램인데 그중 물이 90퍼센트를 차지한다. 수박이 식당에 도착하기 전에 물 함량이 90퍼센트에서 80퍼센트로 감소했다. 수박이 손님 테이블에 도착했을 때의 수박의 무게를 추측할 수 있겠는가?

266

난이도 ●●●●○○
필요한 것
완료 시간

연달아 있는 수박

7개의 큰 수박의 무게는 연속적인 홀수이며,
평균 무게는 7킬로그램이다.
가장 무거운 수박의 무게는 얼마일까?

267

난이도 ●●●●○○
필요한 것
완료 시간

프레드킨의 세포자동자-1960년

에드워드 프레드킨(Edward Fredkin, 1934~)은 카네기멜론대학의 교수이며 MIT의 방문교수이자 디지털 물리학 분야의 혁신가다. 주요 업적 중 하나로 '세포자동자(cellular automata)'에 대한 연구가 있다. 이는 1960년에 연구했던 것으로 세포자동자는 가장 빠르고 간단한 자기복제 시스템이다. 자기복제 시스템은 각 세포가 두 상태, 즉 살아있거나 죽은 상태인 이진 시스템이다. 프레드킨은 세상에 존재하는 모든 것에 대한 최종적인 거대이론은 연산할 수 있는 것이라고 믿었다. 말하자면 우주가 하나의 컴퓨터라고 믿었다.

인접한 이웃 세포에 의해 5개의 살아있는 세포(빨간 정사각형들)의 초기 상태는 다음과 같은 간단한 규칙에 따라 세대를 거치며 변형된다. 한 세포의 운명은 (수평적 및 수직적으로 접한) 네 모서리에 있는 (죽은) 이웃 세포의 수에 달려 있다.

1. (죽은) 이웃 세포의 수가 짝수면, 그 세포는 다음 세대에는 죽을 것이다(흰색).
2. (죽은) 이웃 세포의 수가 홀수면, 그 세포는 다음 세대에는 살아있을 것이다.

5세대 이후의 변형된 모습을 살펴보면, 1세대를 구성했던 5개의 살아있는 세포는 5세대를 거치면서 4개의 동일 복제물이 되는 놀라운 결과를 보게 될 것이다.

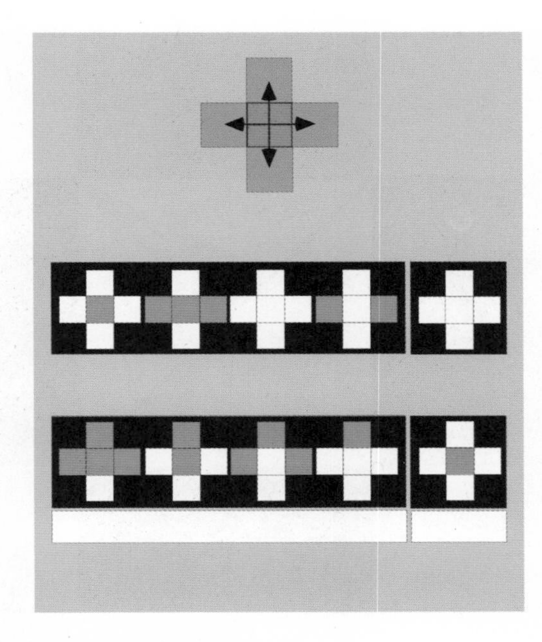

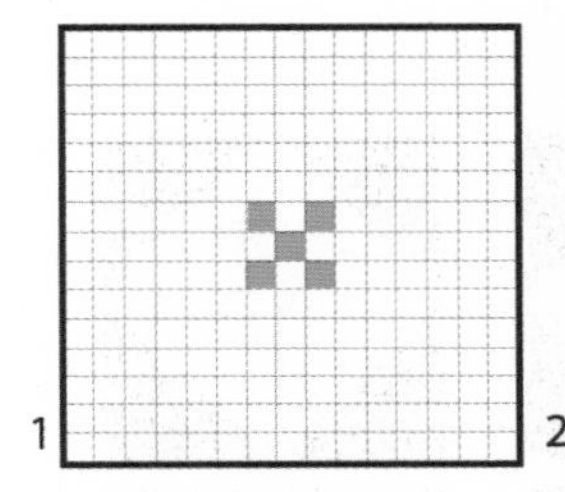

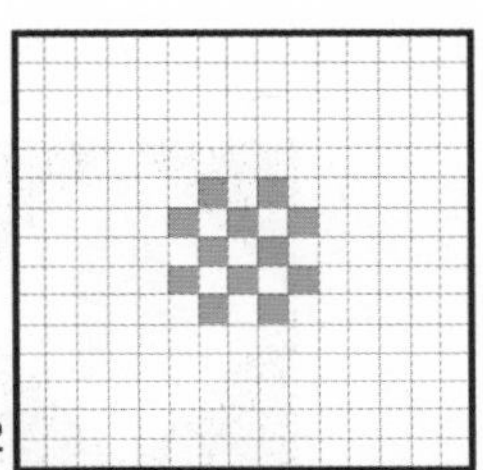

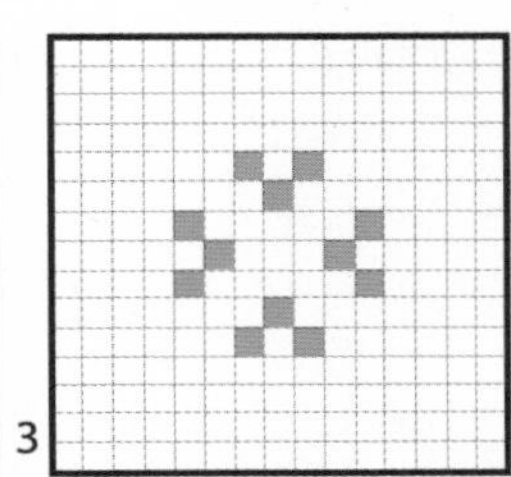

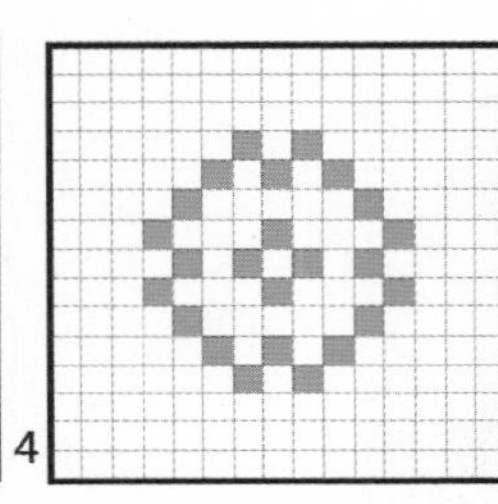

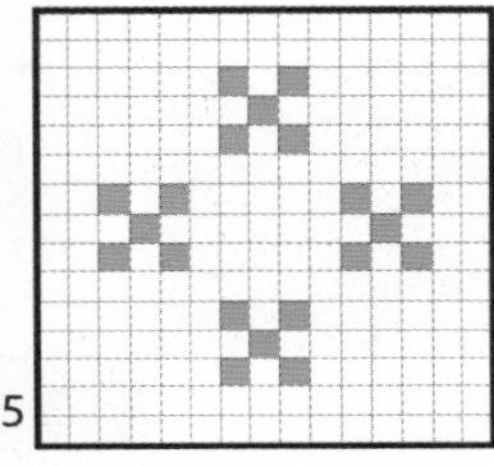

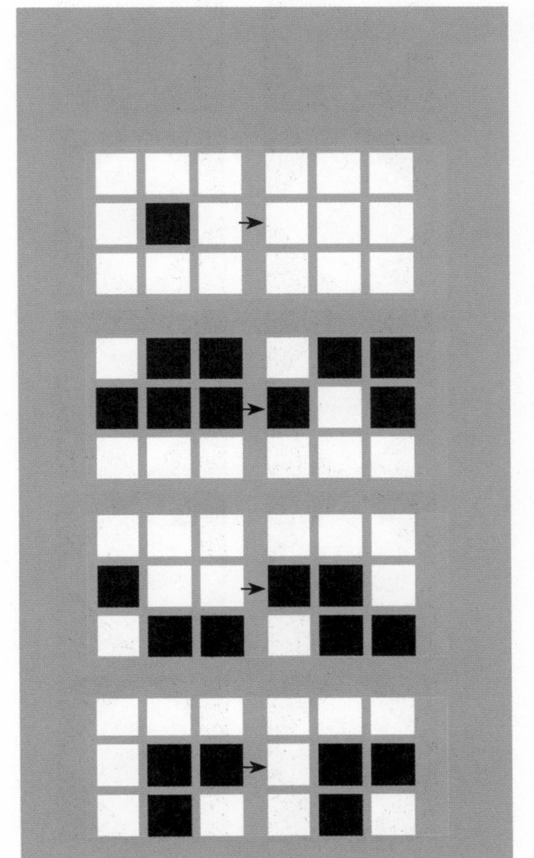

콘웨이의 생명의 게임

'생명의 게임'은 1970년 영국의 수학자 존 콘웨이가 고안한 세포자동자다. 생명의 게임은 경쟁하는 게임이 아닌 혼자 하는 게임이므로 이기거나 질 수 없다. 이 게임의 아이디어는 단순히 처음에 환경을 설정한 후 어떻게 전개되는지를 보는 것에 있다.

생명의 게임에서 우주는 정사각형 세포로 구성된 무한한 2차원 직교 격자로 이루어져 있으며, 각 세포는 살아있는 상태거나 죽은 상태다. 각 세포는 가로, 세로, 또는 대각선으로 인접한 8개의 세포와 상호작용을 한다. 일정한 시간 간격으로 나뉜 각 단계에서는 다음과 같은 규칙에 따라 전이가 생긴다.

1. 외로움: 인접한 세포 중 살아있는 세포가 2개 미만인 세포는 죽는다.
2. 과밀화: 인접한 세포 중 살아있는 세포가 3개보다 많으면 세포는 죽는다.
3. 복제: 인접한 세포 중 살아있는 세포가 정확히 3개면 죽은 세포는 생명을 얻는다.
4. 생존: 2개 또는 3개의 살아있는 세포와 인접한 세포는 살아있는 상태를 그대로 유지한다.

플렉사곤(Flexagons)

정사각형 종이를 접는 것만으로도 흥미로운 많은 퍼즐들과 위상적 사실들을 발견을 할 수 있다. 종이접기 놀이는 어린이와 성인 모두에게 평면 기하학을 소개할 수 있는 멋진 방법이다. 고대의 종이접기와 플렉사곤은 좋은 예다.

플렉사곤은 일련의 고리들 또는 면들을 만들기 위해 특정한 선을 따라 접힐 수 있는 종이 구조다. 애덤 월시(Adam Walsh)는 플렉사곤을 앞면과 뒷면 2개의 면보다 더 많은 면을 갖는 납작한 종잇조각으로 정의했다.

1950년대에 마틴 가드너가 대중에게 플렉사곤을 소개했을 때, 모스코비치는 이에 매료되었고 그 후 접는 퍼즐의 원조가 되는 두 개의 퍼즐을 고안했다. 퍼즐 중 하나는 '플렉시-트위스트(Flexi-Twist)'로, 모스코비치 자신이 스스로를 시험한 결과 나온 참신하고 독창적인 종이접기 구조다. 이 퍼즐은 고전적인 플렉사곤처럼 미리 접어 붙일 필요는 없고, 여전히 아주 많은 면을 가진 도전할 만한 가치가 있는 접기 방법이 있다.

또 다른 퍼즐은 '이반의 힌지(Ivan's Hinge)'다. 이 퍼즐은 피아노-힌지 퍼즐의 새로운 범주에 속하는 퍼즐로, 그 범주에서 최초로 특허를 받았다. 피아노-힌지 퍼즐은 접는 퍼즐과 구조에 관한 세계적인 권위자인 그레그 프레드릭슨(Greg Frederickson)의 흥미로운 책『피아노-힌지 분석(Piano-Hinged Dissections)』에 설명되어 있다.(이반의 힌지에도 설명되어 있다.)

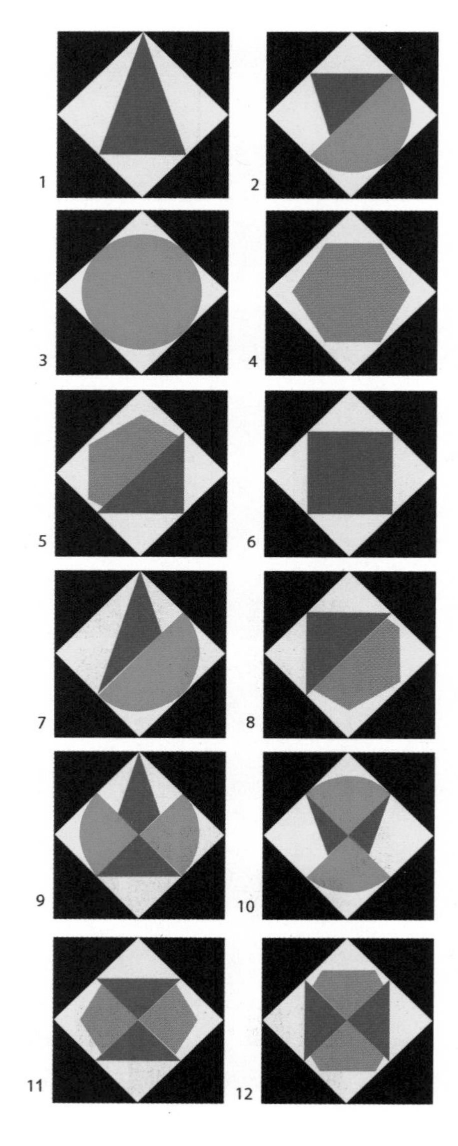

플렉시-트위스트 접는 퍼즐

플렉시-트위스트는 그 독창성으로 인해 특허를 받은 접기 퍼즐이다.
양면으로 인쇄된 패턴을 가진 정사각형을 복사한다. 점선을 따라 양쪽 방향으로 꺾어 접은 다음, 가운데 있는 노란색 정사각형의 내부에 있는 두 대각선을 따라 자른다. 점선을 따라 연속적으로 정사각형을 접어 오른쪽에 보이는 패턴이 되면서 크기는 원래 크기의 반인 정사각형을 만든다.

268 난이도 필요한 것 완료 시간

밤에 다리 건너기

다리는 정확히 17분 후에 무너질 것이다. 4명의 등산객은 어둠 속에서 다리를 건너야 한다. 다리를 건널 때 사용할 수 있는 손전등은 딱 한 개뿐이다. 손전등을 들고 한 번에 최대 두 사람이 다리를 건널 수 있으며, 손전등은 다리를 건넌 후엔 다리 건너편의 시작점으로 다시 가져와야 한다.
각 등산객의 걷는 속도는 다르다. 다리를 건너는 데 등산객 1은 1분, 등산객 2는 2분, 3은 5분, 마지막으로 등산객 4는 10분이 걸린다. 둘이 건널 때는 둘의 속도 중 더 늦은 속도로 다리를 건널 수 있다. 예를 들면, 등산객 1과 등산객 3이 같이 건넌다면 다리를 건너는 데는 5분이 걸릴 것이다.
손전등을 건너편으로 던지거나, 아무도 이동하지 않는 등의 상황은 고려하지 않는다. 두 가지 가능한 해결책이 있다. 두 방법 모두를 찾을 수 있겠는가?

269
난이도 ●●●●○○
필요한 것
완료 시간

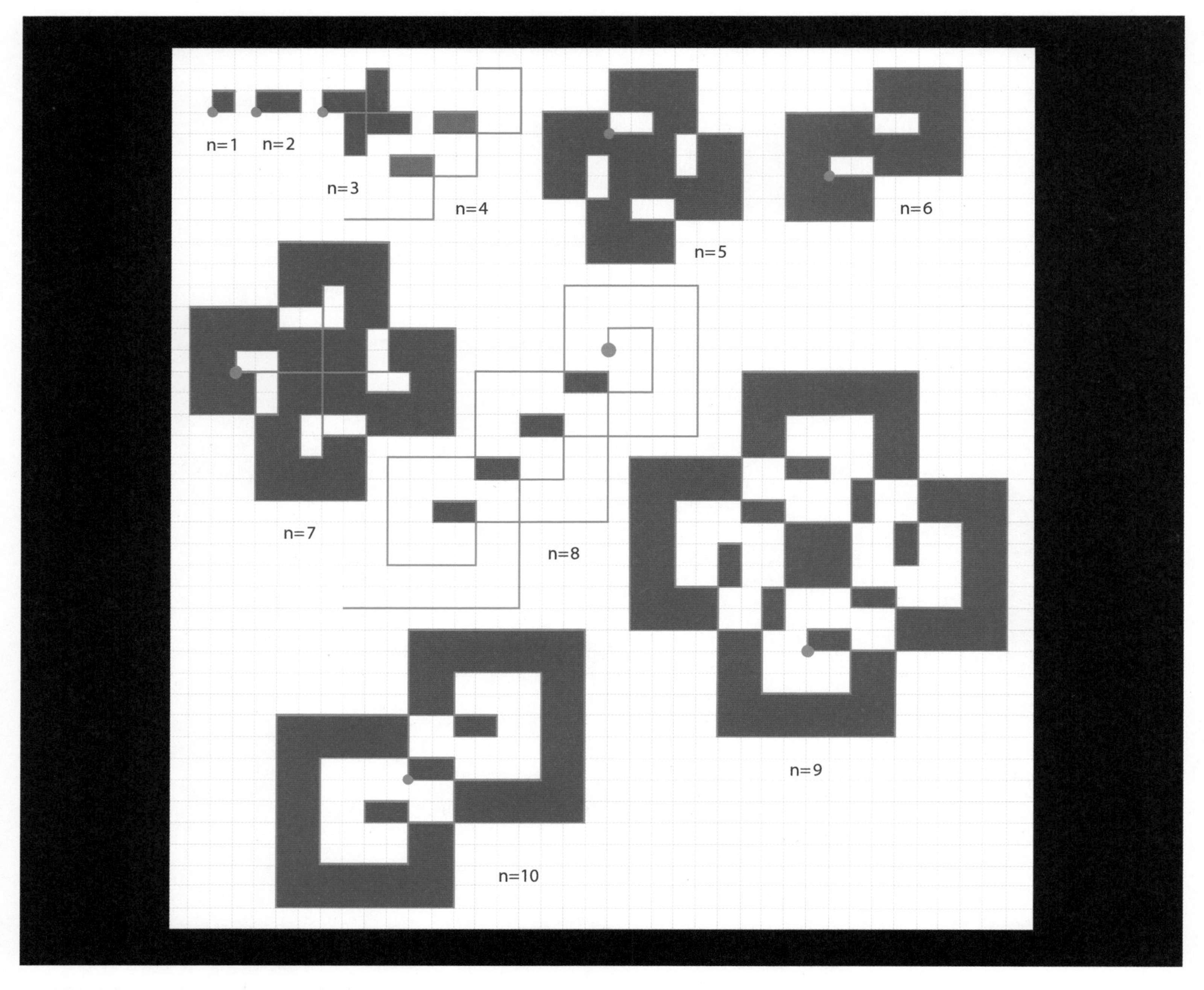

프랭크 오드의 나선(소용돌이) 모양의 관-1962년

1962년 애버딘대학교 의학연구소에서 근무하던 미생물학자 프랭크 오드(Frank Odds)는 '나선 모양의 관'이라는 개념을 창안했다. 오드는 이 개념을 '별 재미없는 고등학교 화학 수업에서 그래프용지에 낙서하던 중 만들었다'고 한다. 그는 자신이 '나선 모양의 관'이라고 이름 붙인, 경이로움으로 가득한 그 아름다운 패턴을 만드는 간단한 규칙들을 제시했다.

나선 모양의 관은 매우 단순한 생성 과정을 거쳐 만들 수 있다. 즉, 움직이는 점에 의해 만들어지는 경로와 같은 기하학적인 그림을 정의하는 개념을 토대로 한다. 오드는 다음과 같은 규칙에 따라 움직이는 벌레의 이동 경로를 통해 나선 모양의 관을 만들었다. 벌레는 길이 1만큼 이동한 후 오른쪽으로 90도 돌아서 길이 2만큼 움직인다. 그 후 오른쪽으로 90도 돌아 길이 3만큼 움직이고 같은 방법으로 계속 오른쪽으로 90도씩 회전하면서 길이를 1만큼씩 늘려가며 이동한다. 이러한 이동은 길이가 n이 될 때까지 계속된다. 이 n을 나선 모양 관의 '차수'라 한다.

270	난이도 ●●●○○○
	필요한 것
	완료 시간

정사각형 격자무늬가 있는 종이에 연필로 나선 모양의 관을 그려볼 수 있다. 차수가 1에서 10까지 처음 10개의 나선 모양의 관이 위에 그려져 있다. 더 높은 차수인 n=11과 n=13에 대한 나선 모양의 관을 그릴 수 있겠는가?

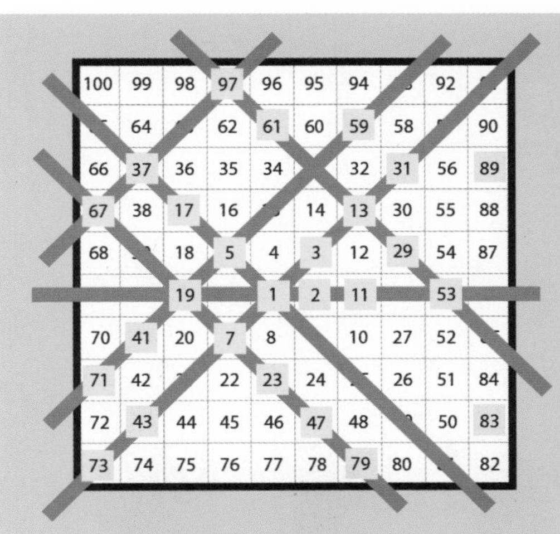

소수 나선–1963년

1963년 유명한 폴란드 수학자인 스타니슬라프 울람(Stanislaw Ulam)은 어느 지루한 수업시간에 종잇조각에 숫자로 낙서를 하고 있었다. 그는 한 정방행렬에 연속된 숫자를 적었다. 중간 위치에서 1로 시작해 격자에 나타난 것처럼 바깥쪽으로 나선형을 만들며 숫자를 적어갔다.

그러다 울람은 놀라워하며 탄식을 내뱉었다. 소수가 행렬의 대각선과 직선 위에 떨어지는 경향이 있는 것을 보았기 때문이었다.

행렬에서, 처음 26개의 소수는 모두 적어도 3개의 소수를 포함하는 직선 위에 있으며, 어떤 대각선 위에는 더 많은 소수들이 나타나 있었다.

이와 똑같은 신비로운 선의 패턴이 더 큰 행렬에서도 나타나는데, 수백만 개의 소수가 나선형 패턴을 만들며 모두 유사한 배열을 가진다.

이 현상은 자연의 법칙일까 아니면 우연의 일치일까? 아직 아무도 모른다.

213	212	211	210	209	208	207	206	205	204	203	202	201	200	199
214	161	160	159	158	157	156	155	154	153	152	151	150	149	198
215	162	117	116	115	114	113	112	111	110	109	108	107	148	197
216	163	118	81	80	79	78	77	76	75	74	73	106	147	196
217	164	119	82	53	52	51	50	49	48	47	72	105	146	195
218	165	120	83	54	33	32	31	30	29	46	71	104	145	194
219	166	121	84	55	34	21	20	19	28	45	70	103	144	193
220	167	122	85	56	35	22	17	18	27	44	69	102	143	192
221	168	123	86	57	36	23	24	25	26	43	68	101	142	191
222	169	124	87	58	37	38	39	40	41	42	67	100	141	190
223	170	125	88	59	60	61	62	63	64	65	66	99	140	189
224	171	126	89	90	91	92	93	94	95	96	97	98	139	188
225	172	127	128	129	130	131	132	133	134	135	136	137	138	187
226	173	174	175	176	177	178	179	180	181	182	183	184	185	186
227	228	229	230	231	232	233	234	235	236	237	238	239	240	241

울람은 1이 아닌 정수로 시작하는 행렬의 나선도 조사했다. 왼쪽 그림은 가운데 위치에서 17로 시작한 행렬의 모습이다.

그는 이 나선에서도 소수의 위치에 이상한 패턴이 있는 것을 보고는 놀라움을 금치 못했다.

실제로 한번 해보라!

지도와 우표 접기-1963년

접는 우표는 일반적인 지도 접기 문제의 특별한 경우다. 큰 지도를 펼친 후 원래 접힌 상태로 다시 접는 데 어려움을 겪은 적이 있을 것이다. 스타니슬라프 울람은 '지도를 다르게 접는 방법이 얼마나 많을까' 하는 문제를 처음으로 제안했다.

이후 이 지도 접기 문제는 현대 조합이론 분야의 연구자들을 좌절시켰다. 사실, 지도 접기의 일반적인 문제는 아직 해결되지 않은 상태다.

여기에 딱 들어맞는 속담이 있다. "도로의 지도를 다시 접는 가장 쉬운 방법은 이전과 다르게 접는 것이다!"

우표 3개로 이루어진 우표 띠 전지 접기

우표 3개로 이루어진 우표 띠 전지를 다르게 접는 방법은 얼마나 많을까? 구멍이 뚫려 있는 절취선에서만 접을 수 있고, 우표 위에 우표가 놓여 있어야만 한다. 우표의 앞면이 위를 향하는지 아래를 향하는지는 중요하지 않다. 이전에 보았듯이, 3개의 색으로 가능한 순열은 6(3×2×1)가지가 있다.

당신은 몇 가지의 다른 방법으로 접을 수 있겠는가? 우표를 접는 문제에는 몇 가지 변형이 있을 수 있다는 것에 주목해야 한다.

1. 표식자(라벨)가 없는 우표(U): 표식자가 없는 우표의 경우 우표의 방향과 관계없이 접기 위해 절취선의 위치만 고려된다.
2. 표식자가 부착된 우표(N): 우표에 표식자가 붙어 있고 그 방향이 고려되어야 한다.
3. 대칭(S): 대칭으로 접는다.

세 개의 우표로 이루어진 우표 전지를 다르게 접는 방법은 얼마나 될까?

우표 4개로 이루어진 우표 띠 전지 접기

4개의 우표로 이루어진 우표 띠 전지를 다르게 접는 방법은 얼마나 될까? 절취선에서만 접을 수 있고, 우표 위에 우표가 놓여 있어야 한다. 우표의 앞면이 위를 향하는지 아래를 향하는지는 중요하지 않다.

우표 4개로 이루어진 사각형 우표 전지 접기

우표 4개로 이루어진 사각형 우표 전지를 다르게 접는 방법은 얼마나 될까? 절취선에서만 접을 수 있으며, 접었을 때 4장의 우표가 차곡차곡 쌓여 있어야 한다. 우표의 앞면이 위를 향하는지 아래를 향하는지는 중요하지 않다. 이전에 보았듯이, 4가지 색으로 가능한 순열은 24(4×3×2×1)가지가 있다. 몇 가지의 다른 방법으로 접을 수 있겠는가?

우표 6개로 이루어진 직사각형 모양의 전지 접기

6개의 우표가 2×3 직사각형 모양의 전지로 이루어져 있으며 절취선을 따라 다양한 방법으로 우표를 접을 수 있다. 우표를 접은 모습(접은 순서가 색으로 구별된) 4가지가 그림에 나타나 있다. 그중 접는 게 불가능한 우표를 찾아낼 수 있겠는가? 마지막으로 접는 우표는 우표의 면이 앞면이든 뒷면이든 상관없다.

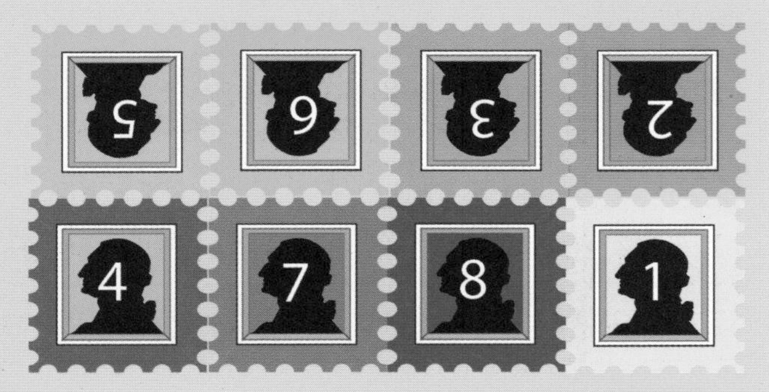

우표 8개로 이루어진 직사각형 모양의 전지 접기

8개로 이루어진 직사각형 모양의 우표전지를 우표가 1에서 8까지 순서대로 쌓이도록 절취선을 따라 접을 수 있겠는가?

체스판 위에서 주사위 굴리기-1963년

1963년 마틴 가드너는 크기가 다른 체스판 위에서 주사위를 굴리는 문제를 소개했다. 주사위 한 면의 면적은 체스판 위의 정사각형 한 개의 칸의 면적과 같으며, 접해 있는 두 개의 칸을 굴러 이동하는데 이동할 때마다 주사위 윗면의 눈이 바뀐다.

구르는 주사위 (1)

보이는 위치에서 주사위를 한 번에 한 면씩 6번 굴려서, 왼쪽 아래 정사각형 칸에 눈이 6개인 면이 위로 오도록 끝낼 수 있겠는가?

구르는 주사위 (2)

보이는 것처럼 맨 위의 위치에서 주사위를 한 번에 한 면씩 연속적으로 굴려서 왼쪽 아래 정사각형 칸에 눈이 차례대로 1개인 면부터 6개인 면까지 위로 오도록 끝낼 수 있겠는가?(즉, 6번을 시행한다.)

272

난이도 ●●●●○○
필요한 것
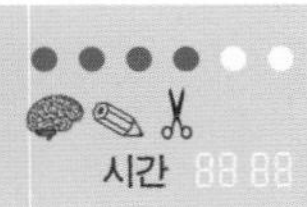
완료
시간

버크민스터 풀러(1895~1983)

버크민스터 풀러(Buckminster Fuller)는—친구들은 '버키(Bucky)'라고 불렀다—20세기의 주요 혁신가 중 한 명이며 믿기 어려울 만큼 많은 발명품을 보유하고 있다. 그는 측지 돔(Geodesic Domes), 다이맥션 지도(Dymaxion Map), 다이맥션 집(Dymaxion House), 분자 축구공(Fullerenes) 또는 '버키의 공(Bucky Balls)' 및 다른 많은 발명품의 큰 성공으로 인해 국제적으로 인정을 받았다.

풀러는 동반상승 효과(시너지)가 상호작용하는 시스템의 기본 원리라고 믿었으며, '상승협동학(Synergetics)'이라 불리는 전공과목을 개발했는데, 이는 사고의 기하학적 탐구에 관한 학문이다. 그는 삶 자체가 하나의 실험이라는 것을 보여주기 위해 자신을 '기니피그 B(Guinea Pig B)'라 불렀다. 풀러는 시너지 효과의 기본 원리를 설명하기 위해 자신이 만든 모형들과 원형들에 본인의 디자인과 아이디어를 넣어 시연했는데, 시연물에는 "더 적은 것으로 더 많이"라는 그의 디자인 철학이 포함되어 있다.

모스코비치는 버키를 두 번 만났다. 처음 만난 건 1960년대였는데 텔아비브에서 그의 강의를 들으면서였다. 강의가 끝난 후 질의응답 시간에, 모스코비치는 버키에게 자신의 새로운 발명품 미러칼(Mirrorkal)의 첫 번째 원형을 보여주었다. 미러칼은 버키의 작품에서 영감을 얻은 새로운 모듈식 거울의 만화경 퍼즐로 그걸 풀면 버키의 초상화가 된다. 버키가 모스코비치의 발명품을 기꺼이 인정해주고, 좋은 퍼즐들을 사랑한다며 모스코비치와 몇 마디 이야기를 나눈 것으로 모스코비치는 기뻤다고 한다.

약 20년 후, 모스코비치는 뉴욕의 에디슨 호텔에서 엘리베이터를 기다리고 있었다. 엘리베이터가 도착하고 문이 열렸는데 엘리베이터에서 내리는 한 신사와 그만 이마를 부딪치고 말았다. 모스코비치와 상대방 모두 큰 충격을 입었는데 정신을 가다듬고 보니 부딪힌 사람이 바로 버키였다. 버키는 모스코비치를 본 순간, "앗, 그 거울 녀석!" 하고 소리치며 모스코비치를 알아보았다. 버키는 커피 한잔하자며 모스코비치를 초대했는데, 모스코비치는 이 사건이 자신의 인생에서 가장 즐거운 경험 중 하나였다고 한다. 커피를 마시는 두 시간 동안 넋을 잃고 버키의 말을 들었던 것을 모스코비치는 결코 잊을 수 없다고 한다.

"나에게 어린 시절의 경험은 기하학과 마찬가지로 내 자신의 탐구력에 대한 자신감을 높여주진 못했다. 그러나 기하학의 몇 가지 알려진 사실로부터 이전에 알려지지 않은 많은 것들을 찾아 걸러내고 평가하는 것으로부터 얻는 영감과 그 증명의 우아함은 모든 문제를 푸는 데 있어서 멋진 전략을 발견하게 해주었고 그에 대한 이해를 가능하게 해주었다."

버크민스터 '버키' 풀러

버키의 시너지-1964년

시너지는 독립적으로는 얻을 수 없는 어떤 결과를 얻기 위해 두 가지 이상의 것이 함께 작용하는 것을 말한다. 시너지란 용어가 널리 쓰이게 된 것은 버크민스터 풀러의 공이 크다. 풀러의 작품의 상당수는 시너지를 탐구하고 창조하는 것과 관련이 있었다.

버키는 자신의 아이디어를 보여주기 위한 모델을 만드는 데 능숙했는데, 그중 골격 사면체는 시너지라는 자신의 아이디어를 아름답게 시각화한 작품이다. 구부러진 철사로 만든 삼각형(철사 삼각형) 두 개를 결합하여 네 개의 삼각형으로 둘러싸인 3차원 그림인 완벽한 골격 사면체를 만들 수 있다. 즉, 얼핏보면 '1+1'이 4처럼 보인다.

버키의 친구이자 위대한 마술사인 멜 스토버는 버키의 철사 삼각형으로 테이블 마술을 만들었다. 스토버는 완벽한 사면체 철골 구조를 청중에게 보여주면서 4개의 삼각형 면을 세었다. 그런 다음 정사면체를 들어 올려 가장 가까이 있는 사람에게 2개의 철사 삼각형(구부러지지 않은)을 주어 사면체를 재현하도록 했다. 물론 아무도 성공할 수 없었다. 멜은 교묘하게 잘 뒤집어서 두 개의 구부러진 철사 삼각형을 들어 올리는 동안 그것을 곧게 편 뒤 두 개의 납작한 삼각형으로 만들었던 것이다.

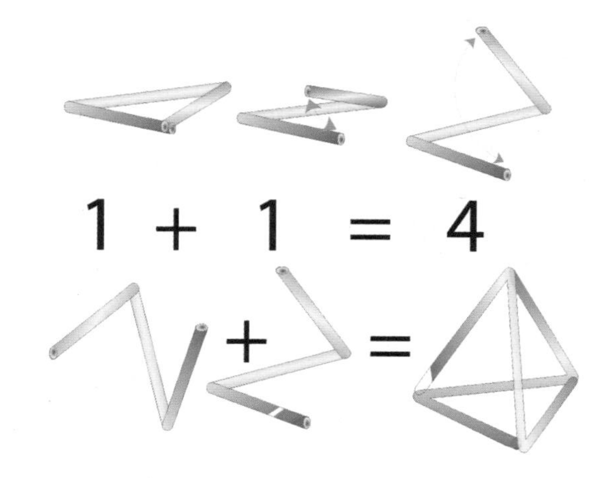

풀러의 상승협동학-1964년

빔 차일러(Wim Zeiler)는 자신의 책『해와 에너지의 시너지 효과(Synergetics in sun & energy)』에서 "시너지 효과는 변환에서의 시스템들에 관한 실증적 연구로, 어떤 고립된 구성요소의 행동으로는 예측되지 않는 전체 시스템의 행동을 강조한 것이다. 고립된 구성요소의 행동에는 참여자인 동시에 관찰자로서의 인간의 역할이 포함되어 있다"라고 했다.

인성은 시스템의 행동을 명확히 설명할 뿐만 아니라 시스템으로 구성되어 있다. 아주 미세한 양자부터 광활한 우주까지, 모든 수준에서 시스템들이 식별될 수 있다는 사실이 인성과 결합하면, 시너지 효과를 거대한 범주의 한 규율로 만든다. 그 범주는 다양한 과학 및 철학 연구를 광범위하게 수용하는데 사면체와 조밀하게 쌓인 구(close-packed-sphere)를 다루는 기하를 포함한다.

버크민스터 풀러는 '상승협동학'이라는 용어를 만들었고, 그 학문의 범위를 정의하기 위해『상승협동학(synergetics)』이라는 제목의 책을 2권 썼다. 그러나 상승협동학은 많은 학자들이 호응하는 중심학문은 되지 못하고 있으며, 인습에 얽매이지 않은 독특하고 급진적인 학문으로 여겨지고 있다. 따라서 대부분의 전통적인 단과대학들에서는 아주 작은 관심만을 보이고 있는 실정이다.

그럼에도 풀러의 연구는 여러 연구자가 상승협동학의 세부 분야를 탐구할 수 있도록 고무시켰다. 예를 들면, 헤르만 하켄(Hermann Haken)은 개방 시스템의 자기조직 구조를 연구했고, 에이미 애드몬슨(Amy Edmondson)은 사면체와 20면체 기하학을 다루었으며, 스태퍼드 비어(Stafford Beer)는 사회역학의 맥락에서 측지학을 탐구했다.

비록 많은 연구자들이 풀러의 종합적이고 포괄적인 정의에 대해 의도적으로 거리를 두고 있지만, 현재 여러 다른 연구자들은 상승협동학의 다른 측면들에 관해 연구하고 있다.

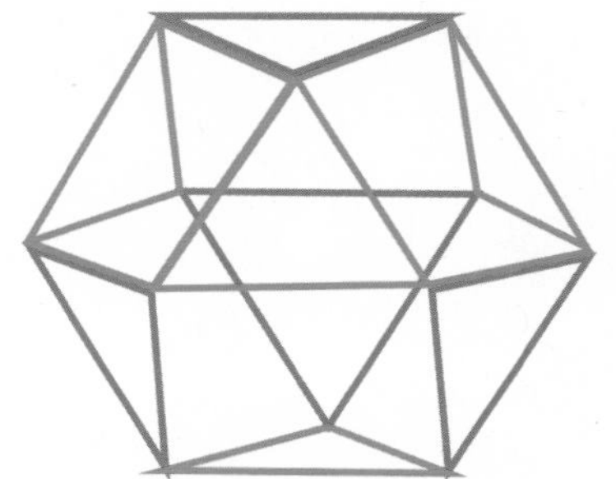
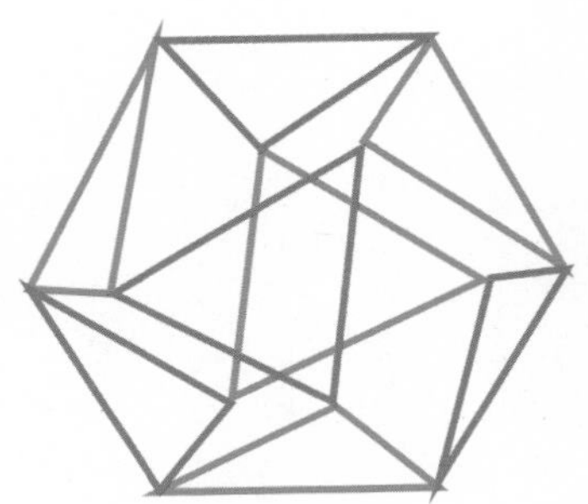
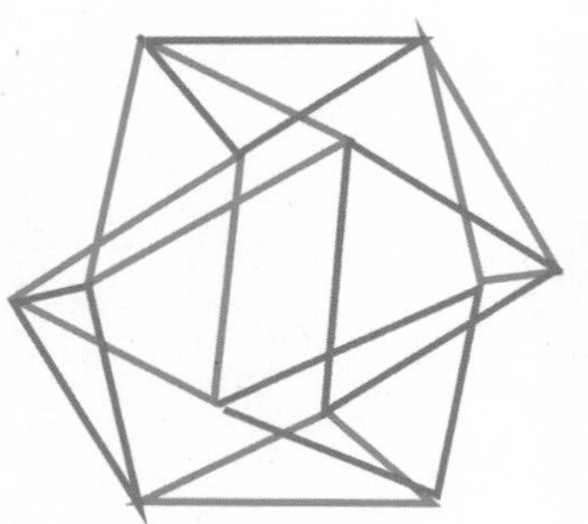
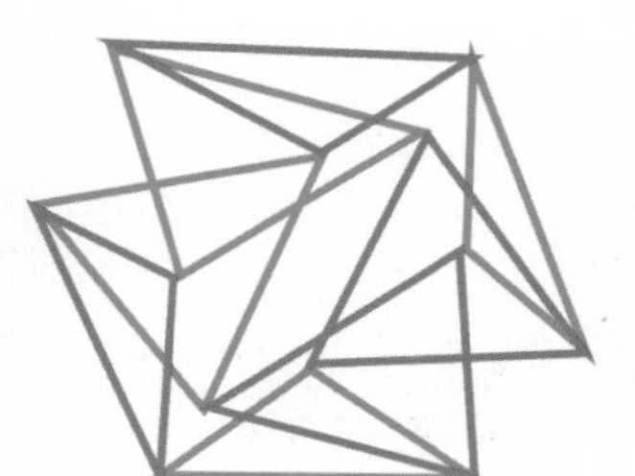

버크민스터 풀러의 지르박 시스템

가장 아름다운 다면체 변환 중 하나는 버크민스터 풀러의 지르박 시스템(Jitterbug system)이다. 이전에 반정칙 아르키메데스 다각형 군(family of semi-regular Archimedean polyhedra)에서 입방팔면체(cuboctahedron)를 보았는데, 풀러는 이를 '벡터 평형(vector equilibrium)'이라 불렀다. 지르박이라는 이름은 풀러가 지은 것으로, 입체를 연속적으로 변환하는 것을 말하는데, 이 변환은 놀라운 도형을 만들어낸다. 여기에는 입방팔면체에서 팔면체까지의(또는 팔면체에서 입방팔면체까지의) 정다면체로 정이십면체와 정십이면체를 포함한다.

풀러는 막대기와 아주 유연한 고무로 된 꼭짓점들을 사용해 그 변환을 완성했다. 그는 지르박 움직임으로 입방팔면체를 팔면체로 수축했고, 거꾸로 팔면체를 입방팔면체로 확장했다.

지르박의 느린 움직임을 보지 않고는 그 움직임이 갖는 아름다운 메커니즘을 개념화하는 것은 어려운데, 이는 직접 모델 하나를 만들어보면 알 수 있다. 오른쪽에 있는 사진은 1991년 스위스 취리히에서 열린 유레카(Eureka) 전시회에서 전시된 거대한 지르박이다. 지르박에는 8개의 삼각형 면이 있다. 이 면을 회전시키면, 면은 4개의 회전축을 따라 중심에서 반경 방향 안쪽 또는 바깥쪽으로 수축하며 모양이 변환된다.

많은 지르박 기반의 장난감들과 퍼즐들이 있는데, 종이, 금속 또는 플라스틱, 그리고 최근에는 자석의 성질이 있는 막대를 기발하게 이용해 만들어진 것도 있다.

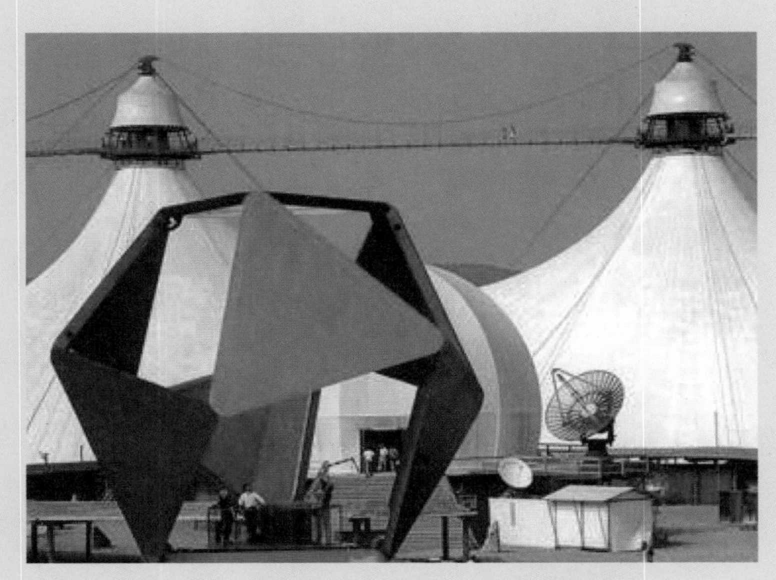

스위스 취리히에서 열린 유레카 전시회에서 전시되었던 거대한 지르박

구르는 초상화 주사위-1964년

구르는 주사위 퍼즐은 1917년 듀드니의『수학의 즐거움(Amusements in Mathematics)』에 처음 언급되었고, 이후 마틴 가드너와 존 해리스(John Harris)가 널리 대중화했다. 이 퍼즐은 6명의 유명인 얼굴이 새겨진 주사위를 체스판 위에서 굴리는 것인데, 여기에는 다음과 같은 두 가지 게임방식이 있다.

퍼즐 1.

게임판의 왼쪽 아래 칸에서 아인슈타인의 모습이 위로 보이게 해서 시작한다. 게임은 주사위를 게임판의 한 칸에서 다른 칸으로 굴려 각 칸을 한 번씩 거치면서 게임판의 오른쪽 아래 칸에서 아인슈타인의 모습이 다시 위로 보이게 하면서 끝낸다. 아인슈타인이 놓인 모습이 시작할 때와 같을 필요는 없다. 간단하게 들릴지 모르겠지만, 시작할 때와 끝날 때를 빼고는 주사위를 굴리는 도중 아인슈타인의 모습이 주사위 윗면에 나와서는 안 된다.

퍼즐 2.

위에서 두 번째 행 네 번째 칸에서 아인슈타인의 모습이 위로 보이게 하여 시작해 주사위가 구르는 중 어디에서도 스탈린의 모습이 위에 보이지 않도록 하면서 시작했던 칸으로 되돌아오도록 할 수 있겠는가?

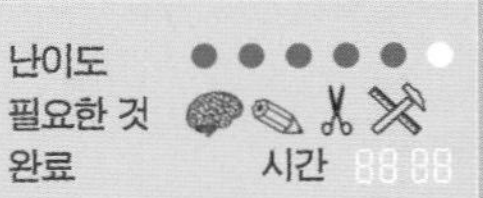

아인슈타인

베토벤

스탈린

뉴턴

엘리자베스 여왕

셰익스피어

인물의 위치가 나타난 주사위 도면

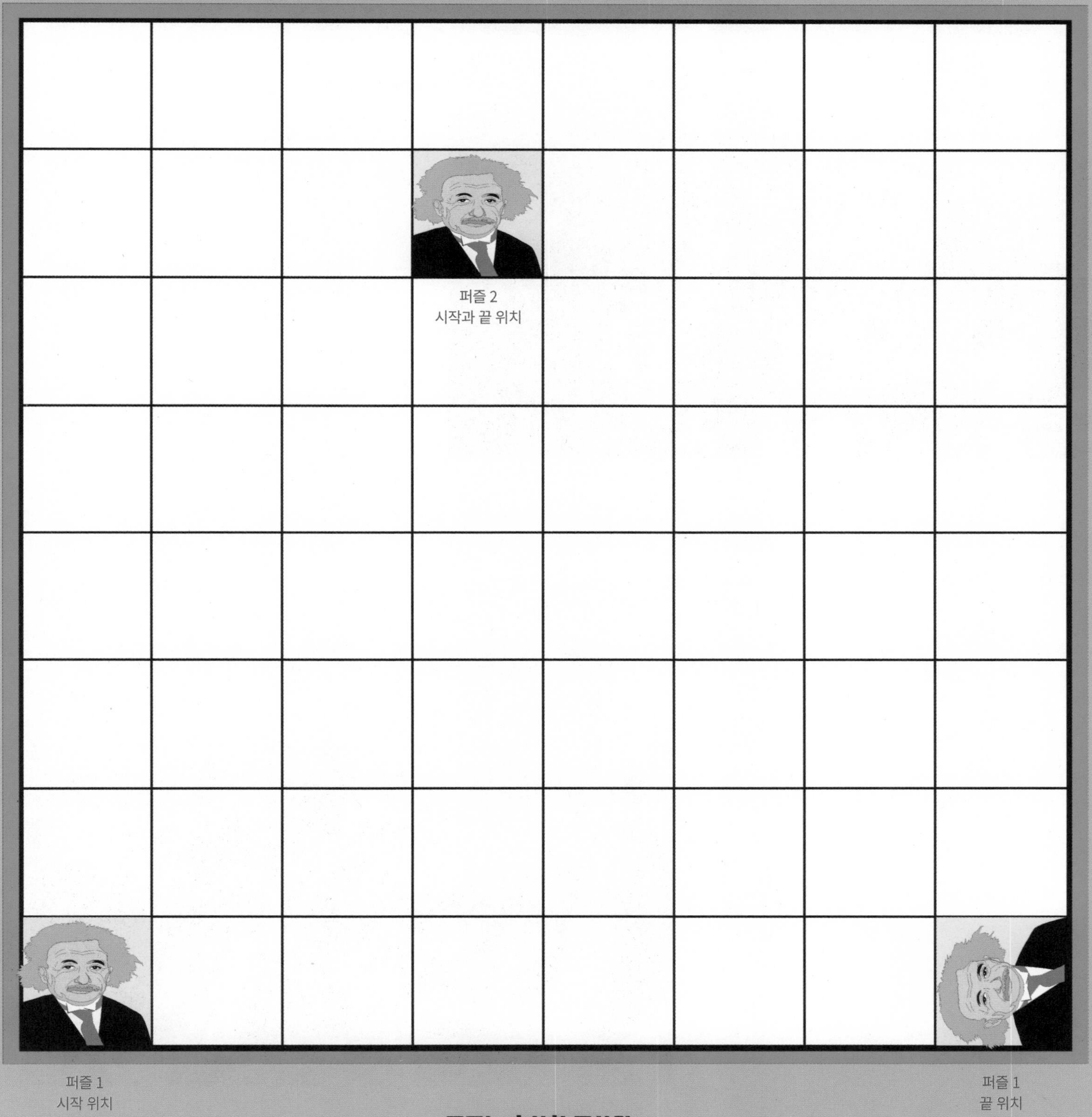

퍼즐 2
시작과 끝 위치

퍼즐 1
시작 위치

퍼즐 1
끝 위치

구르는 초상화 주사위

퍼즐 1과 퍼즐 2의 게임판

고정점 정리-1964년

같은 사진인데 크기가 다른 사진 두 장이 있다. 작은 사진을 큰 사진 위에 올려놓는다. '고정점 정리'는 작은 사진 위의 어떤 점이 큰 사진의 바로 그 점 위에 있으며, 그런 점은 딱 하나 있다는 것이다. 어떻게 그 점을 찾을 수 있겠는가?
고정점 정리는 수백 개 있는데, 이것은 '브라우어르의 정리(Brouwer Theorem)'라 불리는 것으로 직관주의적 수학철학으로 유명한 네덜란드 수학자 라위트전 브라우어르(Luitzen Brouwer, 1881~1966)의 이름에서 딴 것이다. '직관주의적 수학철학'에서는 수학을 '자명한 법칙에 의해 지배되는 정신구조'의 형태로 본다.

오른쪽 그림은 이러한 고정점이 어떻게 발견되는지를 보여주고 있다. 큰 사진과 작은 사진의 관계를 작은 사진과 더 작은 사진에 적용한다. 즉, 더 작은 세 번째 사진을 작은 사진이 큰 사진 위에 놓인 위치 및 놓은 모습과 똑같이 올려놓는다. 더 작은 사진들을 이와 똑같은 방식으로 사진 위에 계속 쌓는다. 이렇게 하면 결국 사진 위에 노란색으로 표시된 것처럼 찾고자 하는 점을 찾을 것이다. 한번 해보고 정말 그런지 확인해보라!

흥미로운 것은 작은 사진이 구겨졌어도 이 정리가 '성립한다!'는 것이다.

스님과 산-1966년

한 스님이 좁은 길을 따라 산에 오르고 있다. 아침 7시에 출발하여 저녁 7시에 정상에 도달한다. 스님의 걸음은 빠르기도 했다가 느리기도 하며 쉬었다 가기도 한다.
이튿날 아침 스님은 같은 시간인 7시에 내려가기 시작하고 저녁 7시에 산 아래에 도착한다.
산에 올라가고 내려가는 이틀 동안 똑같은 시간에 똑같은 위치에 있을 수 있는 그런 장소가 있을까?

274
난이도 ●●●●●○
필요한 것
완료 시간

정상 도달
저녁 7시

출발
아침 7시

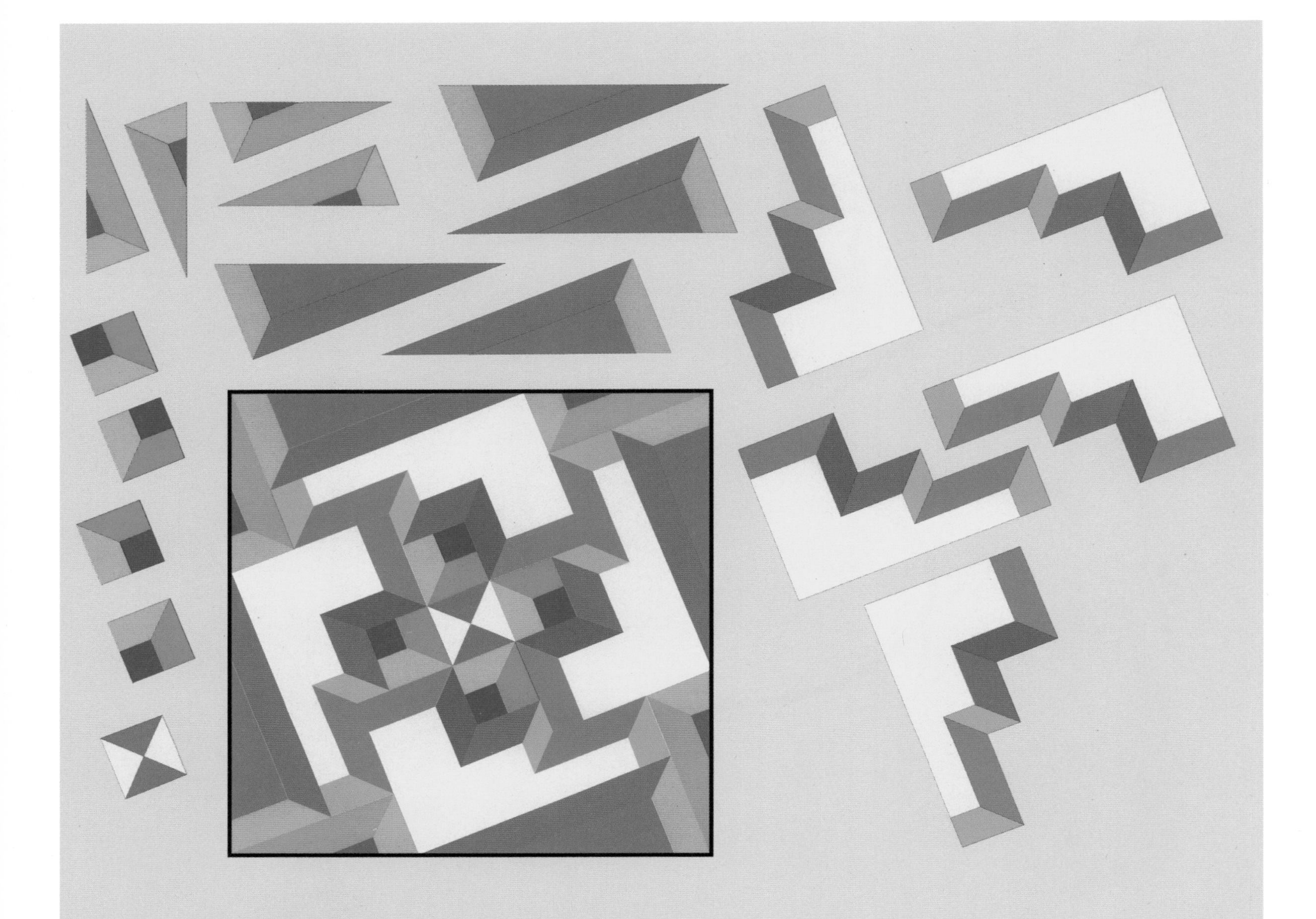

정사각형-1974년

275
난이도 ●●●●●○
필요한 것
완료
시간

모스코비치의 『두뇌 비우기 퍼즐 시리즈』에는 또 다른 도전 욕구를 자극하는 러시아 원조 버전의 '기하학적으로 사라지는 퍼즐'이 소개되어 있다.

이 퍼즐은 1967년 마텔(Mattel)이 제안한 것이다. 위에 보이는 것처럼 색칠이 된 18개의 다각형이 정사각형에 꼭 맞추어져 있다. 그러나 18개의 도형 중 아래 보이는 작은 정사각형을 뺀 17개로도 이 정사각형을 꽉 채울 수 있다. 불가능할 것 같지만, 그렇지 않다. 그렇게 할 수 있다. 이것을 풀어 이 신기한 사실을 설명할 수 있겠는가?

래틀백 장난감-1969년

한 방향으로 돌고 나서 뒤집히는 신비로운 '래틀백(rattleback)'은 선사시대의 물건으로, 석기시대의 도끼와 도끼류를 연구하는 고고학자들이 발견했다. 래틀백이 신비로워 보이는 이유는, 일반적으로 어떤 한 방향으로 움직이는 물체는 어떤 힘이 주어지지 않는 한 계속 같은 방향으로 움직일 것이라 생각하기 때문이다(이를 물리학에서는 '각운동량 보존법칙'이라 정의한다).

래틀백 또는 돌도끼는 한 방향으로만 회전할 수 있도록 설계되어 매우 특이한 모양을 가지고 있다. 래틀백이 그 방향이 아닌 다른 방향으로 회전하면, 회전은 느려지면서 끝에서 끝까지 요동치며 흔들리기 시작할 것이다. 이렇게 요동치고 나면 래틀백은 설계된 회전 방향으로 회전할 수 있게 된다. 간단히 말해, 잘못된 방향으로 돌리면 멈춘 후 다른 방향으로 회전하는 것이다!

레틀백은 처음엔 장식용 조각과 패턴이 있는 나무로 만들어졌으나 이제는 플라스틱 장난감으로 만들어져 일반인도 구할 수 있다.

래틀백이 어떻게 작동하는지 이해하려면, 그 모양을 살펴보아야 한다. 래틀백은 꼭대기 부분이 납작하고 아랫부분은 비대칭적인 타원 모양이다. 납작한 윗부분의 장축에 비해 타원체의 장축은 독특하게 만들어져 방향성에 우선순위를 준다. 말하자면 평행하지 않으므로 래틀백은 한 방향으로 회전하기 쉽다.

오늘날 래틀백은 인기 있는 과학 장난감으로 다양하게 변형되어 만들어지고 있다. 1960년대 후반 래스키과학기술박물관에 작은 아이들이 탈 수 있을 만큼 큰 래틀백이 제작 전시되었다.

래틀백의 이상한 움직임에 대한 많은 설명이 있지만, 우리는 여전히 래틀백이 어떻게 움직이는지에 대한 더 나은 물리적 설명을 기대하고 있다. 그 장난감을 1세기 동안 연구한 후인 지금도 과학자들은 그에 대한 물리적 설명을 찾는 걸 포기한 것 같지 않다. 케임브리지대학의 브라이언 피파드(Brian Pippard)는 이렇게 말한다. "과학자에 관한 한 가지 사실은 장난감을 정말 좋아한다는 것입니다. 과학자들은 이상해 보이는 것에 흥미를 느낍니다. 그리고 그들은 어떻게 그런 일이 일어나는지 설명할 수 있을 때까지 행복하지 않습니다."

균일하게 안정한 다면체-1969년

균일하게 안정한 다면체 또는 단상태 폴리토프(monostatic polytope)는 n차원 입체로, 한 면으로 세울 수 있고 균일한 밀도를 갖는다. 1969년 존 콘웨이, 리처드 가이(Richard Guy), 그리고 골드버그(M. Goldberg)는 균일하게 안정한 다면체를 만들었다. 이 다면체는 아래에 있는 것처럼 17개의 변, 19개의 면, 그리고 대칭으로 잘린 면을 갖는 프리즘 모양인데, 균일하게 안정한 입체 중 최소 단면을 갖는 입체라고 한다. 즉, 균일하게 안정한 다면체로 더 적은 면을 가진 입체는 아직 발견되지 않았다.
위블(weeble) 장난감처럼, 가이의 프리즘을 기울이면 한쪽으로 설 것이다. 인도별 거북처럼 어떤 거북은 균일하게 안정한 형태를 보인다. 평면에서의 볼록 다각형은 단일상태(monostatic)가 아니다. 이는 아르놀트(V. Arnold)가 '네 꼭짓점 정리'로 환원해 증명했다.

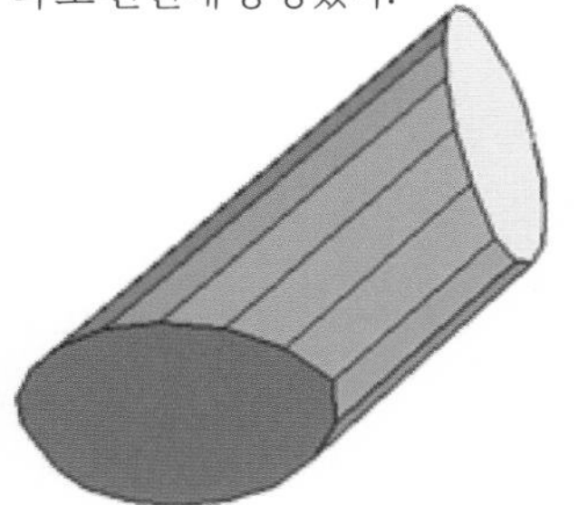

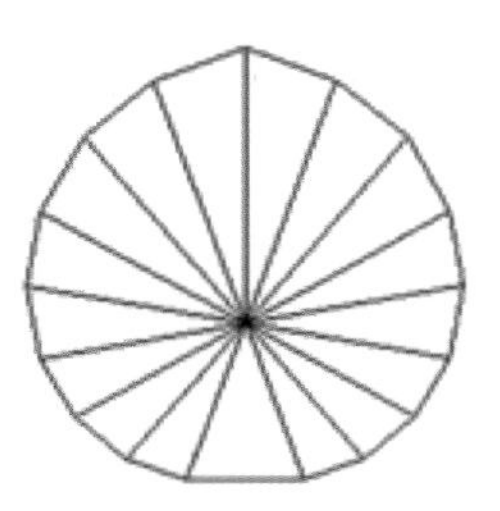

평형상태

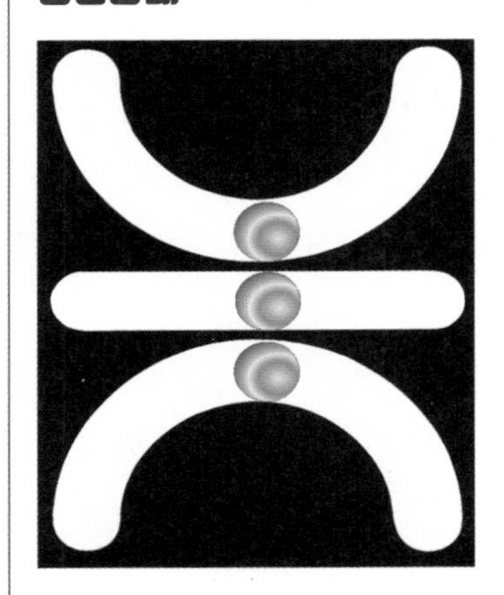

3개의 색 구슬이 그림과 같은 관에서 자유롭게 움직일 수 있다. 흔들었을 때 구슬의 움직임은 세 가지 다른 형태의 평형을 보여준다. 맨 위는 안정 상태, 중간은 중립 상태, 그리고 맨 아래는 불안정한 상태다.

위블 장난감

기울어진 인형 또는 롤리 폴리 장난감은 오뚜기 같은 장난감이다. 이 장난감은 반구 형태의 둥근 밑 부분을 가지고 있다. 장난감의 질량 중심은 반구의 중심 아래에 있으므로, 기울이면 중심이 올라간다. 기울어진 장난감을 밀어서 쓰러뜨리면, 중력 위치 에너지가 최소가 되어 평형을 이루는 직립 자세로 돌아가기 전에 잠깐 뒤뚱거린다.

인도 별 거북

이런 모양의 거북이는 뒤집어놓으면 몸을 뒤집어 똑바로 설 수 있다. 부다페스트 기술경제대학 수학자 가버 도모코스(Gabor Domokos)와 프린스턴대학의 피터 베르코니(Péter Várkonyi)는 곰뵈츠(Gömböc)를 디자인했는데, 곰뵈츠는 단 하나의 불안정한 평형점과 단 하나의 안정적인 평형점을 갖는 균일한 물체다.
두 교수는 중심이 바닥에 있는 구(균일하지 않은 질량 분포를 갖는)처럼 항상 똑바로 선 상태로 돌아가려는 성질을 가진 형태를 만들 수 있었다. 이들은 그 물체와 별 거북과의 유사성을 관찰했고 30마리의 거북을 뒤집어서 실험했는데, 이 중 많은 거북이 스스로 다시 뒤집어 똑바로 섰다. 곰뵈츠에 대한 자세한 내용은 340쪽을 참고하라.

비전이 역설(non-transitivity paradoxes)-1970년

대부분의 관계는 전이된다. 전이된다는 것은 이진 관계로, A가 B보다 크고 B가 C보다 크면, A도 C보다 크다는 것을 말한다. 반면, 일부 관계는 전이가 안 될 수 있다. 즉, 만일 A가 B의 아버지이고, B가 C의 아버지이면, A는 절대 C의 아버지가 아니다. 잘 알려진 가위바위보라는 게임은 전이가 안 된다. 이 게임에서 가위는 보를 자르며, 보는 바위를 감싸고, 바위는 가위로 잘릴 수 없는 관계는 이기는 규칙을 만든다. 고대 중국의 철학자들은 물질을 비전이 주기를 형성하는 다섯 가지 범주로 나눴다. 나무로는 불을 땔 수 있고, 불은 땅을, 땅은 금속을, 금속은 물을, 그리고 물은 나무를 만든다.

확률이론에는 실제로는 비전이지만 전이가 되는 것처럼 보이는 관계가 있다. 만일 이 비전이가 마음이 불편할 정도로 너무 반직관적일 경우, 이런 관계를 '비전이 역설' 또는 '비전이 게임'이라고 한다. 수많은 독창적 생각들이 이런 역설과 게임을 만들어냈는데, 이른바 완벽한 '내기도박'•이다. 이런 게임 중 가장 단순하면서도 놀라운 게임 중 하나는 아래 그림 오른쪽에 나타난 것과 같은 '비전이 주사위 세트'다. 이 주사위는 1970년 스탠퍼드대학의 통계학자 브래들리 에프론(Bradley Efron)이 처음 설계했으며, 마틴 가드너가 《사이언티픽 아메리칸》에 칼럼으로 쓰면서 대중에게 널리 알려졌다.

● 내기도박(sucker bet): 건 돈보다 기대 수익이 현저하게 낮은 도박이다.

비전이 주사위 놀이

주사위 놀이를 할 때, 주사위를 던져 나오는 수는 무작위일 거라고 예상한다. 이 게임은 게임에서 사용하는 4개의 주사위에서 특별한 점을 찾아내는 것이다.

그림과 같이 4개의 주사위 세트를 만든다.

1. 게임 파트너에게 4개의 주사위 중 하나를 선택하도록 한 다음, 당신이 나머지 3개의 주사위 중 하나를 선택한다.
2. 차례대로 주사위를 던지고 높은 숫자가 나오면 이긴다. 당신이 이길 수 있는 주사위를 항상 선택할 수 있겠는가?

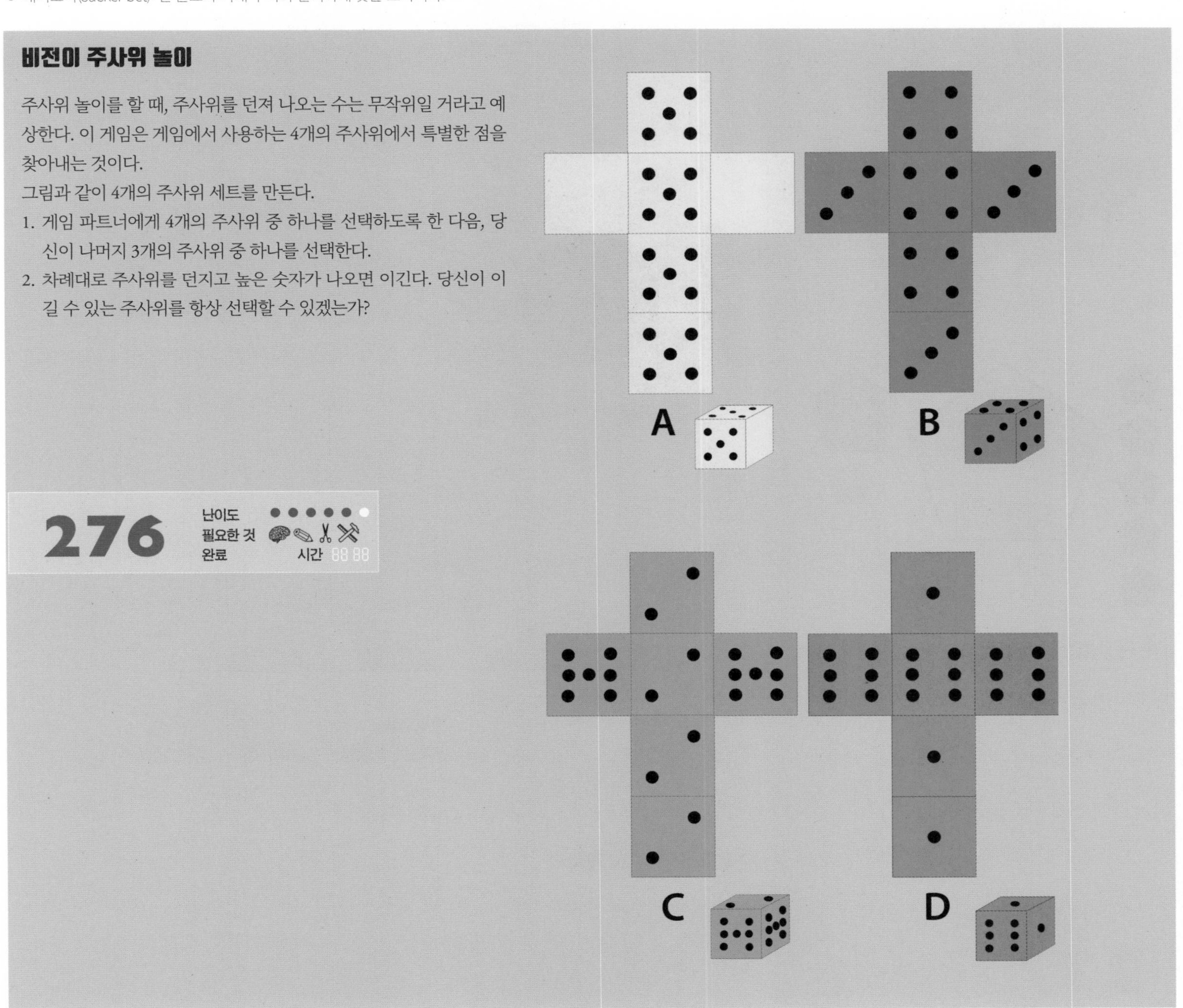

펜타고라스(pentagoras)-1970년

황금비(2장 참조)를 기반으로 한 아름다운 분할 퍼즐은 스위스 트라이잼(Trigam) 사의 장 바우어(Jean Bauer)가 고안했다. 이 분할 퍼즐은 그림과 같이 단 세 개의 도형, 즉 두 개의 황금 삼각형과 한 개의 정오각형으로 이루어져 있다.

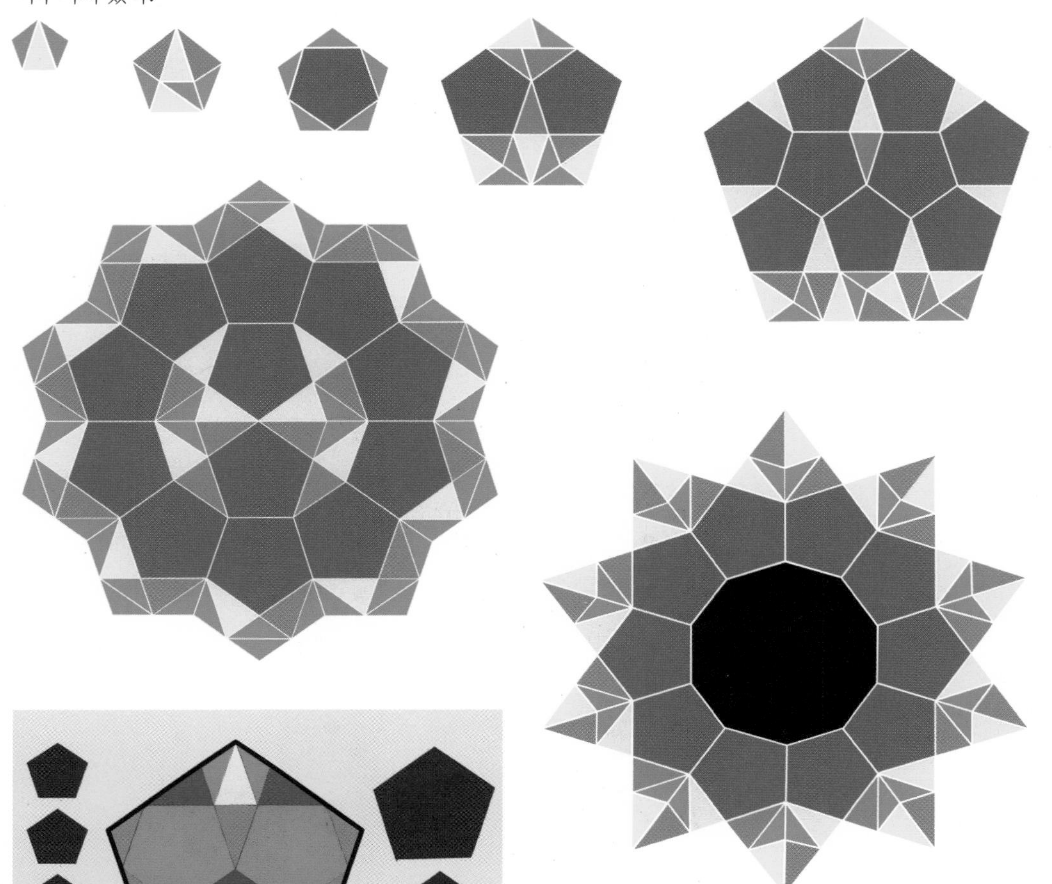

펜타고라스 오각별

5개의 꼭짓점을 갖는 별 모양인 오각별은 가장 신성한 비율을 표현할 때 사용한다. 오각별은 황금비와 황금 삼각형이 만들어질 수 있다는 비밀을 숨긴 피타고라스와 그의 추종자들의 은밀한 상징이었다.

오각별은 23개의 삼각형과 펜타고라스 퍼즐의 오각형 5개를 사용해 만들어진다.

퍼즐 2

퍼즐 1

펜타고어(pentagor)

펜타고라스 시리즈에서 가장 어려운 퍼즐 중 하나는 세 가지 다른 모양의 도형들로 이루어진 '분할된 큰 정오각형'이다. 세 가지 다른 모양은 오각형과 두 가지 유형의 이등변 삼각형이며, 이들은 모두 17조각으로 구성되어 있다. 17개의 조각을 모두 사용해 퍼즐 1과 퍼즐 2를 풀 수 있겠는가?

277

난이도 ●●●●○○

필요한 것

완료

시간

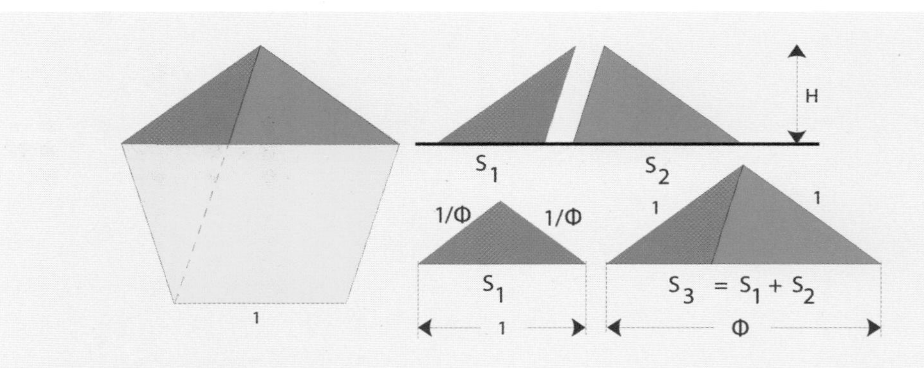

오각형과 황금 삼각형

모든 정다각형과 마찬가지로, 오각형은 그 내부에 많은 관계를 포함하고 있다. 예를 들면, 각 변은 한 점을 마주 보고 있고, 정오각형의 두 꼭짓점을 내부로 연결해 생기는 모든 대각선이 만나는 점은 그 대각선을 황금비로 나눈다는 것 등이다.

속이 빈 정육면체-1970년

다른 각도와 방향에서 속이 빈 정육면체를 들여다보고 있다고 상상해보라. 정육면체의 바닥에는 그림과 같이 8×8 크기로 색칠이 된 사각형 격자무늬가 있다. 보는 각도와 방향에 따라 매번 격자무늬의 일부만 볼 수 있다. 그러나 오른쪽에 나타나 있는 6군데의 다른 지점에서 본 정육면체를 이용하면, 안 보이는 부분을 채워 전체 그림을 재구성할 수 있는 충분한 정보를 얻을 수 있다.

278

난이도 ●●●●○○
필요한 것
완료 시간

슬로타우버-흐라츠마(Slothouber-Graatsma) 정육면체 쌓기 퍼즐

6개의 1×2×2 블록과 3개의 1×1×1 정육면체로 3×3×3 정육면체를 만들 수 있겠는가?

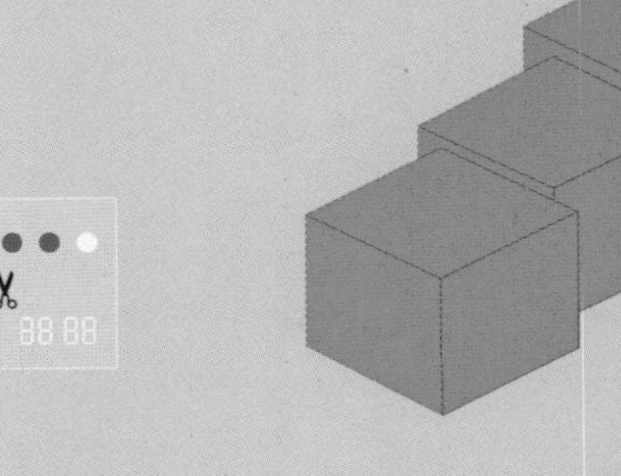

279

난이도 ●●●●●○
필요한 것
완료 시간

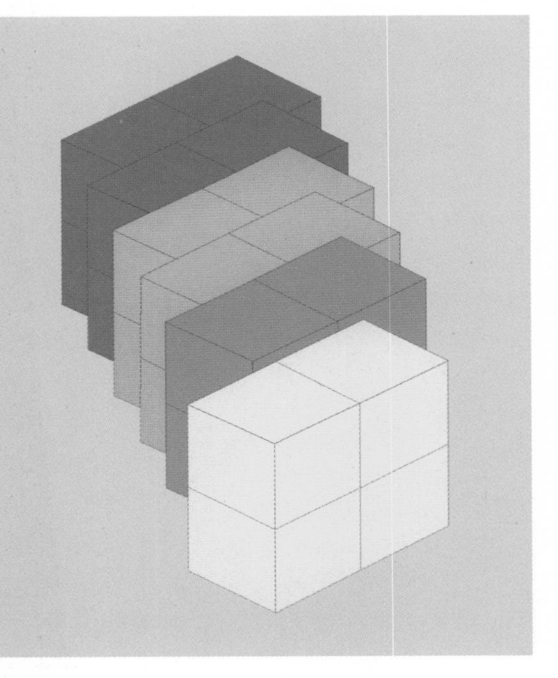

정육면체 쌓기 퍼즐

최초의 정육면체 쌓기 퍼즐 중 하나는 1970년에 네덜란드 건축가인 얀 슬로타우버(Jan Slothouber)와 빌리암 흐라츠마(William Graatsma)가 쓴 책에 실린 것으로 위의 그림에 나타나 있다. 골판지로 9개의 블록을 쉽게 만들 수 있지만, 겉으로 보기엔 아주 쉬워 보이는 이 퍼즐의 해는 찾기 어려울 수 있다. 그 후 콘웨이는 오른쪽에 있는 퍼즐과 같은 더 어려운 변형 퍼즐을 만들었다. 두 퍼즐에 대한 해법의 비밀을 발견하면, 이 퍼즐들을 풀기는 아주 쉬워진다.

콘웨이의 5×5×5 정육면체 쌓기 퍼즐

3×3×3 크기의 정육면체와 마찬가지로 이 퍼즐은 1×2×4 크기의 블록 13개, 1×1×3 크기의 블록 3개, 1×2×2 크기의 블록 1개, 그리고 2×2×2 크기의 정육면체 1개를 5×5×5 크기의 정육면체에 쌓는 것이다.

280

난이도 ●●●●○○
필요한 것
완료 시간

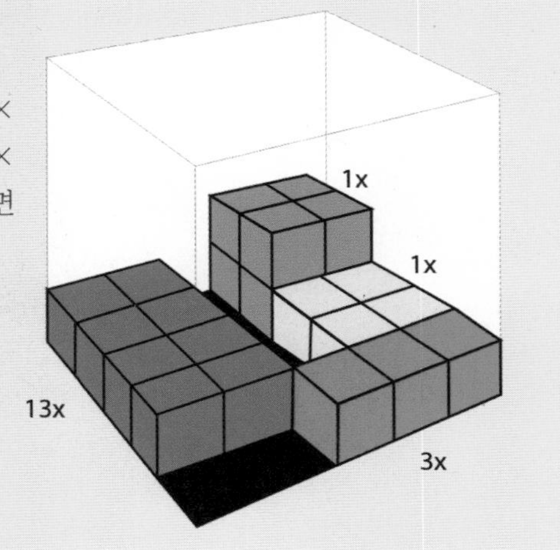

마스터마인드(Mastermind)-1970년

1970년 통신전문가 모데카이 메이로비츠(Mordecai Meirowitz)가 발명한 보드게임인 마스터마인드에는 뒷 이야기가 있다. 게임으로 만들어지기 전 유수의 장난감회사로부터 퇴짜를 맞았다는 것이다. 그후 메이로비츠는 조언을 구할 요량으로 마분지로 만든 마스터마인드를 가지고 모스코비치를 찾아갔다. 당시 모스코비치는 영국 레스터에 있는 회사 인빅타 플라스틱(Invicta Plastics)과 활발히 활동하고 있었는데, 이로 인해 메이로비츠의 게임을 '인빅타 플라스틱사'에서 만들 수 있도록 도울 수 있었다. 인빅타의 론니 샘슨과 함께, 모스코비치는 마스터마인드의 최종 디자인에도 참여했다.

이후 마스터마인드는 5000만 개가 넘게 팔렸고 현재도 판매되고 있다. 1970년대에 가장 성공한 게임이었다. 그러나 애석하게도 메이로비츠는 1995년 파리에서 젊은 나이로 세상을 떠났다. 마스터마인드의 기본 아이디어는 약 1세기 전에 종이와 연필로 했던 '황소와 젖소(Bulls & Cows)'라는 게임과 비슷하다. 상대편이 선택한 비밀 코드를 추측하여 코드를 깨는 것이다.

코드는 6가지 색 중에서 선택된 4가지 색상의 핀으로 이루어진 수열이다. 코드를 깨는 사람은 일련의 패턴을 추측하고, 각각의 추측에 따라 코드를 만든 사람은 2개의 숫자로 피드백을 준다. 그 숫자는 '맞는 색과 정확한 위치의 핀의 수'와 '맞는 색이지만 잘못된 위치의 핀의 수'다. 이 숫자들은 보통 색이 칠해진 작은 핀을 이용한다. 코드를 깨는 사람이 자신의 차례에서 10번 이내로 정확한 패턴을 추측하면 이기고, 그렇지 않으면 코드를 만든 사람이 이긴다.

흐바탈 미술관 정리-1973년

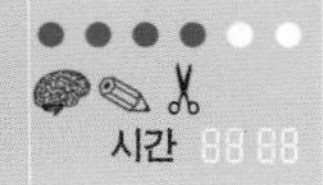

흐바탈의 '미술관 정리'는 1973년 몬트리올대학의 젊은 수학자인 바츨라프 흐바탈(Václav Chvátal)에게 흥미로운 기하학적 문제의 연구를 부탁한 결과로 만들어졌다. 빅터 클레(Victor Klee)는 다음과 같은 미술관 문제를 그에게 보냈다. "n면의 벽이 있는 다각형 모양의 미술관을 경비하려면 적어도 몇 명의 경비원이 필요한가? 즉, 다각형 내부에 있는 모든 점을 볼 수 있는 최소의 꼭짓점은 몇 개인가?"

다각형의 변들이 그 변의 끝점에서만 만나고 2개의 변만이 만난다면 그 다각형은 '단순'하다고 한다. 즉, 다각형은 끝점을 제외하고 자기 자신과 만나는 점은 없어야 한다. 볼록 다각형의 경우에는 내부 전체를 어느 한 점에서 볼 수 있지만, 일반적인 도형의 경우에는 그렇지 않다. 가능한 모든 n다각형에 대해 이 질문에 답할 수 있는 꼭짓점의 최소 개수는 얼마일까?

바츨라프 흐바탈이 제시한 해는 개념적으로 단순했으며 몇 가지 특별한 경우를 포함하고 있었다. 이 정리의 훨씬 더 간단한 증명은 그 후에 보든대학의 스티브 피스크(Steve Fisk)에 의해 발견되었다. 그는 바츨라프 흐바탈의 논문에서 클레의 질문을 알게 되었지만, 흐바탈의 증명은 그다지 흥미롭지 않았다. 이 문제에 깊이 매달린 피스크는 아프가니스탄 어딘가를 버스를 타고 여행하는 동안 해를 찾게 된다.

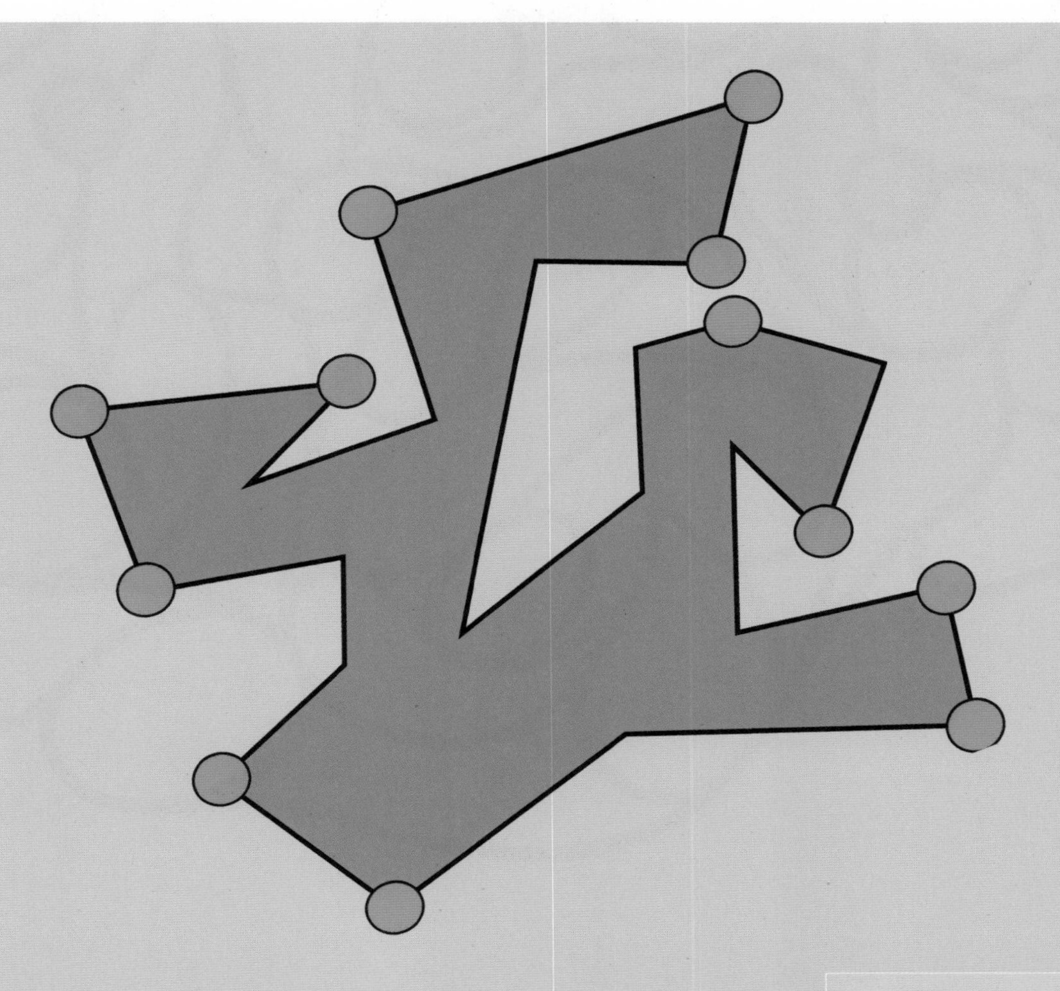

미술관 문제

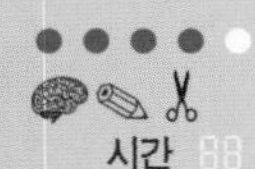

24면의 벽으로 이루어진 이 이상하게 생긴 미술관의 일부 모서리에는 회전식 보안 카메라가 설치되어 있다. 그림에 나타나 있는 예에서는 12개의 카메라(주황색 점)가 설치되어 있다. 그러나 카메라는 설치 및 유지보수 비용이 많이 든다.

미술관 구석구석을 적어도 한 개의 카메라가 비추려면 최소한 몇 개의 카메라가 설치되어야 할까?

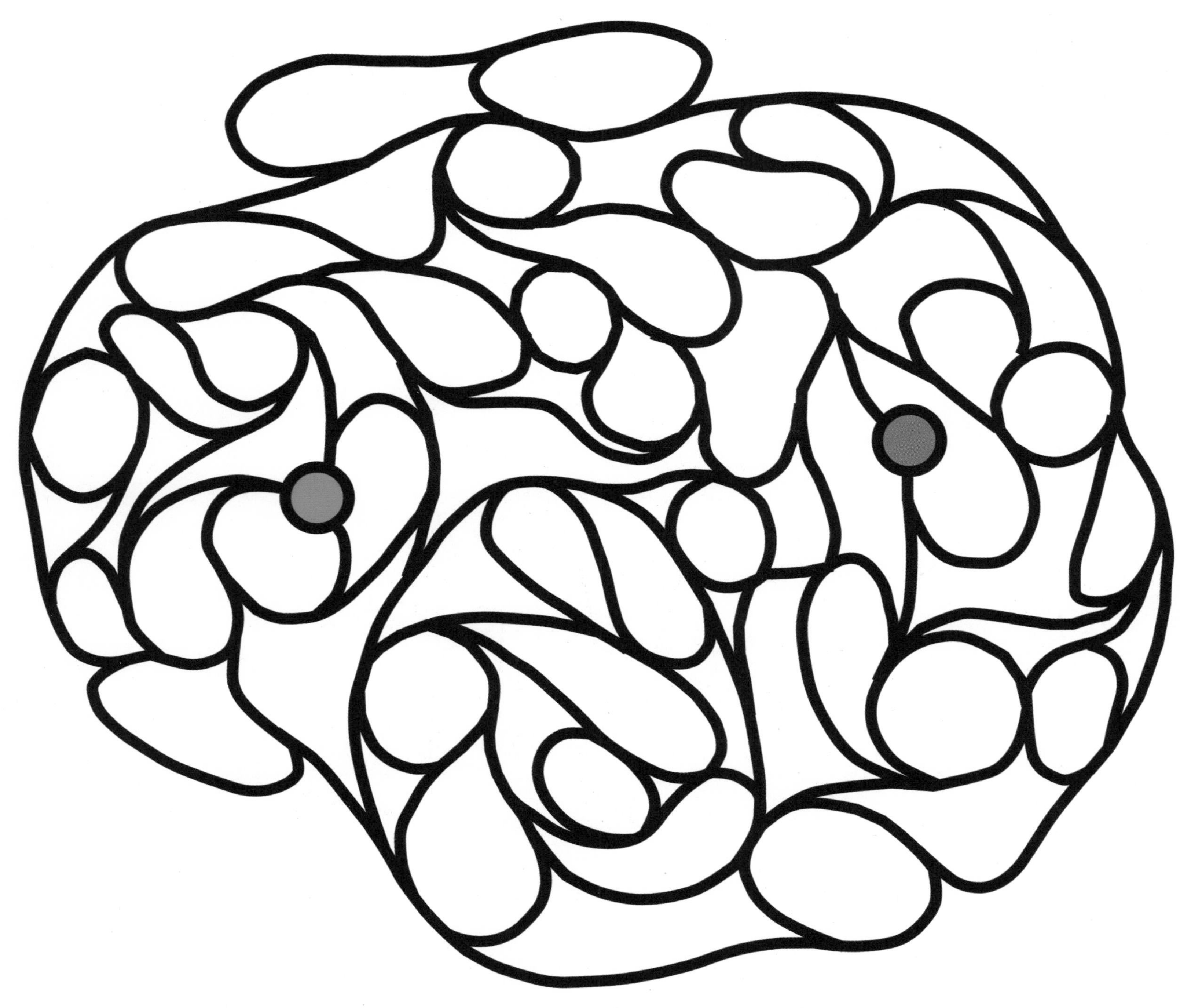

철로 미로-1974년

톰 로저스와 에리크, 그리고 마르탱 드맹(Martin Demaine)이 편집한『퍼즐의 일생: 마틴 가드너에게 헌정하며』에서 로저 펜로즈(Roger Penrose)는 종이와 연필로 하는 고전 게임으로 단순하지만 기발한(기본적인 아이디어는 아버지에게서 영감을 받은 것이라고 한다) 게임인 철로 미로 문제를 다루고 있다.

철로 미로는 위의 그림에서 보이는 것과 같이 부드러운 곡선들이 연결된 망이다. 이 퍼즐은 출발점(빨간색)에서 끝점(파란색)까지 길을 따라 부드러운 경로를 찾는 것인데 경로를 거슬러 가면 안 된다. 이렇게 단순한 철로 미로조차도 답을 찾기가 매우 어려울 수 있다.

퍼즐을 풀기 위해 철로 미로를 만들어 볼 수 있다. 경로를 따라가다 보면 출발 지점으로 되돌아갈 때가 많으며, 한번 들어가면 결코 다시 나올 수 없는 '소용돌이' 함정이 있을 수도 있다. 위에 있는 철로 미로의 해를 찾을 수 있겠는가?

283 난이도 ●●●○○○
필요한 것
완료 시간

비주기적 타일 붙이기, 펜로즈 타일-1974년

주기적(periodic) 타일 붙이기는 4장에서 본 테셀레이션과 같이 평면에 놓여 있는 타일을 이동하여 그 타일의 형태를 알아낼 수 있는 타일 붙이기를 말한다. 반면에 반주기적 또는 비주기적 타일 붙이기는 비주기성을 가진 타일 세트로 타일을 붙이는 것이다. 비주기성을 가진 타일 세트로는 비주기적으로만 타일을 붙일 수 있을 것이다. 오랫동안 전문가들은 비주기적인 타일 붙이기는 존재하지 않는다고 믿었다. 그러나 1964년 로버트 버거(Robert Berger)는 (비주기적 타일 붙이기가 가능한) 2만 개가 넘는 타일 한 세트를 만들었고 후에 이를 104개의 타일로 축소했다.

비주기적인 타일 세트 중 가장 널리 알려진 예로는 여러 가지 펜로즈 타일이 있다. 펜로즈 원형타일의 비주기성은 그런 특성을 가진 타일을 이동시켜 붙인 타일은 항상 원본과 일치할 수 없다는 것이다. 1974년 로저 펜로즈는 비주기적 타일 붙이기에만 사용할 수 있는 3세트의 타일을 제시했다. 첫 번째 세트 P1은 케플러(Kepler)에서 영감을 얻은 오각형을 기반으로 한 것으로 6개의 타일로 구성되어 있다. 세 번째 세트 P3은 그림과 같이 '마름모(rhombs)' 모양으로 생긴 두 개의 타일만을 사용한다. 그러나 가장 흥미로운 것은 비주기성을 만들어내는 두 개의 타일만 사용한 두 번째 세트 P2다. 콘웨이는 이 두 개의 타일을 '연(kite)'과 '화살'이라고 명명했다. 이 두 개의 타일은 '펜로즈 우주(Penrose Universes)'라 불리는 아름다운 문양을 무한히 다양하게 만들어 낼 수 있다(다음 쪽을 참고하라). 놀랍게도 이러한 문양은 그 후 준결정(quasi-crystals)의 원자 배치에서 발견되었다.

펜로즈 P1 타일 붙이기

왼쪽에 있는 펜로즈 타일 붙이기는 타일의 원형이 4가지 형태의 타일로 이루어진 타일 세트를 사용해 만든 것이다. 타일 세트는 오각형, 꼭짓점이 다섯 개인 별 또는 오각별, '배(boats)'와 '다이아몬드'로 이루어져 있다.

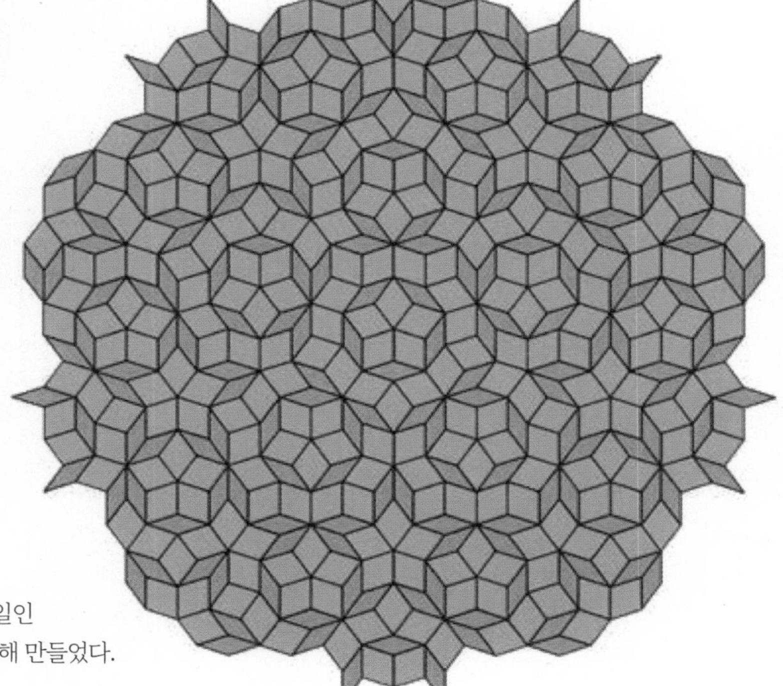

펜로즈 P3 타일 붙이기

오른쪽에 있는 펜로즈 타일 붙이기는 단 두 종류의 타일인
한 쌍의 마름모('뚱뚱한 마름모'와 '납작한 마름모')를 사용해 만들었다.

펜로즈 P2 타일 붙이기, 수레바퀴

1974년 펜로즈는 연과 화살이라는 별명이 붙은 두 가지 모양만을 사용하는 비주기적 타일 붙이기를 발견했다.
주기성이 없이 비주기적으로 평면에 타일을 붙이려면, 펜로즈의 연과 화살을 어떻게 배열해야 할까?
펜로즈는 아래에 도시된 것처럼 두 타일의 모서리들에 H와 T를 표시하여 이 문제를 해결했다. 비주기적으로 타일을 붙이려면 같은 문자를 가진 모서리만을 맞춰 타일을 붙이는 것으로 충분하다. 이 타일 붙이기가 비주기적이라는 펜로즈의 증명은 사용된 두 문양 조각의 개수의 비율이 황금비인 무리수 Φ=1.618…라는 사실에 기반을 두고 있는데 이는 매우 흥미롭다.
어떤 면에서는 여기에 나타나 있는 수레바퀴 패턴이 가장 중요한 펜로즈의 타일 붙이기 패턴이라 할 수 있다.
가운데 있는 보라색 영역은 연과 화살의 변들로 구성된 십각형의 윤곽을 갖고 있다. 패턴의 바깥 부분은 두 부분으로 구성되는데, 10개의 노란색 부채꼴 문양과 10개의 파란색 바퀴살 문양이다. 바퀴살은 '나비넥타이' 모양 단위로 구성되어 180도 뒤집을 수 있으며, 뒤집힌 후에도 여전히 인접한 부채꼴 모양에 딱 들어맞는다.

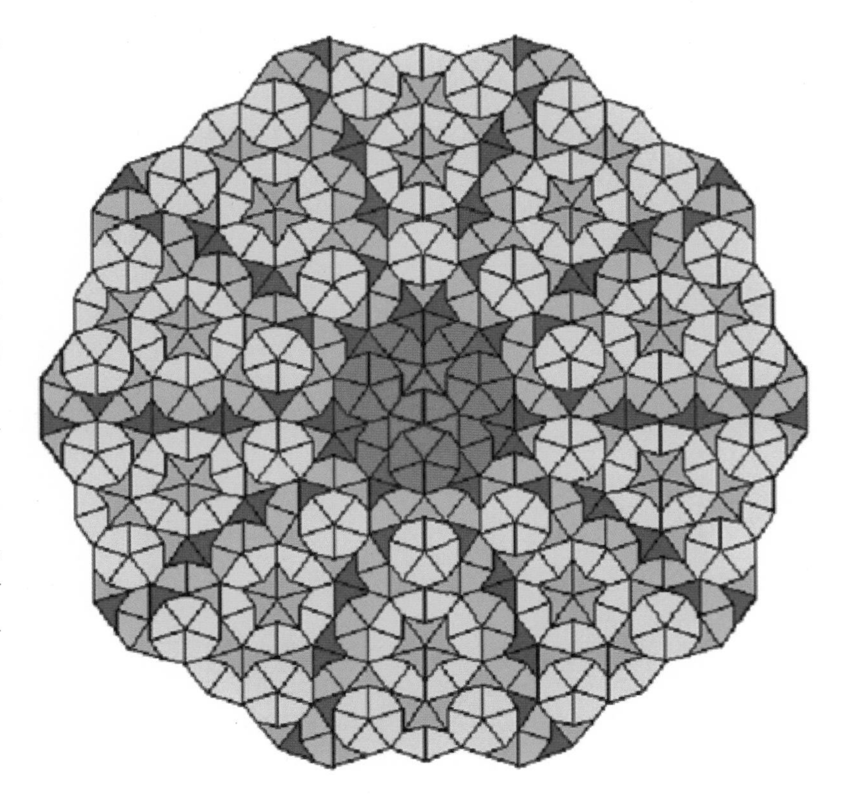

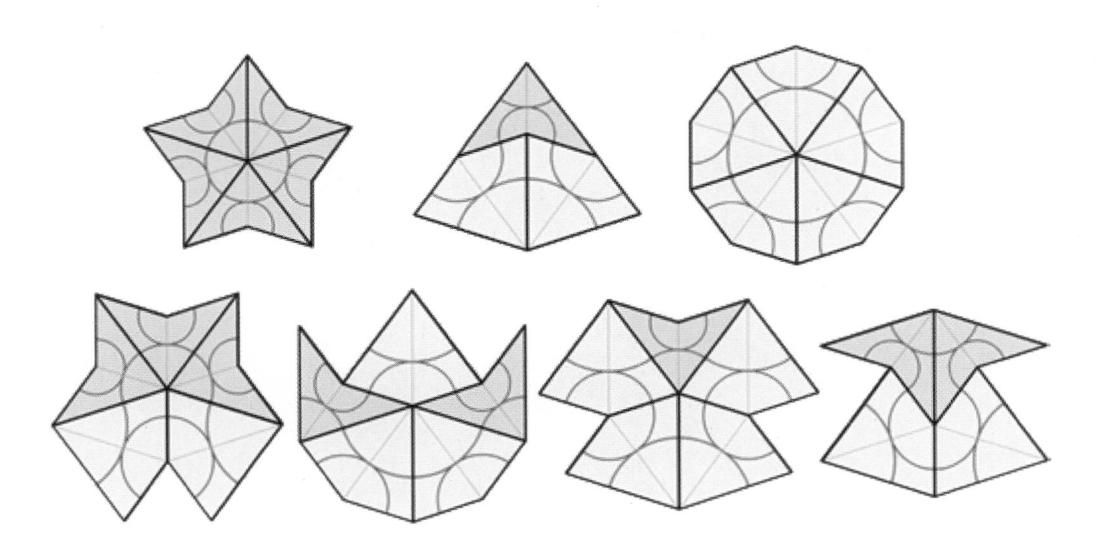

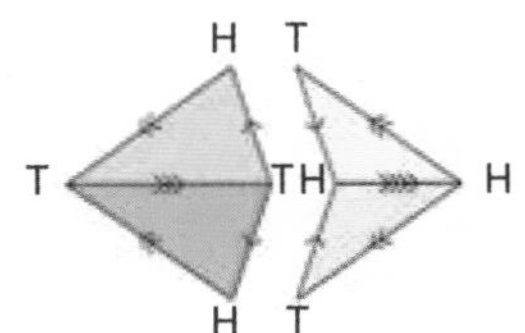

P2 타일 붙이기에서 7개의 꼭짓점을 만드는 연, 화살 및 붙이는 규칙

루빅 큐브-1974년

1974년 헝가리의 건축학과 교수 에르노 루빅(Erno Rubik)은 현재 루빅 큐브로 알려져 있는 3차원의 기계식 퍼즐을 발명했다. 1980년 아이디얼 토이(Ideal Toy Corp.) 사는 루빅으로부터 판매권을 샀다.

고전적인 루빅 큐브의 각 여섯 면에는 9개의 스티커가 붙여져 있는데, 각 스티커는 여섯 가지의 색 중 하나다. 각 면은 교묘한 메커니즘에 의해 독립적으로 돌아가는데, 이렇게 돌아가면서 각 면의 색이 혼합된다.

퍼즐을 풀려면 각 면이 한 가지 색으로만 구성되도록 만들면 된다. 큐브의 가능한 순열의 총 수는 43,252,003,274, 489,856,000라는 엄청난 숫자다.

루빅 큐브는 1979년 9월 아이디얼 사와 계약을 맺은 후 전 세계적으로 출시되었으며, 국제적으로는 1980년 1월과 2월에 런던, 파리, 뉘른베르크, 뉴욕의 장난감 박람회에서 처음 선보였다.

1970년 래리 니콜스(Larry Nichols)는 2×2×2 크기의 '무리 지어 회전할 수 있는 조각을 가진 퍼즐'을 발명했고, 이 발명품에 대해 캐나다에 특허 신청서를 제출했다. 니콜스의 큐브에는 자석이 들어 있다. 이 퍼즐은 루빅이 큐브를 발명하기 2년 전인 1972년 4월 11일 등록번호 '3,655,201'로 미국 특허에 등록되었다. 니콜스는 자신이 다니던 회사 몰레쿨론 리서치(Moleculon Research Corp.) 사에 특허권을 주었는데, 이 회사는 1982년 아이디얼 토이 사를 고소했다.

소송에서 모스코비치는 루빅, 데이비드 싱매스터(David Singmaster) 교수, 그리고 톰 크레머(Tom Kramer)를 증인으로 법정에 세웠다. 1984년 아이디얼 토이 사는 특허침해 소송에서 졌고 이에 항소했다. 1986년, 항소 법원은 루빅의 2×2×2 포켓 정육면체(Pocket Cube)가 니콜스의 특허를 침해했다고 판결했지만, 루빅의 3×3×3 큐브에 대해서는 판결을 뒤집었다.

국제적으로 등장한 후인 1983년(큐브 사고의 해)에 니콜스의 큐브는 제조과정을 서양의 제조 및 포장 안전표준에 부합하게 하는 동안 판매가 잠시 중단되었다.

이로 인해 물량이 부족해지자 루빅 큐브의 모방 제품들이 많이 생겨났다. 그리스 발명가 베르데스(Panagiotis Verdes)는 2003년 크기가 5×5×5인 것에서부터 11×11×11인 것까지 제작 특허를 취득했다. 그러나 세계기록은 2012년에 17×17×17 크기의 루빅 큐브를 제작한 드벤터(Oskar van Deventer)가 보유하고 있다.

2009년 1월까지 루빅 큐브는 전 세계적으로 3억 5천만 개를 판매하면서 최고 판매량을 기록한 퍼즐 게임이 되었다.

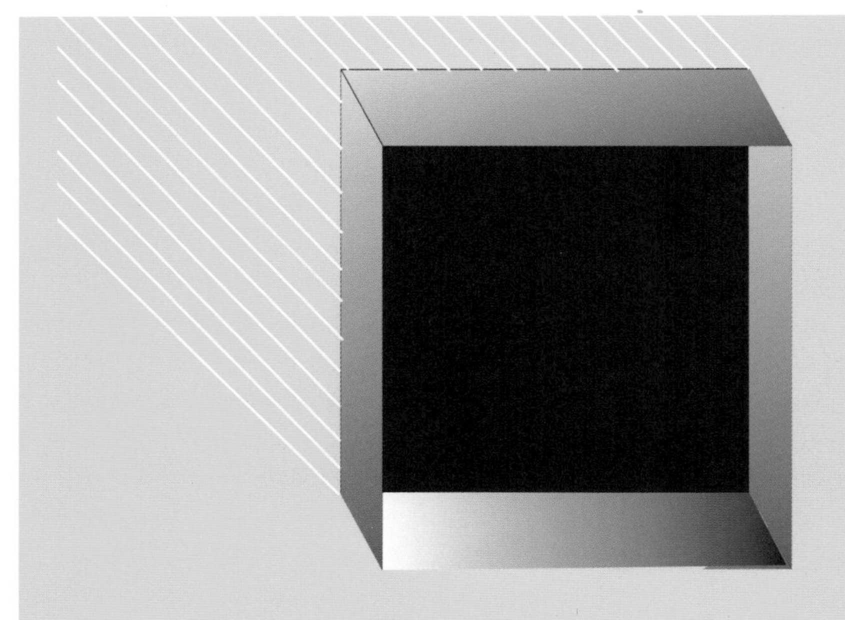

4면 울타리

3면 울타리

불투명 울타리-1978년

불투명 울타리는 주어진 그림을 통과하는 (보이는) 직선을 차단하는 최소한의 장벽이다. 1978년 혼스버거(R. Honsberger)는 '불투명한 정사각형' 또는 '불투명한 울타리'라 불리는 문제를 소개했다. 이 문제는 마틴 가드너와 이언 스튜어트(Ian Stewart)가 제안한 불투명한 정다각형과 불투명한 정육면체 문제를 일반화한 것이다.

한 변의 길이가 1인 정사각형을 지나는 어떤 직선도 차단할 수 있는 울타리의 가장 짧은 길이는 얼마일까?

울타리는 직선이나 곡선 어떤 형태로도 구성될 수 있으며, 두 개 이상의 조각으로 구성될 수도 있다. 가장 확실한 해는 위의 그림에서 보이는 것처럼 사각형의 주변을 따라 길이가 4인 울타리를 만드는 것이다. 그러나 더 좋은 해는 세 면에만 울타리를 만드는 것으로 이는 울타리의 길이를 3으로 줄여준다. 가능한 가장 짧은 울타리의 길이는 얼마일까?

284 난이도 ●●○○○○ 필요한 것 완료 시간

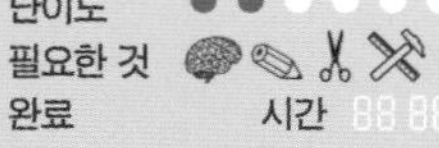

에데이의 스피드론(Spidrons of Erdély)-1979년

헝가리의 산업디자이너이자 예술가인 다니엘 에데이(Dániel Erdély)는 멋진 수학적 아름다움을 가진 놀라운 3차원 세계를 만들었다.

에데이는 자신이 발견한 새로운 기하학적 물체를 '스피드론'이라 불렀다. 스피드론은 미학 외에도 평면 기하학, 테셀레이션, 프랙털, 분할, 다각형, 다면체, 그리고 기타 여러 가지 3차원 공간을 채우는 구조 같은 놀랍도록 다양한 수학과 예술 분야에서 활용되고 있다.

본질적으로 2차원 평면 구조인 스피드론의 주요 특징은 놀랍고 복잡한 3차원 형태로 환상적으로 접을 수 있다는 것이다.

319쪽에 있는 그림은 다양한 스피드론 구조의 작지만 변화무쌍한 견본들이다. 이 견본들은 에데이와 그의 공동 작업자, 마크 펠레티어(Marc Pelletier), 아미라 불러 앨렌(Amira Buhler Allen), 발트 판발레호이연(Walt van Ballegooijen), 크레이그 카플란(Craig S. Kaplan), 라이너스 롤로푸스(Rinus Roelofs)를 포함하여 다른 여러 사람의 놀라운 작업의 일부다.

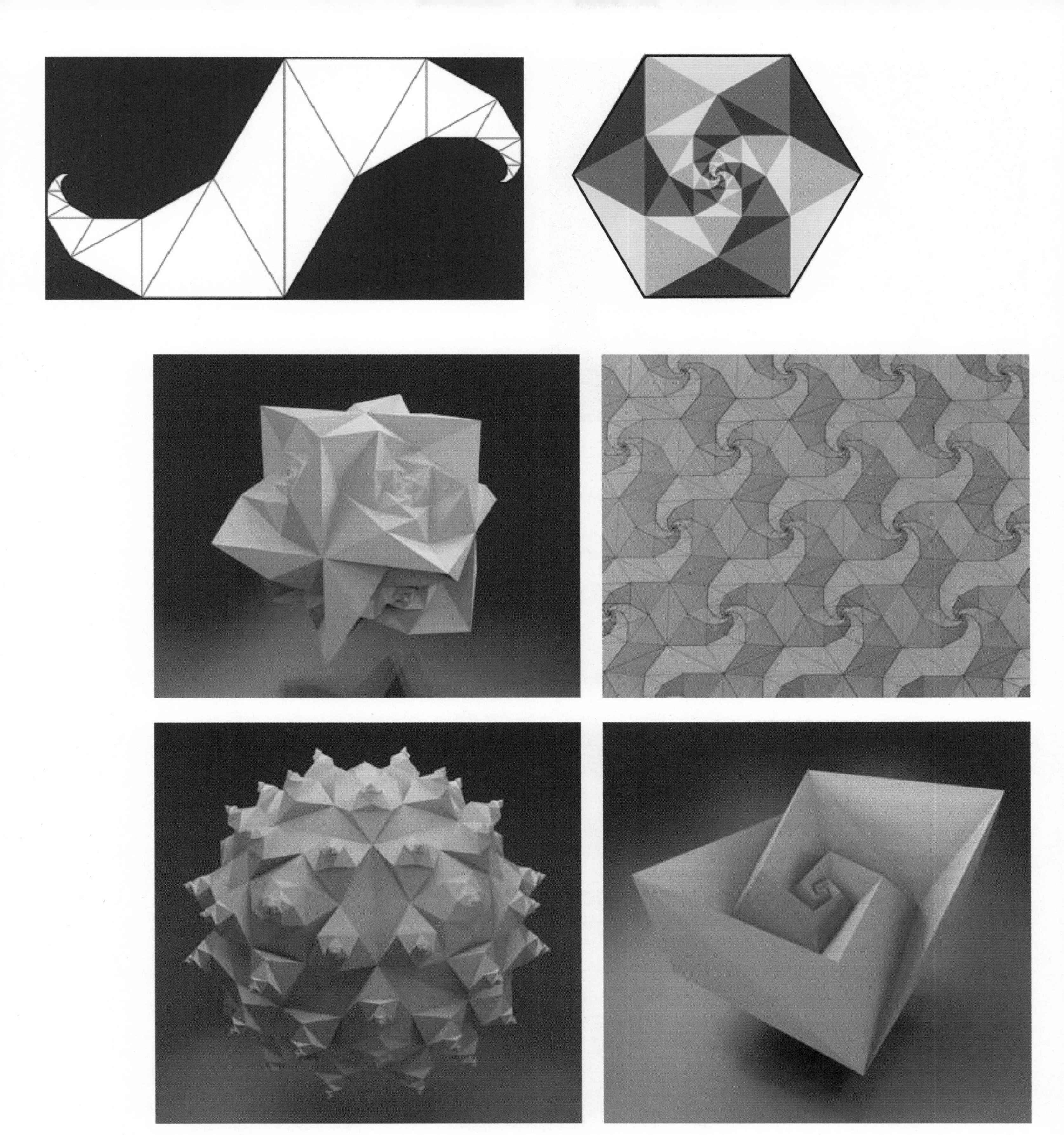

스피드론 구조의 다양성을 보여주는 몇 개의 견본들

연결된 순환 퍼즐-1979년

전통적인 슬라이딩 블록 또는 슬라이딩 원판 퍼즐에는 조각이 이동할 수 있는 빈 곳이 있다. 대개 빈 곳으로 조각을 옮기는 방법을 찾는 것이 퍼즐을 푸는 열쇠다. 그러나 처칠의 퍼즐 또는 헝가리 반지 퍼즐, 그리고 랠리 모에라키(Rally Moeraki) 퍼즐 시리즈에는 퍼즐에 빈 곳이 없다는 특징이 있다. 유리관 안의 조각들은 사슬처럼 움직이며, 유리관의 교차점에서는 한 유리관에서 다른 유리관으로 옮겨 갈 수 있어서 구성 및 패턴을 바꿀 수 있다. 유리관에서 어떤 한 조각이 이동하면 관에 있는 모든 조각이 이동한다.

모에라키

1893년 윌리엄 처칠(William Churchill)은 어떤 퍼즐의 특허를 냈는데, 이 퍼즐은 '기계식 퍼즐'이라는 신종 퍼즐의 초기 형태였다. 이 퍼즐은 헝가리의 엔지니어인 퍼프(Endre Pap)가 '헝가리 반지(Hungarian Rings)'라는 이름으로 특허를 내고 출시한 1982년까지 상업적으로 생산되지 않았다.

1979년, 모스코비치는 1981년에 특허를 받은 랠리(Rally) 퍼즐 시리즈를 고안했고, 1982년 메페르트 노벨티(Meffert Novelties) 사에 그 특허권을 양도했다.

모스코비치의 특허는 1985년 처칠의 특허를 참고 자료로 넣고 나서야 인정되었는데, 그때까지 모스코비치는 처칠의 특허가 있는지를 몰랐다고 한다.

역사적으로, 랠리 퍼즐 시리즈는 2차원의 '연결된 순환' 퍼즐의 세부 범주에 속하는 퍼즐로, 그 퍼즐 범주에서는 가장 먼저 생산된 퍼즐이었다. 연결된 순환 퍼즐은 '루빅 트위스트 퍼즐(Rubik's twisty puzzles)' 범주에 속하는데, 이 범주의 퍼즐은 루빅 큐브에서 영감을 얻은 이래로 현재까지 800종류가 넘는 퍼즐로 성장했다.

랠리 퍼즐은 모에라키 퍼즐 게임 시리즈라는 이름으로 2011년 독일의 게임회사 카슬란트(Casland Games)에서 카지미어 란도프스키(Kasimir Landowski)에 의해 출시되었다.

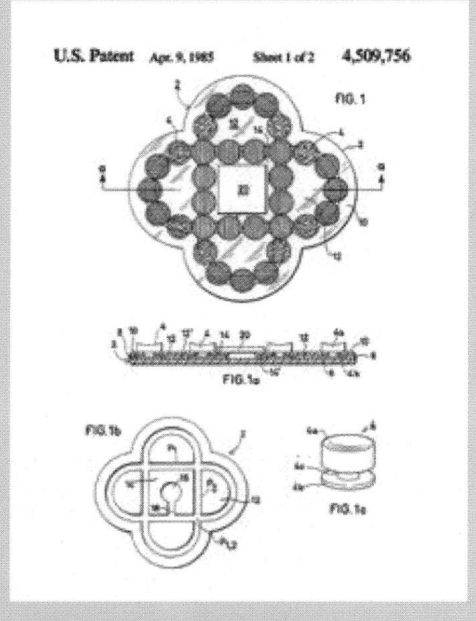

모스코비치 특허, 1981년

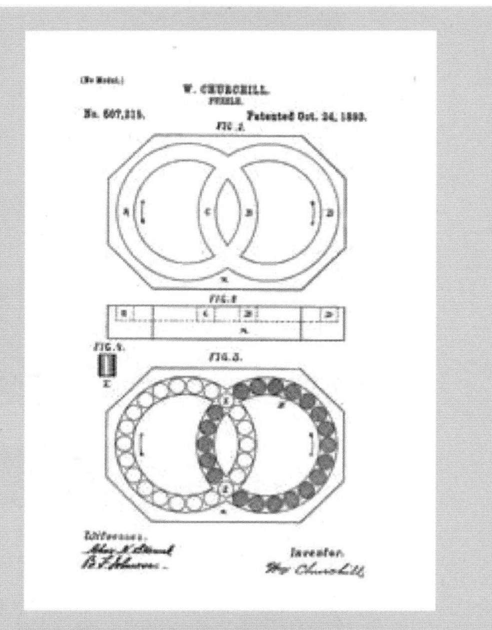

처칠 특허, 1893년

헝가리 반지, 1982년

랠리 모에라키 퍼즐

랠리 모에라키 퍼즐 시리즈는 미끄러지는 구슬 퍼즐로 빈 공간이 없다. 이 견본에서는 오른쪽 그림에 보이는 것과 같이 32개의 구슬이 두 개의 타원 모양의 유리관에서 사슬처럼 움직일 수 있다. 각 타원 모양의 유리관은 18개의 구슬로 구성되어 있는데, 4개의 구슬은 두 유리관에 공통으로 속해 있다.

유리관 중 하나에서 구슬을 이동시키면(굴리면) 유리관의 모든 구슬은 원하는 대로 시계방향이나 반시계방향으로 움직인다. 유리관을 연속해서 바꾸면(완구를 이리저리 움직이면 바뀐다) 구슬은 한 유리관에서 다른 유리관으로 이동한다. 구슬에는 보이는 것과 같이 색이 칠해져 있다. 이 퍼즐은 이동을 가장 적게 해 가운데 있는 빨간색 구슬로 이루어진 정사각형을 파란색 구슬로 이루어진 정사각형으로 바꾸는 것이다. 구슬을 한 번 움직여 원하는 방식으로 유리관의 구성을 바꾸려면, 다른 유리관에서 구슬이 이동해 구성이 바뀌기 전에 해야 한다.

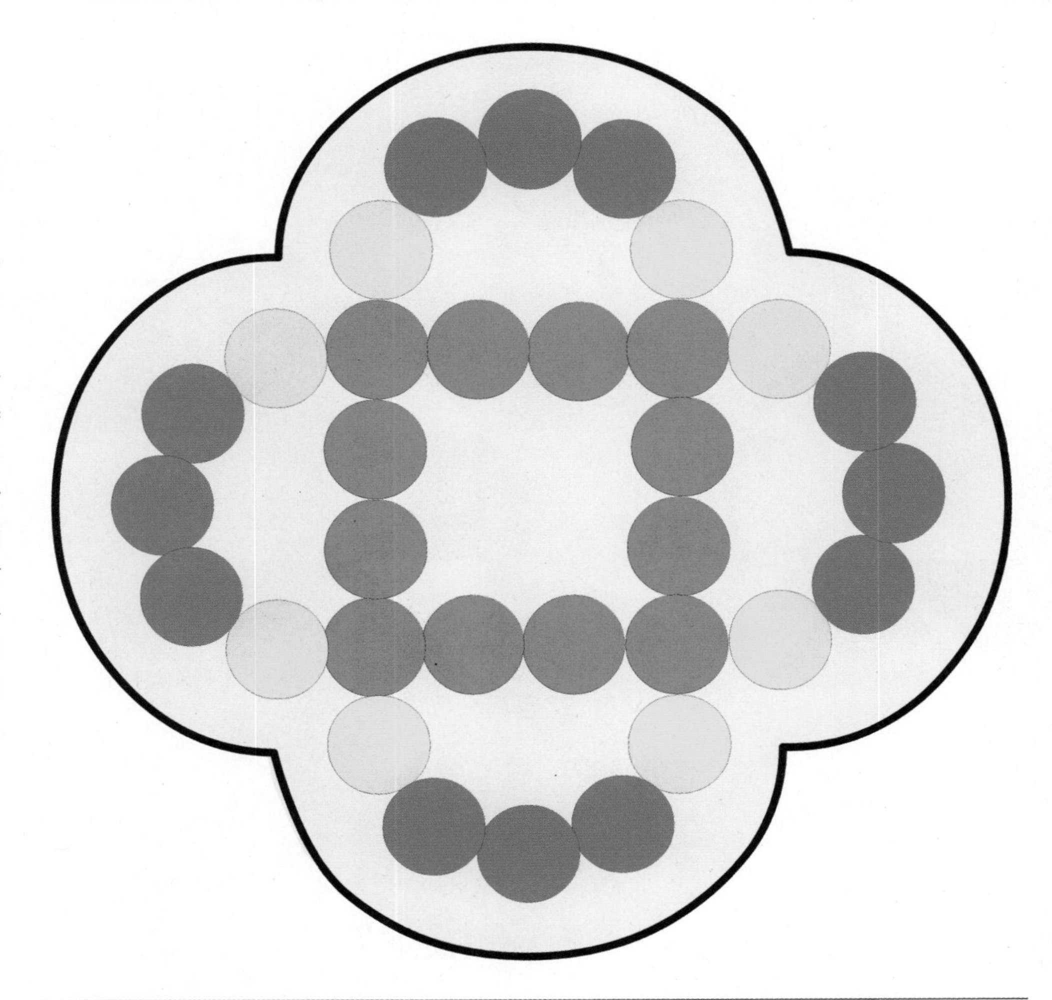

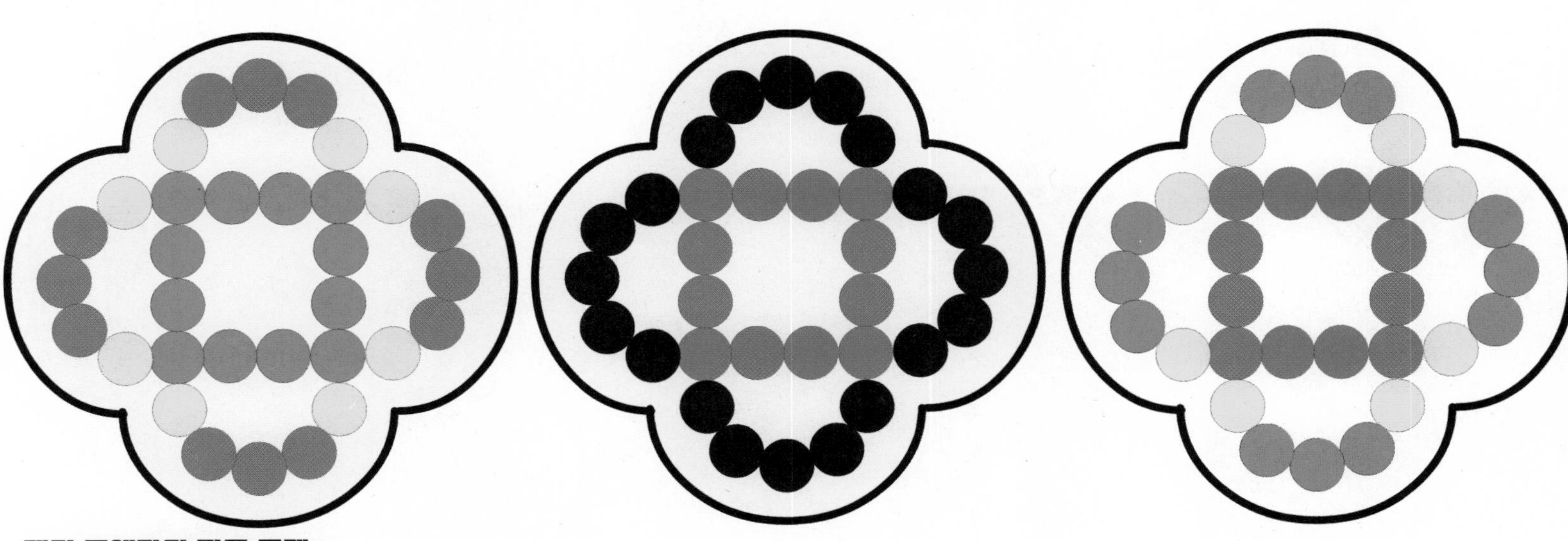

랠리 모에라키 퍼즐 문제

초기 구성(첫 번째 그림)을 두 개의 다른 구성(다음 두 개의 그림) 중 하나로 변경하는 데 필요한 최소의 이동 횟수는 얼마일까?

1. 두 번째 그림: 가운데가 파란색 구슬로 이루어진 정사각형이 되도록 구슬을 이동한다. (검은색 구슬은 모든 색이 될 수 있다).
2. 세 번째 그림: 빨간색 구슬과 파란색 구슬이 바뀌고 노란색 구슬은 처음 위치 그대로 있다.

285

난이도 ●●●●●○

필요한 것

완료

시간

CHAPTER

9

인지, 환상, 패리티, 그리고 참과 거짓에 관한 레이의 퍼즐

청동 인어-1981년

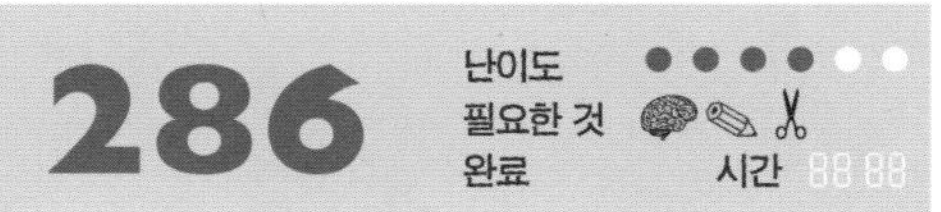

안젤로(Angelo)는 보트 안에 있는 청동 인어를 큰 수족관에 넣으려 한다.
청동 인어를 수족관 바닥에 있는 자리에 무사히 내려놓으면, 수족관의 수위는 상승할까, 내려갈까, 아니면 변하지 않을까?

스콧 김(Scott Kim, 1955~)

스콧 김은 미국의 퍼즐 및 컴퓨터 게임 디자이너이자 예술가이며 작가다. 그는 수백 가지 퍼즐을 만들어 《사이언티픽 아메리칸》과 《게임스(Games)》 같은 잡지에 기고했다. 세계에서 가장 창조적이고 독창적인 퍼즐 발명가로 꼽히는 스콧은 1955년 미국의 수도 워싱턴에서 태어났으며 스탠퍼드대학에서 음악학 학사학위를, 같은 대학교에서 도널드 커누스(Donald Knuth)의 지도로 컴퓨터 및 그래픽 디자인 분야에서 박사학위를 받았다.
그는 엠비그램(ambigrams) 예술의 거장 중 하나로 잘 알려져 있다. 1981년에는 『도치(Inversions)』라는 책을 출간했는데, 이 책은 한 가지 이상의 방식으로 읽을 수 있는 단어에 관한 것으로 그 분야의 걸작품이다.

"스콧 김은 알파벳 분야의 에셔다."

아이작 아시모프(과학저술가)

"스콧 김은 품위, 우아함, 섬세함, 그리고 경이로움을 갖춘 개인적인 예술 양식을 완성했다. 문자 형식과 시각적 인식에 대한 깊은 이해를 가지고 만들어낸 디자인은 매우 독창적이고 기쁨을 준다. 책을 보는 수많은 사람들이 자신이 보는 것을 즐거워할 것이다. 어떤 사람은, 원하건대 많은 사람들이 스콧이 보여준 매혹적인 예술 공간의 언저리를 계속 탐험할 것이다. 왜냐하면 「도치」는 영감을 주는 작품이기 때문이다."

더글러스 호프스태터(『괴델, 에셔, 바흐: 영원한 황금 노끈』으로 퓰리처상 수상)

"「도치」는 지금까지 출판된 가장 경이롭고 즐거운 책 중 하나다. 그의 책은 단어놀이뿐만 아니라 대칭의 본질, 대칭의 철학적 측면과 예술과 음악에서의 구현에 대해 흥미를 불러일으킬 만한 관찰로 수놓아져 있다. 수년에 걸쳐 스콧 김은 어떤 단어나 짧은 구를 선택하여 그것을 어떤 종류의 놀라운 기하학적 대칭을 표현하는 글자로 쓰는 마법적인 능력을 개발했다."

마틴 가드너, 《사이언티픽 아메리칸》

fantasy

math
magic

Mathematics

Inversions
Scott Kim

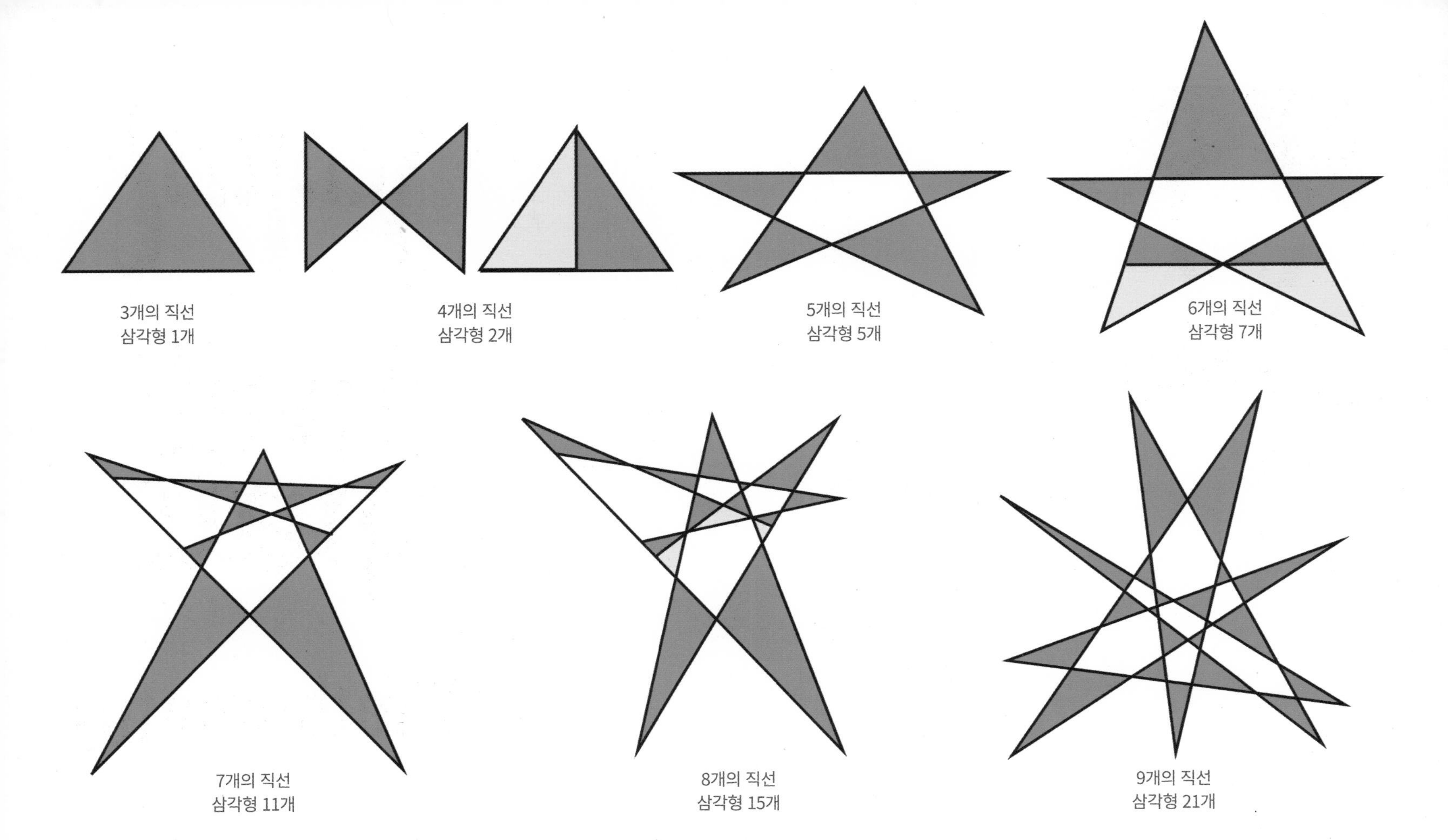

고본 삼각형 문제-1983년

고본 삼각형 문제는 1983년 일본 교사이자 퍼즐 발명가인 고본 후지무라(Kobon Fujimura)가 처음 언급한 조합기하 분야의 문제다. 문제는 다음과 같다. '평면에 'n'개의 직선을 늘어놓았을 때 겹치지 않게 만들어지는 삼각형의 최대 개수는 얼마인가?'

n이 3, 4, 5, 그리고 6인 경우 그런 삼각형의 최대 개수는 각각 1, 2, 5, 그리고 7이다. 그림에 나타나 있는 것과 같이, 직선의 수가 7, 8, 그리고 9인 경우 겹치지 않는 삼각형의 최대 개수는 각각 11, 15, 그리고 21이다.

사부로 타무라(Saburo Tamura)는 정수 'k'개의 직선으로 만들어지는 겹치지 않는 삼각형의 최대 개수는 k(k-2)/3보다 크지 않다는 것을 증명했다. 예를 들면, k=4일 때 4(4-2)/3을 넘지 않는 가장 큰 정수는 2이므로 겹치지 않는 삼각형의 개수는 2보다 클 수 없는데, 이 경우는 2다.

2007년 요한 베이더(Johannes Bader)와 질 클레망(Gilles Clement)은 더 엄밀한 상한을 발견했다. 그들은 모드(mod)가 6일 때 0과 2의 값을 갖는 어떤 수 k는 타무라의 상한에 도달할 수 없다는 것을 증명했다. 그러므로 이런 경우에 최대 삼각형의 개수는 타무라의 상한보다 1이 적다.

고본 삼각형 문제에서 '삼각형의 최대 개수'를 고본 삼각형 문제의 '완벽한 해'라 한다. k가 3, 4, 5, 6, 7, 8, 9, 13, 15, 그리고 17에 대한 완벽한 해는 알려져 있다. k가 10, 11, 그리고 12인 경우에 대해 알려진 삼각형의 최대 개수는 타무라의 상한보다 적은 수다.

에드 페그 주니어(Edd Pegg Jr.)는 자신이 만든 '수학 퍼즐(Math Puzzle)' 사이트에서 이 문제에 대해 큰 진전이 있음을 발표했다. 그 발표에는 다음 쪽에 도시된 토시타카 스즈키(Tositaka Suzuki)의 65개의 삼각형 해를 갖는 아름다운 15개의 직선이 포함되어 있다. 만일 선들이 하나의 연속된 선을 꺾은 형태로 이루어진다는 제한을 둔다면 이 고본 삼각형들은 어떤 모양일까?

287
난이도 ●●●●○○
필요한 것
완료 시간

"도덕성과 마찬가지로, 예술은 선을 어딘가에 그리는 것으로 이루어진다."

체스터턴(G. K. Chesterton)

스즈키의 해

토시타카 스즈키의 65개의 삼각형을 갖는 아름다운 15개의 직선은 두 번째로 좋은 해다.
현재, 가장 훌륭한 해는 85개의 삼각형을 만들어내는 17개의 직선이다.

테트리스-1984년

테트리스는 원래 1980년대 소련 연방의 알렉세이 파지트 노프(Alexey Pajitnov)에 의해 창안되었다. 소련에서 미국으로 수출된 최초의 오락 프로그램인 테트리스는 두 종류의 컴퓨터(Commodore 64와 IBM PC)용으로 만들어졌다.
테트리스 게임은 4개의 정사각형으로 구성된 특별한 형태의 폴리오미노인 테트로미노를 사용한다. 폴리노미오는 일찍이 1907년부터 인기 있는 퍼즐에 사용되었지만, 수학자 솔로몬 골롬에 의해 1953년에 폴리노미오라는 이름이 붙여졌다.
《월간 전자 게임(Electronic Gaming Monthly)》 100호에서는 테트리스에 '역사상 가장 위대한 컴퓨터 게임'이라는 이름을 붙여주었다. 2010년 1월, 테트리스는 휴대전화만으로 1억 개가 넘는 판매량을 기록했다고 한다.

거대한 테트리스

2012년 해커들은 MIT의 그린 빌딩 앞에서 편안하게 볼 수 있는 거리만큼 떨어져서 무선제어로 컴퓨터를 작동해 건물을 하나의 거대한 테트리스 게임판으로 탈바꿈시켰다.

악수 (1)

이사회 회의에는 17명의 위원이 있었다. 위원들 모두는 다른 모든 위원과 악수를 해야 했지만, 4명은 악수를 하지 않았다.
악수한 총횟수는 얼마일까?

288 난이도 ●●●●○○ 필요한 것 완료 시간

악수 (2)

둥근 테이블에 앉은 6명이 서로 교차하지 않으며 동시에 악수할 수 있는 조합의 수는 얼마일까?

289 난이도 ●●●●○○ 필요한 것 완료 시간

악수 파티

아내와 나는 4쌍의 부부를 집들이 파티에 초대했다. 아무도 자신의 배우자와는 악수하지 않으며, 두 번씩 악수를 한 부부는 없다.
손님이 떠나기 전에 나는 파티에 참석한 모든 사람에게 얼마나 많은 사람들과 악수를 했는지 물었는데, '8, 7, 6, 5, 3, 2, 1, 0'이라는 대답을 얻었다. 내 아내는 몇 명과 악수를 했을까?

290 난이도 ●●●●○○ 필요한 것 완료 시간

북극 탐험-1986년

291

난이도 ●●●●●○
필요한 것
완료 시간

이 문제는 임의로 선택한 장소에서 여행을 시작하는 한 탐험가에 관한 오래된 고전문제다.
탐험가는 1킬로미터 남쪽으로 걸은 후 방향을 바꿔 동쪽으로 1킬로미터를 걸었고, 다시 방향을 바꿔 북쪽으로 1킬로미터 걸은 다음 곰과 마주쳤다. 그곳은 그가 출발한 지점이었다.
곰은 어떤 색일까? 대개 사람들은 '흰색'이라고 답한다. 하지만 북극이 그의 여행에서 가능한 유일한 출발점일까?

해리 잉의 마술-1990년

해리 잉(Harry Eng)은 1932년에 태어나 1996년에 사망했다. 잉은 학교 교사이자 교육컨설턴트, 발명가, 마술사, 그리고 사랑스러운 친구였다. 그는 사고하는 방법을 가르치는 데 일생을 헌신했는데, 모스코비치에게도 수년 동안 사고하는 방법에 대해 가르쳤다고 한다.
해리는 불가능한 유리병으로 세계적으로 유명해졌는데, 평생 '불가능한 유리병들'을 대략 600개 정도 만든 것으로 보인다. 어떤 속임수도 없었고 물체 주변의 유리가 깨지지도 않았다. 유리병 안의 모든 것은 유리병의 목을 통과해 병 속으로 들어갔다. 해리는 특별한 도구를 발명해 이 도구를 분해해서 병 속에 넣은 다음 병 안에서 조립했다. 이 도구를 이용하면 병 안에 있는 금속 물체를 휘거나 곧게 펼 수도 있다. 병 속에서의 작업이 완료되면, 도구를 분해하여 병에서 제거할 수 있다.
해리는 마술사들 사이에서는 전설 같은 인물이다. 그러나 해리는 거의 마술을 하지 않았다. 아니, 그의 마술은 아예 근본이 다르다. 무대 위에서 만들어내는 착각, 손재주, 소품 마법이나 심리적인 예술이 아니었다. 해리의 마술은 순전히 사고와 창의력의 예술이었다. 해리는 이렇게 말했다. "우리 삶의 힘, 우리가 살고 있는 바로 그 힘은 우리 마음속에 있다." 해리에게 불가능이란 그저 삶의 방식이었다. 그는 말했다. "불가능은 조금 더 오래 걸릴 뿐입니다." 그리고, 그가 옳았다!

"불가능은 조금 더 오래 걸릴 뿐이다."

해리 잉

불가능한 접기 퍼즐

이 퍼즐은 그림에 나타난 것처럼 접는 선을 따라 종이를 접어서 큰 팔각형이 정사각형 구멍을 통과하는 것이다. 이걸 어떻게 할 것인가?
이 퍼즐은 해리 잉이 발명한 것으로 1994년 6월 11일에 개최되었던 국제퍼즐 파티에서 기념품으로 나눠 주었다.

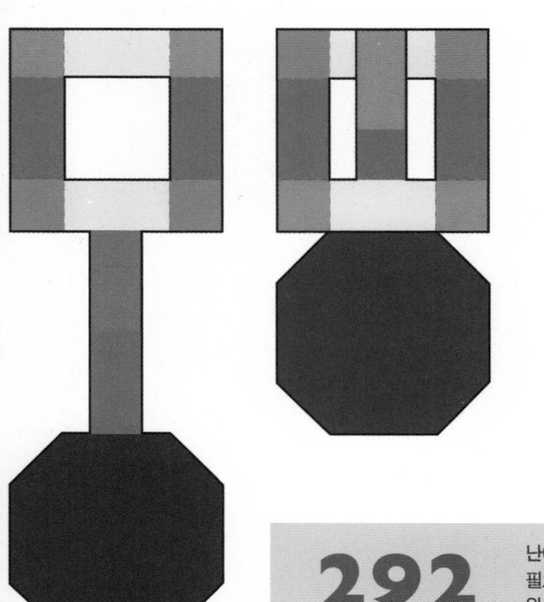

292 난이도 ●●●●○○ 필요한 것 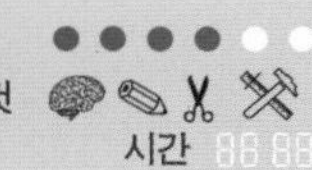 완료 시간

몬티 홀 문제-1990년

이 유명한 반직관적인 문제는 흔히 '몬티 홀 문제'라 불리는데, 〈협상을 합시다〉라는 미국의 게임 쇼의 진행자인 몬티 홀(Monty Hall)의 이름을 따서 지어진 것이다.

홀은 사람들이 문 뒤에 있는 의문의 선물을 얻기 위해 도박 상금을 포기하도록 유혹한 것으로 유명하다. 마틴 가드너는 1959년 10월 칼럼에서 이 문제를 소개했다.

《퍼레이드 매거진(Parade Magazine)》의 칼럼니스트인 마릴린 서번트는 3개의 문과 그중 한 개의 문 뒤에 있는 고급차 문제로 유명했는데, 서번트는 문제에 대한 해답을 제시했다. 그 해답을 불신하고 비난하던 사람들은 그녀에게 수천 장의 편지를 보냈는데, 개중에는 박사학위를 가진 사람이 약 1000명이었으며 그중 많은 사람이 수학자였다. 놀라지 마시라, 그 문제는 정말로 역설적이고 반직관적인 것이었다.

20세기 최고의 수학자 중 한 사람인 에르되시 팔조차도 처음에는 믿지 못하겠다는 반응을 보였다. 이런 반응이 바뀌기까지 에르되시의 친구들은 꽤 오랜 시간을 투자했다. 에르되시는 한 동료가 준비한 수백 개의 컴퓨터 시뮬레이션 게임을 본 후에야 비로소 자신이 틀렸다는 결론을 내렸다.

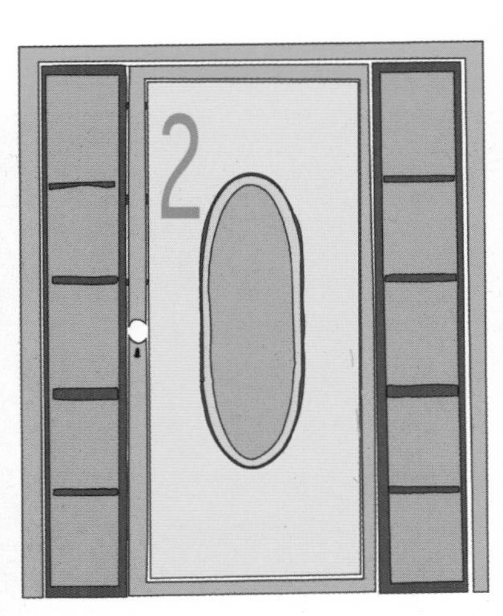

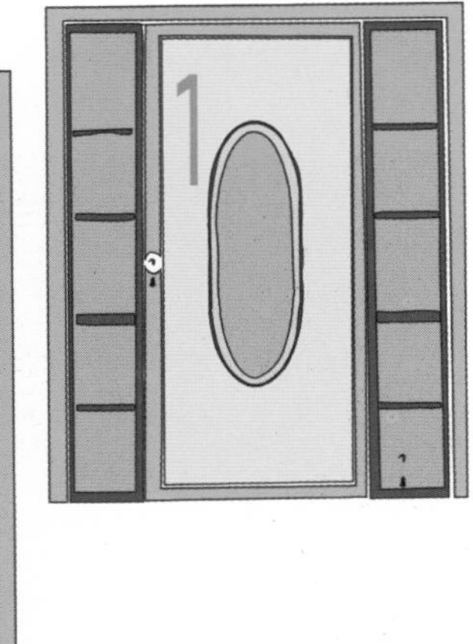

> **"우리의 뇌는 확률문제를 잘 풀기 위한 방식으로 엮여 있지는 않다."**
>
> 리처드 파인만

몬티 홀 문제-게임의 규칙

당신에게 고급차가 걸린 게임 쇼에 참여할 기회가 주어졌다. 차는 세 개의 문 중 하나의 문 뒤에 있다. 다른 두 문 뒤에는 염소가 있다. 닫힌 문 중 하나를 임의로 선택한다(단계 1). 이때의 성공 가능성, 즉 자동차가 있는 문을 선택할 확률은 1/3, 즉 약 33%다. 여기서 차가 어디 있는지 아는 게임 진행자가 나선다. 선택되지 않은 문 중 염소가 있는 문을 열어 염소를 보여주는 것이다. (문 뒤에 염소가 있는 문이 적어도 하나는 존재한다.)

이제 진행자는 당신에게 처음 선택했던 문을 열어보지 않은 다른 문으로 바꿀 수 있다고 제안한다. 바꿀 것이냐 말 것이냐 그것이 문제로다! 그리고 이것이 당신의 딜레마다. 처음에 선택한 것을 바꾸는 것이 성공의 초기 확률에 차이를 만들 것인가? 마릴린의 대답은 항상 바꾸어야 한다는 것이었다.

모든 가능한 상황이 다음 쪽 그림에 나타나 있다. 첫 번째 행은 세 가지 가능한 선택을 보여준다. 두 번째 행(단계 2)은 바꾸지 않기로 했을 때의 결과를 보여주며, 세 번째 행은 바꿨을 때의 결과를 보여준다. 만일 당신이 처음 선택한 것을 바꾼다면(단계 3) 성공 가능성은 처음의 1/3에서 2/3로 두 배가 된다. 많은 사람이 이것에 대해 여전히 확신하지 못할 수 있는데 그것은 놀라운 일이 아니다. 상식적으로 생각하면 바꾼다고 해서 차이가 생기는 것은 아니다. 2개의 문에 1개의 상품이니 당신은 그저 동전을 던질 수도 있다. 그러나 마릴린이 옳았다.

당신이 마릴린처럼 확신하려면, 3개의 문 대신 10개의 문을 고려하는 다음 쪽에 나타나 있는 몬티 홀 문제로 에르되시가 한 것처럼 게임을 많이 해보라.

마지막으로, 이것은 다른 상황이 이미 발생한 상황에서 어떤 일이 일어날 확률인 '조건부 확률'임을 기억하라.

10개의 문이 있는 몬티 홀 문제

여전히 회의적인 사람들을 위해, 몬티 홀 문제의 다른 버전인 10개의 문을 고려하는 문제를 보자. 이 문제를 풀어보면 원조 문제를 접했을 때 수만 명의 사람들을 혼란스럽게 했던 정신적 장애물의 일부가 제거될 것이다.

이전과 마찬가지로, 문 중 하나의 문 뒤에는 고급 차가 있고 다른 아홉 개의 문 뒤에는 염소가 있다. 당신은 문 하나를 선택한다. 진행자는 문 뒤에 염소가 있는 문 8개를 연다. 그리고는 열지 않은 문과 당신의 선택을 바꿀 수 있다고 한다. 바꾸겠는가? 처음 선택을 바꾸지 않고 그대로 두면 차를 받을 확률은 얼마일까? 처음의 선택에서 다른 문으로 바꾸면 차를 받을 확률은 얼마일까?

그림의 첫 번째 열에서 진행자는 두 문을 열어 보여줄 수 있지만, 그중 하나만 보여주고 하나는 남겨두어야 한다. 두 번째와 세 번째 열에서는 진행자가 열어서 보여줄 수 있는 문은 하나뿐이다.
선택이 바뀐 후인 단계 3에서 보면, 첫 번째 문을 선택한 경우(첫 번째 열)에 바꾸면 고급차를 잃게 되나, 2열과 3열의 경우는 고급차를 받게 된다.

드라큘라의 관 뚜껑-1991년
두 개의 관을 닫기에 적절한 관 뚜껑을 찾을 수 있겠는가?
294
난이도
필요한 것
완료
시간

나무 심기-1991년

직선들 위에 'n'개의 점을 늘어놓는데 각 직선에 정확하게 'k'개의 점이 놓이도록 늘어놓는 문제는 어려운 문제의 일종으로, '나무 심기' 또는 '과수원' 문제라고도 알려져 있다. 때로 이 문제는 직선의 수 'r'이 최대가 되는 것을 찾는 문제로 표현되기도 한다. 흥미롭게도, k가 3과 4인 경우에 대해서조차 이 문제에 대한 일반해를 찾지 못했으며, 그 해들을 찾는 방법은 여전히 발견되지 않고 있다.

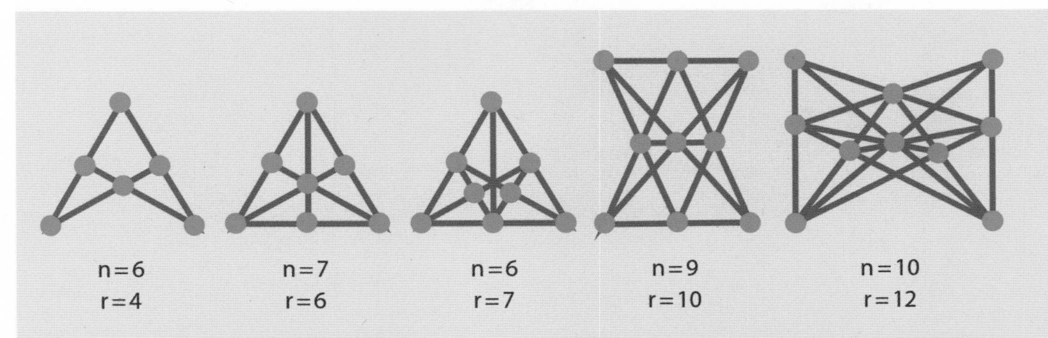

나무 심기 문제 (1)

295 난이도 필요한 것 완료 시간

n이 6~10일 때 k=3(한 줄에 세 개의 점)인 경우의 최대 해들.
n=11이고 r=16일 때 최대 해를 찾을 수 있겠는가?

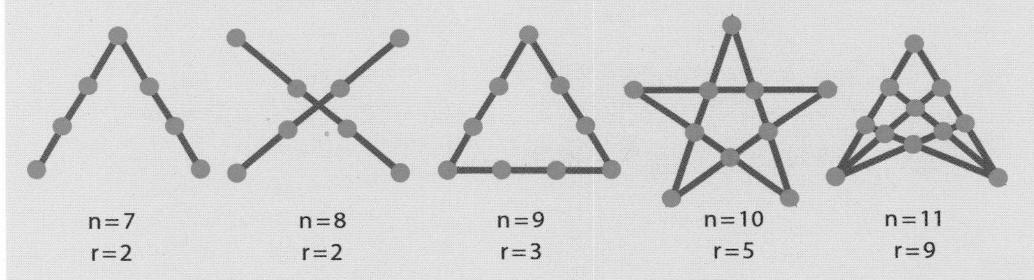

나무 심기 문제 (2)

296 난이도 필요한 것 완료 시간

k가 4면 문제는 훨씬 더 어려워진다. n이 7~11일 때 k=4(한 줄에 4개의 점)에 대한 최대 해들.
n=12이고 r=7일 때 최대 해를 찾을 수 있겠는가?

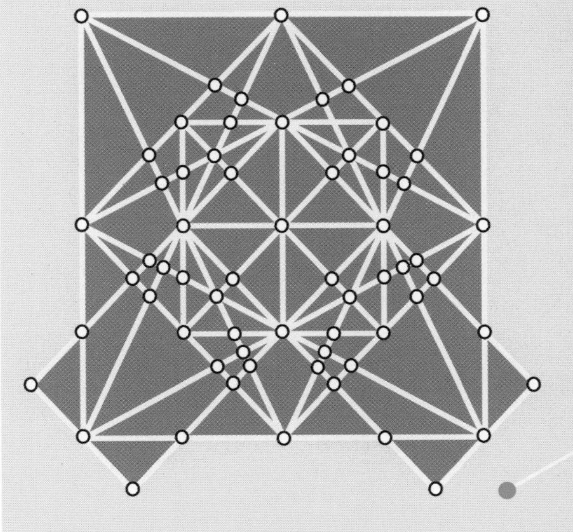

나무 심기 문제 (3)

모든 직선 위에 정확히 3개의 빨간색 점이 놓이도록 하얀색 동그라미 위에 빨간색 점을 찍으려 한다.
빨간색 점이 몇 개나 필요할까?

297 난이도 필요한 것 완료 시간

625개의 바람개비 (모양의) 삼각형으로 이루어진 삼각형

큰 삼각형을 만드는 125개 바람개비 삼각형으로 이루어진 바람개비 삼각형 5개의 윤곽을 찾을 수 있겠는가?

298

난이도 ●●○○○○
필요한 것
완료
시간

바람개비 삼각형과 큰 타일 붙이기–1994년

8장에서 이미 보았듯이, 비주기적 타일 붙이기는 비주기적인 타일 세트를 사용해 얻는 테셀레이션이다. 유명한 펜로즈 타일에 대해서는 이미 논의했지만, 1994년 프린스턴대학의 존 콘웨이와 텍사스대학의 찰스 래딘은 이와는 다른 비주기적 타일 붙이기를 발견했다. 바로 한 개의 삼각형 타일만을 사용하는 바람개비나 콘웨이 삼각형만을 사용하는 바람개비 패턴이다. 이 퍼즐에서는 타일이 무한히 많은 방향을 갖는다는 특성이 있는데, 이는 비주기적 타일 붙이기에서는 처음 알려진 것이다.

'5개 바람개비 삼각형'은 5개의 바람개비 삼각형으로 이루어진 '슈퍼 타일(super tile)'이다. 그림에 나타난 바와 같이, 바람개비 삼각형들의 한 묶음으로만 슈퍼 타일을 만들면 평면에 한 개의 바람개비 패턴이 만들어진다. 평면에서의 한 패턴은 대칭성이 있거나 확장 가능하다. 확장이 가능한 경우는 그 패턴을 구성하는 타일들이 평면을 덮는 슈퍼 타일들로 이루어져 있어야 한다. 예를 들면, 정사각형 패턴과 정삼각형 패턴들이 그런 것들이다.

패리티-1994년

'패리티(Parity)'라는 용어는 처음에는 짝수와 홀수를 구별하기 위해 수학에서 사용되었다. 두 개의 숫자가 모두 짝수이거나 모두 홀수면 두 숫자는 같은 패리티를 가지며, 그렇지 않으면 반대의 패리티를 갖는다.
한 패턴의 패리티는 짝수 번 이동하면 보존된다. 카드, 동전, 그리고 퍼즐에서 나타나는 많은 문제들은 패리티 체크라 불리는 간단한 방법으로 패리티의 원리를 활용한다.
또한 패리티는 원자보다 작은 입자 물리학과 파동함수에서 중요한 역할을 한다.

아마 데이지 꽃잎 게임에 대해 들어본 적이 있을 것이다. 데이지 꽃잎 게임은 '그는 나를 사랑한다. 그는 나를 사랑하지 않는다'라 말하며 꽃잎을 하나씩 떼어내는 게임이다. 이 문제에서 결과를 빨리 알고자 할 때 패리티를 사용한다. 만일 꽃잎의 총 개수가 짝수면, 그 대답은 부정이다.
이것은 수학자들이 패리티 체크(parity check)라 부르는 것으로, 수학에서는 가장 강력한 도구 중 하나다. 패리티 체크는 이를 이용하지 않으면 얻기 어려울 수 있는 문제의 증명을 종종 신속하고 멋지게 증명할 수 있게 해준다.

여섯 개의 잔 문제

보이는 것처럼 잔이 세 개는 똑바로, 세 개는 엎어져 놓여 있다. 이 중 임의로 두 개의 잔을 선택하여 잔을 뒤집어놓는다. 같은 방식으로 원하는 만큼 계속 잔을 뒤집어놓는다. 모든 잔이 제대로 놓여 있거나, 아니면 모든 잔이 엎어져 있는 상태로 끝낼 수 있을까?

299
난이도 ●●●●●○
필요한 것
완료 시간

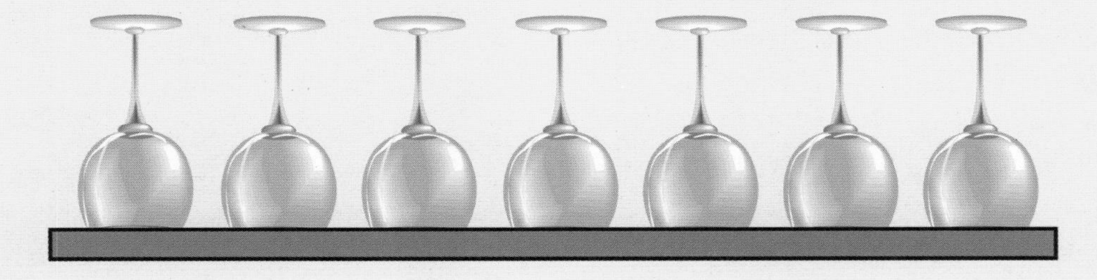

세 개 잔의 속임수

세 개의 잔을 처음 그림처럼 놓는다. 이 게임은 두 개의 잔을 동시에 뒤집는 것을 세 번 해서 모든 잔을 제대로 놓는 것이다.
어렵지 않게 할 수 있다. 그런 다음 가운데 잔만을 뒤집어놓고 누군가에게 똑같이 해보도록 한다. 하지만 이번에는 불가능하다. 첫 번째 그림에서의 잔의 위치는 패리티가 홀수이고 두 번째 설정에서는 패리티가 짝수이다. 짝수 개의 잔(0, 2 또는 짝수)이 제대로 놓여 있으면 그 시스템은 짝수 패리티를 갖는 반면, 홀수 개의 잔이 제대로 놓여 있으면 그 시스템은 홀수 패리티를 갖는다. 두 번째 그림의 배열에서는 어떤 두 개의 잔을 동시에 세 번 뒤집어도 그 시스템의 패리티를 바꿀 수 없다.●

● 제대로 놓여 있는 잔이 없으므로 패리티는 짝수이다.

일곱 개의 잔 문제

이 문제는 한 번에 세 개의 잔을 뒤집어 7개의 모든 잔을 똑바로 세우는 문제다. 잔을 몇 번 뒤집어야 모든 잔을 똑바로 세울 수 있을까?

300
난이도 ●●●●●○
필요한 것
완료 시간

열 개의 잔 문제

그림과 같이 원탁에 5개의 잔은 똑바로 놓여 있고 5개의 잔은 엎어져 놓여 있다.
임의로 두 개의 잔을 선택하여 두 개 모두 그 상태에서 뒤집어놓는다. 원하는 만큼 잔 뒤집기를 계속한다. 모든 잔을 똑바로 세울 수 있을까?

301
난이도 ●●●●●○
필요한 것
완료 시간

자체 기술(self-descriptive) 10개의 수-1994년

302
난이도
필요한 것
완료
시간

0을 포함해 처음 10개의 수로 만든 퍼즐 모음이 있다. 이런 유형의 퍼즐 중 가장 아름다운 퍼즐은 마틴 가드너가 '자체 기술 10개 수의 문제'라 부른 문제다. 그림에 나타난 것과 같은 이 흥미진진한 퍼즐은 토론토의 온타리오과학센터(Ontario Science Centre)에서 열렸던 수학 전시회에서 등장했다.
이 퍼즐은 두 번째 행에 있는 10개의 빈 상자에 넣을 10개의 숫자를 찾는 것이다. 이 수들은 다음 규칙에 따라 1행에 있는 10개의 연속적인 숫자로 결정된다.
2행의 첫 번째 숫자는 2행에 들어가는 10개의 숫자 중 0의 총 개수를 나타낸다. 두 번째 숫자는 1의 총 개수, 세 번째 숫자는 2의 총 개수, 이와 같은 방법으로 마지막 숫자는 9의 총 개수를 나타낸다.
이는 마치 자신이 자신을 만들어내는 10개의 수와 같다. 마틴 가드너가 이것을 '자체 기술 수(self-descriptive number)'라고 불렀다는 게 놀랍지는 않다.
겉보기에는 불가능해 보이지만 도전의식을 유발하는 이 문제는 어떻게 풀 수 있을까?
해가 있을까? 만일 해가 있다면 몇 개나 있을까? 이 문제를 풀기 위한 통찰력 같은 게 있는가?
MIT의 대니얼 쇼햄(Daniel Shoham)은 이 문제와 관련된 흥미로운 사실을 발견했다. 그는 1행에 10개의 다른 수들이 있으므로 2행에 들어가는 수들의 합은 10이어야 한다는 결론을 내렸으며, 두 번째 행의 각 수에 대해 가능한 값의 최댓값을 결정했다. 쇼햄의 논리를 따라 이 퍼즐의 유일한 해를 찾을 수 있겠는가?

얼마나 많은 숫자가 있는가?

모스코비치가 모은 많은 논리 퍼즐들 중에는 0부터 9까지 또는 0을 제외하고 1에서 10까지의 처음 10개의 수만으로 만든 특별한 퍼즐들이 있다.
이 범주에 속하는 초기 퍼즐 중 하나는 10자리 수(ten-digit number) 퍼즐이다.
0에서 9까지의 숫자만 사용해 서로 다른 10자리 숫자를 몇 개나 만들 수 있는가? 0으로 시작하는 숫자는 세지 않는다.

0 1 2 3 4 5 6 7 8 9

303
난이도
필요한 것
완료
시간

불을 밝힐 수 없는 방 문제-1995년

1950년대 에른스트 슈트라우스(Ernst Strauss)는 '불을 밝힐 수 없는 방'이라는 문제를 제기했다. 그 문제는 벽이 거울로 덮여 있는 방에서 성냥불을 켰을 때 벽에 빛이 반사가 안 되는 부분이 있어서 방 일부가 깜깜한 채로 남아 있는 다각형 방이 있는가 하는 문제였다.

이 문제는 1995년 캐나다의 알버타대학의 조지 토카스키(George Tokarsky) 교수가 해를 내놓기 전까지 풀리지 않았다. 토카스키는 가능한 가장 작은 방은 옆의 평면도처럼 26면이 있는 방이라고 했다. 만일 성냥불을 어떤 적절한 위치에 놓는다면, 방안에 어두운 곳이 적어도 한 곳은 있다. 토카스키는 그런 방을 '불을 밝힐 수 없는 최소의 방'이라고 불렀다.

토카스키의 방에는 성냥불을 어떤 특별한 위치에 놓으면 어둡게 남아 있는 부분이 있지만 그 성냥불을 조금만 옮기면 (거울에 반사되어) 전체 방이 다시 밝아진다. 만일 빛의 광선이 정확히 방의 모서리를 비춘다면, 그 빛은 전혀 반사되지 않는다는 점에 주목해야 한다. 빛은 단지 벽에 붙은 거울들의 연결 부위로 흡수될 뿐이다.

1997년 카스트로(D. Castro)는 24면을 가진 불을 밝힐 수 없는 방을 찾아내어 좀 더 개선된 해를 제시했다.

그러나 다음의 문제는 여전히 남아 있다. '성냥불을 방 어디에서 켜든 방에 어두운 부분이 있는 복잡한 방이 있는가?' 아직까지 이 문제에 대한 답은 없다.

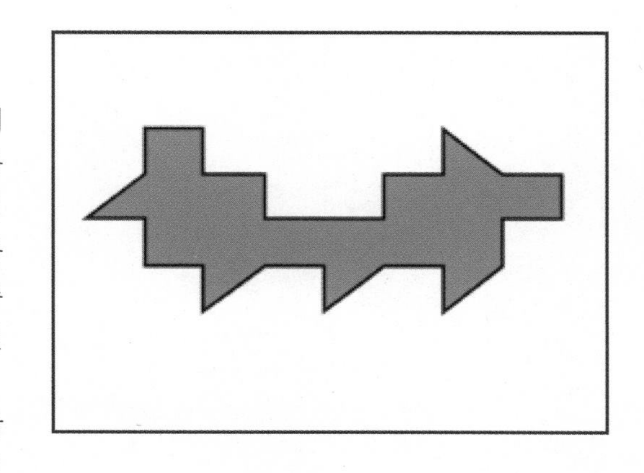

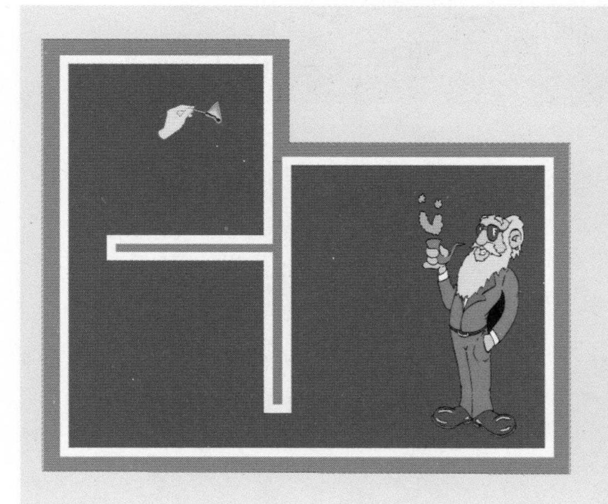

불 밝힐 수 있는 방

왼쪽 그림에서처럼 바닥에서 천장까지의 모든 벽이 거울로 덮인 L자형 방을 상상해보자. 방은 완전히 깜깜하다. 왼쪽 위에 있는 사람이 성냥불을 켠다. 방의 오른쪽 아래에서 담배를 피우는 사람은 성냥불이 반사된 빛을 볼 수 있을까?

304
난이도 ●●●●○○
필요한 것
완료
시간

펜로즈의 불 밝힐 수 없는 방

1958년 로저 펜로즈는 타원의 속성을 이용해 촛불의 위치(노란색 점)와 관계없이 항상 어두운 영역이 있는 공간을 만들었다. 빨간색 점은 방의 상단과 하단에 있는 반 타원의 초점이다.

각각의 경우에 대해 어두운 영역을 그릴 수 있겠는가?

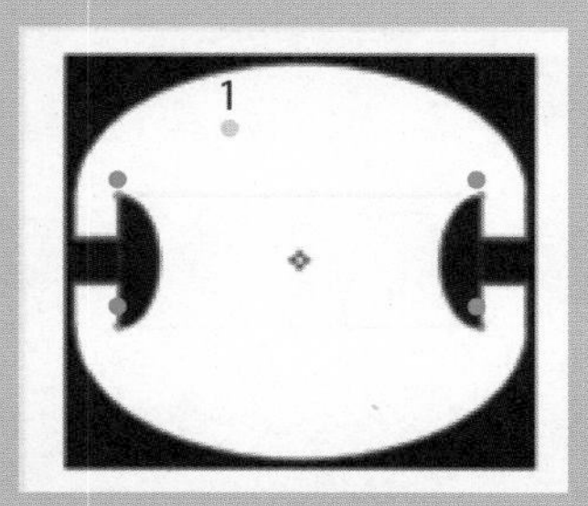

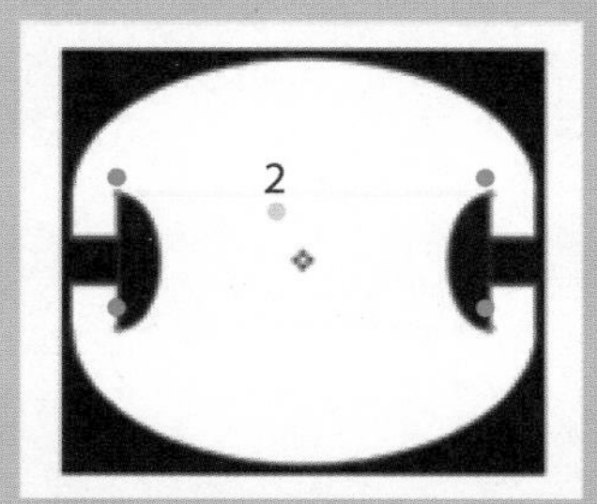

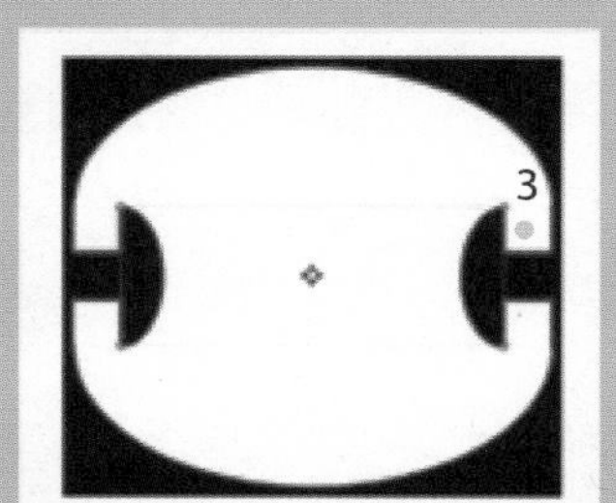

305
난이도 ●●●●○○
필요한 것
완료
시간

굄뵈츠, 세계 최초의 자체 복원 물체

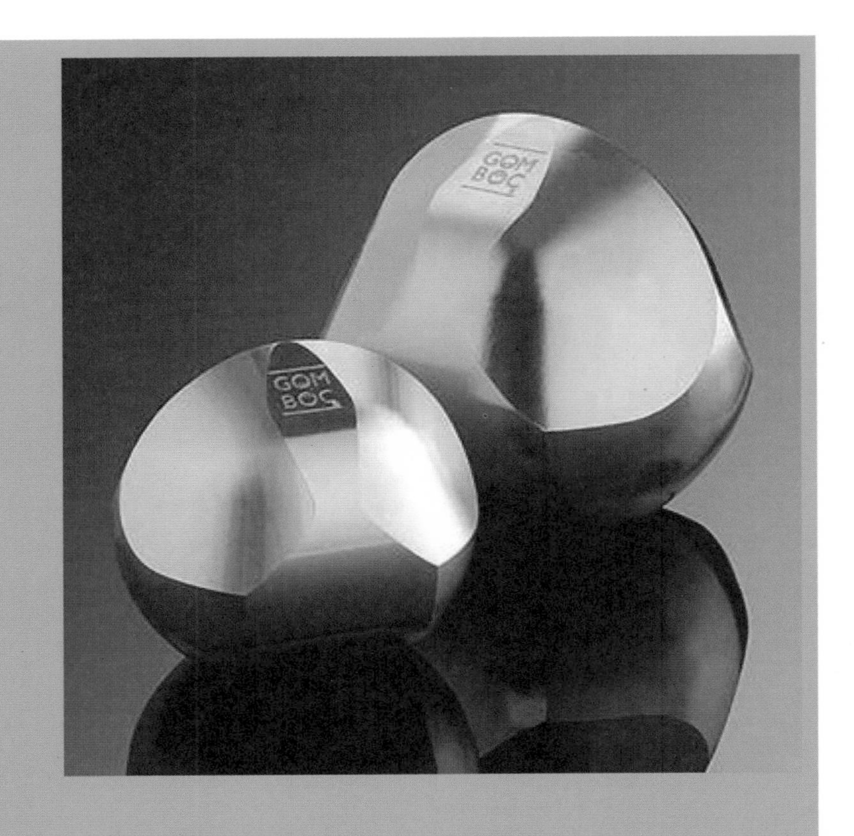

굄뵈츠(Gömböc)은 평평한 표면 위에 놓여 있을 때 단 하나의 안정한 평형점과 단 하나의 불안정한 평형점을 가지고 있는 3차원의 볼록하고 균일한 입체로, 이런 특성을 가진 최초의 입체라고 알려져 있다. 질량 중심이 중심을 벗어나도록 가중치를 고려한 구(球)도 하나의 예지만, 그런 구는 불균일하다. 1995년 러시아 수학자 블라디미르 아르놀트(Vladimir Arnold)는 단순한 단일상태(mono-monostatic)이며 균일하고 볼록한 3차원 입체 구조를 만들 수 있을지에 대한 의문을 제기했는데, 이는 1995년 한 학회에서 가보르 도모코스(Gábor Domokos)와의 대화 중 나온 문제였다.

많은 사람들이 굄뵈츠 모양이 존재하지 않는다고 하는 이유는 2차원에서는 오직 2개의 평형점을 가진 모양이 없기 때문이었다. 가장 잘 만들 수 있는 모양이 두 개의 안정된 평형점과 두 개의 불안정한 평형점을 가진 것이다. 굄뵈츠라 불리는 모양은 헝가리의 부다페스트기술경제대학의 가보르 도모코스와 그의 학생이었던 프린스턴대학의 페터 바르코니(Péter Várkonyi)가 개발했다. 굄뵈츠가 발견되고 2007년 12월 7일 도모코스가 영국 텔레비전에 출연하여 굄뵈츠가 어떻게 작동하는지를 설명한 후 굄뵈츠는 수학 저널의 앞면을 장식했다.

굄뵈츠는 앞서 말했듯 최초의 자체 복원 메커니즘을 갖고 있는 흥미진진한 입체로, 최근 몇 년 동안 개발된 가장 아름다운 창조적 아이디어 중 하나다. 굄뵈츠는 평평한 표면 위 어떤 위치에 놓아도, '위블(Weeble)' 장난감과 비슷한 방식으로 안정된 평형점으로 되돌아간다. 그러나 위블은 바닥의 무게에 의존하는 반면, 굄뵈츠는 균질한 재료로 만들어져서 모양 자체가 자체 복원력이 있다.

굄뵈츠의 불안정한 평형점 하나는 반대편에 있다. 굄뵈츠는 이 불안정한 평형점에서 균형을 잡을 수는 있지만, 마치 연필을 심 끝으로 균형을 잡아 세우면 바로 쓰러지는 것처럼, 아주 조금만 흔들어도 쓰러진다. 굄뵈츠의 모양이 유일하지는 않다. 굄뵈츠의 모양은 다양하게 만들 수 있지만, 대부분의 굄뵈츠 모양은 매우 정밀하게 만들어진(100mm당 약 0.1mm의 오차) 구와 비슷하다. 굄뵈츠의 형태는 이 입체를 뒤로 세운 후 평형상태로 돌아오는 신기한 복원력을 설명하는 데 도움이 된다.

이터너티 퍼즐(The eternity puzzle)-1996년

이터너티는 크리스토퍼 몬크턴(Christopher Monckton)이 창안한 타일 붙이기 퍼즐로, 1999년 6월 에르틀 사(Ertl Company)에서 출시되었다.

이 퍼즐은 거의 정12각형 모양의 큰 도형을 같은 색의 불규칙한 모양의 작은 다각형 조각 209개로 채우는 것이다.

퍼즐은 실제로 풀기 어려운 상태로 판매되었으며, 4년 이내에 이 문제를 푸는 사람은 1백만 파운드의 상금을 받을 수 있었다. 상금은 2000년 10월에 지급되었다. 2007년 여름에 출시된 두 번째 퍼즐인 이터너티Ⅱ에는 2백만 달러의 상금이 걸렸다. 이 퍼즐은 아직도 풀리지 않고 있다.

이터너티 II는 전 세계적으로 50만 부나 팔렸고 사람들은 문제를 풀기 위해 안간힘을 쓰고 있다. 이터너티는 영국에서 판매된 퍼즐이나 게임 중 가장 많이 팔린 것으로 발매한 달에는 35파운드의 가격대였다.

몬크턴(Monckton)은 판매 전략을 준비하면서 누군가가 퍼즐을 풀려면 적어도 3년은 걸릴 것이라 생각했다. 이 퍼즐을 풀기 위해 시도해 볼 수 있는 가능한 방법은 10,500가지이고 백만 대의 컴퓨터로 계산을 한다 하더라도 모두 계산하는 데는 우주의 수명보다 더 긴 시간이 필요할 것이라고 추산되었다.

그러나 2명의 케임브리지대학의 수학자인 알렉스 셀비(Alex Selby)와 올리버 리오단(Oliver Riordan)은 첫 마감일 전인 2000년 5월 15일 이 퍼즐을 풀었다. 성공 비결은 엄밀한 수학이었는데, 이들은 개별 조각을 하나씩 게임판의 빈 영역에 붙여보고 그 위치를 결정하는 것으로 이 문제에 접근했다. 완벽한 해는 2대의 컴퓨터를 이용해 무지막지하게 검색을 한 지 7달 만에 얻은 것이다. 그 해가 아래에 있다.

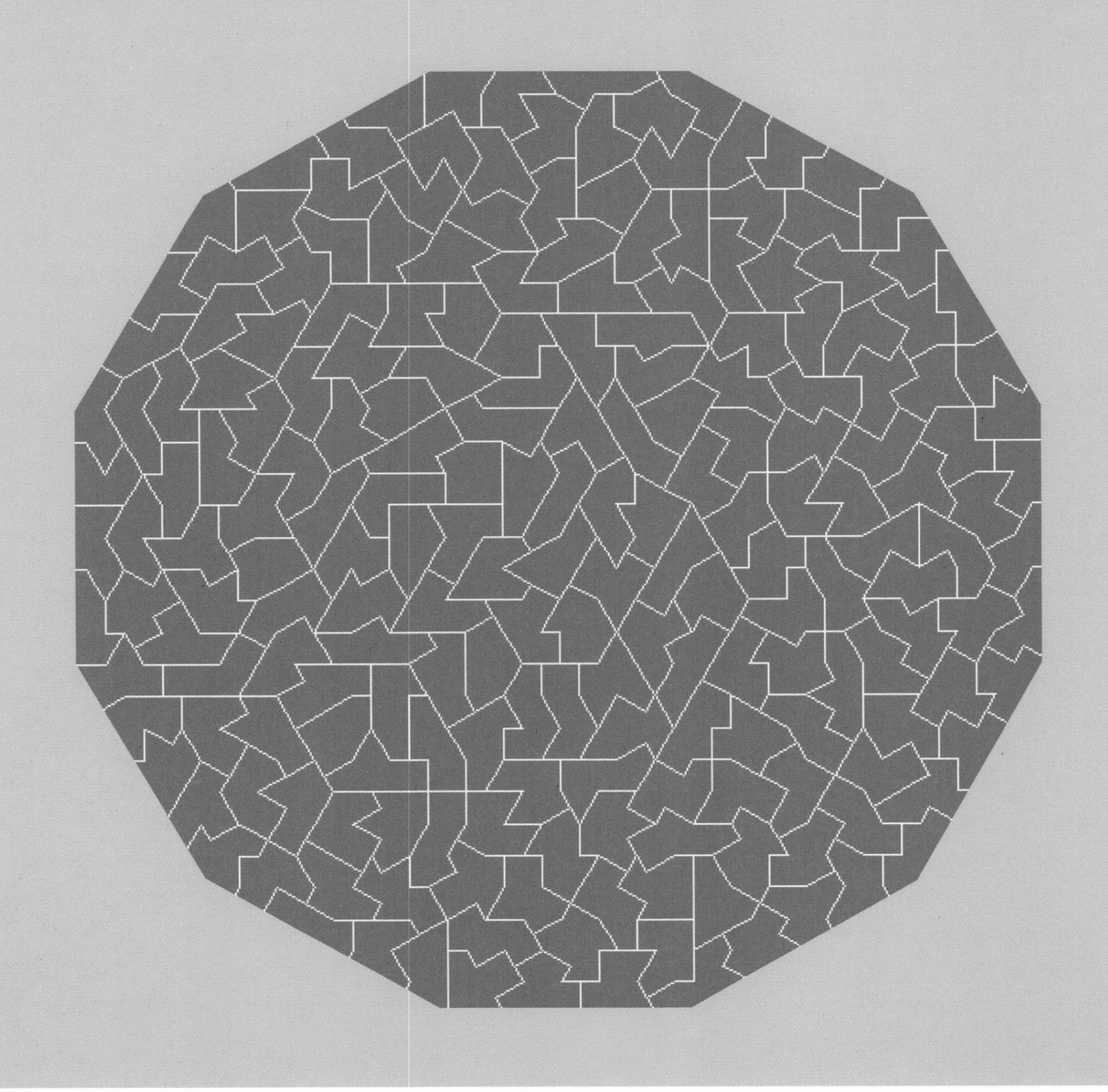

레이먼드 스멀리언(1919~)

레이먼드 스멀리언(Raymond Smullyan)은 마틴 가드너가 묘사했듯이 '철학자, 논리학자, 수학자, 음악가, 작가 및 놀라운 퍼즐 제작자로 독특한 개성의 소유자'다. 그의 첫 직업은 무대 마술이었고, 첫사랑은 음악과 수학이었다.
스멀리언은 1955년 시카고대학에서 이학사를, 1959년 프린스턴대학에서 박사학위를 받았으며, 국제적으로는 수리논리학자로 알려져 있다. 20권의 책을 저술한 작가로도 유명한데, 그중 많은 책이 17개 언어로 번역되었다.
마틴 가드너는 그에 대해 이렇게 썼다. "레이먼드는 진정 선사와 현자의 지혜를 가지고 있다. 음악가와 마술사의 예술성과 기교, 시인의 마음, 창의력과 달변, 논리학자와 수학자의 통찰력과 분석기술, 그리고 마법사의 경이로움을 지녔다."

진실 도시-1996년

306 난이도 ●●●○○○ 필요한 것 완료 시간

진실 도시의 주민들은 항상 진실을 말하는 반면, 거짓말쟁이 도시의 주민들은 항상 거짓말을 한다. 당신이 진실 도시를 방문하는 도중에 두 도시의 교차점에 도착한다. 보다시피, 표지판은 혼란스러워 당신은 교차로에 서 있는 사람에게 올바른 방향을 물어보아야 한다. 불행하게도 그 사람이 거짓말쟁이인지 아니면 진실을 말하는 사람인지는 모른다. 그 사람에게는 딱 한 가지 질문만 할 수 있다. 그의 대답을 듣고 진실 도시로 가는 길을 결정해야 한다. 무엇을 물어봐야 할까?

진실과 결혼

왕에게는 두 딸, 아멜리아와 라일라가 있다. 그중 하나는 결혼했고, 다른 하나는 결혼하지 않았다. 아멜리아는 항상 진실을 말하고, 라일라는 항상 거짓말을 한다.
많은 동화에서처럼, 어느 딸이 결혼한 딸인지를 알아보기 위해 청년은 딸 중 한 명에게 한 가지 질문만 할 수 있다. 물론 청년이 답을 맞히면 청년은 결혼하지 않은 딸과 결혼을 할 것이다.
문제는 질문이 세 단어 이상이 되면 안 된다는 것이다.
청년은 무엇을 물어야 할까?

307 난이도 ●●●●●○ 필요한 것 완료 시간

진실, 거짓, 그리고 진실과 거짓 사이

국제적인 도시인 '아무도진실을모른다(Nooneknowstruth)'에는 항상 진실을 말하는 사람들, 항상 거짓말하는 사람들, 그리고 거짓말과 진실을 번갈아가며 말하는 사람들이 있다.
당신은 다시 한 주민을 만난다. 이번에는 두 가지 질문을 할 수 있다. 그 주민의 대답은 그 사람이 이 세 그룹 중 어느 그룹에 속하는지를 결정할 수 있을 만큼 충분해야 한다. 그에게 두 가지를 물어본다면 무엇을 묻겠는가?

308 난이도 ●●●●●○
필요한 것 
완료 시간

레이먼드의 연설

"저는 어떤 종교도 없지만, 신비주의와 종교에 매우 관심이 있습니다. 비교종교에 관심이 있는데, 세계의 다양한 종교의 이면에 어떤 진리가 있는지 알고 싶습니다. 저는 모든 종교가 진리에 다가가려 하지만, 어떤 종교도 아직 그것을 완전하게 발견하지는 못했다고 믿습니다.
저에게 가장 큰 영향을 준 책은 리처드 버크(Richard Bucke)의 『우주적 의식(Cosmic Consciousness)』입니다. 책의 주요 주제는 진화 과정에서 새로운 유형의 의식이 서서히 인류에게 생겨나고 있으며, 많은 예술가들과 시인들뿐만 아니라 예전의 신비하고 종교적인 지도자들은 진보된 우주 의식을 가지고 있었다는 것입니다. 버크는 이들 중 많은 사람들의 저서를 인용하고 있는데, 그 사람들은 정말 놀랍습니다! 정말 이 책을 추천하지 않을 수 없습니다.
정치적으로 저는 극단적으로 자유주의적이지만 모든 이슈에 관해 그런 것은 아닙니다. 예를 들어, 저는 '정치적으로 올바른 것'을 절대적으로 거부합니다! 사실, 저는 약간 독단적인데, 그래서 제 무덤의 비명에는 이렇게 쓰고자 합니다.

'살아있을 때 그는 구제 불능이었다. 죽어서는 더 구제 불능이다.'

고등학교 시절 저는 수학에 푹 빠졌고 수학과 음악 사이에서 진이 다 빠졌습니다. 그런데 제가 프린스턴에 있는 동안 또 다른 흥미롭고 멋진 일이 생겼습니다. 저는 당시 뉴욕을 자주 갔는데, 어느 날 매우 매력적인 여성 음악가를 만났습니다. 딱 한 번 그녀가 제게 키스를 빚지게 한 매우 영리한 장난을 했습니다! 그러고 나서 키스를 하는 대신 키스의 횟수를 두 배로 늘리거나 없애는 게임을 하자고 제안했습니다. 그녀는 재미있는 놀이라며 동의했습니다. 그래서 그녀는 곧 저에게 키스를 두 번 빚졌고 그다음에 4번, 그다음에 8번, 그리고 16번 등 두 배씩 늘어가면서 빚은 급격히 늘어났습니다. 그리고 저는 빚이 그렇게 쌓인 것을 채 알기도 전에 결혼했습니다! 그리고 저는 이 아름다운 여성 음악가 블랑슈와 48년 동안 멋진 결혼생활을 했습니다. 불행히도 블랑슈는 2006년 100세를 꽉 채운 나이로 세상을 떠났습니다."

수학 마술사 제리 페렐과 유명한 선거 퍼즐-1996년

에레미아 제리 페렐(Jeremiah Jerry Farrell)은 1937년에 태어났으며 인디애나 버틀러대학 수학과의 명예 교수다. 페렐은 1996년 '선거일(Election Day)'이라는 '십자말' 퍼즐을 발명해 〈뉴욕타임스〉로부터 찬사를 받았다. 또한, 스콧 김의 퍼즐에 대해 《디스커버리 매거진》에 칼럼을 기고한 것을 비롯해 퍼즐에 관한 많은 책과 간행물을 썼다.

네브래스카대학에서 수학, 화학 및 물리학을 전공한 페렐은 1963년 학교를 졸업한 후 수학으로 석사학위를 취득했다. 1966년 인디애나 버틀러대학에 자리를 잡고 수학과에서 여러 과목을 가르치며 40년간 일했다. 페렐은 1994년 공식적으로 은퇴했음에도 불구하고, 매 학기 강의를 했다. 〈뉴욕타임스〉에 수많은 십자말 퍼즐을 연재해 명성을 얻기도 했다.

1996년에는 자신의 가장 유명한 퍼즐인 '선거일' 십자말 퍼즐을 만들었다. 이 퍼즐의 힌트 중 하나는 '내일의 주요 이야기'였는데 정답은 14글자였다. 그러나 퍼즐의 답으로 "Bob Dole elected"와 "Clinton elected"라는 두 가지 대답이 가능했고, 모든 '교차'하는 단어들은 서로 다른 두 문장이 어떤 경우라도 답이 될 수 있도록 설계되었다. 윌 쇼츠(Will Shortz)는 이 퍼즐에 대해 '놀라운' 솜씨라며 칭찬했고, 자신이 가장 좋아하는 퍼즐이라고 하기도 했다.

2006년 페렐과 그의 아내는 로스 에클러(A. Ross Eckler Jr.)의 뒤를 이어 계간지 『단어의 길(Word Ways)』의 편집자 겸 발행인이 되었다.

'평평한지구(Flat Earth Society)'의 회원인 페렐은 뉴욕대학 컴퓨터학과 교수인 데니스 샤샤(Dennis E. Shasha)가 쓴 『수수께끼 모험(Puzzling Adventures)』에 있는 퍼즐을 처음으로 풀어내 샤샤로부터 '1급 전능한 발견자(Omniheurist, First-Class)'라는 칭호를 얻었다. 또한, 이 퍼즐을 푼 것을 인연으로 그리니치 빌리지 어딘가에서 저자와 만나기도 했다.

22 23 Y 24 25
26 A 27 B 28 29 30 31 32 33
34 R I 35 B 36 37 38
39 B 40 O 41 B D O L 42 E 43 E L E 44 C T E D
45 A U R 46 S A R 47 48
49 T I A 50 51 S A 52 53 54 55 56
57 58 T 59 60 61

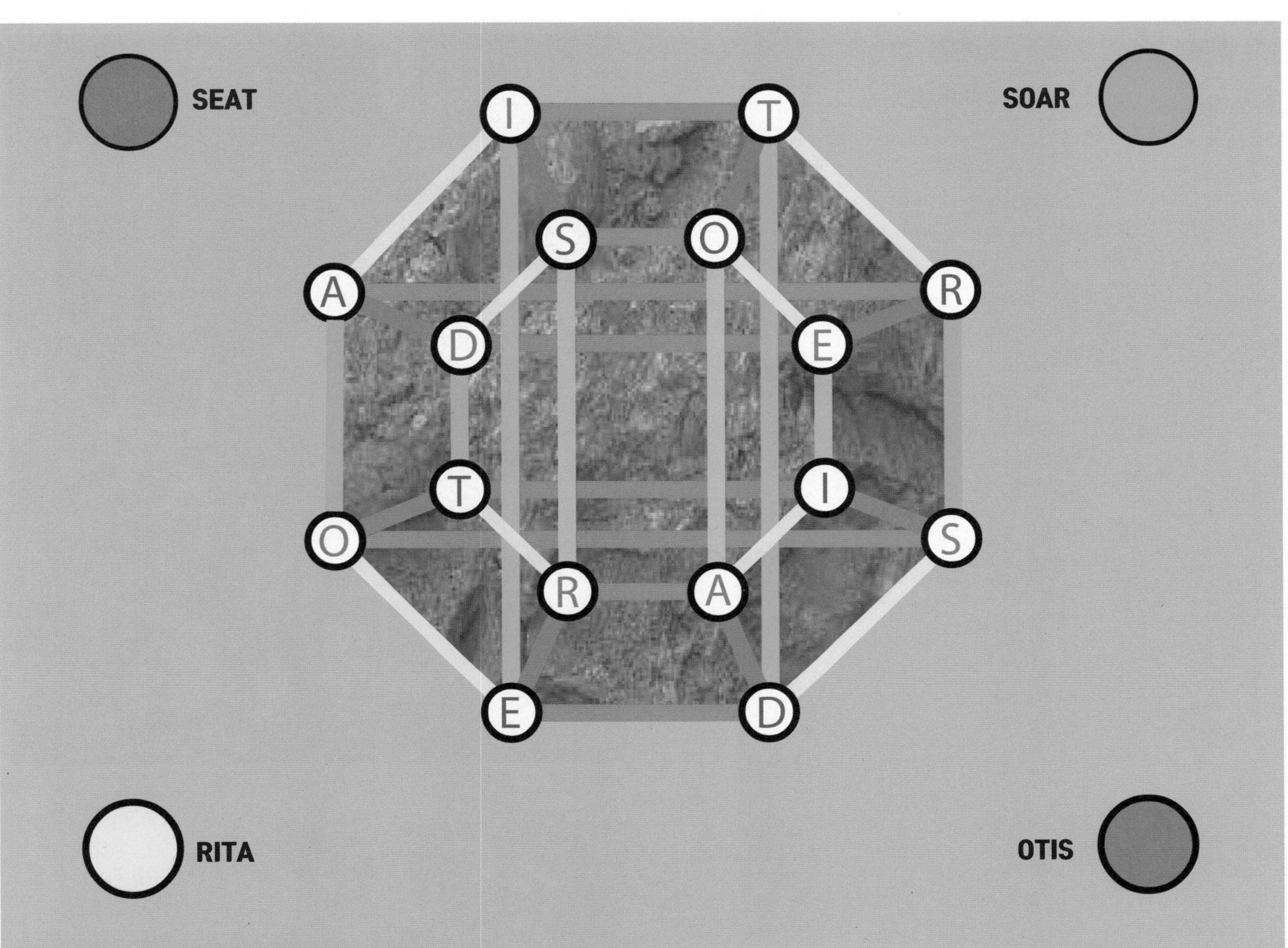

하이퍼큐브 게임 에스터로이드(asteroid)

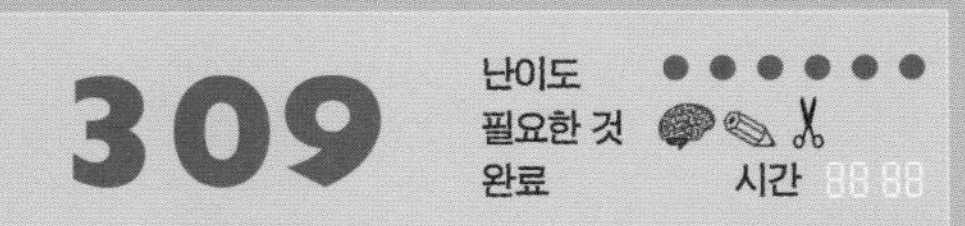

에스터로이드는 제리 페렐이 발명한 4차원 마술 작품으로, 이를 이용하면 당신도 관객을 금방 놀라게 할 수 있다. 이 마술은 빨간색과 파란색으로 쓰인 'ASTEROID'의 알파벳을 16개의 꼭짓점으로 가진 4차원 정육면체 게임판에서 이루어진다.

한 친구에게 4차원 정육면체에서 알파벳 하나를 선택하도록 한다. 그런 다음 친구에게 네 가지 질문을 한다.

"선택한 글자가 단어 'SEAT'에 있니?", "선택한 글자가 단어 'SOAR'에 있니?", "선택한 글자가 단어 'RITA'에 있니?', 또는 "선택한 글자가 단어 'OTIS'에 있니?'

이 4가지 질문에 대해 정직하게 말해도 되고 거짓말을 해도 된다고 하면 마술은 더욱 흥미로워진다.

친구가 네 가지 질문에 '**응-아니-응-응**'이라고 대답했다고 가정해보자. 당신은 곧바로 친구가 선택한 글자가 T라고 말하며, 진실을 말했다고 칭찬할 수 있다.

만일 친구가 거짓말을 하기로 했다면 대답은 '**아니-응-아니-아니**'였을 것이다. 이 경우에도 당신은 그 글자는 T라고 말하며, 그가 거짓말을 했다고 할 것이다!

마술이 어떻게 작용하고 있는지 설명할 수 있겠는가?

스튜어트 코핀의 다면체 연동 퍼즐-2000년

스튜어트 코핀(Stewart Coffin)은 다면체 연동 퍼즐 분야에서 세계에서 가장 뛰어난 디자이너 중 한 명이다. 코핀이 모든 조각이 서로 직각을 이루는 직교 퍼즐 세계를 넘어서는 탐험을 하기 전까지, 이 퍼즐 분야에 이런 퍼즐은 거의 없었다. 현재까지 코핀이 만든 수백 개의 퍼즐이 있다. 그중 몇 개는 플라스틱으로 만들어져 상업적으로 대량 생산되었다. 가장 주목할 만한 것은 '헥틱스(Hectix)'다. 코핀의 책『다각형 분할에 관한 퍼즐의 세계(The Puzzling World Of Polyhedral Dissections)』는 연동하는 퍼즐을 기하학적으로 다룬 최고의 작품이다.

종종 단순하지만 아름다운 도안을 발견한 스튜어트는 이를 최상으로 끌어올려 놀라운 결과물을 내놓기도 했다.

1970년대 초반 이후부터는 흥미진진한 기하학적 퍼즐을 디자인하고 자신의 제작실에서 직접 만들어 200개가 넘는 독창적인 도안을 내놓았다. 디자인의 기발함과 독창성 덕분에 코핀은 세계의 퍼즐 애호가들과 수집가들로부터 많은 찬사를 받았다.

코핀은 2000년에 '샘 로이드 상(Sam Loyd Award)'을 수상했으며, 2006년에는 평생 기계식 퍼즐 분야에 공헌한 것을 인정받아 '노브 요시가하라 상(Nob Yoshigahara Award)'을 수상했다.

닉 벡스터가 소장하고 있는 스튜어트 코핀의 원본 작품들

메뚜기 게임-2002년

2002년 벨기에 앤트워프에서 열린 국제퍼즐파티(IPP) 첫날 길고 지루한 강의가 있었다. 모스코비치는 정사각형 종이에 낙서를 하고 있었다. 지루한 강의가 끝날 때쯤, 종이와 연필 퍼즐 게임 아이디어가 떠올랐다. 이렇게 잠재의식으로부터 독창적 아이디어가 떠오른 게 그때가 처음은 아니었다.

아이디어의 내용은 이렇다. '다음 규칙에 따라, 주어진 일정한 길이의 선을 따라 뛰어다니는 메뚜기를 상상해보라.'

메뚜기는 점 0에서 출발하여 선을 따라 점프하는데 1, 2, 3, 4, ... , n처럼 연속적인 길이로 계속 점프해야 한다. 가능한 한 많은 점프를 하여 n번째 점프에서는 그 직선의 끝점 'n'에 도달하면서 점프를 마쳐야 한다. 만일 이렇게 할 수 있는 직선이라면, 게임은 끝나고 한 개의 해를 갖게 된다. 만일 이렇게 할 수 없는 직선이라면, 그 직선에서는 해가 없다. 직선 위에서의 점프는 양방향으로 가능하다.

흥미로운 문제라 생각한 모스코비치는 해를 찾기 위해 선 하나로 시작하며 체계적으로 해보았다. 그러면서 해가 있는 직선들과 그렇지 않은 직선들이 있음을 알았고, 이 순진하기만 한 메뚜기 게임 아이디어가 단순한 낙서 이상의 의미가 있음을 알게 되었다. 그 문제의 해는 무한히 많은 수열을 만들어내는 것으로 보이며, 각 해는 풀어야 할 퍼즐이다. 그런데 이 수열의 배후에 있는 수학은 무엇일까?

처음 8개의 직선에서 모스코비치는 두 개의 해를 발견했다. 그림에 나타난 바와 같이, 하나는 n이 1인 경우의 명백한 해이고, 다른 하나는 n이 4인 경우로 실제로는 첫 번째 해라 볼 수 있다. 이 순간에 지루한 강의가 끝났다.

모스코비치는 방으로 갔고 그날 저녁까지 n이 40인 경우까지 풀어 16개의 해를 찾아냈다. 쉽지 않은 일이었다. 모스코비치는 메뚜기 게임을 통해, 연속적으로 크기를 증가시키며 직선을 따라 점을 움직이기만 해도 미묘한 수학 원리와 놀라운 도전적인 게임을 만들어 낼 수 있음을 알게 되었다.

그날 저녁 모스코비치는 메뚜기 수(grasshopping number)로 이루어진 수열의 일반해를 찾기 위해 딕 헤스(Dick Hess)를 만나 도움을 청했다. 이튿날 아침 식사시간에 둘은 다시 만났다. 딕은 간밤에 한숨도 못 자게 만든 것에 대해 빈정거리며 감사하다 했지만, 모스코비치는 딕이 메뚜기 문제를 포기하지 않을 것이라고 확신했다. 딕은 벤지 피셔(Benji Fisher)와 머리를 모았고, 그다음 날 메뚜기 무한 수 수열에서의 핵심을 설명하며, 메뚜기 수열의 배후에 있는 수학을 알아냈다.

마지막으로, 메뚜기 게임에 관한 이야기가 있다. 2010년 애틀랜타에서 열린 G4G(Gather for Gardner, 가드너를 기리는 모임) 회의에서 모스코비치는 닐 슬론(Neil Sloane)을 만났다. 그는 슬론에게 구한 메뚜기 수열 모두와 함께 메뚜기 게임을 보여주었다. 닐은 메뚜기에 열광했다.

오늘날 메뚜기 수열은 인터넷에서 꽤 괜찮은 위치를 차지하고 있는데, 이는 π, 소수, 피보나치 수 및 닐 슬론의 흥미진진한 '정수 수열에 관한 온라인 백과사전'에 나오는 다른 중요한 값들과 견줄만하다. 모스코비치는 이를 매우 자랑스러워한다.

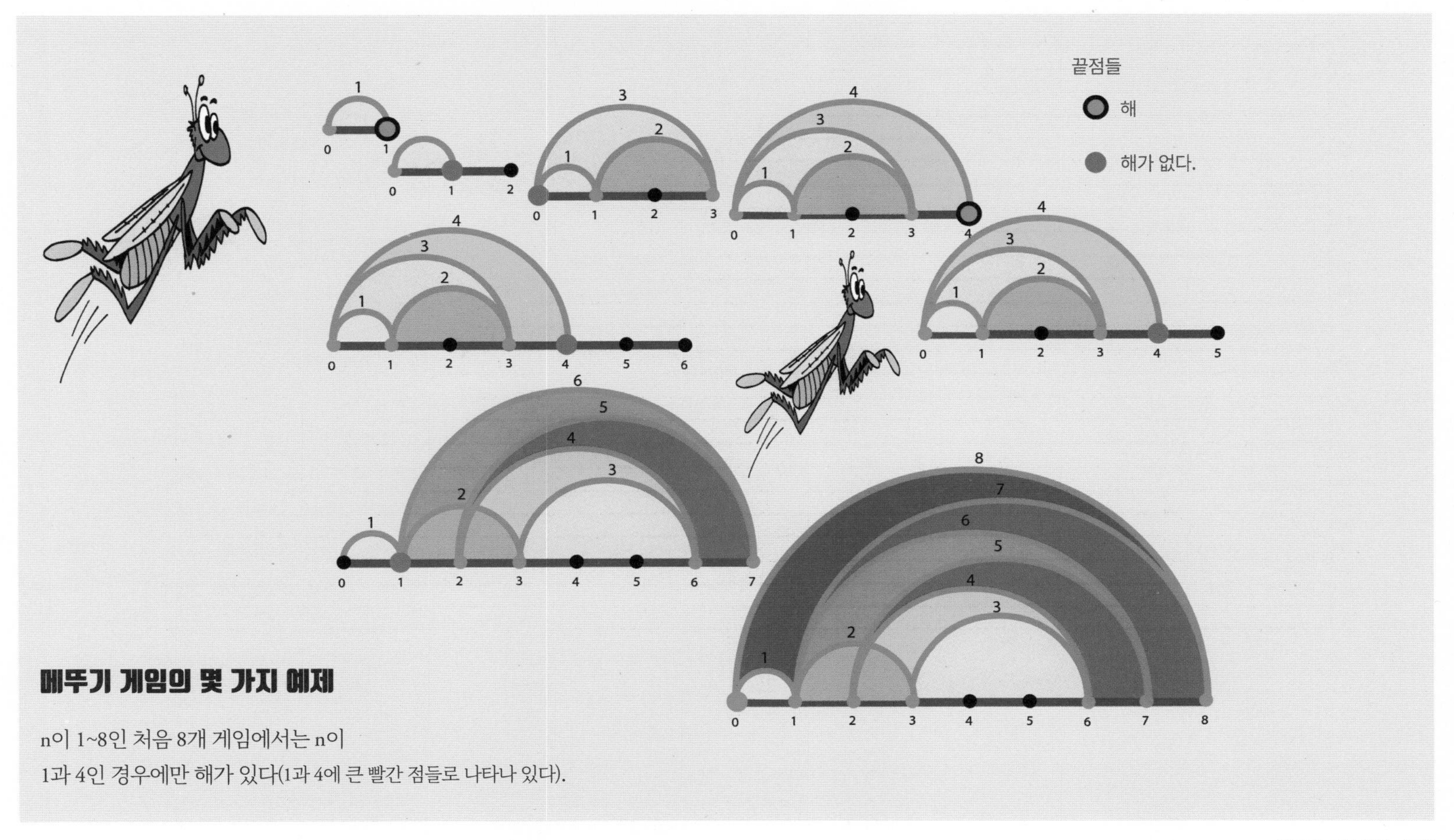

메뚜기 게임의 몇 가지 예제

n이 1~8인 처음 8개 게임에서는 n이
1과 4인 경우에만 해가 있다(1과 4에 큰 빨간 점들로 나타나 있다).

처음 40개의 길이에 대한 메뚜기 문제

이 게임은 길이가 n인 직선에서 점 0에서 출발하여 선을 따라 길이를 연속적으로 1, 2, 3, 4, ... , n으로 증가시키며 계속 점프하는 것으로, n번째 점프에서는 그 직선의 끝점 'n'에 도달하면서 점프를 끝내는 것이다.

길이가 'n'인 직선 위에서 n에 도달하면서 점프가 끝나면 이 직선은 해가 있다고 하고, 그렇지 않으면 이 직선은 해가 없다고 한다. 점프는 직선의 어느 방향으로든 가능하지만, 직선을 벗어날 수는 없다. n이 크면 점프로 만들어지는 수열이 두 개 이상 있을 수 있다. 처음 40개까지의 길이에서 몇 가지 경우에 해가 있는지 알 수 있겠는가? 그림에는 처음 두 개의 해가 표시되어 있다.

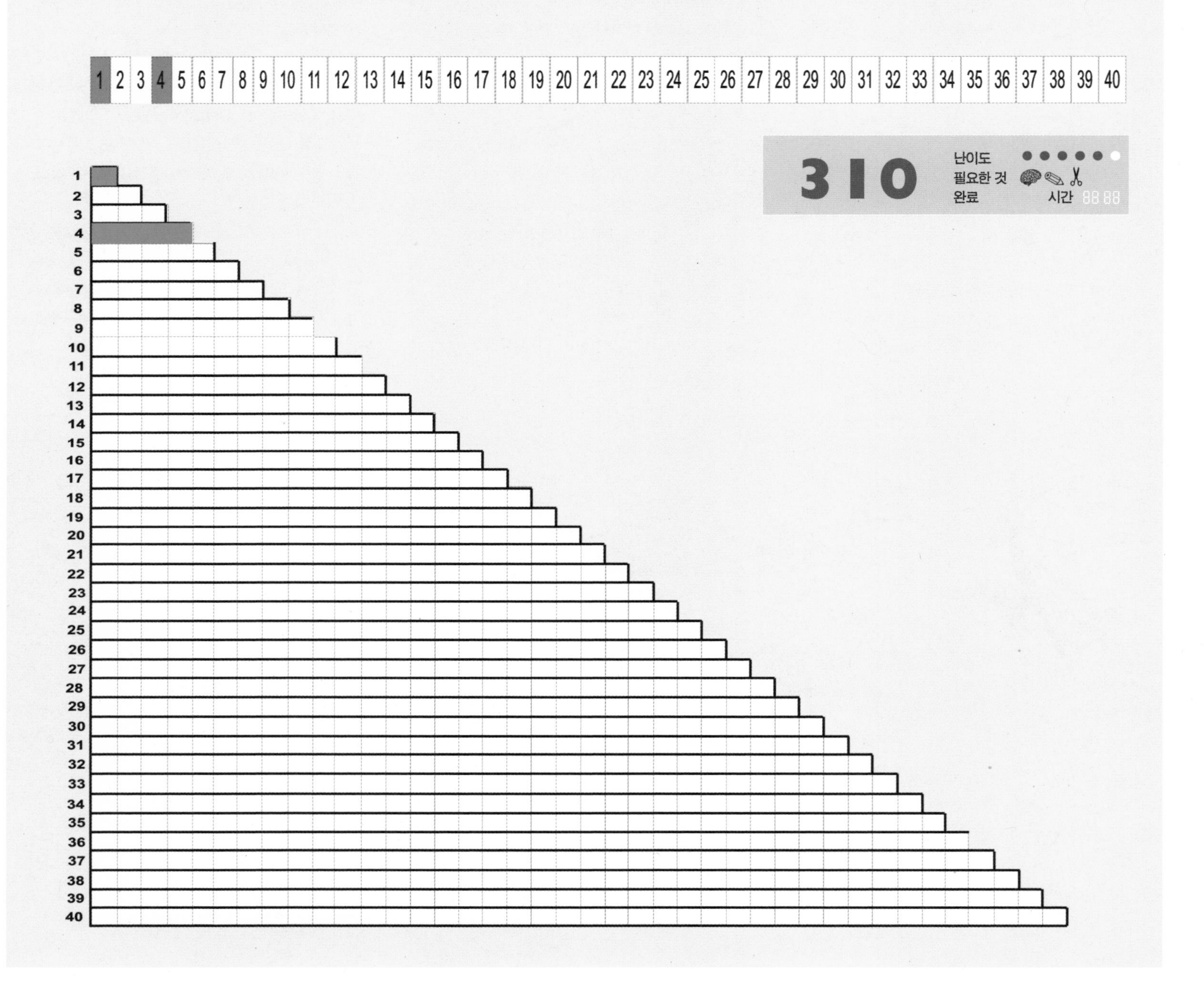

시드 색슨(1920~2002)

1961년 처음 출판된 시드 색슨(Sid Sackson)의 『게임 총출동(Games Gamut)』에는 광범위하고 다양한 종이와 연필 게임, 카드게임, 그리고 보드게임에 대한 규칙이 수록되어 있다. 이 책에 나오는 게임 중 상당수는 이전에 출판된 적이 없는 게임이다. 이 책은 추상적인 전략게임에 관심이 있는 사람들에게는 필수 기본교재로 여겨지고 있다.
많은 사람들이 색슨을 지금까지의 게임 디자이너 중 가장 중요하고 영향력 있는 게임 디자이너 중 하나라 여긴다.
열렬한 수집광이기도 한 색슨이 수집한 물건은 한 사람이 수집할 수 있는 것으로는 세계에서 가장 많은 것으로 추정되고 있다. 2002년 82세의 나이로 세상을 뜰 때까지, 뉴저지에 있는 집에 보관되어 있던 소장품은 수많은 원형 작품들과 독창적인 물건들을 포함하여 약 18,000종이었다.
만일 색슨이 지금까지 수집했더라면, 색슨의 소장품의 수는 현대 보드게임의 역사에서 타의 추종을 불허하는 기록이었을 것이다. 색슨은 자신의 막대한 소장품을 기반으로 언젠가는 게임박물관을 운영하리라는 꿈을 가지고 있었다. 색슨은 모스코비치에게 도움을 요청했고 둘은 박물관을 건립할 수 있는 방안에 대해 지속적으로 이야기를 나누었지만 박물관 건립의 꿈은 끝내 이루어지지 못했다. 색슨은 둘의 모든 노력이 성공하지 못한 것에 대해 실망했다. 슬프게도, 색슨이 사망한 후에 그의 소장품들은 흩어지고 경매로 팔려나갔다.

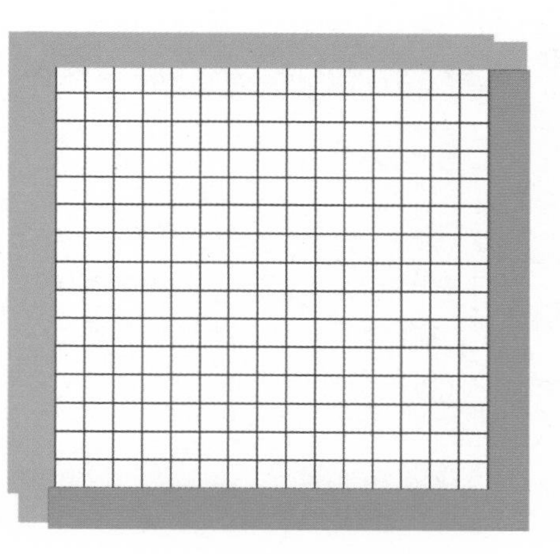

모서리 자르기

두 사람이 각각 한 가지 색(빨간색 또는 파란색)으로 게임을 한다. 둘은 교대로 정사각형 격자를 따라 (ㄱ, ㄴ의 모양으로) 모서리를 그리면서 움직인다. 연결된 모서리 중 적어도 하나는 상대의 색이어야 한다. 게임을 마칠 때쯤, 각 사각형 변에 더 많은 색을 칠한 선수가 그 사각형 영역을 갖는다(그림에서 점으로 나타난 영역). 만일 변의 색이 같으면(그림에서 *로 나타난 영역) 그 영역은 주인이 없다. 많은 영역을 차지한 선수가 게임에서 이긴다.
오른쪽에 있는 게임에서는 파란색을 사용한 선수가 이겼음을 알 수 있다.

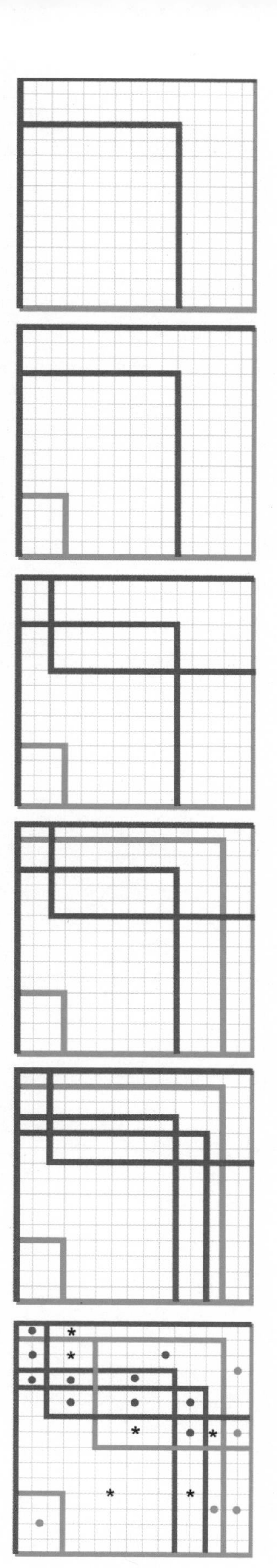

노부유키 요시가하라(1936~2004)

'노브(Nob)'라는 별명을 가진 노부유키 요시가하라(Nobuyuki Yoshigahara)는 일본에서 가장 유명한 퍼즐 발명가, 수집가, 문제풀이 해결사 및 해설가다. 노브는 도쿄공과대학 응용화학과를 졸업한 후 화학과 수학을 가르치는 고등학교 교사의 길로 들어서기 전까지 엔지니어링 분야에서 경력을 쌓았다.
노브는 수수께끼 칼럼니스트로서 수많은 저널에 논문을 썼으며, 《쿼크(Quark)》를 포함한 다양한 유명 잡지에 칼럼을 썼다. 또한 퍼즐에 관한 책을 80권 이상 쓰기도 했다.
퍼즐 발명가로서의 명성이 커지면서, 노브는 자신의 발명품을 등록했는데, 러시아워 퍼즐 게임 같은 발명품이 여기에 포함되어 있다. 러시아워 퍼즐게임은 바이너리 아트(지금은 씽크펀), 이시이 출판사, 그리고 하나야마 장난감 회사 등에서 상업용으로 판매 중이다. 그는 또한 예리한 컴퓨터 프로그래머였으며, 수학적 퍼즐을 푸는 데 컴퓨터를 사용해 도움을 주기도 했다.
노브는 국제퍼즐파티(IPP)에 참여하기 위해 전 세계를 돌아다니기도 했다. IPP는 퍼즐 수집에 열광하는 수집가를 위한 연례 포럼이다. 노브가 사망하고 1년 후인 2005년, IPP의 퍼즐 디자인 대회는 그를 기념하여 '노브 요시가하라(Nob Yoshigahara) 퍼즐 디자인 대회'로 이름을 바꾸었다.
2003년, 게임퍼즐수집가협회는 기계식 퍼즐에 큰 공헌을 한 개인에게 수여하는 '로이드 상'을 노브에게 수여했다. 노브 요시가하라는 유명한 발명가, 수집가며 퍼즐의 대중화에 힘썼고 모스코비치의 절친한 친구이기도 했다.

유리잔에 들어 있는 동전들-노브에게 헌정하며

어느 날 아침, 애틀랜타에서 열린 G4G 회의에서 아침 식사를 하던 노브 요시가하라는 즉석 퀴즈를 냈다. 노브는 유리잔을 가져와 잔의 가장자리까지 물을 채운 후 주머니에서 동전을 잔뜩 꺼냈다. 그러고는 모스코비치에게 물이 넘치기 전까지 유리잔에 동전을 얼마나 많이 넣을 수 있는지를 말해보라고 했다. 표면장력에 대해 알고 있었던 모스코비치는 노브의 덫에 걸리지 않았다. 노브는 아마 동전 3개나 4개라고 말할 것이라고 기대했을지도 모르지만, 모스코비치는 대담하게도 12개의 동전을 넣을 수 있을 것으로 예측했다.
이후 10분 동안 노브는 무척 조심스럽고 끈기 있게 동전이 다 떨어질 때까지 59개의 동전을 유리잔에 넣었다. 모스코비치는 노브에게 몇 개의 동전을 더 주었고, 잔에 63개의 동전이 들어간 후 물이 넘쳤다. 노브는 평소처럼 박수를 받았고 그 내기에서 이겼다. 이게 어떻게 가능했을까?
물 분자는 서로 강하게 붙으려는 성질이 있다. 표면에서 분자는 아래로 강하게 끌어 당겨지며, 표면장력은 물 표면을 탄성막 같은 역할을 하게 한다. 즉, 동전이 유리잔에 떨어지면 이 막은 확장된 곡면을 형성하며 잔의 가장자리 위로 확장되므로 많은 동전을 넣는 것이 가능했다.

라일락 추적자 착시-2005년

아래에 있는 놀라운 잔상 착시 그림은 제레미 힌튼이 2005년 이전에 만든 것이다. 힌튼은 시각적 운동에 자극을 주는 실험을 설계하다 우연히 이 그림을 발견했다.
중앙에 있는 한 점을 중심으로 원판을 움직이는 프로그램에서 힌튼은 이전 원판을 지우지 않았다. 그 결과 움직이는 틈으로 착시가 생겼다. 움직이는 녹색 원판의 잔상을 보았을 때 힌튼은 원판의 수와 전경색 및 배경색을 미세 조정하여 효과를 최적화했다. 2005년 힌튼은 원판의 형체를 흐릿하게 만들어 피험자가 중앙에 있는 십자 모양을 집중해서 보면 그 형체가 사라지는 것처럼 보이게 만들었다. 힌튼은 이것을 ECVP 착시대회(ECVP Visual Illusion Contest)에 제출하려 했으나, 그해 학회에 등록하지 않아 실격되고 만다. 이후 힌튼은 마이클 바흐(Michael Bach)에게 연락했다. 바흐는 이 착시 작품을 '라일락 추적자(lilac chaser)'라 부르며 애니메이션으로 만든 GIF 파일을 자신의 착시 모음 웹 페이지에 올려놓았고, 그후 설정 가능한 자바 버전도 제공했다. 당시의 가장 훌륭한 잔상 작품 중 하나로 꼽히는 이 작품은 2005년 인터넷에서 많은 인기를 끌었다.

+ + +

색 잔상

가운데 있는 십자가 모양에 눈을 고정한다. 색깔이 있는 점은 '망막 피로'라 불리는 효과가 일어나면서 잠시 사라지는 것처럼 보인다. 망막 피로는 피사체의 잔상이 망막 위의 피사체에 대한 자극을 없애면서 발생하는 현상이다. 하지만 잠시 후에는 천천히 움직이는 녹색 잔상이 나타난다.
제레미 힌튼이 만든 '라일락 추적자'라는 색 반점 착시의 변형물들은 색상 잔상 착시의 매우 놀라운 예 들이다.

착색된 점을 따라가면서 보면 점은 분홍색으로 보인다. 그러나 중심에 있는 검은색 점에 집중하면, 잠시 후 이 점들은 점차 사라지고 움직이는 녹색 점으로 바뀔 것이다. 우리의 뇌가 작동하는 방식은 아주 대단히 흥미롭다. 물론, 녹색 점들은 없으며 분홍색 점들은 실제로는 사라지지 않는다.

기계식 퍼즐-2006년

제리 슬로컴(Jerry Slocum, 1931~)은 미국의 역사학자이자 수집가이며 기계식 퍼즐 분야의 전문 작가다. 은퇴하여 자신의 인생을 퍼즐에 전념하기 전, 그는 휴즈 항공회사(Hughes Aircraft)에서 엔지니어로 일했다.

4만 개가 넘는 기계식 퍼즐과 4,500권이 넘는 책을 소장해 개인 퍼즐 소장품이 세계에서 가장 많은 것으로 알려져 있다.

제리 슬로컴은 기계식 퍼즐을 발전시키는 데 누구보다도 큰 노력을 기울였다. 슬로컴이 쓴 수많은 훌륭한 퍼즐 책은 1986년에 쓴『고금의 퍼즐들(Puzzles Old & New)』부터 시작되었는데, 이 책은 색채 삽화로 그린 고대의 퍼즐 수백 종과 함께 모든 유형의 기계식 퍼즐을 방대하게 다룬 첫 번째 책이다. 마틴 가드너는 이 책의 서론에서 "(이 책은) 수십 년 동안 고전으로 남아 있을 것"이라고 예언했다. 1993년 슬로컴은 퍼즐이라는 주제를 대중에게 알리기 위해 비영리 단체인 '슬로컴퍼즐재단'을 설립했다.

처음 8번의 국제퍼즐파티(IPP)는 베벌리힐스에 있는 슬로컴의 집에서 진행되었다. 이후 IPP는 북미, 유럽, 그리고 아시아를 돌아가며 개최되는 연례 초청 행사로 발전했다. 제리 슬로컴은 조니 카슨(Johnny Carson)의 〈투나잇 쇼〉, 〈마사 스튜어트 리빙(Martha Stewart Living)〉 등 여덟 편의 전국 TV 프로그램에도 출연했다. 2006년에는 인디애나대학의 릴리도서관(Lilly Library)에 3만 개 이상의 퍼즐을 기증해, 인디애나대학은 학계에서는 처음으로 귀중한 퍼즐 소장품을 갖게 되었다.

마이크 테일러의 사진. 릴리 도서관 제공, 인디애나대학

다면체 32-2002년 퍼즐들

제리 슬로컴이 인디애나대학에 기증한 3만 개 이상의 퍼즐 중 하나는 2002년 일본의 야시로우 키야마마(Yashirou Kywayama)가 만든 유명한 다면체 32다.

'슬로컴에 감사하며'라는 현판을 붙이고 새롭게 단장한 도서관 전시실에는 약 400개의 퍼즐이 전시되어 있다. 릴리 도서관을 방문하는 사람들은 누구든 그 연령대에 따라 대중을 매료시킨 퍼즐의 복제본을 시험해볼 수 있다.

자녀가 있는 가족-2010년

다음 퍼즐은 마틴 가드너의 확률 퍼즐인 '자녀가 있는 가족' 시리즈의 일부다.
아들이 있을 확률은 딸이 있을 확률과 같다. 하지만 이것이 정말 항상 사실일까?
이러한 유형의 질문이 조건부 확률을 포함하는 마틴 가드너의 수많은 확률 퍼즐에 어떻게 적용될 수 있는지 알아보자. 조건부 확률은 어떤 다른 사건이 일어난 조건 하에서 한 사건이 일어날 확률이다. 그 결과는 때로는 반직관적이고 또 종종 매우 놀랍다는 것을 알게 될 것이다.

두 명의 자녀가 있는 가족

311 난이도 ●●●●○○ 필요한 것 완료 시간

한 여성과 한 남성이 각각 두 명의 자녀가 있다. 여성의 자녀 중 적어도 한 명은 딸이다. 남성의 첫째 아이는 딸이다. 여성의 자녀가 모두 딸일 확률과 남성의 자녀가 모두 딸일 확률은 같을까?

두 명의 딸 문제

312 난이도 ●●●●○○ 필요한 것 완료 시간

이란성 쌍둥이를 임신한 어머니가 배 속의 아기들이 모두 딸인지를 알고 싶어한다고 가정하자.
1. 두 명의 딸을 낳을 확률은 얼마일까?
2. 두 아기 중 적어도 한 아기가 딸일 확률은 얼마일까?
3. 아기 중 한 명이 딸이라고 했을 때, 쌍둥이 모두 딸일 확률은 얼마일까?

세 자녀가 있는 가족

313 난이도 ●●●●○○ 필요한 것 완료 시간

세 자녀를 둔 가족에서 적어도 한 명이 딸일 확률은 얼마일까?

여덟 명의 자녀가 있는 두 가족

314 난이도 ●●●●○○ 필요한 것 완료 시간

8명의 아들, 8명의 딸이 있는 두 가족이 있다. 아이가 남자아이로 태어나거나 여자아이로 태어날 확률은 거의 같기 때문에, 8명의 자녀가 있는 가족에서 4명의 딸과 4명의 아들이 있을 확률이 훨씬 더 높을 것으로 생각하는가? 8명의 딸이 있을 확률과 4명의 딸과 4명의 아들이 있을 확률을 정확히 어떻게 비교할 수 있는가?

화요일에 태어난 남자아이-2010년

2010년 애틀랜타에서 열린 G4G 회의에서 매우 창의적인 퍼즐 디자이너 게리 포시(Gary Foshee)는 다음과 같은 세 문장으로 이루어진 강연을 했다.
"나는 두 명의 자녀가 있습니다. 한 아이는 화요일에 태어난 남자아이입니다. 두 아이가 모두 아들일 확률은 얼마일까요?"
언제나 그렇듯이 게리는 진지하지만 무표정한 모습으로 다음과 같이 덧붙였다.
"여러분은 먼저 이렇게 생각할 겁니다. '화요일이 무슨 상관이 있을까.' 글쎄요…. 화요일이라는 것은 모든 것과 상관이 있습니다."
게리는 이렇게 말하고는 강단에서 내려왔다.
회의 이후, 게리의 '화요일 소년' 문제는 전 세계의 블로그에서 논쟁의 주제가 되어 널리 논의되었다.
사실 이 퍼즐은 이 책에서 언급했듯이(이 장 앞부분 참조) 마틴 가드너의 '소년 또는 소녀 역설' 퍼즐 시리즈를 변형한 것이다. 게리는 화요일을 추가함으로써 끊임없는 논쟁과 많은 해석을 불러일으켰다.
게리의 문제에 대한 당신의 답은 무엇인가? 논점은 게리의 이야기를 어떻게 해석해야 올바른 것일까 하는 것이었다.
이와 관련된 몇 가지 문제를 명확히 해보자. 화요일을 무시하면 문제는 기본적으로 이렇게 해석할 수 있다. '한 명의 아들과 정확히 다른 한 명의 자녀를 둔 모든 가족에서, 이 가정에 두 명의 아들이 있을 확률은 얼마일까?'
두 자녀로 나올 수 있는 가능한 결과는 다음과 같다.

아들-딸

딸-아들

아들-아들

딸-딸

가능한 4가지 결과 중 하나는 두 명이 모두 아들인 경우인데, 이 경우에 확률은 1/3이다. (두 명이 모두 딸인 경우는 제외될 수 있다.)

게리는 모든 논쟁 끝에 뭐라고 말했을까?
"제 답은 분명 선택을 토대로 한 주장입니다. 저는 집합론을 토대로 했습니다.
두 자녀를 둔 모든 가정을 봅니다. 그런 다음 두 명의 아들을 둔 하위집합을 살펴봅니다.
그다음에는 화요일에 태어난 남자아이가 있는 또 다른 하위집합을 보는 겁니다. 이렇게 보면 13/27이 정답입니다.
그러나 자녀들이 어떻게 선택되었는지에 대한 다른 요소들을 넣기 시작하면, 그리고 그런 집합으로부터는,
답이 다를 수 있다는 주장이 있습니다. 예, 그렇습니다. 실제로, 매우 까다롭고 논쟁의 여지가 많은 퍼즐입니다."
모스코비치는 게리의 문제와 그 문제가 만들어 내는 논쟁이 맘에 들었다.
다음 쪽에는 게리의 해석을 따른 모스코비치가 제안하는 이 문제의 해들이 나타나 있다.

방법 1

게리가 화요일에 남자아이 하나만 태어났다고 말하지 않았다는 것에 주목하자. 게리는 분명히 '적어도 한 명'이라는 의미로 말했다.

요약하면, 특정 성별과 생일을 가진 아이들은 7+7+7+6=27 경우만큼의 다른 조합이 있는데 이들 각각이 나올 확률은 같다. 이 조합 중 13가지 경우는 두 명의 남자아이로 구성된 것이다. 그러므로 답은 13/27이며, 1/3과는 상당히 다르다.

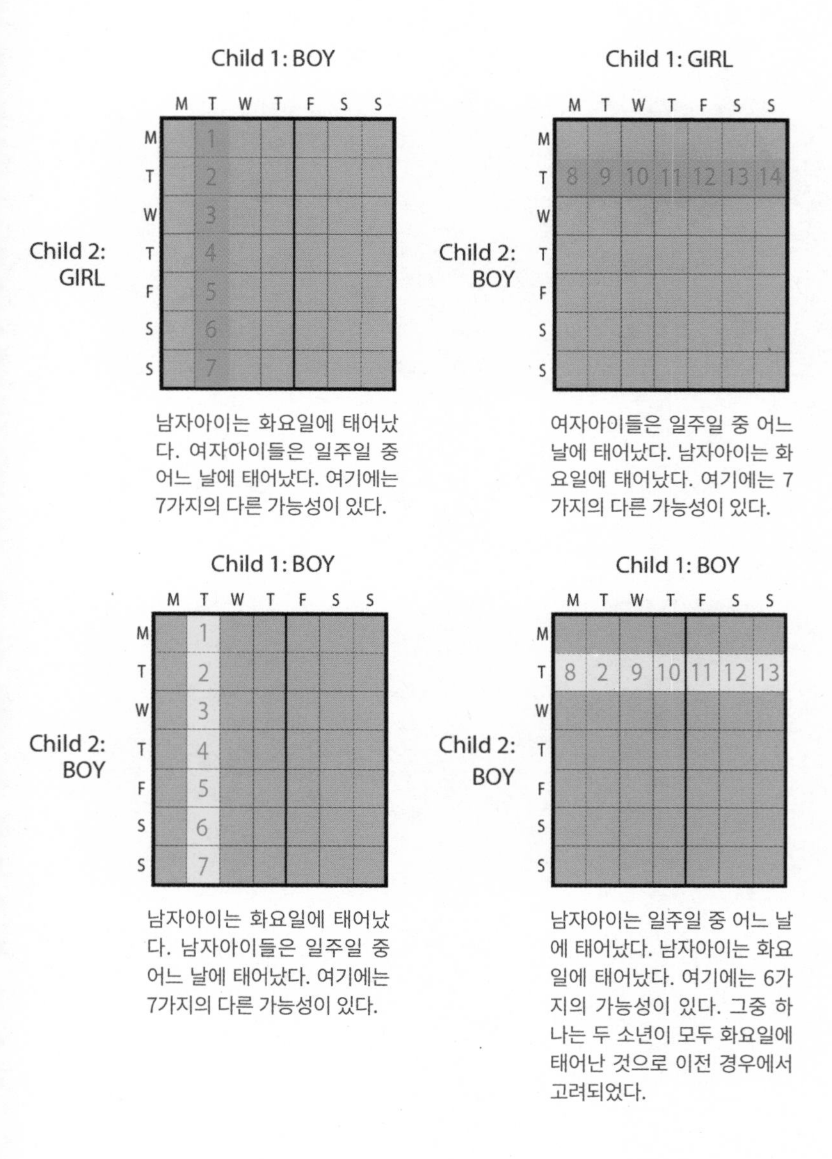

남자아이는 화요일에 태어났다. 여자아이들은 일주일 중 어느 날에 태어났다. 여기에는 7가지의 다른 가능성이 있다.

여자아이들은 일주일 중 어느 날에 태어났다. 남자아이는 화요일에 태어났다. 여기에는 7가지의 다른 가능성이 있다.

남자아이는 화요일에 태어났다. 남자아이들은 일주일 중 어느 날에 태어났다. 여기에는 7가지의 다른 가능성이 있다.

남자아이는 일주일 중 어느 날에 태어났다. 남자아이는 화요일에 태어났다. 여기에는 6가지의 가능성이 있다. 그중 하나는 두 소년이 모두 화요일에 태어난 것으로 이전 경우에서 고려되었다.

방법 2

게리의 화요일 남자아이 문제에 대한 답을 계산하는 또 다른 시각적 방법은 《사이언스 뉴스매거진》의 빌 카셀먼(Bill Casselman)이 제안한 것이다.

총 27가정이 있는데, 두 자녀가 모두 아들인 가족 수는 그림에 나타나 있듯이 13가정이다. 따라서 확률은 13/27이다.

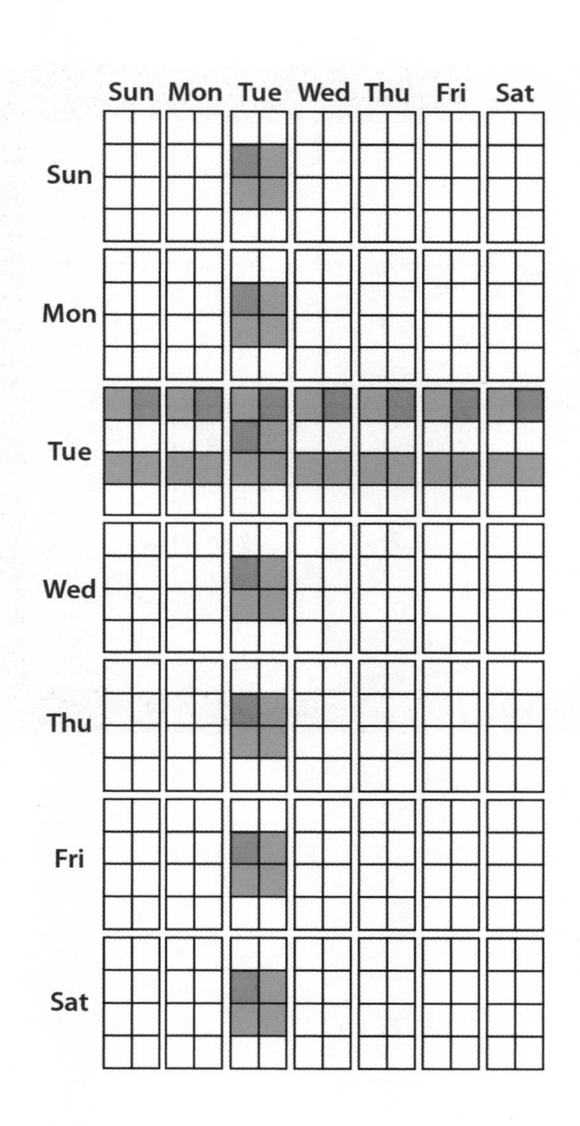

슬라이딩 퍼즐

슬라이딩 퍼즐은 특정 경로를 따라 조각을 밀어서(일반적으로 납작한 조각들을 한 보드판 위에서) 특정한 최종 배열을 만드는 퍼즐이다.
5장에서 이미 보았듯이, 15퍼즐은 슬라이딩 퍼즐의 원형이다. 15퍼즐은 노이어스 채프먼(Noyes Chapman)이 발명했으며, 1880년 퍼즐 열풍을 일으켰다. 슬라이딩 퍼즐은 보드판에서 조각을 들어 올리는 것이 금지되어 있는데, 이는 여타 이동 퍼즐과는 다른 점이다.

이런 특성 때문에 슬라이딩 퍼즐은 다른 재배치 퍼즐과 구별되고, 게임판이 2차원이라는 제약 하에서 (미끄러지면서 만드는) 이동과 경로를 찾는 것은 슬라이딩 퍼즐의 해를 찾는 데 있어 중요한 부분이다. 슬라이딩 퍼즐은 기계적으로 연결된 조각에 의해 움직이지만 본질적으로는 2차원이다. 슬라이딩 퍼즐은 이제 컴퓨터로 온라인상에서 할 수 있다.

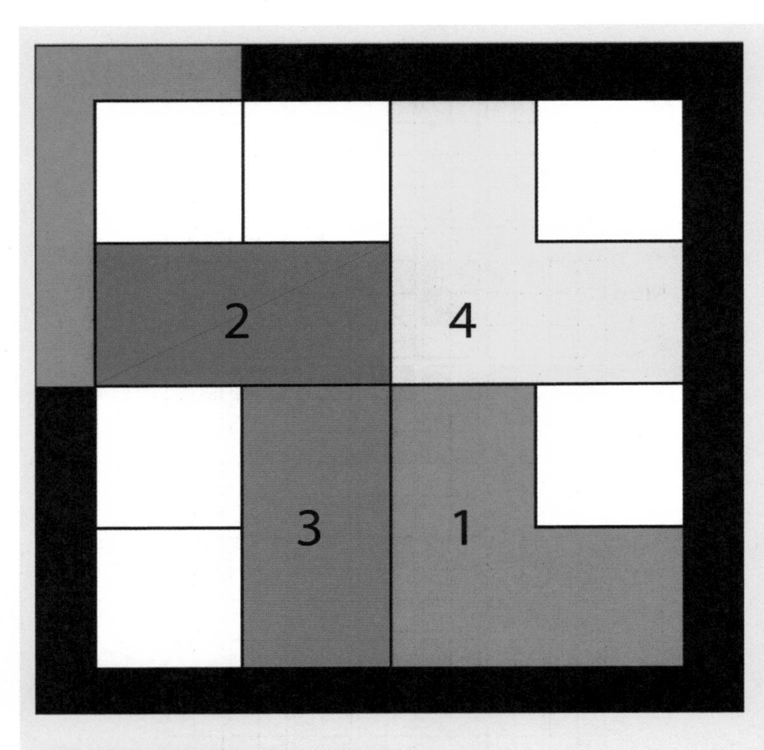

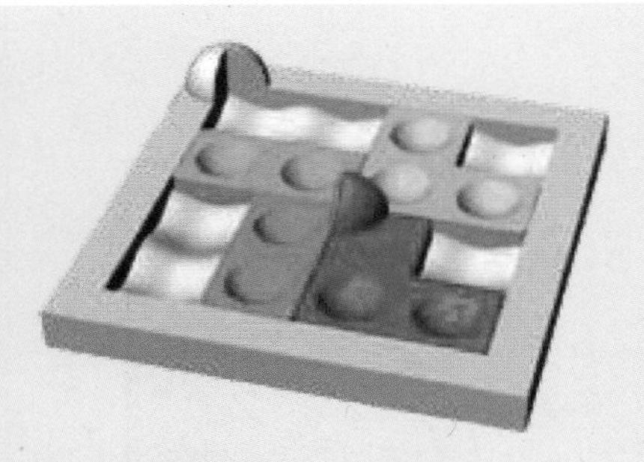
오스카 드벤터의 간단한 슬라이딩 퍼즐의 원형

간단한 슬라이딩 퍼즐-2011년

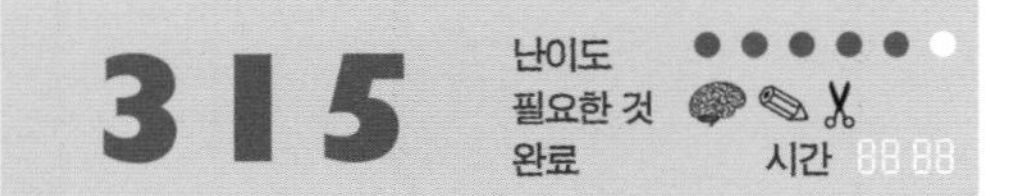

2011년 12월호 《이코노미스트》에는 이런 문제가 실렸다. '간단하지만 가장 어려운 슬라이딩 퍼즐은 무엇일까?'
두 명의 발명가가 가장 훌륭하고 정말 어려운 슬라이딩 퍼즐 발명의 선두에 있다. 바로 제임스 스테판(James Stephens)과 오스카 드벤터(Oskar van Deventer)다.
페그(Ed Pegg Jr)에 따르면, 드벤터가 원본 타이핑을 한 스테판의 간단한 퍼즐에는 '간단하지만 가장 어려운 슬라이딩 퍼즐'이라는 꼬리표가 붙었다고 한다. 이 퍼즐은 빨간색 블록을 왼쪽 위의 모서리로 이동하는 것이다. 퍼즐은 18번의 이동으로 풀 수 있다.

오스카의 꼬인 퍼즐

루빅 큐브의 엄청난 성공에 고무되어, 80년대에 시작된 새로운 범주의 기계식 퍼즐은 그 수가 증가하고 수많은 변형 제품들이 쏟아졌다. 네덜란드 디자이너인 오스카 드벤터는 기계식 퍼즐 부문에서는 천재로, 수백 개의 꼬인 퍼즐 및 다른 여러 퍼즐을 발명하고 제작했다. 오스카의 최신 작품 중 하나는 '오버더톱(Over The Top)' 퍼즐이다. 이 꼬인 17×17×17 크기의 기계식 퍼즐은 2011년 뉴욕 퍼즐파티 심포지엄에서 처음 선보였는데, 쉐이프웨이(Shapeways) 사에서 3D 프린터로 만든 것이었다. 1,539개의 개별 플라스틱 조각으로 구성된 이 제품은 대량 판매되고 있는 루빅 큐브에 비해 모든 면에서 거대했다.

숙련된 전기기술자인 드벤터는 2010년 '오버더톱' 퍼즐을 디자인했는데, 3D 프린터로 뽑아내는 데만 60시간 이상이 소요되었다. 쉐이프웨이 사가 3D 프린터로 조각들을 뽑아낸 후 드벤터가 조각들을 정렬하고, 개별적으로 색을 입히고, 마침내 조립했는데, 이러한 전 과정을 수작업으로 했다. 이렇게 최종적으로 퍼즐을 만드는 데만도 15시간이나 걸렸다. 드벤터는 '오버더톱' 퍼즐이 어떻게 움직이는지 내부를 들여다볼 수 있도록 했으며, 유튜브 채널을 통해 자신의 여러 다른 작품들도 보여주었다. 드벤터는 《와이어드》의 제인 도(Jane Doh)와의 인터뷰에서 이렇게 말했다.

오스카 드벤터와 그의 "꼬인 퍼즐들"

"그리스의 파나요티스 베르데스(Panagiotis Verdes)가 만든 7×7×7, 9×9×9, 11×11×11 퍼즐과 중국의 리(Lie)가 만든 12×12×12 루빅 큐브 퍼즐의 세계기록에 관해 들었을 때, 나는 새로운 기록을 직접 세우고 싶었다. 훌륭한 친구인 클라우스 베니커(Claus Wenicker)가 후원하고 시제품화 해준 덕분에 나는 많은 원형들을 설계하고 테스트할 수 있었으며, 세 번째 시도가 쉐이프웨이 사에 의해 성공적으로 만들어졌다."

드벤터의 인상적인 경력에서 17×17×17 크기의 '오버더톱' 퍼즐은 결코 끝이 아니었다. 예를 들면, 아이코노자익스(Iconosaix) 퍼즐은 20개의 삼각형을 면으로 가진 정방입체로 최근 MF8 사가 제작했다.

오버더톱 퍼즐

조합 퍼즐

순차적 이동 퍼즐이라고도 불리는 '조합 퍼즐'은, 꼬여서 여러 가지 조합으로 바뀔 수 있는 부품들로 이루어져 있다. 임의의 설정으로 시작해, 미리 정의된 조합에 이르면 퍼즐은 성공적으로 완성된다. 미리 정의된 조합이라는 것은 일반적으로 동일한 색상 또는 일련의 번호로 이루어진 그룹과 같은 것들이다.

이 유형에서 가장 잘 알려진 퍼즐은 루빅 큐브인데, 루빅 큐브는 6개의 면 각각을 독립적으로 돌릴 수 있는 정육면체 퍼즐이다. 조합 퍼즐의 각 면은 각기 다른 색이며, 각 면에 있는 9조각은 같은 색이다. 큐브를 색이 마구 섞일 때까지 돌린 후, 6개의 각 면이 다시 같은 색이 되도록 맞추면 퍼즐을 푼 것이다.

조각들을 재배치하는 방법을 제어하는 규칙은 일반적으로 그 퍼즐이 구성되는 방식에 의해 정의되며, 이는 가능한 조합과 관련하여 특정 제한을 가져온다. 예를 들면, 루빅 큐브에 색칠된 스티커를 무작위로 붙이면 다양한 조합을 얻을 수 있는데, 이는 실제로 큐브의 면을 이리저리 회전시켜 얻을 수 있는 것보다 더 많다.

안토니우 페티코브(1946~)

안토니우 페티코브(Antonio Peticov)는 브라질의 수학 예술가로 1946년에 태어났다. 첨단 기술과 미적 감각으로 만든 다양하고 다채로운 그의 작품들은 미묘한 수학적 내용과 영감이 가득한 숨겨진 우주와 화려한 세계를 보여준다.

수학과 예술-2012년

현대는 수학과 예술이 서로 관련이 없는 두 분야라고 보는 견해가 많지만, 수많은 시각 예술가들은 수학을 자신들의 작업에서 중심에 놓고 있다. 수학적인 예술가는 다면체, 모자이크, 불가능한 그림들, 뫼비우스 띠, 왜곡되거나 비정상적인 원근감 시스템, 프랙털 등을 포함하는 다양한 요소를 사용해왔다.
그러나 수학적 예술의 세계는 우리 대부분이 상상하는 것보다 훨씬 크고 다양하다. 상당히 많은 현대 예술가들은 자신들의 작품에 수학이 영감을 준다고 생각하며, 피보나치 수와 π에서부터 사면체와 뫼비우스의 띠에 이르기까지 다양한 수학을 사용하고 있다.

O Mestrado

첫인상(The First Impression)

1.618…

우물(The Well)

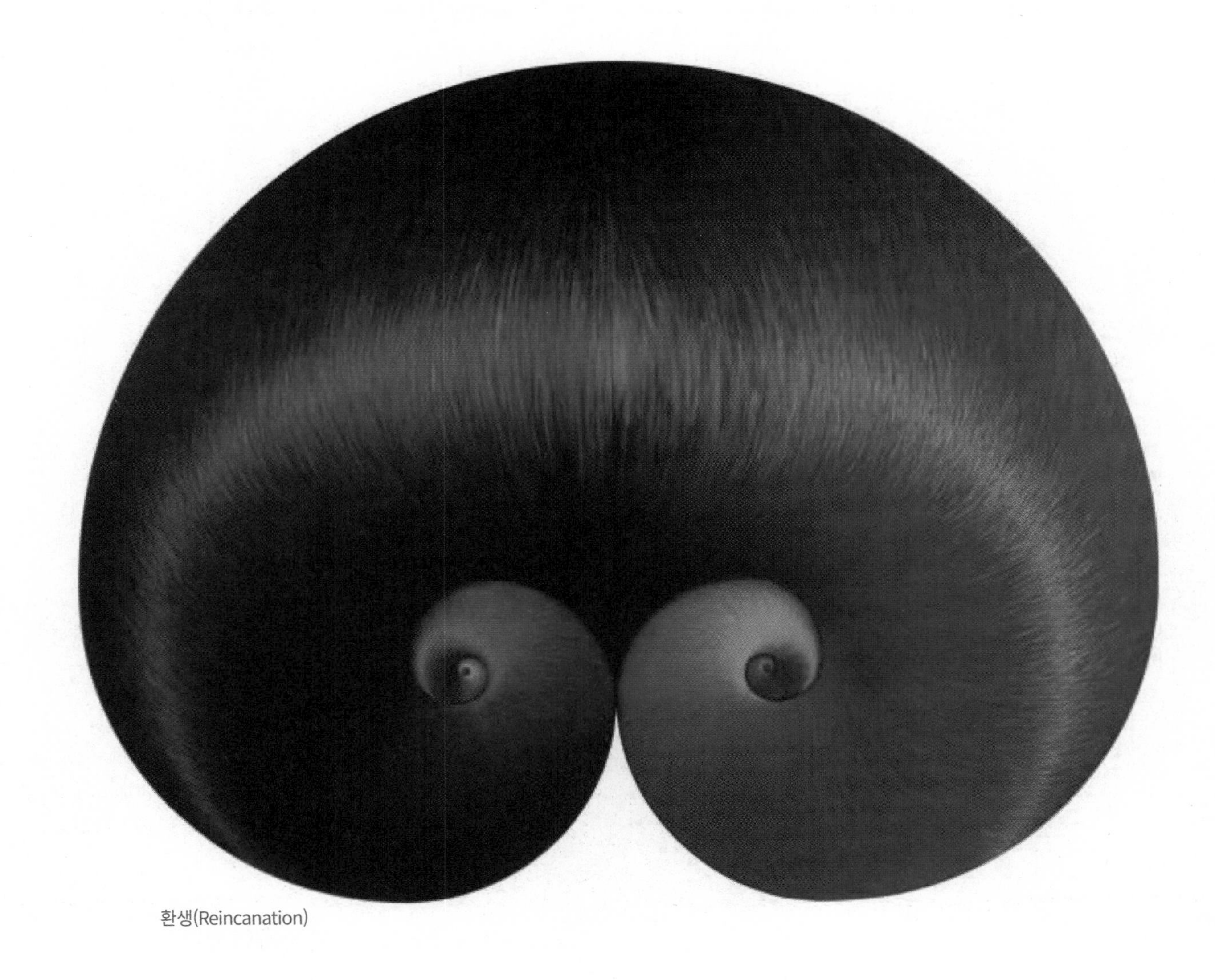

환생(Reincanation)

테야 크라섹

테야 크라섹(Teja Krasek)은 슬로베니아의 프리랜서 예술가로 아트하우스(Arthouse, 시각예술대학)에서 회화로 학사학위를 받았다. 크라섹은 실제 작품뿐 아니라 이론적인 측면에서도 예술과 과학을 연결하는 개념으로 대칭과 수학적 개념에 특히 초점을 맞추고 있다.
크라섹은 고전적 회화기법뿐만 아니라 현대의 컴퓨터 기술을 이용해 예술, 과학, 수학 및 기술을 융합하는 데 집중하고 있다.

생물속생설

슬로베니아의 예술가 테야 크라섹은 예술, 과학 및 수학 간의 프랙털 같은 경계들을 탐구한다.
"예술과 수학이 섞이고 소용돌이친다. 예술과 수학은 예상치 못한 심오한 방식으로 이미지와 감성을 불러일으키며, 공간과 시간을 초월하게 해준다."

테야 크라섹, 지구 3000 A.D.

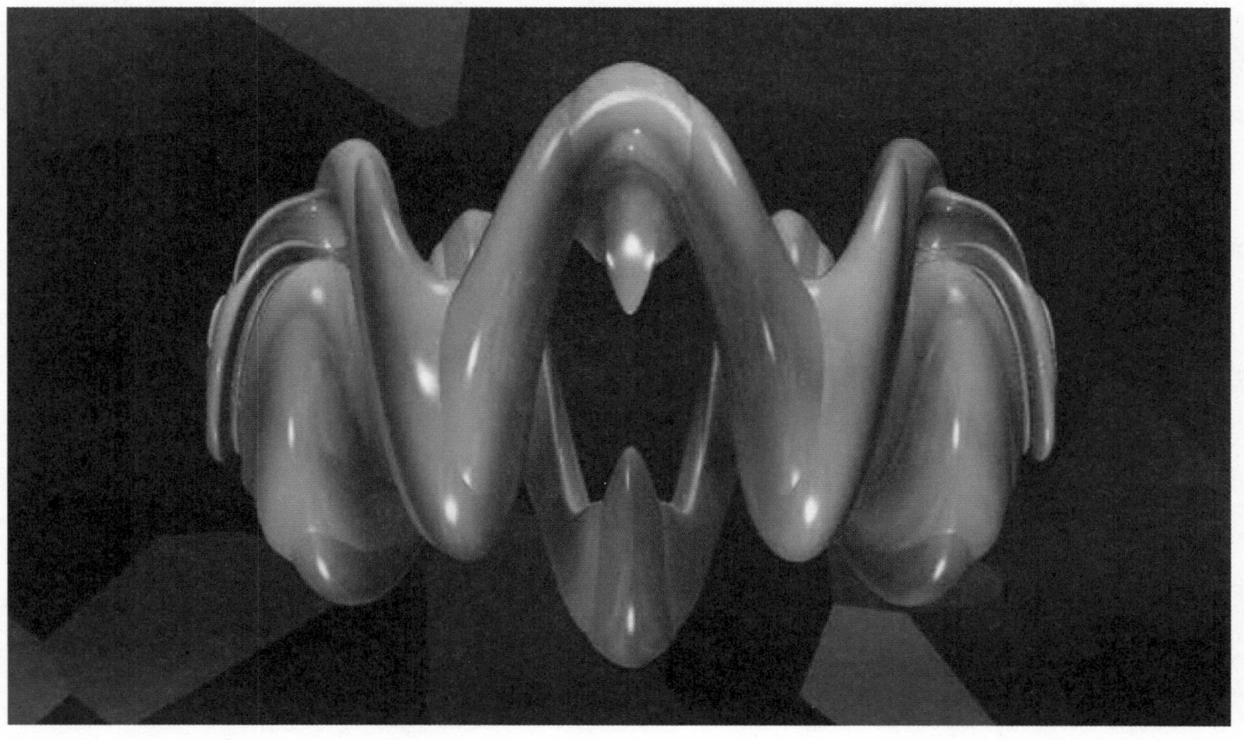

테야 크라섹, 핼러윈 토러스

CHAPTER

10

해답

1

보는 것처럼 크기가 다른 8개의 정사각형을 얻을 수 있다.

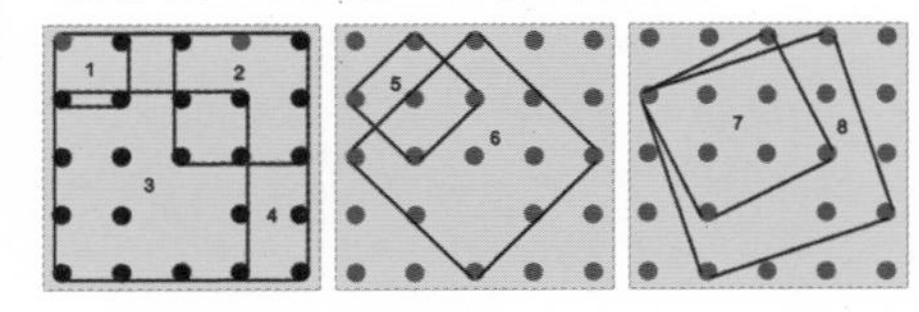

2

오히려 아무 문제없다. 줄리아 로버트가 소개팅 상대면 무슨 문제가 있는가?

3-4

두 종류의 테스트를 한 후에 두 번째 (4번 테스트)에서 실력이 훨씬 더 향상되었으므로, 무작위 수 패턴으로 보이는 그 둘 사이에는 분명히 어떤 의미 있는 차이가 있을 것이다. 그게 뭘까? 테스트를 한 다음 그 차이가 무엇인지 알고 싶을 것이다. 두 번째 테스트에는 더 쉽게 셀 수 있게 하는 뭔가가 있다.

그것은 그 게임을 하는 동안 인식할 수 있는 뭔가는 분명히 아니다. 그러나 당신의 잠재의식은 알고 있었다. 의식은 알아채지 못하는 동안 잠재의식은 더 효율적으로 두 번째 테스트를 풀 수 있게 하는 그 비밀을 알아냈다. 문제를 푸는 동안 당신의 의식은 알지 못하는 패턴을 잠재의식은 발견했다. 당신은 테스트를 한 후에나 그 비밀을 발견할지도 모른다.

두 번째 숫자판에 있는 수들은 당신의 눈이 반복되는 패턴을 쫓아가는 방식으로 그룹 지어졌다. 이 숫자판은 변들의 중앙을 따라 4부분으로 나뉜다. 숫자 1은 오른쪽 위에, 숫자 2는 왼쪽 아래에, 숫자 3은 왼쪽 위 모서리에, 숫자 4는 오른쪽 아래 모서리에 있다. 같은 순서로 숫자 5부터 오른쪽 위에서부터 반복되어 나타난다. 이 과정은 다음 숫자가 있을 범위를 원래 검색해야 하는 영역의 1/4만큼의 크기를 갖는 작은 영역으로 좁힘으로써 더 효율적으로 숫자를 찾을 수 있도록 해준다.

당신의 잠재의식은 당신의 의식이 아직 인식하지 못하는 동안 그 비밀을 발견하고 잘 활용했다. 이 테스트는 의식이 인식하지 못하는 동안 문제를 해결함으로써 잠재의식의 능력과 창의력을 보여주는 인상적인 훈련이며, 당신의 사고가 일반적으로 어떻게 문제를 해결하는지 보여주는 좋은 예다.

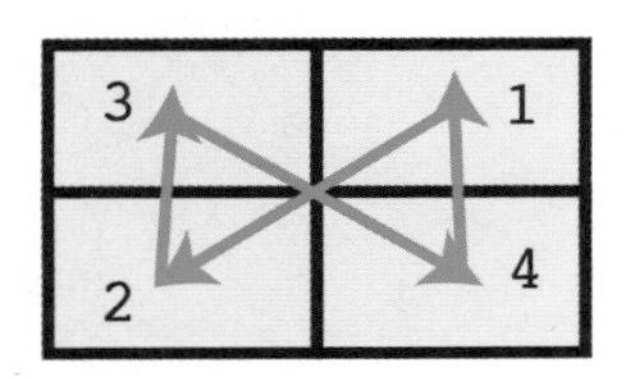

5

16일이 끝나갈 무렵 달팽이는 80센티미터 높이에 이르렀다. 17일이 끝날 무렵엔 90센티미터 높이의 창문 꼭대기에 도달했다.

6

1+2+3-4+5+6+78+9=100

12+3-4+5+67+8+9=100

123+4-5+67-89=100

이 문제의 많은 변형 문제들이 고안되었는데, 그중 많은 문제는 더하기와 빼기 외에 다른 연산을 사용한다.

7

8

무한히 많은 수의 새가 전선을 따라 제멋대로 앉아 있으면, 그중 50%는 그 새의 이웃 새 중 한 새가 보고, 다른 25%의 새는 두 마리의 이웃 새가 볼 것이며, 나머지 25%의 새는 아무도 보지 않을 것이다.

이 상황은 한 개의 동전을 두 번 던지는 것과 유사하다. 앞면이 한 번 나올 확률은 0.5, 앞면이 두 번 나올 확률은 0.25, 그리고 뒷면이 두 번 나올 확률은 0.25다.

9

A-2, B-3, C-2

10

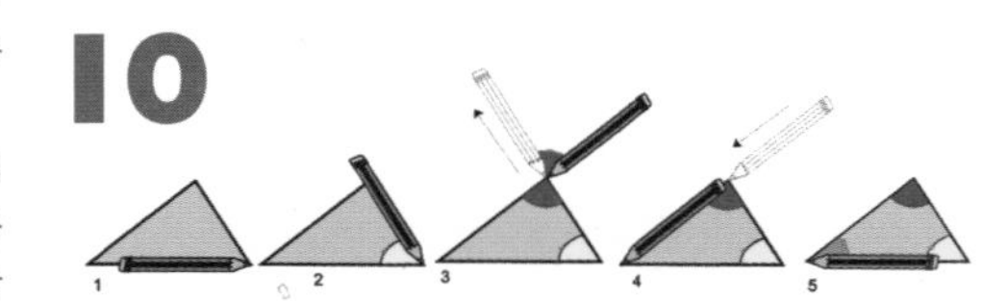

삼각형의 세 각이 순서대로 나타나도록 (삼각형의 세 각을 따라) 연필을 연속적으로 회전시키면, 연필이 시작한 선에서 끝나지만 반대 방향을 가리킨다는 것을 보여준다. 이는 삼각형의 세 각을 더하면 180도가 된다는 것을 보여주는 확실한 증거다.

11

건물의 모든 층을 가는 것이 가능하다.

관리인이 각 층을 가기 위해서는 30번을 오르락내리락 해야 하는데, 보이는 것과 같이 '위'로 가는 버튼은 18번, '아래로' 가는 버튼은 12번 눌러야 한다.

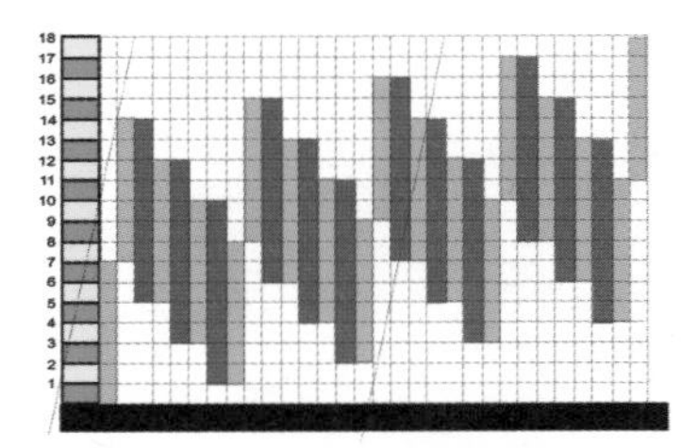

12

원이 가장 좋은 울타리다.

13

가장 높은 곳에 점이 찍혀 있다. 기울어져 있고 다른 것들처럼 땅에 평행하지 않은 막대기이다.

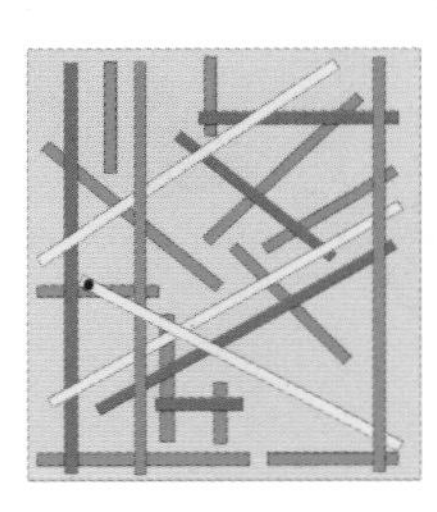

14

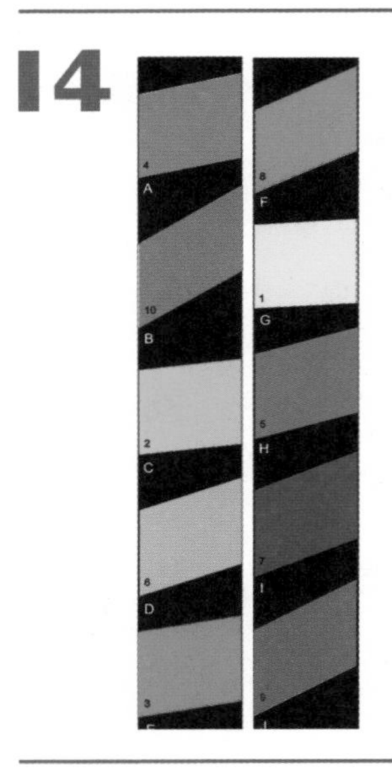

15

규칙은 1블록만큼 직선으로 간 후, 우회전해서 2블록만큼 가고 다시 또 우회전해서 3블록을 간다. 이런 식으로 9블록까지 간 후, 다시 1블록부터 같은 수열을 3번 반복하고 이후에는 규칙이 변경된다.

16

1-17	8-5	15-2	22-23
2-14	9-4	16-20	23-22
3-3	10-8	17-25	24-12
4-24	11-13	18-16	25-6
5-16	12-1	19-19	
6-18	13-10	20-21	
7-7	14-11	21-9	

17

(8+π)m

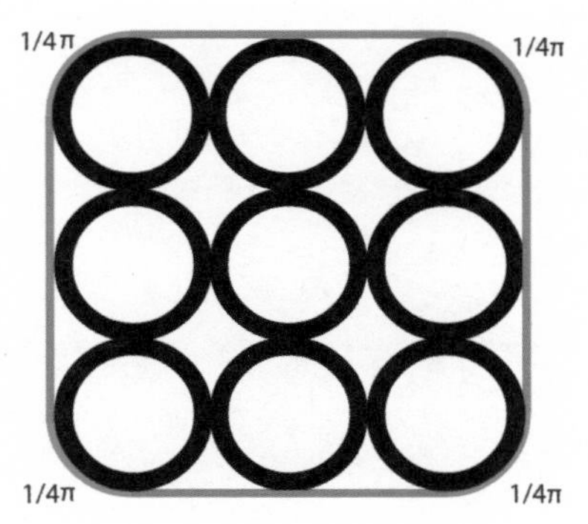

18

케이크: $1.75
아이스크림: $0.75

19

그녀는 틀렸다. 1200달러는 960달러의 125%이므로 첫 판매에서는 240달러의 이익을 남겼다. 반면, 두 번째 판매에서는 1200달러는 1500달러의 80%이므로 손실은 300달러다. 그러므로, 묶어서 팔아 60달러의 손해를 입었다.

20

두 여성이 인접해서 앉지 않으면서 남성과 여성을 한 줄로 앉히는 방법은 다음과 같은 8가지의 방법이 있다.
WMMW, WMWM, MWMW, WMMM, MWMM, MMWM, MMMW, MMMM
'n'이 1, 2, 3, 4, 5, ...일 때 각각에 대응하는 값은 2, 3, 5, 8, 13, ... 등이다. 피보니치 수열임이 매우 흥미롭다.

21

정삼각형 안에 있는 세 개의 같은 크기의 정사각형은 그 삼각형을 28개의 영역으로 나눈다.

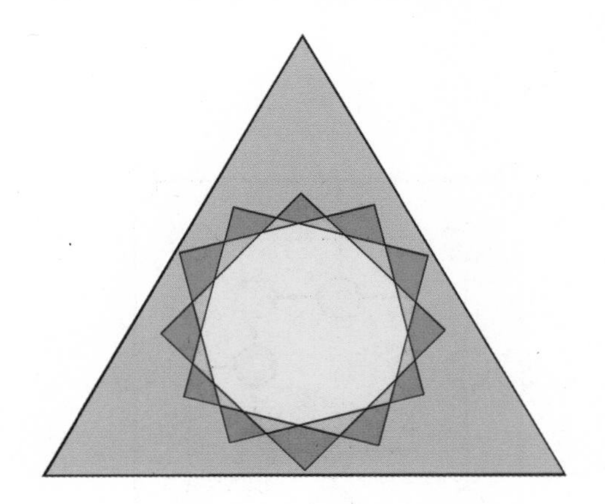

22

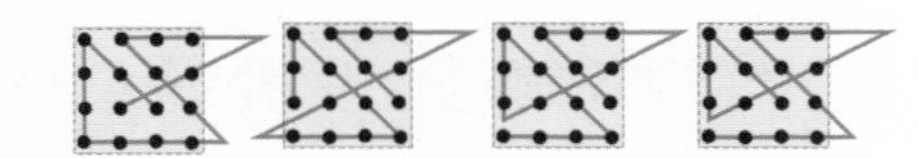

교차점 수가 가장 적은 해는 네 가지

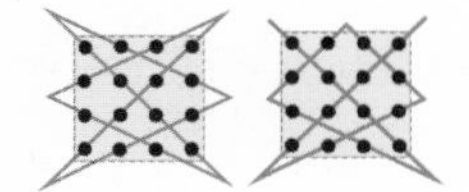

대칭적인 해는 두 가지

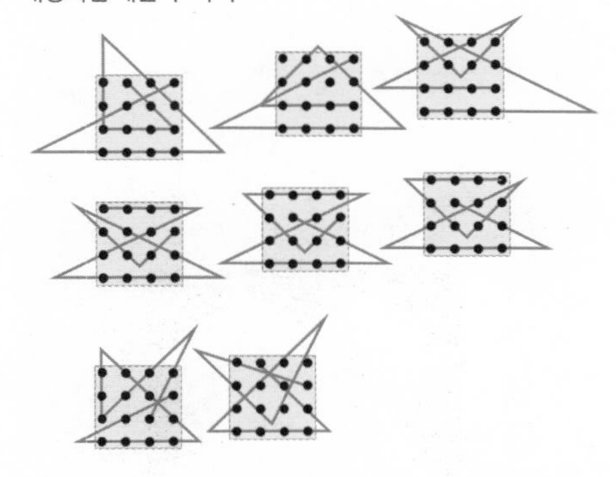

가능한 14가지 다른 해(회전을 해서 같거나 대칭을 같은 것으로 보는 경우)에는 2개의 대칭 패턴과 가장 적은 교차점(2개)을 갖는 4개의 해가 있다.

23

처음에 두 개의 완전 삼각형이 만들어졌지만, 어떤 색이 선택되더라도 마지막 점에서 세 번째 완전 삼각형이 만들어지는 건 피할 수 없어 보인다. 그 삼각형에 어떤 색이 칠해지더라도 이는 항상 일어난다.
이것은 삼각형에 대한 스페너의 보조정리(Sperner's lemma)의 결론이다. 즉, 만일 경계에 완전한 변이 홀수 개 있으면 홀수 개의 완전 삼각형이, 짝수 개 있으면 짝수 개의 완전삼각형이 있다는 것이다. 'a'와 'b' 사이의 변이 완전한 변이다.

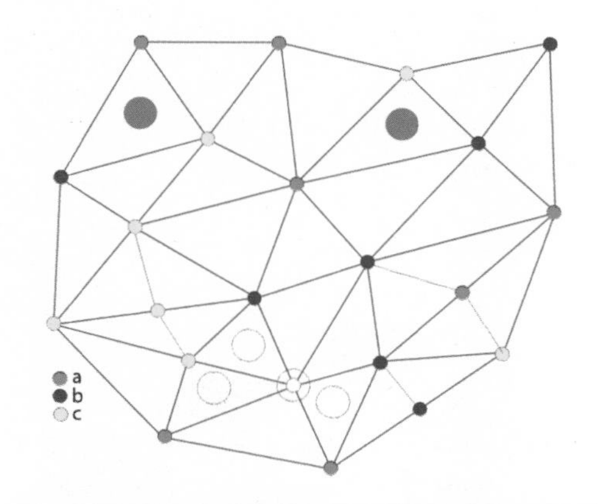

24

주사위를 던져 둘 중 하나가 나올 확률은 1/6+1/6=2/6, 즉 1/3이다.

25

주어진 정보로는 결론을 내릴 수 없다. 위에서 보면 옥상은 보통 옥상이 그렇듯 볼록할지도 모르지만 오목할 수도 있다.

26-28

퍼즐 1. 23개의 정사각형들(아래 그림)
퍼즐 2. 47개의 정사각형들
퍼즐 3. 16개의 정사각형들

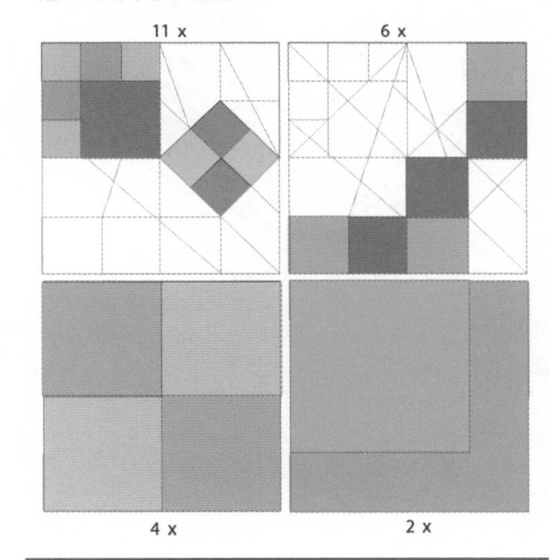

29

놀랍게도 짐은 롤러보다 항상 더 멀리 이동한다. 롤러가 한번 회전하면 직경에 파이(π)를 곱한 거리만큼 앞으로 나아가는 반면, 롤러 위의 짐은 위에 나타난 것처럼 그 거리의 두 배만큼 앞으로 나아간다. 이는 롤러가 땅에서 앞으로 나아갈 때 그와 동시에 롤러 위에서도 앞으로 나아가기 때문이다. 만일 롤러의 원주가 1미터라면 그 짐은 롤러가 한 번 회전할 때마다 2미터씩 앞으로 간다. 이를 '롤러와 평판 정리(Roller and slab Theorem)'라 한다.
바퀴 달린 차량이 출현했다는 증거는 기원전 4000년 중반부터 메소포타미아와 중부 유럽에서 거의 동시에 나타난다. 따라서 어느 문화에서 바퀴 달린 자동차가 최초로 발명되었는지는 아직까지 명확히 밝혀지지 않았으며 여전히 논쟁 중에 있다. 바퀴가 달린 차량(왜건, 수레바퀴 4개와 차축 2개)에 대한 최초의 기록은 '브로노치스 항아리(Bronocice pot)'에 나타나 있다(기원전 3500~3350년). 브로노치스 항아리는 폴란드 남부에 정착했던 푸넬비커(Funnelbeaker) 문명에서 출토된 점토 항아리다.

30

미궁은 일반적으로 미로와 동의어지만, 현대의 많은 학자들은 둘을 다르게 본다. 미로는 경로와 방향을 선택하는 방법에 있어서 복잡한 여러 갈래(multicursal)가 있는 퍼즐인 반면, 단일 경로인(unicursal) 미궁은 갈래가 없고 중심으로 가는 단 하나의 경로만이 있다. 이런 점에서 미궁은 중심으로 가는 명확한 길을 가지며, 뒤로는 이동하기 어렵도록 설계되어 있다.

31

1. 라이프니츠가 틀렸다.
두 눈의 합이 12가 되는 경우는 한 가지밖에 없다(빨간색 주사위: 6, 파란색 주사위: 6). 반면, 두 눈의 합이 11이 되는 경우는 두 가지가 있다(빨간색 주사위: 6, 파란색 주사위: 5 또는 빨간색 주사위: 5, 파란색 주사위: 6).
따라서 표2에서 쉽게 알 수 있듯이 그 각각의 확률은 1/36과 2/36로 다르다.
2. 두 개의 주사위를 던져 나온 눈의 합이 1일 수는 없다. 눈의 합이 짝수인 경우는 6가지가 있고, 홀수는 경우는 5가지가 있다.
짝수: 2-4-6-8-10-12
홀수: 3-5-7-9-11.
표에 나타난 바와 같이, 짝수를 얻는 방법은 18가지가 있으며, 홀수는 얻는 방법도 18가지가 있다. 따라서 확률은 같다.

32

3개의 주사위를 던질 때 그 눈의 합은 3에서 18까지 나올 수 있으며, 던진 눈의 조합은 $6\times6\times6=216$가지의 다른 경우가 있다. 이 중 눈의 합이 7인 경우는 15가지(7%)이고 10인 경우는 27가지(12.5%)이다.

33

주사위를 던져 얻은 눈이 같을 확률은 1/6이므로, 둘 중 누군가 (당신일 수도 있고 당신의 친구일수도 있다) 더 큰 수의 눈이 나올 확률 은 5/6다. 그러므로 당신이 던진 주사위가 더 큰 수의 눈이 나올 확률은 이 확률의 반이다. 따라서 그 확률은 5/12다.

34

한 개의 주사위를 6번 던졌을 때 6이 한 번도 나오지 않을 수 있으므로, 이 확률은 1(또는 100%)은 아니다.
사실, 이 문제는 주사위를 6번 던졌을 때 6이 나오지 않을 확률을 계산해야 한다. 한 번 던졌을 때 6이 아닐 확률은 5/6이므로, 6번을 던져 계속 6이 나오지 않을 확률은 $5/6\times5/6\times5/6\times5/6\times5/6\times5/6=0.33$이다.
따라서 6번 던졌을 때 6이 한번 나올 확률은 $1-0.33=0.67$로 크다.

35

$6/6\times5/6\times4/6\times3/6\times2/6\times1/6=0.015$

36

반시계 방향으로 2.5번 회전

37

1–위, 2–아래, 3–위, 4–아래

38

1. 이집트 밧줄로 만들 수 있는 면적이 4인 다각형은 많다. 펜실베니아 주 오크몬트 출신의 팔머(Elton M. Palmer)는 이 문제를 독창적으로 폴리오미노들, 특히 테트로미노들과 연관 지었다. 5개의 테트로미노 각각은 많은 해들의 기저(basis)가 될 수 있는데, 12개의 같은 길이를 만들어내기 위해 단지 삼각형을 더하거나 빼면 된다. 5개의 다른 테트로미노를 사용해 일부 해를 표현했다.
2. 이집트 밧줄은 0에서 11.196 사이의 어떤 영역도 둘러쌀 수 있다. 유진 풋저(Eugene J. Putzer), 찰스 샤피로(Charles Shapiro), 그리고 휴 메츠(Hugh J. Metz)는 아래 그림의 오른쪽에 보이는 것과 같은 별 모양 해를 제안했다. 별 모양을 만드는 꼭지점들간의 간격을 조절해서 얻을 수 있는 가장 큰 영역은 정12각형이다.

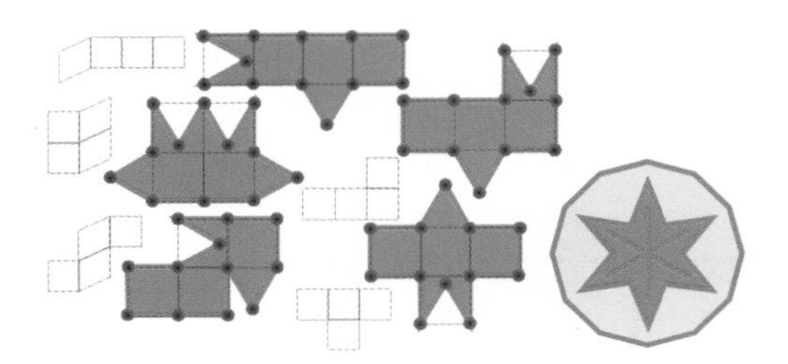

39

빨간 삼각형을 모두 제거하려면 9개의 삼각형에서 5개를 제거하는 것으로 충분하다. 남아 있는 빨간색 삼각형들을 제거하려면 그림에 나타나 있듯이 삼각형 1, 2, 3, 4 및 7을 제거하면 된다. 스리 얀트라에서 크기가 다른 삼각형은 모두 120개 있는데, 그중 59개는 위쪽을 가리키는 반면, 61개는 아래쪽을 가리키고 있다.

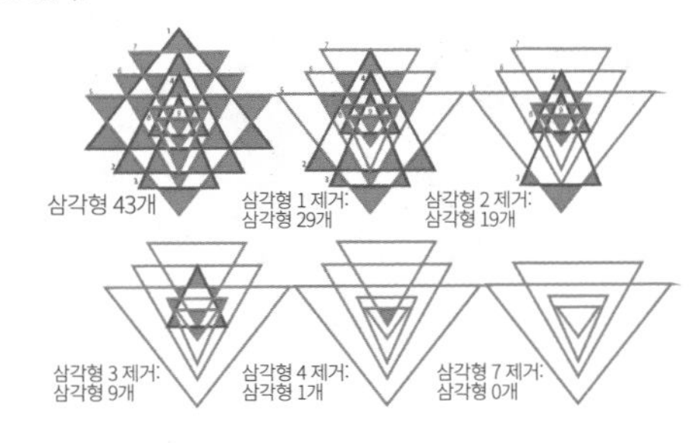

40

밀가루 16,807봉지: $7\times7\times7\times7\times7$
고대 이집트인들은 수학을 매우 높은 수준으로 올려놓았다. 아메스의 퍼즐은 가장 오래된 수학적 수수께끼로 알려져 있는데, 이 퍼즐은 고대 이집트의 '린드 파피루스'에서 발견되었으며 아메스(Ahmes, BC 1,650)가 쓴 것이다. 아메스 퍼즐의 많은 변형들은 유희수학 서적에서 찾아 볼 수 있다. 그 해는 기하수열에서의 처음 5항의 합인데, 첫 번째 항은 7이며 그 승수도 역시 7이다.

41

단 한 명이 간다. 다른 모든 사람들은 세인트아이브스에서 왔다. 아메스의 퍼즐은 많은 변형 퍼즐에 영감을 주었는데 그중 하나가 세인트아이브스 수수께끼다. 당시 피사의 레오나르도(Leonardo of Pisa, 피보나치)가 파피루스에 어떻게 접근했는지는 불분명하지만, 1202년 자신의 책 『산반서(算盤書)』에서 운문을 발표했다.

42

빨간색이 움직일 차례라도 빨간색은 파란색의 승리를 막을 수 없다.

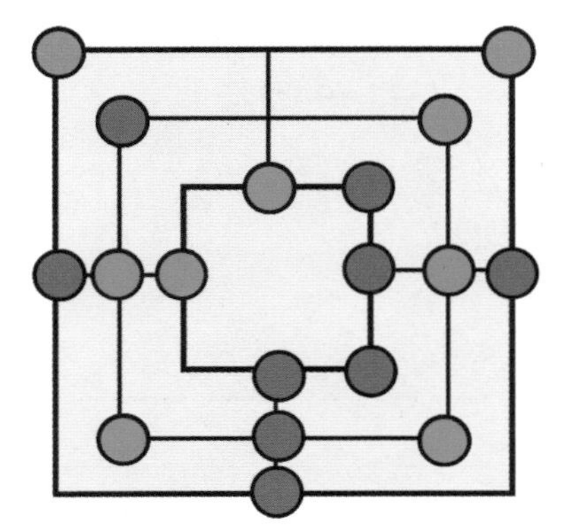

43

1. 피타고라스의 증명: 첫 번째 그림의 노란색 사각형 면적은 두 번째 그림의 두 개의 노란색 사각형 면적의 합과 같은데, 이는 정리를 확실하게 증명해준다.
2. 레오나르도의 증명: 점선은 레오나르도의 그림을 4개의 합동 사분

면으로 나눈다.
3. 바르웨일의 증명: 네 번째 단계는 다음과 같은 '카발리에리의 정리'에 의해 설명할 수 있다. '평행사변형의 높이와 밑변을 바꾸지 않는 한 그 모양을 바꾸어도 면적은 변하지 않는다.'

44

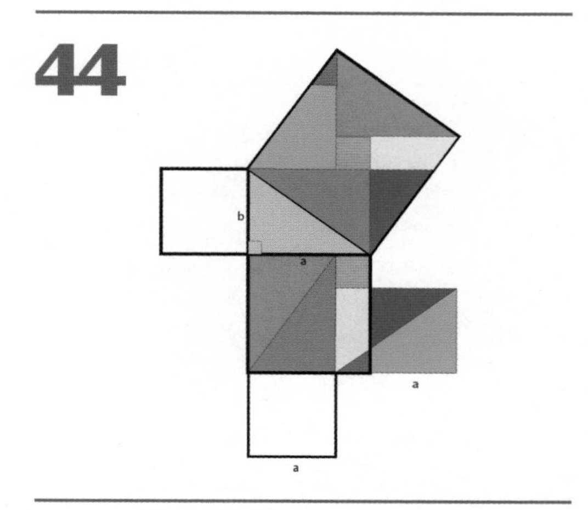

45

오이디푸스는 다음과 같이 대답함으로써 그 수수께끼를 풀었다.
사람은 아기일 때는 네 발로 기고, 어른일 때는 두발로 걷고, 나이 들어서는 지팡이를 짚고 걷는다.

46

테트라키츠의 수는 10!/(2×3)의 다른 방법으로 배열할 수 있는데, 이는 604,800가지다.

47

1 + 2 + 3 + 4 + 5 + ...50 + 51 .... 96 + 97 + 98 + 99 + 100

$$\frac{100 \times 101}{2} = \frac{10{,}100}{2} = 5050 \qquad \frac{n \times (n+1)}{2}$$

가우스는 그 패턴을 발견하는 데 겨우 몇 초가 걸렸고, 연속적인 덧셈에서는 101이 50번 더해진다는 것을 인식했으며, 그 합은 5050이라는 알아냈다. 그는 계산기나 종이를 사용하지 않고 이 결과를 얻어냈다. 가우스가 얻은 결과는 100뿐이 아니라 모든 수 'n'에 적용할 수 있는데, 그에 관한 일반적인 공식은 다음과 같다.
$1+2+3+\cdots+n=n(n+1)/2$.
이 공식이 삼각수에 대한 공식이라는 것을 주목해 보는 것도 흥미롭다. 바빌론의 설형 문자판은 삼각수를 유도하는 공식이 고대부터 알려져 왔다는 것을 보여준다. 임의의 수 'n'에 대해, 삼각수(또는 처음 'n'개의 자연수의 합)는 n(n+1)/2로 계산할 수 있다. 이 식은 가우스가 n=100에 대해 사용한 바로 그 식으로, 고대인들이 도형수(figurate number)를 표현하면서 시각화되었다.

48

세 번째 막대기가 황금비로 부러졌다.

49

제논의 결론은 아킬레스가 거북이를 따라잡는 데 무한한 시간이 걸린다는 것이었다. 아킬레스는 점점 가까워지지만 결코 거북이를 따라잡을 수 없다. 그의 여정은 무한히 많은 수의 조각으로 나뉘어져 있다. 움직이는 물체가 특정 거리를 이동하려면 우선 그 거리의 절반을 이동해야 한다. 또한 그 절반의 거리를 여행하려면 그 거리의 1/4을 이동해야 하며 이런 식으로 영원히 계속된다. 그러므로 원래의 거리는 여행할 수 없고, 이 이동은 불가능하다.
그러나 우리는 이동할 수 있다는 것을 알고 있다. 제논의 경주에서의 첫 번째 오류는 무한 개의 수의 합이 항상 무한하다는 가정이다. 이것이 잘못된 가정이다. 기하급수로 알려진 1+1/2+1/4+1/8+1/16+1/32+1/64+…의 무한 합은 2다.
(기하급수는 1로 시작해서 이전 항에 일정한 값, 예를 들면 'x'를 곱해서 얻은 무한수열을 더한 것이다. 이 경우에는 x가 1/2이다. 기하급수는 'x'가 1보다 작을 때 유한한 값으로 수렴한다.)
아킬레스가 이동하는 거리와 아킬레스가 거북이에게 다다르는 데 걸리는 시간은 모두 x가 1보다 작은 기하급수로 나타낼 수 있다. 따라서 아킬레스가 거북이를 따라 잡기 위해 가야 하는 총 거리는 무한하지 않다. 이는 시간에 대해서도 마찬가지다. 아킬레스가 거북이에게 10미터 앞에서 출발하라고 했고, 그는 초당 1미터 달리며, 이는 거북이가 움직이는 속도에 비해 10배 빠르다고 가정하자. 이런 속도로 가면 아킬레스는 5초 후에 총 거리의 반에 도달한다. 남은 거리의 반을 가는 데 2.5초 걸리고, 이런 식으로 계속 가면 위에 언급한 기하급수의 수렴성에 따라 10초 내에 총 거리를 갈 수 있다.
그때까지 거북이는 11미터 지점으로 이동한다. 우리는 아킬레스가 출발한 점에서부터 11.11미터 지점에서 거북이를 추월한다는 것을 알고 있다. 아킬레스가 그 지점에 도달하기까지는 11초가 걸리며, 그는 이 알쏭달쏭한 경주에서 이긴다.
제논의 역설의 중요성은 수많은 수학적 개념들을 구체화하며 무한급수에 대한 개념을 만들어낸 것인데, 이들 중 가장 중요한 것은 극한의 개념을 구체화한 것이라 할 수 있다. 역설에 대한 관심은 르네상스 시대에 강력하게 되살아났는데, 이때 500권이 넘는 역설에 관한 모음집이 출판되었다.

50

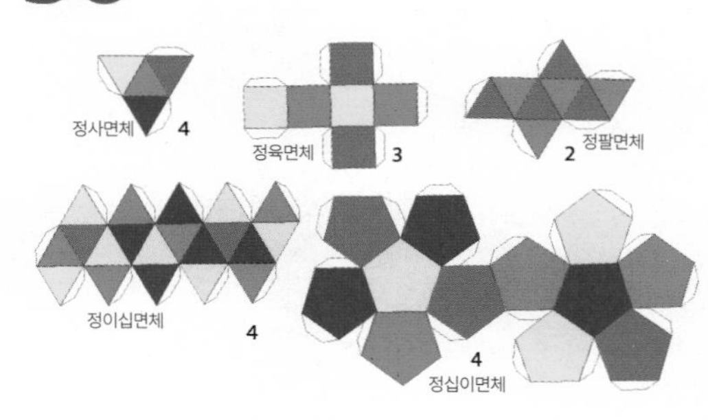

51

입체	꼭짓점(V)	변(E)	면(F)	V-E-F
정사면세	4	6	4	4-6+4
정육면체	8	12	6	8-12+6
정팔면체	6	12	8	6-12+8
정십이면체	12	30	20	12-30+20
정이십면체	20	30	12	20-30+12

52

퍼즐 1. 십이면체의 각 12면을 5가지 위치에 놓는 다른 방법은 60가지다.
퍼즐 2. 빠진 색은 각각 1, 2, 3, 4다.
퍼즐 3. 횡단면은 삼각형, 정사각형, 직사각형, 오각형, 육각형, 그리고 십각형이 될 수 있다.

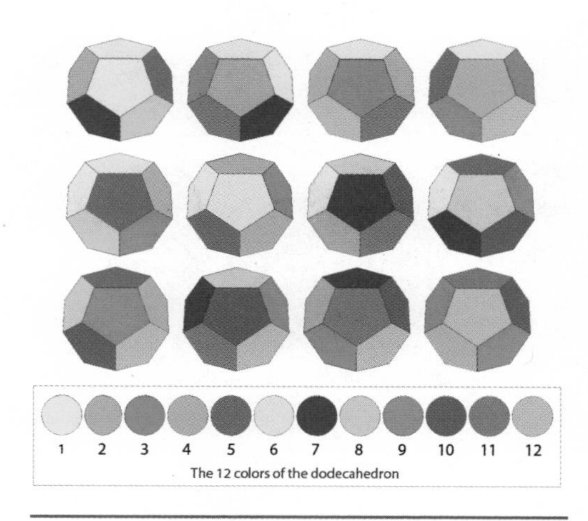

The 12 colors of the dodecahedron

53

타일은 각이 15도인 16개의 정삼각형과 각이 150도인 32개의 이등변 삼각형으로 분할된다. 이들 면적의 1/4이 십이각형의 외부 영역의 면적과 같다.

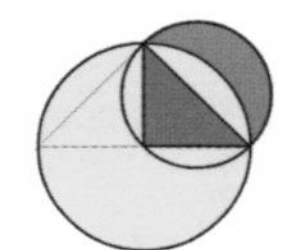

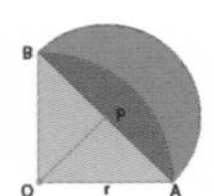

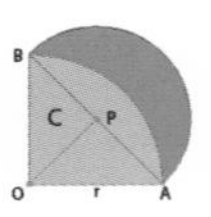

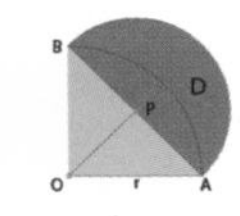

54 정리의 증명은 그림에 나타난 것과 같이 원의 1/4 영역에 대해 그 정리를 증명하는 것으로 충분하다.

중심 P를 갖는 반원과 A와 B를 지나는 중심 O를 갖는 1/4원호 사이의 초승달 모양의 도형의 면적은 직각삼각형의 면적과 같다. OA=r이면 AB=$r\sqrt{2}$이므로, 원의 1/4의 면적은 C=$1/4\pi r^2$이다. 지름이 AB인 반원의 면적은 C=$1/2(r\sqrt{2}/2)^2 = 1/4\pi r^2$이다.

따라서 C=D이고, 초승달 모양의 면적(즉, 원형선분)은 D의 일부일 뿐만 아니라 C의 일부분이므로, 그 면적은 삼각형 OAB의 면적과 같다. 즉, 정리가 증명되었다.

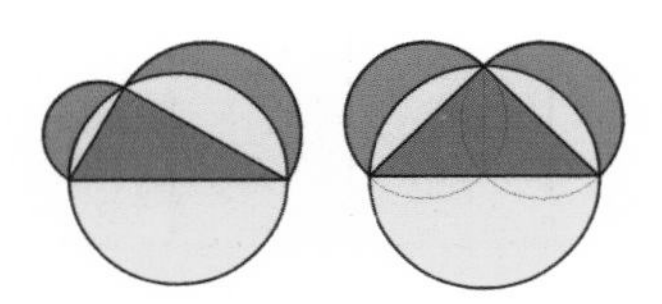

두 개의 빨간 초승달 모양의 면적의 합은 파란색 삼각형의 면적과 같다.

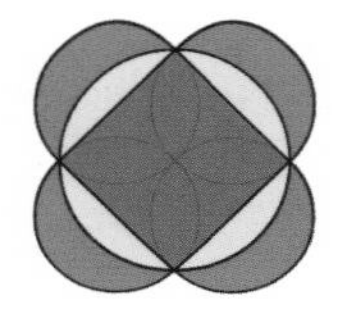

네 개의 빨간 초승달 모양의 면적의 합은 파란색 정사각형의 면적과 같다.

55

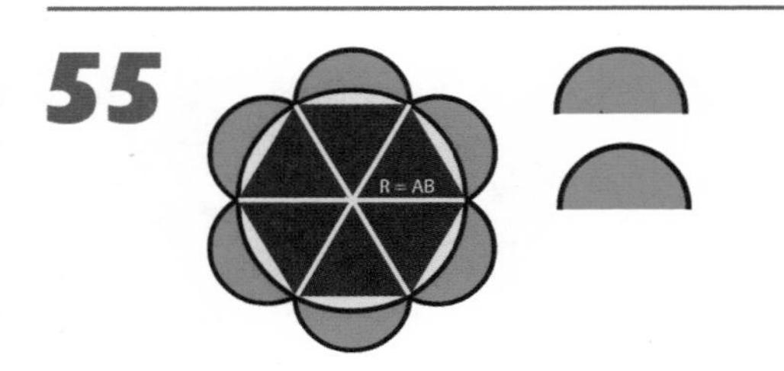

검은색 육각형의 면적은 6개의 빨간색 초승달 모양 및 두 개의 빨간색 반원의 면적의 합과 같다.

육각형의 면적+지름이 AB인 3개의 원의 면적=큰 원(노란색 원)+6개의 초승달의 면적.

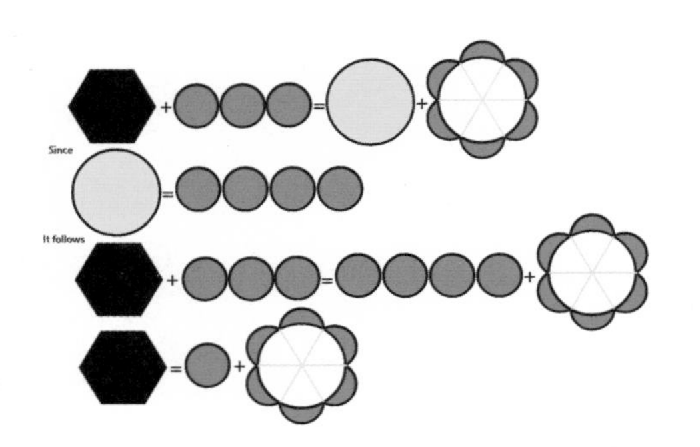

육각형의 면적은 그림에 표시된 것과 같이 지름이 AB인 원의 면적과 6개의 초승달 모양의 면적을 더한 것과 같다.

56 주판은 두 가지 방법 중 하나로 작동될 수 있다. 홈(선)에는 그 주판이 사용하는 수의 기반에 따라 그만큼의 조약돌(주판알)이 있다.

첫 번째 방법은 홈(선)이 가득 찼을 때, 그 선을 비우고, 그다음 홈(선)에 하나만 올리고 나머지는 그대로 둔다.

두 번째 방법은 홈(선)에 조약돌(주판알)을 수의 기반보다 1개 적게 놓을 수도 있다. 그런 경우에는 꽉 찬 홈(선)을 비우기 전에 그다음 홈(선)에 조약돌(주판알)을 더한다.

이 방식에 의하면, 그림에 표시된 숫자는 얼마일까?

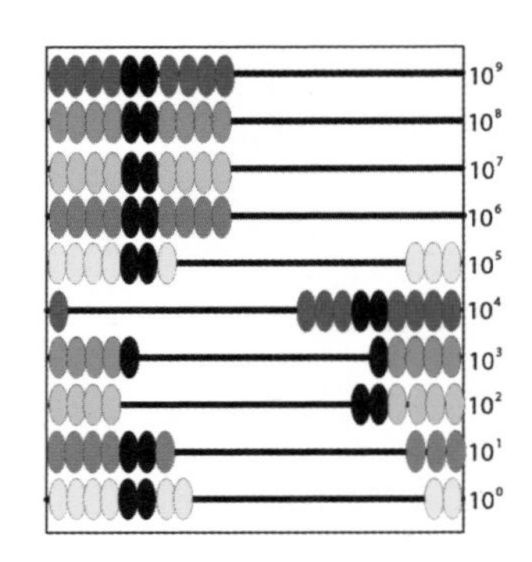

57 리만 가설은 소수의 분포에 대한 결과를 암시해준다. 일부 수학자는 리만 가설의 적절한 일반화를 포함하여 리만 가설을 순수수학에서 가장 중요한 미해결 문제라 생각한다.

수론에서는 소수의 분포에 관한 문제를 포함한 다른 많은 문제들이 리만 가설과 관련이 있는 것으로 나타났으므로, 이 문제를 풀 수 있다면 이를 통해 다른 모든 문제들에 대한 통찰력을 얻을 수 있을 것이다! 예를 들면, '소수정리(Prime Number Theorem)'는 '주어진 수보다 작은 소수가 얼마나 많은가' 하는 문제에 대한 좋은 근사치를 제공하지만, 리만 가설은 그 근사치가 얼마나 좋은지에 대한 추측과 관련이 있다!

58 수세기 동안 소수가 나타나는 일반적인 형식을 찾는 것은 어려운 작업이었다. 1000보다 작은 수에서 마지막 소수는 997이다. 그다음 소수는 1009인데 그 두 소수간의 차이는 12다. 이는 보라색으로 나타내야 한다.

59 (한 점에 힘이 주어졌을 때) 그 점이 받는 힘의 모멘트는 주어진 힘의 크기와 힘이 주어진 점에서 그 점까지의 수직거리를 곱한 값과 같다.

균일한 막대기 위에서, 질량이 같은 두 물체는 받침점으로부터 같은 거리에 있으면 균형을 유지할 수 있다.

지렛대는 작은 힘을 가진 역학에너지를 큰 힘을 가진 역학에너지로 바꿀 수 있다. 무거운 짐을 1/5배의 작은 힘으로 짧은 거리에서 들어 올릴 수 있는데, 이것이 기계의 '기계적 확대율(mechanical advantage)'이다. 힘이 주어진 곳이 짐보다 받침에서 5배 멀기 때문에 짐을 주어진 힘에 비해 5배 더 많이 들어 올릴 수 있다.

삽자루는 길게 잡아 밀고 삽날은 짧게 살짝 이동시키면 가한 힘보다 더 강해진 힘으로 더 많은 흙을 들어 올릴 수 있다. 그 후 삽은 회전하거나 중심축이 땅에 놓이게 된다.

60 한 물체(O)의 무게와 그 물체를 욕조에 넣었을 때 넘치는 물의 무게를 비교하여 물체의 밀도를 결정할 수 있다. 물체 'O'와 같은 부피를 가진 물의 무게를 'O의 부력'이라 하며, O의 무게와 넘은 물의 무게의 비를 O의 '비중(gravity)'이라 한다.

1단계. 순금 한 덩어리는 논란 중인 왕관의 무게와 똑같다.

2단계. 그림에 나타난 것처럼, 물에 담근 두 물체와 넘친 물을 이용하여 같은 방식으로 무게를 반복해서 잰다.

두 경우 모두 넘친 물의 양이 같다면, 왕관은 순금이라는 것이 증명될 것이다. 그러나 사실은 그렇지가 않았다. 왕관을 담근 그릇에서 더 많은 물이 넘쳤는데, 이는 왕관이 금보다 밀도가 낮은 금속과 합금되었다는 것을 뜻한다. 합금의 부피는 순금의 부피보다 크다. 결국 왕관은 가짜로 밝혀졌으며, 아르키메데스는 많은 다른 발견들을 하며 명성을 이어갔다.

액체에 담긴 물체는 '부력'이라 불리는 힘에 인해 물에 뜬다(즉, 가벼워진다)는 사실의 발견으로 유체정역학이라는 분야가 대두되었다. 부력은 그 물체에 의해 바뀐 양만큼의 무게와 같다.

이 방법은 아르키메데스가 발견한 이래로, 금속을 분석하고, 보석을 확인하고, 물질의 밀도를 측정하는 데 사용되고 있다. 아르키메데스의 원리를 이용하면 한 물질의 무게를 같은 양의 물의 무게와 비교할 수 있다. 이 무게의 비를 그 물체의 '고유 비중(specific gravity)'이라 한다. 고유 비중은 다음 식으로 정의된다.

고유 비중=물체의 질량/같은 부피의 물의 질량

61 마찰을 무시하면 한 개의 밧줄과 도르래 체계에 의해 얻을 수 있는 기계적 확대율은 무게에 가해지는 밧줄(길이)의 수를 세어 계산할 수 있다.

이 예에서는 기계적 확대율이 6이며, 그 사람은 무거운 짐을 충분히 들어 올릴 수 있다. 짐에 가해지는 힘은 기계적 확대율에 의해 증가된다. 그러나 짐이 이동하는 거리는, 밧줄이 자유롭게 움직일 수 있는 끝점까지의 길이와 비교해보면, 그에 비례해서 줄어든다.

62 놀랍게도, 7번째 그룹이 10자리로 구성된 첫 번째 완전 집합이다.
(0,1,2,3,4,5,6,7,8,9)?

π = 3.1415926535 8979323846 2643383279 5028841971 6939937510 5820974944 5923078164

63 이 문제의 답은 놀랍고도 완전히 반직관적이다. 그 이유는 외접하거나 내접하는 원이 절대 무한히 커지지(또는 무한히 작아지지) 않으며 두 경우 모두 유한한 극한값을 갖는다는 것이다. 외접원과 다각형의 경우 극한 원의 반경은 8.7(내접원 및 다각형의 경우 극한 원의 반경은 1/8.7)이다. 두 경우 모두 극한 다각형은 무한히 많은 변을 가지며 결국은 원이 된다.

1940년 카스너(Kasner)와 뉴먼(Newman)이 처음으로 이 문제의 답을 제시했는데 흥미롭게도 이 답에서는 길이가 12였다. 이 결과는 1965년 네덜란드 수학자 바우캄프(C. J. Bouwkamp)가 정답을 제시할 때까지는 사실로 받아들여졌다.

특별히 고안된 이 아름다운 그림은 문제의 개념을 설득력 있게 시각화해준다.

흰색 영역들은 극한 원의 크기와 무한히 많은 변을 가진 극한 다각형이 증가하는 영역이 유한하다는 것을 보여준다.

64

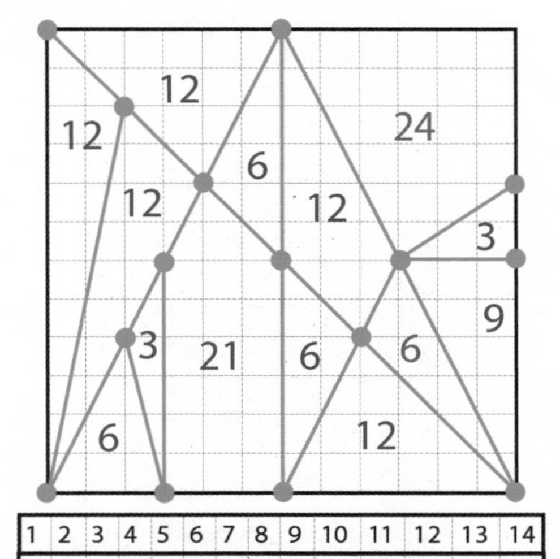

1	2	3	4	5	6	7	8	9	10	11	12	13	14
12	12	24	12	6	12	3	21	6	6	6	3	9	12

65 모든 해에서,
1. 조각 6과 7이 복제된다. (색상 패턴에서 그들은 또한 같은 색(빨간색과 검은 색)이다).
2. 조각 1-2, 9-10, 그리고 11-12는 항상 쌍을 이루며 함께 나타난다(파란색-검은색, 빨간색-검은색).

66 적도에서의 지구 둘레는 40,075.16킬로미터이다. 에라토스테네스가 얻은 값은 39,690킬로미터에서 46,620킬로미터 사이였다고 알려져 있는데, 이는 결코 나쁜 값이 아니다.

67 그림에서 왼쪽의 네 가지 도형은 면적이 같다. 오른쪽에 있는 네 가지 도형은 둘레가 같다.
두 원은 같은 것으로 같은 면적과 둘레를 가진다. 오른쪽에 있는 같은 둘레를 갖는 다른 세 개의 도형은 모두 왼쪽에 있는 다른 세 개의 도형보다 면적이 작다.

68 증기를 실제로 이용하려 한 가장 초기의 시도는 50년(AD 50년)에 있었던 '영웅의 문 열림 청사진'이었다. 간단한 기계원리로 쇠사슬, 도르래, 지렛대, 그리고 공기와 물이 담긴 용기를 사용해 '마술'을 만들었다.
제사장은 제단 위에서 불을 피웠다. 두 그릇 안의 공기가 가열되어 팽창하면서, 아래 구형 그릇 안에 있는 물을 관을 통해 도르래 위의 교수형 바구니로 흘려보낸다. 내려오는 바구니가 밧줄 또는 사슬을 당기며 경첩을 작동하면 문이 '마법처럼' 열린다. 불이 꺼지고 모든 것이 식었을 때, 오른쪽 아래의 평형추가 작동하여 문은 다시 자동으로 닫힌다.(『영웅의 자유로운 영혼 (Hero's Spiritalium liber)』(1957)의 라틴 판에서 발췌)

69 요세푸스와 친구가 살아남기 위해서는 31번과 16번 자리에 서 있어야 한다.

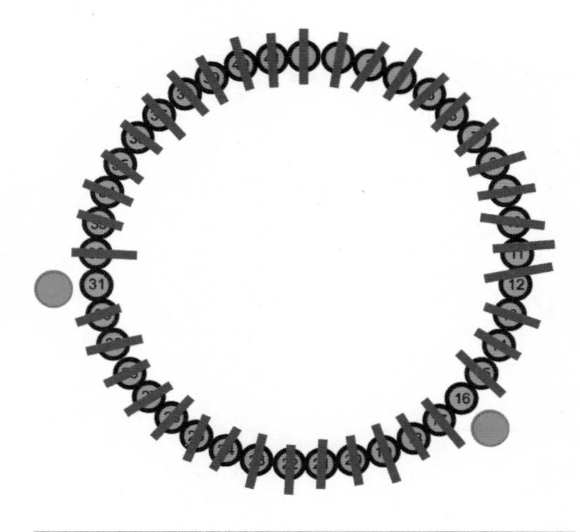

70 목걸이의 가장 아래에 있는 고리 세 개는 서로 연결되어 있는 보로메안 고리다. 보로메안이라는 이름은 이탈리아 르네상스 가계의 이름에서 따온 것으로, 보로메안 고리는 그 가계의 문장에 사용된 것이다.
만일 아래에서 두 번째 줄에 있는 두 개의 고리 중 하나를 밑에서 자르면, 목걸이를 가능한 가장 많은 조각으로 분리할 수 있다. 이렇게 하면 목걸이는 세 부분으로 분리되는데 각 부분은 1, 1, 9개의 고리로 구성된다.

71 더 간단히 표현하면 다음과 같다. '디오판토스의 젊음은 그의 생애의 1/6동안 지속되었다. 그다음 그의 생애의 1/12이 되었을 때 처음으로 수염을 가졌다. 그다음 그의 생애의 1/7의 끝에서 디오판토스는 결혼했다. 그로부터 5년이 지난 후 아들이 태어났다. 아들은 디오판토스의 삶의 딱 1/2을 살았다. 아들이 죽고 4년을 더 산 후 디오판토스는 사망했다.' 디오판토스는 얼마나 살았을까? 다음은 디오판토스의 이와 같은 삶을 반영한 방정식이다.
x를 그의 나이라 하면

$$(1/6)x+(1/12)x+(1/7)x+5+(1/2)x+4=x$$

을 얻는다. 이 식을 풀면 x는 84년이다.

72 1-무한대, 2-(값으로) 수렴, 3-기타 등등, 4-같거나 작음, 5-같음, 6-그러므로, 7-합계, 8-같거나 큰, 9-보다 작은, 10-제곱근, 11-유사함(비례적), 12-대응하는, 13-교차하는 원, 14-더하기 또는 빼기, 15-근사적으로 같은, 16-전등(동일하게 같은), 17-같지 않은, 18-지름, 19-둘레, 20-접하는, 21-반지름, 22-부채꼴, 23-원호, 24-부등변 삼각형, 25-마름모, 26-평행사변형, 27-사다리꼴, 28-다이아몬드, 29-정삼각형, 30-직각 삼각형, 31-원의 영역, 32-이등변 삼각형, 33-예각, 34-직각, 35-둔각, 36-합동, 37-정사면체, 38-평행육면체, 39-정육면체(입방체), 40-구, 41-원뿔, 42-팔면체, 43-정오각형, 44-정육각형, 45-정칠각형, 46-정팔각형, 47-원기둥, 48-피라미드, 49-정구각형, 50-직사각형 프리즘, 51-반원, 52-평행, 53-교차, 54-원의 할선, 55-호, 56-중심각, 57-내각, 58-외접원, 59-내접원, 60-수직, 61-팩토리얼, 62-파이(pi)의 기호, 63-퍼센트, 64-벡터, 65-왜냐하면, 66-증명 끝, 67-

자연수, 68-정수, 69-a는 b의 원소가 아니다, 70-존재한다, 71-선분 AB, 72-선 AB

73 먼저, 염소를 데려가고 혼자 돌아온다. 그런 다음, 늑대를 데려가고 염소를 데리고 돌아온다. 그런 다음, 양배추를 가져간다. 돌아와서 마지막으로 염소를 데리고 간다.

74 1. 데네비안을 우주 여객선으로 데려간다.
2. 수행원 혼자 돌아온다.
3. 리겔리안을 우주 여객선으로 데려간다.
4. 수행원은 데네비안과 함께 돌아온다.
5. 테네스트리얼을 우주 여객선으로 데려간다.
6. 수행원 혼자 돌아온다.
7. 데네비안을 우주 여객선으로 데려간다.

그리고 우리 모두는 기밀실을 통해 들어가 아름다운 승무원의 따뜻한 보살핌을 받는다.

75

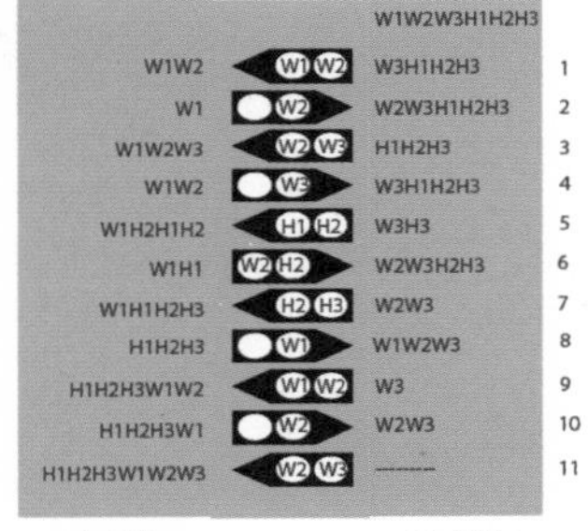

76 S-군인, B-소년

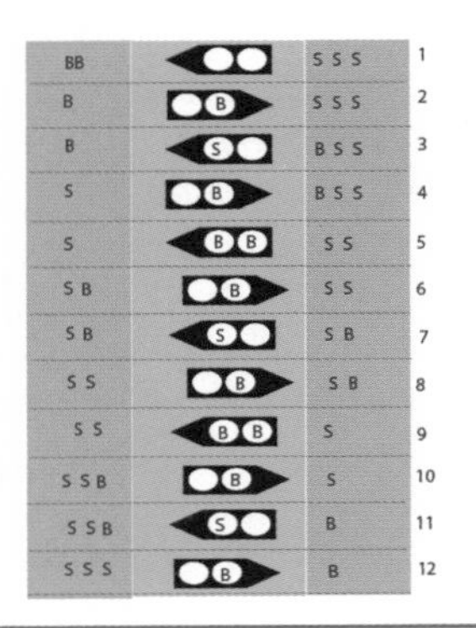

77

78

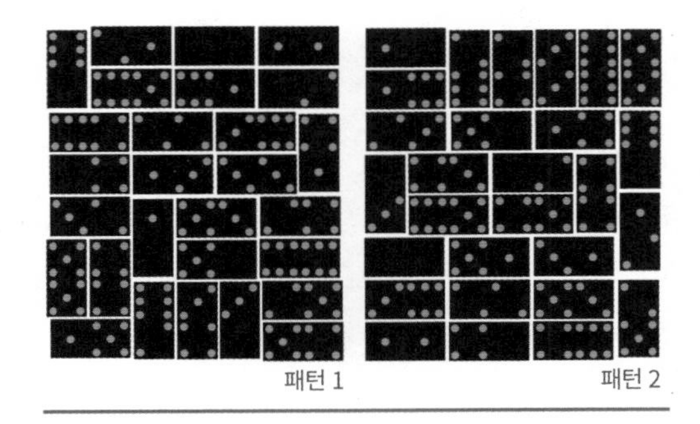

79 1월: 1, 2월: 1, 3월: 2, 4월: 3, 5월: 5, 6월: 8, 7월: 13, 8월: 21, 9월: 34, 10월: 55, 11월: 89, 12월: 144.

이 친근한 일련의 수들은 1월(첫 번째 쌍이 들어왔을 때)부터 12월까지의 매월 토끼 쌍의 수다. 연말이 되면 토끼는 총 144쌍이 된다.

80-81 모든 자연수는 비연속적인 서로 다른 피보나치 수들을 더해서 표현할 수 있는데 이렇게 표현하는 방법은 한 가지 이상 있다. 예를 들면, 아래에 수 232가 나타나있다.

1 1 2 3 5 8 13 21 34 55 89 144 233

1 3 8 21 55 144 = 232

정의에 따르면, 처음 두 개의 피보나치 수는 0과 1이고, 그 이후의 각 피보나치 수는 바로 앞의 두 수의 합이다. 어떤 자료에서는 0을 생략하고 2개의 1로 수열을 시작한다. 만일 계산기로 피보나치 수열에서 이웃한 두 수의 비를 계산해보면, 그 값들의 차이는 점점 더 작아지며 어떤 값에 가까워지는 정말 놀라운 현상을 볼 수 있다. 정말 놀라운 결과가 파이(ϕ)로 표현되는 황금비다.

유클리드가 순수하게 기하학적 목적으로 정의한 이 순수해 보이는 선 나누기와 인류가 발명한 수열이 자연, 수학 및 과학 전체에서 이렇게 중요한 결과를 가져올 것이라고 누가 알았겠는가? 황금비 또는 ϕ는 자연의 기본 구성요소로서 중요한 역할을 한다. 유사한 점화관계를 이용해 다른 수로 시작하는 수열을 만들 수 있다. 예를 들면, 루카스 수열은 2와 1로 시작하며, 그 결과 만들어지는 수열은 피보나치 수와는 공통점이 거의 없는 2, 1, 3, 4, 7, 11, 18, 29, 47, 76, 123,... 이다.

처음 세 수를 제외하면 루카스 수열에서의 어떤 수도 피보나치 수가 아니다. 그럼에도 불구하고, 피보나치 수열와 루카스 수열 사이에 어떤 관련이 있는가, 또는 그런 관계를 갖는 어떤 다른 가능한 점화수열이 있는가? 그렇다. 있다. 만일 루카스 수열의 수들 또는 다른 점화관계로 만들어진 수열의 수들로 위에서 설명한 과정을 똑같이 해보면, 모두 황금비로 수렴한다. 이는 황금비, 피보나치 수, 그리고 피타고라스 정리를 포함한 아주 멋진 우연의 일치다.

82 이 수열에서 다음 정사각형은 12번째 피보나치 수인 144일 것이다.

83 그림에 나타난 바와 같이 이 패턴은 방향이 서로 다른 3가지 모양의 도형 25개가 연결된 닫힌 고리로 구성되어 있다.

모양 1. 9개의 같은 모양의 도형
모양 2. 네 가지 다른 방향의 12개의 같은 모양의 도형
모양 3. 네 가지 다른 방향의 4개의 같은 모양의 도형

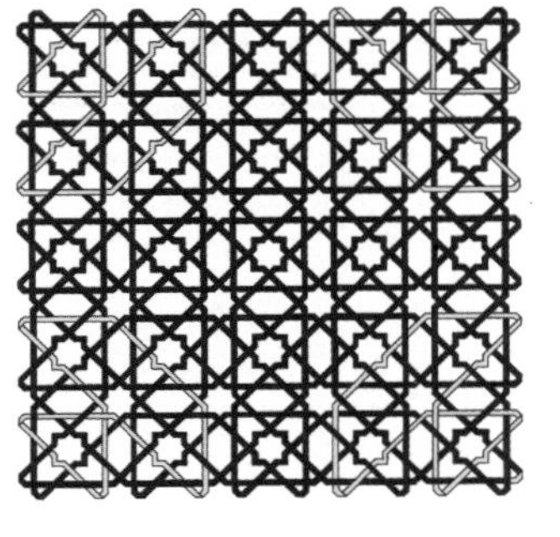

84 과학의 기초가 되는 에너지 보존법칙에 따르면 영구기관을 만드는 것은 불가능하다.

레오나르도의 디자인은 가장 오래된 중력식 영구기관 개념 중 하나다. 그 개념은 본문에서 왼쪽 그림에 나타나 있는 것처럼 것처럼 '일단 돌기 시작하면, 구르는 공들은 올라가는 부분(내려가는 부분보다 중심에 더 가까운)의 바퀴보다 내려가는 부분(중심에서 더 먼)에 있는 바퀴가 중심에 대해 더 큰 모멘트를 만들어낸다'는 것이다. 이러한 현상은 바퀴를 시계방향으로 회전하게 만든다.

이론에 따르면, 위에서 계속 무게가 실리면 공들은 바깥쪽으로 떨어지면서 바퀴를 계속 돌릴 것이다. 그러나 바퀴를 완전히 한 바퀴 돌려 각 공이 원래 위치로 돌아오면, 공에 의해 이루어진 모든 작업은 기껏해야 바퀴가 한 일과 같다.

이 시스템은 동작 중에는 결코 에너지를 얻을 수 없다. 바퀴는 결코 계속 돌지 않을 것이다. 그저 조금 흔들리기만 하고 균형을 잡은 채로 정지할 것이다. 바퀴의 움직임은 '모멘트의 정리(Theorem of moments)'로 설명할 수 있다.

85 가모의 아이디어는 숫자 '6'과 '9'가 회전하면 같다는 것을 기반으로, 바퀴살에 숫자 6들을 붙였다. 일단 동작이 시작되면 꼭대기에 있는 9들의 무게가 바퀴를 영원히 움직이게 할 것이다.

그러나 유감스럽게도, 수학적 아이디어가 항상 물리적 현실이 되는 것은 아니다. 이것은 '불가능'하며 영구기관을 만드는 모든 시도는 실패했다. 그 누구도 영구기관을 만들지 못했다. 그럼에도 불구하고 영구기관을 만드는 일을 여전히 시도하고 있다. 시도되고 있는 영구기관들은 종종 매혹적인 관심을 끄는 쇼윈도로 끝나는 매우 복잡한 가짜들이다.

86

87 체스판에 있는 곡물의 최종 개수는 기하학적 증가에 의한 결과다.

$2^{64}-1=18,446,744,073,709,551,615$

기하학적 증가는 일련의 수들로, 첫 번째 이후의 각 값은 0이 아닌 '공통 비(common ratio)'라 불리는 값을 이전 값에 곱해 얻는다. 기하학적 증가에서의 수의 합은 기하급수라 한다.

88 가능한 많은 해들 중 하나

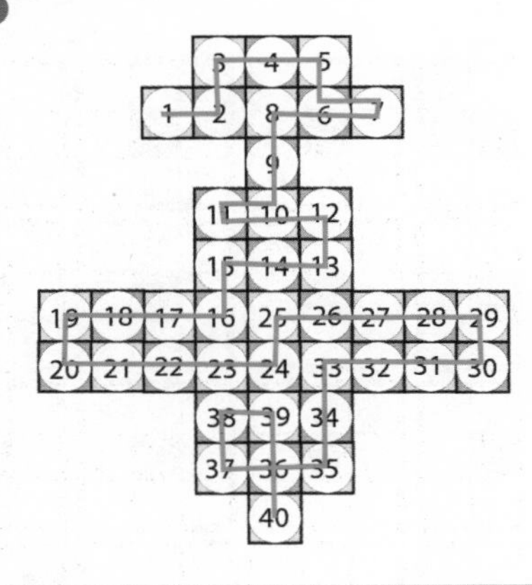

89 달걀의 신비로운 내부구조는 기본적으로 매우 간단하다. 달걀 내부의 기울어진 위치에 점성이 있는 액체로 채워져 있는 작은 원기둥이 있다. 이 원기둥 내부에서는 작고 무거운 피스톤이 천천히 움직인다. 달걀을 수직으로 세울 때 원기둥은 가장 높은 위치에서 가장 낮은 위치로 내려오는데, 약 70초 정도의 시간이 걸린다. 70초의 중간 10초 동안 달걀은 뾰족한 끝으로 균형을 잡을 것이다.

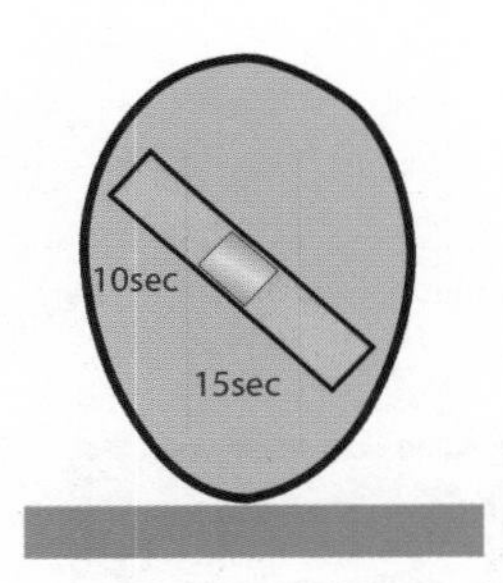

90

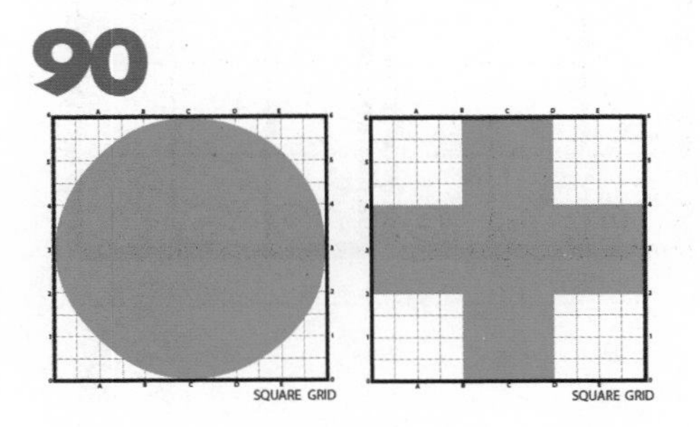

91 헨리 8세 때의 위대한 궁중 화가인 한스 홀베인은 숨겨진 왜곡된 상을 표현한 작품 중에서 가장 유명하고 인상적인 아나모르픽의 일례로 알려진 〈대사들〉을 그렸다. 〈대사들〉은 프랑스 대사였던 드딩빌(Jean de Dinteville)과 셀브(George de Selve)의 초상화다. 그림의 오른쪽에서 좀 비딱한 각도로 서 보면, 두개골 모습을 볼 수 있다.

이 그림은 원래 장 드딩빌의 대저택의 계단에 걸려 있었고, 두개골은 계단 왼쪽 또는 아래에서 보였다. 비록 두개골이 상징하는 바가 무엇인지에 대해서는 독일어로 '속이 빈 뼈'를 의미하는 홀베인(Holbein)이라는 예술가의 연극을 포함하여 수많은 설명이 제시되었지만, 그 그림에 두개골이 포함된 이유는 여전히 분명하지 않다.

92

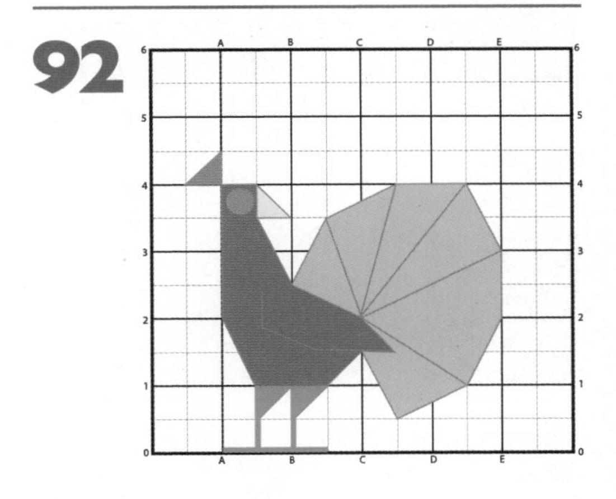

93

94 단어는 'mastermind'다.

95 "Illusion is the first of all pleasures."

96

97

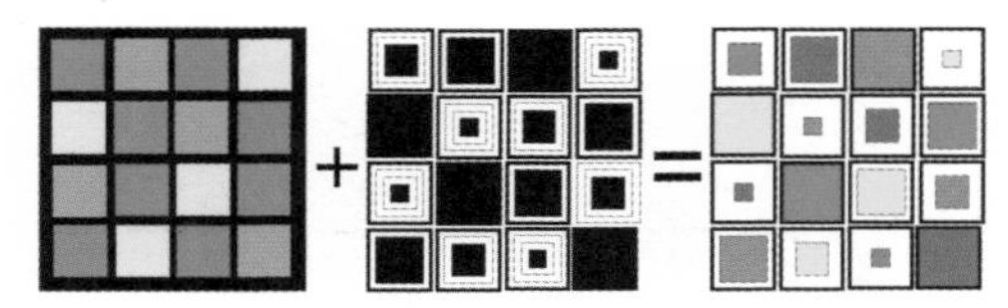

98

99

4차 마방 1개.

놀랍게도, 86가지의 다른 방법으로 34개의 마법 상수를 만들 수 있다. 아래에 있는 것처럼 모두 흥미로운 패턴을 이룬다.

100

최소 이동 횟수는 16번이다. 참고로 말들은 같은 방향으로 원모양으로 움직여야 한다.

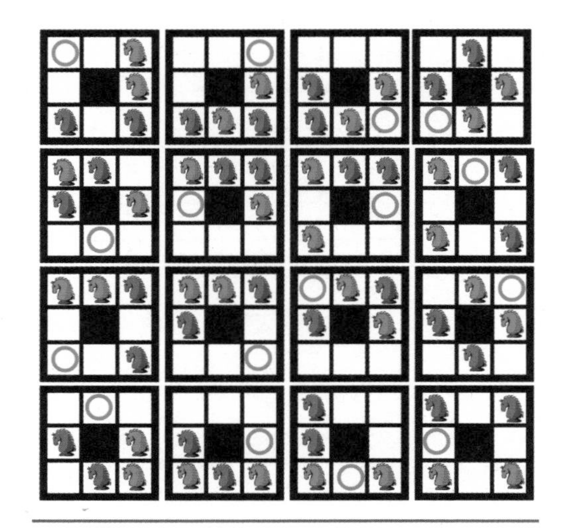

101

정답은 16번 이동하는 것이다.

1-3-4, 2-4-9, 3-11-4, 4-4-3, 5-1-6, 6-6-11, 7-12-7, 8-7-6, 9-6-1, 10-2-7, 11-7-12, 12-9-4, 13-10-9, 14-9-2, 15-4-9, 16-9-10.

두 퍼즐은 문제를 평면 그래프로 나타냄으로써 풀 수 있다. 체스판의 사각형을 그래프의 점으로, 그들 간의 가능한 이동을 그래프를 연결하는 선으로 표현한다.

퍼즐 1에 대한 그래프가 두 가지의 다른 위상(두 번째 그래프는 위상적으로 전개)으로 그려져 있다. 해들은 쉽게 구할 수 있다. 이들 해는 유일하지 않으며 각 퍼즐에 대해 하나의 해가 주어져 있다.

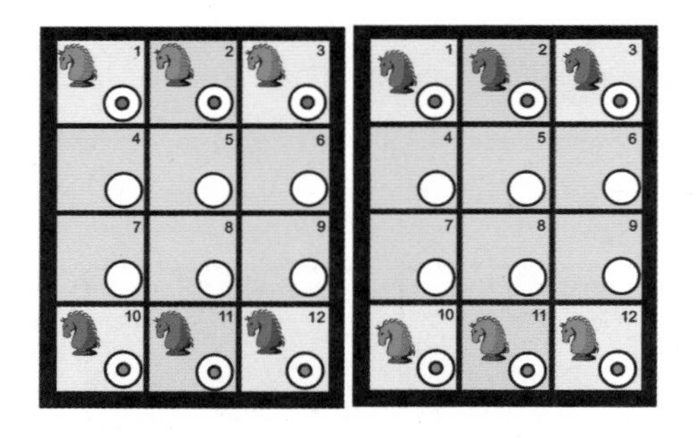

102

경로는 항정선이 될 것이다. 항정선은 'rhumb line'이라고도 알려져 있는 구형 나선으로, 자오선을 일정한 각도(직각이 아닌)로 자른 선이다.

103

그렇게 나누기는 불가능하기 때문에, 형제들은 17마리의 말을 나누기 위해 이웃에게 말 한 마리를 빌렸다. 이제 말 18마리로 아버지가 남긴 유언에 따라 (빌린 말을 되돌려 준 후) 그 말을 9마리, 6마리 및 2마리로 나눌 수 있다

1/2+1/3+1/9=17/18<1이므로 각 형제는 더 많이 상속을 받은 것이다. 즉 9>17/2, 6>17/3, 2>17/9이다!

104

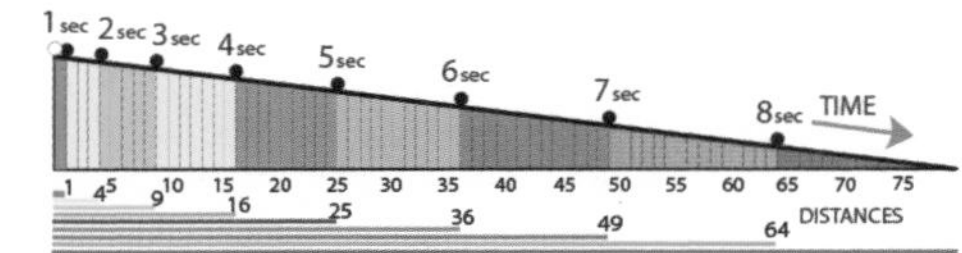

물론, 공이 평면 끝까지 굴러가는 시간은 경사에 따라 다르지만, 경사면 끝에서의 공의 속도는 변하지 않는다. 어떤 경사든 상관없이 경사면 끝에서의 속도는 항상 같다. 1초 만에 경사를 따라 내려가는 공은 2초에는 4배, 3초에는 9배, 4초에는 16배 멀리 구른다. 기울기 각도가 충분히 작아 공이 4초 동안 구를 수 있으면 눈금자 위에서 공을 굴려 쉽게 확인할 수 있다. 1, 4, 9, 16, 25, 36, 49, 64, ...

움직임에서 나타나는 패턴은 놀라운 수열로 나타난다. 'n'초 내려간 후, 공은 정확히 n^2지점에 있다. 즉, 떨어지는 물체의 이동거리는 시간의 제곱에 비례해서 증가하는데, 더 흥미로운 점은 이것은 기울어진 각도와 무관하게 항상 성립한다는 것이다.

갈릴레오는 그의 유명한 낙체 실험에 경사면을 사용했다. 이는 경사에 의해 속도가 느려지므로 보다 쉽게 관찰하고 측정할 수 있다는 것 이외에 물체의 움직임이 자유낙하와 유사하기 때문이었다.

105

많은 수들은 어떤 자연수의 제곱수가 아니다. 그렇다면 제곱수보다 더 많은 수가 있는 걸까?

두 무한집합에서 둘 중 어느 집합이 더 큰 집합인지를 결정하려고 할 때마다, 우리는 갈릴레오가 지적한 역설 같은 것에 빠지기 쉽다. 우리는 다음을 알고 있어야 한다.

1. 무한집합들은 그들의 크기를 비교할 수 없다.
2. 무한집합들은 유한집합들과는 다르다. 무한집합에서는 전체집합과 '같은' 부분집합을 가질 수 있다.
3. 무한집합에서는 '짝 맞추기' 또는 '일대일 대응'이 성립하지 않는다.

106

추의 진폭이 작은 경우 추의 왕복 주기는 진폭이 아니라 추의 길이에만 의존하는데, 이는 매우 반직관적이다.

진폭이 작은 경우 추의 진폭이 크건 작건, 그 진동주기는 같다.* 이러한 추의 이해하기 어려운 움직임은 다음과 같은 특정 법칙을 따른다.

1. 진동주기는 추에 건 물체의 무게에 의존하지 않는다.
2. 그 주기는 움직인 거리에 의존하지 않는다.
3. 진동주기는 추 길이의 제곱근에 비례한다.

추의 주기 또는 한 주기 동안 걸리는 시간(T)은 간단한 공식 $T=2\pi\sqrt{L/g}$로 나타낼 수 있다. 여기서 L은 길이이고 g는 중력가속도로 $9.8m/s^2$이다(s는 second(시간 단위: 초)를 나타낸다). 길이 이외에

는 g가 유일한 변수이기 때문에, 추는 행성의 중력을 측정하는 간단한 방법이다. 1미터 길이의 추의 주기는 지구에서는 약 1초, 달에서는 약 2.5초다.

• 진폭이 커지면 진동주기는 길어진다고 한다.

107

기계적 반중력 역설

한 물체가 중력을 무시하고 오르막길을 오를 수 있을까? 레이본 오르막 원추(Leybourn uphill cone)는 종종 갈릴레오의 작품이라고도 한다.

이중 원추는 실제로는 경사진 길을 내려오는 데 위로 올라가는 것처럼 보인다. 이러한 움직임은 측면에서 보면 쉽게 볼 수 있다.

이중 원추가 '위'로 움직임에 따라 넓어지는 길의 폭은 원추를 낮추는데, 이로 인해 원추의 질량 중심이 내려가서 중력을 무시하는 것처럼 보인다.

108

내접하는 원들의 반지름의 합은 상수이고 이 사실은 선택한 삼각형들과는 무관하다.

이는 원으로 구성된 두 집합의 크기를 비교함으로써 확실하게 증명할 수 있다.

이 아름다운 정리는 산가쿠 문제였다. 일본 수학자들 사이에 고대부터 내려오는 이야기에 따르면, 이 정리는 일본의 한 사찰 안에 있는 판에 조각되었는데 1800년대에 신들과 수학 정리를 내놓은 저자들을 기리기 위해 만들어진 것이라고 한다.

109

보이는 것처럼 여섯 개의 구를 뺄 수 있으며, 뺀 후에도 그 상자는 달그락거리지 않을 것이다.

110

더 잘 쌓을 수 있다! 쌓는 두 방법을 결합하여, 그림과 같이 106개의 구를 붙여 쌓을 수 있다. 다시 말하지만, 가장 좋은 해가 가장 질서정연하고 규칙적일 필요는 없다. 특별히, 원 모양을 최대한 많이 만들어내야 하는 제조 문제 등에 있어서, 이러한 쌓기 문제가 얼마나 중요한지는 두말할 필요도 없다.

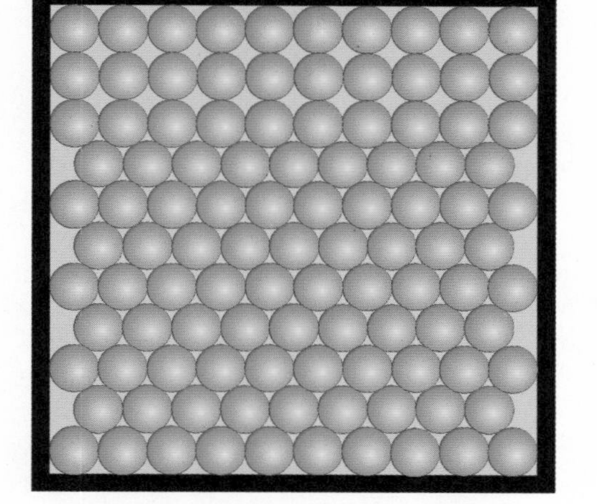

111

1. 저울의 한쪽에만 무게를 잴 수 있는 경우: 1킬로그램에서 40킬로그램까지 연속적으로 무게를 재기 위해서는 다음 6가지 무게의 이진수 집합이 필요하다(2의 처음 6승).

1, 2, 4, 8, 16, 32킬로그램

2. 저울의 양쪽으로 무게를 잴 수 있는 경우: 1킬로그램에서 40킬로그램까지 연속적으로 무게를 재기 위해서는 무게의 삼진수 집합이 필요하다(3의 처음 4승).

1, 3, 9, 27킬로그램

112

같은 모양의 상자 3개를 배열하는 방법은 6가지다. 일반적으로, 배열하는 방법이 2가지면 한 번 재면 된다. 배열하는 방법이 4가지면 두 번 재고, 8가지면 3번 잰다. 이와 같은 방식으로 배열하는 방법이 2^n가지가 있으면 'n'번을 재는 것으로 충분하다.

이 문제의 경우, 처음에 재었을 때 무게가 '상자1>상자2', 두 번째 재었을 때 '상자1<상자3'을 얻었다면 '상자3>상자1>상자2'의 결론을 얻을 수 있다. 그러므로 문제는 해결되었다.

만일 두 번째 재었을 때 '상자1>상자3'을 얻었다면 '상자1>상자2>상자3' 또는 '상자1>상자3>상자2'의 두 가지의 가능성이 있다. 상자2와 상자3을 비교하기 위해서는 무게를 한 번 더 재야 한다.

113

3번을 재는 것으로 충분하다.

1. 21개의 막대기를 7개씩 세 그룹으로 나눈다. 저울의 양쪽 위에 세 그룹 중 두 그룹을 올린다. 이때 다음의 두 가지가 가능하다.

a) 저울이 균형을 이룬다: 더 무거운 막대는 무게를 재지 않은 그룹 안에 있다.

b) 저울이 한쪽으로 기울어진다: 더 무거운 쪽이 더 무거운 막대를 포함하고 있다.

무거운 그룹을 3개씩 두 그룹으로 나누고 하나를 남겨둔다. 그 두 그룹을 저울 양쪽에 올린다.

2. 다시, 두 가지 가능한 결과가 있다.

a) 저울이 균형을 이룬다: 재지 않은 막대기가 더 무거우며 더 이상 무게를 측정하지 않아도 된다.

b) 저울이 한쪽으로 기울어진다: 기울어진 그룹의 세 막대기 중 두 막대기를 저울에 올려놓음으로써 무게가 다른 막대기를 찾아낼 수 있다.

114

8개의 동전을 3개 동전 두 그룹과 2개 동전으로 나눈다. 위에서 본 것처럼(문제 113) 두 가지 가능성에서 가짜 동전을 찾기까지는 두 번을 재는 것으로 충분하다.

단계 2의 두 번째 계량에서, 만일 균형을 이룬다면 가짜 동전은 물론 재지 않은 동전이다.

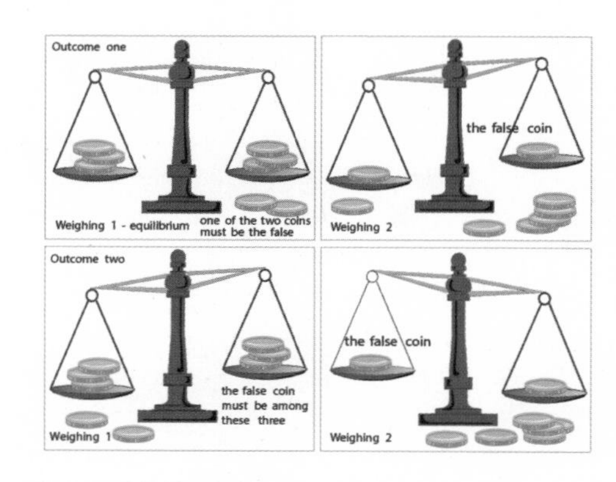

115

위 그림에는 구와 구의 반경에 대한 부피가 나타나 있다. 아래 그림에는 평형 상태에서의 두 그룹의 부피가 729이라는 것을 보여주고 있다.*

* 답에 나와 있는 값은 문제에서 주어진 반경을 갖는 구의 부피가 아니라 한 변의 길이가 그 값인 정육면체의 부피를 나타낸 것이다. 구에 대해서도 유사하게 풀 수 있다. 질량=부피×밀도

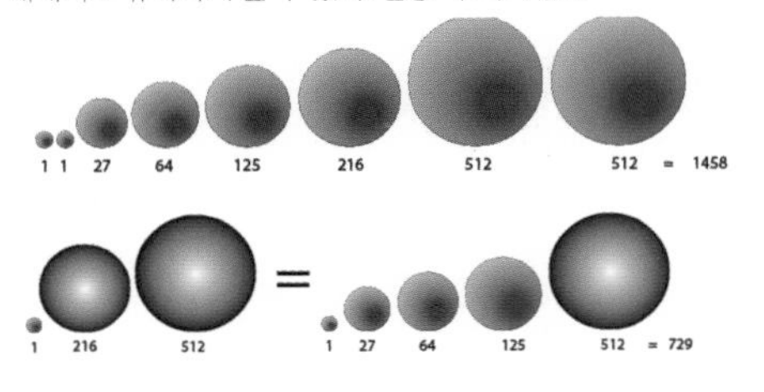

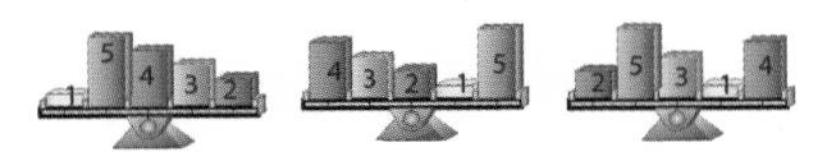

116

1. 6가지의 다른 평형 상태가 있다(3쌍은 대칭적으로 같음).

2. 물건을 임의로 배치했을 때 평형을 이룰 확률은 약 4/100=1/25이다. 대칭적으로 같은 것을 똑같은 것으로 보면 17가지의 다른 평형해가 있다.

117

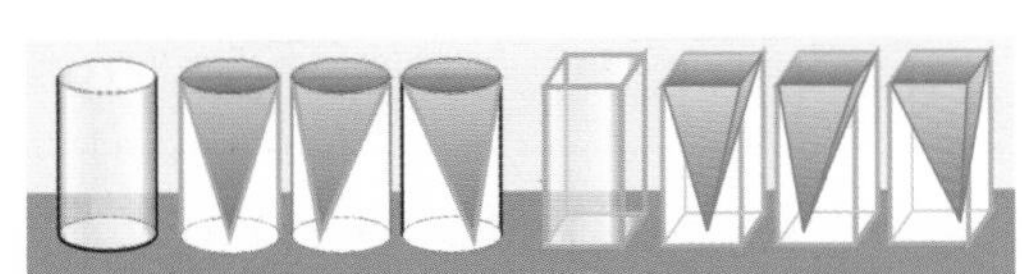

3개의 원뿔과 3개의 피라미드에 있는 물은 정확히 원뿔과 피라미드와 같은 밑면과 높이를 갖는 원통과 사각기둥을 각각 꽉 채울 것이다. 이 관계는 다음 공식으로 표현될 수 있다.

원통이나 사각기둥의 부피는 밑면의 넓이에 높이를 곱한 값이고, 원뿔이나 피라미드의 부피는 대응하는 원통 또는 사각기둥의 부피의 1/3이다.

118

데자르그의 정리에 따르면, 네 삼각형의 연장선들 간의 모든 교점은 삼각형들이 자신의 그림자와 접하는 변 위에 있다. 이는 그 주변의 모든 다른 점들은 '자유롭다'는 것으로, 그들 각각은 잠재적인 광원 또는 사영 중심이 될 수 있기 때문이다.

119

다음 행에 들어가는 수는 바로 위에 있는 행의 왼쪽과 오른쪽 두 수를 더해서 만든다.

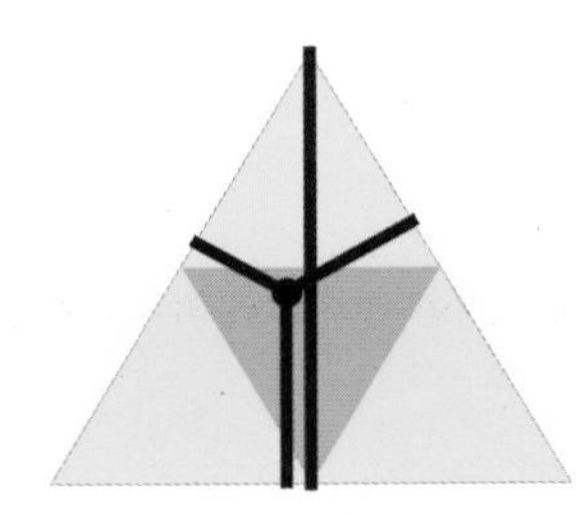

120

이 문제의 해법을 통해 정삼각형이 갖는 멋진 기하학적 성질을 알 수 있다.

삼각형 내의 각 점은 막대기를 자르는 고유한 방법을 표현한다. 그 점으로부터 각 변에 내린 3개의 수선의 합은 일정하며 삼각형의 높이와 같은데, 이것이 그 막대기의 길이다.

세 직선은 그 점이 가운데 있는 작은 삼각형 안에 있는 경우에만 삼각형을 만든다. 그런 경우에, 3개의 수선 중 어느 한 수선도 다른 두 수선의 합보다 길지 않은데, 이것이 삼각형을 만드는 조건이다. 반면, 만일 그 점이 가운데 있는 작은 삼각형의 바깥쪽에 있으면, 한 수선의 길이는 다른 두 수선의 길이의 합보다 크다. 이때는 그 수선들로 삼각형을 만들 수 없다. 그러므로, 세 수선이 삼각형을 만들려면 점은 작은 삼각형 내부에 있어야 한다.

따라서, 작은 삼각형의 면적이 큰 삼각형의 면적의 1/4이므로, 한 점을 무작위로 선택할 확률도 1/4이다.

121

미적분은 이 책의 범위를 벗어나므로, 직관적인 설명으로 문제를 풀어보자.

지름이 6인치인 구에 아주 작은 구멍이 있다고 상상해보면, 이 구멍은 구의 부피를 거의 바꾸지 않는다. 지름이 6인치보다 큰 모든 구에는 6인치 구멍을 완전히 뚫을 수 있다. 구가 클수록, 구멍은 더 커지며 구멍의 가장자리에서의 높이는 6인치가 되어야 한다.

미적분학에서는 구멍의 지름이나 구의 크기와 상관없이 남은 냅킨-고리 모양의 입체의 부피는 같다고 한다.

매우 놀랍게도 구멍이 난 구의 나머지 부피와 구멍이 난 지구의 부피가 아주 똑같다고 한다. 이는 꽤 비직관적으로 들린다. 그러나 지구가 그 구보다 훨씬 크지만, 구멍의 두께를 동일하게 만들기 위해서는 비례적으로 구멍을 더 많이 팠어야 했다. 남은 부피는 처음 구의 부피나 파낸 구멍의 크기 각각에 따로따로 의존하지 않으며 단지 구멍의 바깥부분의 길이가 정확히 6인치라는 사실에 의해 결정된다.

이쯤 되면, 이 문제가 본문에서 다음 쪽(147쪽)에 나타나 있는 원형 고리들 문제의 3차원 형태라는 것을 눈치 챘을 것이다. 아래에 나타나 있는 그림은 두 문제들의 반직관적인 관계를 시각적으로 보여주고 있다.

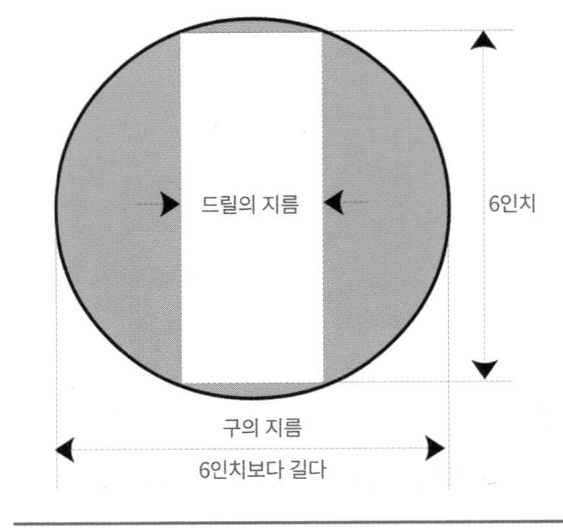

122

놀랍게도, 고리들의 영역문제를 해결할 수 있는 충분한 정보가 있다. 또한, 모든 고리가 같은 면적을 갖는다는 것은 심지어 훨씬 반직관적으로 들린다.

고리의 면적은 현의 길이에만 의존하며, 모든 고리의 현의 길이는 S로 모두 같다.

피타고라스 정리에 의하면,

$$R^2=(R-h)^2+(S/2)^2=R^2-2Rh+h^2+(S/2)^2$$

이고, 더 큰 원의 면적은 πR^2, 작은 원의 면적은 $\pi r^2=\pi(R-h)^2=\pi(S/2)^2$이므로 두 원의 면적의 차이는 다음과 같다.

$$\pi(R^2-r^2)=\pi(S/2)^2$$

즉, 고리의 면적은 현의 길이 S와 π에만 의존한다.

원들의 지름은 주어지지 않는다는 점에 주목하자. 만일 더 작은 원의 지름이 0이 된다고 상상해보면, 고리의 지름은 현의 길이가 되고 면적은 원의 면적이 된다(본문 오른쪽 마지막 그림).

123

이진언어는 컴퓨터 언어로, 기본 이진체계를 기반으로 하며 0과 1만을 사용한다(여기서는 흰색과 검은색 원으로 표시되어있다). 이는 스위치의 끄기-켜기(off-on)에 해당한다. 이진수의 왼쪽에 있는 각 자리는 그 다음으로 높은 멱수(power, 승수)를 나타낸다.

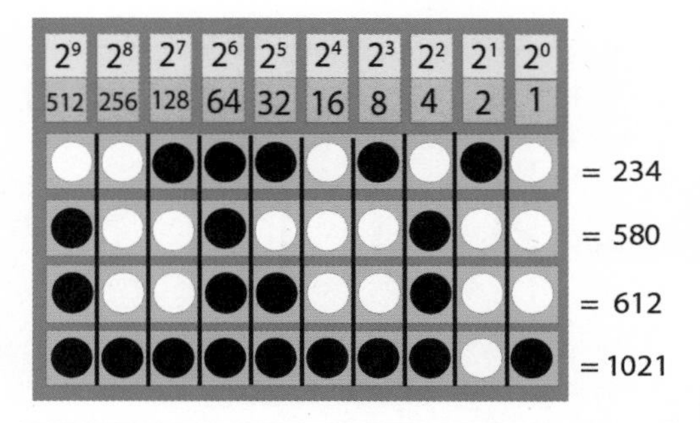

124-125

한 구가 같은 크기의 12개의 구와 접할 수 있는데, 이는 그림에 나타나 있는 것처럼 구들로 1겹을 쌓은 모습이다. 한 개의 구를 중심으로 평면에서는 6개의 구가 접하며, 3차원으로 쌓으면 3개의 구가 이 평면의 윗부분과 아랫부분에 각각 추가되어 12개가 된다.

이것은 한 번에 '입맞춤'할 수 있는 최대 구의 개수며, 중앙에 있는 구의 지름의 3배의 지름을 갖는 큰 구에 들어갈 수 있다. 따라서 같은 크기의 구에 대해 그 구를 중심으로 한 입맞춤 수는 12다.

입맞춤 수와 관련된 문제는 오류수정 코드(잡음이 많은 전기 채널을 통해 메시지를 보낼 때 사용되는 코드 등)를 포함하여 수학의 여러 중요한 분야에서 찾아볼 수 있다. 그 다음 겹들에 대한 구의 개수는 다음과 같은 간단한 방정식으로 계산할 수 있다.

$$10F^2+2.$$

여기서 F는 빈도수(겹 수)다.

두 번째 겹의 구의 개수는 42고, 세 번째 겹의 구의 개수는 92다. 따라서, 그림에 나타난 바와 같이 구를 3겹으로 쌓았을 때 구의 총 개수는 147이다.

126

사이클로드가 최속강하선 문제의 해이다. 즉, 사이클로이드 경로 위에 있는 공이 가장 빨리 도착한다. 이것은 사이클로이드 곡선의 놀라운 특성 중 하나일 뿐이다. 굴러 내려오는 공은 다른 경로, 직선, 또는 곡선에서 구르는 것보다는 비록 그 길이가 더 길어도 사이클로이드를 뒤집은 경로에서 더 빨리 굴러 내려올 것이다. 가장 짧은 경로인 직선이 가장 빠른 경로가 아니라는 점은 꽤 놀라운 일이다.

이런 이유로 사이클로이드는 가장 빠른 강하곡선 또는 최속강하선이라 불린다. 사이클로이드를 따라 굴러 내려가는 공은 내려가기 시작할 때 속도가 가장 빨라서 끝점에 첫 번째로 도달하며, 어떤 경우에는 다시 올라가기 전에 수평 상태에서 아래로 떨어질 수도 있다. 사이클로이드를 뒤집은 경로의 어느 지점에서 시작하더라도 굴러 내려가는 공이 같은 시간에 바닥에 도달한다는 것은 더욱 놀랍다.

갈릴레오는 추의 진동주기가 추의 길이에만 의존한다는 것을 발견했는데, 이것은 진폭이 작아 추가 흔들리는 모양이 사이클로드 모양을 만들지 않는 진동에서만 사실이다. 그러나 추가 사이클로이드 모양을 만들면서 흔들리면, 추의 진동주기가 추의 길이에만 의존한다는 것은 어떤 진폭의 진동에서도 사실이 된다.

127

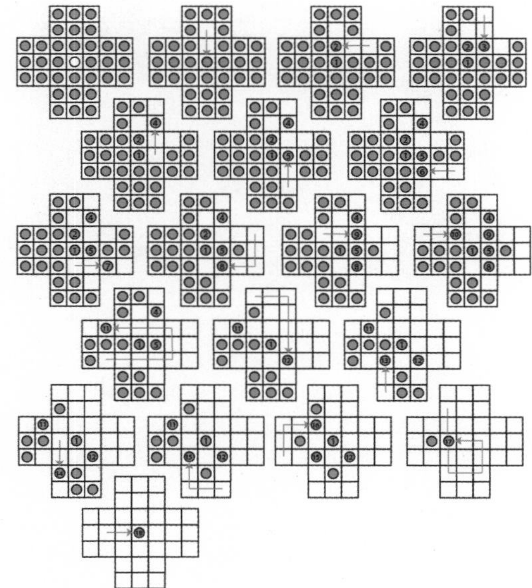

128

네 개의 바퀴들:

빨간색: 3비트 이진수. 유일한 해. 더 긴 이진 바퀴는 전화통신이나 레이더 함수 같은 메시지를 코딩하는 데 사용된다. 캘리포니아대의 수학자 스테인(Sherman K. Stein)은 이러한 이진구조를 '메모리 바퀴'라 불렀다. 이 바퀴들은 또한 자신의 꼬리를 먹은 신화적인 뱀에서 파생된 이름인 '오로보린의 반지들(Ouroborean rings)'이라고도 불린다.

녹색: 4비트 이진수. 하나의 해가 도시되었다.

노란색: 5비트 이진수

파란색: 6비트 이진수

129

직관적인 답은 지구의 둘레에 비해 1미터는 큰 값이 아니기 때문에, 그 밧줄은 거의 움직이지 않는다는 것이다. 그러나 이 경우 이 직관은 틀렸다. 다음과 같이 약간 분석해보면 그 이유를 알 수 있다.

$$2\pi(r+x)-2\pi r=1\text{m},\ 2\pi x=1\text{m},\ x=1/2\pi,\ x=1/6.28.$$

그러므로 x는 16센티미터이다.

이 결과가 지구의 반지름이나 탁구 또는 테니스공의 반지름들과는 무관하다는 사실은 더욱 놀랍다. 이 사실은 다음 그림에 나타나 있다.

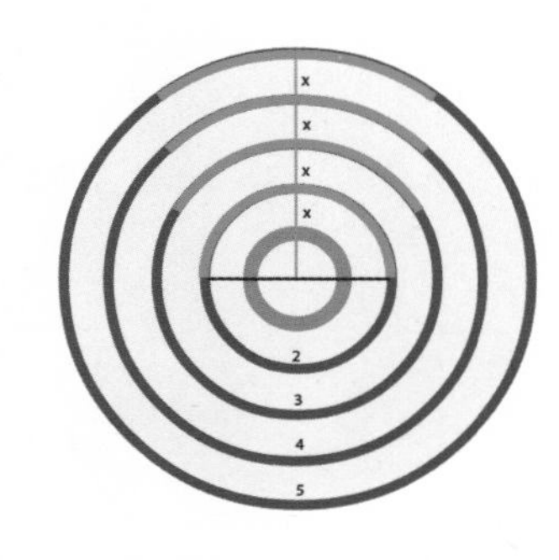

130

아래 그림에서 볼 수 있듯이, 결과는 항상 바리뇽 평행사변형이라고 불리는 평행사변형이다.

이 아름다운 원리는 피에르 바리뇽의 이름을 따서 '바리뇽 정리'라 불린다. 바리뇽 평행사변형의 면적은 사변형 면적의 반이며, 둘레는 사변형의 두 대각선의 합과 같다.

131

일반적으로, 정다각형을 삼각형으로 나눌 수 있는 방법은 다음과 같다. 정삼각형 1가지, 정사각형 2가지, 정오각형 5가지, 그다음 변들이 하나씩 늘어나는 정다각형들에 대해서는 14, 42, 132, 429, 1430, 4832, ...가지가 있다.

이 수는 카탈랑(Eugene Charles Catalan, 1814~1894)의 이름을 따서 '카탈랑 수(Catalan numbers)'라 부르며, 조합론의 많은 문제들에서 나타난다. n개의 면을 갖는 볼록 다각형을 삼각화하기 위해서는 n−3개의 대각선이 필요하며, 이는 그 다각형을 n−2개의 삼각형으로 나눈다.

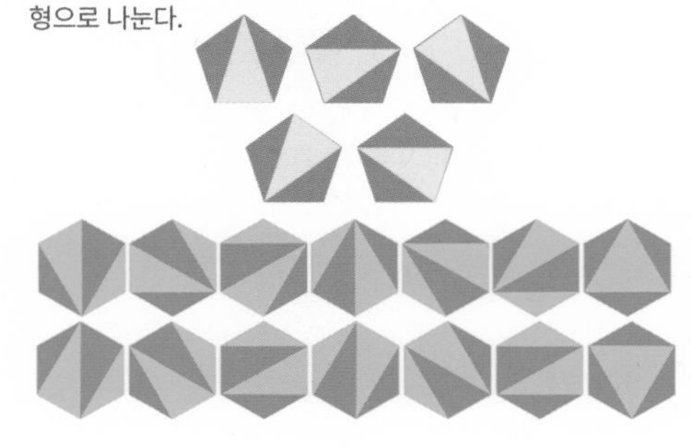

132

교점의 개수(V): 9

면의의 수(F): 11

변의 개수(E): 18

오일러는 평면에 있는 임의의 연결된 그래프에 대해 '오일러 특성식(Euler Characteristic)'이라 불리는 식을 발견했다. 그 식은 'V−E+F=2'

이고 이 예제에서는 9-18+11=2가 된다. 오일러 공식의 결과가 항상 2라는 통찰은 수학의 가장 아름답고 중요한 표현 중 하나다.

133

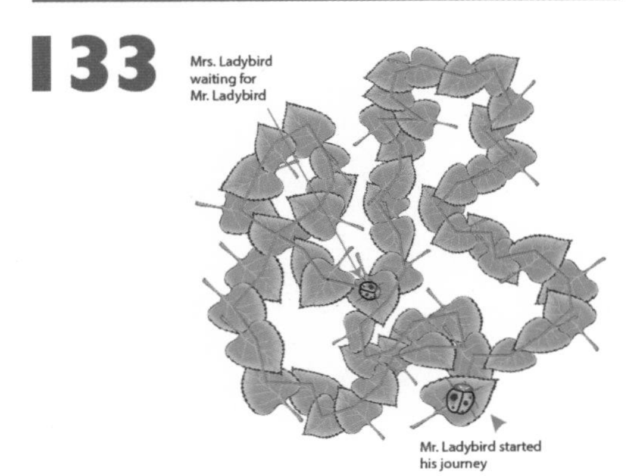

다음 두 퍼즐은 모스코비치가 오일러의 천재성을 찬미하며 만든 것이다. 이 퍼즐은 오일러 그래프의 형태를 띠었으며, 오일러 정리를 이용해 풀 수 있다.

잎은 그래프의 노드(점)로 간주될 수 있다. 한 잎이 다른 잎과 짝수 번 겹치면(짝수 개의 경계 교차점), 수컷 무당벌레는 그 잎에 올라갔다가 떠날 수 있다. 그러나 다른 잎과 홀수 번 겹치면 한 번 잎에 올라갔다가 떠날 수는 있지만, 다시 들어왔을 때는 떠날 수 없다(퍼즐의 가정: 두 잎의 경계부분에서는 딱 한 번 건넌다).

잎을 관찰하면, 홀수 개의 잎이 교차해 있는 유일한 잎이 수컷 무당벌레의 아내가 기다리고 있는 잎이다. 인접한 다른 잎들과 단 두 곳에서만 겹치는 모든 잎을 선으로 연결하고, 여러 개의 잎들이 겹쳐져 있는 잎들을 표시하면, 모든 잎들을 지나며 가는 방향으로만 가는 연속인 선을 쉽게 찾을 수 있다. 일반적으로, 오일러의 정리(Euler's Theorem)에 따르면, 이 그래프와 같은 그래프는 인접한 잎의 개수가 홀수인 잎들이 없거나(0개) 2개면 처음부터 끝까지 통과할 수 있다.

만일 인접한 잎의 개수가 홀수인 잎이 없으면('0'인 경우), 잎들로 만들어진 경로는 닫힌 고리이므로 아무데서나 시작할 수 있다. 만일 인접한 잎의 개수가 홀수인 잎이 '2'개 있으면, 그 두 잎은 시작점과 끝점이다. 이것이 이 문제에 해당하는 경우로, 시작점에는 한 개의 잎이 접해 있고, 끝점에는 세 개의 잎이 접해 있다. 다른 모든 잎들에 인접한 잎의 개수는 모두 짝수다.

134

불법 외계인 우주선은 왼쪽 위 행성에서 들어와서 오른쪽의 가장 낮은 행성쪽으로 나가려고 한다. 오른쪽의 행성에는 행성 간 방위군이 그들을 기다리고 있다. 주어진 그래프에는 홀수 개의 경로를 갖는 점이 단 두 개 있다. 이 두 점 중 하나가 시작점 또는 끝점인 경우, 경로를 한번만 지나며 추적할 수 있다. 위(북) 지점이 진입 지점이므로, 다른 낮은 지점이 경로의 유일한 끝 또는 잠재적 출구점임을 알 수 있다. 그림에 많은 가능한 경로들 중 하나가 그려져 있다.

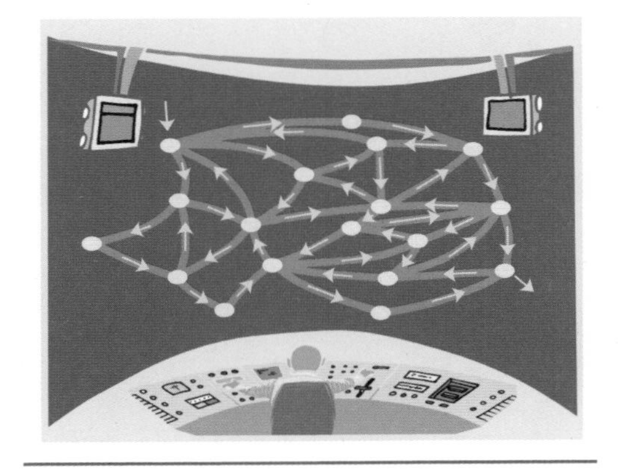

135

이것은 유명한 뷔퐁의 바늘실험으로, 쉽게 실험할 수 있으며 아주 정확하게 π라는 수를 계산할 수 있게 해준다. 프랑스의 수학자 르클레르(Georges Louis Leclerc)는 바늘의 길이가 선들 간의 거리와 같을 때 바늘이 임의의 높이에서 평행선이 그려진 종이 위에 떨어지면, 바늘이 떨어져 한 선에 걸쳐질 확률은 2/π라는 것을 증명했다.

바늘의 길이가 선들 간의 거리보다 짧으면 바늘이 선에 걸쳐 있을 확률은 2c/(π×a)이다. 여기서 a와 c는 각각 선들 간의 거리와 바늘의 길이다. 따라서 바늘을 임의의 많은 횟수(n)로 던진 후 바늘이 선에 걸쳐지는 횟수(m)를 세면, π의 실험값은 다음과 같이 계산될 수 있다.

$$\pi=(2c\times n)/(a\times m) \text{ 또는 } c=a\text{이면 } \pi=2n/m$$

이다. 처음에는 답이 π를 포함한다는 것이 거의 마술처럼 보인다. 이 아름다운 실험은 라플라스(Simon Laplace, 1749~1827)가 바늘 실험을 대중화하면서 확률에서의 주요 연구를 발표한 1812년까지 오랫동안 잊혀 있었다.

1901년 이탈리아의 수학자 라자리니(Lazzarini)는 인내를 가지고 바늘을 3408회 던져 3.1415929의 값을 얻었는데, 그 결과의 오차는 단 0.0000003이었다. 당신이 얻은 결과를 이 실험 결과와 비교해보라.

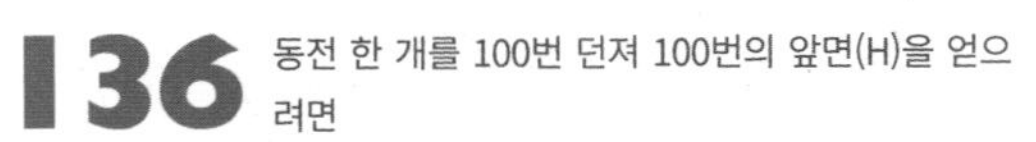

136

동전 한 개를 100번 던져 100번의 앞면(H)을 얻으려면

1H: 1/2=0.50

2H: 1/2×1/2=1/4=0.25

3H: 1/2×1/2×1/2=1/8=0.125

100H: $(1/2)^{100}$=1/1,000,000,000,000,000,000,000,000,000,000

이다. 이론적으로는 동전 하나를 100번 던져 100번의 앞면을 얻을 수는 있지만, 앞면과 뒷면이 혼합되어 나올 수 있는 방법이 매우 다양하므로 그렇게 나올 확률은 생각보다 작다. 같은 이유로, 다른 특별한 사건이 일어나는 것도 확률은 여전히 작다. 사실 나타날 수 있는 모든 사건의 발생 확률은 모두 같다.

137

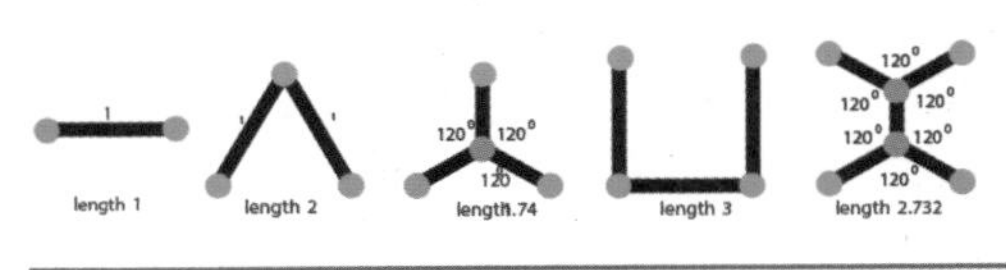

138-143

3×3과 4×4 크기의 체스판에서 기사의 여행은 불가능하다. 5×5와 6×6 크기의 체스판에서는 각각 128가지와 320가지의 경로가 있으며, 그들 중 어떤 것은 닫혀 있다. 7×7 크기의 체스판에서는 7,000가지가 넘는 경로가 있으며, 8×8크기의 체스판에서는 수백만 가지의 경로가 있다.

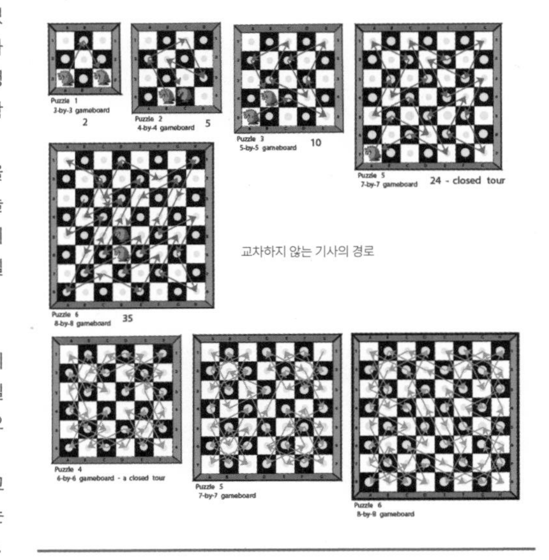

144

오른쪽 그림에도 매듭이 없다.

145

실을 겹쳐놓는 방법은 8가지 형태가 있을 수 있는데, 그중 두 개만 매듭이 있다. 나머지 6개는 고리 모양을 만들 뿐 실의 양 끝을 당기면 직

선이 되며 매듭은 만들어지지 않는다. 따라서 매듭이 있을 확률은 1/4에 불과하다.

146

1960년에 노벨상을 수상한 캘리포니아공대의 막스 델브룩(Max Delbruck)은 이 아름다운 문제를 제안했고, 36개의 선으로 이루어진 한 해를 찾았다.
1993년 디아노(Yuanan Diao)는 다음 그림에 나타난 24개 선으로 이루어진 해를 찾았다. 그는 24개의 꼭짓점을 가진 이 다각형이 입방격자 위에서 만들 수 있는 최소의 삼엽 모양이고, 꼭짓점이 24개인 다른 삼엽 모양은 없다는 것을 증명했다(Journal of Knot Theory and its Ramifications vol 2., #4 (1993) pp. 413-425).

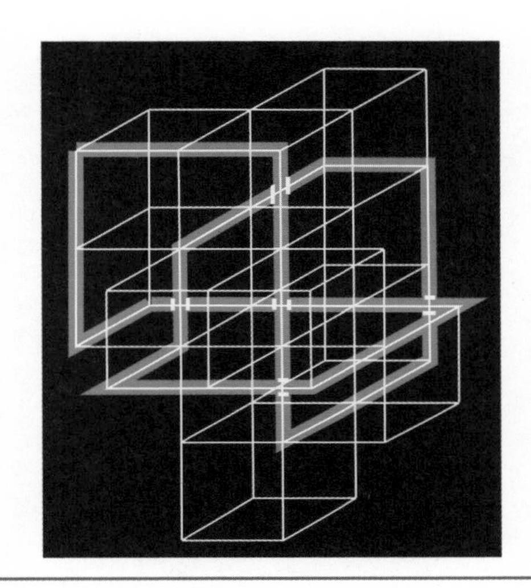

147

148

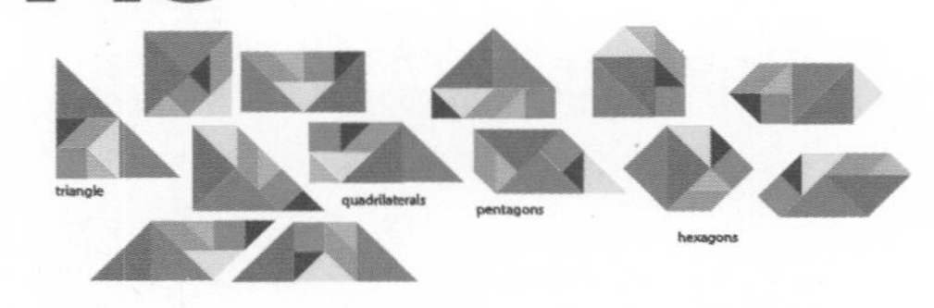

149

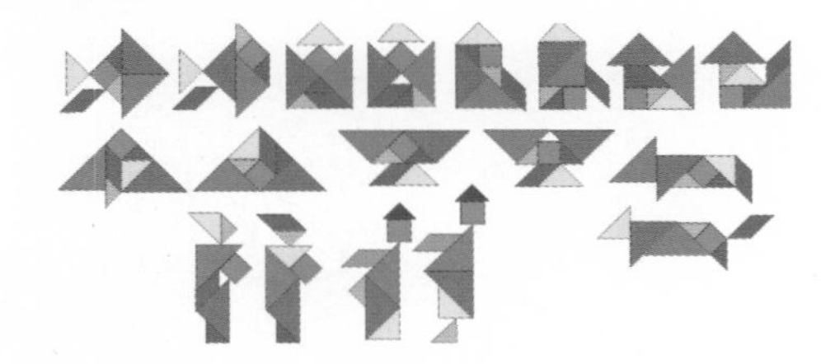

150

샘 로이드의 놀랍도록 아름다운 4조각 해

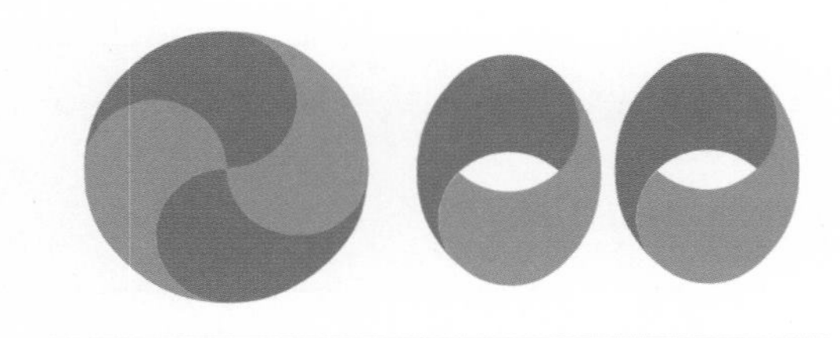

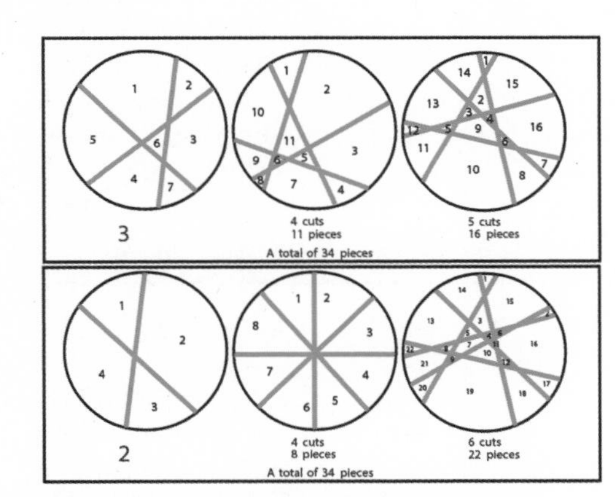

151

1. 3개의 케이크를 3번, 4번, 그리고 5번, 즉, 총 12번의 직선으로 자르면 이때 얻을 수 있는 케이크의 최대 조각은 7조각, 11조각, 그리고 16조각, 즉, 총 34조각이다. 이 해는 케이크를 자르는 횟수가 최소일 때 얻을 수 있는 '최상'의 해지만, 한 점에서 두 개 이상의 절단선이 만나는 경우 다른 해가 있을 수 있다.
예를 들면, 케이크를 2번, 4번, 그리고 6번 자르면 케이크를 각각 4(최대), 8, 그리고 22(최대)조각으로 나눌 수 있는데, 이 중 어떤 것은 최소 해가 아니다.
이 문제는 조합기하라는 수학의 한 분야의 간단한 예다. 조합기하는 형태들과 수들과의 흥미로운 연관관계를 다루는 학문이다.
2. 케이크를 똑같은 크기로 잘라야 하기 때문에, 중심에서부터 12개의 조각, 모두 36개의 조각으로 나누어야 한다. 이렇게 자르면 당신과 나를 위한 두 개의 조각이 더 나온다.

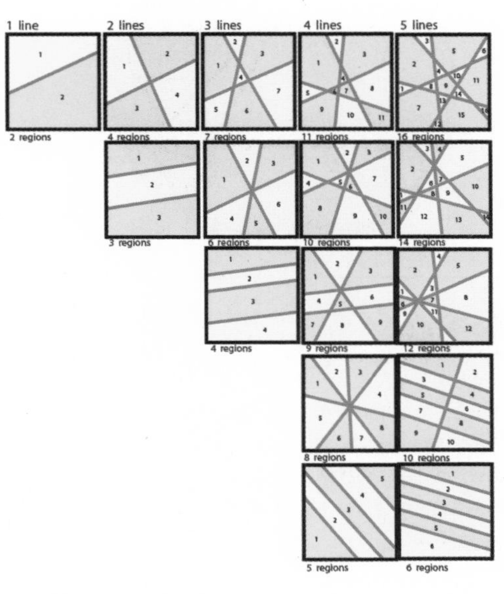

152

분리된 영역의 수가 최대가 되기 위한 일반적인 규칙은 새로운 직선을 이전에 만들어진 모든 직선들을 가로지르도록 그려야 한다는 것이다. 그런 방식으로, 모든 n번째 직선은 n개의 새로운 조각을 만들어낸다. 예를 들면, 두 개의 직선이 네 개의 영역을 만들고, 이미 그려진 두 개의 직선을 자르는 세 번째 직선은 세 개의 새로운 영역을 만들며, 이와 같은 방식으로 계속 직선을 그려나갈 수 있다.
그림에서 첫 번째 행에 이러한 규칙이 나타나 있으며, 나뉘는 영역의 최대 개수를 보여주고 있다. 영역의 개수를 최소화하는 것은 쉽다. 그림에서처럼 모든 직선을 평행하게 그리면 된다.
주어진 개수만큼의 선으로 잘라 원(사각형)을 가장 많은 조각으로 나누는 문제를 '원 나누기' 또는 '팬케이크 나누기' 문제라고 한다. 나뉜 조각의 최소 개수는 항상 n+1이며, 여기서 n은 자르는 횟수다. 실제로, 최소 조각 수와 최대 조각 수 사이의 어떤 수도 만들어 낼 수 있다. n이 1, 2, ...인 경우들에 대해 평면을 직선들로 잘라서 만들 수 있는 영역의 최대 개수에 대한 수열은 다음과 같다.
Sn=2, 4, 7, 11, 16, 22, 29, 37, ..., n=1, 2, ...

153

구 내부에 있는 한 개의 사면체는 최대 15개의 3차원 영역을 만든다.
이 문제는 다음에 설명된 한 개의 입체가 도움이 될 수 있다. 그 입체는 공간에서 사면체를 이루는 변들을 확장해 만들 수 있는데, 꼭짓점들에서 네 영역, 모서리들에서 세 영역, 면들에서 네 영역, 그리고 그 사면체 자신으로 구성된다.
총 영역의 수는 15개다. 이 수는 일반적으로 3차원 공간을 4개의 평면으로 나눌 수 있는 최대 영역의 수다. '케이크 수 급수(cake number series)'는 1, 2, 4, 8, 15, 26, 42, 64, 93,...으로 나타난다.

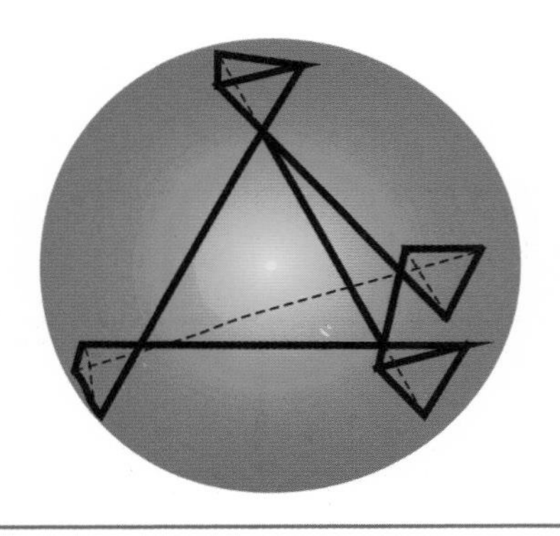

154

8개의 각 꼭짓점에서 성냥이 3개씩 만나는 최소 12개로 만들어진 성냥개비 패턴이다. 각 꼭짓점에서 4개의 성냥이 만나는 형태에 대한 가장 널리 알려진 해는 하이코 하버스(Heiko Harborth)가 제안한 것으로, 52개의 점에서 만나는 104개의 성냥개비다. 더 적은 수의 성냥개비로 만들 수 있는 더 나은 배열은 발견되지 않았다. 한 꼭짓점에서 5개 이상의 성냥개비가 만나는 패턴에 대한 해가 존재하지 않는다는 것도 흥미롭다.

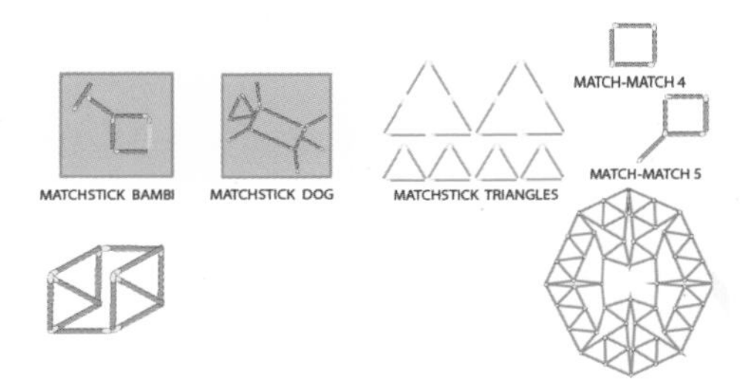

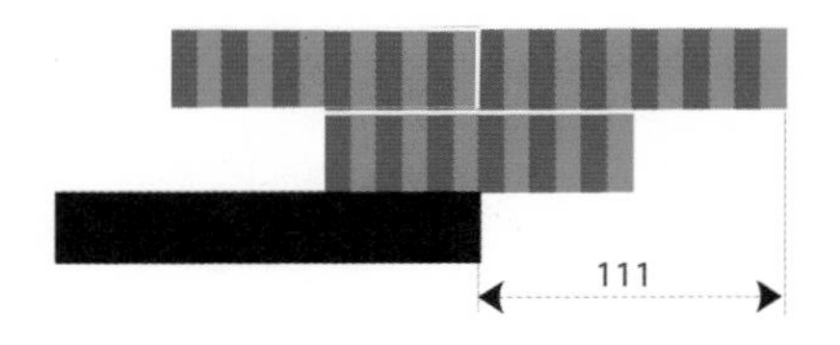

3개의 블록으로 최적 쌓기 해

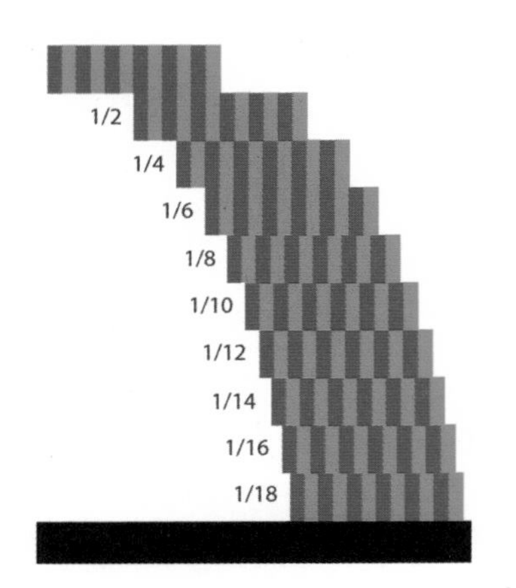

155

이 문제의 답은 놀랍게도 쌓기에서 튀어나오는 부분을 원하는 만큼 길게 할 수 있다는 것인데, 이는 믿기 어려워 보인다. 가장 위에 있는 블록을 나머지 블록들 위에서 움직여 보며 균형을 맞추면, 질량중심은 아래 블록의 가장자리 위에 놓인다. 블록을 옮길 때마다 이동한 블록과 쌓여 있는 블록들로 이루어진 새로운 블록 더미의 질량중심은 달라진다.

각 블록의 모서리는 위에 쌓은 모든 블록을 지지하는 받침대 역할을 한다. 그 블록 더미가 만들어지면서 생기는 질량중심의 위치를 고려해보면, 맨 위의 첫 번째 블록은 두 번째 블록을 따라 블록 길이의 1/2만큼 움직일 수 있고, 위에서부터 두 블록은 세 번째 블록을 따라 블록 길이의 1/4만큼 움직일 수 있음을 볼 수 있다. 위에서부터 세 번째 블록은 네 번째 블록을 따라 블록 길이의 1/6만큼 움직일 수 있으며, 이와 같은 일이 계속 일어날 것이다.

무한히 많은 카드 또는 블록을 쌓는다면, 튀어나오는 부분은 10개의 블록 더미에 나타난 것과 같이 다음과 같은 급수의 극한이다.

$$1/2+1/4+1/6+1/8+1/10+1/12+1/14+1/16+1/18+\cdots$$

이러한 급수를 조화급수(harmonic number series)라 한다. 이 급수는 매우 천천히 작아지므로 아주 조금 튀어나오기 위해서도 많은 블록이 필요하다. 예를 들면, 52장의 카드묶음에서 최대로 튀어나올 수 있는 길이는 카드 길이의 약 2+1/4이다.

156

1. 그 정육면체의 수직 벽 위의 바깥 부분에서 볼 수 있다.
2. 그 정육면체의 밑면의 바깥 부분에서 볼 수 있다.
3. 그 정육면체의 내부 바닥 위에서 볼 수 있다.

157

우편물이 고르게 분배되는 극단적인 상황이라면 4개의 우편물이 들어간 하나의 편지함 외에 나머지 편지함에는 3개의 우편물이 들어 있을 것이다. 4개의 우편물은 편지함에 가장 많이 들어갈 수 있는 우편물의 개수 중 가장 작은 수다. 이것은 소위 '비둘기집 원리' 또는 '디리클레의 상자 원리'의 아주 간단한 예다.

비둘기집 원리는 많은 다양한 문제들을 해결하고 증명하기 위해 적용할 수 있는 추론의 원리다.

158

비록 결과가 그리 분명하지는 않지만, 똑같은 원리가 또한 이 문제에 대한 답을 줄 수 있다. 이 문제는 똑같은 수의 머리카락을 가진 사람들의 쌍이 있어야 한다는 증거를 통해 그 해를 찾을 수 있다.

우리는 한 사람의 머리카락의 수를 추정할 수 있는데, 머리카락 수는 두피 1제곱센티미터 영역 내에 있는 머리카락의 수를 세어 그 상한을 구하는 것으로 충분하다는 결론을 내릴 수 있다. 즉, 인체는 제곱센티미터 단위로 측정할 수 있으므로, 두피의 면적에 단위면적당 머리카락 수를 곱하면 총 머리카락의 수를 얻을 수 있다. 상한 값을 얻기 위해 이 수에 10을 곱할 수도 있다.

이런 방법으로 머리카락 수를 계산한다면 어떤 사람도 머리카락의 수가 1억 개 이상은 있을 수 없다는 결론을 얻을 수 있다.

이 사실은 지구에는 똑같은 수의 머리카락을 가지고 있는 사람이 적어도 두 명은 있다는 것을 보장해준다. 비둘기집 원리에 따르면, 지구상에 63억 명의 사람들이 있는데, 모두 1억 개 미만의 머리카락을 가지고 있기 때문에 똑같은 수의 머리카락을 가진 쌍이 있어야 한다.

1억 개의 방이 있고 이 방에 1에서 1억까지 번호를 붙였다고 가정하자. 63억 명을 일렬로 세운 후 각자 자신의 머리카락의 개수와 같은 번호가 붙은 방에 들어가라고 한다. 1억 명의 사람들이 적절한 방에 들어간 후 무슨 일이 일어날까?

1억 명이 모두 다른 방에 들어가는 최악의 경우에도, 여전히 많은 사람들이 남아있다. 그러므로 다음의 1억 명이 방을 찾아 들어가면 같은 머리카락 수를 가진 사람들은 분명히 있다.

159

이것은 항상 사실이다.

160

원과 삼각형을 어떻게 선택하든 관계없이, 그 고리는 항상 닫힌다. 즉, 여섯 번째 원은 항상 첫 번째 원에 접한다.

161

녹색 원 세 개의 크기를 무한히 크게 하면 정삼각형이 만들어지며, 가운데 있는 빨간색 원은 그 삼각형에 내접하는 원이 된다.

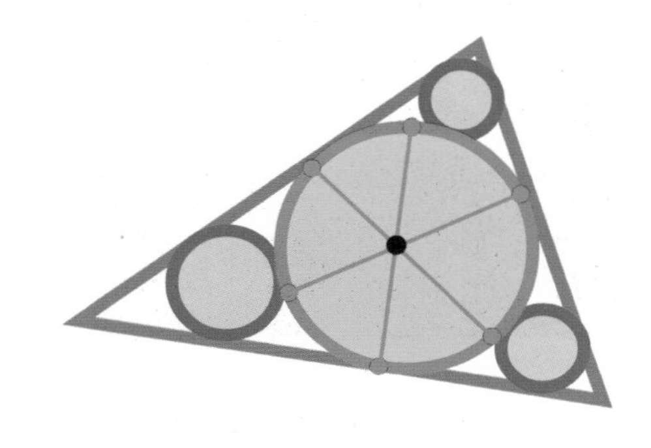

162

작은 원의 면적은 큰 원의 면적의 1/9이다. 더 작은 원들과 큰 원 사이의 간격의 면적은 작은 원 두 개의 면적과 같다. 즉, 전체 면적은 9개의 작은 원의 면적과 같다. 따라서 노란색 영역의 면적의 합은 작은 원의 면적과 같으며, 빨간색 영역도 마찬가지다.

163

3조쌍을 만들 수 있는 경우의 수는 455가지다. 이들 중 3조쌍을 선택해 이 퍼즐의 7개의 해를 만들려면 455가지 중 35개를 선택해야 하는데, 이는 105개(필요한 수의 총 개수)의 수를 3개씩 올바르게 나누어야 한다.

그런 선택을 하는 방법은 매우 많으므로 그들은 정렬하기 위해서는 체계적 과정이 필요하다. 슈타이너의 삼중계를 만들기 위한 독창적인 기하학적 방법들이 고안되었는데, 그중 하나를 이 퍼즐의 해를 구하기 위해 사용한다. 바깥 원 주위에 14개의 값(1~14)이 주변에 고르게 분포되어 있고 15를 중심에 놓는다. 색칠된 삼각형 모양을 가진 내부의 회전 바퀴는 15개의 값을 가리키도록 회전한다. 각 시간마다 한 번에 두 개의 눈금씩 (반시계방향으로) 회전하여 그림에서와 같이 7개의 집합을 만든다.

커크만 문제에 대한 고전적 디자인은 『수학적 유희와 에세이(Mathematical Recreation & Essays)』에서 볼(W. W. Rouse Ball)과 콕스터(H. S. M. Coxeter)가 묘사했으며, 그 후 사이델(J. J. Seidel)에 의해 완전히 개정되었다.

슈타이너의 삼중계가 모든 'n'에 대해서 가능한 것은 아니다. 'n'개 물건의 쌍의 수는 n(n-1)/2이고 각 물건은 반드시 3조쌍의 어딘가에 있어야 한다. 그러므로 3조쌍의 총 개수는 총 쌍의 수의 1/3인 n(n-1)/6이다.

이는 'n'을 6으로 나눈 나머지가 1 또는 3일 때 발생한다. 이를 수학적 언어로는 'n은 1 또는 3과 모드(mod, modulo) 6으로 동치다'라고 한다. 3조쌍 간의 순서나 3조쌍 내의 수들의 순서를 뒤바꾼다고 해서 해가 달라지는 건 아니다. 그러므로 슈타이너의 삼중계는 n=3, 7, 9, 13, 15, 19, 21, ... 등의 경우에만 가능하다.

n=3에 대한 슈타이너의 삼중계는 명백하다. 세 쌍은 한 개의 3조쌍을 만든다.

'7마리의 새 가족' 퍼즐은 그 다음 슈타이너의 삼중계이며, 풀기 어렵지 않다. 매일 세 마리의 새가 날아다닌다. 7일 후면, 모든 새들의 쌍이 7개의 3조쌍 중 정확히 한 조에 있게 될 것이다. 새에 1에서 7까지의 번호를 붙여, 그 3조쌍들을 찾아보라.

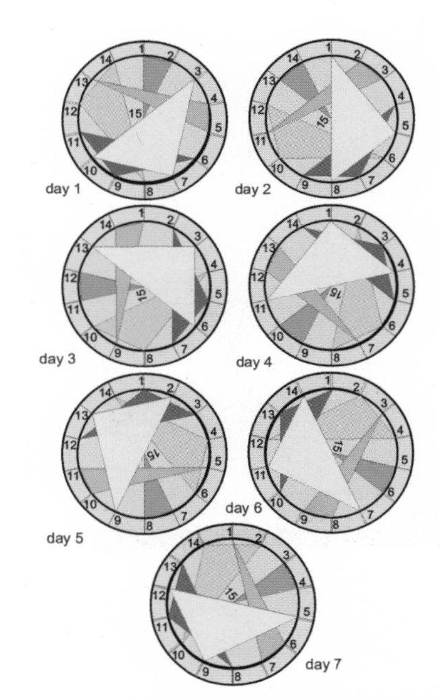

1	1 2 15	3 7 10	4 5 13	6 9 11	8 12 14
2	1 5 8	2 3 11	4 7 9	6 10 12	13 14 15
3	1 9 14	2 5 7	3 6 13	4 8 10	11 12 15
4	1 4 11	2 6 8	3 5 14	7 12 13	9 10 15
5	1 3 12	2 9 13	4 6 14	5 10 11	7 8 15
6	1 10 13	2 4 12	3 8 9	5 6 15	7 11 14
7	1 6 7	2 10 14	3 4 15	5 9 12	8 11 13

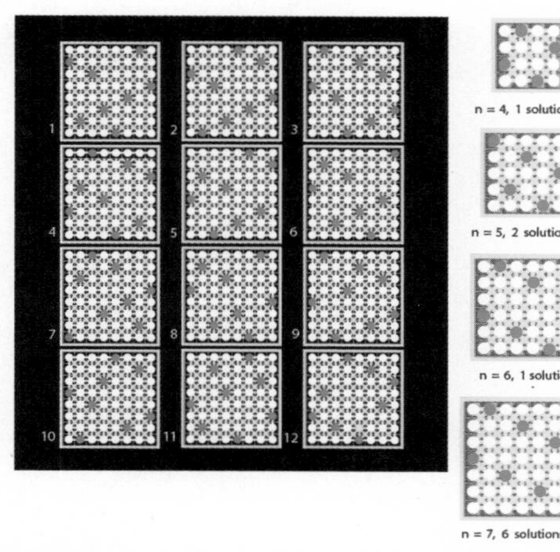

164

이 문제는 다음과 같이 일반화할 수 있다. '한 변의 길이가 n(차수가 n)인 정사각형 게임판에서 어떤 여왕도 다른 여왕을 공격할 수 없도록 여왕을 배열하는 방법은 몇 가지인가?'

다른 말로, 어떤 두 말도 같은 행, 열 또는 대각선에 놓이지 않는 게임판의 수는 몇 개가 있겠는가? 가장 큰 크기의 체스판에 대해서 기본적으로 12가지 다른 해가 있다(대칭이나 회전을 했을 때 같은 것은 같은 것으로 본다). 이 퍼즐은 두 명의 선수가 하는 게임으로 할 수 있다.

165

두 개로 잘린 뫼비우스 띠: 한 조각의 구조로, 두 개의 가장자리, 두 개의 꼬임, 그리고 두 배의 길이를 갖는다.

세 개로 잘린 뫼비우스 띠: 두 개의 연결된 띠로, 그중 하나는 같은 길이의 뫼비우스 띠고, 다른 하나는 길이는 두 배이고 두 개의 완전한 꼬임을 갖는다.

166

결과는 재미있는 구조가 될 것이다. 그것은 두 면, 세 가장자리, 꼬임이 없고 구멍이 두 개인 하나의 조각이다. 위상학적으로는 윗부분과 아랫부분의 꼬임은 서로 상쇄되었다고 한다.

167

매닝의 곡면을 둘로 나눈 결과는 두 모서리, 두 개의 면, 그리고 꼬임이 없는 평면 정사각형 고리다.

168

진자의 매혹적인 속성 중 하나는 일단 움직이기 시작하면, 움직임을 방해 받지 않는 한 흔들림 없이 계속 진동한다는 것이다.

진자 밑에 있는 모래 위에 나타나는 변하는 경로는 지구가 진자 아래에서 돈다는 사실로만 설명이 가능하다. 겉으로 보이는 진자의 회전은 그 추가 설치된 위도에 따라 다르다. 극과 적도 사이에 있는 점에서의 속도는 시간당 15도에 그 위도의 사인(sine) 값을 곱한 것과 같다. 따라서 극지방에서 진자가 완전한 원을 그리는 데는 24시간이 걸리지만, 적도에서는 움직이지 않는다.

169

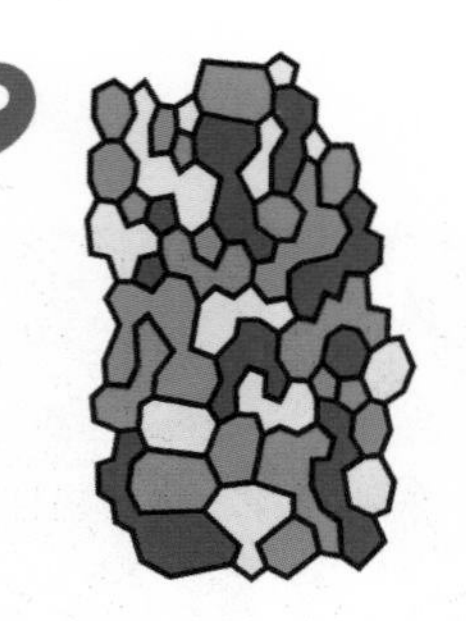

170

당연히, 맥그리거의 지도는 마틴 가드너가 만우절에 농담으로 한 것이었다. 4색 문제는 풀렸다. 4색 문제는 현재는 '4색 정리'라 불리는데, 이는 '평면 위의 어떤 지도라도 4색만으로도 색을 입히기 충분하다'는 정리다.

그 지도가 출판된 후에, 마틴 가드너는 4색으로 칠해진 지도를 담은 수백 통의 편지를 받았다. 그중 한 개의 해가 나타나 있다.

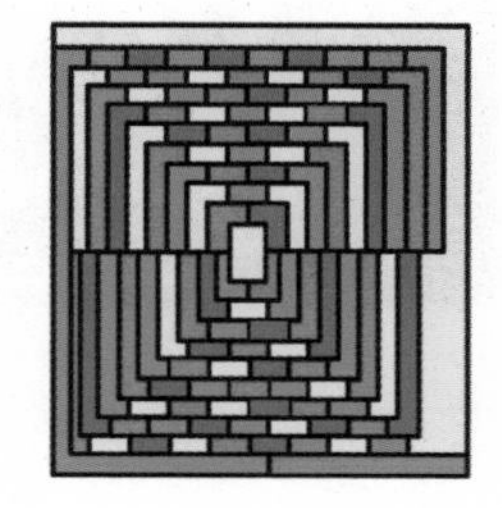

171-172

닫힌 볼록 도형•의 너비는 그 도형에 접한 두 평행선 사이의 거리로 정의된다. 일정한 너비를 갖는 도형은 어떤 방향으로 평행선을 그리든 간에 평행선 사이의 간격은 도형의 너비와 같다. 이런 도형들은 가장 큰 면적을 가진 원과 가장 작은 면적을 가진 잘 알려진 뢸로 삼각형을 포함하여 무한히 많다.

일정하지 않은 모양의 두 바퀴는 일정한 너비를 갖는 도형이다. 그중 하나는 뢸로 삼각형인데, 이 삼각형은 한 꼭짓점에서 다른 두 꼭짓점을 통과하는 원호를 그려서 만든다. 이 도형의 너비는 어떤 방향에서 재든 정삼각형의 변의 길이와 같다. 오각형에 기반한 또 다른 바퀴처럼 홀수 개의 변을 갖는 모든 정다각형은 뢸로 삼각형처럼 둥글게 만들어 일정한 너비를 갖는 도형을 만들 수 있다. 이러한 도형을 뢸로 다각형이라 한다.

따라서, 3개의 바퀴가 회전하면 마치 원이 회전하는 것처럼 칵테일 잔이 올려진 판은 기울어지지 않고 같은 위치에 있게 된다. 뢸로 삼각형은 정사각형 내부에서 회전할 수 있는데, 이는 정사각형을 조금 잘라내는 멋진 도구인 와트의 정사각형 드릴 비트(Watt's square drill bit)의 기초가 된다.

• 닫힌 도형: 경계(겉면)을 갖는 도형을 말한다.

173

아래에 두 가지 다른 해가 있다.

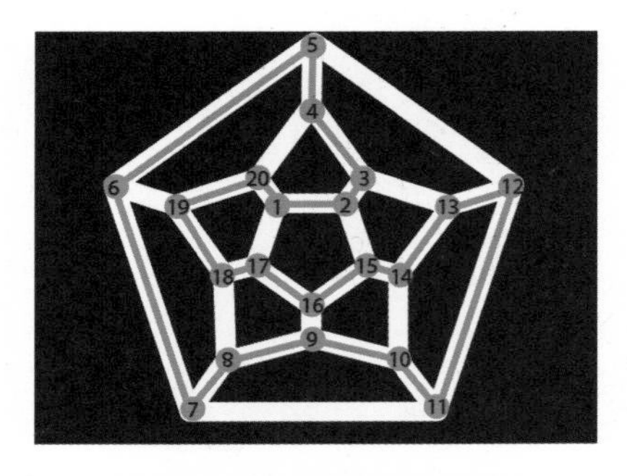

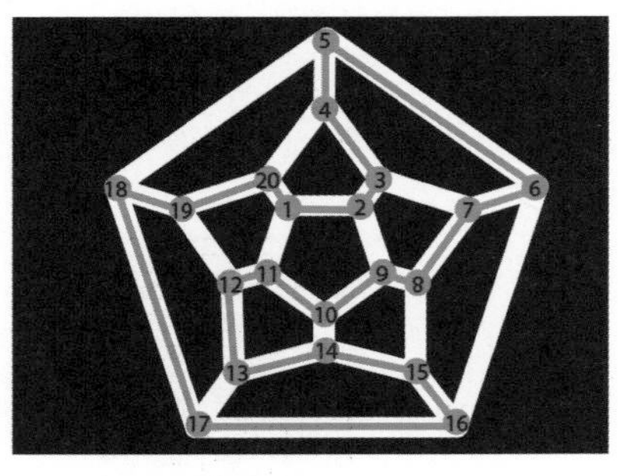

174

두 점을 연결해 얻는 쌍이 21개 있다. 세 번째 점에서 그 쌍의 각 점으로 향하는 화살표를 그리면 그 쌍의 점들에 도달할 수 있다.

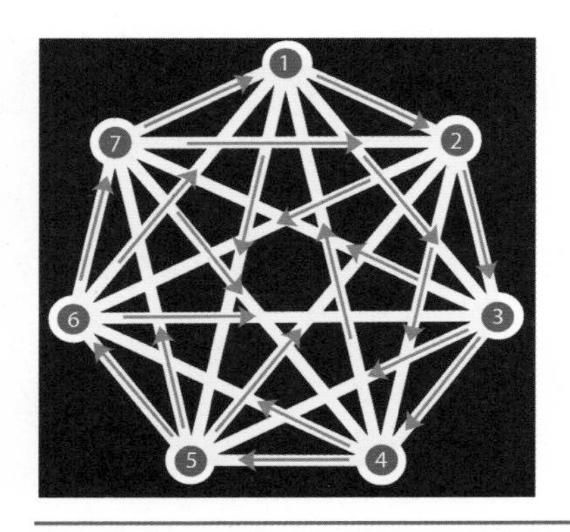

175

1. 베를린, 2. 카이로, 3. 뉴욕, 4. 파리, 5. 암스테르담, 6. 도쿄, 7. 런던

176

문제를 풀 수 있는 가장 간단한 방법은 모든 해밀턴 회로의 가중치를 찾고 최소의 가중치를 갖는 회로를 선택하는 것이다. 'n'개의 꼭짓점을 갖는 한 그래프의 특정한 꼭짓점에서 시작하는 해밀턴 회로의 총 개수는 (n-1)×(n-2)× ⋯ ×3×2×1, 즉 (n–1)!이다.

아래 표로부터 그런 문제를 풀 때 나타나는 어려움을 볼 수 있다. 아주 많은 꼭짓점을 가진 그래프의 경우, 어떤 컴퓨터로도 문제를 해결할 수 없다. 여행하는 외판원 문제를 해결할 수 있는 효율적인 알고리즘으로 알려진 것은 아직 없다. 가중치가 가능한 한 최소 가중치에 근접한 회로(근사 알고리즘)를 찾을 수 있는 알고리즘만이 있을 뿐이다. 꼭짓점 B에서 시작한 회로 중 하나를 보여주는 그림으로 근사 알고리즘을 알아보자.

1. 회로가 시작되거나 끝날 것 같은 꼭짓점에서 시작한다.
2. 최소 가중치를 갖는 변에 연결된 꼭짓점을 선택한다. 꼭짓점 B에서 시작하면 한 개의 가중치 회로를 얻을 수 있다.

$$4+8+11+2+10=35.$$

꼭짓점 B에서 시작하는 모든 회로를 조사해보면 최소 가중치 회로가 갖는 가중치는 29임을 알 수 있다. 그림에서 얻은 35라는 결과는 모두 더해서 54인 꼭짓점 B에서 시작하는 최대 가중치 회로보다 여전히 훨씬 더 좋다. '가장 가까운 이웃 알고리즘(the nearest neighbor algorithm)'보다 더 좋은 결과를 줄 수 있는 다른 근사 알고리즘들도 물론 있다.

(n-1)!의 증가를 보여주는 표

n	(n-1)!
3	2
4	6
5	24
8	5,040
12	39,916,800

177

그림에 나타난 것처럼 적어도 한 개의 선을 다시 지나지 않고서는 해밀턴 회로는 불가능하다.

퍼즐 1. 해밀턴 회로 1

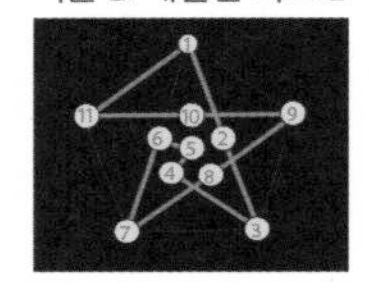

퍼즐 2. 해밀턴 회로 2(196쪽)

178

퍼즐 1. 녹색 선, 퍼즐 2. 빨간색 원.

179

처음에 9마리의 강아지로 몇 쌍이 가능한지 알아보는 것으로 이 문제를 풀 수 있다. 연두색으로 칠해진 왼쪽 표에 나타난 것과 같이, 가능한 쌍을 나열해보면 36쌍을 쉽게 찾을 수 있다. 오른쪽 표에는 찾아내야 하는 12개의 3조쌍이 나타나 있다.

쌍의 개수를 알아낸 후엔 3조쌍에는 세 쌍이 연관되어 있으므로, 이는 3조쌍으로 구성된 것이 총 12개 있다는 것을 의미한다. 3조쌍을 순서대로 선택하고 선택된 쌍들을 제거하는 체계적인 방법을 사용한다. 이렇게 만들어진 3조쌍 3개로 구성된 집합을 '9차 슈타이너 삼중계'라 한다. 슈타이너 시스템은 조합이론에서 매우 중요하다.

그 다음으로 슈타이너 삼중계가 가능한 차수는 13이다. 일반적으로, 슈타이너의 삼중계 문제는 'n'개의 물건을 3조쌍에 딱 한 번씩만 나타나도록 3조쌍을 배열하는 것이다. 이때 가능한 쌍의 수는 n(n–1)/2이다.

필요한 3조쌍의 수는 그 쌍의 개수의 1/3, 즉 n(n–1)/6이다. 이러한 삼중계는 이 두 값이 모두 자연수인 경우에만 가능하다. 슈타이너 삼중계의 차수는 6으로 나눌 때 나머지가 1 또는 3인 수로, 수학적 언어로는 'n이 모드(mod) 6으로 1 또는 3과 같다'로 표현한다.

따라서, 가능한 'n'은 3, 7, 9, 13, 15, 19, ...이고 3조의 개수는 3, 1, 7, 12, 26, 35, 57, ...이다.

이 문제는 스위스 기하학자인 제이콥 슈타이너가 고안한 유희수학 문제로 19세기에 시작되었지만, 오늘날 현대 과학의 여러 분야에서 활용되면서 현대 조합론의 한 이론인 블록 설계론의 중심에 있다. 'n'이 15보다 큰 경우 해의 수는 알려져 있지 않지만, 모든 'n'에 대해 해가 존재하며 n이 19인 경우에는 수십만 개의 해가 있다는 것은 증명되었다.

1 - 2
1 - 3
1 - 4
1 - 5
1 - 6
1 - 7
1 - 8
1 - 9
2 - 3
2 - 4
2 - 5
2 - 6
2 - 7
2 - 8
2 - 9
3 - 4
3 - 5
3 - 6
3 - 7
3 - 8
3 - 9
4 - 5
4 - 6
4 - 7
4 - 8
4 - 9
5 - 6
5 - 7
5 - 8
5 - 9
6 - 7
6 - 8
6 - 9
7 - 8
7 - 9
8 - 9

Day 1	1 2 3
Day 2	1 4 7
Day 3	1 5 9
Day 4	1 6 8
Day 5	2 4 9
Day 6	2 5 8
Day 7	2 6 7
Day 8	3 4 8
Day 9	3 5 7
Day 10	3 6 9
Day 11	4 5 6
Day 12	7 8 9

퍼즐 1. 유일한 해

Day 1	1 2 3	4 5 6	7 8 9
Day 2	1 4 7	2 5 8	3 6 9
Day 3	1 5 9	2 6 7	3 4 8
Day 4	1 6 8	2 4 9	3 5 7

퍼즐 2. 유일한 해

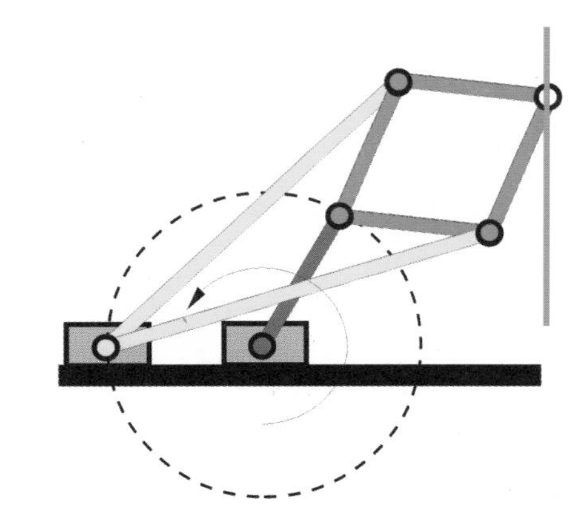

180

정확한 직선운동을 만든 최초의 기계장치는 1864년에 발명된 포실리에 연결장치다. 이론적으로는 연결장치가 움직일 때 그 점은 한 개의 정확한 직선을 그릴 것이다.

181

유명한 와트의 연결장치의 도식적 표현: 두 회전 막대(파란색과 녹색)의 길이가 같다고 하자. 그러면

이 장치가 움직일 때 빨간색 연결장치의 중간 점(흰색 점)은 그림에 나타난 것과 같이 숫자 8의 모양으로 움직이는데, 이는 직선들에 대한 적절한 근삿값이다.

와트의 연결장치가 만드는 실제 곡선은 수학적으로는 베르누이의 쌍엽곡선(Bernouilli's lemniscate)으로 알려진 곡선으로, 길이가 긴 숫자 8 같은 모양이며, 이는 와트의 목적을 이루기 위한 직선과 매우 비슷한 형태다.

구멍이 뚫린 카드 조각들을 아일렛으로 연결하면 와트의 연결장치를 포함한 많은 다른 장치들을 쉽게 만들 수 있으므로 이를 실험해볼 수 있다.

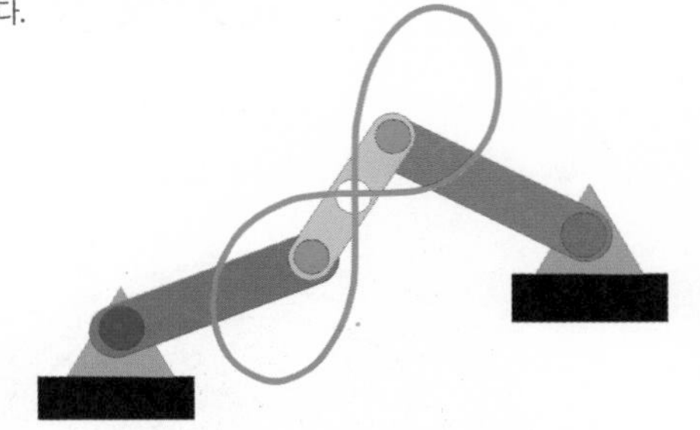

182

처음 가속도는 중력의 표면에서의 가속도인 g=9.8m/s²일 것이다. 그러다가 지구의 중심에 접근할수록 가속도는 감소한다. 중심을 지나면 잠시 무중력 상태가 되며 시간당 27,000킬로미터로 떨어져 약 42분 후엔 지구의 반대편에 도착할 것이다. 이때가 여행의 중요한 순간이다. 이때 뭔가 잡을 것이 없으면, 84.5분간 흔들리며 떨어져 왔던 곳으로 되돌아갈 것이다.

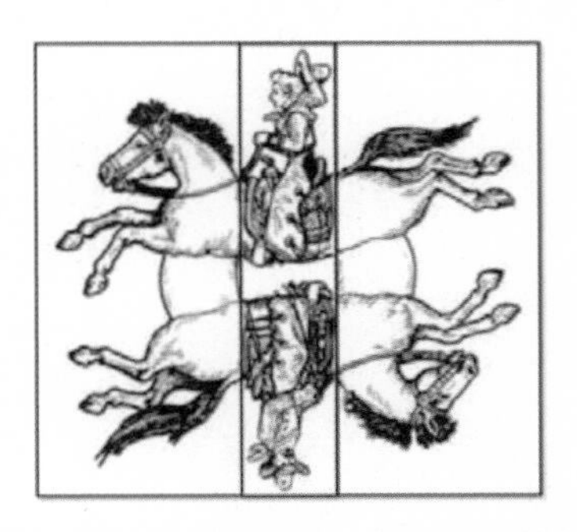

183

이 퍼즐을 푸는 많은 사람들은 개념적으로 '막혀' 기수를 제대로 배치할 수 없다. 그러나 그 해법은 보이는 것처럼 매우 간단하다. 기수가 있는 부분을 기수들이 질주하는 두 말에 앉아 있는 모습이 될 때까지 적절히 왼쪽으로 이동하면 된다. 로이드는 이 퍼즐을 바넘(P.T. Barnum)에게 팔았는데 이로 인해 그는 몇 주 만에 당시로는 큰 금액인 만 달러를 벌었다.

184

가능한 방법은 없다.

185

어떤 연필도 정말로 색이 바뀌지는 않았다. 아무것도 실제로 변경되거나 사라지지 않았다. 마틴 가드너가 '숨겨진 분포'라 적절하게 이름 지은 그 독창적인 디자인의 원리는 연필의 길이를 바꿔 연필 한 개의 색이 바뀌었다고 생각하게 만드는 것이다.

186

빨간색 연필 한 개가 색이 바뀌었다.

187

퍼즐 1. 그림과 같이 총 7개의 통이 필요하다. 그 통은 33개의 물건으로 완전히 꽉 찬다.

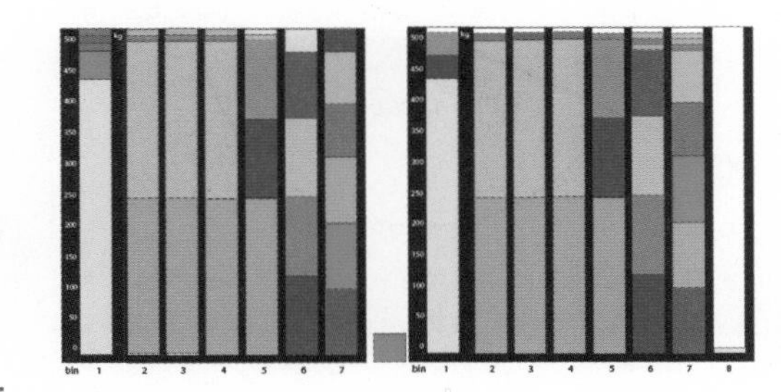

퍼즐 2. 역설적이게도, 46킬로그램의 무게만큼 꺼낸 후에 나머지 물건들을 넣으려면 하나의 통이 더 필요하다. 이 결과는 반직관적인 것처럼 보이지만, 이제 그 통들은 꽉 채울 수 없으며 그림에 나타난 것과 같이 오히려 통이 추가로 필요하다.

188

퍼즐 2를 풀기 위해서는 15번 이동해야 한다.
퍼즐 3은 24번, 퍼즐 4는 35번, 그리고 퍼즐 5는 48번 이동해야 한다.

189-190

뤼카의 유명한 퍼즐은 어린이용 장난감으로 제작되었다. 이 퍼즐은 기하급수의 개념을 사용한 독창적인 모델이다. 현재도 전 세계 장난감 가게에서 이 퍼즐의 몇몇 형태를 볼 수 있다.

세 개의 동전을 옮기기 위해서는 단 7번만 이동하면 된다. 4개의 동전은 15번, 5개의 동전은 31번, 6개의 동전은 63번 이동해야 한다. 일반적으로, 'n'개의 동전을 옮기기 위해서는 2^n-1번 이동해야 한다.

바빌론 문제에 대한 해를 찾는 것은 매우 어려울 수 있는데, 이는 잘못된 이동을 만들어내기가 아주 쉽기 때문이다.

해를 찾는 데 도움을 줄 수 있는 가능한 힌트는 다음과 같다.

1. 가장 작은 원판을 현재 열에서 다음 열로 옮길 때는 항상 순환적으로 순서(cyclic order)가 같아야 한다.
2. 그런 다음 가장 작은 원판을 제외한 모든 원판을 옮긴다.

이 규칙은 임의로 이동하는 것처럼 보이지만, 퍼즐이 갑자기 기적적으로 풀리려면 원판을 이동하는 중에 항상 반드시 있어야 하는 이동이 한 개 있다는 것을 알게 될 것이다(이동의 횟수가 최소일 필요는 없다).

191

만일 7척이라고 추측한다면 틀렸다. 왜냐하면 여행을 시작하기 전에 이미 움직이고 있는 배가 있었기 때문이다. 르아브르를 떠나는 배는 바다에서 만나는 13척과 각 항구에서 만나는 한 척씩 총 15척이다. 배는 매일 정오와 자정에 만난다.

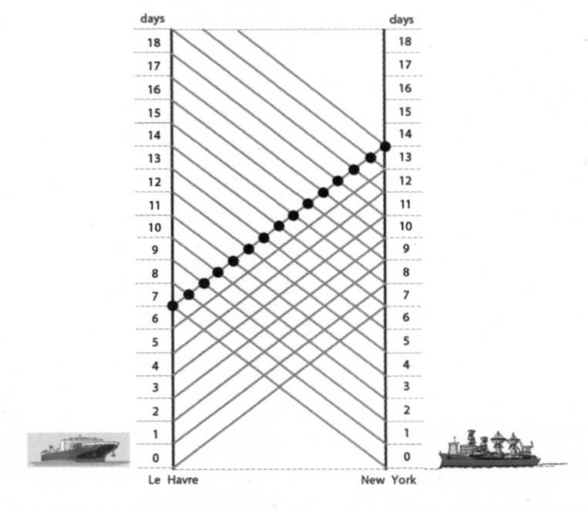

192

평평한 땅의 거주민들은 정육면체의 접근을 감지하지 못할 수도 있다. 충돌해도 다른 차원으로 옮겨가지 않을 평평한 땅의 거주민들은 접근하는 정육면체의 한 꼭짓점이 먼저 닿는 것을 경험할 것이다. 그다음에는 삼각형이 되고 그 지름이 최대가 된 후 육각형이 되고 나서 다시 큰 삼각형이 될 것이다. 그런 후 다시 점으로 줄어들면서 사라질 것이다.

정육면체가 경로를 바꿔 평평한 땅의 가장자리에 먼저 접근하는 경우에는, 처음 닿는 것은 선이며 이는 커지면서 직사각형이 되다가 정사각형이 되고 다시 직사각형이 된다. 이들은 줄어들면서 다시 선이 되다가 사라진다. 흥미로운 평지 역설이 이 사건과 관련이 있을 수 있다.

평평한 땅은 닫힌 2차원이므로 평평한 땅을 통과하는 정육면체는 평평한 땅을 열거나 벽을 깨지 않고 봉합된 중심부에 있는 물건을 휩쓸며 지나갈 수 있다. 그러나 평평한 땅의 거주민들이 정육면체를 통과하기 위해서는 정육면체를 열고 벽을 깨고 들어가야 한다.

193

그림에 나타나있는 것처럼, 정육면체가 평면을 지날 때 정육면체의 방향에 따라 평면을 통과하는 단면은 3가지 다른 모양이 있다. 가장 흥미로운 경우는 꼭짓점이 처음 만날 때인데(위에서 세 번째 그림) 이때는 그림과 같이 육각형을 포함하여 다양한 다각형이 생긴다. 그 모양들 중 두 개의 오각형은 생길 수 없다.

사면체의 정사각형 부분과 정육면체의 정육각형 부분이 나타나 있다 (아래 그림).

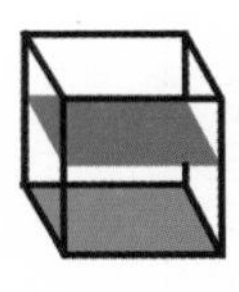

face entry -identical squares

edge entry - thin rectangles with 2 parallel sides equal to edge, growing to a maximum

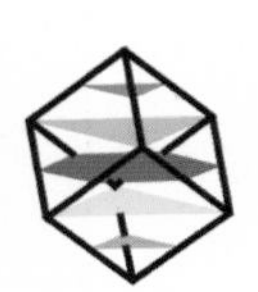

vertex entry- point to small triangles which grow into bigger triangles, hexagons, which at the middle of the cube becomes a perfect regular hexagon, and than back again.

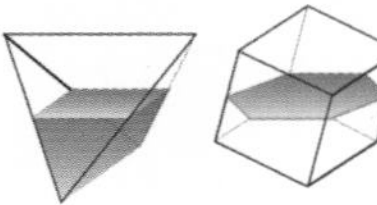

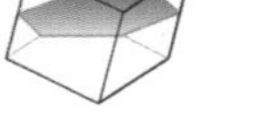

194

그림에 나타난 것처럼 고양이는 두 마리의 쥐를 잡을 수 있다. 단순 닫힌곡선(구부러진 선 또는 곡선)은 그 자신과 교차하지 않는 곡선이다. 단순 닫힌곡선을 실의 고리로 상상해보면, 그것은 항상 원으로 만들 수 있다. 이러한 선은 평면을 내부와 외부의 두 영역으로 나눈다. 단순 닫힌곡선에서 점이 내부에 있는지 외부에 있는지 어떻게 알 수 있을까?

시간이 좀 걸리긴 하지만 이를 알아보는 한 가지 방법으로 한 점이 어떤 선도 넘지 않고 갈 수 있는 곳을 추적해보거나 어둡게 칠해보는 것이 있다.

그러나 점이 단순 닫힌곡선의 내부 또는 외부에 있는지를 알아내는 훨씬 더 멋지고 더 간단한 방법이 있다. 해당 점에서 곡선 바깥쪽으로 직선을 그린 다음 그 직선이 곡선과 만나는 횟수를 세어 보는 것이다. 곡선과 짝수 번 만나면 점은 외부에 있고, 홀수 번 만나면 점은 내부에 있다.

이러한 규칙은 수학에서 유명한 '조르당 곡선 정리'다. 이 정리는 닫힌곡선의 일부가 숨겨져 있는 우리 문제에서도 성립한다. 모든 내부 영역은 짝수 개의 선으로 서로 분리되며, 홀수 개의 선으로 외부 영역과 분리된다. 퍼즐에서 고양이는 울타리 바깥쪽에 있으며 울타리 밖에 있는 운도 없는 두 마리의 쥐를 잡을 수 있다.

195

퍼즐 1. 16, 32, 24, 8

퍼즐 2. 왼쪽에 나타나 있다.

퍼즐 3. 오른쪽 보이는 것과 같이 16개의 골격 정육면체가 있다.

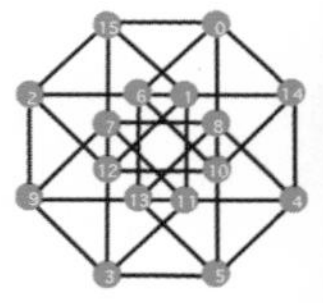

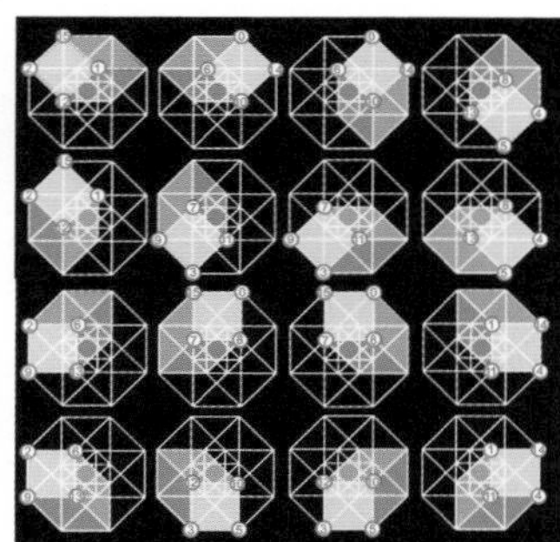

196

197

마릴린을 그려내는 773개의 점이 있다.

198

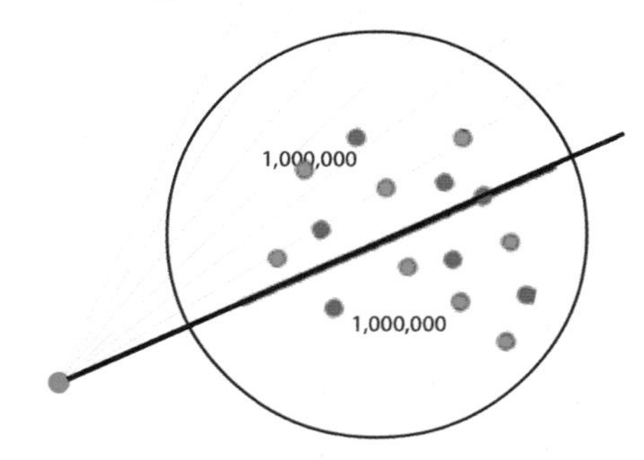

원 밖에 있는 한 점을 선택해 이 점에서부터 하나의 직선을 원의 한 쪽 방향으로 돌려가면서 점이 백만이 될 때까지 움직이면서 점 숫자를 센다.

이렇게 점이 백만 개가 되면 직선 양쪽으로 백만 개의 점이 있게 된다. 이때 그 직선은 원을 나눈 직선이다. 그러나 운이 나쁘게도, 만일 선택한 직선이 두 점을 한 번에 넘어 점이 999,999개에서 1,000,001개로 뛰어 넘었다면 원 밖에서 다른 점을 선택한 후 같은 과정을 반복한다. 이 과정은 항상 결국에는 그 직선을 찾아낼 것이다. 이러한 방법은 팬케이크 정리(Pancake Theorem)로 알려진 정리의 간단한 증명법이다.

199

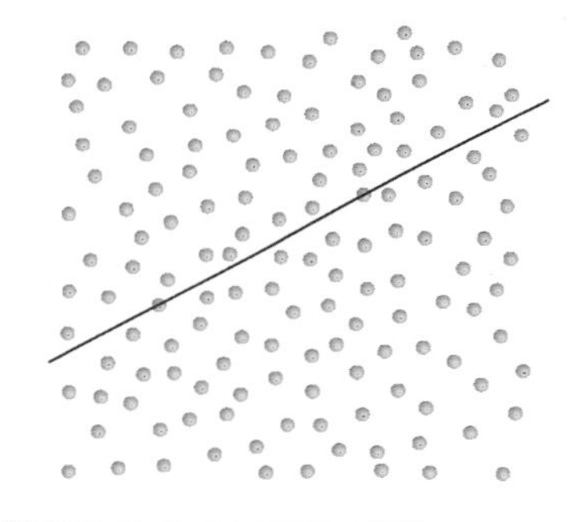

200-201

숫자 1~19의 합은 190이며, 이 수는 5로 나눌 수 있다. 5라는 수는 한 방향으로 평행한 행의 개수다. 따라서 마법 상수는 38이다.

일반적으로, 양수 1에서 'n'까지의 수를 'n'개의 셀을 갖는 육각형 벌집모양에 배열할 때 모든 직선 행에 있는 수의 합이 일정하도록(마방처럼) 배열할 수 있을까? 또는 다른 말로 하면, n겹 마술 육각형이 가능한가?

2겹 마술 육각형은 확실히 불가능하다. 이에 대한 가장 간단한 증명은 숫자 1~7의 합 28을 2겹 육각형의 평행한 행의 수 3으로 나누었을 때 짝수가 아님을 확인하면 된다. 똑같은 증명 방법으로 3겹 마술 육각형이 가능하다는 것을 보일 수 있지만, 3겹 마술 육각형을 찾는 것은 쉬운 일이 아니었다(이것이 우리 퍼즐이다). 오랫동안 찾아 헤맨 끝에 1910년 수들에 대한 육각형 배열이 발견되었다. 처음에는 그 육각형 배열이 가능한 3겹 마술 육각형의 많은 패턴들 중 하나일 거라고 생각했지만, 매우 복잡한 증명을 통해 그 육각형이 유일한 해라는 아주 경이롭고 놀라운 사실이 알려지게 되었다. 더군다나 더 놀라운 사실은 어떤 겹 수의 다른 마술 육각형도 존재하지 않는다는 것이다!

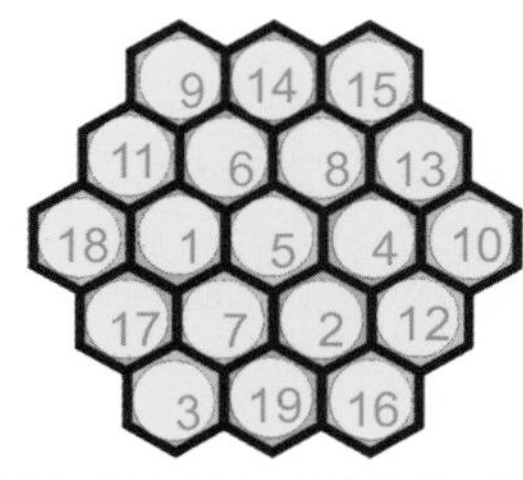

202

2쌍(2-pire)이 다른 모든 색과 접하려면 12가지 색상이 필요하다는 점에 주목해보는 것도 흥미롭다.

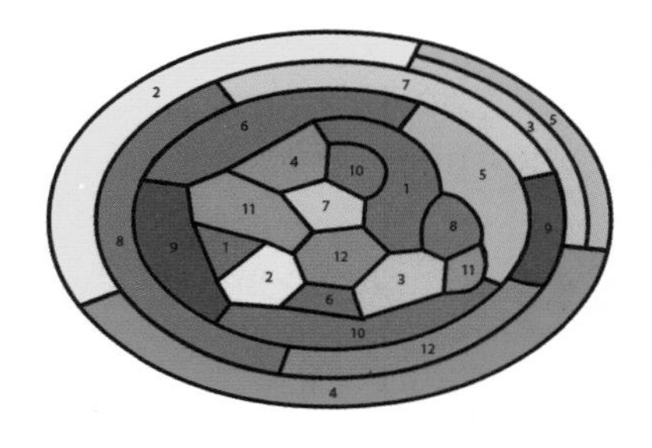

203

1. 24세트의 색 삼각형들
2. 24세트의 색 정사각형들
3. 24세트의 색 정육각형들
4. 색 정육면체들의 24개 위치
5. 30개의 2색, 3색, 그리고 6색 정육면체들
6. 16세트의 정육면체들과 각기둥들

204

모든 정육면체의 바닥 면에 보라색을 칠한다. 각 줄에 있는 정육면체들은 다음과 같이 칠한다. 정면에는 6가지 색 중 하나를 칠한다. 아랫면에는 세 번째로 적합한 색을 칠한다. 각 줄에서 나머지 세 면은 나머지 세 색상의 모든 순열을 고려하여 칠한다.

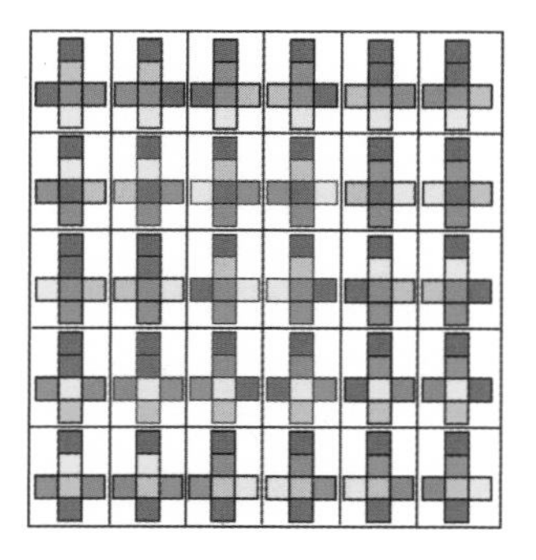

205

맞물린 곳이 있는(경첩이 있는) 4조각으로 이루어진 삼각형을 정사각형으로 만드는 듀드니의 문제는 유희 기하학의 진짜 보석 같은 문제다. 그림에 나타난 것과 같이 경첩에서는 한 위치에서 다른 위치로 연속적으로 접을 수 있다는 흥미로운 속성을 가지고 있다. 노란색으로 표시된 경첩은 영역들을 연결한다. 빨간색 영역을 중심으로 영역들을 반시계 방향으로 돌리면 정사각형이 만들어진다.

1907년 자신의 책 『캔터베리 퍼즐(Canterbury Puzzles)』에서 듀드니는 경첩을 가진 4조각으로 정사각형을 정삼각형으로, 그리고 정삼각형을 정사각형으로 만드는 해의 새로운 변형된 디자인을 소개했다. 이로 인해 그는 경첩 분할과 테셀레이션이라는 새로운 퍼즐 범주를 만들었다. 그레그 프레더릭슨(Greg Frederickson)의 환상적인 책 『경첩 분할: 돌리기와 꼬기(Hinged Dissections: Swinging & Twisting Cambridge University Press)』는 이 새로운 유희수학 퍼즐의 귀중한 자료다.

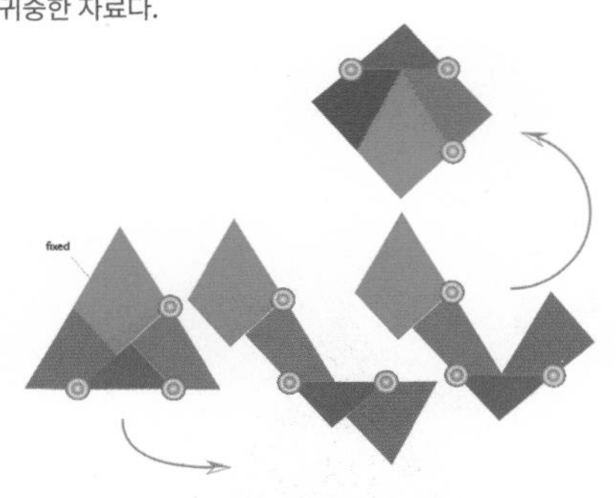

206

아래에 보이는 것처럼 총 65가지의 다른 방법이 있다.

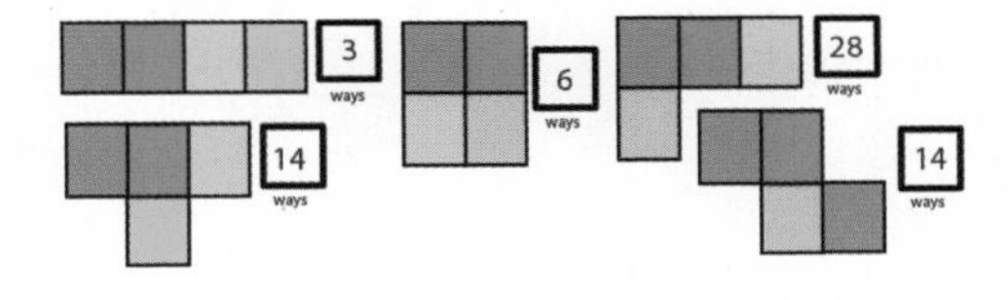

207

이 문제는 1931년에 만들어진 듀드니의 고전 퍼즐 중 하나다. 이 문제의 변형 문제가 무한히 많이 만들어졌다.

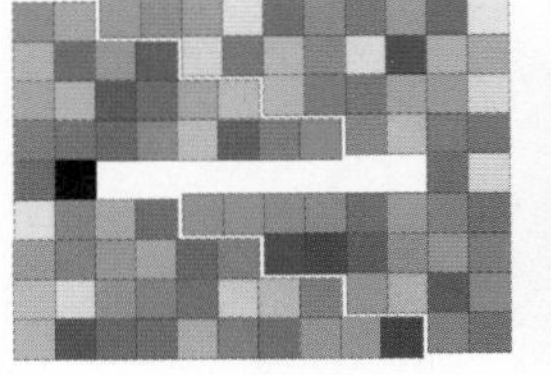

퀼트를 자르는 선

새로운 퀼트

208

209

가장 작은 완전 직사각형은 32×33 크기의 직사각형이다.

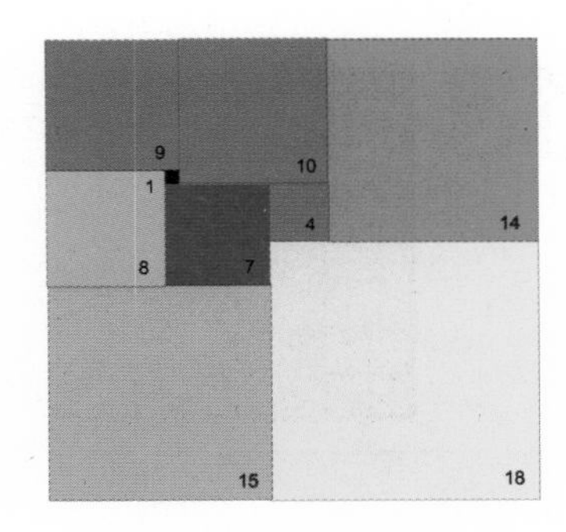

210

길이는 무한하지만 유한한 영역으로 둘러싸인 도형을 상상할 수 있겠는가? 불가능할 것 같지만 놀랍게도 그런 그림이 존재한다.

그중 하나는 아름다운 눈송이 곡선과 반 눈송이 곡선이다. 이 곡선들은 일련의 다각형들로 만들어졌으며 기본적으로 증가하는 패턴을 가진다.

코흐의 눈송이 곡선은 최초의 프랙털 중 하나다. 일련의 다각형들로 이루어졌으며 그 극한은 놀라운 곡선이다. 프랙털의 곡선의 길이는 무한하지만, 곡선이 둘러싸는 영역은 유한하다. 눈송이 곡선은 극한과 프랙털의 개념을 시각적으로 보여주는 훌륭한 예다. 극한 곡선을 그리는 것은 불가능하다. 일련의 다각형에서 그다음 다각형에 대해서는 다각형을 그려볼 수는 있지만, 궁극적인 극한 곡선은 상상으로 그려볼 수밖에 없다.

곡선이 증가함에 따라 영역의 크기는 결국 유한한 면적을 둘러싸는데, 그 영역은 원래 정삼각형 면적의 8/5배다. 곡선이 둘러싸는 영역이 유한하다는 것을 증명하는 것은 쉽다. 그 곡선이 우리 책의 한쪽만을 차지하고 있다는 사실은 영역이 유한하다는 좋은 증거다. 곡선은 초기 삼각형에 외접하는 원을 벗어나는 곡선으로 바로 확장될 것이다. 이 무한한 구조의 극한은 원래 삼각형 면적의 8/5에 해당하는 면적을 둘러싸고 있다.

이제 이 곡선의 길이에 대해 알아보자. 원래 삼각형의 한 변의 길이가 1이라 가정하면, 둘레의 길이는 3이다. 두 번째 다각형을 만들면 각 선분은 길이가 4/3인 선분이 된다. 따라서 각 단계에서 길이는 4/3배씩 증가한다. 이것은 명백히 유계하지 않으며, 결국 무한한 길이를 갖는 곡선을 만들어낸다.

눈송이 곡선과 이와 유사한 병리학적 곡선에서 볼 수 있는 중요한 원리는 복잡한 형태들이 매우 단순한 규칙을 반복적으로 적용하여 만들어진다는 것이다. 이러한 형태들은 오늘날 프랙털이라 불린다.

눈송이 곡선과 유사한 곡선들을 3차원으로 확장한 입체들이 있다. 예를 들면, 유사한 규칙으로 정사면체의 면에 정사면체를 만들면 그 결과 만들어진 입체는 무한한 표면적과 유한한 부피를 가질 것이다.

211

간단한 선형 랜덤워크(linear random walk) 시뮬레이션 게임의 경우, 확률 이론에 따르면 동전을 'n'번 던진 후에는 가운데 있는 시작점에서 평균 거리가 $\sqrt{n}$인 지점에 있을 것이다. 예를 들면, 36번 던지면 이 거리는 중앙에서 왼쪽 또는 오른쪽으로 6칸 간 위치이다. 그럼에도 불구하고, 결국 시작점으로 돌아올 확률은 1로 확실히 시작점으로 돌아온다. 그러나 오랜 시간이 걸릴 수 있다.

1차 랜덤워크에서 가장 흥미로운 점은 장애물이 전혀 없는 경우에 나타난다. 여기서 나오는 질문은 '걷는 사람이 얼마나 자주 방향을 바꾸는가' 하는 것이다. 동전의 앞면이 나올 확률과 뒷면이 나올 확률이 같으면, 긴 랜덤워크에서는 걷는 사람이 출발점(중앙)의 양편 각각에서 시간의 약 절반을 사용할 것으로 기대할 수 있다. 그러나 정확히 그 반대가 사실이다! 중앙을 기준으로 한쪽에서 다른 쪽으로 변경하는 가장 가능할 것 같은 횟수는 0이다.

212

비틀거리며 걸어가는 술주정뱅이가 마지막에 어디 있을지 말할 수는 없지만, 동전을 주어진 횟수만큼 던져서, 그가 출발한 가운데 지점으로부터 가장 있을 만한 거리에 대해서는 답을 할 수 있다. 아주 많은 횟수를 불규칙하게 비틀거리며 걸은 다음에 시작점에서부터 가장 있을 법한 거리 D는 걸음의 각 직선 경로의 평균 길이 L에 그들의 총 횟수 $\sqrt{N}$을 곱한 것과 같다. 즉, $D=L\times\sqrt{N}$이다.

놀랍게도, 만일 이러한 걸음을 무한히 반복하면 이 게임의 2차원 유한 정사각형 위의 격자들을 거쳐 술주정뱅이는 궁극적으로, 즉 확률 1로 출발했던 점으로 무사히 돌아올 것이다.

벽이 없고 랜덤워크가 유한하지 않으면 상황은 훨씬 복잡해지는데, 이는 많은 미해결 문제들과 이론을 만들어낸다.

무한한 3차원 격자에서는 랜덤워크가 걸음이 무한대로 접근해도 출발점을 포함하여 임의의 지점에 도달할 확률이 1보다 작다. 이 확률은 약 0.34(34%)다.

놀라운 점은 유한 3차원 격자에서의 랜덤워크는 유한한 시간 안에 교차로에 도달하는 것이 확실하다는 것이다. 실제로 만일 복도와 통로가 매우 복잡한 큰 건물이나 미로 안에 있다면 랜덤워크로 유한한 시간 안에 그곳으로부터 빠져나올 수 있다. 그러나 격자가 무한한 경우에는 그렇지 않다.

213

보이는 것처럼 5개의 펜토미노가 필요하다.

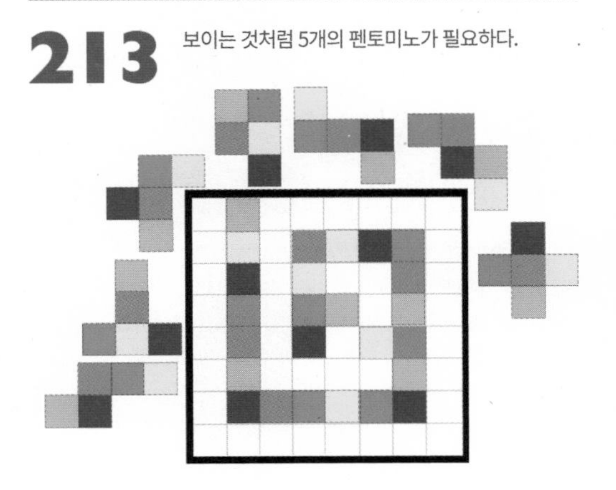

214

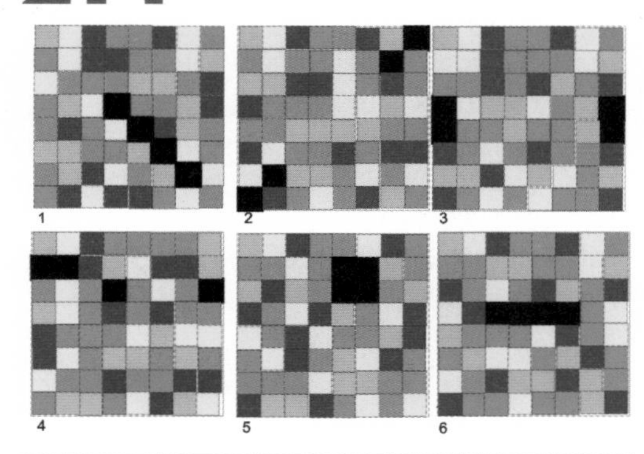

215

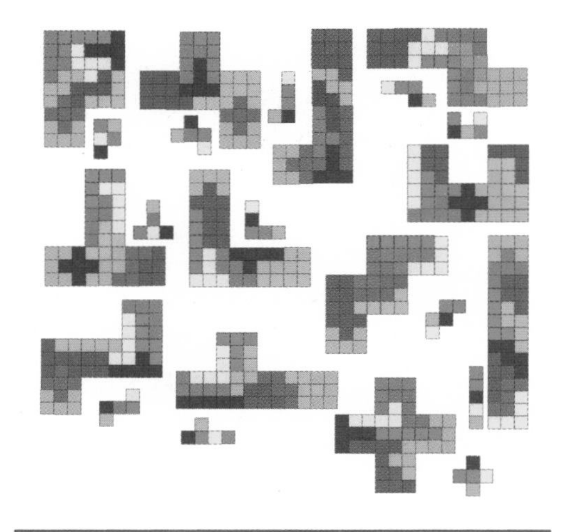

216

217

어떤 정사각형을 같은 크기의 정사각형 4개로 나눈다. 사라진 한 정사각형은 그 4개의 정사각형 중 하나에 있다. 다른 세 개의 정사각형들은 트로미노가 되는데, 이는 더 작은 트로미노들을 붙여 만들 수 있다. 더 큰 체스판도 같은 방식으로 다룰 수 있다.

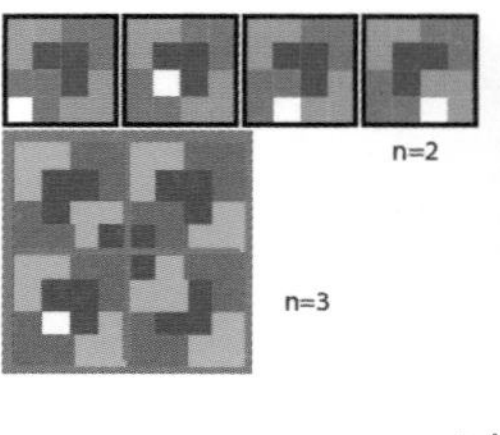

218-220

복제 고양이

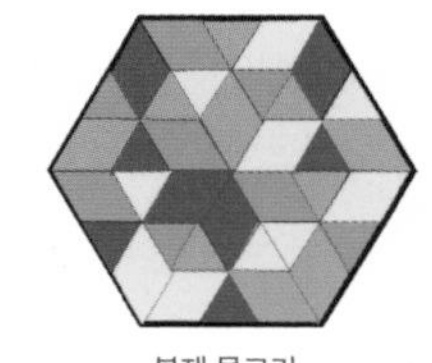

복제 물고기

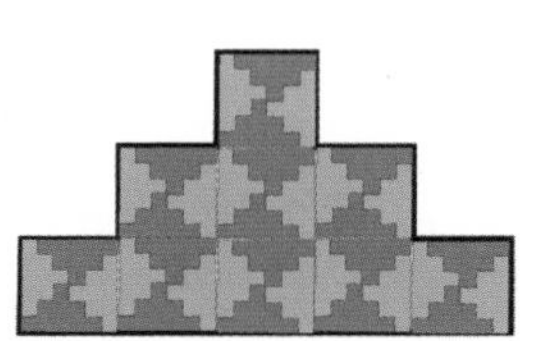

복제 건축물

221

한 개의 주사위를 6번 던져도 6이 나오지 않을 수 있으므로 분명히 그 확률은 1(100%)은 아니다. 실제로, 6번 던져 6이 나오지 않을 확률을 계산해야 한다. 6이 나오지 않을 확률은 5/6이므로 6번을 던져 6이 나오지 않을 확률은 5/6×5/6×5/6×5/6×5/6×5/6=0.33이다. 따라서 6번 던져 6이 나올 확률은 1–0.33=0.67(67%)로 큰 값이다.

222

칸토어 빗은 유명한 칸토어 집합을 보여주는 방법이다. 게오르크 칸토어가 이 집합에 관심을 둔 이유는 그것이 유한한 선분에서 만들어졌음에도 불구하고 무한히 만들 수 있고 연결이 완전히 끊어져 있기 때문이다(즉, 그 점들은 서로 연결되어 있지 않다). 프랙털 용어로는 이런 식으로 연결이 끊긴 집합을 '프랙털 먼지(fractal dust)'라 한다.

n번째 단계 이후의 총 길이는 $(2/3)^n$이다. 그러므로 n이 무한대로 가면 칸토어 집합은 0으로 수렴한다.

223

이 과정이 무한히 반복되면 금색 정사각형의 총 면적은 처음 정사각형의 면적이 될 때까지 증가하는데, 이는 놀라울 정도로 반직관적인 결과다. 그러나 무한을 다루는 문제에서 이런 결과가 드물지는 않다.

1세대에서 금색 정사각형 1개의 면적은 원래 면적의 1/9로 0.111이다. 2세대에서 면적이 $(1/9)^2$인 금색 정사각형 8개를 더하면 총 면적은 0.209다. 3세대에서는 면적이 $(1/9)^3$인 금색 정사각형 64개가 더해져서 총 면적은 0.297가 된다. 4세대에서는 면적이 $(1/9)^4$인 금색 정사각형 512개가 더해져서 총 면적은 0.375가 된다. 그 패턴은 점점 더 명확해진다. 금색 영역의 총 면적은 무한한 항의 합으로 $1/9+8\times(1/9)^2+64\times(1/9)^3+512\times(1/9)^4+\cdots$이다.

이 급수를 25번째 항인 25세대까지 계산하면 그 면적은 0.947이다. 이 합은 지속적으로 1에 가까워짐을 알 수 있는데, 이는 초기의 파란색 정사각형의 면적이다.

224

4세대

4세대 시에르핀스키 삼각형

전체 삼각형에 대한 검은색 삼각형의 비율:

1세대: 25%

2세대: ~44%

3세대: ~58%

4세대: ~68%

규칙에 따라 흰색 삼각형을 계속 나누면 흰색 영역은 지속적으로 감소하여 결국 0에 수렴한다.

225

3가지 활동에 참여하는 총 학생 수는 73명이다.

이 퍼즐을 푸는 방법은 벤 다이어그램에 세 가지 활동 모두에 참여하는 학생의 수를 먼저 넣는 것이다. 이렇게 하면 다른 동아리에 속한 학생의 수를 쉽게 알아낼 수 있다.

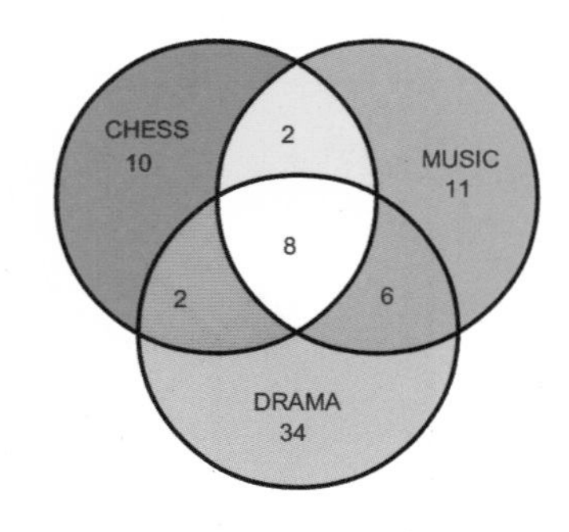

226

볼록 사변형이 되기 위해서는 최소한 5개의 점이 필요하다. 이는 에르되시-세케레시 정리(Erdos-Szekeres Theorem)로 멋지게 증명되었다. 주어진 점들을 고무줄로 감싸는 경우(올가미로 묶듯이) 세 가지 가능성만이 있을 수 있다.

1. 고무줄은 볼록한 사변형을 이룬다(내부 다섯 번째 점과 함께).
2. 고무줄은 5각형을 이룬다. 두 꼭짓점을 연결하면 항상 볼록 사변형이 된다.
3. 고무줄은 내부에 두 개의 점이 있는 삼각형을 이룬다. 내부에 있는 두 개의 점을 잇는 선을 그린다. 그러면 선을 중심으로 한쪽에는 한 개의 꼭짓점이 있고, 다른 쪽에는 두 개의 꼭짓점이 있다.
후자의 두 꼭짓점과 두 개의 내부 점을 이어 볼록 사변형을 만든다. 9개의 점이 무작위로 배치된 경우 그 9개의 점들은 항상 볼록 오각형을 만든다는 것이 증명되었다. 8개의 점으로도 여전히 볼록 오각형을 항상 만들 수 있다. 어떤 점이 추가되어도 볼록 오각형이 항상 만들어질 것이다.

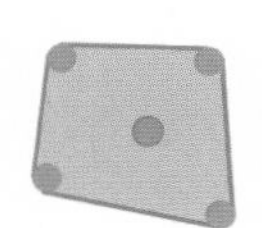

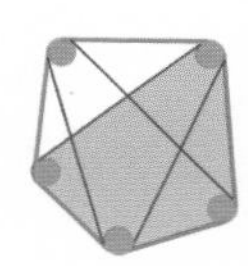

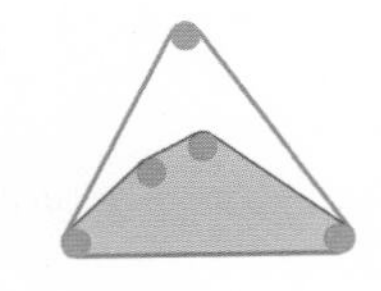

227-229

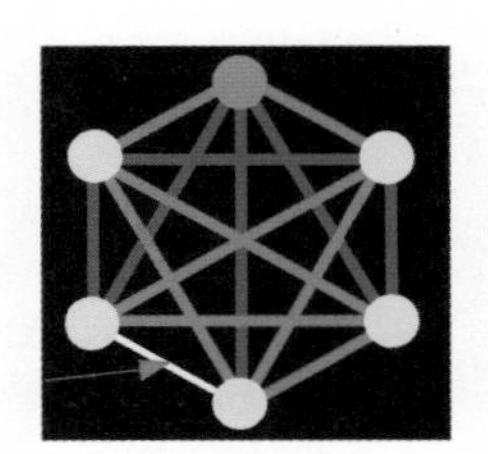

당신
당신의 친구
빨간색 선 - 사랑
파란색 선 - 증오

그래프를 어떻게 색칠하느냐에 상관없이 한 가지 색만으로 칠해진 삼각형은 반드시 생긴다. 6명 중 3명은 서로를 사랑하거나 증오한다. 그림에 나타난 것처럼, 색이 칠해지지 않은 마지막 선에 어떤 색을 칠하든 빨간색이나 파란색의 단색으로 된 삼각형이 만들어질 것이다. 이것은 램지 이론의 응용문제 중 하나일 뿐이며, 이외에도 다른 많은 이론들이 있다. 20개의 다른 삼각형들로 채색될 수 있다.
15번째 선을 칠하면 비로소 빨간색 또는 파란색 삼각형이 만들어진다. 즉, 빨간색 또는 파란색 삼각형이 만들어지기 전에 최대 14개의 선을 칠할 수 있다. 첫 번째 색을 어디에 칠하는 것이 가장 좋은지에 대해서 알려진 것은 없으며, 지금까지 발견된 최고의 전략도 없다. 이 문제는 두 번째 선수가 유리하며, 색칠하는 방법은 총 15가지가 있다. 어떤 게임은 5번까지 색칠할 수 있으며, 더 오래까지 색칠할 수 있는 게임도 있다.

230

적어도 하나의 교차로 또는 주택 중 하나에 터널이 있지 않으면 연결하는 것은 불가능하다. 그래프 이론에서 이 고전적 문제는 ($K_{3,3}$)로 알려져 있으며, 6개의 점들을 두 그룹으로 나누는 문제(bipartite graph)라 한다. 이는 3개의 점들로 이루어진 2개의 그룹 사이에서 가능한 모든 연결을 만든다는 것을 의미한다.

231

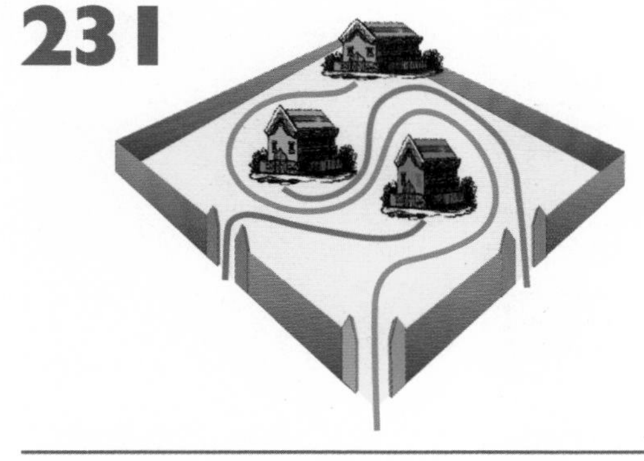

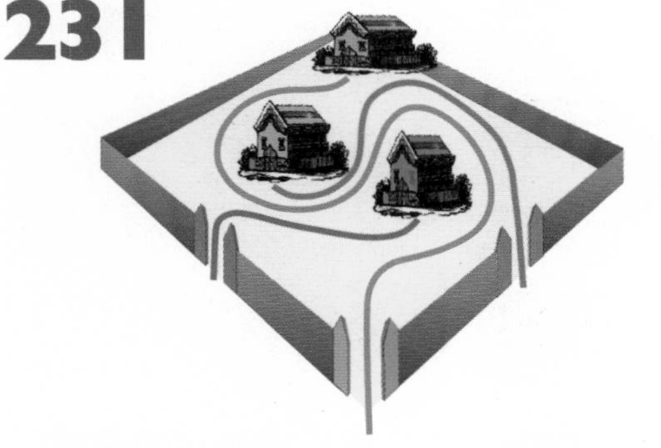

232-234

교차수(crossing number, k)는 그래프를 평면도의 형태로 그렸을 때 교차하는 변의 최소 개수다. 교차수가 0이면 그래프는 평면이다.
1930년 큐레토스키(Kazimierz Kuratowski)의 연구 이래로 교차수에 대해 알려진 것은 아직까지 많지 않다. 큐레토스키 정리(Kuratowski Theorem)는 교차수가 0인 그래프들을 평면이라고 명확히 하고 있다. 예를 들면, 만일 그래프가 5개의 꼭짓점을 갖는 한 개의 완전 그래프(K_5)의 하위 그래프를 포함하지 않거나 또는 6개의 꼭짓점을 갖는 완전 이분 그래프($K_{3,3}$)의 하위 그래프를 포함하지 않으면 교차수는 0이다.

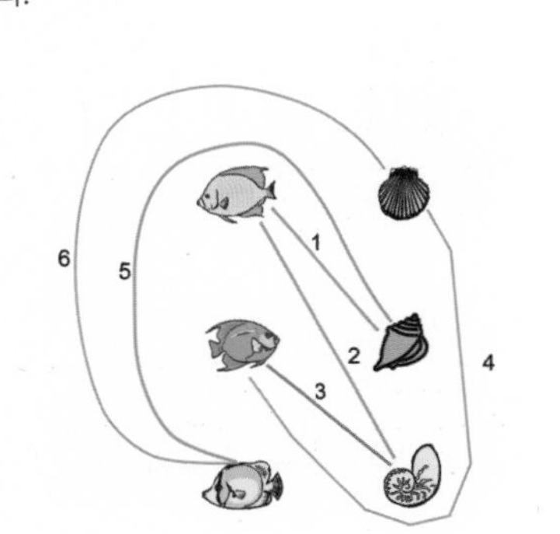

다분 퍼즐1: 총 6개의 연결선 중 모든 연결선이 교차점 없이 그려졌다.

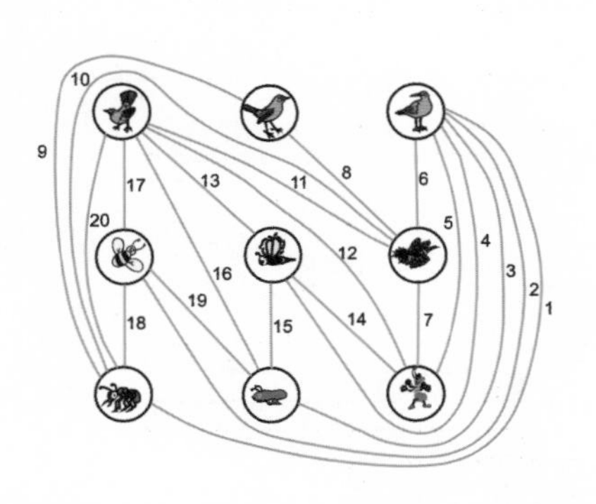

다분 퍼즐2: 총 연결선 중 20개의 연결선이 교차점 없이 그려졌다. 더 잘할 수 있겠는가?

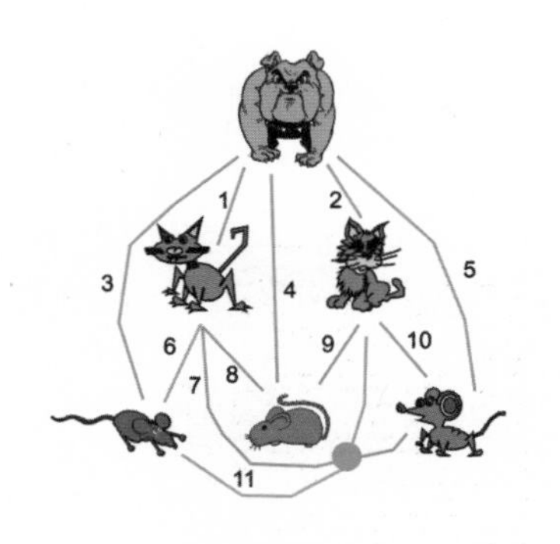

다분 퍼즐3: 총 11개의 연결선 중 10개의 연결선이 교차점 없이 그려졌다. 나타난 것처럼 교차수는 1이다. 더 잘할 수 있겠는가?

235

6가지와 20가지 다른 방법

236

7에 대한 우박수열은 약간 더 길며 그 수열에서 가장 큰 값은 52다. 그 후에는 1, 4, 2가 반복적으로 무한히 나온다. 7에 대한 우박수열은 다음과 같다.
7-22-11-34-17-52-26-13-40-20-10-5-16-8-4-2-1-4-2-1-4-2-…
'우박문제(Hailstone Problem)'라는 이 새로운 문제를 푸는 방법은 아직까지 발견되지 않고 있다. 1에서 26까지의 수는 빨리 1에 도착한다. 그러나 27은 1에 도달할 때까지 많은 우박수열이 생긴다. 이 수의 우박수열에서 77번째 수는 9232며 111번째 수에서 1에 도달하면 그 후에는 1, 4, 2가 반복적으로 무한히 나온다.
물리학자인 맬컴 라인즈(Malcolm E. Lines)는 흥미진진한 그의 저서 『수의 대한 단상(Think of a Number)』에서, 도쿄대에서 1조까지의 모든 수에 대해 우박수열을 조사했으며 그 수들 모두 어느 지점에서는 1, 4, 2가 반복적으로 무한히 나온다고 했다.
우박수열에서 가장 놀라운 점은 이들 중 어느 것도 반복적으로 나오는 1, 4, 2를 제외하고 같은 수가 두 번 이상 나오지 않는다는 것이다.

237

'벤포드의 법칙(Benford's Law)'이라는 놀라운 수학적 정리는 위조나 사기가 있는지를 알아내는 강력하고 간단한 도구다.
이 동전 던지기 실험에서는 벤포드의 법칙을 따르는 놀랄 만한 확률이 나타났다. 동전을 연속적으로 200번 던지는 동안 어떤 시점에서 앞면이나 뒷면이 연속적으로 6번 이상 나오는 정말 이상한 결과가 나온다는 것이다.
가짜로 데이터를 만드는 사람들은 이것을 모르기 때문에 결과를 위조할 때 4~5개가 넘는 앞면(또는 뒷면)을 연속적으로 늘어놓는 것을 꺼려한다. 그렇게는 나오지 않을 거라고 생각하여 그렇게 '무작위적으로 나오지 않는' 경우를 피하려고 한다. 그러므로 조작된 수열을 찾는 것이 오히려 쉽다. 실험 결과를 살펴보면, 실험 1에는 6개의 연속된 앞면 또는 뒷면이 없다는 것을 알 수 있다. 따라서 이 실험이 아마도 조작된 것일 것이다.

238

표본 게임은 6세대에서 끝났다. 세대 수열은 땅을 증가하는 수로 균등하게 나누었을 때 나뉜 땅의 길이로 정의되는 수열임을 기억하라.

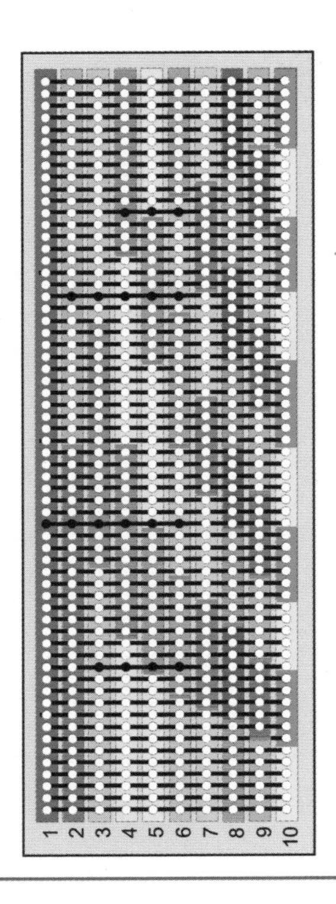

239

보는 것처럼 처음에 4A, 3B, 2C, 그리고 2D를 놓으면 일곱 수로 첫 번째 선수가 이긴다. 첫 번째 선수가 그가 놓는 순서에서 중간 셀에 놓는다면 5×5 크기의 게임판에서 이길 수 있다. 대형 게임판에서는 상황이 더욱 복잡해지고, 11×11 크기의 게임판에서는 가능한 게임 상황이 아주 많다. 흥미로운 점은 승리를 보장하는 구체적인 전략이 발견된 것은 없지만, 모든 크기의 게임판에서 첫 번째 선수가 이기는 전략이 있다는 증거는 존재한다는 것이다.

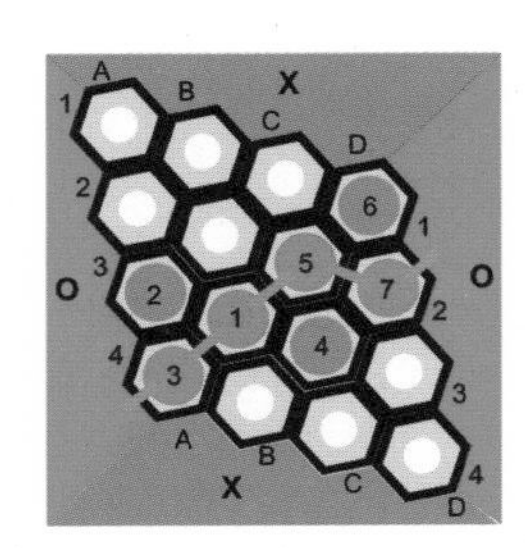

240

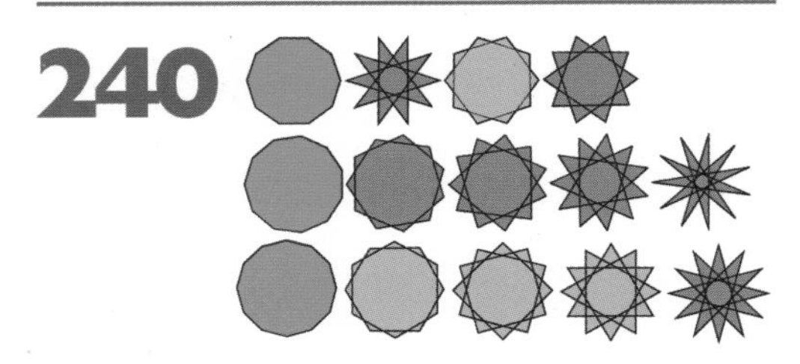

241

3개의 표식자를 가진 길이가 2인 눈금자는 거리 1이 두 가지 방법으로 측정될 수 있기 때문에 완벽한 골롬 눈금자가 아니다.

3개의 표식자가 있는 길이가 3인 눈금자는 거리가 1, 2 및 3을 모두 측정할 수 있는 첫 번째 완벽한 골롬 눈금자다.

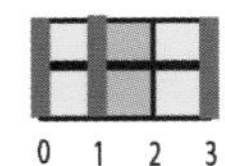

3개의 표식자가 있는 길이가 4인 눈금자는 최적의 골롬 눈금자며, 거리 2가 없는 표식자를 놓을 때 사용된다.

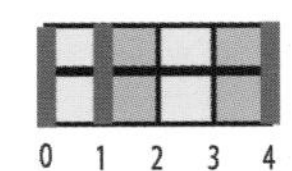

4개의 표식자가 있는 길이가 5인 눈금자는 완벽한 골롬 눈금자가 아니다. 표식자를 이렇게 놓으면 거리 2는 두 가지 방법으로 측정할 수 있다.

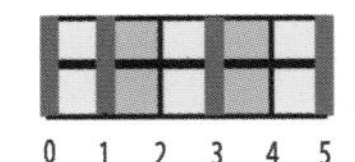

4개의 표식자가 있는 길이가 6인 눈금자는 두 번째 완벽한 골롬 눈금자며, 다른 완벽한 골롬 눈금자는 존재하지 않는다.

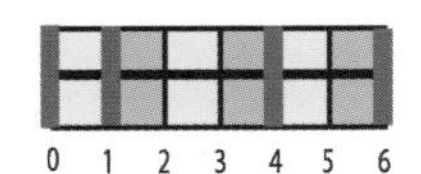

5개의 표식자가 있는 길이가 11인 눈금자는 최적의 골롬 눈금자다. 거리 6이 없을 때 사용된다.

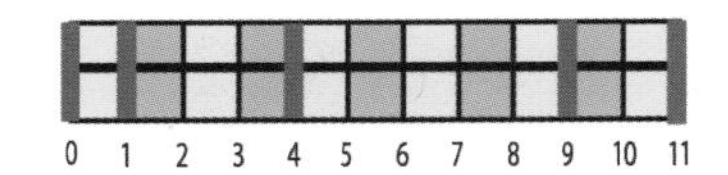

6개 표식자가 있는 길이가 17인 눈금자는 최적의 골롬 눈금자다. 이 해에서는 길이 14와 15가 없다.

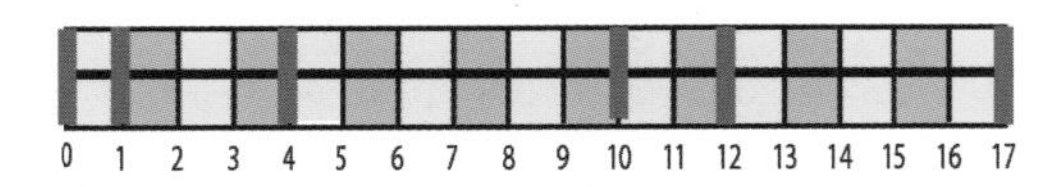

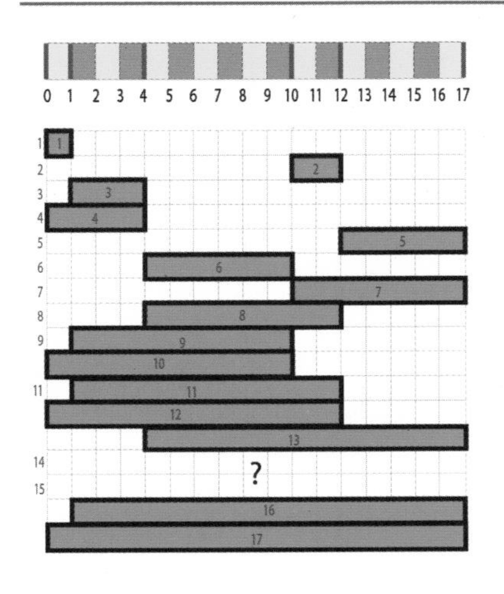

242

길이 n=17, 표식자 6개. 길이 14와 15을 측정할 수 없는 한 해가 나타나 있다. 다른 해가 있을 수 있다.

243

이 역설은 대각선이 체스판의 오른쪽 위 모서리에 있는 정사각형의 왼쪽 아래 모서리 약간 아래를 지난다는 사실에 있다. 높이에 1/7센티미터만큼을 더한 것이 눈에 띄지 않지만, 그것을 고려하면 그 직사각형의 면적은 64일 거라 예상할 수 있다. 작은 정사각형들이 표시된 후 자세히 보면 대각 절단선을 따라 그들이 잘 맞지 않는다는 것을 볼 수 있을 것이다.

244-245

이 역설들은 사실이 아닐 뿐 아니라 그 결과 나타나는 직사각형에는 몇 가지 오류가 있음에 틀림없다.

첫 번째 직사각형을 확대해보면, 대각선은 선이 아니라 정사각형 영역에 있는 길고 가는 평행사변형이다. 두 번째 직사각형의 경우, 상단 및 하단이 겹쳐 비슷한 평행사변형을 만드는데, 면적은 1제곱센티미터만큼 줄어든다.

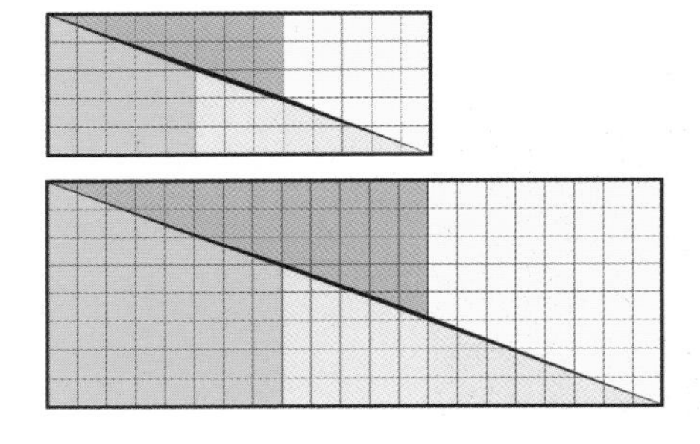

246

짱이는 창고라는 장애물로 인해 큰 원 면적의 88%만 돌아다닐 수 있다. 유감스럽게도, 그 뼈는 짱이가 갈 수 없는 나머지 12% 영역에 있다. 짱이는 그 뼈를 먹을 수 없다.

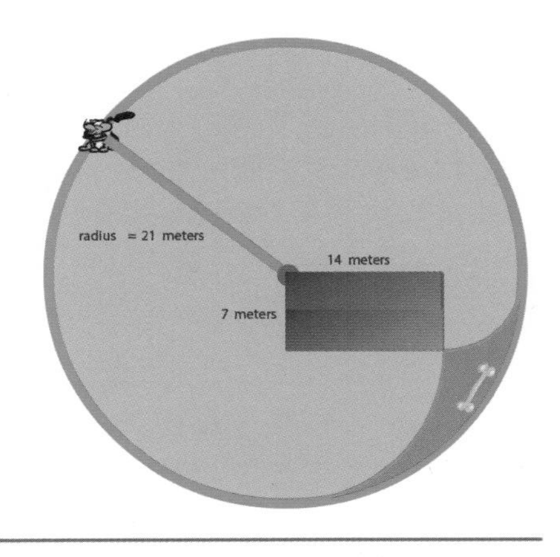

247

팔각형의 수평면과 수직면은 모두 길이가 6센티미터지만, 경사면은 모두 길이가 6센티미터보다 길기 때문에(7.07센티미터) 정팔각형이 아니다(피타고라스 정리가 도움이 될 수 있다).

248

그 메시지는 'It's always too early to quit'이다. 모스코비치는 '그룩(grook)'을 좋아해 이를 모두 읽었고, 여러 번 피트에게 그렇게 말했다.

'그룩(덴마크어로 gruk)'은 짧은 격언 같은 시의 한 형태로 덴마크 시인이자 과학자인 피트 하인이 고안했다. 하인은 덴마크어 또는 영어로 된 그룩을 7,000개 이상 썼고, 이를 20권의 책으로 만들었다. 어떤 이들은 그룩이라는 이름이 'GRin과 sUK'(덴마크어로 '웃음과 한숨')의 줄임말이라고도 하지만, 하인은 그 단어가 어디서 나왔는지 모른다고 했다. 그의 시는 (우연히도) 1940년 4월 나치 점령 직후 그룩의 한 저자인 쿰벨 쿰벨(Kumbel Kumbell)의 서명하에 일간지 〈정책(Politiken)〉에 처음으로 게재되었다. 그 시들은 제2차 세계대전 당시 나치의 점령에 대한 저항의 정신적인 지주로, 점령에 대한 수동적 저항을 약간 간접적으로 표현한 형태였다.

그룩은 아이러니, 역설, 간결함, 정확한 언어 사용, 정교한 리듬과 운율이라는 특징을 가지며 본질적으로 종종 풍자성을 띠고 있었다.

249

이것은 2쌍 문제지만, 2쌍의 두 부분이 두 분리된 지역(지구와 화성)에 있다는 추가적인 제한이 있다. 그림에 나타난 것과 같이 필요한 색상 수는 8개다.

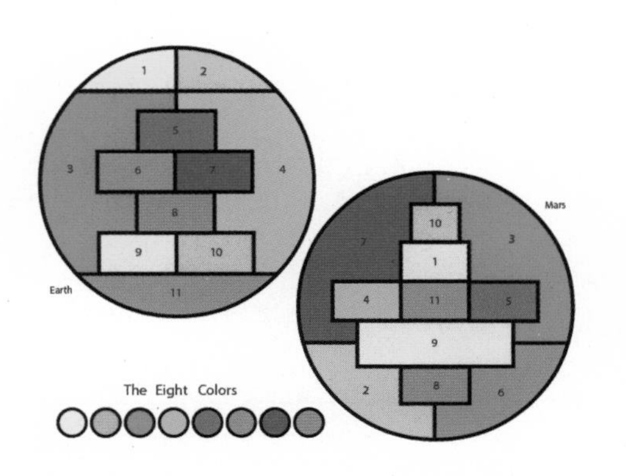

250

변의 길이가 1에서 8까지 크기가 다른 204개의 정사각형이 있으며, 이는 수열의 형태로 만들어진다.

$8^2+7^2+6^2+5^2+4^2+3^2+2^2+1^2=204$.

한 변의 길이가 'n'인 정사각형에서 만들 수 있는 크기가 다른 정사각형의 총 개수는 처음 'n'개의 자연수의 제곱의 합과 같다.

251

1×1×1 크기의 정육면체는 8×8×8개 있다. 2×2×2 크기의 정육면체는 7×7×7개 있다. 3×3×3 크기의 정육면체는 6×6×6개 있다. 이런 식으로 계속 하면, 8×8×8 크기의 정육면체는 1개 있다.

그러므로 총 $8^3+7^3+6^3+5^3+4^3+3^3+2^3+1^3=1296$개의 정육면체가 있다. 같은 답을 얻는 데 사용할 수 있는 공식이 있다. 1에서 n까지의 정육면체의 개수의 합은 $[n(n+1)/2]^2$이며, 이 식에서 n에 8을 대입하면 1296을 얻는다.

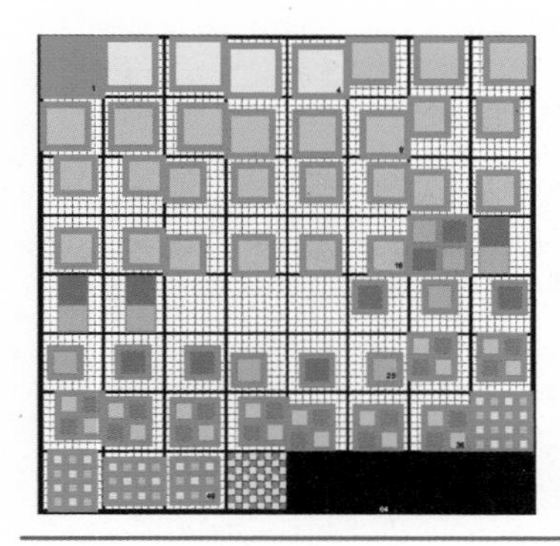

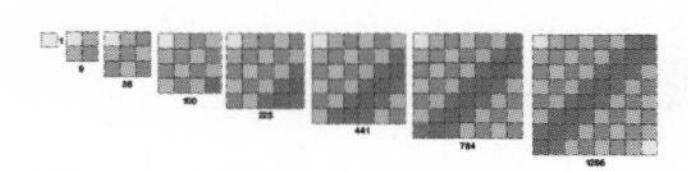

252

퍼즐 1. L(2)에서 L(8)까지로 정사각형 격자에 있는 직사각형(정사각형 포함)을 포함하는 수로 이는 다음과 같다.

L(2)=9(2×2 격자에 있는 정사각형과 직사각형의 총수는 9개), L(3)=36, L(4)=100, L(5)=225, L(6)=441, L(7)=784, 그리고 L(8)=1296이다.

이 값들은 2×2~8×8 크기의 정사각형 격자에서 만들 수 있는 정사각형과 직사각형의 총 개수다. 일반적으로 n×n 정사각형 격자의 경우 격자 수를 구하는 공식은 $L(n)=\{n(n+1)/2\}^2$이다.

퍼즐 2. L(8)로 정사각형 격자(체스판)에는 크기가 다른 정사각형과 직사각형이 1296개 있다.

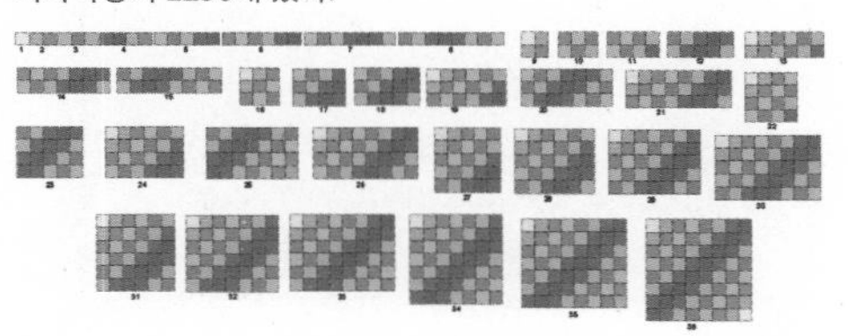

253

많은 사람들이 이 문제를 풀기에는 정보가 충분치 않다고 주장한다. 그러나 이는 이렇게 말하는 사람이 충분히 생각하지 않았기 때문이다. 문제 해결의 열쇠는 램프의 상태를 이해하는 데 있다. 램프는 빛뿐만 아니라 열을 만들어내고, 전원을 꺼도 몇 분 후까지는 램프가 따뜻하다. 이를 염두에 두면 두 문제에 대한 해결책을 훨씬 쉽게 찾을 수 있다.

퍼즐 1. 먼저 1번 스위치를 켜고 램프가 뜨거워지도록 몇 분간 그대로 둔다. 그런 다음 1번 스위치를 끄고 2번 스위치를 켠 다음 다락방으로 빨리 올라간다. 만일 불이 켜져 있으면, 2번 스위치가 그 램프를 켜는 스위치다. 램프는 꺼져 있지만 따뜻하면, 1번 스위치가 램프를 켜는 스위치다. 만일 램프가 꺼져 있고 차갑다면, 켜보지 않은 3번 스위치가 이 램프를 켜는 스위치다.

퍼즐 2. 이전 퍼즐과 똑같이 한다. 따뜻한 램프는 1번 스위치에 의해 점등되고, 켜져 있는 램프는 2번 스위치, 차가운 램프는 손대지 않은 3번 스위치에 의해 점등된다.

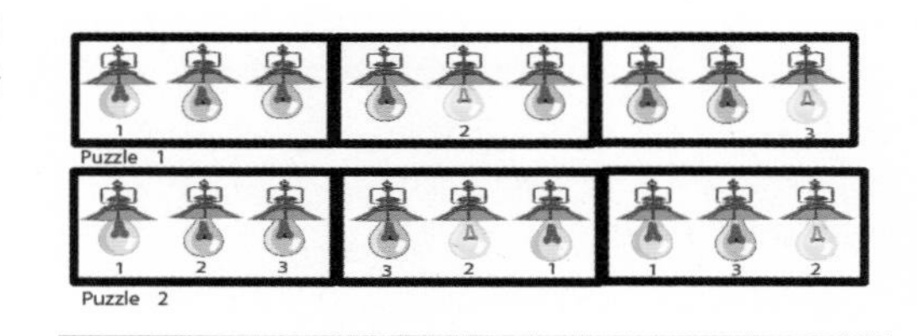

254

세 아들의 나이를 곱하여 36이 되는 경우는 정확하게 8가지가 있다.

이반은 아이들의 나이의 곱과 만난 날의 날짜만을 알았을 때 문제를 풀 수 없었다. 이들이 만난 날은 13일이었는데 세 아들의 나이의 합은 13이 되어야 함을 의미하므로, 이에는 두 가지 경우가 있다. 막내아들에 대한 추가 정보로 인해 가능한 경우 중 하나인 9살짜리와 2살짜리가 있을 가능성을 배제된다. 왜냐하면 그 경우에는 막내아들이 없기 때문이다. 그 결과 1살, 6살, 그리고 6살이라는 답만이 남는다.

Son 1	Son 2	Son 3	Product	Sum
1	1	36	36	38
1	2	18	36	21
1	3	12	36	16
1	4	9	36	14
1	6	6	36	13
2	2	9	36	13

255

1. 놀라운 수열이다.
2. 놀라운 수열이다.
3. 주황색 달걀과 파란색 달걀 사이의 거리는 2고, 이런 경우가 두 번 나타나므로 놀라운 수열이 아니다.
4. 주황색 달걀과 파란색 달걀 사이의 거리가 4고, 이런 경우가 두 번 나타나므로 놀라운 수열이 아니다.
5. 놀라운 수열이다.
6. 주황색 달걀과 파란색 달걀 사이의 거리가 1이고 이런 경우가 두 번 나타나므로 놀라운 수열이 아니다.

256

퍼즐 1. 4팀, 각 팀당 2명. '두 개 한쌍으로 이루어진 4쌍의 랭퍼드 문제'의 유일한 해

퍼즐 2. 9팀, 각 팀당 3명

n=9일 때의 3조쌍에 대해 랭퍼드와 동료들은 위에 있는 것과 같은 유일한 해를 찾았다. 수학자들은 자신의 아이들이 색칠된 공을 가지고 노는 것을 보며 새롭고 도전할 만한 수학문제들을 만든다.

스코틀랜드의 수학자인 더들리 랭퍼드는 어린 아들이 색이 칠해진 3쌍의 블록을 가지고 노는 것을 지켜보았다. 마침내, 아들은 그림에 나타나 있는 블록 더미처럼 빨간색 블록 쌍 사이에 한 개의 블록, 파란색 블록 쌍 사이에 두 개의 블록, 그리고 노란색 블록 쌍 사이에 세 개의 블록을 쌓는 것과 같은 방법으로

2
3
1
2
1
3

더들리 아들이 했던 색칠된 정육면체 3쌍 쌓기

블록을 쌓았다.

존 밀러(John E. Miller)는 이 원리의 다른 변형들을 발견했다. 5쌍과 6쌍의 경우에는 해가 없다. 7쌍의 경우에는 26가지의 다른 해가 있다. 8쌍의 경우에는 150가지 해가 있다.

1967년 마틴 가드너는 철저한 시행착오라는 방법 말고는 아무도 주어진 쌍의 수에 대한 해의 개수를 결정하는 방법을 모른다고 했다.

만일 'n'개의 쌍이 있으면, 'n'이 4의 배수거나 4의 배수보다 1이 작은 경우에만 해가 있다.

3조쌍 대해서는 하나의 해가 발견되었는데, 그게 우리의 퍼즐문제다.

257-258

퍼즐 1. 그림에 나타난 것과 같이 모자 세 개를 섞는 방법은 6가지다. 이 중 4가지는 적어도 한 사람이 자신의 모자를 되돌려 받는 경우다(그림 1, 2, 3, 6). 따라서 적어도 한 명이 자신의 모자를 되돌려 받는 경우는 6가지 중 4가지, 즉 그 확률은 0.66이다.

퍼즐 2. n개의 모자를 섞는 방법은 n!가지의 경우가 있으므로, 모자 6개가 섞이는 방법은 6!=720가지가 있다.

720가지 중 각 사람이 자신의 모자가 아닌 다른 모자를 받는 경우는 몇 가지일까?

이 수를 찾는 간단한 방법은 초월수 e=2.718…와 관계가 있다.

n개의 물건이 있는 경우, 잘못 짝지어질 수 있는 모든 순열의 수는 n!을 e로 나눈 수에 가장 가까운 수다.

우리 문제인 어떤 사람도 자신의 모자를 되돌려 받을 수 없는 경우는 720/2.718=265이며, 이는 확률로는 0.368055다.

그러므로 적어도 한 사람이 자신의 모자를 되돌려 받을 확률은 1에서 이 값을 뺀 0.631945다.

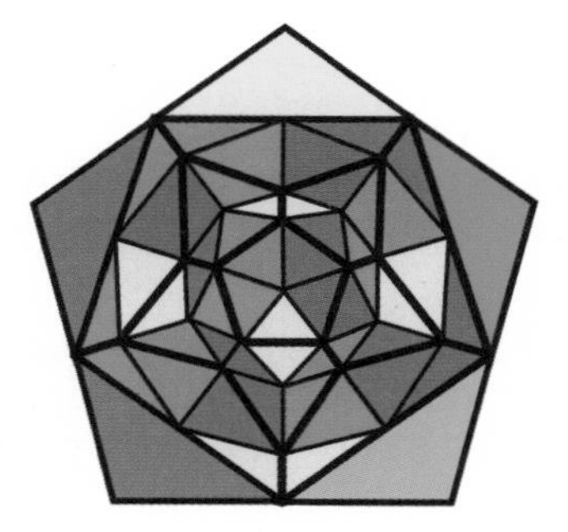

259

정오각형으로 구성된 면들을 갖는 12면체 퍼즐은 세 가지 해를 가진다. 이 퍼즐은 그 문제를 만든 콘웨이가 처음 출판했다. 위의 그림은 그 해 중 하나다.

260

만일 모든 포로들이 올바르게 정렬하면 그들은 모두 석방될 것이다.

첫 번째 포로가 그 정렬의 선두에 서 있다. 나머지 포로들은 자신들이 볼 수 있는 마지막 빨간 모자 뒤(또는 자신들이 볼 수 있는 첫 번째 검은 모자 앞)에 선다. 이렇게 하면 빨간 모자를 쓴 포로들은 모두 앞부분에 서게 되고 검은 모자를 쓴 포로들은 모두 뒷부분에 선 줄이 생긴다.

새로 들어오는 포로는 항상 중간에 (붉은색과 검은색 사이에) 서게 되기 때문에, 그는 다음 포로가 줄에 서는 순간 자신의 모자의 색을 알 것이다. 새로 들어오는 포로가 그 앞에 서면 그는 검은 모자를 쓴 것이다. 이 방법으로 99명의 포로들이 석방될 수 있다.

마지막 포로가 줄에 섰을 때, 맨 앞에 서 있던 포로는 자신의 위치를 떠나 빨간 모자를 쓴 포로와 검은색 모자를 쓴 포로 사이에 선다. 100명의 포로 모두가 목숨을 건졌다!

261

현재까지의 가장 좋은 해는 나타나 있는 것처럼 7×7 크기의 정사각형은 사용하지 않은 것이다. 더 완벽한 채우기가 존재하는지의 여부는 여전히 알려져 있지 않다.

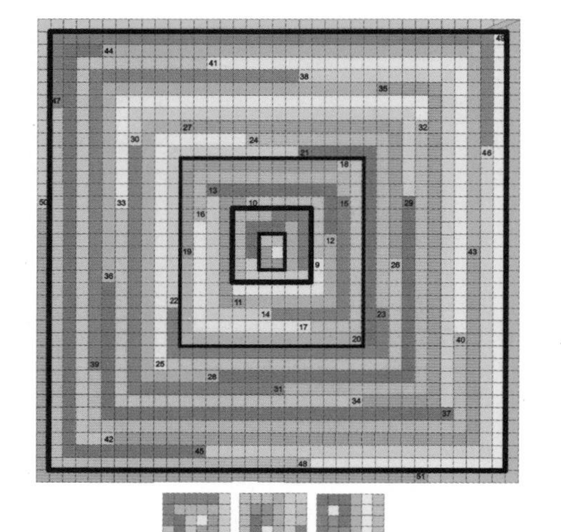

262

1. 많은 해들이 있는데, 그중 나선형이 아닌 두 해가 제시되어 있다. (윗 그림에서 아래에 있는 그림)

2. 가장 작은 2×3 크기의 직사각형을 포함하는 처음 8개의 연속적인 폴리오미노는 가장 작은 정사각형을 만든다. 그 다음 직사각형은 크기가 14×15로, 처음 20개의 폴리오미노(모두 검은색 윤곽선으로 표시됨)로 만들어진다. 가장 작은 폴리오미노의 한 변의 길이가 1센티미터라고 하면 이 직사각형의 면적은 210제곱센티미터다(20번째 삼각수로 처음 20개의 자연수의 합을 나타낸다).(위 그림)

3. 그 정사각형은 35×35 크기이며, 처음 49개의 폴리오미노로 만들어진다. 이 정사각형의 면적은 1225제곱센티미터다(49번째 삼각수로 처음 49개의 자연수의 합을 나타낸다). 다음 정사각형인 삼각수 41616는 그 후 멀리 떨어져 있다.

263

어둠 속에서 어떤 색의 양말 한 켤레를 만들려면 4개의 양말을 꺼내야 한다. 각 색의 양말 한 켤레씩을 만들려면, 최악의 경우, 두 가지 색의 양말을 모두(12개의 양말) 꺼낸 다음 양말 2개를 더 꺼내 총 14개의 양말을 꺼내야 한다.

264

모두 왼손 혹은 모두 오른손 장갑을 꺼내는 최악의 상황을 고려해야 한다. 이런 경우 각 14개를 꺼내야 한다. 이 경우에는 15번째 뽑는 장갑으로 장갑 한 쌍을 만들 수 있다. 그러나 완전히 깜깜하더라도 왼손 장갑과 오른손 장갑을 구별할 수 있기 때문에 이보다는 좀 더 잘할 수 있다. 이 경우 최악의 상황은 13개의 오른손 장갑 또는 왼손 장갑을 꺼낸 다음 반대편 손 장갑 중 하나를 꺼내는 것인데, 그러면 14번째 장갑을 꺼내면서 한 쌍의 장갑이 된다.

265

없어진 양말 두 개가 한 켤레이고 나머지 4쌍이 짝이 맞으면 가장 좋은 상황인데, 이러한 상황은 5가지 다른 경우로 발생할 수 있다.

양말에 A1, A2, B1, B2, C1, C2, D1, D2, E1 및 E2 라벨이 붙어 있는 경우, 없어진 양말이 A1-A2, B1-B2, C1-C2, D1-D2, 또는 E1-E2일 때가 가장 좋은 상황이다.

없어진 양말 두 개가 한 켤레가 아니어서 양말 세 켤레와 짝이 없는 양말 두 개가 있는 경우가 가장 나쁜 상황인데, 이 경우 없어진 양말들은 다음 중 하나다.

A1-B1, A1-B2, A2-B1, A2-B2, A1-C1, A1-C2, A2-C1, A2-C2, A1-D1, A1-D2, A2-D1,A2-D2, A1-E1, A1-E2, A2-E1, A2-E2, B1-C1, B1-C2,B2-C1, B2-C2, B1-D1, B1-D2, B2-D1, B2-D2, B1-E1, B1-E2, B2-E1, B2-E2, C1-D1, C1-D2, C2-D1, C2-D2, C1-E1, C1-E2, C2-E1, C2-E2, D1-E1, D1-E2, D2-E1, D2-E2.

즉, 이런 가장 나쁜 경우는 40가지가 있다. 이로 알 수 있듯이, 최악의 상황은 최선의 상황보다 발생할 가능성이 8배나 더 크다.

266

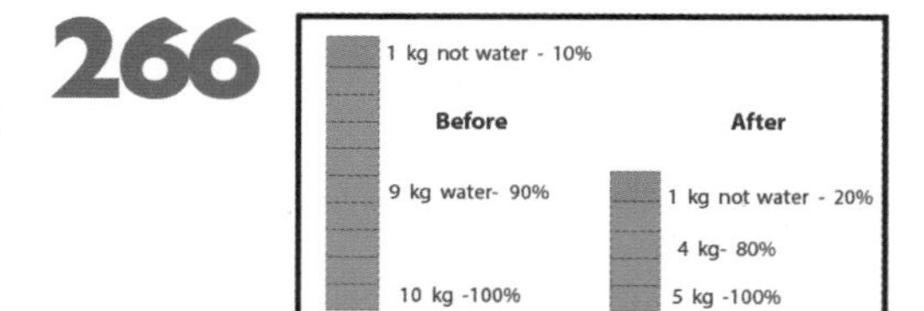

267

수박들의 무게는 1, 3, 5, 7, 9, 11, 그리고 13킬로그램이다.

268 체계적인 과정을 통해 플렉시-트위스트를 면적은 반이 되면서 나타나 있는 패턴들이 되도록 접을 수 있다. 예를 들면, 아래에 나타나 있는 패턴을 만들기 위해서는 다음과 같이 한다.

1. 아래-위: 오른손으로 정사각형을 잡고, 검은색 점이 있는 모서리를 누르면서 360도 돌린다. 그런 후에 접힌 왼쪽 절반을 왼손으로 잡고 오른손으로 흰색 점이 위로 오도록 모서리를 접어서 이전처럼 360도 돌린다. 그러면 아래에 있는 모양이 된다.

플렉시-트위스트는 2012년 장난감 회사 팻브레인(Fat Brain Toys)에서 '폴드(Fold)'라는 이름으로 제작되었다.

269 다른 해결책: 두 번째 건널 때 등산객 2가 다시 건너온다.

4명의 등산객은 간신히 해냈다. 그들은 다리가 무너지기 직전인 17분 만에 다리를 건넜다.

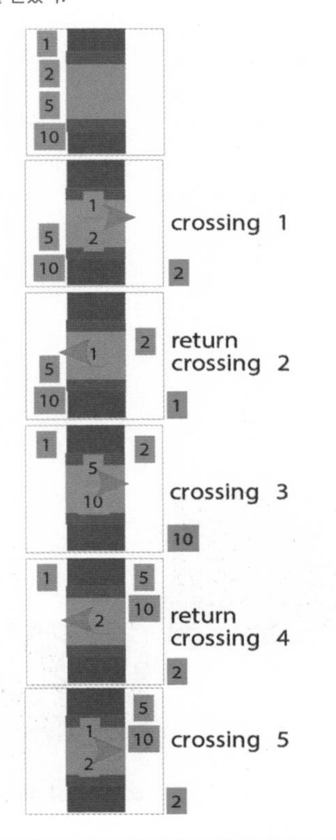

270 n=11과 n=13인 경우에 대한 나선모양의 관

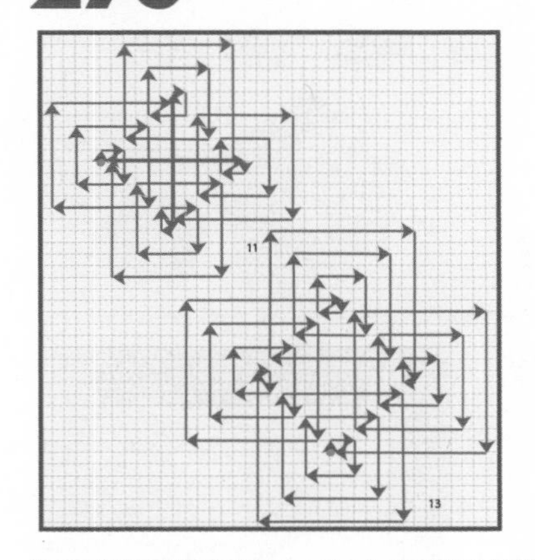

271 3개의 우표로 이루어진 우표 띠 전지 접기:

표식자가 있는 3개의 우표로 이루어진 우표 띠 전지를 접는 방법은 6가지로 완전한 순열 집합을 만들 수 있다. 반면, 표식자가 없고 대칭적으로 접는 방법은 2가지뿐이다.

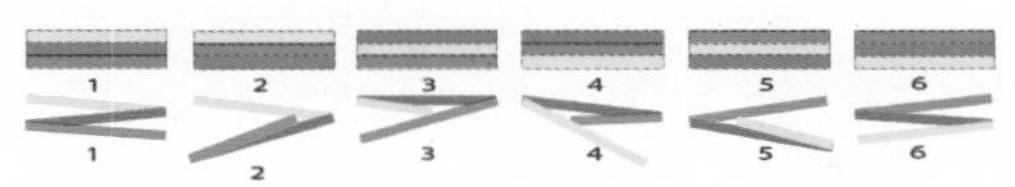

4개의 우표로 이루어진 우표 띠 전지 접기:

표식자가 있는 4개의 우표로 이루어진 우표 띠 전지는 총 24가지의 접기 방법 중 16가지 방법으로 접을 수 있다. 또한, 5가지의 표식자가 없는 접기와 4가지의 대칭 접기가 있다. 더 긴 띠 전지의 경우 접는 방법이 크게 늘어난다.

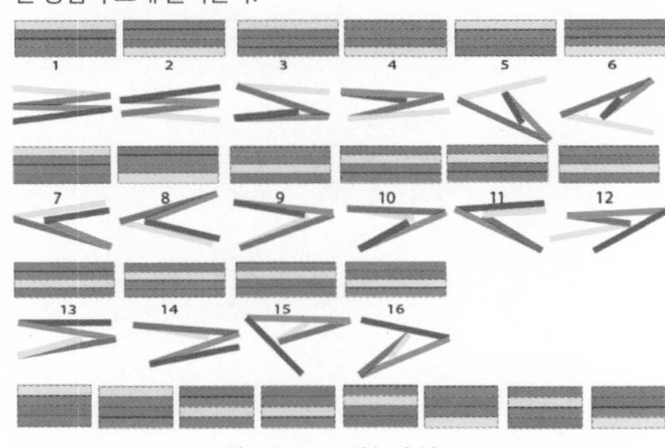

The 8 impossible folds

4개의 우표로 이루어진 정사각형 전지 접기:

4가지의 접는 방법

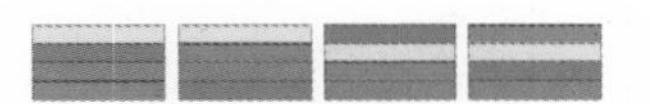

6개의 우표로 이루어진 직사각형 전지 접기:

3번째처럼 접는 것은 불가능하다. 일반적으로, 마지막으로 접는 우표에서 대각선으로 나타나는 색상이 접하도록 전지를 접을 수는 없다.

8개의 우표로 이루어진 직사각형 전지 접기:

오른쪽 반을 왼쪽으로 접어 5가 2, 6이 3, 7이 8과 맞붙게 접는다. 이제 아래쪽 반을 위로 접어 4가 5, 7이 6과 맞붙게 접는다. 그런 다음 4와 5를 6과 3 사이로 접어 넣고 그 아래에 1과 2가 가도록 접는다.

272 구르는 주사위(1)

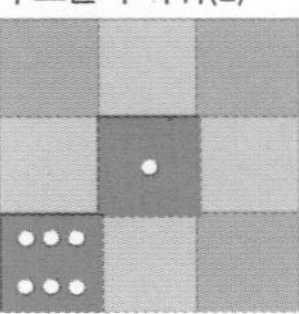
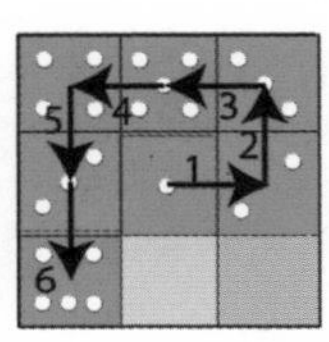

구르는 주사위(2)

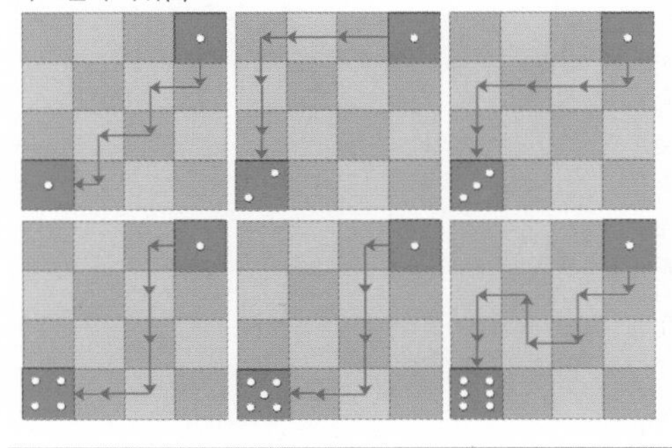

273

퍼즐 1의 해

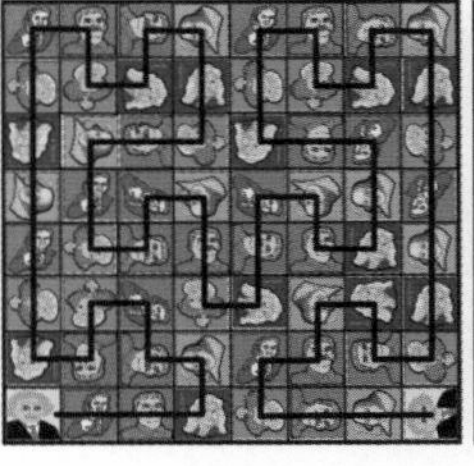

퍼즐 2의 해

274 이 문제는 '고정점 정리'의 또 다른 예다. 현대의 기하학에서는 이 문제를 단순하게 다음과 같이 설명한다. '두 점이 어느 선(1)의 양 끝에 놓여 있으면 그 선이 어떤 다른 선(2)의 끝 부분에 있지 않는 한 그 선(1)은 다른 선(2)과 만난다.'

이 문제는 볼 수 있게 그려보는 것으로 아주 명백하게 해를 찾을 수 있는 흥미로운 문제 중 하나인데, 두 스님이 한 명은 위로 올라가고 한 명은 아래로 내려가는 모습을 상상해보면 된다. 두 스님이 올라가는 속도와 내려가는 속도, 또는 얼마나 오래 쉬었는지, 또는 때때로 지난 길을 다시 걸었는지에 상관없이 둘은 어딘가에서 만난다.

이는 아래 그림에서는 두 경로가 겹쳐지는 점으로 나타난다. 그러므로 두 날 모두 같은 시간에 같은 위치에 있을 것이다.

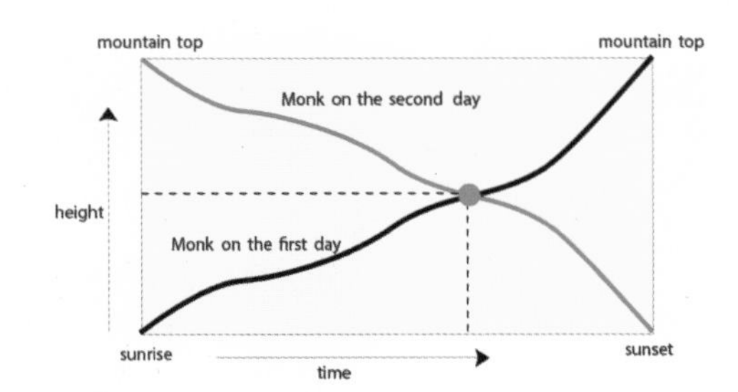

275

변형하는 비법을 기억하기는 쉽다. 배열에서 사각형의 각 변에 있는 두 개의 삼각형 위치를 바꿔 한 배열에서 다른 배열로 만들기만 하면 된다.

나머지 조각들을 맞추는 것은 두 배열에서 아주 명확하다. 두 개의 큰 사각형은 같아 보이지만 우리가 이미 알고 있듯이 기하학에는 기적이 없으므로, 두 정사각형의 면적이 같을 수는 없다. 정사각형 중 하나는 확실히 작지만 차이가 크지는 않다. 물론, 그 차이는 딱 '불필요한' 정사각형의 면적만큼 작다. 기발한 변형으로 무시할 정도의 두께를 가진 불규칙한 정사각형 고리가 만들어지므로, 큰 정사각형에서 그 작은 크기가 그렇게까지 인식이 안 된다는 것이 놀라운 일은 아니다.

사라지는 퍼즐에서 배워야 할 한 가지 사실은 위장을 눈치 채지 못하게 해야 한다는 것이다. 숨겨야 하는 여분의 조각이 차지하는 공간은 큰 정사각형의 경계 전체에서 보이지 않을 만큼 가능한 한 얇게 펴져 '잃어버린' 것 같은 효과를 나타낸다.

276

주사위 세트는 알려진 것처럼 주사위의 전이성을 위반하는(또는 비전이성 주사위) 확률 역설을 확실히 보여준다. A 주사위는 B 주사위를 이긴다. B 주사위는 C 주사위를 이긴다. C 주사위는 D 주사위를 이긴다. 그리고 마침내 D 주사위는 A 주사위를 이긴다. 이 게임은 순환적으로 이기도록 되어있으므로, 주사위 집합에서 두 주사위 간의 모든 가능성에 대한 점수를 표로 만들어보는 것이 가장 좋다.

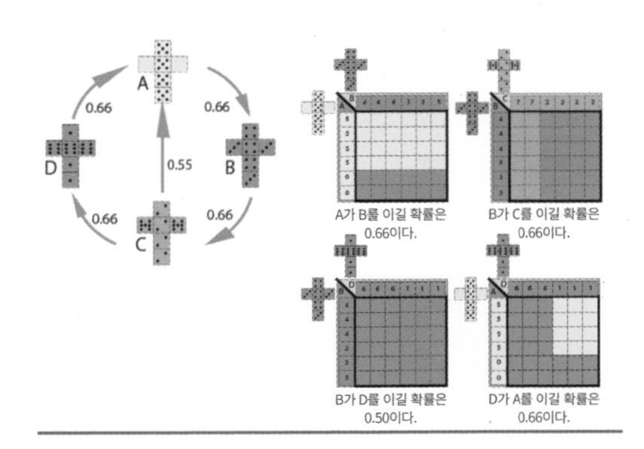

277

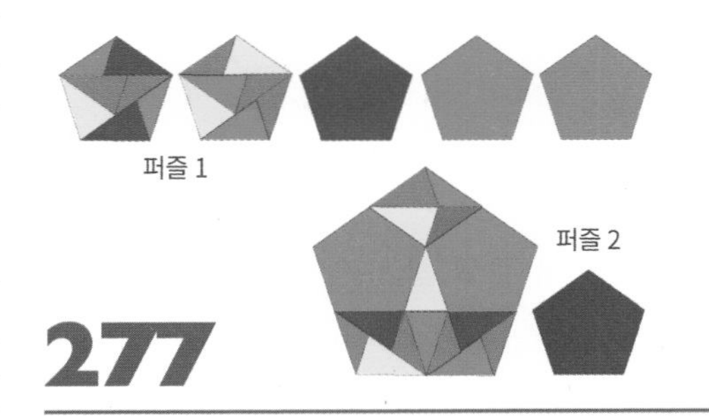

278

279

큰 블록들을 먼저 쌓으려 하면, 해를 찾기가 어려워진다.

이 문제를 해결하기 위한 비밀의 열쇠는 세 개의 작은 정육면체들을 먼저 배열하는 것으로, 그 정육면체의 대각선 중 하나를 따라 배치해야 한다.

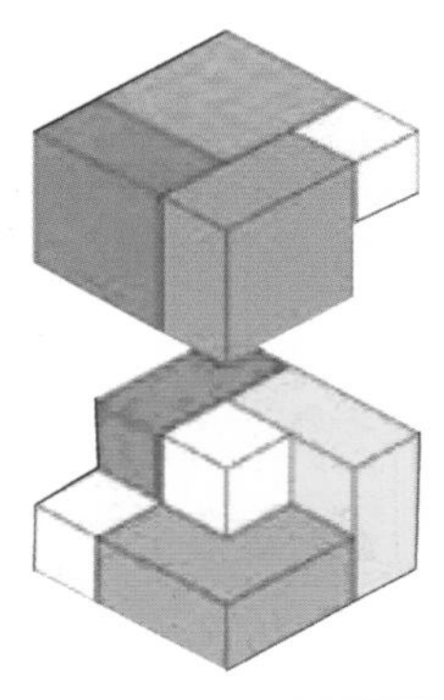

280

3×3×3 크기의 정육면체와 마찬가지로, 이 문제를 풀기 위한 비밀의 열쇠는 먼저 1×1×3 크기의 블록을 그림과 같이 놓는 것이다.

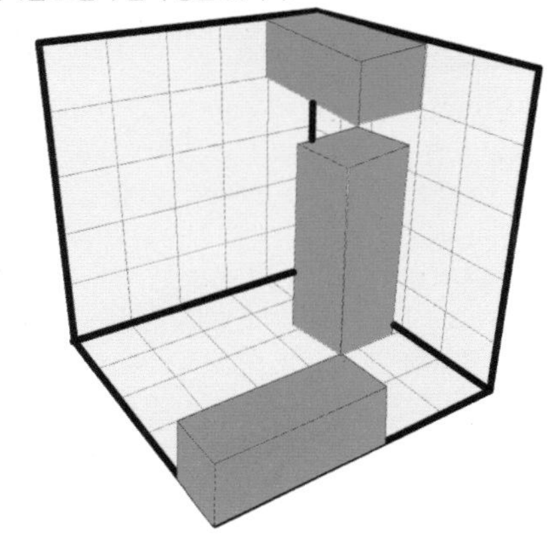

281-282

삼각형 분할과 관련된 이 문제를 그들이 어떻게 해결했는지 보자. 전체 영역을 삼각형으로 나누고 각 삼각형의 꼭짓점을 3가지 다른 책으로 칠한다. 각 삼각형에 사용하는 세 가지 색은 같은 색이어야 한다. 카메라는 가장 적게 나타나는 색이 있는 꼭짓점들에 설치되어야 한다.

n면의 벽이 있는 미술관의 경우, 이 방법으로는 n/3 이하의 카메라가 필요하다는 것을 알 수 있다. 미술관이 볼록한 다각형 형태라면 한 개의 카메라로 충분하며 미술관 내의 어디에 설치하든 상관없다. 하나의 단순한 해는 미술관이 원형 또는 24개의 면을 가진 다각형 모양인 경우다. 그러나 다른 해는 최소의 바닥면적을 갖는 별 모양의 미술관이다.

283

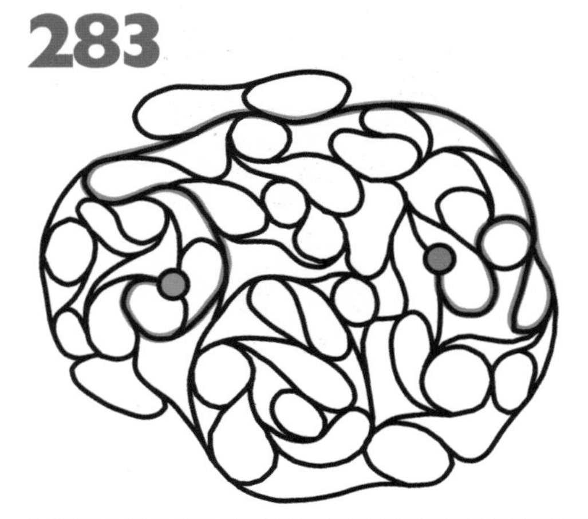

284

아무리 짧은 울타리라도 한 줄로 구성될 수는 없다. 왜냐하면 U자 모양이 네 모서리를 모두 포함하는 가장 짧은 울타리이기 때문이다.

불투명한 정사각형 문제에 대한 논리적인 해는 정사각형의 네 모서리(또는 일반적으로 임의의 네 점)를 감싸는 이른바 스테이너 트리(최소의 표면)여야 하며, 이 울타리의 길이는 2.732미터다. 그러나 이 역시 가장 짧은 울타리는 아니다. 울타리를 두 부분으로 나누면 그 길이를 약 2.639미터로 줄일 수 있다. 현재까지 이것이 가장 좋은 해라 여겨지고 있긴 하지만 아직 증명된 것은 아니다. 일부 수학자들은 가장 짧은 불투명한 정사각형 울타리가 존재하는지조차도 의심하고 있다.

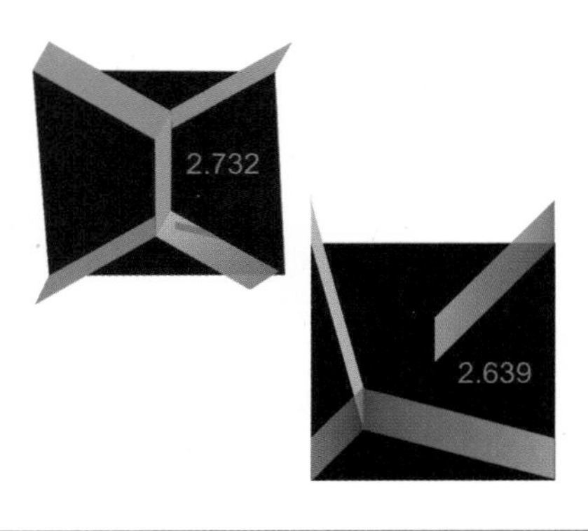

285 퍼즐 1. 한 번의 가로-시계방향, 네 번의 세로-반시계방향, 그리고 세 번의 가로-시계방향으로 이동하면 여덟 번의 위치 이동이 일어나 빨간색 구슬 위치에 파란색 구슬이 온다.
퍼즐 2. 초기의 노란색 구슬이 이동 후에도 그 자리에 그대로 있는 경우는 해가 없음을 알았다.

286 수위는 낮아질 것이다. 보트 안에서 인어는 자신의 질량만큼의 물을 보트 아래로 누른다(그러므로 그 물은 보트 주변으로 올라온 상태다). 인어가 보트에서 분리되어 바닥에 내려지면, 그로 인해 인어의 질량에 해당하는 물의 부피만큼 보트 아래의 수위는 높아질 것이다. 청동은 밀도가 매우 높기 때문에 인어 조각상의 질량에 비해 부피는 작아져 그 작아진 부피만큼은 물로 대체된다.

287 연속적으로 꺾인 선들이라는 조건을 만족하는 6, 7, 그리고 8개의 선들에 대한 해가 그려져 있다. 이보다 더 좋은 해를 찾을 수 있겠는가?
3, 4, 5, 그리고 9개의 선들에 대한 해들은 이미 연속적으로 꺾인 선들이 닫혀 있는 모양이다. 7개 선에 대한 이 문제는 더 이상 쉽지 않다. 선의 개수를 변수로 갖는 최대 개수의 삼각형을 찾는 함수에 대한 공식을 찾는 문제는 어려운 문제로, 여전히 풀리지 않고 있다.

288 일반적으로, 'n'명의 사람들은 'n-1'명의 사람들과 악수를 한다(자신과는 악수하지 않는다). 악수는 두 사람이 하므로 악수하는 횟수를 얻기 위해서는 이 수를 반으로 나누어야 한다. 그러므로 $H=n\times(n-1)/2$을 얻는다. 위원 17명은 16명과 악수를 할 것이므로 악수의 횟수는 총 136번이다. 그러나 4명은 악수하지 않았으므로 이들이 할 수 있는 악수의 횟수 6을 빼야 한다. 그러므로 악수의 총 횟수는 130번이다.
10개의 점이 그려진 그래프가 이해에 도움을 줄 수 있다.

289 아래에 나타난 것처럼 5다.

290 A가 가장 많은 8번의 악수를 했다고 가정하자. J는 악수하지 않고 떠났으므로, 그는 A의 아내여야 한다.
B는 7번의 악수를 했고, I는 B의 아내여야 한다.
C는 6번의 악수를 했고, H는 C의 아내여야 한다.
D는 5번의 악수를 했고, G는 D의 아내여야 한다.
E는 4번의 악수를 했고, F는 E의 아내여야 하며 역시 4번의 악수를 한다.
이로부터 E는 나이고 내 아내인 F는 4번 악수를 했다.
다른 9명의 참석자의 악수 횟수는 '8, 7, 6, 5, 4, 3, 2, 1, 0'이었다. '0'과 '8'이라고 대답한 두 사람(A와 J)은 부부여야 한다. '1'과 '7'이라고 대답한 두 사람에 대해서도 같은 방법으로 설명할 수 있으며, 다른 부부들에 대해서도 마찬가지다. 나와 내 아내는 각각 4번의 악수를 했다는 것을 알 수 있다.

291 탐험가는 남극에서 1+1/2π킬로미터(또는 지구의 곡률을 고려하여 약 1.16킬로미터)를 약간 넘는 거리만큼 떨어진 원 위의 어떤 지점에서 시작할 수 있다.
남쪽으로 1킬로미터 걷고 나서, 그는 극 주위를 한 바퀴 돌 것이다. 그리고 거기에서 북쪽으로 1킬로미터 걸으면 그가 시작했던 곳에 이를 것이다.

292

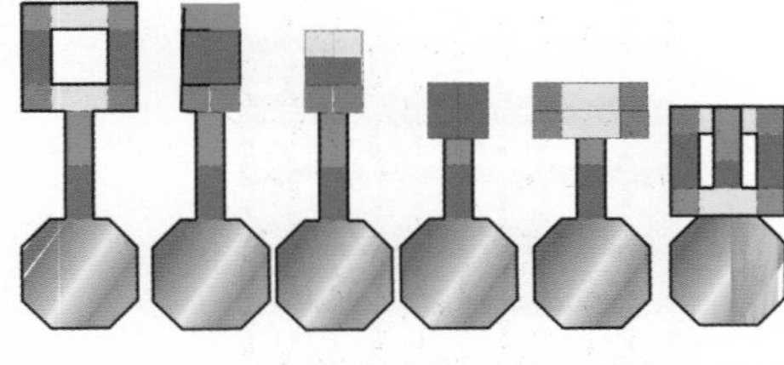

293 몬티 홀 문제에서 10개의 문이 있는 경우를 보면, 3개의 문만 있는 원래 문제에서 생기는 정신적 혼란을 없애는 것이 더 쉬울 것이다. 이전과 마찬가지로, 문 중 하나의 문 뒤에는 고급차가 있고 나머지 9개의 문 뒤에는 염소가 있다. 닫힌 문 중 한 개의 문을 선택할 수 있다. 진행자는 문 뒤에 염소가 있는 8

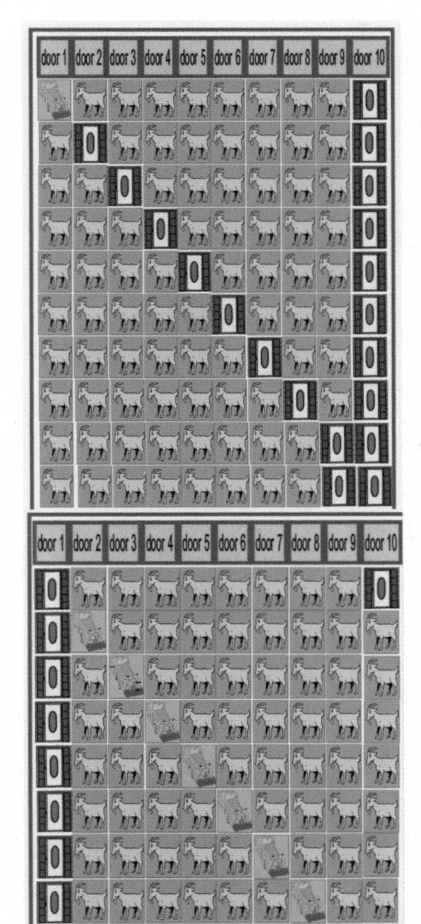

개의 문을 열었다. 열지 않은 문과 당신이 선택한 문을 바꿀 수 있다. 마릴린이 말했듯이 이길 수 있는 확률을 높이기 위해서는 선택한 문을 바꾸는 것이 맞다. 문제 2에서는 선택한 문 뒤에 차가 있을 확률이 1/10이기 때문에 더 쉽다. 따라서 선택했던 것을 바꾸는 것은 분명히 올바른 전략이며, 이는 차가 생길 확률을 9/10로 끌어 올릴 것이다. 문제를 파악하는 것이 어려운 이유 중 하나는 진행자의 역할이 어떻게든 눈에 띄지 않는다는 사실이다. 하지만 진행자는 그 게임을 관리하는 사람이다. 문제가 문이 3개 이상, 예를 들어 10 또는 100개의 문이 있는 경우로 바뀌면 그의 역할은 명확해진다.
당신은 문 1을 선택하지만 그 문 뒤에 차가 있을 확률은 1/10이다. 반면에 다른 문 뒤에 차가 있을 확률은 9/10이다. 그러나 진행자가 개입한 후에는 나머지 문 9개를 대표하는 문 하나가 남았다. 그러므로 그 남은 문 뒤에 차가 있을 확률은 9/10이다!

294

못 찾는다. 실수를 한 게 아니다. 파란색 관 뚜껑이 빨간색 관에 맞고, 빨간색 관 뚜껑이 파란색 관에 맞는다는 것을 믿을 수 있겠는가? 드라큘라의 관은 셰퍼드(Roger N. Shepard)의 '뒤집어진 테이블(Tables Turned)'이라는 착시에 의해 영감을 받았다.

295

n = 11
r = 16

296

n = 12
r = 7

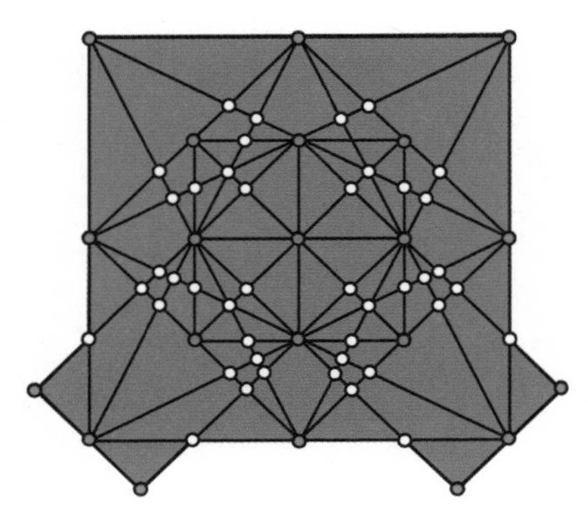

297

21개의 점이 필요하다.

298

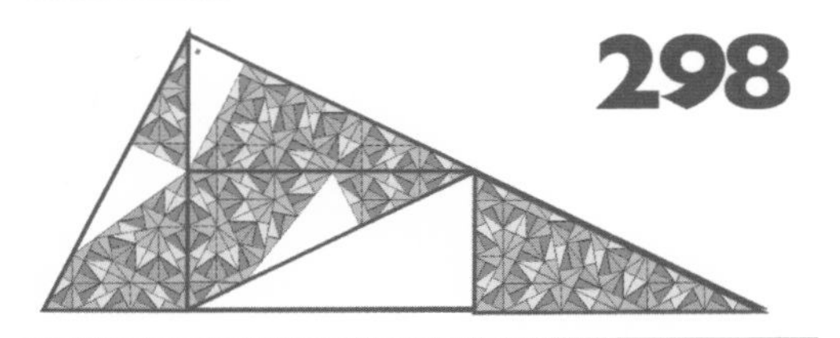

299

잔들의 패리티는 홀수다. 짝수 번 움직여서는 짝수 패리티로 바꿀 수 없다.

300

move 1
1 2 3
move 2
3 4 5
move 3
3 6 7

301

잔들의 패리티는 홀수다. 짝수 번 움직여서는 짝수 패리티로 바꿀 수 없다.

302

만일 체계적으로 시작하면, 첫 번째 자리에 9를 넣고 나머지는 필요한 다른 숫자를 넣으면 9개의 0을 배치할 수 없으므로, 이는 맞지 않는다는 것을 알 수 있다. 아래 그림에 나타나 있는 것처럼, 8과 7도 유사한 결과를 나타낸다. 첫 번째 자리에 6을 넣으면 바로 맞는 해가 나온다. 마틴 가드너에 따르면 이 해는 유일하다.

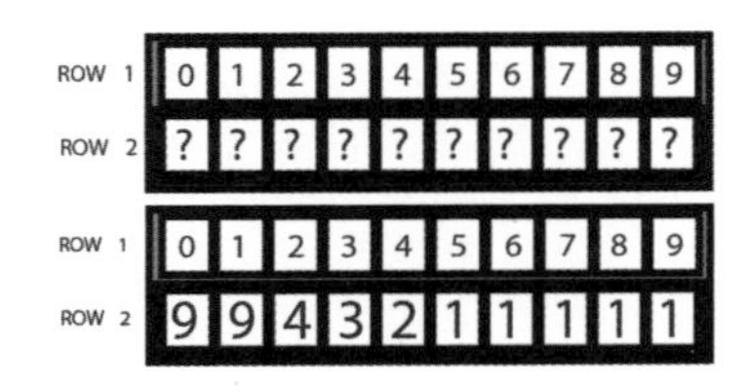

ROW 1	0	1	2	3	4	5	6	7	8	9
ROW 2	?	?	?	?	?	?	?	?	?	?

ROW 1	0	1	2	3	4	5	6	7	8	9
ROW 2	9	9	4	3	2	1	1	1	1	1

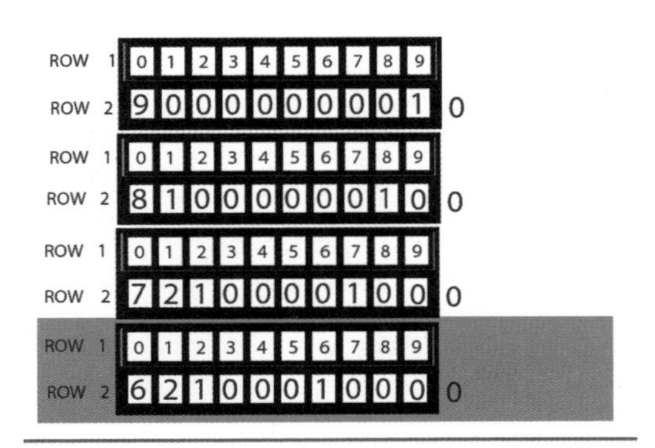

ROW 1	0	1	2	3	4	5	6	7	8	9	
ROW 2	9	0	0	0	0	0	0	0	0	1	0

ROW 1	0	1	2	3	4	5	6	7	8	9	
ROW 2	8	1	0	0	0	0	0	0	1	0	0

ROW 1	0	1	2	3	4	5	6	7	8	9	
ROW 2	7	2	1	0	0	0	0	1	0	0	0

ROW 1	0	1	2	3	4	5	6	7	8	9	
ROW 2	6	2	1	0	0	0	1	0	0	0	0

303

10개의 수는 10!개, 즉 3,628,800개의 순열을 만든다. 그러나 0으로 시작하는 모든 숫자는 세지 않고 지워야 하므로, 실제로는 362,880(또는 9!)만큼 작은 총 3,265,920개의 수가 있다.

304

볼 수 있다. 파이프를 문 사람은 방의 어디에 서 있든지 두 벽에서 반사된 성냥불 빛을 볼 수 있다. 따라서 방 전체는 단 한 개의 성냥개비로 비출 수 있다. 그러므로 방은 밝다.

305

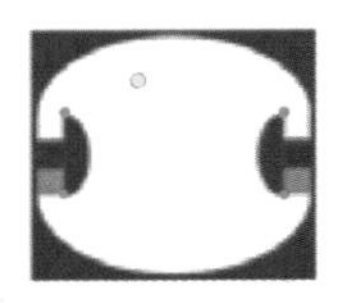
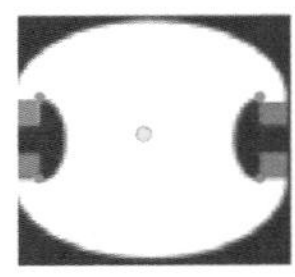

306

그 사람에게 다음과 같이 묻는다. "당신이 사는 도시로 가는 길을 알려 주십시오."
그 사람이 진실 도시 출신이라면 그는 그 길을 알려줄 것이다. 그가 거짓말쟁이 도시 출신이라면, 그는 또한 같은 방향을 가리킬 것이다. 그의 대답에서 재미있는 점은, 당신은 가고자 하는 방향을 알게 되지만 그 사람이 당신에게 진실을 말했는지 거짓말을 했는지는 정말로 알 수 없다는 것이다. (여기에 있는 퍼즐은 2000년 애틀랜타에서 열린 G4G에서 마음을 사로잡았었고 흥미로웠던 스멀리언(Raymond Smullyan)의 강의에서 영감을 얻은 것이다.

307

청년은 딸 중 한 명에게 "당신은 결혼했습니까?(Are you married?)"라고 물어야 한다. 질문을 받은 사람이 누가 되었건 '예'라는 대답은 아멜리아가 결혼했다는 것을 의미하는 반면, '아니오'는 라일라가 결혼했다는 것을 의미한다. 예를 들면, 질문을 받은 사람이 아멜리아이고 대답이 "예"라면, 대답이 사실이므로 아멜리아가 결혼한 것이고, 대답이 "아니오"이면 역시 진실이므로(결혼하지 않았으므로) 라일라가 결혼했다는 것을 의미한다. 반면에, 질문을 받은 사람이 라일라이고 대답이 "예"이면 그 대답은 거짓이므로(그녀는 결혼하지 않았으므로) 아멜리아가 결혼한 것이다. 그녀의 대답이 "아니오"면 그것 역시 거짓이므로 라일라가 결혼한 것이다.

308

그 사람에게 같은 질문을 두 번 한다. "당신은 거짓말과 진실을 번갈아 말하는 사람인가요?" 두 번 모두 "아니오"라 답하면 그는 진실을 말하는 사람일 것이다. 두 번 모두 "예"라 답하면 그는 거짓말쟁이다. 한 번은 "아니오" 한 번은 "예"라고 말하면 그는 거짓말과 진실을 번갈아 말하는 사람이다.

309

친구의 대답은 '응-아니-응-응'이었다.
4가지 질문 중 어떤 색의 답이 "응"이 되는지 알아야 한다. 그런 다음, 오른쪽 아래에 있는 파란색 점 D에서 시작해 같은 색의 변들을 거쳐(어느 순서든) 한 점에 도착한다. 이 점의 알파벳이 선택된 알파벳이다. 만일 파란색이면 대답은 진실이었고, 빨간색이면 대답은 거짓이었다. 만일 그가 거짓말을 했다면, 그의 대답은 '아니-응-아니-아니'였을 것이다.

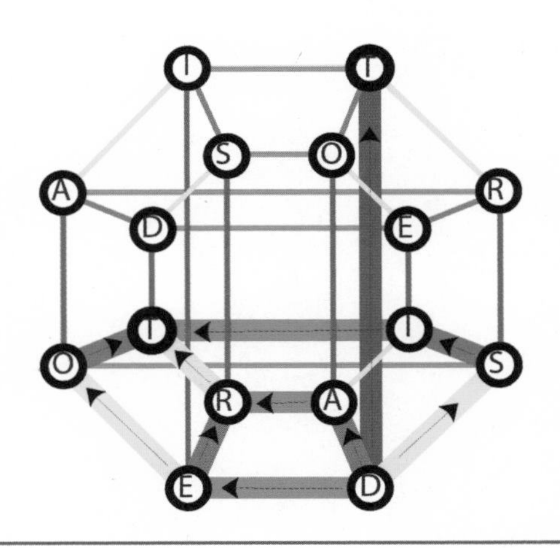

310

1. 해를 갖는 다음 세 직선은 n이 9, 13, 그리고 16인 경우다.
2. 위에 나타나 있는 것처럼 n이 1~40의 경우에 해가 있는 것은 16개다.
3. n이 20 이상인 경우에는 모드 4일 때 0 또는 1인 모든 수는 해가 있다고 알려져 있다. 그러므로 메뚜기 수열은 확장할 수 있다.

311

여성이 딸이 두 명일 확률은 약 0.33(33%)인 반면, 남성이 딸이 두 명일 확률은 약 0.5(50%)다. 마릴린은 또한 이 답을 뒷받침할 만한 통계적 근거를 제공했다. 한 명의 딸을 가진 여성에게는 아들-딸, 딸-아들, 딸-딸의 3가지 가능성이 있다. 이들 각각의 확률은 모두 1/3로 같다. 남성에게는 아들-딸과 딸-딸만 가능하며, 이들의 확률은 각각 1/2이다(세 번째 가능성 아들-딸은 첫째 자녀가 딸이기 때문에 제외된다.)

312

1. 이 문제를 분석해 태어나는 순서대로 가능한 아기의 성별을 모두 고려해보면 다음과 같다. 딸-딸, 딸-아들, 아들-딸, 아들-아들
두 아기가 모두 딸일 확률은 0.25(25%)라는 것을 알 수 있다. 이것은 동전 던지기 문제와 유사하며 이를 수학적인 언어로 표현하면 동전 던지기 문제와 '동형(isomorphic)'인 문제라 한다. 파스칼의 삼각형은 보통 이러한 유형의 문제에 대한 답을 찾기 위해 사용된다.
2. 딸-딸, 딸-아들, 아들-딸, 아들-아들
아기 중 적어도 한 명이 딸일 확률은 0.75(75%)임을 알 수 있다.
3. 딸-딸, 딸-아들, 아들-딸, 아들-아들
이 문제에서는 '아들-아들'인 경우는 제외된다. '딸-딸'이 문제의 경우에 해당되므로 이 확률은 0.33(33%)이다.

313

세 자녀가 있는 가정에서 딸이 있을 확률이 높다는 것은 놀랍다. 그 확률은 7/8(87%)이다.

314

이 문제는 파스칼 삼각형으로 쉽게 답을 얻을 수 있는 전형적인 문제다. 파스칼 삼각형의 여덟 번째 행은 4개의 앞면(딸 또는 아들)을 얻을 확률이 70/256(약 27%)이라는 것을 알려준다. 반면에 앞면(딸 또는 아들)을 8번 얻을 확률은 1/256로 1% 미만이다.
참고: 아들만 있고 딸이 없는 6명 이상의 자녀를 둔 가정은 단순한 확률 이상의 뭔가가 관련되어 있을 수 있다. 이는 실제로 일어나야 하는 것보다 두 배나 많이 발생한다고 한다.

315

18번 이동하는 해가 아래 그림에 나타나 있다.

찾아보기

가버 도모코스(Gabor Domokos) 308, 340
가브리엘 라메(Gabriel Lame) 253
가스통 타리(Gaston Tarry) 117
가우스 곡선 40
가우스의 17각형 172
가장 작은 완전 직사각형 234, 257
가향 곡면(orientable surface) 191
갈릴레오 갈릴레이(Galileo Galilei) 125
갈릴레오의 역설 126
갈릴레오의 추 127
강 건너기 문제 98
게르하르트 링겔Gerhard Ringel) 272
게리 포시(Gary Foshee) 354
게오르크 알렉산더 픽(Georg Alecxander Pick) 226
게오르크 칸토어(Georg Cantor) 126, 243
경사면 125
경사면의 법칙 124
경험적 방법(heuristics) 13
고리가 세 개인 삼엽형 매듭 170
고본 삼각형 문제 326
고정점 정리 304
고트프리트 빌헬름 라이프니츠(Gottfried von Leibniz) 30, 40, 74, 144, 148
골롬 눈금자 266
공간, 구, 정육면체, 원기둥의 분할 179
공익사업 문제 251
굄뵈츠(Gömböc) 308, 340
교묘한 말 퍼즐 205
교묘한 버튼 퍼즐 212
교차점이 없는 가장 긴 기사의 여행 169
구 쌓기 상자 131
구두장이의 칼 85
구로 만든 화환 124
구로 정육면체 쌓기 130
구를 육각형 입체로 쌓기 130
구의 입맞춤 수(kissing spheres) 문제 149
귀류법(Reduction ad absurdum) 61
균일하게 안정한 다면체 308
그라코-라틴(Graeco-Lattin) 방진 117
그래프 이론 144
그레고르 라이쉬(Gregor Reisch) 71
그레이 이진 코드(Gray Binary Code) 90
극대 조합론 50
기계력 80
기계식 퍼즐 320, 352
기력솥(aeolipile) 91
기사의 닫힌 여행 경로 문제 168
기하학적 역설 100
기하학적으로 사라지는 퍼즐 207
꼭짓점 그림 138
나무 심기 문제 335
나선 모양의 관 296
나폴레옹 보나파르트(Napoleon Bonaparte) 176
나폴레옹의 정리 176
냅킨 고리 문제 146
네커 정육면체 182
노먼 록웰(Norman Rockwell) 43
노부유키 요시가하라(Nobuyuki Yoshigahara) 350

노이어스 채프먼(Noyes Chapman) 356
눈송이 곡선 235
니코마코스(Nicomachus) 75
니콜로 타르탈리아(Niccolo Tartaglia) 99, 122
다각형 사이클로이드 110
다니엘 베르누이(Daniel Bernoulli) 32
다니엘 에데이(Dániel Erdély) 318
다비트 힐베르트(David Hilbert) 243
다익스트라 알고리즘(Dijkstra's algorithm) 286
단순 기계 80
닫힌 비가향 곡면(closed non-orientable surface) 191
달랑베르의 역설 162
대니얼 쇼햄(Daniel Shoham) 338
대니얼 카너먼(Daniel Kahnemann) 13
〈대사들(The Ambassadors)〉 114
대수적 조합론 50
더들리 랭퍼드(C. Dudley Langford) 277
데니스 샤샤(Dennis E. Shasha) 276
데릭 솔라 프라이스(Derek de Solla Price) 44
데이비드 그레고리(David Gregory) 149
데이크미(deiknymi) 24
데자르그의 정리 141
델로스 문제(Delian problem) 70
도널드 쿤스(Donald Knuth) 169
도미노 패턴 퍼즐 101
도미노(domino) 101
도형소실 퍼즐(geometrical vanishes) 268
도형수(figurate number) 56
뒤러의 마성마방(diabolic magic square) 119
듀드니의 미로 37
듀드니의 우표 문제 232
드래프트(Draught) 42
등각 투영도(isometric projection) 255
등시곡선 문제(tautochrone problem) 110, 150
등시성 법칙 127
등주 문제(isoperimetric problem) 89
등주 정리(Isoperimetric Theorem) 89
디도(Dido) 여왕의 문제 89
디오판토스(Diophantus) 96
디오판토스의 수수께끼 96
라우스 볼(W. Rouse Ball) 132
라위트전 브라우어르(Luitzen Brouwer) 304
라일락 추적자 착시 351
라틴방진 116
래리 니콜스(Larry Nichols) 317
래틀백 (rattleback) 307
랜덤워크(random walk) 236
랠리 모에라키 퍼즐 321
랠프 알퍼(Ralph Alpher) 106
램지 이론 250
랭퍼드의 문제 277
레오나르도 다빈치(Leonardo da Vinci) 58, 113
레온하르트 오일러(Leonhard Euler) 56, 62, 74, 92, 117, 144, 156, 195, 199
레이먼드 스멀리언(Raymond Smullyan) 342
렙타일(Reptile) 241
로그나사선 59
로보비(RoboBee) 32
로저 펜로즈(Roger Penrose) 255, 314, 315
로타르 콜라츠(Lothar Collatz) 256
뢸로 삼각형 195
루빅 큐브(Rubik's Cube) 209, 317
루서 워싱턴(Luther Washington) 21
루이 그로스(Louis Gros) 90

루이 파스퇴르(Louis Pasteur) 12
루이스 알버트 네커(Louis Albert Necker) 182
루카스 수 103
루카스 수열(Lucas sequences) 102, 103
루퍼트 왕자의 문제 143
뤼카의 퍼즐(Lucas' puzzle) 212
리만 가설 74
『리베르 아바치(Liber Abaci)』 102
『리브로 드 로스 주에고스(Libro de los juegos)』 38
리샤르 푸르니발(Richard de Fournival) 40
리처드 가이(Richard K. Guy) 283
리처드 그레고리(Richard Gregory) 255
리처드 폰 미세스(Richard von Mises) 261
리히텐베르크(Lichtenberg) 9
린데만-바이어슈트라스의 정리(Lindemann-Weierstrass Theorem) 67
마균(馬鈞) 44
마르셀 다네시(Marcel Danesi) 16, 205
마리오 카페키(Mario Capecchi) 13
마리온 틴슬리(Marion Tinsley) 43
마릴린 사반트(Merilyn vos Savant) 146
마방(魔方) 116
마법 상수 116
마술 육각형 퍼즐 225
마스터마인드(Mastermind) 312
마이클 골드버그(Michael Goldberg) 175
마이클 에드먼즈(Michael Edmunds) 44
마이터 퍼즐(miter puzzle) 233
마틴 가드너(Martin Gardner) 18
막스 덴(Max Dehn) 234
막스 베즐(Max Bezzel) 189
말파티의 대리석 문제 175
매그너스 아우소니우스(Magnus Ausonius) 84
매듭이론 170
맥스 테그마크(Max Tegmark) 31
머피의 법칙 289
메나이크모스(Menaechmus) 70
메뚜기 게임 347
메뚜기 수(grasshopping number) 347
메르센 소수(Mersenne prime) 74
『메카니체(Le Meccaniche)』 80
『메카니카(Mechanica)』 65
『메카닉스(Mecganics)』 80
멜 스토버(Mel Stover) 207
모노미노 288
모서리 정육면체 182
모에라키 320
모호한 네커 정육면체 182
몬티 홀 문제 332, 333
몰리의 삼등분 정리 227
몽포르 문제(Montfort problem) 278
뫼비우스 띠 190, 191
무한 공간(Infinite Space) 24
무한 원숭이 정리 242
미겔의 다섯 개 원의 정리 184
미겔의 여섯 개 원의 정리 185
밀-나인 맨스 모리스(Mill-Nine men's morris) 51
바둑돌 게임 151
바뤼흐 스피노자(Baruch Spinoza) 236
바르텔 레인더르트 판데르바르던(Bartel L. van der Waerden) 149
바리뇽의 정리 154
바리뇽의 평행사변형 154
바빌론 퍼즐 214
바셰의 칭량 문제 132
바츠와프 시에르핀스키(Waclaw Sierpinski) 244

바츨라프 흐바탈(Václav Chvátal) 313
반중력 128
반중력 철로 128
백개먼(backgammon) 38
버나드 데블린(Bernard Devlin) 12
버크민스터 풀러(Buckminster Fuller) 300
베르너 폰 브라운(Werner von Braun) 144
베르누이의 원리(Bernouilli principle) 32
베르트랑의 현의 역설 220
베르트랑-체비셰프 정리(Bertrand-Chebyshev Theorem) 254
베시코비치의 증명 245
벤 다이어그램 퍼즐 246
벤포드의 법칙 258
변분법(calculus of variations) 165
보나벤투라 프란체스코 카발리에리(Bonaventura Francesco Cavalieri) 140
보로메안 고리(Borromean rings) 93
보이티우스(Boethius) 71
『보조정리집(Book of Lemmas)』 85
복원 추출 34
볼록 정다면체 62
볼프강 하켄(Wolfgang Haken) 194
부등변 사각형(trapezoids) 54
분리된 m개의 영역을 같은 색으로 칠하는 문제(M-pire 문제) 228
분할 100
불가능한 그림 255
불가능한 삼각형 255
불가능한 접기 퍼즐 331
불을 밝힐 수 없는 방 문제 339
뷔퐁의 바늘 실험 161
브라우어르의 정리(Brouwer Theorem) 304
브라운 운동(Brownian motion) 237
브래들리 에프론(Bradley Efron)
블라디미르 아르놀트(Vladimir Arnold) 340
블레즈 파스칼(Blaise Pascal) 107, 142
블록 앤드 테클 시스템 80
비둘기 집 원리 183
비비아니의 정리 145
비전이 역설(non-transitivity paradoxes) 309
비주기적 타일 붙이기 315
〈비트루비안 사람(Vitruvian Man)〉 113
빌 커틀러(Bill Cutler) 83
빌리암 흐라츠마(William Graatsma) 311
사고실험 24
사부로 타무라(Saburo Tamura)
사이먼 뉴컴(Simon Newcomb) 258
사이클로이드(cycloid) 110
산가쿠(算額) 128
산가쿠 정리 129
『산술 입문(Introductions to Arithmetic)』 75
삼각수 288
삼각형을 만드는 이중그래프 197
삼각형의 내각 21
삼각형의 내각 이등분하기 227
삼엽형 매듭 171
상승협동학(Synergetics) 300, 301
『새로운 두 과학(Two New Sciences)』 126
샐리논(Salinon) 86
샘 로이드(Sam Loyd) 37
샘 로이드의 화성 퍼즐 206
생각 놀이 9
생일 역설 261
성냥개비 퍼즐 180
『세계의 조화(Harmonices Mundi)』 138

세넷(senet) 39
세대 수열(sequence of generations) 260
세인트아이브스의 수수께끼 50
세포자동자(cellular automata) 293
『센토 눕티알스(Cento Nuptialis)』 84
소마 큐브 253
소수(素數) 33, 74
소수 간극(prime gap) 76
소수 나선 297
소수 패턴 76
소크라테스 69
속이 빈 정육면체 311
솔로몬 골롬(Solomon Golomb) 238, 266
수론(number theory) 74
수박 역설 292
수평적 사고방식 12
수학적 우주 가설(Mathematical Universe Hypothesis) 31
순열(permutation) 144
숨겨진 분포의 원리(principle of concealed distribution) 207
슈타이너 삼중계(Steiner triple systems) 188
슈퍼 타일(super tile) 336
슐레겔 다이어그램(Schlegel diagram) 196, 284
슐뢰플리(Schlafli) 기호 137, 138
스너브 큐브(snub cube) 139
스도쿠 116
스리 얀트라(Sri Yantra) 49
스리니바사 라마누잔(Srinivasa Ramanujan) 68
스마트 체(smart alec) 233
스콧 김(Scott Kim) 325
스타니슬라프 울람(Stanislaw Ulam) 297
스토마키온(Stomachion) 83
스토마키온 코끼리 퍼즐 84
스튜어트 코핀(Stewart Coffin) 346
스티븐 제이 굴드(Stephen Jay Gould) 33
스피드론(Spidron) 318, 319
스핑크스의 수수께끼 55
슬라이딩 퍼즐 209, 356
슬로타우버-흐라츠마 정육면체 쌓기 퍼즐 311
『시너고그(Synagoge)』 94
시드 색슨(Sid Sackson) 349
시몬 스테빈(Simon Stevin) 80, 124
시싸(Sissa ibn Dahir) 108
시에르핀스키 프랙털 244
신성한 기하학 49
실베스트 직선 정리 224
십이면체 우주 66
쌍둥이 뫼비우스 192
아나모르픽 예술 114
아드리안 피셔(Adrian Fisher) 36
아르키메데스 78
아르키메데스의 나선 69
아르키메데스의 원리 79
아르키메데스의 준정다면체 139
아르키메데스의 지렛대 원리 78
아르키타스(Archytas) 24
아리스토텔레스(Aristoteles) 24, 65
아리스토텔레스의 바퀴 역설 65
아메스 파피루스(Ahmes papyrus) 50
아불 웨파(Abul Wefa) 100
아서 스톤(Arthur H. Stone) 259
아우구스트 페르디난트 뫼비우스(A. F. Möbius) 190
아이작 뉴턴(Isaac Newton) 30, 70, 128, 149
아폴로니오스의 문제 77
아홉 개 원의 정리 187

안토니우 페티코브(Antonio Peticov) 358
안티키테라 기계(The Antikythera mechanism) 44
알람브라의 모자이크 패턴 105
알렉산더 맥메이헌(Alexander MacMahon) 229
알렉산드리아의 헤론(Hero of Alexandria) 80, 91
알렉스 셀비(Alex Selby) 341
『알마게스트(Almagest)』 94
알베르트 아인슈타인(Albert Einstein) 24, 30, 61, 69, 128
알케르케(Alquerque) 42
알프레드 켐프(Alfred Kempe) 228
애덤 월시(Adam Walsh) 294
앤드루 와일스(Andrew Wiles) 48
앨런 베넷(Alan Bennett) 191
야코프 슈타이너(Jacob Steiner) 165
얀 슬로타우버(Jan Slothouber) 311
양휘(楊輝) 107
에두아르 뤼카(Édouard Lucas) 90, 212
에드워드 드 보노(Edward de Bono) 12
에드워드 머피(Edward A. Murphy) 289
에드워드 프레드킨(Edward Fredkin) 293
에드윈 애보트(Edwin A. Abbott) 217
에라토스테네스의 지구 측정 88
에라토스테네스의 체 75
에레미아 제리 페렐(Jeremiah Jerry Farrell) 344
에르노 루빅(Erno Rubik) 317
에르되시 팔(Erdös Pál) 33, 254
에르되시의 수(Erdös number) 254
에르되시-체비세프 정리 254
에른스트 베르크홀트(Ernest Bergholt) 151
에른스트 슈트라우스(Ernst Strauss) 339
에밀 보렐(Emile Borel) 242
에반젤리스타 토리첼리(Evangelista Torricelli) 142
에스터로이드(asteroid) 345
에이모스 트버스키(Amos Tversky) 13
에피쿠로스(Epicurus) 24
엘리 마오르(Eli Maor) 52
여덟 여왕 문제 189
여행하는 외판원 문제 198
『역경』 50
역설 61
연필 마술 207
열거 조합론 50
영구기관(perpetual motion machine) 106
오거스트 레오폴드 크렐레(August Leopold Crelle) 227
오르막 롤러 128
오버더톱 퍼즐 357
오번의 폴리아볼로(Polyaboloes of O'beirne) 281
오스카 드벤터(Oskar van Deventer) 356
오스카 로이터바르드(Oscar Reutersvärd) 255
오스카의 꼬인 퍼즐 357
오일러 공식 158
오일러의 다각형 나누기 문제 157
옥시링쿠스 파피루스(Oxyrhunchus Papyri) 64
올리버 리오단(Oliver Riordan) 341
완전 방향그래프 197
완전 정사각형 257
완전 집합(complete set) 229
완전수(perfect number) 74
외적 현실 가설(External Reality Hypothesis) 31
요세푸스의 문제 92
요하네스 케플러(Johannes Kepler) 130
요한 베이더(Johannes Bader) 326
요한 크리스티안 포겐도르프(Johann Christian Poggendorff) 201
우박 수 256

우박 수열 256
원뿔곡선 70
원을 정사각형으로 만드는 문제 67
웨파의 분할 100
윌러드 콰인(W. V. Quine, 1962) 61
윌리엄 레드클리프(William Radcliffe) 225
윌리엄 레이번(William Leybourn) 128
윌리엄 로언 해밀턴(William Rowan Hamilton) 196
윌리엄 처칠(William Churchill) 320
윌리엄 후퍼(William Hooper) 268
윌리엄 휘스턴(William Whiston) 153
유도된 다각형 155
유사한 삼각형 60
유체정역학(hydrostatics) 78
유클리드(Euclid) 21
『유클리드 기하학(Euclidean geometry)』 154
이반의 큐브(Ivan's cubes) 230
이븐 할리칸(Ibn Khallikan)
이상고 뼈(Ishango bone) 34
이진 기억 바퀴 152
이진 주판 148
이집트의 미궁(Labyrinth) 36
이터너티 퍼즐(The eternity puzzle) 341
일곱 개 원의 정리 186
일정한 형태를 만드는 삼각수 57
입방 팔면체 149
입체각 63
자체 기술 수(self-descriptive number) 338
자체 기술(self-descriptive) 10개의 수 338
장 베르나르 푸코(Jean Bernard Foucault) 193
절편정리(Intercept Theorem) 60
점화관계(recurrence relation) 103
점화식(recurrence formula) 103
정규 테셀레이션(regular tessellation) 136
정규 폴리토프(regular polytopes) 265
정규분포 40
정육면체 격자 매듭 171
정육면체 단면 218
제갈량(諸葛亮) 90
제곱근 나선(square root spiral) 69
제논(Zeno) 61
제논의 역설 61
제리 슬로컴(Jerry Slocum) 352
제시 더글러스(Jesse Douglas) 165
제임스 스테판 (James Stephens) 356
제임스 와트(James Watt) 203
조너선 섀퍼(Jonathan Schaeffer) 43
조르당의 곡선 정리 219
조밀도 130
조제프 루이 라그랑주(Joseph-Louis Lagrange) 165
조제프 베르트랑(Joseph Bertrand) 220
조지 가모(George Gamov) 106
조지 토카스키(George Tokarsky) 339
조지 플림튼(George Plimpton) 48
조지프 플라토(Joseph Plateau) 165
조지프 휘트워스(Joseph Whitworth) 44
조쿠 심페키 삼포(Zoku Shimpeki Sampo) 129
조합 144
조합 퍼즐 357
조합론 50, 144
조화롭게 쌓기(harmonic stacking) 181
존 내쉬(John F. Nash) 263
존 디리클레(Johann Dirichlet) 183
존 벤(John Venn) 246

존 워커(John Walker) 180
존 워터하우스(John Waterhouse) 54
존 잭슨(John Jackson) 176
존 히우드(Percy John Heawood) 228
죌너 착시 201
『주비산경(周髀算經)』 52
주전원 77
주판 71
『주판서(Liber Abaci)』 50
준반정규 테셀레이션(demiregular tessellations) 138
준정규(semiregular) 테셀레이션 137
중국 고리 90
쥘 리사주(Jules Antoine Lissajous) 279
지구 둘레의 밧줄 153
지그문트 프로이트(S. Freud) 13
지남차(指南車) 44
지라르 데자르그(Girard Desargues) 141
지수적 성장(exponential growth) 108
지안 프란체스코 말파티(Gian Francesco Malfatti) 175
직교라틴방진(Orthogonal Latin square) 117
진 헤인젤린(Jean de Heinzelin de Braucourt) 34
질 클레망 (Gilles Clement) 326
'집-고양이-쥐-밀' 퍼즐 50
차원(dimension) 94
착시 200
찰스 트리그(Charles Trigg) 225
창의성 지능(Creative Quotient) 12
철로 미로 314
체스 말들의 자리바꿈 120
체커(Checker) 42
초타원(superellipse) 253
최단경로 문제 286
최소 경로 165
최소 슈타이너 트리(minimum Steiner trees) 165
최소 신장 트리(minimum spanning trees) 165, 273
최속강하선(brachistochrone) 문제 110, 150
최적의 골롬 눈금자 267
치눅(Chinook) 43
카를 프리드리히 죌너(Karl Friedrich Zöllner) 201
카밀 조르당(Camille Jordan) 219
카발리에리의 원리 140
카케야의 바늘 역설 245
칸토어 집합(Cantor's set) 243
칸토어의 빗 243
칼 피어슨(Karl Pearson) 236
커리의 삼각형 역설 269
커리의 정사각형 역설 268
커리의 체스판 역설 268
커크먼의 여학생 퍼즐 188
케네스 아펠(Kenneth Appel) 194
케이크 자르기 문제 177
케플러의 추측 130
코흐의 프랙털(Koch fractals) 235
콘웨이의 생명의 게임 293
콜럼버스의 달걀 112
쾨니히스베르크의 다리 문제 144, 156
쿠르트 쉬테(Kurt Schütte) 149
쿼터니언(quaternions) 196
퀴르슈차크 타일 66
퀴르슈차크(Kurschák)의 정리 66
크러스컬 알고리즘(Kruskal algorithm) 273
크리스토퍼 렌(Christopher Wren) 110
크리스토퍼 몬크턴(Christopher Monckton) 341
크리스티안 하위헌스(Christian Huygens) 150

클라인 병 191
클로드 가스파르 바셰 드 메지리악(Claude-Gaspard Bachet De Méziriac) 132
클로드 베레이(Claude Auguste Berey) 151
클리프 픽오버(Cliff Pickover) 27
타원 테이블 176
탈레스(Thales) 60
탱그램(Tangram) 100, 173
탱그램 볼록 다각형 174
터커맨 횡단(Tuckerman traverse) 259
테셀레이션(tessellation) 100
테야 크라섹(Teja Krasek) 360
테오도로스의 나선 69
테트라볼로(tetraboloes) 281
테트라키츠(tetraktys) 56
테트리스 328
토머스 오번(Thomas O'Beirne) 282
토머스 해리엇(Thomas Harriot) 121
토머스 헤일스(Thomas Hales) 130
통 쌓기 문제 208
트로미노 분할 240
트로미노 쌓기 240
티보 갈라이(Tibor Gallai) 224
티보 라도(Tibor Rado) 165
틱택토(tic-tac-to) 51
파르메니데스(Parmenides) 61
파스칼의 삼각형 142
파티 문제 250
파푸누티 체비셰프(Pafnuty Chebyshev) 254
파푸스(Pappus of Alexandria) 94
파푸스의 사슬 94
파푸스의 정리 95
패리티(Parity) 337
패리티 체크(parity check) 337
페나키스토스코프(phenakistoscope) 165
페닝턴 커크먼(Penyngton Kirkman) 188
페론 트리(Perron tree) 245
페르디난드 린데만(Ferdinand von Lindemann) 111
페르마의 다각수 정리(Fermat polygonal number Theorem) 56
페르마의 마지막 정리 48
페르페투움 모빌(perpetuum mobiles) 106
페리갈의 렙타일 정사각형 223
페예시 토트(Fejes Toth) 130
페터 바르코니(Péter Várkonyi) 340
펜로즈 삼각형(Penrose triangle) 255
펜로즈 타일 315
펜로즈의 불 밝힐 수 없는 방 339
펜타고라스(pentagoras) 310
펜타고어(pentagor) 310
펜토미노 색 퍼즐 238
펜토미노(pentominoes) 238
펠릭스 클라인(Felix Klein) 191
평면 분할 178
포겐도르프 착시 201
포셀리어-립킨(Peaucellier-Lipkin) 연결장치 203
폴 커리(Paul Curry) 269
폴리아몬드(polyamond) 238
폴리오미노(polyominoes) 232
푸코의 진자 193
프란츠 뢸로(Franz Reuleaux) 195
프랜시스 거스리(Francis Guthrie) 194
프랭크 몰리(Frank Morley) 227
프랭크 벤포드(Frank Benford) 258
프랭크 오드(Frank Odds) 296

프랭크 플럼프턴 램지(Frank Plumpton Ramsey) 248
플라마리옹 판화(Flammarion engraving) 24
플라비우스 요세푸스(Flavius Josephus) 92
플라토 문제 165
플라톤 입체 62
플렉사곤(flexagons) 259, 294
플렉시-트위스트(Flexi-Twist) 294
플루타르크(Plutarch) 60
'플림튼 322' 48
피보나치(Fibonacci) 50, 102
피보나치 수 102
피보나치 수열 103
피보나치 직사각형 104
피보나치의 토끼 문제 102
피에르 바리뇽(Pierre Varignon) 154
피에르 살루스(Pierre Sallus) 203
피에르 페르마(Pierre de Fermat) 48
피타고라스(Pythagoras) 56
피타고라스 정리 52
피타고라스의 세 수 48
피타고라스학파 56
피터 니울란트(Pieter Nieuwland) 143
피터 베르코니(Péter Várkonyi) 308
피트 하인(Piet Hein) 253
픽의 정리(Pick's Theorem) 226
하노이의 탑 퍼즐 214
하모노그래프(harmonograph) 279
한 잔의 차와 한 잔의 우유에 관한 문제 262
한스 홀베인(Hans Holbein) 114
합성수 74
항정선(loxodrome) 121
해럴드 스콧 맥도널드 콕서터(Harold Scott Macdonald Coxeter) 265
해리 잉(Harry Eng) 331
해밀턴 회로 196, 199
해버대셔(방물장수) 퍼즐(Haberdasher's Puzzle) 231
해피엔딩 문제 248
허먼 바라발레(Hermann Baravalle) 52
허버트 테일러(Herbert Taylor) 228
헤론의 문 열림 장치 90
헥시아몬드(hexiamond) 238, 282
헨리 듀드니(Henry Dudeney) 37, 231
헨리 페리갈(Henry Perigal) 52, 100, 223
헬게 폰 코흐(Helge von Koch) 235
홀디치의 정리 198
화요일에 태어난 남자아이 문제 354
황금 직사각형 59
황금비(golden ratio) 58
회전하는 나선 59
후고 슈타인하우스(Hugo Steinhaus) 226
후지무라 고본(Fujimura Kobon) 326
후지타 카겐(Fujita Kagen) 129
흐바탈 미술관 정리 313
히로이모노(Hiroimono) 109
히포크라테스(Hippocrates) 67, 68
히포크라테스의 육각형 정리 67
히포크라테스의 초승달 모양 67

100 만들기 게임 18
10차 그라코-라틴 방진 118
12면체를 둘러싼 여행 196
14-15 퍼즐 209
16진수 게임(Hex) 263, 264
18점 문제 260
30색 정육면체 230

3배 펜토미노 239

4색 정리 194

4차원 정육면체 222

50개의 우편함 퍼즐 183

세상의 모든 퍼즐

2019년 3월 31일 초판 1쇄 발행

지은이 이반 모스코비치
옮긴이 김미정
펴낸이 박래선
펴낸곳 에이도스출판사
표지 디자인 공중정원 박진범
본문 디자인 김경주
출판신고 제2018-000083호

주소 서울시 마포구 잔다리로 33 회산빌딩 402호
전화 02-355-3191
팩스 02-989-3191
이메일 eidospub.co@gmail.com
페이스북 facebook.com/eidospublishing
인스타그램 instagram.com/eidos_book
블로그 https://eidospub.blog.me/

ISBN 979-11-85415-26-0 03410

이 도서의 국립중앙도서관 출판예정도서목록(CIP)은
서지정보유통지원시스템 홈페이지(http://seoji.nl.go.kr)와
국가자료종합목록시스템(http://www.nl.go.kr/kolisnet)에서
이용하실 수 있습니다.(CIP제어번호 : CIP2019003228)